JAMT技術教本シリーズ

臨床微生物検査
技術教本

監修　一般社団法人　日本臨床衛生検査技師会

丸善出版

JAMT 技術教本シリーズについて

本シリーズは，臨床検査に携わる国家資格者が，医療現場や検査現場における標準的な必要知識をわかりやすく参照でき，実際の業務に活かせるように，との意図をもって発刊されるものです。

今日，臨床検査技師の職能は，医学・医療の進歩に伴い高度化・専門化するだけでなく，担当すべき業務範囲の拡大により，新たな学習と習得を通じた多能化も求められています。

“検査技師による検査技師のための実務教本”となるよう，私たちの諸先輩が検査現場で積み上げた「匠の技術・ノウハウ」と最新情報を盛り込みながら，第一線で働く臨床検査技師が中心になって編集と執筆を担当しました。

卒前・卒後教育は言うに及ばず，職場内ローテーションにより新たな担当業務に携わる際にも，本シリーズが大きな支えとなることを願うとともに，ベテランの検査技師が後進の教育を担当する場合にも活用しやすい内容となるよう配慮しています。さらには，各種の認定制度における基礎テキストとしての役割も有しています。

一般社団法人　日本臨床衛生検査技師会

本書の内容と特徴について

臨床微生物検査は感染症の変化に即応していかなくてはなりません。2000年以降注目されている感染症としては，薬剤耐性菌感染症とウイルス感染症をあげることができます。

薬剤耐性菌はグラム陰性菌の薬剤耐性が多様化し世界中へ拡散しました。本書の初版を刊行した2017年前後は薬剤耐性菌とその制御が世界的な課題となり，薬剤耐性（AMR）対策アクションプランが掲げられました。ウイルス感染症は2019年末に発生し，2020年にパンデミックに至った新型コロナウイルス感染症（COVID-19）がその代表的なものです。

微生物学的検査技術は，質量分析法による同定検査装置によって，細菌の代謝に依存してきた同定検査が高精度かつ迅速なものへ進歩しつつあります。遺伝子検査技術は，全自動または網羅的な核酸増幅装置の登場によってウイルス検査のルーチン化を，次世代シーケンサの登場によって微生物のゲノムレベルの分析速度を飛躍的に向上させました。

われわれは，これらの分析技術を適宜検査に取り入れ，感染症診療に一層貢献できるよう努力しなければなりません。一方，微生物学的検査はほかの臨床検査に比べて標準化が非常に遅れています。標準化は，検査そのものだけでなく，医師がスムーズかつ適切に検査をオーダーし検体を正しく採取するプロセス，および医師が検査結果を正しく解釈できるよう臨床的な意義が付された報告を含む，検査の総合管理を目指したものとしなくてはなりません。

第2版では，初版が基本とした臨床検査技師国家試験の出題基準を令和7年版としました。一方，微生物学的検査の現場で役立つ実践的な書籍としての特長は継承し，可能な限り最新のエビデンスにアップデートすることを心掛けました。改版のタイミングを優先したことで編集作業が短期間となり，執筆者にはご負担をおかけしました。この場を借りて深甚なる謝意を表します。一方，2023年はエビデンスとして参照されている書籍が次々に改版された。この点ではアップデートが必ずしも十分でない内容があると思われます。読者の皆様には遠慮なくご指摘ください。

第2版が初版と同様に，臨床検査技師を目指す学生の教科書，初学者の入門書としての役割はもちろんのこと，卒後教育や日常検査の参考書としても役立つことを執筆者および編集担当一同，願っています。

「臨床微生物検査技術教本 第2版」編集部会

編集委員および執筆者一覧

編集委員

大楠　清文　東京医科大学　微生物学分野

三澤　成毅*　順天堂大学　医療科学部

長沢　光章　日本臨床衛生検査技師会

［*は委員長］

執筆者

石垣しのぶ　帝京大学医学部附属病院　感染制御部

板羽　秀之　広島国際大学　保健医療学部

大楠　清文　東京医科大学　微生物学分野

大瀧　博文　関西医療大学　保健医療学部

小松　方　天理大学　医療学部

品川　雅明　日本医療大学　保健医療学部

豊川　真弘　福島県立医科大学　保健科学部

永沢　善三　国際医療福祉大学　福岡保健医療学部

長沢　光章　国際医療福祉大学大学院　医療福祉学研究科

長野　則之　信州大学　医学部

中村　彰宏　天理大学　医療学部

中村　竜也　京都橘大学　健康科学部

中山　章文　岐阜医療科学大学　保健科学部

舟橋　恵二　安城更生病院　臨床検査室

正木　孝幸　熊本保健科学大学　保健科学部

松本　竹久　信州大学　医学部

三澤　成毅　順天堂大学　医療科学部

宮本　仁志　愛媛大学医学部附属病院　検査部

米谷　正太　杏林大学　保健学部

［五十音順，所属は2023年10月現在］

初版 編集委員および執筆者一覧

初版（2017年）

編集委員［*は編集委員長］

大楠　清文	小郷　正則	永沢　善三	長沢　光章*
長野　則之	三澤　成毅		

執筆者

阿部美知子	板羽　秀之	犬塚　和久	大楠　清文
大瀧　博文	小栗　豊子	尾崎　京子	木下　承皓
黒川　幸徳	小松　方	霜島　正浩	常岡　英弘
出口　松夫	豊川　真弘	永沢　善三	長沢　光章
長野　則之	中山　章文	西宮　達也	正木　孝幸
松村　充	松本　竹久	三澤　成毅	村瀬　光春

医学アドバイザー

賀来　満夫	舘田　一博

［五十音順］

謝　辞

本書の編集にあたっては，多くの皆様のお力添えをいただきました。

本書は，2017年に出版され好評をもって迎えられた『臨床微生物検査技術教本』の基本構成および編集方針を踏襲しており，初版の記載内容を継承している部分も多くあります。『臨床微生物検査技術教本』初版の執筆者，写真提供者，査読者の貢献に対し，この場を借りて感謝申し上げます。

第2版の執筆にも，全国の病院や教育機関等で活躍されている方々にご参加いただきました。業務で多忙な中，初版の内容を精査し，より有益かつ最新の内容になるよう多大なるご尽力をいただきました。また，研究上の貴重な資料やデータをご提供いただいた諸氏，企業各社，ならびに，初版に対する種々のご意見を頂戴した読者の皆様にも厚く御礼を申し上げます。

『臨床微生物検査技術教本 第2版』編集部会

目　次

B. 微生物学的検査

※本書で紹介したウェブサイトのURLは2023年11月現在のものである。

Q&A，検査室ノート一覧

A. 臨床検査の基礎と疾病との関連

1章 微生物学の歴史と分類

章目次

SUMMARY

1670年代にLeeuwenhoekによって微生物が発見され，その後1800年代後半にPasteurによる滅菌と培養法の確立，Kochによる“Kochの4原則”の提唱により現代の学問体系が確立した。また，JennerやPasteurによる各種ワクチンの発明，Flemingによるペニシリンの発見などにより感染症における予防および治療の基礎が確立した。また，北里柴三郎，志賀　潔および野口英世ら日本人も大きな業績を残している。

生物の分類は，1735年にLinnéによる動物界と生物界の2界分類体系化により近代的分類学が創始され，以後さまざまな研究により多くの説が提唱されてきた。現在は，原核生物および真核生物の2分類を基準に3系統とそれぞれのスーパーグループによる系統分類が提唱されているが，今後の分子遺伝学の発展などにより変更を余儀なくされるであろう。また，分類には伝統的分類，分子遺伝学的分類，質量分析による分類などがある。臨床微生物学分野では，培養条件とGram染色からみた細菌分類体系が一般的である。

また，細菌の命名は国際原核生物命名規約，真菌は国際藻類・菌類・植物命名規約，ウイルスは国際ウイルス分類委員会により決定されている。

1.1 ｜ 微生物学の歴史

微生物の発見は，1670年代にオランダのAntonie van Leeuwenhoek（1632–1723）が発明した単眼顕微鏡で微小な生物の存在を初めて観察した。その後，顕微鏡が改良され多くの微生物が観察され，1872年にFerdinand Julius Cohn（1828–1898）は，初めて細菌を細胞形態にもとづいて分類したが，その分類群はわずか4群，6属であった。

そして，現在の微生物学の学問体系はフランスのLouis Pasteur（1822–1895）とドイツのRobert Koch（1843–1910）により確立された。

Pasteurは，塵が入らないように工夫した「白鳥の首型フラスコ」を考案し，煮沸して放置した肉汁は腐敗しないことを示し，腐敗した肉汁の微生物はすべて外界からの混入によるものであり，“生命は生命からのみ生まれる”という説を強く後押し，“生命の自然発生説”を否定した。また，微生物学の基本操作である加熱滅菌法と液体培養法の基礎を確立した。

一方，Kochは微生物の純培養法や染色の方法を改善して細菌培養法の基礎を確立し，固形寒天培地により細菌の単独コロニーをつくらせた。そして，炭疽菌，結核菌，コレラ菌などの微生物を次々と発見した。さらに，感染症の病原体を証明するための基本指針となるKochの原則を提唱し，感染症研究の開祖として医学の発展に貢献した。

1)ある一定の病気には一定の微生物が見出されること
2)その微生物を分離できること
3)分離した微生物を感受性のある動物に感染させて同じ病気を起こせること
4)その病巣部から同じ微生物が分離されること

上記1)～3)は，すでにドイツのFriedrich Gustav Jacob Henle（1809–1885）が提唱していたもので（Henleの3原則），Kochが4）を加え，Kochの4原則とした。

その後，1884年にデンマークのHans Christian Joachim Gram（1851–1938）がGram染色（グラム染色）法の原法を考案した。

また，Edward Jenner（1749–1823）が1796年に天然痘ワクチンを発明，Pasteurが炭疽菌ワクチンと狂犬病ワクチンを発明，1929年にAlexander Fleming（1881–1955）がペニシリンを発見したことにより，感染症における予防および治療の基礎が築かれた。

日本人としては，北里柴三郎（1853–1931），志賀　潔（1871–1957），秦佐八郎（1873–1938），野口英世（1876–1928）らが大きな業績を残した（表1.1.1）。

ウイルス学は，1892年にDamitri Iwanowskiが細菌濾過機を通過する微小なものとしてタバコモザイクウイルスを発見したことや1931年に電子顕微鏡が開発されウイルス粒子が発見できるようになりウイルス学が急速に進歩した。

また，遺伝子分野ではJames Dewey WatsonとFrancis Harry Compton CrickによるDNA二重らせん構造の発見，PCR法の開発により現在のさまざまな増幅法に受け継がれている。

そして，田中耕一が開発したMALDI-TOF MSが微生物同定に利用されている。

さらに，微生物学の歴史として感染制御学と免疫学の樹立，新興・再興感染症（p110参照），抗菌薬の開発と薬剤耐性菌の出現（p70　7.4参照）も重要である。

表1.1.1　微生物学の歴史（おもな細菌学者とその業績）

人物	病原体の発見・検査法などの発明（年代）
Antonie van Leeuwenhoek	・顕微鏡の発明（1670年代）
	・微生物の発見（1674）
Edward Jenner	・天然痘ワクチンの発明（1796）
Louis Pasteur	・“白鳥の首型フラスコ”を作製し，生命の自然発生説を否定（1861）
	・低温殺菌法の発明（1863）
	・炭疽菌ワクチンの発明（1881）
	・狂犬病ワクチンの発明（1882）
Robert Koch	・炭疽菌の発見（1876）
	・結核菌の発見（1882）
	・コレラ菌の発見（1883）
	・Kochの4原則〔1884/Henleの3原則（1840）〕
	・ツベルクリンの考案（1891）
Hans Christian Joachim Gram	・Gram染色の考案（1884）
北里柴三郎	・破傷風菌の純粋培養成功（1989）
	・ペスト菌の発見（1894，A. Yersinと共同）
志賀　潔	・赤痢菌の発見（1897）
秦佐八郎，Paul Ehrlich	・サルバルサンの発見（1910）
野口英世	・梅毒トレポネーマ純粋培養成功（1911）
Alexander Fleming	・ペニシリンの発見（1929）
Max Knoll，Ernst Ruska	・電子顕微鏡の発明（1931）
James Dewey Watson, Francis Harry Compton Crick	・DNA二重らせんの発見（1953）
Jevons MP	・MRSAの報告（1961）
Stanley Ben Prusiner	・プリオン蛋白の発見（1982）
Luc Antoine Montagnier	・ヒト免疫不全ウイルス（HIV）の発見（1983）
Kary Banks Mullis	・PCR法の開発（1985）
田中耕一	・MALDI-MS（質量分析法）の開発（1985）

［長沢光章］

1.2 | 生物学的位置

- 微生物学的領域において，生物は原核生物と真核生物の 2 つに分類に大別される。
- 原核生物は，DNA 分子が核様体として存在し，核膜をもたず，有糸分裂を行わない。
- 原核生物には，細菌，マイコプラズマ，リケッチア，クラミジアが含まれる。
- 真核生物は，核膜，核小体があり，有糸分裂を行い，ミトコンドリア，ゴルジ体を有する。
- 真核生物には，真菌，原虫などが含まれる。

生物の分類は，この世に存在する，あるいは存在したすべての生物をその対象としている。1735年にCarl von Linné (1707–1778) は，生物界を動物界と植物界の2界に分類体系化して近代的分類学を創始した。その後，3界説，5界説などが提唱され，1937年にÉdouard Pierre Léon Chatton (1883–1947) は生物全体を原核生物と真核生物の2つに分類した。1990年にCarl Richard Woese (1928–2012) は，原核生物を真正細菌と古細菌に分割し，階級名をドメインとした。2005年，国際原生生物学会から真核生物の新しい分類体系として，それまでの界の枠組みを廃し真核生物を6つのスーパーグループに分類する提唱があった（表 1.2.1）。

分類学は，その当時までに判明した情報にもとづきできるだけ納得できるような分類体系を模索し続けてきた。この体系は，分子遺伝学の発展などに伴い今後も変更を余儀なくされるはずである。

表 1.2.1　生物分類の変遷

Linné (1735) 2 界説	Haeckel (1894) 3 界説	Whittaker (1969) 5 界説	Chatton (1937) 二帝説	Woese (1990) 3 ドメイン説	国際原生生物学会 (2005) 系統分類
	原生生物界	モネラ界	原核生物	真正細菌	
				古細菌	
		原生生物界	真核生物	真核生物	オピストコンタ
植物界	植物界	菌界			アメーボゾア
					エクスカバータ
		植物界			リザリア
					アーケプラスチダ
動物界	動物界	動物界			クロムアルベオラータ

1.2.1 原核生物

原核生物は，DNA分子が核様体として存在し，核膜をもたず，有糸分裂を行わない。また，細胞小器官もない生物である。性質の異なる真正細菌（バクテリア）と古細菌（アーキア）の2つの生物を含んでいる。微生物検査領域では，真正細菌である細菌，マイコプラズマ，リケッチア，クラミジアなどが含まれる（表 1.2.2）。

用語　原核生物（procaryote），真核生物（eucaryote）

表 1.2.2　原核生物と真核生物の比較

		原核生物	真核生物
		細菌類 （細菌，マイコプラズマ，リケッチア，クラミジアなど） 藍藻類	真菌類 原生動物（原虫） 藻類 動物，植物
細胞壁 （おもな構成成分）		細菌・藍藻あり （ペプチドグリカン） マイコプラズマなし	真菌あり（キチン，β-グルカン） 植物あり（セルロース） その他はなし
核	核膜	なし	あり
	核小体	なし	あり
	有糸分裂	なし	あり
細胞質	ミトコンドリア	なし	あり
	ゴルジ体	なし	あり
	リソソーム	なし	あり
	リボソーム	70S	80S（小胞体上）
細胞分裂		2分裂	有糸分裂または減数分裂
生殖		無性生殖	有性生殖または無性生殖

1. 2. 2　真核生物

真核生物は，動物，植物，菌類，原生生物など，身体を構成する細胞の中に細胞核（核膜があり核と細胞質が明瞭に区別）を有する生物である。微生物検査領域では，真菌や原虫が含まれる。

［長沢光章］

1.3 | 分類

- 分類の基本は，形態学的（形や配列，グラム染色性，発育条件など），生化学的性状，生理学的，免疫学的性状にもとづくものである。
- 分子遺伝学的分類は，DNA 塩基配列などにより同定する。
- 細菌の命名は，国際原核生物命名規約による。
- 真菌の命名は，国際藻類・菌類・植物命名規約による。
- ウイルスの分類および命名は，国際ウイルス分類委員会による。

微生物の種類は膨大であり，当初の分類に用いられていた形態や限られた表現形質にもとづく分類方法では対応できず，さらに微生物の代謝系や構成成分を加えた分類法が用いられてきた。近年，分子遺伝学の進歩や新たな方法の開発に伴い，分子レベルで微生物を分類することが可能になった。

微生物検査では，臨床材料から分離した微生物の，形態学的，生化学的，生理学的および遺伝学的な性状を検査する。その結果をすでに分類されている微生物の性状と比較し，種を決定することを，同定という。

1. 伝統的分類

分類の基本は，形態学的，生化学的性状，生理学的，免疫学的性状にもとづくものである。形態学的特徴として，微生物の大きさ，形，配列，細胞構造（鞭毛・芽胞・莢膜などの有無や形状），染色性，コロニーの性状，発育条件などがある。生化学的性状には，各種の糖分解性，オキシダーゼ，カタラーゼ試験などがある。さらに，免疫学的性状として抗血清による凝集試験がある。

2. 分子遺伝学的分類

近年，分子生物学や遺伝子工学の進歩により，分子レベルやゲノム分析も可能となった。微生物のDNA塩基配列を調べ，①グアニンとシトシンのモル比（GC%），②DNAハイブリダイゼーションによるDNA相同性，③PCR法による16S rRNAをコードする遺伝子の塩基配列，④全ゲノム配列の類似度から菌種の同定を行うAverage Nucleotide Identity（ANI）解析，などにより同定を行う。

参考情報

マトリックス支援レーザー脱離イオン化飛行時間型質量分析計（MALDI-TOF MS）は，微生物に含まれている蛋白質の成分を質量の違いにより分析する新しい同定方法が日常検査に導入されてきた。

1.3.1 細菌の分類

細菌の分類は，国際的に「Bergey's Manual of Systematics of Archaea and Bacteria」が使用されている。従来は，Bergey's Manual of Systematic Bacteriology Vol. 1～4との名称で出版され（1984～2012年），バージェイ式分類とよばれている。

なお，臨床微生物分野の同定検査は培養条件とGram染色からみた細菌分類体系（表1.3.1）が一般的である。

用語　同定（identification），グアニン-シトシン（guanine-cytosine；GC），ポリメラーゼ連鎖反応（polymerase chain reaction；PCR），リボソーム RNA（ribosomal RNA；rRNA），マトリックス支援レーザー脱離イオン化飛行時間型質量分析計（matrix assisted laser desorption/ionization time of flight mass spectrometer；MALDI-TOF MS）

表 1.3.1　微生物検査（培養・Gram 染色）からみた細菌分類体系

				おもな Genus（属）
細菌	通性嫌気性 偏性好気性	グラム陽性	球菌	*Staphylococcus*, *Streptococcus*, *Enterococcus*
			桿菌	*Bacillus*, *Nocardia*, *Corynebacterium*
		グラム陰性	球菌	*Neisseria*
			桿菌	*Escherichia*, *Shigella*, *Salmonella*, *Pseudomonas*, *Vibrio*, *Haemophilus*
	偏性嫌気性	グラム陽性	球菌	*Peptostreptococcus*
			桿菌	*Eubacterium*
			有芽胞桿菌	*Clostridium*
		グラム陰性	球菌	*Veillonella*
			桿菌	*Bacteroides*, *Fusobacterium*
スピロヘータ				*Treponema*, *Borrelia*
レプトスピラ				*Leptospira*
マイコプラズマ				*Mycoplasma*, *Ureaplasma*
リケッチア				*Rickettsia*
クラミジア				*Chlamydia*

1. 3. 2　細菌の命名法

細菌の学名は，国際原核生物命名規約によって命名される。この規約はすべての細菌と古細菌の種から綱までの学名に適用される。この規約では，菌種（例えば*Staphylococcus aureus*）は属名（*Staphylococcus*）と種形容語（*aureus*）の2語組み合わせでラテン語として扱われ，イタリック体で表記する。記載方法として，*Staphylococcus aureus*の場合，*S. aureus*（ピリオドの後は半角スペース）と属名を1文字に略して記載することが認められている。なお，和名として黄色ブドウ球菌，大腸菌，緑膿菌など数種の菌種では日本語での呼び名が従来から使用されているが俗称である。細菌の分類階級を表1.3.2に示した。なお，亜種以下の分類は，国際原核生物命名規約に支配されないものである。

細菌名は，1980年1月1日に発効した細菌学名承認リストがすべての細菌の学名の出発点である。それ以降は，新しい学名に関する論文が，International Journal of Systematic and Evolutionary Microbiology（IJSEM）に掲載された時点で，その学名の正式発表の日とする。2023年10月現在で，4,039種類の属名が命名されている（Deutsche Sammlung von Mikroorganismen und Zellkulturen：DSMZより）。なお，正式に発表された学名がデータベース化されたウェブサイトとして，LPSN（https://www.bacterio.net/）があり，最新情報を入手することができる。

表 1.3.2　細菌の分類階級

分類階級	
ドメイン	Domain
界	Kingdom
門	Division
綱	Class
目	Order
科	Family
属	Genus
種	Species
亜種	Subspecies
種または亜種以下の細分	
生物型	biovar
血清型	serovar
ファージ型	phagovar

1. 3. 3　真菌の分類

真菌は，細菌より種類が多く10万種程度存在するとされ，自然界に広く分布している。そのなかでヒトの病原菌となるのは病原細菌より少ない400種程度とされる。

1. 病原真菌の分類

真菌界は，7門および上位門不明の2亜門に分類されるが，病原真菌はそのうちの3門および2亜門に含まれる（表1.3.3）。また，真菌はその形態から簡易的に酵母，糸状菌およびキノコ（担子菌門などの真菌で有性胞子形成器官を

用語　国際原核生物命名規約（International Code of Nomenclature of Prokaryotes），細菌学名承認リスト（Approved Lists of Bacterial Names）

表 1.3.3 おもな病原真菌の分類

子囊菌門	タフリナ亜門	*Pneumocystis jirovecii*（Y）
	サッカロミセス亜門	*Candida albicans*（Y）
	チャワンタケ亜門	*Aspergillus fumigatus*（F），*Trichophyton rubrum*（F），*Talaromyces*（*Penicillium*）*marneffei*（D），*Histoplasma capsulatum*（D），*Coccidioides immitis*（D），*Foncecaea pedrosoi*（F），*Sporothrix schenckii*（D），*Fusarium solanii*（F），*Scedosporium boydii*（F），*Alternaria alternata*（F）
担子菌門	プクキニア亜門	*Rhodotorula minuta*（Y）
	クロボキン亜門	*Malassezia restricta*（Y）
	ハラタケ亜門	*Cryptococcus neoformans*（Y），*Trichosporon asahii*（Y），*Schizophyllum commune*（M）
門不明	ムーコル亜門	*Mucor circinelloides*（F），*Rhizopus oryzae*（F），*Rhizomucor pussilus*（F），*Cunninghamella bertholletiae*（F）
	エントモフトラ亜門	*Conidiobolus coronatus*（F），*Basidiobolus microsporus*（F）
微胞子虫門		*Encephalitozoon cuniculi*（N）

(Y)：酵母，(F)：糸状菌，(D)：二形性真菌（生育環境によって酵母および糸状菌に形態変換する真菌），(M)：キノコ，(N)：近年，原虫から真菌に編入され酵母や糸状菌に分類されない。

表 1.3.4 わが国におけるおもな真菌感染症

感染部位別分類	おもな病型	おもな検査材料	おもな起因菌種
表在性真菌症	白癬	鱗屑，爪，毛髪など	*Trichophyton* spp., *Microsporum* spp., *Epidermophyton floccosum* など
	皮膚・粘膜カンジダ症	口腔・腟粘膜などの擦過物	*Candida albicans*，ほかの *Candida* spp.
	マラセチア感染症	鱗屑	*Malassezia* spp.
深部皮膚真菌症	スポロトリックス症	皮膚組織	*Sporothrix schenckii*
	黒色真菌症	皮膚組織	*Fonsecaea pedrosoi*, *Exophiala jeanselmei* などの黒色真菌
	その他	皮膚組織	*Cryptococcus neoformans*, *Aspergillus fumigatus*, *Scedosporium apiospermum*, *Paecilomyces lilacinus* など
深在性真菌症	呼吸器感染症	喀痰，気管支洗浄液，肺組織	*A. fumigatus*, *C. neoformans*, *Trichosporon* spp., *Pneumocystis jirovecii*, *S. apiospermum*, *Schizophyllum commune* など
	真菌血症（播種性感染）	血液，カテーテル片，（各臓器組織）	*Candida* spp., *Malassezia* spp., *Trichosporon* spp., *C. neoformans*, *Aspergillus* spp. など
	中枢神経系感染症	髄液，（脳組織）	*C. neoformans*, *Candida* spp. など（ムーコル目菌，黒色真菌，*Aspergillus* spp. など）
	尿路感染症	尿	*Candida albicans*，ほかの *Candida* spp.
	消化管感染症	腹水，上部・下部消化管組織	*Candida albicans*，ほかの *Candida* spp.
	輸入真菌症	喀痰，気管支洗浄液，血液，肺・皮膚組織など	*Histoplasma capsulatum*, *Coccidioides* spp., *Paracoccidioides brasiliensis*, *Blastomyces dermatitis*, *Talaromyces*（*Penicillium*）*marneffei*
その他	外耳炎，（鼻腔感染症）	耳道擦過物や耳垢，（鼻腔内容物）	*Aspergillus* spp.,（*Rhizopus oryzae* などムーコル目菌）
	角膜真菌症，（眼内炎）	角膜擦過物，（前房・硝子体）	*Fusarium* spp., *Aspergillus* spp. など,（*C. albicans*, ほかの *Candida* spp.）

傘の下のヒダに大量に形成する）などに大別されることが多いので，表中の菌名の後に合わせて記載した。真菌は，有性生殖および無性生殖の両者で増殖する微生物で，分類は有性生殖の状態（有性世代）を基本になされている。現在すべての菌種について有性世代が確認されているわけではないが，分子生物学的方法（塩基配列の確認）によって，いずれかの有性生殖グループに帰属させることが可能となった。また，真菌の菌種名は有性世代と無性世代で菌名の異なる世代別二名法であったが，一菌種一学名とすることが決定され，現在その作業が進行中である。今後，いくつかの菌種名が変更になると思われるが，表1.3.3中には現在使用されている菌種名を記載した。

真菌の命名は，国際藻類・菌類・植物命名規約に則り，国際会議で決定される。

2. おもな真菌感染症と起因菌

わが国におけるおもな真菌感染症を感染部位別に4つに分類し，それらのおもな起因菌を表1.3.4に示した。①病巣が表皮あるいは粘膜に限局する表在性真菌症，②真皮以下に病巣を形成する深部皮膚真菌症，③血液および諸臓器に形成する深在性真菌症および④耳鼻科ならびに眼科領域の真菌症である。起因菌種がわが国には存在しないとされ，その病原性がバイオセーフティレベル（BSL）3と高い輸入真菌症は二重枠で示した。輸入真菌症を除く③のほとんどおよび鼻腔感染症ならびにカンジダ性眼内炎などは，基礎疾患を有する患者に発症する日和見感染症である。発症頻度が高いのは皮膚科領域の白癬を主体とした表在性真菌症およびカンジダ属菌やアスペルギルス属菌などによる日和見感染型の深在性真菌症で，これら二者が日常経験される真菌症である。近年，深在性真菌症の起因菌種は多彩化の傾向にあり，また発症例数は少ないながら輸入真菌症も増

用語　バイオセーフティレベル（biosafety level；BSL）

加の傾向にある。

感染症以外に真菌が原因となる疾病として，アレルギー性疾患および中毒がある。前者にはアレルギー性気管支肺アスペルギルス症やトリコスポロン属菌による夏型過敏性肺炎などが，後者にはアスペルギルス属菌が産生する毒素であるアフラトキシンによる中毒などがある。

1.3.4　ウイルスの分類

これまでにウイルスの分類は，宿主や症状，伝染方法，ウイルス粒子の形状などを基準に分類されてきたが，今日ではウイルスに含まれる核酸の型，その発現形式に重点を置く Baltimore（ボルティモア）分類が広く用いられている。ボルティモア分類は，DNA と RNA の保有状況，一本鎖または二本鎖，RNA が＋鎖（mRNA として作用）または－鎖により7群に分類される。

現在，国際ウイルス分類委員会（ICTV）の定める分類体系の基本骨格となっている。ICTV の2022年報告の Master Species List（MSL38）では，72目，264科，2,818属，11,273種に分類されている。おもなウイルスの分類を表1.3.5に示した。

2019年11月に中国で初めて感染が確認された新型コロナウイルス（SARS-CoV-2）は，重症急性呼吸器症候群の原因ウイルスである SARS-CoV の姉妹株にあたる。すなわち，SARS-CoV と同じ種名（*Severe acute respiratory syndrome-related coronavirus*）であり，株名が *Severe acute respiratory syndrome-related coronavirus 2* と命名さ

表 1.3.5　おもなウイルスの分類

目（order）	科（family）	属（genus）	種（species）	ウイルス感染症（ウイルス和名）
Group Ⅰ．二本鎖 DNA				
Caudovirales	*Podoviridae*			
Ligamenvirales	*Lipothrixviridae*			
Herpesvirales	*Herpesviridae*	*Simplexvirus*	*Human alphaherpesvirus 1*（*Herpes simplex virus 1*）	口唇ヘルペス（単純ヘルペス）
			Human alphaherpesvirus 2（*Herpes simplex virus 2*）	性器ヘルペス（単純ヘルペス）
		Varicellovirus	*Human alphaherpesvirus 3*（*Human herpesvirus 3*）	水痘・帯状疱疹（VZV）
		Cytomegalovirus	*Human betaherpesvirus 5*（*Human herpesvirus 5*）	（サイトメガロウイルス）
		Roseolovirus	*Human betaherpesvirus 6B*（*Human herpesvirus 6B*）	突発性発疹，熱痙攣
		Lymphocryptovirus	*Human gammaherpesvirus 4*（*Epstein-Barr virus*）	伝染性単核球症，バーキットリンパ腫（EB ウイルス）
		Rhadinovirus	*Human gammaherpesvirus 8*（*Human herpesvirus 8*）	カポシ肉腫
*	*Adenoviridae*	*Mastadenovirus*	*Human mastadenovirus A*（～ *G*）（*Human adenovirus*）	上気道炎，流行性角結膜炎（アデノウイルス）
	Papillomaviridae	*Alphapapillomavirus*	*Alphapapillomavirus 1*（～ *14*）（*Human papilloma virus*）	尖圭コンジローマ（パピローマウイルス）
	Poxviridae	*Orthopoxvirus*	*Variola virus*	痘瘡 / 天然痘
			Vaccinia virus	〔痘瘡に対する弱毒ワクチン（種痘）〕
			Mpox virus（*Monkeypox virus*）	エムポックス
		Molluscipoxvirus	*Molluscum contagiosum virus*	伝染性軟属腫 / 水いぼ
	Polyomaviridae	*Alphapolyomavirus*	*Human polyomavirus 5*（*Merkel cell polyomavirus*）	メルケル細胞癌
		Betapolyomavirus	*Human polyomavirus 1*（*BK polyomavirus*）	
			Human polyomavirus 2（*JC polyomavirus*）	進行性多巣性白質脳症
		Deltapolyomavirus	*Human polyomavirus 6*	
Group Ⅱ．一本鎖 DNA				
*	*Parvoviridae*	*Erythroparvovirus*	*Primate erythroparvovirus 1*（*Human parvovirus B19*）	（パルボウイルス B19）
Group Ⅲ．二本鎖 RNA				
*	*Reoviridae*	*Rotavirus*	*Rotavirus A*（～ *H*）	乳幼児嘔吐下痢症（ロタウイルス）
Group Ⅳ．一本鎖 RNA+ 鎖				

用語　メッセンジャー RNA（messenger RNA；mRNA），国際ウイルス分類委員会（International Committee on Taxonomy of Viruses；ICTV），水痘・帯状疱疹ウイルス（Varicella zoster virus；VZV），エプスタイン・バー（Epstein-Barr；EB）

表 1.3.5　おもなウイルスの分類（つづき）

目（order）	科（family）	属（genus）	種（species）	ウイルス感染症（ウイルス和名）
Picornavirales	*Picornaviridae*	*Enterovirus*	*Enterovirus A*（*Human coxsackievirus, Human echovirus, Human enterovirus, Human poliovirus*）	胃腸炎，髄膜炎（コクサッキーウイルス，エコーウイルス，エンテロウイルス），急性灰白髄炎（ポリオウイルス）
			Rhinovirus A（～*C*）	（ライノウイルス）
		Aphthovirus	*Foot-and-mouth disease virus*	口蹄疫
		Hepatovirus	*Hepatovirus A*	A 型肝炎
		Kobuvirus	*Aichivirus A*	
		Parechovirus	*Parechovirus A*	
Nidovirales	*Coronaviridae*	*Alphacoronavirus*	*Human coronavirus 229E*	
			Human coronavirus NL63	
		Betacoronavirus	*Human coronavirus HKU1*	
			Middle East respiratory syndrome-related coronavirus	中東呼吸器症候群（MERS コロナウイルス）
			Severe acute respiratory syndrome-related coronavirus	重症急性呼吸器症候群（SARS コロナウイルス）COVID-19，新型コロナウイルス感染症
Tymovirales				
*	*Caliciviridae*	*Norovirus*	*Norwalk virus*	（ノロウイルス）
		Sapovirus	*Sapporo virus*	
	Togaviridae	*Alphavirus*	*Eastern equine encephalitis virus*	東部ウマ脳炎
			Venezuelan equine encephalitis virus	ベネズエラウマ脳炎
			Chikungunya virus	（チクングニアウイルス）
		Rubivirus	*Rubella virus*	風疹
	Flaviviridae	*Flavivirus*	*Japanese encephalitis virus*	日本脳炎
			Yellow fever virus	黄熱
			Dengue virus	デング出血熱
			West Nile virus	西ナイル熱
			Zika virus	ジカ熱
		Hepacivirus	*Hepatitis C virus*	C 型肝炎
	Astroviridae	*Mamastrovirus*	*Mamastrovirus 1*（*Human astrovirus 1*）	
	Hepeviridae	*Hepevirus*	*Hepatitis E virus*	E 型肝炎
Group V．一本鎖 RNA －鎖				
Mononegavirales	*Filoviridae*	*Ebolavirus*	*Bundibugyo ebolavirus*	エボラ出血熱（ブンディブギョ型）
			Reston ebolavirus	エボラ出血熱（レストン型）
			Sudan ebolavirus	エボラ出血熱（スーダン型）
			Taï Forest ebolavirus	エボラ出血熱（タイフォレスト型）
			Zaire ebolavirus	エボラ出血熱（ザイール型）
		Marburgvirus	*Marburg marburgvirus*	マールブルグ病
	Paramyxoviridae	*Avulavirus*	*Newcastle disease virus*	ニューカッスル病
		Morbillivirus	*Measles virus*	麻疹
		Respirovirus	*Human parainfluenza virus 1*	パラインフルエンザ
			Sendai virus	
		Rubulavirus	*Human parainfluenza virus 2*	パラインフルエンザ
			Mumps virus	流行性耳下腺炎（ムンプスウイルス）
	Pneumoviridae	*Metapneumovirus*	*Human metapneumovirus*	肺炎（ヒトメタニューモウイルス）
		Orthopneumovirus	*Human respiratory syncytial virus*	肺炎（RS ウイルス）
	Rhabdoviridae	*Lyssavirus*	*Rabies lyssavirus*（*Rabies virus*）	狂犬病
*	*Arenaviridae*	*Mammarenavirus*	*Lymphocytic choriomeningitis virus*	リンパ球性脈絡髄膜炎
			Lassa mammarenavirus（*Lassa virus*）	ラッサ熱
			Sabiá mammarenavirus	ブラジル出血熱
			Junín mammarenavirus	アルゼンチン出血熱
	Orthomyxoviridae	*Influenzavirus A*	*Influenza A virus*	A 型インフルエンザ，鳥インフルエンザ（H5N1）
		Influenzavirus B	*Influenza B virus*	B 型インフルエンザ
		Influenzavirus C	*Influenza C virus*	C 型インフルエンザ
	Bunyaviridae	*Hantavirus*	*Hantaan hantavirus*	腎症候性出血熱（ハンタウイルス）
		Nairovirus	*Crimean-Congo hemorrhagic fever nairovirus*	クリミア・コンゴ出血熱
		Phlebovirus	*Rift Valley fever phlebovirus*	リフトバレー熱
			SFTS phlebovirus	重症熱性血小板減少症候群（SFTS ウイルス）
	Kolmioviridae	*Deltavirus*	*Hepatitis delta virus*	D 型肝炎

用語　中東呼吸器症候群（Middle East respiratory syndrome；MERS），重症急性呼吸器症候群（severe acute respiratory syndrome；SARS），RS（respiratory syncytial），重症熱性血小板減少症候群（severe fever with thrombocytopenia syndrome；SFTS）

表 1.3.5　おもなウイルスの分類（つづき）

目（order）	科（family）	属（genus）	種（species）	ウイルス感染症（ウイルス和名）
Group Ⅵ．一本鎖 RNA ＋鎖逆転写				
＊	*Retroviridae*	*Deltaretrovirus*	*Primate T-lymphotropic virus 1*	ヒトT細胞白血病（HTLV-1）
			Primate T-lymphotropic virus 2	ヒトT細胞白血病（HTLV-2）
		Lentivirus	*Human immunodeficiency virus 1*	HIV-1
			Human immunodeficiency virus 2	HIV-2
Group Ⅶ．二本鎖 DNA ＋鎖逆転写				
＊	*Hepadnaviridae*	*Orthohepadnavirus*	*Hepatitis B virus*	B型肝炎

＊：未定，または未分類。

〔International Committee on Taxonomy of Viruses : The Master Species List 2022 MSL38.v3. https://ictv.global/msl〕

表 1.3.6　標的臓器（親和性）によるウイルス分類

標的臓器	ウイルス名
全身	麻疹ウイルス，風疹ウイルス，水痘・帯状疱疹ウイルス，痘瘡ウイルス，ほか
呼吸器	インフルエンザウイルス，RSウイルス，ライノウイルス
腸管	エンテロウイルス（ポリオ，エコー，コクサッキー），アデノウイルス，ノロウイルス
肝臓	A型・B型・C型肝炎ウイルス
神経	ポリオウイルス，日本脳炎ウイルス，狂犬病ウイルス，麻疹ウイルス，単純ヘルペスウイルス
皮膚・粘膜	単純ヘルペスウイルス，水痘・帯状疱疹ウイルス，パピローマウイルス
リンパ球	ヒト免疫不全ウイルス，ヒトT細胞白血病ウイルス

れた。

また，従来から用いられている各ウイルスが好んで感染する標的臓器（親和性）による分類を表 1.3.6 に示した。

なお，従来からのウイルス名と大きく変わったウイルスもあり，各論では一般的なウイルス名を記している。

［長沢光章，品川雅明］

用語　ヒトリンパ球向性ウイルス（human T-lymphotropic virus；HTLV），ヒト免疫不全ウイルス（human immunodeficiency virus；HIV）

参考文献

1）Microbiology Society : International Journal of Systematic and Evolutionary Microbiology (IJSEM). https://www.microbiologyresearch.org/content/journal/ijsem
2）Leibniz Institute : Deutsche Sammlung von Mikroorganismen und Zellkulturen (DSMZ). https://www.dsmz.de/
3）International Committee on Systematics of Prokaryotes : List of Prokaryotic names with Standing in Nomenclature. http://www.bacterio.net/
4）Index Fungorum Partnership : Index Fungorum. https://www.indexfungorum.org/Names/IndexFungorumPartnership.htm
5）International Committee on Taxonomy of Viruses : ICTV. http://ICTV.global

A. 臨床検査の基礎と疾病との関連

2章 形態，構造および性状

章目次

SUMMARY

細菌の大きさは0.5〜10μmで，形は球状，桿状，らせん状，さらに対，連鎖，不規則な配列と菌種によって特徴的な形態を示している。構造として，ペプチドグリカン層などからなる細胞壁はグラム陽性菌と陰性菌で大きく異なっている。また，細胞膜に囲まれた細胞質と核様体からなっており，核膜やミトコンドリアは存在しない。菌種により，莢膜，鞭毛および芽胞などを有している。

真菌は，形態により酵母および糸状菌に大別され，さらに生育環境により両者に形態変換する二形成真菌がある。真菌は真核細胞で構成され，核，ミトコンドリアおよびゴルジ体などを有する。

ウイルスは，核酸（DNAまたはRNAの一方）とカプシドから構成され，さらにエンベロープを保有しているウイルスもある。

2.1 細菌の構造と性状

- グラム陽性菌の細胞壁は，厚いペプチドグリカン層が主成分である。
- グラム陰性菌の細胞壁は，外膜があり，細胞膜（内膜）の間にペプチドグリカン層およびペリプラスム間隙からなっている。
- グラム陰性桿菌の外膜には，リピドAがあり，ヒトと動物に対して毒性を示し，内毒素（エンドトキシン）とよばれる。
- 細菌は，1本の長い二重らせん構造をもつDNA分子が環状となった核様体が存在し，核膜はもたない。
- 細菌の種類により，多糖類やポリペプチドで構成された莢膜，運動器官である鞭毛，極めて耐久性の高い細胞構造である芽胞をもっている。
- 粘膜表面への細菌の付着や細菌同士の接合に関係する線毛をもっている。とくに，薬剤耐性情報であるRプラスミドの伝達に関与している。

2.1.1 細菌の形態

細菌の大きさ，配列，形などは，菌種によっては特徴的な形態を示しており，同定の一助となる。

1. 細菌の大きさ

細菌の大きさは菌種により異なり，同一菌種であっても菌株や発育条件により異なる場合がある。ほとんどの細菌の大きさは0.5～10.0μmである。球菌は直径，桿菌は短径×長径で表記され，単位はμmを用いる。ブドウ球菌の直径は0.5～1.5μm，大腸菌の直径は1.0～1.5×2.0～6.0μmである。

2. 細菌の形

細菌には典型的に，表2.1.1に示した3つの基本的な形がある。

(1) 球状

形が球形で，正球形型，ランセット型，腎臓型などがある。

(2) 桿状

形が桿状または棍棒状で，菌種により大きさが異なり，太く丸みを帯びたもの，紡錘状や細くとがったもの，さまざまな形のものなどがある。また，形により球桿菌，短桿菌とよぶこともある。

(3) らせん状

ねじれが1回転位から十数回転しているものがある。長径が短くコンマ状，小らせん状，波動状のものがある。分

表2.1.1　細菌の形態と配列

形態	配列		おもな菌種
球状	不規則な集塊（ブドウの房状）		ブドウ球菌
	双球状（ランセット型）		肺炎球菌
	双球状（腎臓型）		リン菌，髄膜炎菌 その他のナイセリア属 モラクセラ属
	連鎖状		レンサ球菌
	四連状		四連球菌
	単球状		腸球菌（一部連鎖）
桿状	桿状		大腸菌
	棍棒状		バチルス属
	球桿状		アシネトバクター
	紡錘状		フソバクテリウム
	短桿状～多形性		インフルエンザ菌
らせん状	コンマ状		コレラ菌 ビブリオ
	らせん状		カンピロバクター ヘリコバクター
	波動状		スピロヘータ科

類的に桿状（桿菌）に含まれる場合がある。

3. 細菌の配列

細菌は2分裂を行いながら増殖するので，それぞれの菌種の分裂の仕方によっては特徴ある配列となる。

球菌は，1つまたはそれ以上の平面か，常に直角な方向の平面で分裂することができる。1つの平面で分裂すると，対（双球菌）または鎖状（レンサ球菌）になる。2平面で分裂すると四角形に配置された4つの細胞（四連球菌），3平面で分裂すると立法体型に配置された8つの細胞（八連球菌），多平面で不規則に分裂するとブドウ状の塊（ブドウ球菌）となる。

桿菌は，1つの平面のみで分裂し，端と端を接した細胞（短連鎖状）または横に並んだ細胞になる。らせん菌は，グループを形成しない。

2.1.2 細菌の構造

細菌の典型的な構造を図2.1.1に示した。

1. 細胞壁

ほとんどの細菌には，細胞膜の外側に強固な構造をもった細胞壁がある。細胞壁は，細胞特有の形態を維持すること，および浸透圧により液体が過剰に細胞内へ流れ込んできたときに細胞が膨潤して破裂するのを防ぐ重要な役割がある。

細胞壁は，*N*-アセチルグルコサミンと*N*-アセチルムラミン酸との互いの連鎖からなるペプチドグリカン（ムレインともよばれる）層，リン脂質，蛋白質，多糖体などからなっているが，球菌と桿菌では組成や形状が大きく異なっている。グラム陽性菌とグラム陰性菌の特徴を表2.1.2に示した。

(1) グラム陽性菌の細胞壁（図2.1.2）

厚いペプチドグリカン層が主成分で，その他にタイコ酸，リポタイコ酸，細胞壁結合蛋白質からなっている。タイコ酸は，グリセロールリン酸がホスホジエステル結合を介して連なったポリマーで，細胞表層抗原であり，グラム陰性菌の細胞壁には存在しない。

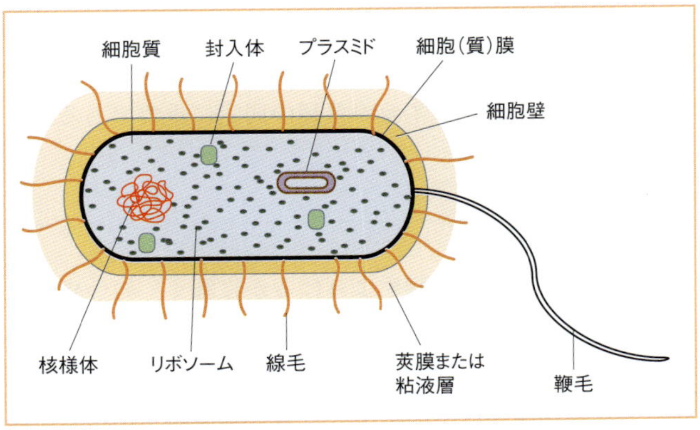

図2.1.1 典型的な原核細胞
描かれた細胞は極鞭毛をもつ桿菌。

(2) グラム陰性菌の細胞壁（図2.1.3）

一番外側には外膜があり，細胞膜（内膜）の間にペプチドグリカン層およびペリプラスム間隙からなっている。

外膜は，外側にリポ多糖（LPS）を包含しており，LPSの一部（O-多糖）は抗原性を有するため菌種の同定に用いられる。また，脂質部位（リピドA）は膜に埋め込まれており，ヒトと動物に対して毒性を示し，内毒素（エンドトキシン*1）とよばれる。

ペリプラスム間隙は，分解性の酵素や輸送蛋白質が存在している。

表2.1.2 グラム陽性菌とグラム陰性菌の特徴

特性	グラム陽性菌	グラム陰性菌
ペプチドグリカン	厚い層	薄い層
タイコ酸	存在する	存在しない
脂質	非常に少ない	リポ多糖層
外膜	なし	あり
毒素	外毒素	エンドトキシン（内毒素）

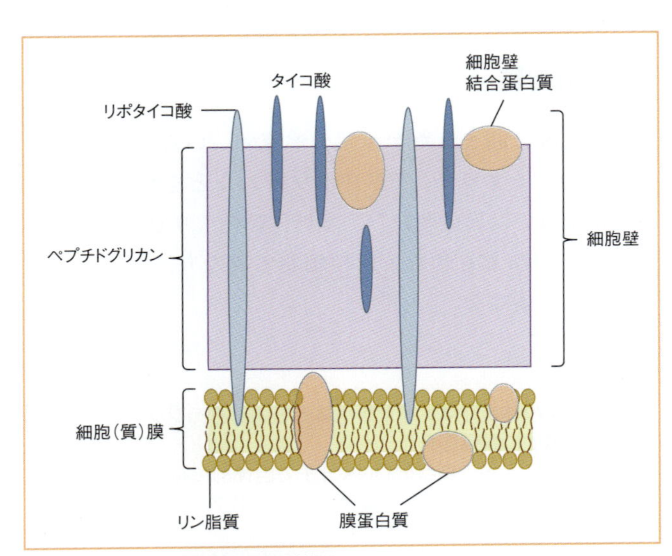

図2.1.2 グラム陽性菌の細胞壁構造

用語 細胞壁（cell wall），リポ多糖（lipopolysaccharide；LPS）

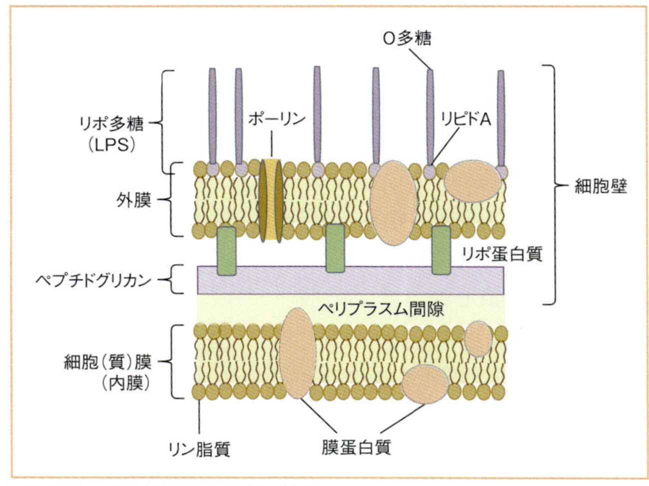

図 2.1.3　グラム陰性菌の細胞壁構造

参考情報

＊1：エンドトキシン：エンドトキシンとエンテロトキシンは名称が似ているが，エンテロトキシンは小腸粘膜に対し毒性を示すエキソトキシン（外害毒）であり混同しないこと。
細胞壁がなくなり，細胞膜のみで覆われている状態の菌をL型菌（プロトプラスト，スフェロプラスト）という。L型菌は，グラム陽性菌からもグラム陰性菌からも生じるが，Gram染色（グラム染色）では細胞壁をもたないため常にグラム陰性を示し，桿菌でも外形は球型である。元の形態に戻ることもできる不安定型と，戻ることのできない安定型の2種類に分類できる。

2. 細胞（質）膜

細胞質と細胞壁を隔てる膜状構造で，リン脂質，蛋白質，多糖体で構成され，脂質二重層とよばれる構造をつくっている。イオンなどの低分子を透過させたり，レセプターを介して細胞外からのシグナルを受け取る機能を有している。

3. 細胞質

細胞質膜に囲まれたゲル状の溶液で，いろいろな酵素，代謝産物，ミネラル，70Sリボソームなどを含む。また，菌種によっては異染顆粒*2，多糖体顆粒，リピド顆粒，プラスミド*3なども含む。真核細胞と異なり，ミトコンドリアや葉緑体はない。

参考情報

＊2：異染小体またはナイセル小体ともよばれ，ジフテリア菌に特徴的に観察される。
＊3：プラスミド：環状のDNA分子で自律的に複製する。細菌では，Fプラスミド（接合に関与），Rプラスミド（薬剤耐性に関与）が重要である。

4. 核様体

1本の長い二重らせん構造をもつDNA分子が環状となり存在しているが，真核生物とは異なり核膜はもたない。Giemsa染色（ギムザ染色）やFeulgen染色（フォイルゲン染色）でDNAを染色でき，染色された顆粒をクロマチン小体とよぶ。

5. 莢膜，粘液層

細菌の種類により細胞壁の外側に粘稠性の層をもつものがある。菌体から分泌された多糖類やポリペプチドで構成され，あたかも菌体の周囲にもう1層の膜をもっているように見え，境界が明瞭なものを莢膜，不明瞭なものを粘液層という。同種の菌であっても莢膜をつくる菌株と，つくらない菌株とが存在する。また，同じ莢膜をつくる菌株であっても，培養や生育の条件によっては莢膜を形成しない場合がある。莢膜は，Gram染色で菌体周囲が透明像として観察されるが，確実な検出には莢膜染色を行う。

多くの抗原性があり，莢膜抗原（K抗原）の特異性から細菌の血清型別が行われる。また，特異抗体と反応すると莢膜が膨化し（莢膜膨化試験），肺炎球菌やインフルエンザ桿菌の血清型別に用いられる。なお，チフス菌（サルモネラ）に見られるVi抗原も莢膜に由来する抗原分子である。

参考情報

バイオフィルム：粘液層と同様に，細菌が分泌した大量の多糖類（グリコカリックス）などの粘質物によって複数の菌体を覆い包み，また物体の表面に強く付着して，増殖生存のための場を形成したもの。

6. 鞭毛

細胞壁から突き出た毛様の付属器で，運動器官と考えられている。鞭毛の位置と数により，単毛（極単）菌，両毛菌，叢毛（極多）菌，周毛菌に分けられる（図2.1.4）。

鞭毛は蛋白質であり抗原性（H抗原）をもっており，とくに血清型別はサルモネラの菌種の同定に重要である。

7. 線毛

グラム陰性菌には，鞭毛よりはるかに細く，短い繊維状の蛋白質構造物が菌体表面を多数覆っているものがあり，これを線毛という。光学顕微鏡では観察できない。感染初期における粘膜表面への細菌の付着や細菌同士の接合に関

用語　細胞（質）膜（cytoplasmic membrane），細胞質（cytoplasma），核様体（nucleoid），莢膜（capsule），粘液層（slime layer），鞭毛（flagella，単数形；flagellum），線毛（pili, fimbriae，単数形；pilus, fimbria）

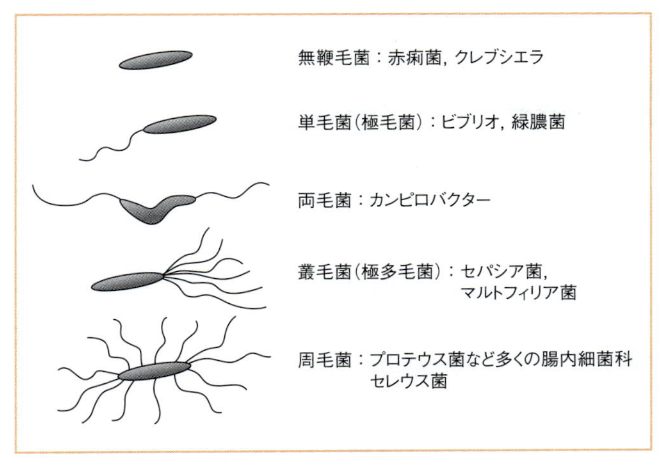

図 2.1.4　鞭毛の位置，種類およびおもな菌種

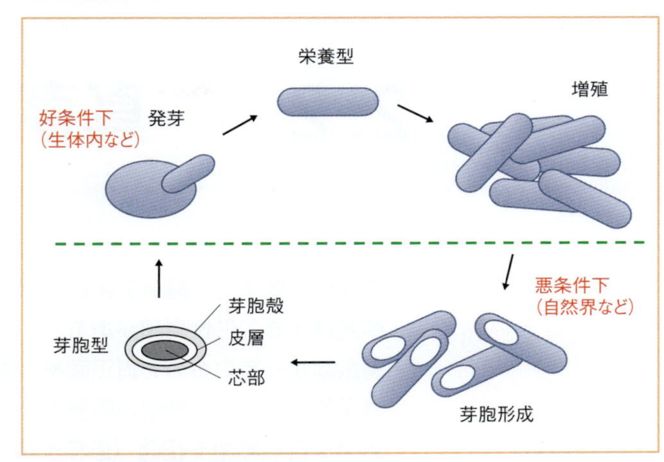

図 2.1.5　芽胞形成細菌の発育環

係する。また，遺伝的に重要な意義として，遺伝物質（R プラスミドなど）を伝達する線毛を性線毛という。

8. 芽胞

一部の細菌にある極めて耐久性の高い細胞構造で，芽胞殻，皮層，芯部からなっている。芯部には，DNA，リボソーム，酵素，低分子化合物などが含まれており，半結晶状態になっている。

栄養や温度などの環境が悪い状態に置かれたりすると，細菌細胞内部に芽胞が形成される。このとき，細菌の遺伝子が複製されてその片方は芽胞の中に分配される。芽胞は極めて高い耐久性をもっており，さらに環境が悪化して通常の細菌が死滅する状況に陥っても数年から数十年間も生き残ることが可能である。しかし，芽胞の状態では細菌は新たに分裂することはできず，その代謝も限られている。生き残った芽胞が，再びその細菌の増殖に適した環境に置かれると，芽胞は発芽して，通常の増殖・代謝能を有する菌体がつくられる（図 2.1.5）。

芽胞形成菌は，乾燥，熱，消毒薬などに対して非常に抵抗力が強く，例えば100℃の煮沸では死滅せず，高圧蒸気滅菌（121℃，15分）で死滅する。

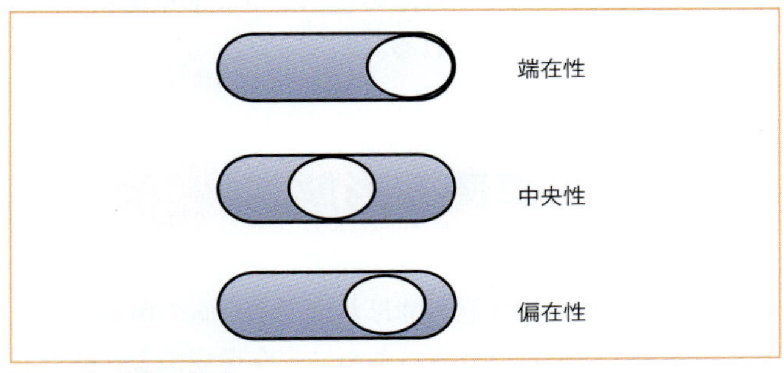

図 2.1.6　芽胞の位置

表 2.1.3　芽胞を形成する代表的な細菌

Bacillus（バシラス）属	*B. anthracis*（炭疽菌） *B. cereus*（セレウス菌） *B. subtilis*（枯草菌）
Clostridium（クロストリジウム）属	*C. botulinum*（ボツリヌス菌） *C. tetani*（破傷風菌） *C. perfringens*（ウエルシュ菌）

芽胞の位置と形により，中心性，端在性，偏在性があり，菌種により特有である（図 2.1.6）。Gram 染色では染色されず，無染色の像として観察されるが，確実な検出には芽胞染色を行う。

芽胞を形成する代表的な細菌を表 2.1.3 に示した。

［長沢光章］

用語　芽胞（spore，endospore）

2.2 ｜ 真菌の構造と性状

- 真菌は形態学的に酵母および糸状菌に二大別され，さらに生育環境により酵母および糸状菌に形態変換する二形性真菌がある。
- 菌糸幅が一定のものを真正菌糸，両端が細くソーセージ様形態のものを仮性菌糸という。
- 真正菌糸には，各細胞が隔壁で仕切られた有隔菌糸と隔壁のない無隔菌糸がある。
- 真菌は真核細胞で細菌（原核細胞）とは異なり，核膜に包まれた核，核小体，ミトコンドリア，小胞体，ゴルジ体および液胞などの細胞小器官を有する。
- 真菌の細胞壁は二層構造になっており，内層はキチンとβ-D-グルカン，外層は糖蛋白で構成される。

2.2.1　真菌の形態

真菌の形態は，単細胞の酵母および多細胞の菌糸を形成する糸状菌に二大別される。さらに生育環境により酵母型および糸状菌型の両者に形態変換する菌種があり，これらは二形性真菌と呼称される。

1. 酵母または酵母様真菌

酵母は，球形〜楕円形の形態を示す単細胞の真菌で，出芽（分芽ともいう）あるいは2分裂などによって増殖する（図2.2.1）。大きさは菌種により2〜10μmと幅があり，臨床材料の高頻度検出菌である *Candida albicans* は3×6〜8μmである。また，娘細胞が分裂せずに伸張して菌糸（両端が細く，ソーセージ様形態の仮性菌糸あるいは菌糸幅が一定の真正菌糸）を形成する菌種もある。出芽や分裂のみで増殖するものを真正酵母，仮性菌糸などを形成するものを酵母様真菌と呼称する場合もあるが，いずれも広義の酵母である。さらに *Cryptococcus neoformans* などは菌体周囲に厚い莢膜を形成する。菌糸の形状や莢膜形成の有無は菌種同定の一助となる。

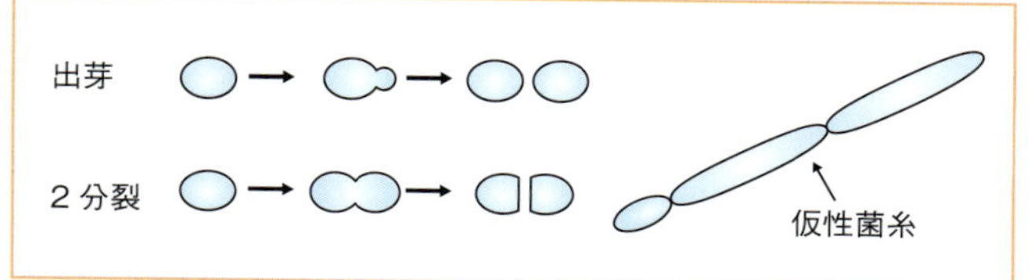

図2.2.1　酵母の増殖

2. 糸状菌

糸状菌は，細胞が糸状に連なった菌糸（真正菌糸）を形成する真菌である。菌糸には，各細胞が隔壁で仕切られた菌糸（有隔菌糸）と明確な隔壁のない菌糸（無隔菌糸）がある。有隔菌糸の隔壁中心部には小さな孔があり，隣接する細胞の細胞質内容は一部流通する。無隔菌糸の細胞内容は有隔菌糸より流動的に存在する。*Aspergillus* spp.や *Trichophyton* spp.など多くの病原真菌は前者の菌糸を，*Mucor* spp.や *Rhizopus* spp.などムーコル亜門の真菌は後者を形成する。糸状菌は，菌糸の伸張・分岐ならびに菌糸上に形成された胞子（分生子）形成細胞から産生された胞子や分生子などによって増殖する（図2.2.2）。

形態は実に多彩で，菌糸以外に胞子形成細胞，胞子およびその他の各種細胞が菌種別に特有の形態を示す。糸状菌の形態学的同定は胞子の形成法および各種細胞の形態鑑別がポイントとなる。菌体サイズは酵母より大きく菌種別に異なる。*Aspergillus fumigatus* の菌糸幅は5〜8μm，分生子形成細胞は6〜8×2〜3μm，分生子は2〜3μmで，*Rhizopus oryzae* は同様に6〜14μm，50〜100μmおよび4〜10μmである。

3. 二形性真菌

二形性真菌は，同一菌種が生育環境（自然界，生体内および培養器内など）によって酵母型あるいは菌糸型に形態変換する真菌である。生育環境には自然界，生体内および培養器内などがあるが，一般的に腐生的存在では菌糸型，寄

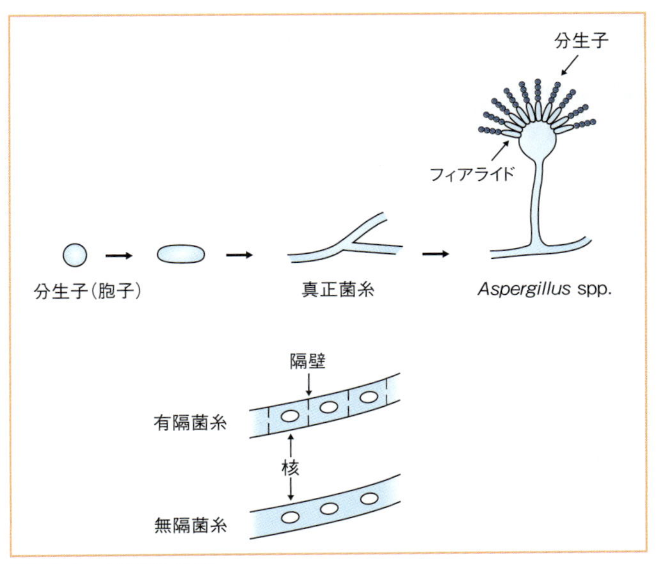

図 2.2.2　糸状菌の増殖

生的存在では酵母型を示すが，逆のパターンを示すものもある。最も典型的な二形性真菌は，環境温度により形態変換する真菌で，輸入真菌症の起因菌種（*Histoplasma* spp., *Blastomyces brasiliensis* など）や *Sporothrix schenckii* などが含まれる。これらは25～30℃で培養すると菌糸型，35～37℃培養では酵母型の形態を示す。

2. 2. 2　真菌の構造

真菌は真核細胞で構成されており（図2.2.3），原核細胞である細菌とは，おもに以下の点で異なる。

1)核膜に包まれた核および核小体を有する（細菌は核膜のない核様体であり，核小体はない）。
2)ミトコンドリア，小胞体，ゴルジ体および液胞などの細胞小器官を有する（細菌は保有しない）。
3)リボソームは80Sである（細菌は70S）。
4)細胞壁の主要成分は，キチンおよびβ-グルカン，またはキトサンである（細菌はペプチドグリカン）。

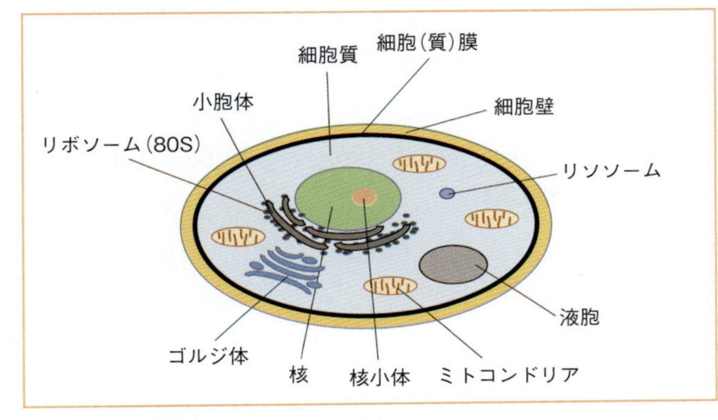

図 2.2.3　真核細胞（真菌）の基本構造

1. 細胞壁

細胞の最外層にある細胞壁は強固な構造を有し，細胞の形態を保つ。真菌の細胞壁は細菌のそれよりも強靱な構造を有する。2層構造になっており，骨格となる内層はキチンとβ-D-グルカン，外層は糖蛋白で構成されるが，菌種によってその成分や比率は多少異なる。酵母外層の多糖類はマンナン，糸状菌外層はガラクトマンナンが主体であり，*Mucor* spp.や *Rhizopus* spp.などムーコル亜門の真菌はキチンではなくキトサンで構成されβ-D-グルカンは少ない。これら細胞壁成分のいくつかは深在性真菌症の血中抗原検査の検出対象物質となる。

2. 細胞膜

細胞膜は細胞壁の内側にあり，細胞内外への物質輸送，浸透圧調整などに関与する。真菌細胞の細胞膜の特徴はヒト細胞に含まれない脂質成分のエルゴステロールを含むことで，このエルゴステロールに直接作用するポリエン系抗真菌薬〔アムホテリシンB（AMPH-B）など〕は広範囲の真菌に有効な殺菌的抗真菌薬として繁用されている。

3. 莢膜

Cryptococcus spp.は細胞壁の外側に厚い莢膜を有しており，それによって生体細胞の食菌に抵抗性を示す。莢膜成分は酸性ヘテロ多糖のグルクロノキシロマンナンであり，クリプトコックス症の血中・髄液中抗原検査の検出対象となる。

［長沢光章，品川雅明］

用語　アムホテリシンB（amphotericin B；AMPH-B）

2.3 ウイルスの構造と性状

- ウイルスの核酸は，通常はDNAかRNAのどちらか一方である。
- カプシドは，核酸を覆っている蛋白質で，ウイルス粒子が細胞の外にあるときに内部の核酸をさまざまな障害から守る殻の役割をしている。
- ウイルスのなかには，カプシドの外側に脂質二重膜からなるエンベロープをもつウイルスがある。

感染性をもち，完全な粒子構造をもつウイルス粒子をビリオンとよぶ。

ウイルスの基本構造は，粒子の中心にある核酸（DNAまたはRNA）と，それを取り囲むカプシドとよばれる蛋白質の殻から構成された粒子で，両者を併せてヌクレオカプシドとよぶ。さらにヌクレオカプシドをエンベロープという脂肪膜が包んでいるウイルスもある。ウイルスの大きさは，小さいものでは数十nm，大きいものでは千数百nmである（図2.3.1）。

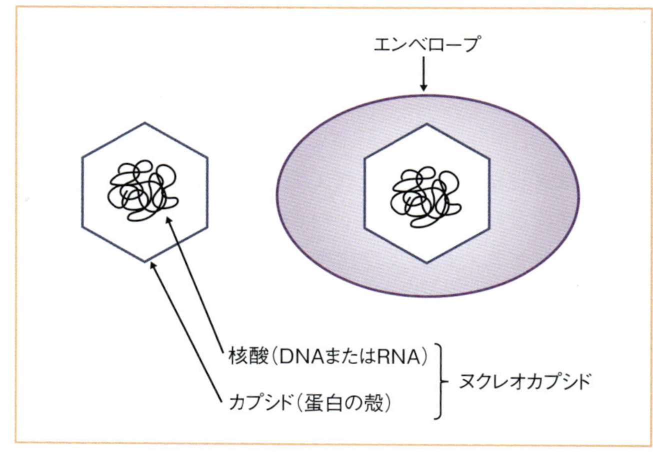

図2.3.1　ウイルス粒子の基本構造
左：エンベロープをもたないウイルス。

2.3.1 核酸

ウイルスの核酸は，通常，DNAかRNAのどちらか一方である。そのウイルスがもつ核酸の種類によって，ウイルスはDNAウイルスとRNAウイルスに大別される。さらに，それぞれの核酸が一本鎖か二本鎖か，一本鎖のRNAであればmRNAとしての活性をもつかもたないか，環状か線状か，などによって細かく分類される。ウイルスのゲノムはほかの生物と比べてはるかにサイズが小さく，またコードしている遺伝子の数も極めて少ない。

2.3.2 カプシド

カプシドは，核酸を覆っている蛋白質で，ウイルス粒子が細胞の外にあるときに内部の核酸をさまざまな障害から守る殻の役割をしている。ウイルスが宿主細胞に侵入した後に，カプシドが壊れて（脱殻），内部の核酸が放出され，ウイルスの複製が始まる。

用語　ビリオン（virion），カプシド（capsid），メッセンジャーRNA（messenger RNA；mRNA）

2.3.3 エンベロープ

ウイルスのなかには，カプシドの外側に脂質二重膜からなるエンベロープをもつウイルスがある。宿主の細胞から放出（出芽）時に，宿主の細胞質膜や核膜の一部をまとったものである。エンベロープ上には，スパイクあるいはエンベロープ蛋白質とよばれる糖蛋白質が突出していることがある。スパイクは，ウイルスの遺伝子からつくられたそのウイルス独自の蛋白質であり，宿主細胞に吸着や侵入をしたり，宿主の免疫機構から逃れるための生理的な作用をもつ。

［長沢光章］

A. 臨床検査の基礎と疾病との関連

3章 染色法

章目次

SUMMARY

検査材料の直接塗抹鏡検は，最も簡便で迅速な検査であり，検査室診断としての意義が大きい。また，発育した集落のグラム染色は同定検査を行ううえでの第一歩である。しかし，染色や観察においては，材料や菌種によっては熟練と経験が必要である。

Gram（グラム）染色は，グラム陽性菌（濃紫または青色）とグラム陰性菌（赤色）に分けられ，グラム染色性の違いは細菌の細胞壁の構成にもとづいている。また，抗酸菌染色は結核菌などの抗酸菌の特殊染色として極めて有用である。結核菌は，細胞壁に多量の脂肪酸が存在するために染まり方にムラが生じる。

また，芽胞染色，莢膜染色，鞭毛染色，異染小体染色などの特殊染色は，目的菌によって必要な場合に行う。

3.1　細菌の観察と染色法

- Gram 染色性の違いは，細菌の細胞壁の構成にもとづいている。
- 古い培養菌や検査材料では，細胞壁が脆弱となっている場合があり，グラム陽性菌であっても色素が溶出し，グラム陰性に染まることがある。
- 抗酸菌染色以外の特殊染色は，日常検査ではほとんど用いられなくなってきたが，必要に応じて実施できるように準備しておくことが望ましい。

顕微鏡で細菌を観察するには，スライドガラスに検査材料または菌株を塗抹してそのまま観察し，細菌の形態や運動を観察する方法と，細菌を染色して観察を容易にして大まかな分類や鑑別なども可能となる方法がある。

染色の原理は，細菌に含まれている特徴的な分子（蛋白質，脂質など）に対して，特定の色素が強く結合する性質を利用したものや，特定の酵素と反応して発色する基質を用いたものなどがある。観察しようとする対象と目的に応じて，塩基性色素や蛍光色素（蛍光染色）などさまざまな色素を用いた染色法がある（表3.1.1）。

現在，微生物検査は自動分析装置や質量分析装置が日常検査に導入されているが，Gram染色（グラム染色）および抗酸菌染色は不可欠で，鞭毛・莢膜・芽胞などの特殊染色の必要性は少なくなったものの細菌の同定において重要な検査法である。

表 3.1.1　おもな微生物染色法

細菌全般	単染色
	Gram（グラム）染色
抗酸菌	Ziehl-Neelsen（チール・ネールゼン）染色 auramine（オーラミン）染色 / 蛍光染色
抗酸性（*Nocardia* など）	Kinyoun（キニヨン）染色
芽胞	Möller（メラー）法
	Wirtz（ウィルツ）法
莢膜	Hiss（ヒス）法
鞭毛	Leifson（レイフソン）変法
異染小体（*C. diphtheriae*）	Neisser（ナイセル）染色 Cowdry（コウドリー）変法
Legionella	Giménez（ヒメネス）染色
Mycoplasma（コロニー）	Dienes（ディーンズ）染色
Chlamydia	Giemsa（ギムザ）染色
	免疫染色
真菌全般	lactophenol cotton blue（ラクトフェノールコットン青）染色
Cryptococcus（莢膜）	墨汁（India ink）法

3. 1. 1　単染色法

操作が簡便で，単一の色素を用いて染色する方法であり，細菌の形態や配列，白血球貪食を観察するが，日常検査ではほとんど使われていない。

レフレルアルカリメチレン青やチール石炭酸フクシンが用いられる。

3. 1. 2　Gram 染色

Gram染色は，1884年にHans Christian Joachim Gramによって考案され，細菌はグラム陽性菌（濃紫または青色）とグラム陰性菌（赤色）に分けられる。グラム染色性の違いは，細菌の細胞壁の構成にもとづいている。グラム陽性菌の細胞壁が，1層の厚いペプチドグリカン層から構成されているのに対し，グラム陰性菌ではペプチドグリカン層が薄く，リポ多糖などの脂質を多く含んだ外膜で覆われている。このため，グラム陰性菌の細胞壁はエタノールなどで処理すると外膜は容易に壊れ，細胞質内部の不溶化した色素（クリスタル紫液/紫色）が容易に溶出して脱色される。グラム陽性菌ではこの漏出が少なく，脱色されないまま色素が残る。

なお，古い培養菌や検査材料などでは細胞壁が脆弱となっている場合があり，グラム陽性菌であっても色素が溶出し，グラム陰性に染まることがある。

現在，Huckerの変法，Bartholomew & Mittwerの変法（バーミー法）またはフェイバー法（西岡法）が市販されている（表3.1.2）。

表3.1.2　各種Gram染色方法

染色過程＼方法	Huckerの変法	Bartholomew & Mittwerの変法	西岡法
塗　抹	スライドガラス上に塗抹		
乾　燥	自然乾燥		
固　定	火炎 または メタノール		
前染色	クリスタルバイオレット・シュウ酸アンモニウム	クリスタルバイオレット＋炭酸水素ナトリウム	ビクトリアブルー・シュウ酸アンモニウム
水　洗	流水		
媒　染	ヨウ素・ヨウ化カリウム（ルゴール液）	ヨウ素・水酸化ナトリウム（ヨウ素液）	ピクリン酸エタノール
水　洗	流水		
脱色	95%エタノール	アセトン・エタノール	なし（触媒と同時に脱色）
水　洗	流水		
後染色	サフラニン または パイフェル液 又は 塩基性フクシン水溶液		
水　洗	流水		
乾　燥	自然		
鏡　検	1,000倍（光学顕微鏡）		
染色結果	グラム陽性菌（濃紫または青色），グラム陰性菌（赤色）		

3.1.3　抗酸菌染色

結核菌，非結核性抗酸菌，らい菌などの*Mycobacterium*属は，細胞壁に多量の脂肪酸が存在するためにGram染色など通常の染色では極めて染色されにくいが（難染色性），加温しながら染色すると染まりやすく，酸やエタノールでも脱色されにくい性状がある。この性状を利用した抗酸菌染色として，Ziehl-Neelsen染色（チール・ネールゼン染色）がある。また，*Nocardia*属でも弱抗酸性を呈し，加温しない Kinyoun染色（キニヨン変法）が用いられる。

その他の抗酸菌染色として蛍光染色〔auramine染色（オーラミン染色）など〕があり，蛍光顕微鏡を用いる必要があるが弱拡大（×200）で観察できる。

3.1.4　特殊染色

1. 芽胞染色

芽胞は，難染性のためGram染色では染まらず，芽胞の部分だけ抜けて観察される。芽胞染色としてMöller（メラー）法，Wirtz（ウィルツ）法がある。

2. 莢膜染色

莢膜は，難染性のためGram染色では染まらず，菌体周囲の莢膜は抜けて（透明）観測される。莢膜染色として，Hiss（ヒス）法がある。

3. 鞭毛染色

鞭毛染色は，鞭毛の有無および位置・本数を観察することができ，菌種の鑑別に有用である。多くの鞭毛菌で，美しい標本を作製するためには選択成分や糖を含まない液体培地において培養した新鮮菌を用いる。また，スライドガラスは脱脂，洗浄されたものを用いる。レイフソン（Leifson）法，西沢・菅原変法がある。

4. 異染小体染色

異染小体染色は，ジフテリア菌を疑う*Corynebacterium*属の染色として用いられる。検体を用いる場合は，偽膜をスワブで擦過したものを用いる。異染小体染色としてNeisser（ナイセル）の原法とCowdry（コウドリー）変法がある。

5. その他

*Legionella*属の染色法として，Giménez（ヒメネス）染色，*Mycoplasma*のコロニーを染色するDienes（ディーンズ）染色，*Chlamydia*を染色するGiemsa染色や免疫染色など

がある。おもな染色方法と染色結果を表3.1.3に示した。

表3.1.3　各種染色方法と染色結果

染色方法	Gram染色	抗酸菌			芽胞		莢膜	鞭毛	異染小体	*Legionella*
染色過程	Hucker変法	Ziehl-Neelsen	auramine	Kinyoun	Möller	Wirtz	Hiss	Leifson	NeisserのCowdry変法	Giménez
塗抹	スライドガラス上に塗抹							菌液を流下	スライドガラス	
乾燥	自然乾燥									
固定	火炎またはメタノール	火炎			火炎またはメタノール			－	火炎またはメタノール	
媒染・脱脂	－	－	－	－	5%クロム酸	－	－	－	－	－
水洗	－	－	－	－	流水	－	－	－	－	－
染色	クリスタル紫	チール石炭酸フクシン（加温）	3%石炭酸加オーラミン液	チールの石炭酸フクシン	チール石炭酸フクシン（加温）	5%マラカイト緑液（加温）	ゲンチアナ紫（加温）	染色液*1	ナイセル液（メチレン青＋クリスタル紫）	石炭酸フクシン液
水洗	流水						－	水洗	流水	
媒染	ルゴール液	－	－	－	－	－	－	－	－	－
水洗	流水	－	－	－	－	－	－	－	－	－
脱色・分別	エタノール液	塩酸アルコール	塩酸アルコール	1%硫酸水	1～3%硫酸水	－	20%硫酸銅水溶液	－	－	－
水洗	流水					－	－	－	－	－
後染色（対比染色）	サフラニンまたはパイフェル液	メチレン青液	メチレン青液	メチレン青液	4倍希釈メチレン青液	0.5%サフラニン液	－	－	クリソイジン液	0.8%マラカイト緑液（2回繰返し）
水洗	流水						－	－	軽く水洗	水洗
乾燥	自然									
鏡検	1,000倍（光学顕微鏡）		200倍（蛍光顕微鏡）	1,000倍（光学顕微鏡）						
染色結果	グラム陽性菌（濃紫または青色），グラム陰性菌（赤色）	抗酸菌（赤色），その他（青色）	抗酸菌（黄色～橙色に発光）	*Nocardia*（赤色），その他菌・背景（青色）	芽胞（赤色～淡赤色），菌体（淡青色）	芽胞（緑色～淡緑色），菌体（淡赤色）	莢膜（淡紫色），菌体（濃紫色）	鞭毛（赤色），菌体（赤色）	異染小体（黒褐色），菌体（黄色）	*Legionella*（赤色），白血球（緑色），他の細菌（青緑色～赤色）

*1：Leifsonの染色液：色素原液（パラロザリニン酢酸塩など＋3%タンニン酸液＋1.5% NaCl）。

［長沢光章］

3.2 | 真菌の観察と染色法

- 鏡検標本作製の目的は2つあり，臨床材料中の真菌の有無を観察するための直接鏡検標本および コロニーの一部を採取して顕微鏡下の形態を観察するための釣菌標本である。
- 直接鏡検標本は，皮膚科材料では湿潤標本を，内科系材料は固定・乾燥標本とする。
- 直接鏡検標本中に観察される菌形態は，酵母形あるいは菌糸形がほとんどで，培養後の多彩な菌形態はほとんど観察されない。
- 真菌はGram染色で陽性を示すが，菌体が古くなるとグラム陰性に傾く。
- *Cryptococcus* spp.による髄膜炎では，髄液の墨汁標本の観察が有用である。

3.2.1 直接鏡検標本

臨床材料中の起因菌の有無を顕微鏡下で観察するための標本を直接鏡検標本といい，臨床材料をスライドガラスに直接塗布し，何らかの処理を施した後鏡検する。真菌検査の場合は，臨床材料によって直接鏡検標本の作製法が異なる。皮膚科材料（鱗屑（りんせつ），爪など）は10～20％水酸化カリウム液を滴下して表皮組織を破壊し，表皮内の菌体を観察しやすくした湿潤標本（KOH標本）とする。一方，内科系材料（喀痰，尿など）は細菌検査と同様に，スライドガラスに材料を塗布，乾燥・固定後に染色を施した標本とする。染色法はGram染色が多いが，*Pneumocystis jirovecii* や *Histoplasma* spp.などを目的とする場合はGiemsa染色などが用いられる。さらに *Cryptococcus* spp.による髄膜炎が疑われる症例では，髄液を遠心分離した沈渣と墨汁を混合した墨汁標本が必須で，莢膜の存在が明瞭に観察される。

真菌はGram染色で陽性（紫色～青色）を示すが，菌体の新旧程度が古くなるほどグラム陰性に傾く。真菌は寒天培地で培養すると菌種別に多彩な形態を示すが，臨床材料の直接標本で観察される形態は酵母形あるいは菌糸形のいずれかで，培養後の多彩な菌形態が観察されることは少ない。

3.2.2 釣菌標本およびスライドカルチャー標本

釣菌標本は，培養で得られたコロニーの一部を採取し，その菌形態を顕微鏡下で観察して同定するため，あるいは同定検査の方向性を決めるために作製される。病原糸状菌では，この段階（釣菌標本およびコロニーの観察）で同定できる菌種も多い。釣菌標本で同定できない糸状菌は，スライドカルチャー（p397　13.6.1参照）を行ってスライドカルチャー標本を作製し，被検菌全体の形態を観察する。釣菌標本およびスライドカルチャー標本は，ともに包埋液であるラクトフェノールコットン青液やアマン液（p397　13.6.1参照）などにコロニーの一部を浸しカバーガラスを被せた湿潤標本とするが，酵母様真菌の場合には固定・乾燥標本としてGram染色などを行うこともある。

［長沢光章，品川雅明］

A. 臨床検査の基礎と疾病との関連

4章 発育と培養

章目次

SUMMARY

代謝には，複雑な分子を単純な分子へ分解していく過程でエネルギー（ATP）を獲得する異化作用（分解代謝）と，単純な分子から複雑な分子を構築する過程でATPの消費を伴う同化作用（合成代謝）がある。また，エネルギーの産生には，酸素の存在下で行われる呼吸（好気的酸化）と酸素の存在しない状態で行われる発酵（嫌気的酸化）がある。

解糖経路は，生物の異化作用の経路で1分子のグルコースからピルビン酸2分子に分解される一連の化学反応からなる代謝経路である。その後，好気的酸化としてクエン酸回路，電子伝達系とつながっていく。一方，嫌気的酸化では発酵によりエネルギーを得るために有機化合物を酸化して，アルコール，有機酸，二酸化炭素などを生成する。

多くの細菌は，2分裂によって増殖し個体数が増加し，誘導期，対数期，静止期，死滅期より構成される。細菌の発育および増殖に必要な栄養素は，炭素源，窒素源，無機塩類，発育因子である。

真菌の代謝は多様であるが，多くは好気的呼吸によってエネルギー生産を行う。また，真菌の増殖は有性生殖および無性生殖の両者によって増殖する。

ウイルスは，偏性細胞内寄生性であり単独では増殖できず，ほかの生物の細胞（宿主細胞）内に感染して初めて増殖可能となる。また，ウイルスは2分裂増殖ではなく，1つの粒子が感染した宿主細胞内で一気に数を増やして放出する。

細菌や真菌は，発育に必要な栄養素が含まれている人工培地に発育するが，ウイルス，リケッチアおよびクラミジアなどの偏性細胞寄生性微生物は培地には発育できない。

4.1　細菌の発育

- 代謝には，エネルギー（ATP）を獲得する異化作用（分解代謝）とATPの消費を伴う同化作用（合成代謝）がある。
- エネルギーの産生には，酸素の存在下で行われる呼吸と酸素の存在しない状態で行われる発酵がある。
- 解糖系（エムデン-マイヤーホフ経路）は生物の異化作用で，グルコースをピルビン酸に分解する。
- 解糖系で生成されたピルビン酸は，酸素が利用できる条件ではクエン酸回路で引き続き異化作用によって代謝される。
- 発酵は，嫌気条件下でエネルギーを得るためにピルビン酸を代謝し，アルコール，有機酸，二酸化炭素などを生成する経路である。
- 細菌の増殖曲線は，誘導期，対数期，静止期，死滅期より構成される。
- 細菌の発育および増殖に必要な栄養素は，炭素源，窒素源，無機塩類，発育因子で，さまざまな栄養要求性を示すものがある。

4.1.1　代謝と増殖

細菌が生存し増殖を行うために必要なエネルギーの獲得や，増殖に必要な有機材料を合成するために菌体内で起こるすべての生化学反応を代謝（bacterial metabolism）とよぶ。

代謝には，複雑な分子を単純な分子へ分解していく過程でエネルギー(ATP）を獲得する異化作用（分解代謝）と，単純な分子から複雑な分子を構築する過程でATPの消費を伴う同化作用（合成代謝）がある。

1. 呼吸と発酵

エネルギーの産生には，酸素の存在下で行われる呼吸（好気的酸化，酸化的リン酸化）と，酸素の存在しない状態で行われる発酵（嫌気的酸化）がある。

(1) 解糖系

解糖系（エムデン-マイヤーホフ経路）は生物の異化作用の経路で，酸素は必要なく，1分子のグルコースからピルビン酸2分子に分解される一連の化学反応からなる代謝経路である。この反応により4分子のATPが産生されるが，経路の第一段階と第三段階で2分子のATPを消費するので，結果的に2分子のATPを獲得する。ピルビン酸は，クエン酸回路または発酵経路へ供給される。また，NADHは電子伝達系および発酵経路で利用される（図4.1.1）。

(2) クエン酸回路

解糖系で生成されたピルビン酸は，酸素が利用できる条件では引き続き異化作用によって代謝され，その経路をクエン酸回路，クレブス回路またはTCA回路とよぶ。ピルビン酸は，酵素によりアセチルCoAに変換され，クエン酸回路に入る。クエン酸回路が1回転する間に3分子のNADと1分子のFADが還元され，1分子のGTP（グアノシン三リン酸）が合成され，電子伝達系でのATP合成に利用される（図4.1.2）。

(3) 電子伝達系

電子伝達系は，細菌の細胞質膜で電子が最終的な電子受容体へ移動するプロセスである。クエン酸回路で生成されたNADHおよび$FADH_2$は，それぞれ水素電子対を保持しており，電子伝達系に渡すことができる。1つの分子からほかの分子へ水素原子を移動させる反応には，酸化と還元が関与している。1分子のNADHからは3分子のATP，1分子の$FADH_2$からは2分子のATPが合成される。最終電

用語　アデノシン三リン酸（adenosine triphosphate；ATP），分解代謝（catabolism, dissimilation），合成代謝（anabolism, assimilation），エムデン-マイヤーホフ経路（Embden-Meyerhof pathway），トリカルボン酸回路（tricarboxylic acid cycle；TCA cycle）

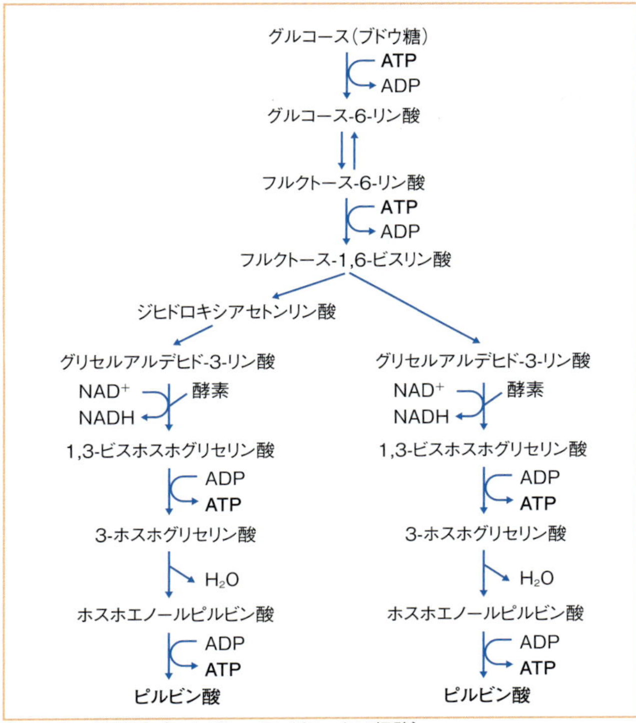

図 4.1.1 解糖系(エムデン - マイヤーホフ経路)

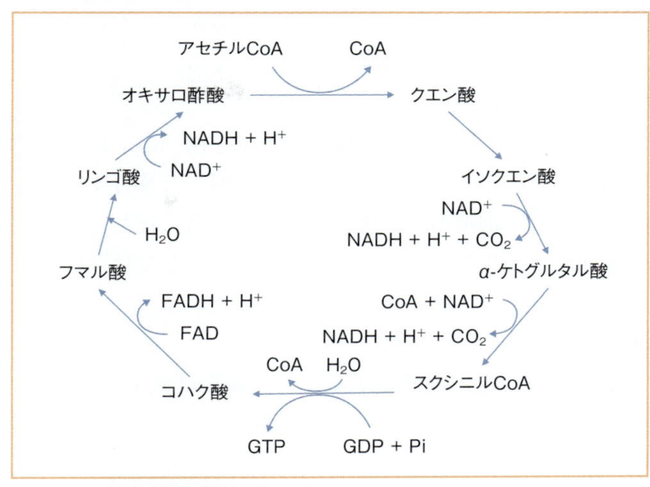

図 4.1.2 クエン酸回路の反応

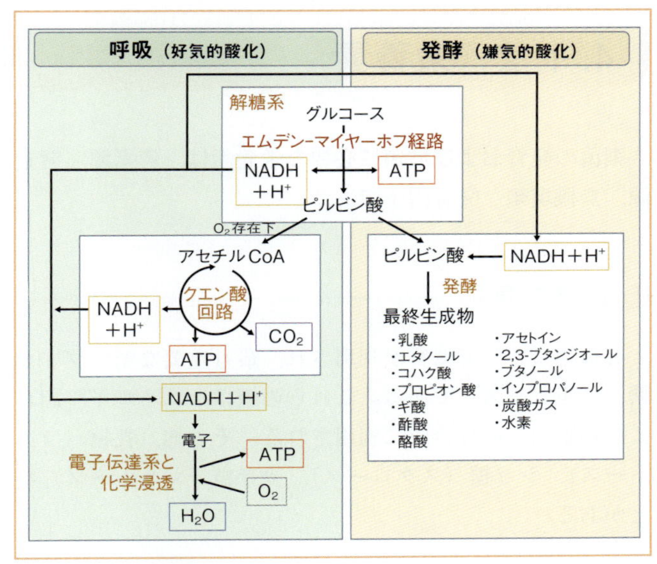

図 4.1.3 呼吸と発酵

子受容体は酸素(O_2)で,還元されて水(H_2O)になる。なお,嫌気状態では酸素の代わりに酸素含有無機化合物(硝酸塩,硫酸塩など)が最終電子受容体となるが,ATPの産生量は低い。

(4) 発酵

発酵は,嫌気性菌または嫌気条件下でエネルギーを得るために有機化合物を酸化して,アルコール,有機酸,二酸化炭素などを生成する過程である。解糖系の最終代謝産物であるピルビン酸を代謝する経路であり,微生物によりホモ乳酸発酵,アルコール発酵,混合酸発酵などさまざまな経路があり,経路により最終生成物も乳酸,エタノール,コハク酸などさまざまである(図4.1.3)。

2. 細菌の増殖

多くの細菌では2分裂によって増殖し,個体数が増加していく。細胞が2つに分かれるとき,正確に同じ2コピーのDNAが合成され,2つの細胞分の細胞質構成分,細胞膜,細胞壁,外膜,鞭毛などの付属器官ができ,均等に2つに分かれ,細胞に隔壁ができて分裂する。1個の細菌が2個になるまでを世代といい,その時間を世代時間という。培養・発育条件(温度,栄養分など)によって異なるが,菌種によって世代時間はほぼ一定で,大腸菌などの腸内細菌科で20～30分,ブドウ球菌で30～40分,腸炎ビブリオで約10分であるが,結核菌は約15時間とされている。

(1) 細菌の増殖曲線

細菌培養(液体培地)における増殖過程を表現するために,菌数の対数と培養時間の関係を表で示したものを増殖曲線という。細菌の増殖曲線は,誘導期,対数期,静止期,死滅期より構成される(図4.1.4)。

①誘導期

培養開始後は,一定期間は分裂を行わず,細菌数は変化しない。この期間を誘導期とよび,細胞の修復,酵素体制の整備などが行われている。

②対数期(増殖期)

細菌が分裂を開始し,増殖を始める期間を対数期(増殖

用語 コエンザイムA(coenzyme A;CoA),グアノシン三リン酸(guanosine triphosphate;GTP),フラビンアデニンジヌクレオチド(flavin adenine dinucleotide;FADH),アデノシン二リン酸(adenosine diphosphate;ADP),グアノシン二リン酸(guanosine diphosphate;GDP)

期）とよび，初期は緩やかな増殖であるが，しだいにその速度を増し，対数的に増殖するようになる。

③定常期（静止期）

対数期での分裂が一定限度（通常は約10^9/mL）になると，分裂はしだいにその速度を落とし静止期へと移行する。この時期では，細菌の分裂率と死滅率が平衡に達し，細菌数は増加するが生菌数は一定となる。要因としては，栄養不足，過密などがあげられる。

④死滅期

定常期が一定期間経過すると，生菌数は減少を開始し，分裂が完全に停止する。

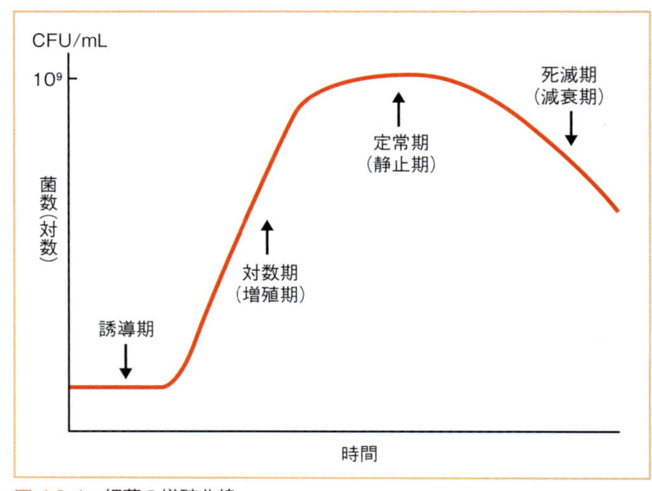

図 4.1.4　細菌の増殖曲線

4.1.2　栄養素

細菌の発育および増殖に必要な栄養素は，炭素源，窒素源，無機塩類，発育因子である。

1. 炭素源

有機物質として糖質が利用され，最も重要な糖はブドウ糖（グルコース）である。これらの糖は，エネルギー源および細胞内の成分合成に利用される。その他，乳糖（ラクトース），ショ糖（スクロース），麦芽糖（マルトース）などがある。

2. 窒素源

菌体成分の多くは蛋白質からなり，細菌の増殖には多量の窒素源が必要である。窒素化合物，アミノ酸，ペプチドなどがある。

3. 無機塩類

多種類の無機塩類が必要で，リン酸としてPO_4^{3-}，システインなどのアミノ酸構成成分としてSO_4^{2-}が必須である。その他に，Na^+，K^+，Ca^{2+}，Mg^{2+}，Fe^{2+}，Cl^-などが必要である。

4. 発育因子

特定の細菌では，特殊な化合物を添加しないと発育できないものがある。発育因子は，細菌自体では合成できず，ビタミン，アミノ酸，ヘミン，NADなどがある。

4.1.3　細菌の栄養要求性

微生物にはさまざまな栄養要求性を示すものがある。

1. 自家栄養菌（無機栄養菌）

自然界の無機成分を利用し，有機高分子成分を合成できる細菌で，CO_2やH_2CO_3を炭素源，NH_3やHNO_3を窒素源として合成できる。

2. 従属栄養菌

発育・増殖に必要な炭素源を，無機物から有機物に合成できないため，自然界に存在する有機物を細胞内に取り込んで利用する細菌で，ほとんどの細菌がこれに属する。

3. 無力栄養菌（寄生栄養菌）

代謝に必要な酵素を自前でもたないため，多細胞に寄生し，得られたエネルギーで増殖する。リケッチア，クラミジア，ウイルスなどの偏性細胞寄生性微生物が属する。

［長沢光章］

4.2 | 真菌の発育

- 真菌の栄養要求性は高くない。
- 細菌と同様の代謝経路に加え真菌特有の代謝経路を有する。
- 真菌の増殖は，有性生殖および無性生殖の両者による。
- 病原真菌の有性胞子は，子嚢胞子，担子胞子，接合胞子である。
- 病原真菌の無性胞子（分生子）には，分節型，出芽型，アレウリオ型，シンポジオ型，アネロ型，フィアロ型，ポロ型の各分生子および胞子嚢胞子などがある。

1. 代謝と増殖

(1) 真菌の代謝

真菌は細菌と同様に，エネルギー産生のためにエムデン-マイヤーホフ経路とエントナー-ドウドロフ回路を有するが，さらにヘキソースリン酸側路を有しているのが特徴である。ほとんどの病原真菌は好気的酸化（呼吸）によってエネルギーを得るが，酵母は嫌気的酸化（発酵）によっても得られる。その他に真菌細胞膜の特徴的成分であるエルゴステロール合成経路や，クエン酸回路の短絡経路としてのグリオキシル酸回路など，真菌特有の代謝経路を多数有する。

(2) 真菌の増殖

真菌は有性生殖および無性生殖の両者によって増殖する。有性生殖には雌雄の配偶子が必要であり，その条件が整わない場合は分芽や分裂などの無性的増殖を行う。有性生殖から無性生殖への移行あるいはその逆も条件が整えば常に可能であるが，実際には有性生殖は自然界あるいは実験室での交配試験などで可能で，全般的に無性生殖による増殖が多いとされる。臨床材料から検出される真菌のほとんどは無性生殖サイクル（無性世代）の菌体である。

有性生殖により形成される有性胞子は，酵母および糸状菌ともに以下の3種類である。

1) 子嚢胞子（子嚢菌門の有性胞子）…受精→子嚢果（有性生殖器官）形成→子嚢果内に子嚢を形成→子嚢内に子嚢胞子を形成。
2) 担子胞子（担子菌門の有性胞子）…受精→担子器（有性生殖器官）形成→担子胞子形成。
3) 接合胞子（ムーコル亜門などの有性胞子）…雌雄菌糸の接合→接合部に配偶子嚢（あるいはさらに接合胞子嚢）形成→その内部に接合胞子を形成。

無性的に増殖する場合は，酵母はおもに出芽あるいは2分裂で，糸状菌は以下に示すように菌属別に特徴的な胞子（分生子）産生法で増殖する。1)～7）は外生胞子（菌体外に産生），8）は内生胞子（菌体内に産生）である。

1) 分節型分生子（*Trichosporon* spp., *Coccidioides* spp.など）…菌糸が成熟すると隔壁部分から分裂して分生子となる。
2) 出芽型分生子（*Candida* spp., *Cladosporium* spp.など）…菌糸や分生子形成細胞から出芽によって産生される。
3) アレウリオ型分生子（*Trichophyton* spp.など）…菌糸先端あるいは菌糸から派生した側枝が肥大して分生子となる。
4) シンポジオ型分生子（*Sporothrix schenckii* など）…菌糸上に形成されたシンポジュラ（分生子形成細胞の一種）から産生される。
5) アネロ型分生子（*Malassezia* spp., *Exophiala* spp.など）…菌糸先端などに形成されたアネライド（分生子形成細胞の一種）から産生される。
6) フィアロ型分生子（*Aspergillus* spp.など）…フィアライド（分生子形成細胞の一種）から産生される。
7) ポロ型分生子（*Alternaria* spp.など）…分生子形成細胞に孔があき，その孔から産生される。
8) 胞子嚢胞子（*Mucor* spp.など）…菌糸から派生した胞子嚢柄の先端に胞子嚢が形成され，その内部に多数産生される。

2. 真菌の栄養素

真菌は細菌と同様に従属栄養菌であり，発育・増殖のた

用語　エムデン-マイヤーホフ経路（Embden-Meyerhof pathway），エントナー-ドウドロフ回路（Entner-Doudoroff pathway）

め外界から栄養を摂取する必要がある。細菌などと同様に，エネルギー源や炭素源として各種の炭水化物，核酸合成や窒素源として無機および有機窒素化合物，その他に各種無機塩類が必要であり，菌種によってはビタミンや脂質など特殊な発育因子を必要とするものもあるが，概して栄養要求性は低い。

［長沢光章，品川雅明］

4.3 | ウイルスの発育

・ウイルスは，増殖に必要な蛋白合成の代謝系をもたないため偏性細胞内寄生性により増殖する。
・ウイルスの増殖は，細胞への吸着，細胞内への侵入，脱殻，素材の合成，ウイルス粒子の形成，ウイルス粒子の放出の順に行われる。

4. 3. 1 ウイルスの増殖

ウイルスは，単独では増殖できず，ほかの生物の細胞（宿主細胞）内に感染して初めて増殖可能となる。このような性質を偏性細胞内寄生性とよぶ。これは，増殖に必要な蛋白合成の代謝系をもたないためである。また，一般的な生物の細胞が2分裂によって対数増殖するのに対し，ウイルスは1つの粒子が，感染した宿主細胞内で一気に数を増やして放出する（図4.3.1）。ウイルスの増殖は以下のようなステップで行われる。

細胞への吸着 → 細胞内への侵入 → 脱殻 → 素材の合成 → ウイルス粒子の形成→ ウイルス粒子の放出

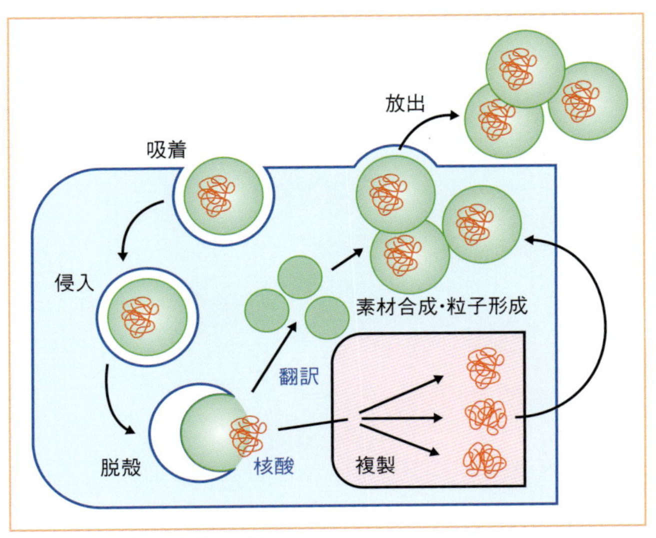

図 4.3.1　ウイルス増殖の概略

1. 細胞への吸着

ウイルス感染の最初の段階は，宿主細胞表面に吸着することである。ウイルスが宿主細胞に接触すると，ビリオンの表面分子が宿主細胞の表面に露出している分子を標的として吸着する。この標的分子をそのウイルスに対するレセプターとよぶ。ウイルスが感染するかどうかは，そのウイルスに対するレセプターを細胞がもっているかどうかによる。ウイルスレセプターとして，インフルエンザウイルスに対する気道上皮細胞のシアル酸糖鎖や，ヒト免疫不全ウイルスに対するヘルパーT細胞表面のCD4分子，新型コロナウイルス（SARS-CoV-2）に対する各種細胞表面のアンギオテンシン転換酵素（ACE）などがある。

2. 細胞内への侵入

ビリオンは，次に増殖の場になる細胞内部へ侵入する。侵入のメカニズムはウイルスによってさまざまであるが，代表的なものにエンドサイトーシスによる取り込み，膜融合，能動的な遺伝子の注入などがある。

3. 脱殻

細胞内に侵入したウイルスは，そこでいったんカプシドが分解されて，その内部からウイルス核酸が露出する。脱殻が起こってから粒子が再構成されるまでの期間は，ビリオンがどこにも存在しないことになり，この時期を暗黒期，

用語　CD（cluster of differentiation），エクリプス（eclipse）

あるいはエクリプス（蝕）とよぶ。

4. ウイルス素材の合成

脱殻により遊離したウイルス核酸は，次代のウイルスの作成のために大量に複製される。また，mRNAを経て，カプソマーなどのウイルス独自の蛋白質が大量に合成される。

5. ウイルス粒子の形成

別々に大量生産されたウイルス核酸と蛋白質は，細胞内で集合する。最終的にはウイルス蛋白がウイルス核酸を包み込み，ヌクレオカプシドが形成される。

6. ウイルス粒子の放出

細胞内で形成されたウイルスは，細胞から出芽したり，感染細胞が死ぬことによって放出される。一部のウイルスは，出芽する際に被っていた宿主の細胞膜の一部をエンベロープとして獲得するものがある。

［長沢光章］

4.4 | 培地

- 培地は，形状から固形培地，液体培地および半流動培地，使用目的から分離培地，増菌培地，確認培地，保存培地など，さまざまな種類がある。
- 培地の主要成分は，水，窒素含有成分，炭水化物，無機類，ビタミンなどで構成されている。
- 発育環境として，至適な温度，酸素，二酸化炭素，水素イオン濃度，浸透圧，水分，酸化還元電位が必要である。
- 好気性菌と嫌気性菌の混合感染においては，酸化還元電位の変移により二相性感染が起こる。

培地には，細菌の発育に必要な栄養素が含まれており，形状から固形培地，液体培地および半流動培地，使用目的から分離培地，増菌培地，確認培地，保存培地などさまざまな種類の培地がある。おもな培地の種類，用途，主成分，選択物質の一覧を表 4.4.1 に示す。

また，人工培地に発育するのは一般的な細菌，真菌であり，ウイルス，リケッチアおよびクラミジアなどの偏性細胞寄生性微生物は発育できない。

表 4.4.1　おもな培地の対象，種類，主成分，選択物質

対象	培地の種類							培地名	特記すべき主成分，添加色素	選択物質
	分離培地（寒天平板）	分離培地（試験管）	選択分離培地（寒天平板）	増菌培地（液体）	選択増菌培地（液体）	生化学性状確認培地	その他			
全般	○							トリプティケースソイ寒天培地（TSA）		—
	○							ヒツジ血液寒天	TSA + 5% 血液	—
	○							チョコレート寒天	10% 血液またはヘモグロビン	—
Staphylococcus spp.			○					マンニット食塩寒天	マンニット，フェノール赤（PR）	7.5% NaCl
	○							DNA 寒天	デオキシリボ核酸，（トルイジン青）	
						○		6.5% NaCl 加ブイヨン	ブレインハートインフュージョンブイヨン	6.5% NaCl
Enterococcus spp.						○		SF	ブドウ糖，ブロムクレゾール紫（BCP）	窒化ナトリウム
グラム陽性球菌			○					PEA 加血液寒天	TSA + 5% 血液	フェニールエチルアルコール（PEA）
N. gonorrhoeae, *N. meningitidis*	○							GC 寒天	プロテオーゼペプトン，ヘモグロビン，酵母エキス	クリスタル紫
N. gonorrhoeae	○							サイアー・マーチン寒天	ペプトン，ヘモグロビン	バンコマイシン（VCM），コリスチン，ナイスタチン
腸内細菌科	○							BTB 乳糖寒天	乳糖	ブロモチモール青（BTB）
			○					マッコンキー寒天	乳糖，ニュートラル赤，クリスタル紫	胆汁酸塩
			○					DHL 寒天	乳糖，白糖	胆汁酸塩，チオ硫酸ナトリウム
Shigella spp., *Salmonella* spp.			○					SS 寒天	乳糖（滅菌不要）	胆汁酸塩，チオ硫酸ナトリウム
Salmonella spp.					○			セレナイト	乳糖（滅菌不要）	亜セレン酸ナトリウム

用語　トリプティケースソイ寒天（trypticase soy agar；TSA），フェノール赤（phenol red；PR），SF（*Streptococcus faecalis*），ブロムクレゾール紫（bromocresol purple；BCP），フェニルエチルアルコール（phenylethyl alcohol；PEA），GC（gonococcus），バンコマイシン（vancomycin；VCM），ブロモチモール青（bromothymol blue；BTB），DHL（deoxycholate-hydrogen sulfide-lactose），SS（*Salmonella-Shigella*）

表 4.4.1　おもな培地の対象，種類，主成分，選択物質（つづき）

対象	培地の種類							培地名	特記すべき主成分，添加色素	選択物質
	分離培地（寒天平板）	分離培地（試験管）	選択分離培地（寒天平板）	増菌培地（液体）	選択増菌培地（液体）	生化学性状確認培地	その他			
腸内細菌科確認培地						○		TSI	ブドウ糖，乳糖，白糖，硫酸第一鉄，PR	
						○		SIM	クエン酸鉄アンモニウム，塩酸システイン	
						○		シモンズのクエン酸	クエン酸ナトリウム，リン酸二水素ナトリウム，BTB	
						○		VP 半流動	ブドウ糖	
						○		LIM	酵母エキス，ブドウ糖，L- リジン塩酸塩，BCP	
						○		メラー	ブドウ糖，BCP，クレゾール赤＋各種アミノ酸	
						○		DNA	デオキシリボ核酸，トルイジン青	
						○		尿素（寒天，液体）	尿素，PR	
嫌気性菌	○							GAM 寒天		
	○							ブルセラ寒天	ヘミン，ビタミン K	
				○				GAM 半流動		
				○				ブルセラ HK 半流動	ヘミン，ビタミン K	
Bacteroides spp.			○					BBE 寒天		20%胆汁，ゲンタマイシン
C. difficile			○					CCFA（CCMA）	果糖，（マンニット），ニュートラル赤	サイクロセリン，セフォキシチン
抗酸菌		○						小川	リン酸二水素カリウム，全卵液，グリセリン（凝固滅菌）	マラカイト緑
				○				ミドルブルック 7H9		
P. aeruginosa			○					NAC 寒天		ナリジクス酸，セトリマイド
						○		キング A/B		
						○		アシルアミダーゼ	アセトアミド，PR	
Vibrio spp.			○					TCBS 寒天	BTB，チモール青，白糖（滅菌不要）	pH 8.8
					○			アルカリ性ペプトン水	ペプトン	塩化ナトリウム
C. diphtheriae							○	レフレル	ブドウ糖，血清（ウマ，ウシ）	
						○		DSS	プロテオースペプトン，ウォーター青	
B. pertussis	○							ボルデー・ジャング	ジャガイモ滲出液，15～20% 血液	
Legionella spp.	○							B-CYE 寒天	活性炭，ピロリン酸鉄，L-システイン塩酸塩	
Campylobacter spp.			○					スキロー寒天	5% 溶血ウマ血液	VCM，ポリミキシン B，トリメトプリム
Mycoplasma spp.			○					PPLO 寒天	酵母エキス，ウマ血清	ペニシリン，酢酸タリウム
真菌	○							サブロー寒天	ブドウ糖	
	○							コーンミール寒天	コーンミール滲出液	
	○							ポテト・デキストロース寒天	ジャガイモ滲出液，ブドウ糖	
薬剤感受性検査用培地							○	ミュラーヒントン寒天	ウシ肉滲出液，カザミノ酸，デンプン	
輸送用培地							○	キャリー・ブレア		
							○	チャコール加アミー	活性炭	
保存用培地							○	普通寒天		
							○	スキムミルク		
							○	マイクロバンク ™		

用語　TSI（triple sugar iron），SIM（sulfide indole motility），フォーゲス・プロスカウエル（Voges-Proskauer；VP），LIM（lysine indole motility），GAM（Gifu anaerobic medium），BBE（Bacteroides bile esculin），サイクロセリン・セフォキシチン・フルクトース寒天（cycloserine-cefoxitin-fructose agar；CCFA），NAC（nalidixic acid-cetrimide agar），TCBS (thiosulfate citrate bile salts sucrose)，DSS（dextrose sucrose starch agar），B-CYE（buffered-charcoal yeast extract），PPLO（pleuropneumonia-like organism）

4.4.1 培地の成分

培地の主要成分は，水，窒素含有成分，炭水化物，無機類，ビタミンなどで構成され，必要に応じて発育因子や選択物質の添加，pHや酸化還元電位などの調整を行っている。また，固形培地や半流動培地とするために寒天を添加する。

1. ペプトン

動物性蛋白（カゼイン，獣肉）または植物性蛋白（大豆など）をアミノ酸および低分子量のペプチドまで加水分解したもので，一般には酵素（プロテアーゼ）で分解したものが使用されている。

2. 酵母エキス

酵母の有用な成分を自己消化や酵素，熱水などの処理を行うことにより抽出されたエキスであり，アミノ酸，ミネラル，ビタミン類が含まれている。

3. 寒天

テングサ，オゴノリなどの紅藻類の粘液質を凍結・乾燥したものである。寒天培地で1.5%，半流動寒天培地では0.5%程度の濃度で使用する。

4. 添加物

栄養分の補強のために5%ヒツジ，ウマなどの脱線維素血液が用いられることが多い。また，血清を用いる場合もある。

5. 化学物質など

発育の促進または選択を目的として，無機塩類，発育因子，選択物質，抗菌薬などを添加する。また，pH調整，酸化還元電位の維持，発育阻害物質の吸着などに用いる。

4.4.2 発育環境

1. 温度

細菌の発育・増殖に最も適した温度を発育至適温度という。ほとんどの病原細菌は中温菌であることから孵卵器の温度は35～37℃に設定するが，目的菌によっては25℃や40℃以上の温度に設定する。

(1) 低温菌

至適温度は10～20℃で，4～25℃でも発育できる細菌で，自然界に広く分布している。

(2) 中温菌

至適温度は35～37℃で，15～45℃でも発育できる細菌で，ヒトに感染するほとんどの病原細菌が属する。

(3) 高温菌

至適温度は50～60℃で，40～80℃でも発育できる細菌で，自然界（*Bacillus*属菌など）や温泉にいる菌（*Legionella*属菌など）がある。

2. 酸素

発育に酸素が不可欠な菌，酸素があると発育できない菌，あってもなくても発育できる菌があり，以下のように分類される。

(1) 偏性好気性菌

発育に大気と同程度の21%遊離酸素を必要とする細菌。

(2) 通性嫌気性菌

酸素の有無に関わらず発育可能な細菌。

(3) 偏性嫌気性菌

酸素があると発育できないまたは死滅する細菌。一般的に嫌気性菌という場合は，偏性嫌気性菌のことを指す。

(4) 微好気性菌

酸素が少ない（3～15%）方が発育しやすい細菌で，臨床的に重要な菌は*Campylobacter*属菌および*Helicobacter*属菌である。

3. 二酸化炭素（炭酸ガス）

二酸化炭素は細菌の増殖に必要である。とくに，リン菌，髄膜炎菌は発育に必要で，*Streptococcus*属菌などでも発育が促進される。

4. 水素イオン濃度（pH）

細菌の発育・増殖に最も適したpHを発育至適pHという。ほとんどの病原細菌の至適pHは弱アルカリ（pH 7.0〜7.5）であるが，乳酸菌や結核菌は弱酸性（pH 6.0），好塩菌（コレラ菌，腸炎ビブリオなど）はアルカリ側（pH 7.6〜8.2）で良好に発育する。

5. 浸透圧

細菌の増殖には一定の浸透圧が必要で，外界の浸透圧の高低によって菌が破壊することがある。浸透圧の維持には生理食塩水と同程度の0.5〜0.8%塩化ナトリウムが必要である。

6. 水分

細菌の構成成分の75〜85%は水であり，発育には水分は不可欠である。

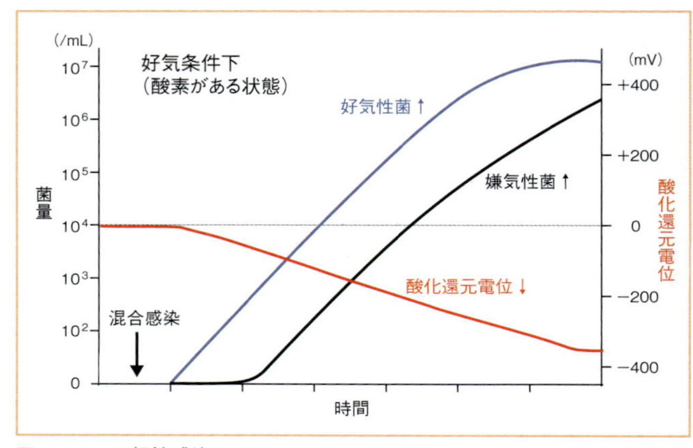

図 4.4.1　二相性感染

7. 酸化還元電位

酸化還元電位（E_h）は，物質，分子または原子が電子を失う過程（酸化）の力と物質，分子または原子が電子を得る過程（還元）の力との差を電位差で表したものである。通常の培地の酸化還元電位は0〜400mVであるが，嫌気性菌は－200mV以下でなければ発育できない。

腹腔内や肺における好気性菌と嫌気性菌の混合感染において，図4.4.1に示すように好気性菌の発育に伴い，酸化還元電位が下がることにより，嫌気性菌が発育できるようになり，二相性感染とよばれる。

4.4.3　培地の分類

1. 物理性状による分類

(1) 液体培地

ペプトンなどを主成分とし寒天を添加していない培地で，増菌培地，無菌試験，生化学的性状検査などに用いられる。

(2) 固形培地

培地に寒天を加えたものや，卵黄や血清成分を加熱して凝固させた培地である。

- 平板培地：シャーレに一定量の培地を入れて固めたもので，分離培地がある。
- 高層培地：試験管に一定量の培地を入れ立てたまま固めたもので，糖利用能試験や保存培地がある。
- 斜面培地：試験管に一定量の培地を入れ寝かせて固めたもので，確認培地がある。
- 半斜面培地：試験管に一定量の培地を入れやや寝かせて上部1/3を斜面として固めたもので，確認培地（TSI寒天培地など）がある。
- 半流動培地：寒天濃度を約0.5%程度にして，試験管に一定量の培地を入れたもので，増菌用，運動試験用などがある。

2. 使用目的による分類

(1) 分離培地（鑑別培地）

検査材料から目的とする細菌や真菌を分離するための培地である。

ヒツジ血液寒天培地，チョコレート寒天培地，BTB乳糖寒天培地などがある。

(2) 選択分離培地

目的とする細菌以外の増殖を抑制し，特定の菌種の発育や鑑別を容易にする目的で選択物質が入った分離培地である。とくに，糞便や喀痰などの常在菌が多い検査材料の分離に用いられる。

SS寒天培地，TCBS寒天培地，血液加PEA寒天培地などがある。

(3) 増菌培地

細菌の増殖に用いられる。とくに，菌数が少ない材料では分離培地に接種してもコロニーが形成されない場合があり，増菌培地で増菌させて分離培地に培養する。臨床用チオグリコレート培地などがある。

また，セレナイト培地，アルカリ性ペプトン水など特定の細菌のみを増殖させる選択増菌培地もある。

(4) 確認培地

細菌の同定のために，糖分解性，運動性，ガス産生などの生化学的・生物学的性状検査を行う培地である。TSI寒天培地，SIM寒天培地などがある。

(5) 保存用培地，輸送用培地

検査材料をしばらく保存したり，輸送したりするための培地である。また，分離菌株を長期間保存するための培地もある。

(6) 普通寒天培地

普通寒天培地は現在，臨床検査では使用されていない。類似の培地として，ハートインフュージョン培地やトリプトソイ培地が使用されている。本書の「普通寒天培地に発育する」という記述は，好気的に血液などの特殊な栄養源を含まない培地に良好に発育する，を意味する。

［長沢光章］

4.5 培養法と培養環境

- 特定の細菌の検索を目的とする場合は，増菌培養や化学的処理などの前処理を行ってから分離培地に接種する。
- 本来無菌材料または菌数が少ないと推測される材料は，増菌培養を行ってから分離培養を行うか併用する。
- 培養環境として，好気培養法，炭酸ガス培養法，微好気培養法および嫌気培養法がある。

1. 分離培養法

検査材料を分離培地や選択分離培地に接種し，ある一定条件下で培養を行い，細菌のコロニーを得ることを分離培養という。

なお，特定の細菌の検索を目的とする場合は，増菌培養や化学的処理などの前処理を行ってから分離培地に接種する場合がある。

2. 増菌培養法

血液培養や髄液培養など本来無菌材料または菌数が少ないと推測される材料は，増菌培養を行ってから分離培養を行う。また，糞便からのサルモネラ検索では選択増菌培地であるセレナイト培地を用いて培養し，その後にSS寒天培地などに分離培養を行う。

3. 培養環境

検査材料を培地へ接種し，画線後は，目的とする細菌の発育に最も適した環境条件で培養を行う。環境条件には，大気状態，温度，湿度，振盪などが関与する。

(1) 好気培養法

通常の大気環境下で培養することを好気培養という。培養温度は，35℃が一般的で，目的とする細菌や真菌によって25～40℃に調整する場合もある。通性嫌気性菌，偏性好気性菌，真菌を目的とする場合の培養方法である。

(2) 炭酸ガス培養法

5～10%の炭酸ガス濃度環境下で培養することを炭酸ガス培養という。炭酸ガス培養器またはガスパック法やローソク培養法がある。リン菌，髄膜炎菌を目的とする場合やインフルエンザ菌や通性嫌気性グラム陽性菌などの発育促進を目的に使用する。

(3) 微好気培養法

好気培養や炭酸ガス培養では発育不良な*Campylobacter*属菌および*Helicobacter*属菌の発育を目的に行う。窒素：炭酸ガス：酸素が85%：10%：5%となる環境で，ガス発生袋を用いる。

(4) 嫌気培養法

酸素がない環境下で培養することを嫌気培養という。嫌気チャンバーやガス発生袋がある。嫌気チャンバーには，窒素：炭酸ガス：水素が80%：10%：10%の混合ガスを用いる。嫌気状態の確認として，嫌気インジケータを用いる。

*Bacteroides*属菌や*Clostridium*属菌などの偏性嫌気性菌を目的に使用する。

［長沢光章］

用語　SS（*Salmonella-Shigella*）

A. 臨床検査の基礎と疾病との関連

5章 遺伝と変異

章目次

SUMMARY

遺伝情報を担っているDNAは相補的な2本の鎖がらせん状に連なった，二重らせん構造である。各々の鎖はヌクレオチドとよばれる塩基・糖・リン酸の3つの成分で構成されている。塩基にはアデニン（A），チミン（T），グアニン（G），シトシン（C）の4種類があり，AはTと，GはCとペアを組んだ構造で存在する。

細菌の遺伝情報の変化をもたらす仕組みとして「形質転換」「形質導入」「接合」の3つが重要である。形質転換は，ほかの細菌のDNA断片を自分の染色体DNAに取り込むことによって起こる。形質導入では細菌に感染するウイルスである「バクテリオファージ」によってDNAが受け渡される。一方，接合では染色体DNAとは別に存在する環状の二本鎖DNAである「プラスミド」が重要な役割をもつ。プラスミドは，細菌の病原性や薬剤感受性などに関与する。なお，薬剤耐性遺伝子は，プラスミドに組み込まれているトランスポゾンやインテグロンのような可動性の遺伝子が接合によって伝達されることもある。インテグロンは耐性遺伝子を複数集積することで細菌の多剤耐性化に関与している。このような遺伝情報の変化によって，集落の形態，抗原性，薬剤感受性，毒力（ビルレンス）などが変異して細菌の多様性が生じる。

5.1 ｜ 遺伝と遺伝子

- 遺伝子の本体はDNA（デオキシリボ核酸）である。
- 相補的な2本の鎖がらせん状に連なった「二重らせん構造」である。
- DNAを構成する塩基はアデニン（A），チミン（T），グアニン（G），シトシン（C）の4種類である。
- 細菌は染色体DNAとは独立した環状の二本鎖DNAである「プラスミド」をもつことがある。

1.「遺伝子の正体」発見までの歴史

「遺伝」の現象を初めて科学的に示したのはMendelである。1865年，Mendelは植物のエンドウを用いて，花の色や茎の高さなどの「形質」が遺伝する基本的な法則を導いた。しかし，Mendelが遺伝する「因子」とよんだものの実体はわからず，この研究の価値は当時注目されなかったが，1900年代に入り，「Mendelの法則」の重要性が再認識された。そして，1909年にMendelが提唱した「因子」はJohannsenによって「遺伝子」と名付けられた。その後，「遺伝子」の実体が細胞の核の中の「染色体」にあることが米国の遺伝学者Morganによって発見された。さらに，1944年米国の細菌学者のAveryは，肺炎球菌を使った実験で「遺伝子の正体はDNA（デオキシリボ核酸）である」との重要な結論を導き出した。この結論は，1952年にHersheyとChaseの実験によって裏付けられた。そして1953年に米国のWatsonと英国のCrickによって，DNAの相補的な2本の鎖がらせん状に連なった，「二重らせん構造」が発表された。

2. 遺伝子とDNA（図5.1.1）

遺伝情報を担っているのは，DNA（デオキシリボ核酸）とよばれる分子で動物，植物，細菌，真菌など生命体すべての細胞に存在する。DNA分子は相補的な2本の鎖がらせん状に連なった，二重らせん構造である。各々の鎖はヌクレオチドとよばれる塩基・糖・リン酸の3つの成分で構成されている。塩基にはアデニン（A），チミン（T），グアニン（G），シトシン（C）の4種類があり，AはTと，GはCとペアを組んだ構造をとって存在している。これを塩基対とよび，DNAの長さを表す単位をbpとして用いる。たとえば，「200bpのDNA」はATGCの塩基のいずれかで構成されたヌクレオチドが200個並び，2本のDNA鎖が対をなしている。

ヒトの細胞の総塩基対は約30億，インフルエンザ菌のそれは180万と細菌のなかでは比較的小さく，緑膿菌では640万塩基対のDNAが含まれている。DNAの巨大な鎖は，1本では切れたり，もつれたりして不安定であるが，2つの鎖であれば安定する（片方の鎖をセンス鎖，もう片方をアンチセンス鎖とよぶ）。これはAとTが2本の手（水素結合）によって，CとGが3本の手によって，互いに引き合

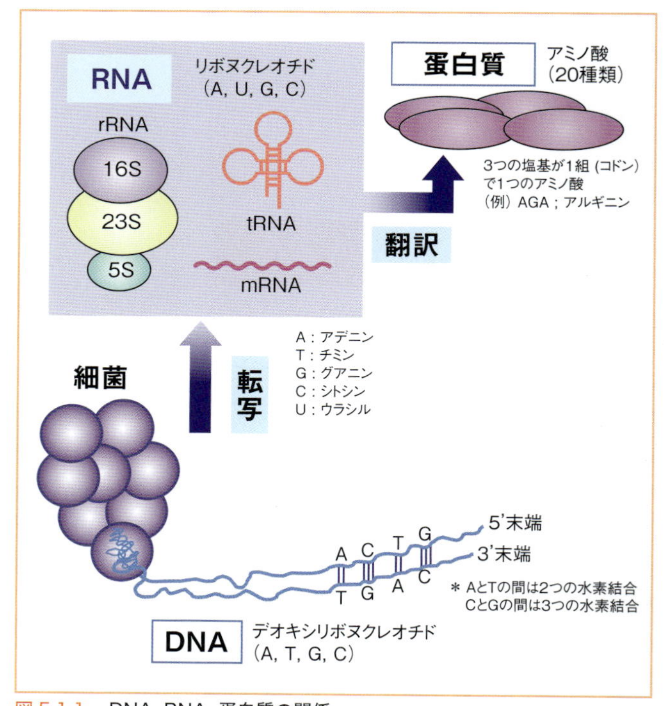

図5.1.1　DNA, RNA, 蛋白質の関係

用語　遺伝（heredity），遺伝子（gene），染色体（chromosome），アデニン（adenine；A），チミン（thymine；T），グアニン（guanine；G），シトシン（cytosine；C），塩基対（base pair）

う関係にあるからである。よって，2本の鎖に沿って並ぶ塩基配列は，相補性を有することになる。この相補性ゆえに，一方の鎖の塩基配列が決まれば，もう片方の鎖の配列が決まる。たとえば，ATCGGCAの鎖は，TAGCCGTの並びの鎖と相補的な塩基対を形成する。ここでもう1つ大切なことは，DNAの鎖には方向があることである。糖（デオキシリボースとよばれる五炭糖）の5′の炭素が向いている方向を5′側，3′の炭素が向いている方向を3′側とよぶ。DNAの2本の鎖が互いに逆方向に伸びている（5′から3′の向きへの鎖と3′から5′への鎖）。すなわち，DNAの二本鎖は反対向きに結合している。DNAは常に5′から3′の向きに合成される。

ところで，DNAのすべてが遺伝子というわけではない。DNAのなかで，蛋白質のアミノ酸の並び方が記録されている部分が「遺伝子」である。すなわち，生命体はこの遺伝子の情報をもとに必要な蛋白質を合成する。1つの生命体をつくるために必要な遺伝子の総体を「ゲノム」とよぶ。

3. RNAと蛋白質の合成（図5.1.1）

RNA（リボ核酸）は多くが1本の鎖で，チミンがウラシル（U）に置き換わり，ほかの3塩基はDNAと同じである。DNAとRNAを区別しない場合には，単に「核酸」とよぶ（核酸＝DNAもしくはRNA）。

RNAはおもにDNAの遺伝情報をもとに蛋白質を合成するときに使用される。その役割によってRNAは3つに分けられる。すなわち，メッセンジャー（伝令）RNA（mRNA），トランスファー（転移）RNA（tRNA），リボソームRNA（rRNA）の3種類である。

mRNAは細胞の核の中にあるDNAから情報を写し取り（転写），核の外にその情報を伝える役割を担う。この転写ではDNAの塩基配列と相補的な塩基配列をもつmRNAが鋳型としてつくられる。ただし，DNAのA，T，C，Gは，それぞれmRNAのU（ウラシル），A，G，Cと対をなす。たとえば，DNAがATCGGCAの塩基配列をもつとすると，mRNAはUAGCCGUの塩基配列になる。

tRNAは蛋白質の合成に必要なアミノ酸を蛋白質の合成工場である「リボソーム」まで運搬する。

rRNAはリボソームそのものを構成する特殊なRNA（構造遺伝子）である。つまりDNAの転写産物ではあるが，蛋白質にまで翻訳されることがないので，その実体はゲノムDNAの一部分である。したがって，rDNAと表現されることもある。細菌は16S，23S，5Sと3種類のrRNAで構成されているが，16S rRNAは約1,500bp＊1の遺伝子で，細菌全体の進化距離を比較するのに適している。つまり，16S rRNAの塩基配列を決定して系統解析を行えば，未知の菌株がどの菌種であるかを推定できる。

参考情報

＊1：塩基1個を1bと表記する。とくに二本鎖を強調するときはpairのpを付加してbpと表記する。

4. プラスミド

多くの細菌は，染色体DNAとは別に，環状の二本鎖DNAをもつ。この染色体から独立した複製可能な遺伝因子は「プラスミド」とよばれている。プラスミドは，生存に不可欠な遺伝子を含むわけではないが，細菌の重要な性状や病原性，薬剤感受性などに関与する。代表的なプラスミドとして，以下のようなものがある。

(1) Fプラスミド

FプラスミドのFはfertility（生殖）の略である。大腸菌がもっているプラスミドであり，接合（p44　5.2参照）に重要な役割を担っている。約95kbpの大きなプラスミドで大腸菌のFプラスミドをもたない菌に接着して引き寄せるための性線毛の合成に関する遺伝情報をもつ。すなわち，Fプラスミドは大腸菌の「性」を決定する。

(2) Rプラスミド

RプラスミドのRはresistance（耐性）の略である。薬剤耐性に関わるプラスミドであり，同じく接合によって伝達される。つまり，Rプラスミドを受けた細菌は，薬剤を分解あるいは不活化する能力を獲得して薬剤耐性菌となる。Rプラスミド上には1つの薬剤だけでなく，複数の薬剤に対して耐性を運ぶ遺伝子を保有することがあり，そのような場合には多剤耐性となる。Rプラスミドの伝達は同じ菌種間だけでなく，近縁の菌種や属を越えても起こり得る。

(3) ビルレンスプラスミド

細菌の病原性に深く関与する遺伝子がプラスミドに含まれることがある。たとえば，腸管毒素原性大腸菌（ETEC）の易熱性エンテロトキシン（LT）や耐熱性エンテロトキシン（ST）は単一あるいは2つのプラスミドに保持されている。また，本菌が粘膜上皮細胞に付着するための因子（CFA）もプラスミドにコードされている。同じく，腸管病原性大腸菌（EPEC）の腸管粘膜付着に関与するEAFはプラスミド性である。その他，黄色ブドウ球菌の表皮剥奪毒素（ET）もプラスミドにコードされている。

［大楠清文］

用語　ウラシル（uracil；U），性線毛（sex pili），腸管毒素原性大腸菌（enterotoxigenic *Escherichia coli*；ETEC），易熱性エンテロトキシン（heat-labile enterotoxin；LT），耐熱性エンテロトキシン（heat-stable enterotoxin；ST），CFA（colonization factor antigen），腸管病原性大腸菌（enteropathogenic *Escherichia coli*；EPEC），EAF（EPEC adherence factor），表皮剥奪毒素（exfoliative toxin；ET）

5.2 | 遺伝情報の伝達

- 細菌は「形質転換」「形質導入」「接合」などで遺伝情報をやりとりする。
- 形質転換は細菌の細胞にDNAが取り込まれることで性質が変化する現象である。
- 形質導入はファージを介した遺伝子の移行形式である。
- 接合ではプラスミドのDNAが供与菌から受容菌へと受け渡される。
- 薬剤耐性遺伝子の伝播にプラスミド，トランスポゾン，インテグロンが関与している。

1. 遺伝子移行の種類とその意義

細菌の遺伝情報は細胞分裂によって次の世代，そしてさらに次の世代へと受け渡される。すなわち，親から子へと遺伝子が伝えられることを「垂直遺伝子移行」とよぶ。細菌は何代もの自己増殖の過程で，ときには遺伝子に変異（後述）が生じ，子孫間で多様性が生じることとなる。つまり，変異によって遺伝的な多様性を獲得しながら，環境の変化に適応してきたともいえる。これに加えて，細菌はほかの細菌との間で遺伝子を受け渡す「水平遺伝子移行」を起こす。細菌は自分の遺伝子を子孫に伝えつつ，ほかの細菌からも遺伝子をもらう，いわば「組換えDNA技術」を駆使しながら多様性を進化させている。ここでは，細菌の遺伝情報の変化をもたらす水平遺伝子移行のしくみとして「形質転換」「形質導入」「接合」の3つを紹介する。

2. 形質転換

遺伝情報の受け渡しによって細菌の性質が変化する現象として，1928年のGriffithとp42 5.1で示したような1944年のAveryの肺炎球菌を使った実験がある。Griffithは弱毒のR型肺炎球菌と加熱殺菌した強毒のS型株を混ぜてハツカネズミに注射すると，ハツカネズミが肺炎を起こし，R型の肺炎球菌がS型の「形質」をもつようになったことを発見した。さらに，Averyは，死滅したS型から放出された莢膜の発現に関与するDNAが，弱毒のR型株に取り込まれることによって，R型の肺炎球菌がS型に「形質転換」したことを証明した。

肺炎球菌のほか，自然界で形質転換を行うことができる細菌は，ブドウ球菌，ナイセリア（*Neisseria*）属菌，バシラス（*Bacillus*）属菌，アシネトバクター（*Acinetobacter*）属菌，ヘモフィルス（*Haemophilus*）属菌などが知られている。

3. 形質導入（図5.2.1）

形質導入では細菌に感染するウイルスである「バクテリオファージ」によってDNAが受け渡される。バクテリオファージは細菌の外壁にある特定のレセプターに結合し，穴をあけてDNAを侵入させる。このファージDNAが細胞に感染すると，おもに2つの異なる過程が進行する。1つ目は「溶菌サイクル」とよばれ，ファージDNAが宿主細胞をコントロールして宿主のDNAを破壊，そのDNAをも取り込みながらほかの細胞に感染する能力をもつ子孫ファージを複製して放出する。これらのファージがまた違う細胞を破壊して溶菌するので，「ビルレントファージ」とよぶ。

2つ目は，新たな細胞にファージが感染してその染色体DNAにファージDNAが導入され「プロファージ」となり，複製される。これは，宿主細菌の細胞が破壊されることなく，プロファージが複製されて溶原化するので「テンペレートファージ」とよばれる。この溶原化ファージは時として溶菌サイクルに復帰することがある。 このように，そのファージ自体のDNAに加えて，ファージが以前に感染していた細菌のDNAの両方を獲得することになる。

4. 接合（図5.2.2）

形質転換や形質導入と同様に，接合でもDNAがある細

用語 垂直遺伝子移行（vertical gene transfer），水平遺伝子移行（lateral gene transfer），組換えDNA技術（recombinant DNA technology），形質転換（transformation），形質導入（transduction），溶菌（lysis），ビルレントファージ（virulent phage），溶原化（lysogeny），テンペレートファージ（temperate phage），接合（conjugation）

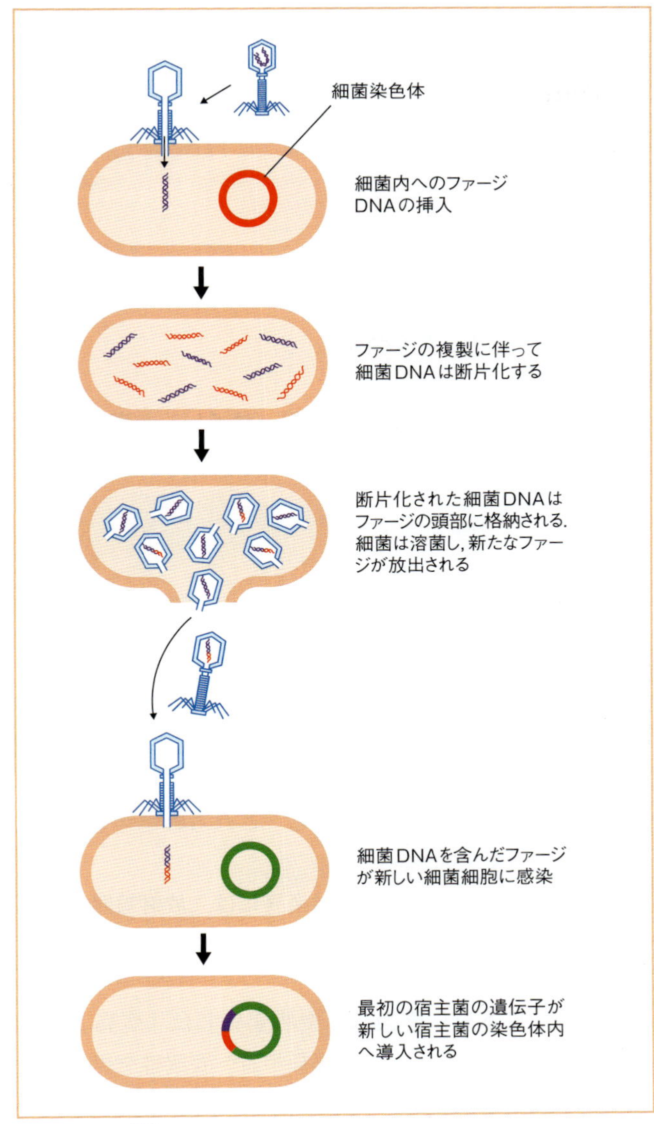

図 5.2.1　形質導入

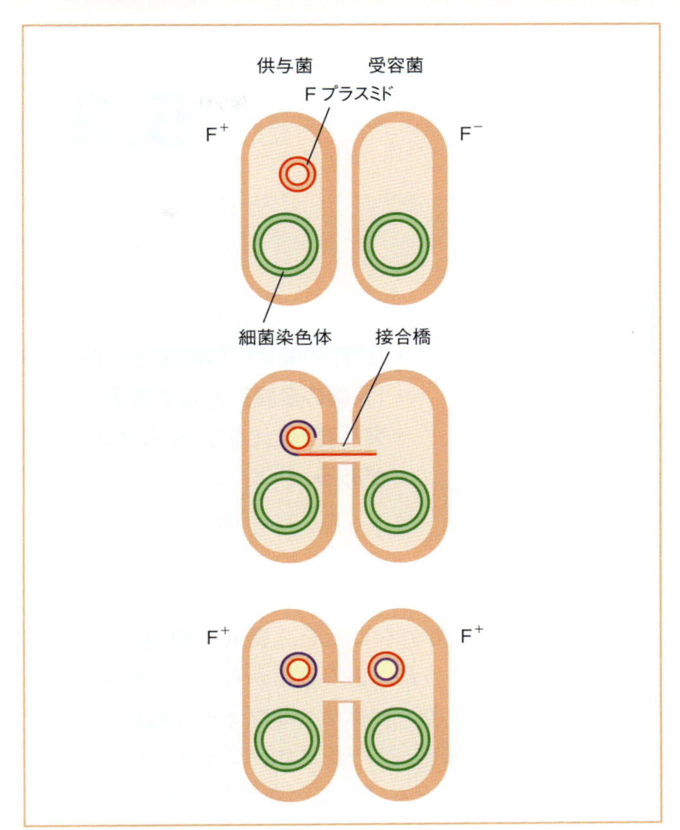

図 5.2.2　F^+型菌とF^-型菌のかけ合わせ

菌からほかの細菌へと受け渡される。接合では，これらの細胞が互いに接触することが必須であり，形質転換や形質導入と比較して，大量の遺伝情報が伝達される。この接合で重要な役割をもつのが，先述のような「プラスミド」である。

Fプラスミドの接合におけるプラスミド伝達メカニズムにはまだ不明な点もあるが，供与菌（F^+型菌）のDNAは，接合橋を通過して一本鎖で受容菌（F^-型菌）に入る。この際，Fプラスミドの相補鎖DNAが合成される。こうして，受容菌にも供与菌のプラスミドDNAの完全なコピーが受け渡されることになる（図5.2.2）。

一方，Fプラスミドが宿主細胞の染色体DNAに組み込まれると高頻度に遺伝子組換えを誘導することがある。このような状態の供与菌を高頻度組換え株（Hfr strain）とよぶ。つまり，プラスミドのDNAだけでなく，供与菌の染色体DNAも受容菌へ受け渡されることになる。したがって，接合によるDNAの伝達は，その細胞の染色体全体に及ぶこともあるため，遺伝的な多様性を増やす役割は極めて大きいといえる。

Rプラスミドが薬剤耐性に関わるプラスミドであることは，p42　5.1で述べたとおりである。また，薬剤耐性遺伝子は，プラスミドに組み込まれているトランスポゾンやインテグロンのような可動性の遺伝子が接合によって伝達されることもある。これらは，遺伝子配列をある位置から別の位置へ移動する能力をもつため，転移因子とよばれている。トランスポゾンは挿入配列（IS）とよばれる約700～1,600bpの大きさで，転移に必要な酵素をコードするDNAと両末端に15～25の互いに同一または配列が互いに反対方向の向きで存在する(IR)。インテグロンは部位特異的に遺伝子をひとまとめにして組み込む転移因子で，耐性遺伝子を複数集積することで細菌の多剤耐性化に関与している。

［大楠清文］

用語　接合橋（conjugation bridge），高頻度組換え株〔high frequency of recombination（Hfr）strain〕，トランスポゾン（transposon），挿入配列（insertion sequence；IS），IR（inverted repeats），インテグロン（integron），転移因子（transportable element）

5.3 変異

- 「広義の変異」は細菌からほかの細菌へ遺伝子を受け渡すことである。
- 「狭義の変異」として重要なのが「突然変異」である。
- 突然変異として，ミスセンス変異，ナンセンス変異，フレームシフト変異，サイレント変異などがある。

細菌の性質が変化することを「変異」現象とすれば，p44　5.2に示したように，ある細菌からほかの細菌へと遺伝子を受け渡すような，バクテリオファージの感染や溶原化，プラスミドの伝達，トランスポゾンやインテグロンなど転移因子の移動なども「広義の変異」となるであろう。実際，これらの機序が関係することによって，コロニーの形態，抗原性，薬剤感受性，毒力（ビルレンス）などが変異して多様性が生じる。

ここでは，「狭義の変異」として重要な概念である「突然変異」を取り上げる。突然変異は本来，生物の表現型の性質が突然変化して，それが子孫に遺伝する際に使用されてきた概念であった。しかし，現在はDNAの複製の途中で誤りが生じて，DNAの塩基配列に変化が起こることを「突然変異」という。塩基の置換で起こるミスセンス変異（塩基が変化してアミノ酸が変化）やナンセンス変異（塩基の変異で停止コドンが出現），塩基の欠失や挿入で起こるフレームシフト変異（1～2つの塩基の欠損や付加によってアミノ酸の配列が完全に変わる）がある。なお，塩基が変化しても偶然にアミノ酸が変化しないこともあり，これはサイレント変異とよばれている。これらの突然変異の具体的な例を示す（図5.3.1）。

その他，自然界で起こる突然変異には，放射線照射によるDNAの損傷，DNAポリメラーゼによる複製自体のミスによっても起こる。

2017年，日本遺伝学会は「突然変異」は「変異」へ用語変更することを決定し，文部科学省へ要望書を提出した。本書では理解を容易にするため突然変異のまま記載している。

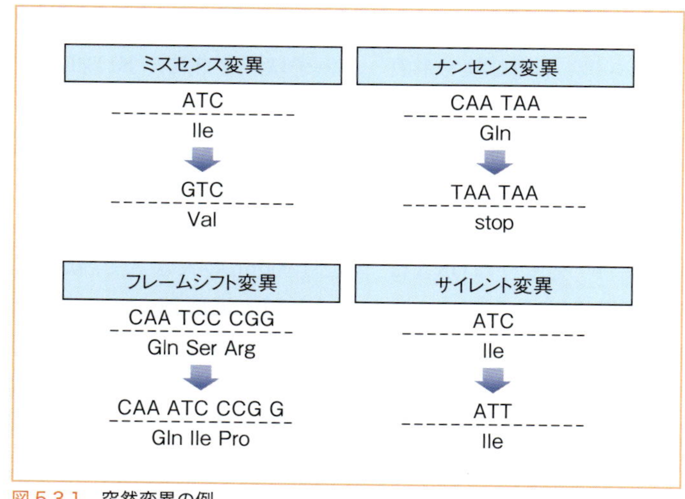

図 5.3.1　突然変異の例

［大楠清文］

用語　突然変異（mutation），置換（substitution），欠失（deletion），挿入（insertion），アデニン（adenine；A），チミン（thymine；T），シトシン（cytosine；C），イソロイシン（isoleucine；Ile），グアニン（guanine；G），バリン（valine；Val），グルタミン（glutamine；Gln），セリン（serine；Ser），アルギニン（arginine；Arg），プロリン（proline；Pro）

A. 臨床検査の基礎と疾病との関連

6章 滅菌と消毒

章目次

SUMMARY

滅菌と消毒は，医療関連施設における感染対策に極めて重要である。また微生物を直接扱う微生物検査において，感染の危険性を回避し，病原微生物を安全に処理するためになくてはならない手段である。滅菌は，無菌を達成するための処理方法で，対象物に含まれるすべての微生物を殺滅または除去することを目的としている。いくつかの滅菌法があり，対象物により適切な方法を選択する。確実な滅菌を行うためには，滅菌条件の遵守と滅菌工程の管理，機器の定期点検が重要である。消毒は，対象とする微生物を感染症が惹起しない水準レベルまで殺滅または減少させる処理方法で，必ずしもすべての微生物の除去を目的としていない。滅菌ができない生体や環境，医療器材などの多くは消毒法が適用となる。熱水などを用いた物理的消毒法と消毒薬を用いた化学的消毒法がある。消毒薬の効力はさまざまな要因に影響されるため，特性をよく理解し適正に使用しなければならない。

6.1 | 滅菌法

- 滅菌とは，対象としている物質中のすべての微生物を殺滅または除去することである。
- 無菌とはあらゆる微生物が存在しないことであり，滅菌法は無菌を達成するための処理方法である。
- 滅菌法は加熱による方法と加熱によらない方法に大別され，滅菌対象物の種類に応じて適切な方法が選択される。
- 滅菌精度の保証には，日常的な滅菌工程の確認と記録，機器の定期点検を実施し，生物学的インジケーターなどにより滅菌の確認を行う必要がある。

6.1.1　加熱滅菌[1〜3)]

加熱は微生物を構成する蛋白質や核酸などを不可逆的に変性させ，微生物は生存できず死滅する。耐熱性の物質の滅菌には，安全で確実な方法である。湿熱による方法と乾燥気体で加熱する方法があり，湿熱の方がより熱容量が大きく，浸透性も高いことから効果が高い。

1. 湿熱による方法

(1) 高圧蒸気滅菌法

高圧蒸気滅菌装置（オートクレーブ）を用いる方法で，容器内の空気を飽和蒸気で置換し，適当な温度と圧力の飽和水蒸気中で加熱することによって微生物を死滅させる。芽胞を含めすべての微生物に対し殺菌効果が高く，安全で運転コストも安いため最も信頼できる方法として広く使用されている。一般的な条件として2気圧，121〜124℃で15分間，126〜129℃で10分間などが推奨されている。本法では温度，圧力および所定の温度における保持時間が重要であり，適切に滅菌条件が達成されたことの確認が必要である。確実な滅菌を行うために，日常的な滅菌工程の管理と機器の定期点検を実施する。適用は培地，試薬，水，ガラス製品，金属製，ゴム製，磁製，繊維製の物品などで，高温高圧な水蒸気に耐えられるものが滅菌対象物となる。空気排除が不完全だと滅菌不全になることがあるため，蒸気の浸透を妨げないよう配置や詰め込みすぎに注意する。滅菌の有効性の確認に化学的インジケーター（滅菌テープ）や *Geobacillus stearothermophilus* による生物学的インジケーターが用いられる。

(2) 間欠滅菌法

高温高圧に耐えることができない物質の滅菌に用いられる。1日1回，100℃，30分間加熱し，この工程を3日間連続して繰り返す。1回目の加熱で栄養型細菌を死滅させる。生き残った芽胞を1晩室温に放置することにより栄養型へ誘導し，2回目の加熱により死滅させる。さらに3回目を同様に行う。高圧蒸気滅菌ができないレフレル培地や小川培地は，凝固と滅菌を兼ねてこの滅菌法が行われる。

2. 乾熱による方法

(1) 乾熱滅菌法

加熱乾燥気体により微生物を死滅させる方法である。乾熱滅菌器を用い，160℃で120分間または180℃で30分間加熱する。高熱に耐えるガラス器具，金属，磁製などや湿熱が浸透しない物質（流動パラフィンなど）が滅菌対象物となる。滅菌の有効性の確認に *Bacillus atrophaeus* が用いられる。

(2) 火炎滅菌法

火炎中で加熱することにより，微生物を殺滅する。細菌検査に用いる白金耳や白金線をガスバーナーの火炎で数秒間加熱する。ガスバーナーの外炎（酸化炎）は1,800℃くらいになり，赤熱させて滅菌する。多量の病原菌や有機物が付着していると熱で菌が飛び散ることがあるため，先に温度の低い内炎（還元炎）で加熱し，その後外炎で加熱する。飛散防止に電気式バーナーも利用される。

用語　レフレル（Löffler）培地

6.1.2 濾過滅菌[1〜3)]

滅菌用の特殊なフィルターによって濾過し，液体または気体中の微生物を物理的に除去する方法である。加熱により変性や失活する試薬（酵素，ビタミンなど）や培地，血清，液状の薬剤などが適用となる。現在セルロースアセテートなどを素材としたメンブレンフィルターがおもに用いられている。フィルターの孔径は0.45μmまたは0.22μmが使用されるが，マイコプラズマやウイルスは完全に除去できない。また，空気中の微生物を除去する目的でも濾過滅菌法が利用されている。高性能微粒子フィルター（HEPAフィルター）は0.3μmの粒子を99.97%捕集することができる。生物学的安全キャビネットやバイオセーフティレベル3および4の実験施設の排気に用いられるほか，手術室などのクリーンルームへの給気を濾過する目的で利用されている。

6.1.3 ガス滅菌[1〜3)]

滅菌用ガスを用いて微生物を殺滅する方法で，加熱できない医療器材などの滅菌に用いられる。滅菌用ガスとしては，酸化エチレンガス，過酸化水素ガス，ホルムアルデヒドガスなどがある。

(1) 酸化エチレンガス滅菌法

微生物を構成する蛋白質や核酸をアルキル化することにより死滅させる。すべての微生物に有効であり，殺菌力，浸透力が高い。低温で滅菌が可能で材質の変性もないため，耐熱性のない医療器材の滅菌に広く用いられる。条件は温度37〜63℃，湿度25〜80%RH，酸化エチレンガス濃度450〜1,200mg/Lで，滅菌時間は1〜6時間である。しかし，滅菌時間が長い，残留毒性が強いためエアレーション（空気置換）が必要，強い引火性，ヒトへの毒性（発がん性，催奇性，呼吸困難など）があるなど欠点も多い。使用には十分注意が必要なため，近年はできるだけ使用を控える傾向にある。滅菌の生物学的インジケーターとして*Bacillus atrophaeus*が推奨されている。

(2) 過酸化水素低温ガスプラズマ滅菌法

酸化エチレンガス滅菌の代替法として実用化されている。過酸化水素を高真空下でプラズマ状態にすることにより発生する反応性の高いラジカルが微生物を死滅させる。残留毒性がなく，滅菌時間も短い。金属やプラスチック製品，電子部品を含む機器なども滅菌処理することができる。欠点として過酸化水素が吸着するセルロース類（紙，ガーゼ，リネン類など）や真空に耐えられないものは滅菌できない。また，浸透性がないため長狭の管腔を有する器材の滅菌は注意が必要である。滅菌の生物学的インジケーターとしてこの滅菌法に最も抵抗性を示す*Geobacillus stearothermophilus*が用いられる。

(3) ホルムアルデヒドガス滅菌法

ホルマリン水（重量でホルムアルデヒドを37%含有）が気化したホルムアルデヒドガスがアルキル化剤として作用し，微生物を死滅させる。ホルムアルデヒドガス滅菌器が医療機器として承認されている。また生物学的安全キャビネットの除菌や，室内消毒法として実験室や病室全体を密閉し，ホルマリン燻蒸する方法がとられる。ホルムアルデヒドは人体に有害であり劇物に指定されているため，取扱いに注意が必要である。

6.1.4 放射線滅菌[3)]

電離放射線の照射によって微生物を殺滅する。電離放射線には，コバルト60など放射性同位元素から放出されるγ線と電子加速器から発生する電子線がある。γ線は二次的に発生する電子で細胞を死滅させ，電子線は電子加速器から直接発生する電子で死滅させる。いずれもあらゆる微生物に有効で，温度上昇なく滅菌が達成でき，有害な残留物がない。γ線は透過力に優れ，線量のバラツキも少なく梱包形態の制限もない。電子線滅菌は，γ線に比べ処理時間は短いが，透過力が劣るため被滅菌物の梱包には密度や厚みを考慮する必要がある。大規模で特殊な設備が必要なため，医療用ディスポーザブル器材の製造産業で利用されている。放射線滅菌の対象物として注射筒や針，真空採血

用語　HEPA（high efficiency particulate air）

管，輸液や輸血セット，透析器や透析用留置針，手術用手袋など，検査関連ではシャーレ，チップやスポイト，チューブやスピッツ，フィルターなどの滅菌に用いられている。

参考情報[1~3)]

滅菌とは，無菌を達成するためにすべての微生物を死滅させる処理方法である。しかし，実際には滅菌操作により微生物数は指数関数的に減少するため，理論的にはゼロ（菌がまったくいない無菌状態）になることはない。滅菌処理による微生物の菌数は図6.1.1のように減少する。そのため，あらかじめ無菌性保証レベル（SAL）を設定し，このレベルに達した時点が滅菌完了となる。SALは通常10^{-n}と示され，医療現場ではSALとして国際的に10^{-6}レベルが採用されている。これは10^6回滅菌した場合，1回微生物汚染が見られる水準であり，ほぼゼロに近い。図の赤線で示したように，滅菌物の微生物を1/10に減少させるのに必要な時間（T_2-T_1）をその滅菌法のD値という。D値が小さいほどその滅菌法は短時間で処理が可能な方法であることを示す。また，滅菌前の滅菌対象物に存在する微生物数が少ないほど10^{-6}に達する時間は短い（青線）。滅菌処理時間は一定なため，対象物の微生物汚染が少ないほどSALはより確実なものとなる。このレベルを達成できる滅菌法として，高圧蒸気滅菌，乾熱滅菌，酸化エチレンガス滅菌，過酸化水素低温ガスプラズマ滅菌，ホルムアルデヒドガス滅菌，過酸化水素蒸気滅菌，放射線滅菌などがある。医療現場では無菌医薬品のほか，体内に埋め込むものや血液と長時間接触する医療器材の滅菌に広く用いられている。

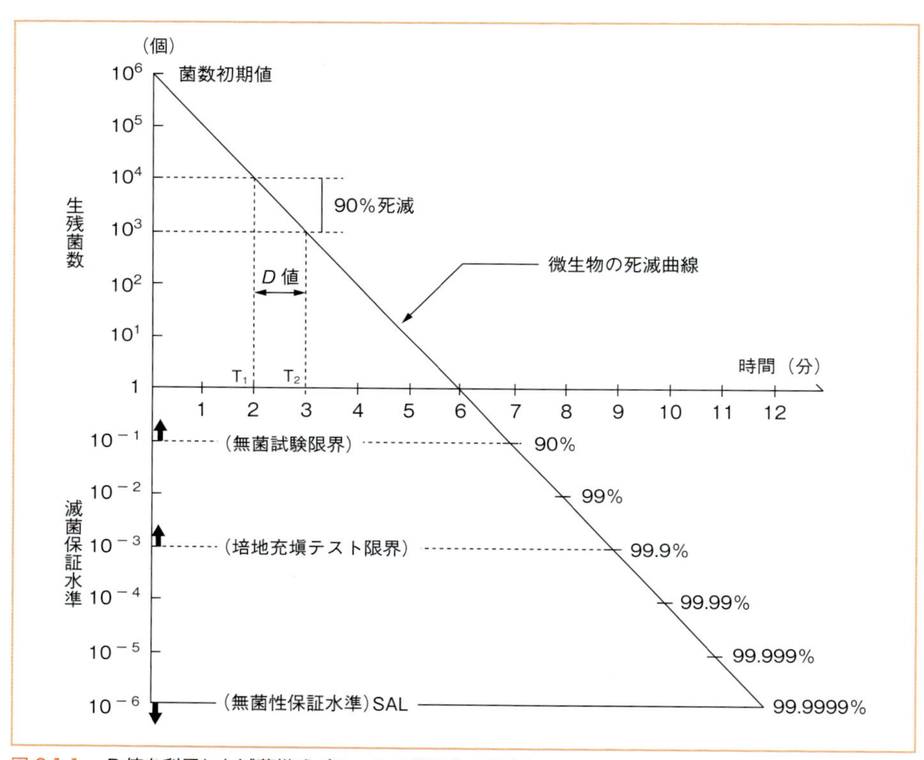

図6.1.1　D値を利用した滅菌様式（$D=1$の微生物の場合）
〔大久保　憲，他（編）：2020年版　消毒と滅菌のガイドライン，148，へるす出版，2020より転載〕

［三澤成毅］

用語　無菌性保証水準（sterility assurance level；SAL），D値（decimal reduction time）

参考文献

1）大久保　憲，他（編）：2020年版　消毒と滅菌のガイドライン，へるす出版，2020.
2）小林寛伊（指導），大久保　憲（監修），吉田製薬文献調査チーム（執筆）：Y's text　消毒薬テキスト 第5版—エビデンスに基づいた感染対策の立場から，協和企画，2016.
3）一般社団法人日本医療機器学会（監）：医療現場の滅菌 改訂第4版，へるす出版，2013.

6.2 | 消毒法

- 消毒とは，対象とする微生物が感染症を惹起しないレベルまで殺滅または減少させる処理方法で，物理的消毒法と消毒薬を用いた化学的消毒法がある。
- 消毒薬はそれぞれ特徴があり，抗微生物スペクトルや消毒対象物の適用は個々に異なる。
- 消毒効果は使用濃度や作用温度，接触時間のほか有機物の存在などに大きく影響される。
- 消毒薬の特性をよく理解し，使用の際には正しい用法を守らなければならない。

6.2.1 物理的消毒法

加熱法と紫外線照射法がある。加熱法は細胞蛋白の熱変性・凝固をきたし微生物を死滅させる。効果が確実で残留毒性がなく，安全で経済的な方法である。

1. 熱水消毒法

65～100℃の熱水で処理する方法で，わが国では80℃，10分間が基本条件になっている。この熱水処理で芽胞を除くほとんどの微生物を感染水準以下に死滅または不活化する。リネン類，ベッドパン，診察用器具，人工呼吸器関連器具などがこの方法で消毒できる。病院内では洗浄・消毒・乾燥の工程が一体化したウォッシャーディスインフェクターや熱水洗濯機などの消毒装置が普及している。

2. 流通蒸気法

100℃の流通蒸気中に30～60分間放置する。芽胞を除く微生物を殺滅する。

3. 紫外線照射法

紫外線は核酸に吸収され，核酸に傷害を与えることで微生物を死滅させる。最も強い殺菌作用を示す253.7nm付近の波長の低圧水銀灯が殺菌灯として用いられる。紫外線は物質透過性が低いため，照射された物質表面しか効果を示さない。室内空気や物体表面の殺菌に用いられる。あらゆる微生物に有効であるが，芽胞はやや抵抗性が高い。人体の眼や皮膚に傷害を与えるため，直接照射を受けないよう注意する。

6.2.2 化学的消毒法

生体や環境，非耐熱性医療器具など熱による消毒法が使用できない場合に消毒薬による化学的消毒法が適用される。消毒薬の作用機序は，おもに微生物の細胞壁，細胞質膜，細胞質，核酸に対する損傷や化学的反応で，代謝や合成が阻害され死滅する。消毒薬の多くは微生物の菌体に直接作用するため，効力はあるが生体への毒性が強いものも少なくない。抗微生物スペクトルがあり，すべての微生物に有効な消毒薬はない。消毒薬の選択には，①生体に使用できるか，②対象微生物に有効か，③消毒対象物に対して金属腐食性や材質の劣化がないかなど考慮されなければならない。また，消毒薬の効力はさまざまな要因により変化する。消毒効果に影響を与える因子として，使用濃度，作用温度，接触時間，血液や体液などの有機物の付着や混入，水素イオン濃度（pH），対象物の構造的特性，消毒薬の保管・保存性などがある。消毒薬にはそれぞれ特徴があり，よく理解して適正に使用することが何よりも重要である。

以下におもな消毒薬の特徴について述べる。

1. ハロゲン系薬剤

(1) 塩素系消毒薬

次亜塩素酸ナトリウムが汎用されている。作用機序は細胞内の酵素反応の阻害，蛋白変性や核酸の不活化などによるとされる。栄養型細菌，真菌，ウイルスに有効で広い抗微生物スペクトルを有するが，芽胞や結核菌には効果は不確実である。粘膜刺激性があるため生体には使用しない。食器や呼吸器関連器材，リネン類の消毒に汎用される。抗ウイルス作用もあることから，床や実験台などのウイルス汚染血液の消毒にも用いられる。欠点として，有機物による効力の低下，金属腐食性，繊維製品や光学機器などの脱色や変質がある。酸性の洗浄剤と併用すると塩素ガスを発生するため注意する。

(2) ヨウ素系消毒薬

ヨウ素の酸化作用により菌体蛋白や核酸を破壊し殺菌作用を示す。ヨウ素は水に溶けにくいため，非イオン界面活性剤との水溶性複合体であるヨードホール（ポビドンヨードなど）が汎用されている。広い抗微生物スペクトルを有するが，芽胞保有の細菌は抵抗性を示す。毒性が低く，皮膚や粘膜に対する刺激性も少ないため生体に広く用いられる。欠点として，有機物存在下での効力の低下，粘膜や損傷皮膚から吸収されやすいことがあげられる。着色するため，器材や環境には使用しない。

2. 酸化剤

強力な酸化作用により微生物を殺滅する。過酢酸，過酸化水素などがある。過酢酸は芽胞を含むすべての微生物に有効で，強力な消毒効果を示す。刺激臭があり，蒸気が眼や呼吸器系粘膜を刺激するため，生体には使用しない。おもに内視鏡の消毒に用いられる。取扱い時は防護具を着用し，換気に気を付ける。過酸化水素は3%溶液がオキシドールとして創傷・潰瘍部の消毒に使用される。

3. アルコール類

蛋白の変性や溶菌，膜の脂質の溶解などにより殺滅する。消毒用エタノール，70%イソプロパノールなどがある。芽胞を除く微生物に広く有効であるが，エンベロープのないウイルスには効果が弱い。速効性で揮発性があり，生体や環境に汎用される。クロルヘキシジングルコン酸塩などの消毒薬との混合使用で効果を高める。粘膜や創傷部は刺激があるため使用しない。欠点として，引火性やゴム製品などの劣化がある。イソプロパノールは安価であるが，消毒用エタノールに比べ毒性や脱脂作用が強い。

4. アルデヒド類

アルデヒド基が菌体蛋白や核酸のNH基やSH基をアルキル化し，殺菌作用を示す。芽胞を含めほぼすべての微生物を死滅させる。

(1) グルタラール（グルタルアルデヒド）

酸性で安定であるがアルカリ性で活性化するため，緩衝化剤で用時調製し，pH約8の2w/v%液として使用する。呼吸器系や眼の粘膜に蒸気毒性があり，生体には使用せず，おもに内視鏡の消毒薬として用いられる。使用時の換気と取扱いに注意する。

(2) フタラール（オルトフタルアルデヒド）

グルタラールの類似化合物であるが，芽胞に対する殺菌力はグルタラールよりやや弱い。取扱いはグルタラールと同様である。

5. フェノール類

強い蛋白変性作用により殺菌作用を示す。フェノール（石炭酸）とクレゾール石けん液がある。芽胞細菌とエンベロープのないウイルスは抵抗性を示すほかは広く微生物に有効である。有機物存在下での効力低下が小さいため，クレゾール石けん液が排泄物の処理に用いられることがある。下水道法で排水規制があり，現在ではあまり用いられていない。

6. 界面活性剤

(1) 陽イオン界面活性剤

逆性石けんともいわれ，陽性に荷電した薬剤が菌体の陰イオン部に吸着浸透し，殺菌作用と洗浄効果を示す。第四級アンモニウム塩のベンザルコニウム塩化物とベンゼトニウム塩化物が汎用されている。有芽胞細菌には無効で，結核菌，ウイルス，糸状真菌の殺菌力は弱い。無臭で刺激性が少なく，金属腐食性も低いため，おもに器材や環境の消毒に用いられる。有機物の存在下で効力が低下する。通常の陰性石けんと併用すると効力が減弱する。

(2) 両性界面活性剤

陽イオンの殺菌作用と陰イオンの洗浄力を有する。アルキルジアミノエチルグリシン塩酸塩が使用されている。芽胞細菌には無効で，ウイルスや糸状真菌の殺菌力は弱いが，結核菌には高濃度，長時間の接触で殺菌効果を示す。器材や環境の消毒に用いられる。陰性石けんと併用すると効力は減弱する。

7. クロルヘキシジン

ビグアナイド系化合物で細胞膜障害による細胞内成分の漏出や酵素阻害により作用する。クロルヘキシジングルコン酸塩が生体消毒や環境・器材の消毒に用いられる。抗微生物スペクトルは狭く，一般細菌と酵母様真菌に有効である。使用液として希釈後，長期間使用しない状態が続くと細菌汚染を生じることがある。低毒性で創傷部位や手術野の消毒に有用であるが，使用濃度を誤るとショックや過敏症が発現することがある。

6. 2. 3　抗微生物スペクトル

各消毒薬の抗微生物スペクトルとおもな用途を表6.2.1に示す。

表 6.2.1　各種消毒薬の抗微生物スペクトルとおもな用途

区分	消毒薬	微生物						消毒対象					
		一般細菌	緑膿菌	結核菌	真菌＊1	芽胞	B型肝炎ウイルス	環境	金属器具	非金属器具	手指皮膚	粘膜	排泄物
高水準	グルタラール	○	○	○	○	○	○	※	●	●	※	※	▲
	フタラール	○	○	○	○	○＊2	○	※	●	●	※	※	▲
	過酢酸	○	○	○	○	○	○	※	▲	●	※	※	▲
中水準	次亜塩素酸ナトリウム	○	○	○	○	○	○	●	※	●	※	※	●＊3
	アルコール	○	○	○	○	×	○	●	●	●	●	※	※
	ポビドンヨード	○	○	○	○	×	○	※	※	※	●	●	※
低水準	第四級アンモニウム塩	○	○	×	○	×	×	●	●	●	●	●	▲
	両性界面活性剤	○	○	△	○	×	×	●	●	●	●	●	▲
	クロルヘキシジングルコン酸塩	○	○	×	○	×	×	●	●	●	●	※	※
	オラネキシジングルコン酸塩	○	○	×	○	×	×	※	※	※	●＊4	※	※

○：有効，△：効果が得られにくいが，高濃度の場合や時間をかければ有効となる場合がある，×：無効
●：使用可能，▲：注意して使用，※：使用不可
＊1　糸状真菌を含まない
＊2　バチルス属（*Bacillus* spp.）の芽胞を除いて有効
＊3　CDC Update：Management of patients with suspected viral hemorrhagic fever-United States. MMWR 1995；44：475-479
＊4　手術部位皮膚消毒のみ

〔大久保　憲，他（編）：2020 年版　消毒と滅菌のガイドライン，18-19，へるす出版，2020 より許可を得て改変〕

6. 2. 4　プリオンの不活性化法

ヒトのプリオン病であるクロイツフェルト・ヤコブ病（CJD）は，蛋白性の感染粒子である異常なプリオン（PrP^{Sc}）によって中枢神経障害を起こす致死性の疾患である。原因となる異常プリオンは正常なプリオン（PrP^{C}）の高次構造が変化し，感染源となるプリオンを鋳型として宿主のPrP^{C}の高次構造がPrP^{Sc}へ変換，増殖すると考えられている。

現時点で推奨されるプリオンの不活化性法は，蛋白質を変性させる方法であり，表6.2.2に示した。不完全な不活性化法でも，複数の方法を組み合わせることによって感受性のある実験動物への伝達性を検出限界以下にすることが可能であり，実際の現場においても推奨される。

表 6.2.2　プリオンの不活性化法

不活性化のレベル	方法
プリオンを完全に不活性化	高温による焼却
感受性実験動物に対する伝達性を失わせるレベルの不活性化	次亜塩素酸ナトリウム：2%（20,000ppm）以上 高濃度アルカリ洗浄剤：pH 12 以上 ドデシル硫酸ナトリウム（SDS）／水酸化ナトリウム（NaOH）：0.2% SDS を含む 3% NaOH 水溶液
不完全な不活性化 （伝達性が残存）	オートクレーブ：134℃（3 気圧：滅菌器缶体内は 2 気圧となる），18 分間 3% SDS：煮沸 1M ～ 2M NaOH：20℃，1 時間 中濃度アルカリ洗浄液：pH 12 以下，55℃または 65℃ 過酸化水素ガス滅菌（濃度や温度条件によって伝達性が検出できない場合もある）
ほとんど不活性化されない （伝達性がかなり残存）	過酢酸，SDS（室温），過酸化水素水，酵素洗浄剤

［三澤成毅］

用語　米国疾病予防管理センター（Centers for Disease Control and Prevention；CDC），クロイツフェルト・ヤコブ病（Creutzfeldt-Jakob disease；CJD），ドデシル硫酸ナトリウム（sodium dodecyl sulfate；SDS）

参考文献

1) 大久保　憲，他（編）：2020年版　消毒と滅菌のガイドライン，へるす出版，2020.

2) 小林寛伊（指導），大久保　憲（監修），吉田製薬文献調査チーム（執筆）：Y's text　消毒薬テキスト 第5版―エビデンスに基づいた感染対策の立場から，協和企画，2016.

3) プリオン病感染予防ガイドライン作成委員会（委員長 水澤英洋）：プリオン病感染予防ガイドライン2020，プリオン病のサーベイランスと感染予防に関する調査研究班・日本神経学会，2020年3月．https://neurology-jp.org/guidelinem/prion/prion_2020.pdf

A. 臨床検査の基礎と疾病との関連

7章 化学療法

章目次

SUMMARY

化学療法（chemotherapy）とは化学療法薬の選択毒性を利用して感染症の原因となっている微生物やがん細胞の増殖を抑制または死滅させることを目的として感染症の治療を行うことである。この化学療法薬のなかで，抗微生物作用を有する薬剤を抗菌薬（antimicrobial agent）と総称する。抗菌薬はその標的微生物の違いによって，抗細菌薬（antibacterial agent），抗真菌薬（antifungal agent），抗ウイルス薬（antiviral agent），抗原虫薬（antiparasitic agent）などに分類されるが，抗菌薬の大部分を抗細菌薬が占めており，その種類もさまざまである。抗菌薬は感染症の治療薬として主要な役割を果たしてきているが，不適切な使用により薬剤耐性菌の出現・蔓延を招いている現状がある。本章では抗菌薬についての基礎，作用機序ならびに耐性機序について学ぶ。また，検査に必要な薬剤感受性試験の方法とその解釈などについて解説する。

7.1　抗菌薬の基本

- 選択毒性とは，病原微生物に対しては殺菌作用や増殖抑制作用を示すが，宿主であるヒトに対する毒性を示さないかあるいは最小限に抑えることである。
- β-ラクタム系薬などの細胞壁合成阻害薬は優れた選択毒性を有する。
- β-ラクタム系薬は細胞壁合成の段階で有効性を示すため増殖中の細菌に対してのみ殺菌的に作用する。
- バンコマイシンなどのグリコペプチド系薬は通常グラム陰性菌には無効である。
- アミノグリコシド系薬は嫌気性菌には無効である。

感染症の治療薬として「抗菌薬」と「抗生物質」という呼称が混在して用いられている。この2つの違いとして「抗生物質」は微生物が産生する代謝産物のうち，ほかの微生物の増殖を抑制または死滅させる作用を有する天然物質の総称である。これに対して「抗菌薬」は狭義には化学合成で生産されるものや，天然物質の誘導体から半合成されるものをいう。現在では多くの抗生物質が半合成されたり，微生物の力を借りずに合成されたりするため，これら2つの区別は明確ではなく，広義の抗菌薬として扱われる。

7. 1. 1　選択毒性

抗菌薬治療の根本となる最も重要な概念が選択毒性である。この選択毒性とは，病原微生物に対しては殺菌作用や増殖抑制作用を示すが，宿主であるヒトに対する毒性を示さないかあるいは最小限に抑えることをいう。選択毒性を達成するためには，ヒト細胞には存在しないか，あるいは類似しているが実質的には異なるような病原微生物の機能や構造を標的にする。たとえばペニシリンをはじめとするβ-ラクタム系薬は細菌の細胞壁を構成するペプチドグリカンの合成を阻害するメカニズムにより殺菌作用を示すが，ヒト細胞は細胞壁もペプチドグリカンももたないことからβ-ラクタム系薬の作用による影響を受けない（表7.1.1）。

ウイルスは偏性細胞内寄生性で，代謝や複製に宿主細胞の酵素やリボソームを利用している。したがって，ウイルスの複製に効果的な抗ウイルス薬は宿主細胞にも毒性があり，ウイルスのみに選択毒性を有する薬剤の開発は難しい。

表 7.1.1　抗菌薬の選択的標的部位

微生物に特有な機能・構造	ヒト細胞とは異なる機能・構造
細胞壁（ペプチドグリカン） 葉酸生合成系	リボソーム 核酸 細胞膜

7. 1. 2　作用機序・抗菌スペクトル

抗菌薬にはさまざまな種類があるが，その作用機序にもとづいて，①細胞壁合成阻害薬，②蛋白合成阻害薬，③核酸（DNAやRNA）合成阻害薬，④細胞膜機能阻害薬，⑤葉酸合成阻害薬におおまかに分類される（図7.1.1）。抗菌薬はそれぞれこれらの異なる作用部位を阻害することで，病原微生物を死滅（殺菌的作用），あるいは増殖を阻止（静菌的作用）する。また抗菌薬が抗菌効果を示す微生物の種類の範囲を抗菌スペクトルという。

1. 細胞壁合成阻害薬

細菌の細胞壁構成成分であるペプチドグリカンは細菌の生存に必須であるが，宿主（ヒト）細胞には細胞壁が存在しないことから，細胞壁合成阻害薬は優れた選択毒性を有

用語　抗生物質（antibiotics），選択毒性（selective toxicity）

Q 理想的な抗菌薬とは？

A ①病原微生物にのみ毒性があり，宿主細胞には毒性がないこと（選択毒性）
②静菌的作用よりも殺菌的作用を示すこと
③感染部位に効果的濃度が到達できること
④薬剤耐性菌が出現，増加しないこと

しかしながらこのような理想的な抗菌薬は存在しないことから，各種抗菌薬の作用機序，抗菌スペクトル，耐性化の機序などを理解し臨床現場での適正使用につなげていくことが肝要である。

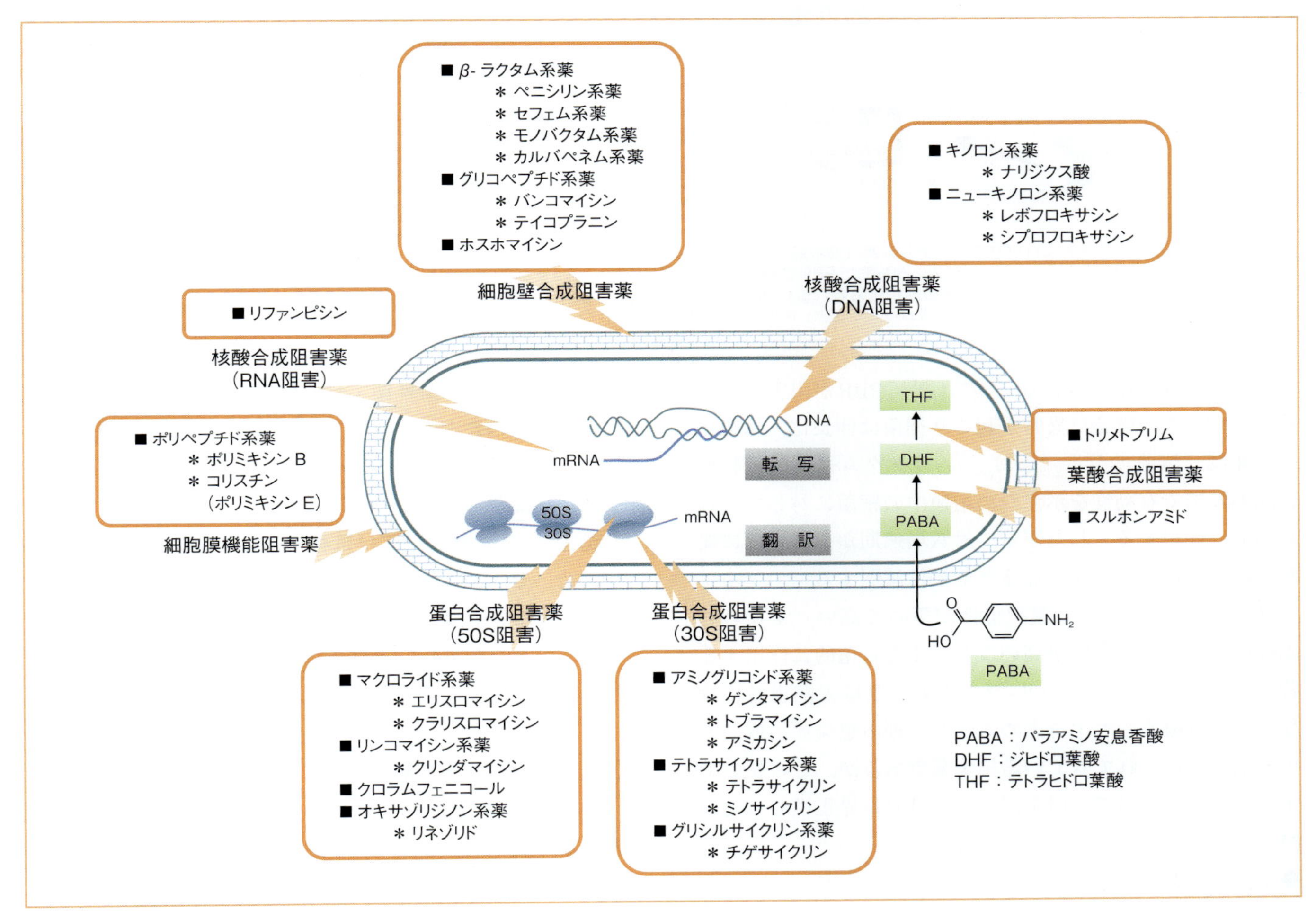

図 7.1.1　抗菌薬の作用機序

する。

(1) β-ラクタム系薬

β-ラクタム系薬は窒素原子を含む4員環の環状アミドであるβ-ラクタム環を構造の核に有するのが共通の特徴であり，これが作用機序に重要な役割を果たす。β-ラクタム系薬の標的はペプチドグリカン架橋酵素〔ペニシリン結合蛋白（PBP)〕である。すなわち，β-ラクタム環は細菌細胞壁のペプチドグリカン合成における最終段階の基質であるD-アラニル-D-アラニン（D-Ala-D-Ala）の構造アナログとしてPBPの活性部位（transpeptidase domain）に不可逆的に結合してしまうため，PBPは本来の酵素とし

用語　D-アラニル-D-アラニン（D-alanyl-D-alanine；D-Ala-D-Ala），ペニシリン結合蛋白（penicillin-binding protein；PBP），パラアミノ安息香酸(para-aminobenzoic acid；PABA)，ジヒドロ葉酸(dihydrofolic acid；DHF)，テトラヒドロ葉酸(tetrahydrofolic acid；THF)，メッセンジャーRNA(messenger RNA；mRNA)

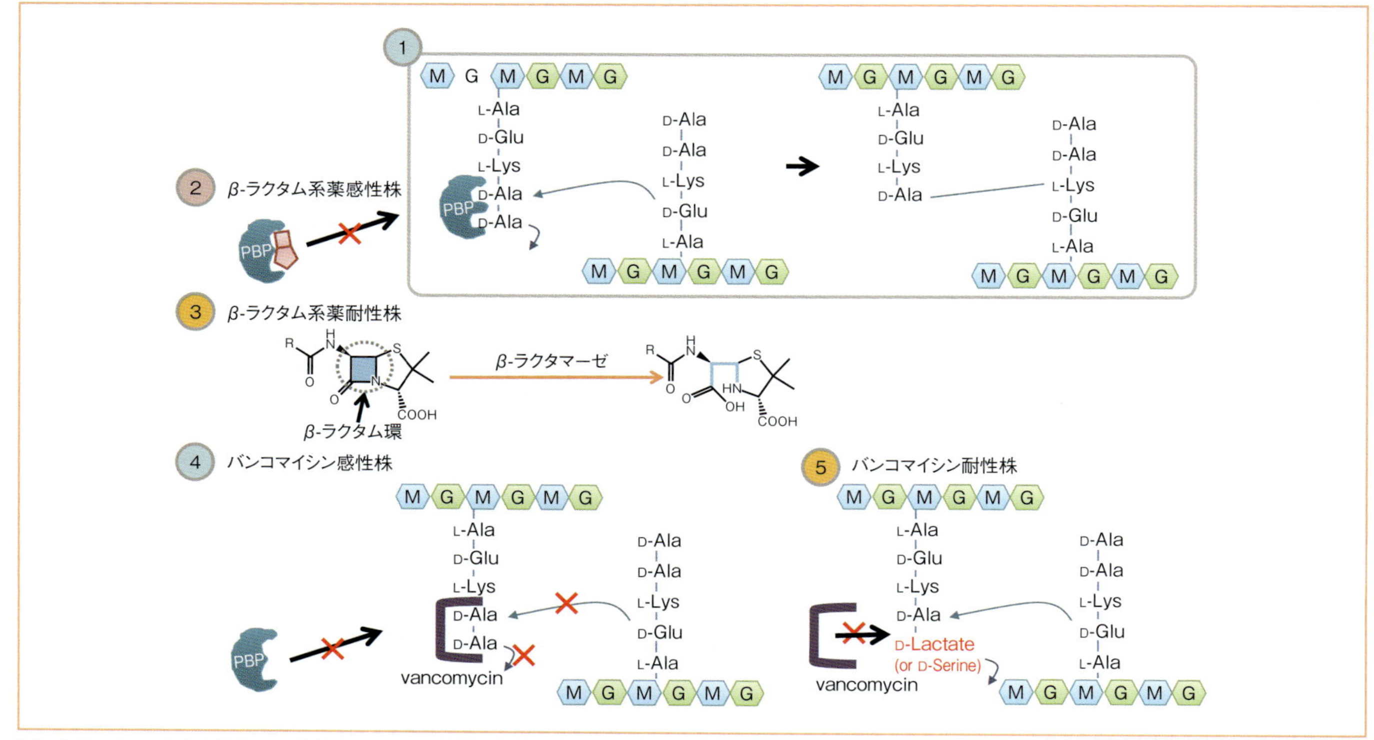

図7.1.2 β-ラクタム系薬およびグリコペプチド系薬（細胞壁合成阻害薬）の作用機序と耐性機序
①ペプチドグリカン架橋形成反応，②β-ラクタム系薬がPBPに結合し架橋反応阻害，③β-ラクタマーゼによるβ-ラクタム系薬の分解不活化，④バンコマイシンがD-alanyl-D-alanine残基に結合しPBPの結合を阻害，⑤D-alanyl-D-lactate（or D-serine）への変異によりバンコマイシンの結合を阻害。
G：N-アセチルグルコサミン，M：N-アセチルムラミン酸，L-Ala：L-アラニン，D-Glu：D-グルタミン酸，L-Lys：L-リジン。

てのはたらきが阻害される（図7.1.2）。PBPが阻害される結果，細胞壁の構造に異常が起こり細菌は伸長化，球状化し，死滅，溶菌に至る。なお，β-ラクタム系薬は細胞壁合成の段階で有効性を示すため増殖中の細菌に対してのみ殺菌的に作用する。したがって対数増殖期から静止期に変わり細菌の増殖が緩徐になると効果は減弱する。

β-ラクタム系薬は，選択毒性が極めて高い，すなわち副作用が少なく安全性が高いこと，また殺菌的に作用する特徴を有する。そのためβ-ラクタム系薬は入院患者に投与される抗菌薬の大半を占めるなど，細菌感染症治療において最も汎用されてきている抗菌薬であるが，その使いやすさが臨床の現場で乱用を招き，今日の世界規模での薬剤耐性菌問題につながってきている。

◆抗菌スペクトル

ペニシリン系薬の原型は*Penicillium chrysogenum*により産生される天然のペニシリンGで，セファロスポリン系薬の原型は*Cephalosporium acremonium*により産生される天然のセファロスポリンCである。ペニシリンG（penicillin G；PCG）はグラム陽性菌に効果が認められ，グラム陰性菌に対しては作用しないが，セファロスポリンCはグラム陽性菌に加え一部のグラム陰性菌にも抗菌作用が認められた。以降，抗菌効果を発揮する適用菌種の拡大，抗菌活性の増大，耐性菌・耐性機序の克服，副作用の軽減，宿主体内での安定性，感染部位への有効濃度の到達などを意図した半合成，合成β-ラクタム系薬の開発の歴史が始まり今日に至っている。

現在β-ラクタム系薬は母核構造により，おもにペニシリン系，セフェム系，カルバペネム系，モノバクタム系に分類される。セフェム系にはセファロスポリン系とセファマイシン系が含まれ，セファロスポリン系は開発時期により第一～第四世代に分類される（図7.1.3）。

(2) グリコペプチド系薬

β-ラクタム系薬がPBPと結合し細菌の細胞壁合成を阻害するのに対して，グリコペプチド系薬はD-Ala-D-Ala残基に迅速かつ不可逆的に結合し細胞壁合成を阻害することでグラム陽性菌に対し殺菌的に作用する。グリコペプチド系薬はヘプタペプチドを核とする複雑な多環構造を有し分子サイズが非常に大きい。したがって細胞膜の外側でD-Ala-D-Ala残基に結合したグリコペプチド系薬が立体障害となりペプチドグリカン合成ができなくなるというユニークな作用機序をもつため（図7.1.2），その他の多くの抗菌薬グループと比較して，耐性を獲得しにくい。なお，グリコペプチド系薬の分子サイズが大きいことからほとんど

用語　β-ラクタム系薬（β-lactams），ペニシリンG（penicillin G；PCG），L-アラニン（L-alanine；L-Ala），D-グルタミン酸（D-glutamate；D-Glu），L-リシン（L-lysine；L-Lys）

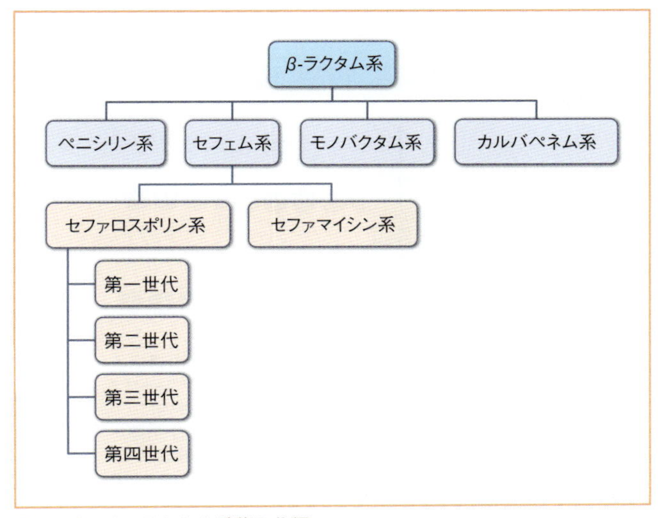

図 7.1.3　β - ラクタム系薬の分類

のグラム陰性菌の外膜ポーリン孔を通過できないため標的のD-Ala-D-Ala残基に結合できない。よってグリコペプチド系薬は通常グラム陰性菌には無効である。

グリコペプチド系薬の使用にあたっては，至適濃度の維持および腎機能障害を考慮し血中濃度のモニタリング（TDM）が必要である。

◆抗菌スペクトル

グリコペプチド系薬として放線菌類（*Actinomycetes*）の*Streptomyces orientalis*が産生するバンコマイシン，*Actinoplanes teichomyceticus*が産生するテイコプラニンが臨床で使用されている。これらのグリコペプチド系薬はグラム陽性の好気性菌および嫌気性菌に抗菌力を示し，重篤感染症の治療に用いられる。とくにほかのすべての薬剤に耐性を示すメチシリン耐性黄色ブドウ球菌（methicillin-resistant *Staphylococcus aureus*；MRSA）による感染症に有効である。また，バンコマイシンは*Clostridioides difficile*による偽膜性大腸炎に有効である。

(3) ホスホマイシン

β - ラクタム系薬やグリコペプチド系薬が細菌細胞壁ペプチドグリカン合成の最終段階に作用するのに対して，ホスホマイシンは合成の初期段階を阻害する。ホスホマイシンは小分子サイズの単純な構造をもつ有機ホスホン酸で，ヘキソースリン酸またはグリセロール-3-リン酸の能動輸送系により効率よく細菌細胞膜を通り細胞内へと取り込まれ蓄積される。菌体細胞内に取り込まれたホスホマイシンはホスホエノールピルビン酸のアナログとして，ペプチドグリカン合成の最初の段階に必要な酵素であるホスホエノールピルビン酸トランスフェラーゼのはたらきを不可逆的に阻害することにより殺菌的に作用する。

ホスホマイシンは抗原性が低くアレルギー性の副作用が出にくいことが特徴で，他剤との交差耐性もない。腸管からの吸収は悪いが大腸への移行性に優れておりサルモネラ属菌，赤痢菌，カンピロバクター属菌などによる感染性腸炎の治療薬として効果を示す。また，グラム陰性菌による尿路感染症にも用いられる。

◆抗菌スペクトル

ホスホマイシンの抗菌活性はグラム陽性菌のブドウ球菌属からほとんどのグラム陰性の腸内細菌目の菌種まで広範に及ぶが，クレブシエラ属菌，エンテロバクター属菌，セラチア属菌に対する最小発育阻止濃度（MIC）は比較的高値である。また，緑膿菌に対するホスホマイシンのMICは4～512μg/mL以上とさまざまである。ホスホマイシンはβ - ラクタム系薬，アミノグリコシド系薬などとの併用で相乗効果を示す。

Q　ホスホマイシンの薬剤感受性測定には？

A　ホスホマイシンが抗菌作用を発揮するためには2つの栄養素輸送系を利用して能動的に菌体細胞内に取り込まれなければならない。この輸送系の1つであるヘキソースリン酸輸送系の作動にはグルコース-6-リン酸による誘導が必要である。したがって，*in vitro*における薬剤感受性試験の場合グルコース-6-リン酸を添加した培地と添加しない培地ではホスホマイシンの試験結果が大きく異なる可能性があり，通常グルコース-6-リン酸を添加した試験系で測定を実施する。

用語　グリコペプチド系薬（glycopeptides），治療薬物モニタリング（therapeutic drug monitoring；TDM），バンコマイシン（vancomycin），テイコプラニン（teicoplanin），メチシリン耐性黄色ブドウ球菌（methicillin-resistant *Staphylococcus aureus*；MRSA），ホスホマイシン（fosfomycin），最小発育阻止濃度（minimum inhibitory concentration；MIC）

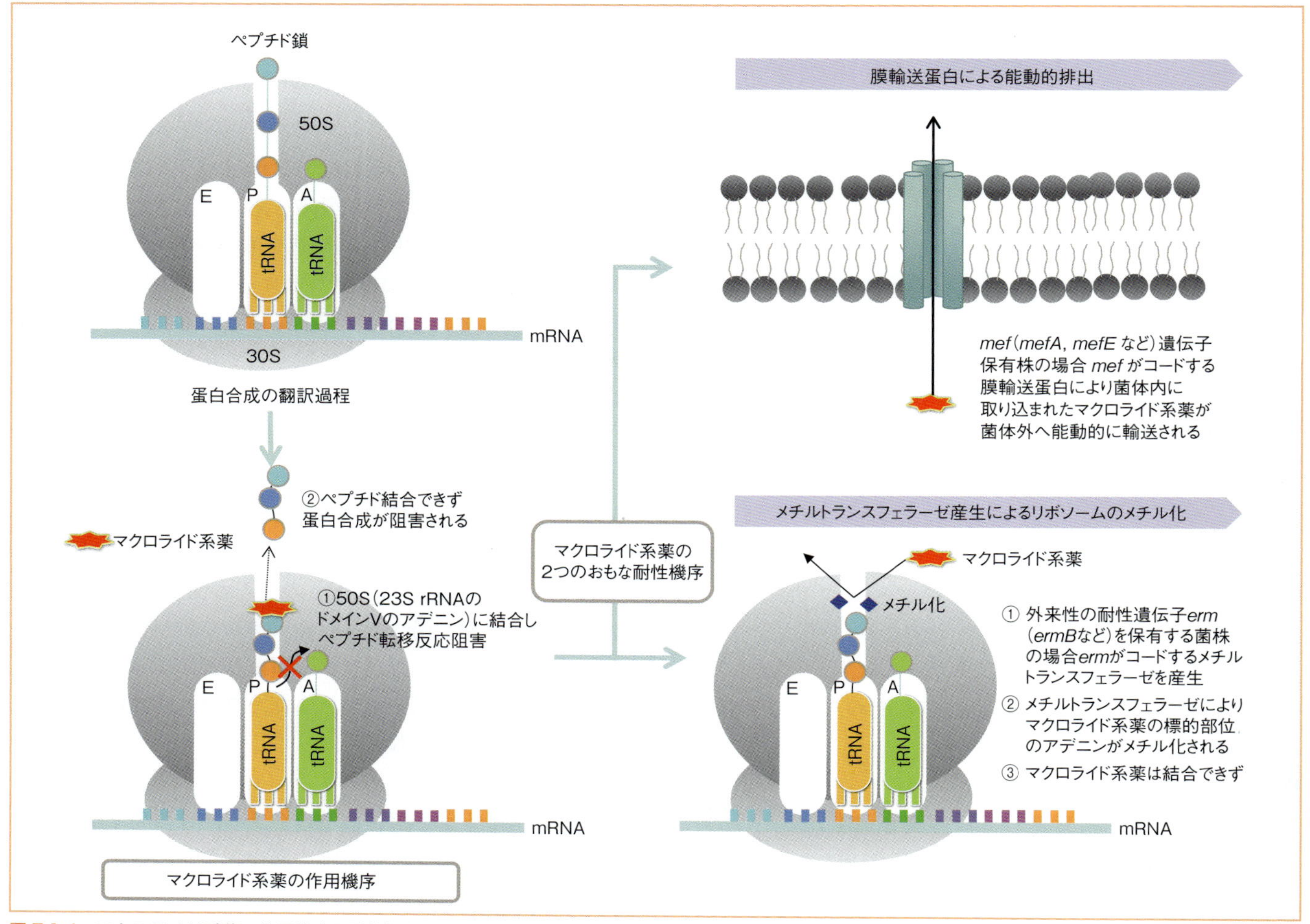

図 7.1.4 マクロライド系薬の作用機序と耐性機序

2. 蛋白合成阻害薬

蛋白合成阻害薬はリボソームを標的として抗菌活性を示す。ほとんどの蛋白合成阻害薬は細菌の70Sリボソーム（50Sと30Sサブユニットで構成）に親和性・特異性をもっており，真核生物の80Sリボソーム（60Sと40Sサブユニットで構成）には作用しにくいという違いが選択毒性をもたらしている。

(1) マクロライド系薬

マクロライド系薬は大分子量のラクトン環にジメチルアミノ糖がグリコシド結合した特徴的な構造をもつ。ラクトン環の構造の違いによって14員環（エリスロマイシン，クラリスロマイシン），15員環（アジスロマイシン），16員環（ジョサマイシン）マクロライドに大別される。細菌の70Sリボソームの50Sサブユニットに可逆的に結合しペプチド転移反応を阻害することにより蛋白合成を阻害する（図7.1.4）。マクロライド系薬は静菌的に作用するが，高濃度の場合や少数の感受性細菌の場合は殺菌的に作用する。副作用が極めて少なく，とくに呼吸器への移行性に優れており，マイコプラズマ肺炎やレジオネラ肺炎をはじめ呼吸器感染症に用いられる。また，ペニシリンアレルギーをもつ人に対してペニシリンの代替薬として使用されることもある。

14員環，15員環のマクロライド系薬は，本来の抗菌活性以外にも抗微生物作用や宿主の過剰な炎症反応を制御する抗炎症作用を示すことが明らかになりつつある。

◆抗菌スペクトル

マクロライド系薬として *Saccharopolyspora erythraea* が産生するエリスロマイシン，エリスロマイシンの修飾によるクラリスロマイシンおよびアジスロマイシンが臨床で使用されている。マクロライド系薬はブドウ球菌属，肺炎球菌をはじめとするレンサ球菌属菌などのグラム陽性菌に対して優れた抗菌活性を示す。また，細胞壁をもたないマイ

用語 マクロライド系薬（macrolides），エリスロマイシン（erythromycin），クラリスロマイシン（clarithromycin），アジスロマイシン（azithromycin），ジョサマイシン（josamycin）

コプラズマ，梅毒トレポネーマ，レプトスピラ，リケッチア，クラミジア，カンピロバクター属菌，ヘリコバクター属菌などに対しても抗菌活性を示す。本薬剤は疎水性，高分子量のためグラム陰性桿菌の外膜を通過できず，ほとんどのグラム陰性菌に対して無効である。

(2) リンコマイシン系薬

リンコマイシン系薬のクリンダマイシンの標的部位はマクロライド系薬と共通のため，マクロライド系薬とは交差耐性を示す。とくに嫌気性菌に有効。なお，クリンダマイシンは*Clostridioides difficile*による偽膜性大腸炎を引き起こす原因となる抗菌薬の1つである。

(3) テトラサイクリン系薬

テトラサイクリン系薬は4つの6員環が横方向に結合した構造をもつ。細菌の70Sリボソームの30Sサブユニットに可逆的に結合し，アミノアシルtRNAのリボソームのAサイトへの結合を阻害することにより蛋白合成を停止させる。テトラサイクリン系薬は静菌的に作用するが，クラミジア感染症，リケッチア感染症，マイコプラズマ肺炎，ブルセラ症，ライム病などの治療に選択される。

◆抗菌スペクトル

テトラサイクリン系薬では*Streptomyces aureofaciens*の産生するクロルテトラサイクリンをもとに半合成的につくられたテトラサイクリン，その化学誘導体のドキシサイクリンおよびミノサイクリンが臨床で使用されている。広域スペクトルを有し，グラム陽性菌，グラム陰性菌（緑膿菌以外）に加え，β-ラクタム系薬が効かないクラミジア，リケッチア，マイコプラズマ，ブルセラ，スピロヘータなどにも抗菌活性を示すが，耐性株が増加してきている。

(4) アミノグリコシド系薬

アミノグリコシド系薬はアミノ糖が環状構造のアミノシクリトールにグリコシド結合した基本構造をもつ。アミノグリコシド系薬は細菌の70Sリボソームの30Sサブユニットに不可逆的に結合し，翻訳開始を阻害したり，翻訳を停止させたり，mRNA上の遺伝コードの誤読を起こさせ異常蛋白を合成させることで蛋白合成を阻害する。さらには異常蛋白が細胞膜に障害を与えるなどの作用機序により殺菌的に作用する。アミノグリコシド系薬のなかでもストレプトマイシンは30Sのみに結合するが，その他は30Sと50Sの両方に結合する。

アミノグリコシド系薬は緑膿菌を含めグラム陰性桿菌による敗血症などの重症感染症に使用する。中枢神経系，呼吸器系，胆道系などへの移行は悪く，単剤での使用は避ける。また，消化管から吸収されずおもに腎排泄性のため，尿路感染症には適している。

◆抗菌スペクトル

アミノグリコシド系薬では*Streptomyces griseus*の産生するストレプトマイシンが最初に発見され，その後わが国で最初に発見された*Streptomyces kanamyceticus*が産生するカナマイシン，*Micromonospora purpurea*などの放線菌が産生するゲンタマイシン，*Streptomyces tenebrarius*が産生するトブラマイシン，*Streptomyces spectabilis*が産生

検査室ノート　アミノグリコシド系薬の特性

- PAEとは抗菌薬の血中濃度がMIC以下に低下，あるいは消失した後も一定期間殺菌効果が持続して見られることである。グラム陽性菌に対してはβ-ラクタム系薬をはじめ，ほとんどの抗菌薬がこの作用をもつ。また，グラム陰性菌に対してはアミノグリコシド系薬とニューキノロン（フルオロキノロン）系薬がこの作用をもつ。
- アミノグリコシド系薬はグラム陽性菌に対する抗菌活性は弱い。これは本薬剤が厚いペプチドグリカン細胞壁を貫通できない（β-ラクタム系薬と併用の場合を除いて）ためである。
- アミノグリコシド系薬は嫌気性菌には無効である。本薬剤は構造的に極性が高く，細胞内に取り込まれるためにはまずエネルギー依存性の能動輸送によって細胞膜を通る必要がある。この能動輸送には酸素が必要なため，嫌気性下では細菌の中に取り込まれず抗菌活性を示さない。

用語　リンコマイシン系薬（lincomycins），クリンダマイシン（clindamycin），テトラサイクリン系薬（tetracyclines），転移RNA（transfer RNA；tRNA），テトラサイクリン（tetracycline），ドキシサイクリン（doxycycline），ミノサイクリン（minocycline），アミノグリコシド系薬（aminoglycosides），誤読（misreading），ストレプトマイシン（streptomycin），カナマイシン（kanamycin），ゲンタマイシン（gentamicin），トブラマイシン（tobramycin），PAE（post-antibiotic effect）

するスペクチノマイシンなどが発見された。さらにはこれらを出発物質とした半合成のアミカシン，アルベカシンなどが臨床で使用されている。

アミノグリコシド系薬は，グラム陰性桿菌に強い抗菌活性を示す。とくにゲンタマイシン，トブラマイシン，アミカシンは抗緑膿菌活性をもち，アルベカシンは抗MRSA活性をもつ。スペクチノマイシンはリン菌に静菌的に作用し，ストレプトマイシン，カナマイシンは抗結核菌活性をもつ。嫌気性菌には無効である。

アミノグリコシド系薬は広域スペクトルを有し，濃度依存的に殺菌作用を発揮し，グラム陽性菌およびグラム陰性菌に対してPAEをもつ利点を有するが，聴覚毒性や腎毒性などの副作用を有することから血中濃度のモニタリング（TDM）により有効かつ安全に使用する必要がある。とくにβ-ラクタム系薬との併用で相乗効果を示す。

(5) オキサゾリジノン系薬

リネゾリドに代表されるオキサゾリジノン系薬は臨床使用において比較的新しいクラスの合成抗菌薬である。リネゾリドは細菌の70Sリボソームの50Sサブユニットに結合し，50Sサブユニットが30Sサブユニットと結合するのを阻害，すなわち70Sリボソーム蛋白合成開始複合体の形成を阻害することにより蛋白合成の初期段階を阻害する。リネゾリドはグラム陽性菌やマイコバクテリアに抗菌活性を示す。MRSAおよびバンコマイシン耐性腸球菌（VRE）による各種感染症に適応をもつ。抗MRSA薬のなかでは唯一静菌的に作用し，ほかの抗MRSA薬とは交差耐性が少ない。組織移行性に優れている。

3. 核酸合成阻害薬

核酸合成阻害薬はDNAやRNAの合成酵素を阻害し抗菌活性を示す。DNAやRNAは細菌も含めすべての生体に必須である。したがって核酸合成阻害薬の選択毒性は細菌細胞と真核細胞の間で異なる酵素を標的とするか，細菌細胞により親和性をもつ薬剤であることが必要となる。

(1) キノロン系薬

キノロン系薬は細菌のDNA複製などに関わる酵素であるトポイソメラーゼⅡ型に属するDNAジャイレースおよびトポイソメラーゼⅣに不可逆的に結合し，DNA複製を特異的に阻害することで殺菌的に作用する。なお，ヒト細胞（真核細胞）もトポイソメラーゼⅡ型酵素を有するが，構造が異なることで選択毒性をもたらす。

最初に開発されたナリジクス酸以降改良キノロン系薬が合成されたが，その後母骨格であるキノロン環にフッ素原子を導入し抗菌力を飛躍的に高めたノルフロキサシンが開発された。このフッ素原子の有無により，ノルフロキサシン以前のキノロン系薬はオールドキノロン，ノルフロキサシン以降のキノロン系薬はニューキノロンまたはフルオロキノロンと呼称されている。ニューキノロン（フルオロキノロン）にはノルフロキサシン，オフロキサシン，レボフロキサシン，シプロフロキサシンなどがある。

オールドキノロンの適応は尿路感染症や腸管感染症に限定される。ニューキノロン（フルオロキノロン）では抗菌スペクトルの拡大化，吸収率や組織移行性の改善がはかられ，上気道感染症を含む全身性の感染症にまで適応が拡大されている。

◆抗菌スペクトル

オールドキノロンの抗菌域がグラム陰性菌に限られていているのに対して，ニューキノロンは緑膿菌を含むグラム陰性菌，グラム陽性菌に抗菌活性を示す。また，ニューキノロンのなかでも肺組織への移行性が高く，呼吸器感染症の主要起因菌である肺炎球菌，黄色ブドウ球菌，インフルエンザ菌，*Moraxella catarrhalis*，マイコプラズマ属およびクラミジア属に対する抗菌活性が強化されたものをレス

検査室ノート　ニューキノロン系薬の現状

ニューキノロン（フルオロキノロン）系薬は組織移行性に優れ，消化管からの吸収率がよく，広域スペクトルをもち安全性も比較的高いため濫用されがちであることから耐性株の出現・増加が問題となっている。厚生労働省院内感染対策サーベイランス（JANIS）の2022年のデータによれば，肺炎球菌のレボフロキサシン耐性率は外来の髄液検査以外では3.1%，入院では6.4%であるが，大腸菌（*Escherichia coli*）の場合レボフロキサシン耐性率は外来29.9%，入院39.6%にまで及んでいる。

用語　スペクチノマイシン（spectinomycin），アミカシン（amikacin），アルベカシン（arbekacin），オキサゾリジノン系薬（oxazolidinones），リネゾリド（linezolid），キノロン系薬（quinolones），DNAジャイレース（DNA gyrase），トポイソメラーゼ（topoisomerase），ナリジクス酸（nalidixic acid），ノルフロキサシン（norfloxacin），オフロキサシン（ofloxacin），レボフロキサシン（levofloxacin），シプロフロキサシン（ciprofloxacin）

ピラトリーキノロンと呼称する。これには高用量のレボフロキサシン，トスフロキサシン，スパルフロキサシン，さらには抗嫌気性菌活性も付加されたガチフロキサシン，モキシフロキサシン，ガレノキサシン，シタフロキサシンが含まれる。

(2) リファンピシン

リファンピシンは放線菌の産生するリファマイシンに由来する半合成抗菌薬で，細菌のDNA依存性RNAポリメラーゼに不可逆的に結合し，RNA合成を阻害することで殺菌的に作用する。リファンピシンはすべてのグラム陰性菌の外膜を効率よく通過できないため，グラム陽性菌の場合に比較して抗菌活性は低い。また，リファンピシン非感受性RNAポリメラーゼの産生を引き起こす自然突然変異が高頻度に起こる。したがって単剤での使用は耐性菌の出現を招きやすいため，他剤との併用を行う。経口吸収率がよく，組織や体液移行性もよい。結核菌，MRSA，髄膜炎菌，レジオネラ属菌などに有効とされる。

4. 細胞膜機能阻害薬

ポリペプチド系薬に属するポリミキシンは*Bacillus polymyxa*の生産する抗生物質で，国内ではポリミキシンBおよびコリスチンが臨床使用されている。グラム陰性菌の細胞膜のリン脂質に結合し界面活性剤効果で細胞膜を溶かして膜の透過性を上昇させることにより，細胞の内容物を漏出させ殺菌的に作用する。グラム陽性菌およびバークホルデリア属菌，セラチア属菌，プロテウス属菌，プロビデンシア属菌などは自然耐性を有することから抗菌活性は期待できない。

ヒト細胞にも細胞膜が存在することから選択毒性は低く副作用に注意が必要である。おもな副作用は腎障害と神経障害である。

5. 葉酸合成阻害薬

細菌は葉酸を外部から吸収できないため自ら合成し，DNA合成に供する。スルホンアミド系薬はパラアミノ安息香酸の類似体としてジヒドロプテロイン酸の合成を競合的に阻害し，トリメトプリムはジヒドロ葉酸還元酵素を阻害する。スルホンアミド系薬のスルファメトキサゾールとトリメトプリムの5：1の配合剤であるスルファメトキサゾール・トリメトプリム（ST）合剤は，異なる作用点を阻害する相乗効果によりDNA合成を阻害する。

ST合剤の抗菌域は広く，ニューモシスチス肺炎の治療薬であるほか，グラム陽性菌，緑膿菌および嫌気性菌を除くグラム陰性菌，ノカルジアなどに有効である。消化管からの吸収もよく，肺，尿路，髄液，胆汁などへの組織移行性も高い。

［長野則之］

用語　トスフロキサシン（tosufloxacin），スパルフロキサシン（sparfloxacin），ガチフロキサシン（gatifloxacin），モキシフロキサシン（moxifloxacin），ガレノキサシン（garenoxacin），シタフロキサシン（sitafloxacin），リファンピシン（rifampicin），ポリミキシンB（polymyxin B），コリスチン（colistin），スルファメトキサゾール・トリメトプリム（sulfamethoxazole/trimethoprim；ST）

参考文献

1）Patricia T(ed.)：“Principles of antimicrobial action and resistance”, Bailey and Scott's Diagnostic Microbiology 13th ed, 153-167, Mosby, 2013.
2）Steven M *et al.*：“Molecular mechanism of antibiotic resistance in bacteria”, Mandell, Douglas and Bennett's Principles and Practice of Infectious Diseases 8th ed, 235–251, Bennet JE, *et al.*(eds.), Churchill Livingstone Elsevier, 2014.

7.2　抗菌薬の種類

- 抗菌薬は，細胞壁合成阻害薬，蛋白合成阻害薬，細胞膜合成障害薬，核酸合成阻害薬，葉酸合成阻害薬などに大別され，合成や機能を阻害する。
- 抗菌薬の種類によって適応菌種は異なる。抗菌スペクトルと菌種の組み合わせで適切な抗菌薬を選択する。
- β - ラクタム系薬は，β - ラクタム環を中核として，ペニシリン系，セフェム系，カルバペネム系，モノバクタム系がある。
- カルバペネム系薬は，グラム陽性菌，陰性菌，嫌気性菌まで広範囲スペクトラムをもつ。
- 抗 MRSA 薬は，バンコマイシン，テイコプラニン，アルベカシン，ダプトマイシン，リネゾリドなどがある。

抗菌薬は細胞壁，細胞膜，細胞質，リボソーム，核酸などに作用して，その合成や機能を阻害することにより殺菌的あるいは静菌的に作用し，細胞壁合成阻害薬，蛋白合成阻害薬，細胞膜機能阻害薬，核酸（DNAあるいはRNA）合成阻害薬，葉酸合成阻害薬などに大別される（p57　図7.1.1参照）。

表7.2.1におもな抗菌薬の抗菌スペクトルを，図7.2.1におもな抗菌薬の構造を示した。

表 7.2.1　おもな抗菌薬の抗菌スペクトル

抗菌薬の作用	略号（日本化学療法学会）	一般名	ブドウ球菌	レンサ球菌	エンテロコッカス・フェカーリス	リン菌	モラクセラ	インフルエンザ菌・大腸菌・赤痢菌・サルモネラ菌	肺炎桿菌	セラチア・エンテロバクター	緑膿菌	嫌気性グラム陽性菌	バクテロイデス
	ペニシリン系												
殺菌	PCG	ペニシリンG	◎	◎		◎						△	
殺菌	DMPPC	メチシリン	◎										
殺菌	ABPC	アンピシリン	◎	◎	◎	◎		◎				△	
殺菌	AMPC	アモキシシリン	◎	◎	◎	◎	○	◎				△	
殺菌	PIPC	ピペラシリン	◎	◎	◎	◎	◎	◎	◎	◎	◎	△	◎
	セフェム系												
	セファロスポリン系												
殺菌	CEZ	セファゾリン	◎	◎		◎	◎	◎	◎				
殺菌	CTM	セフォチアム	○	◎		◎	◎	◎	◎	◎		△	
殺菌	CTX	セフォタキシム	○	◎		◎	◎	◎	◎	◎	○	△	◎
殺菌	CPM	セフピラミド	○	○		○		○	○	○	○	△	○
殺菌	CAZ	セフタジジム	○			◎	◎	◎	◎	◎	◎		◎
殺菌	CFPM	セフェピム	○	○			○	△	○	○	○	△	○
	セファマイシン系												
殺菌	CMZ	セフメタゾール	◎	◎		◎		◎	◎	△		△	◎
	経口セフェム系												
殺菌	CCL	セファクロル	◎	◎		◎	◎	◎	◎				
殺菌	CFIX	セフィキシム		○		○	○	○	○	○			○
	オキサセフェム系												
殺菌	FMOX	フロモキセフ	◎	◎		◎	◎	◎	◎	△		△	◎

◎：日常検査で汎用され，感受性あり，○：感受性あり，△：複数菌種のいずれかに対し抗菌力が弱い。
殺菌：殺菌的作用，静菌：静菌的作用。

用語　ペニシリンG（penicillin G；PCG），メチシリン（methicillin；DMPPC），アンピシリン（ampicillin；ABPC），アモキシシリン（amoxicillin；AMPC），ピペラシリン（piperacillin；PIPC），セファゾリン（cefazolin；CEZ），セフォチアム（cefotiam；CTM），セフォタキシム（cefotaxime；CTX），セフピラミド（cefpiramide；CPM），セフタジジム（ceftazidime；CAZ），セフェピム（cefepime；CFPM），セフメタゾール（cefmetazole；CMZ），セファクロル（cefaclor；CCL），セフィキシム（cefixime；CFIX），フロモキセフ（flomoxef；FMOX）

表 7.2.1　おもな抗菌薬の抗菌スペクトル（つづき）

抗菌薬の作用	略号（日本化学療法学会）	一般名	ブドウ球菌	レンサ球菌	エンテロコッカス・フェカーリス	リン菌	モラクセラ	インフルエンザ菌・大腸菌・赤痢菌・サルモネラ菌	肺炎桿菌	セラチア・エンテロバクター	緑膿菌	嫌気性グラム陽性菌	バクテロイデス
殺菌	ペネム系												
	FRPM	ファロペネム	◎	◎	◎	◎	◎	◎	◎	◎		◎	◎
	カルバペネム系												
	IPM	イミペネム	◎	◎	◎	◎	◎	◎	◎	◎	◎	△	◎
	MEPM	メロペネム	◎	◎	◎	◎	◎	◎	◎	◎	◎	△	◎
	モノバクタム系												
	AZT	アズトレオナム				◎		◎	◎	◎	◎		
殺菌	アミノグリコシド系												
	GM	ゲンタマイシン	◎	○		◎		◎	◎	◎	◎		
	TOB	トブラマイシン	◎	○		◎		◎	◎	◎	◎		
	AMK	アミカシン	◎	○		◎		◎	◎	◎	◎		
	ABK	アルベカシン	◎	○		○		○	○	○	○		
静菌	テトラサイクリン系												
	TC	テトラサイクリン	◎	◎	◎	◎	◎	◎	◎	◎		△	◎
	MINO	ミノサイクリン	◎	◎	◎	◎		◎	◎	◎	○	△	◎
静菌	マクロライド系												
	EM	エリスロマイシン	◎	◎	◎	◎	◎	△				△	◎
	JM	ジョサマイシン	○	○	○	○	○	△				△	○
	CAM	クラリスロマイシン	◎	◎	◎	◎	◎	△				△	◎
	AZM	アジスロマイシン	○	○	○	○	○	○	○	△		△	○
静菌	リンコマイシン系												
	LCM	リンコマイシン	○	○		○		△				△	○
	CLDM	クリンダマイシン	◎	◎	○	◎		△				△	◎
静菌	ストレプトグラミン系												
	QPR/DPR	キヌプリスチン・ダルホプリスチン	△	△	○	△	△	△				△	
殺菌	キノロン系												
	LVFX	レボフロキサシン	○	○	○	○	○	○	○	○	○	△	○
	CPFX	シプロフロキサシン	◎	◎	◎	◎	◎	◎	◎	◎	◎	△	◎
静菌	クロラムフェニコール系												
	CP	クロラムフェニコール	○	○		○		○	○	○		△	○
殺菌	ポリペプチド系												
	CL	コリスチン						○	○	○	○		
	PL-B	ポリミキシンB						○	○	○	○		
	BC	バシトラシン	○	○		○		△				△	
殺菌	グリコペプチド系												
	VCM	バンコマイシン	◎	◎	◎							△	
	TEIC	テイコプラニン	○	○	◎							△	
殺菌	リポペプチド系												
	DAP	ダプトマイシン	○										
静菌	オキサゾリジノン系												
	LZD	リネゾリド	○	○	○							○	
静菌	グリシルサイクリン系												
	TGC	チゲサイクリン	○	○	○	○	○	○	○	○		△	○
	その他												
殺菌	FOM	ホスホマイシン	○	○		○		○	○	○	○	△	○
静菌	ST	スルファメトキサゾール・トリメトプリム（ST合剤）	○	○		○		○	○	○		△	

◎：日常検査で汎用され，感受性あり，○：感受性あり，△：複数菌種のいずれかに対し抗菌力が弱い。
殺菌：殺菌的作用，静菌：静菌的作用。

用語　ファロペネム（faropenem；FRPM），イミペネム（imipenem；IPM），メロペネム（meropenem；MEPM），アズトレオナム（aztreonam；AZT），ゲンタマイシン（gentamicin；GM），トブラマイシン（tobramycin；TOB），アミカシン（amikacin；AMK），アルベカシン（arbekacin；ABK），テトラサイクリン（tetracycline；TC），ミノサイクリン（minocycline；MINO），エリスロマイシン（erythromycin；EM），ジョサマイシン（josamycin；JM），クラリスロマイシン（clarithromycin；CAM），アジスロマイシン（azithromycin；AZM），リンコマイシン（lincomycin；LCM），クリンダマイシン（clindamycin；CLDM），キヌプリスチン・ダルホプリスチン（quinupristin/dalfopristin；QPR/DPR），レボフロキサシン（levofloxacin；LVFX），シプロフロキサシン（ciprofloxacin；CPFX），クロラムフェニコール（chloramphenicol；CP），コリスチン（colistin；CL），ポリミキシンB（polymyxin B；PL-B），バシトラシン（bacitracin；BC），バンコマイシン（vancomycin；VCM），テイコプラニン（teicoplanin；TEIC），ダプトマイシン（daptomycin；DAP），リネゾリド（linezolid；LZD），チゲサイクリン（tigecycline；TGC），ホスホマイシン（fosfomycin；FOM），スルファメトキサゾール・トリメトプリム（sulfamethoxazole/trimethoprim；ST）

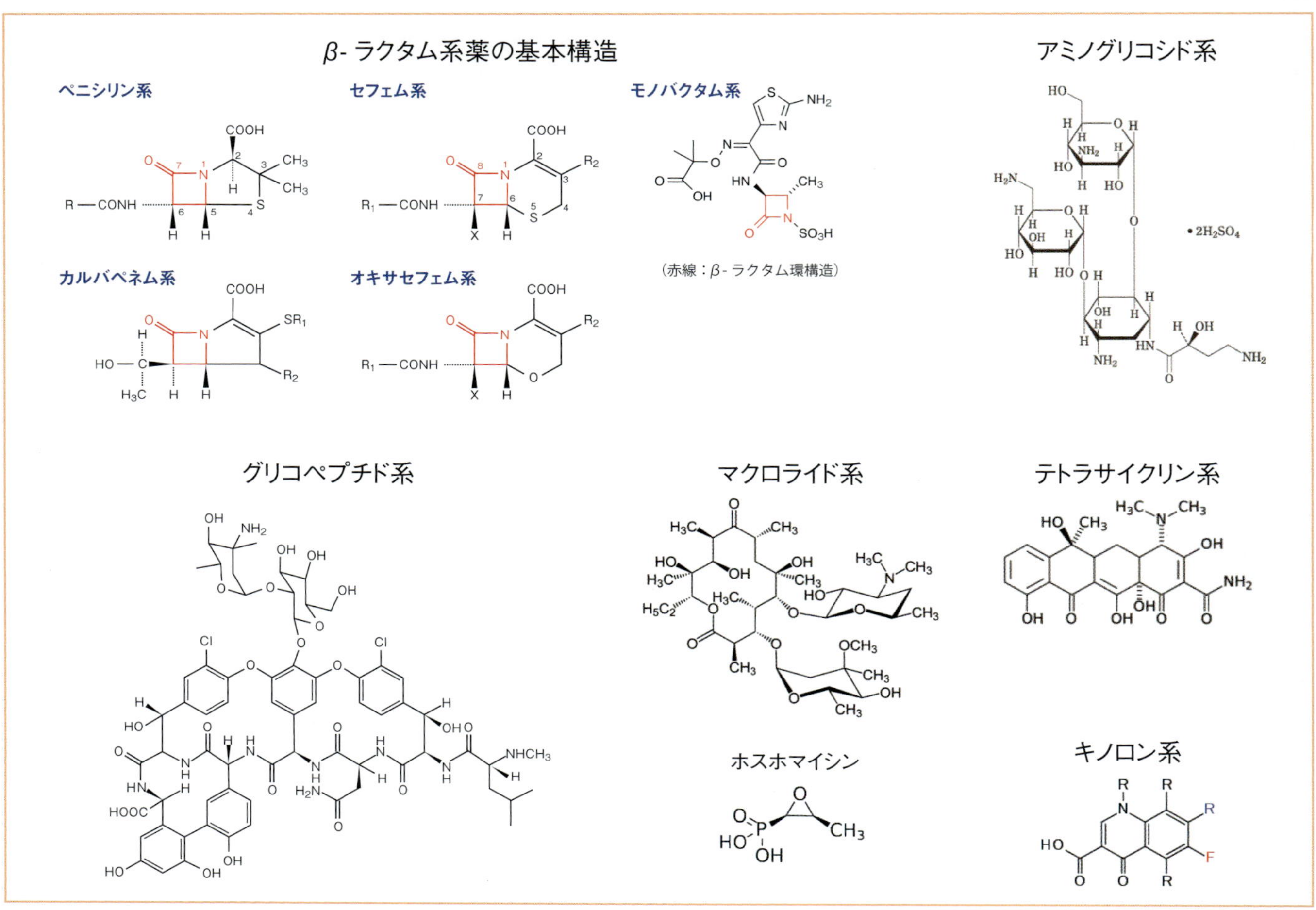

図 7.2.1　おもな抗菌薬の構造式

7. 2. 1　おもな抗菌薬の特徴と抗菌スペクトル

1. β -ラクタム系薬

β -ラクタム系薬は，β -ラクタム環を中核として，ペニシリン系，セフェム系，カルバペネム系，モノバクタム系がある。本剤は細菌の細胞壁合成に必要な酵素〔ペニシリン結合蛋白（PBP)〕と結合して活性を阻害し殺菌的に作用する。

ペニシリン系薬の初期のペニシリンGはブドウ球菌を代表とするグラム陽性菌，グラム陰性球菌に対しては強い抗菌作用を示すが，グラム陰性桿菌に対して抗菌作用は弱い。ペニシリン骨格の側鎖を置換することにより，抗菌力の増強が試みられ，多くのペニシリン系薬が開発された。一般に新しい抗菌薬が開発されるに従って，グラム陽性菌にもグラム陰性菌にも作用をもつようになった。抗菌薬はアンピシリン，アモキシシリン，ピペラシリンなどがある。

セフェム系薬は，最も種類が多く，第一世代，第二世代，第三世代，第四世代に分類される。セファロスポリン系薬およびセファマイシン系薬が含まれる。第一世代では，グラム陽性菌への作用が強く開発が進むにつれてグラム陰性菌への作用も強くなった。第二世代では，グラム陰性菌への抗菌力が増強され，市中肺炎や尿路感染症に効果を示すようになったセファマイシン系薬は嫌気性菌に対しても抗菌力があり，腸管内の感染症に使用された。第三世代では，グラム陰性菌に対する抗菌力は増強され，緑膿菌への作用も強くなったが，ブドウ球菌に対する抗菌力は弱い。また，第一世代や第二世代では髄液への移行性が不良なものの，第三世代では髄液への移行性もよく，そのため，第三世代セファロスポリンでは髄膜炎の治療にも活用することができるようになった。第四世代は，第一世代と第三世代の性質を併せた抗菌薬であり，グラム陽性菌からグラム陰性菌まで幅広く抗菌力を示し，緑膿菌など多くの細菌へ効果を示す。

カルバペネム系薬は，グラム陽性菌から陰性菌，嫌気性菌まで広範囲スペクトラムをもつ。モノバクタム系薬は，

用語　ペニシリン結合蛋白（penicillin-binding protein；PBP)

ラクタム環が単独の構造で，グラム陰性菌にのみ抗菌作用を示す。

β-ラクタム系薬の特徴は細菌特有の細胞壁合成酵素に特異的に阻害するため，その毒性は低い。細菌の細胞壁はペプチドグリカンを主成分とするため，細胞壁合成酵素が阻害されると細胞分裂ができなくなるか，細胞壁が浸透圧に耐えられず細菌が破裂することになる。したがって，細胞壁のないマイコプラズマや，ペプチドグリカンをもたないクラミジアには無効である。

2. アミノグリコシド系薬

細菌が増殖するためには蛋白質の合成が必要であり，蛋白質の合成はリボソームの部分で行われている。アミノグリコシド系薬は，リボソーム30Sサブユニットに結合することによって，蛋白合成を阻害して殺菌的に作用する。アミノグリコシド系は殺菌性抗菌薬に分類される。緑膿菌を含むほとんどのグラム陰性桿菌に対しては抗菌力を示すが，グラム陽性菌にはあまり効果はない。嫌気性菌に対しては無効である。代表的なアミノグリコシド系薬は抗結核菌作用があるストレプトマイシン，カナマイシン，抗緑膿菌作用があるゲンタマイシン，トブラマイシン，アミカシン，抗メチシリン耐性黄色ブドウ球菌（MRSA）作用があるアルベカシンなどがある。

3. マクロライド系薬

マクロライド系薬は，抗菌薬分子の一部であるラクトン環によって，14員環，15員環，16員環をもつ抗菌薬で，細菌の細胞内にあるリボソーム50Sサブユニットに結合することによって，蛋白合成を阻害して静菌的に作用する。ブドウ球菌，肺炎球菌，レンサ球菌などのグラム陽性菌に対する抗菌力を示す。また，宿主細胞の内部への浸透性が高いという特長があるため，マイコプラズマ，リケッチア，クラミジア，レジオネラ，非結核性抗酸菌などの細胞内寄生菌にも抗菌活性が強い。代表的なマクロライド系薬は，14員環を有するエリスロマイシン，クラリスロマイシン，15員環を有するアジスロマイシン，16員環を有するジョサマイシンなどがある。

4. テトラサイクリン系薬

テトラサイクリン系薬は，細菌の細胞内にあるリボソーム30Sサブユニットに結合することによって，蛋白合成を阻害して静菌的に作用する。マイコプラズマ，リケッチア，クラミジア，レジオネラ，ブルセラなどに抗菌活性が強い。代表的なテトラサイクリン系薬は，テトラサイクリン，ミノサイクリン，ドキシサイクリンがある。

5. キノロン系薬

キノロン系薬は，抗マラリア薬であるクロロキン合成の副生産物が菌増殖抑制効果があることがわかり，合成された抗菌薬ナリジクス酸（NA）が最初のキノロン系薬である。ニューキノロン系薬はDNAの合成に必要な酵素，Ⅱ型トポイソメラーゼ（DNAジャイレースおよびトポイソメラーゼⅣ）を阻害して殺菌的に作用する。その結果，細胞分裂が阻害され，キノロン環にフッ素とピペラジニル基を導入し抗菌力が飛躍的に増した。広域のスペクトルを有し，グラム陽性菌から陰性菌，さらには結核菌やサルモネラなどの細胞内寄生菌やマイコプラズマ，クラミジアにも効果を示す。ニューキノロンには，レボフロキサシン，シプロフロキサシンなどがある。

6. ポリペプチド系薬

ポリペプチド系薬のコリスチン，ポリミキシンBは，細胞質膜障害により殺菌的に作用する。緑膿菌やアシネトバクターなどのグラム陰性好気性桿菌に対して抗菌活性が強いが，グラム陽性菌およびプロテウス属に対する抗菌活性はない。バシトラシンは，細胞壁合成を阻害し，グラム陽性菌に対し抗菌活性を有する。

7. グリコペプチド系薬

グリコペプチド系薬は，細胞壁合成前駆体であるD-alanyl-D-alanineと結合することによって，細胞壁合成を阻害して殺菌的に作用する。バンコマイシンとテイコプラニンがあり，グラム陽性菌に対して強い抗菌力を示し，黄色ブドウ球菌（MRSA感染症を含む），腸球菌，レンサ球菌，クロストリジウム・ディフィシル感染症などに有効であるが，グラム陰性菌には無効である。近年，欧米を中心にバンコマイシン耐性腸球菌が増加傾向にあり，問題となっている。本剤は腎毒性があるため，投与中は血中濃度測定（TDM）が必要である。

用語　メチシリン耐性黄色ブドウ球菌（methicillin-resistant *Staphylococcus aureus*；MRSA），ナリジクス酸（nalidixic acid；NA），治療薬物モニタリング（therapeutic drug monitoring；TDM）

8. ホスホマイシン

ホスホマイシンは，β-ラクタム系薬などの細胞壁合成の最終段階に作用するのとは異なり，細胞壁合成の初期段階を阻害して殺菌的に作用する。MRSAなどのグラム陽性菌や緑膿菌，大腸菌などのグラム陰性菌の両方に有効であり，細菌性腸炎の治療などに使用される。ショックやアナフィラキシー様症状などの副作用も少ない。

9. リンコマイシン系薬

リンコマイシン系薬は，リボソーム50Sサブユニットに結合することによって，蛋白合成を阻害して静菌的に作用する。ブドウ球菌やレンサ球菌などグラム陽性球菌に有効で，嫌気性菌にも抗菌力を示す。リンコマイシンとクリンダマイシンがある。

10. サルファ剤

サルファ剤は，4-アミノベンゼンスルホンアミドがパラアミノ安息香酸（PABA）に類似した構造をもち，PABAとの拮抗により葉酸合成を阻害してプリン合成を抑制することで作用を示す。微生物のDNA合成とRNA合成を阻害して静菌的に作用する。スルファメトキサゾールとトリメトプリムを5対1の比率で配合したST合剤があり，ニューモシスチス肺炎の治療薬として第一選択薬であるが，ブドウ球菌，レンサ球菌，ノカルジア，原虫のトキソプラズマなどにも抗菌力を示す。

11. クロラムフェニコール系薬

クロラムフェニコール系薬は，リボソーム50Sサブユニットに結合することによって，蛋白合成を阻害して静菌的に作用する。グラム陽性菌から陰性菌，さらにはサルモネラなどの細胞内寄生菌や，マイコプラズマ，クラミジア，リケッチアにも効果を示す。副作用として造血器障害を起こし，再生不良性貧血，顆粒球減少，血小板減少などがある。

12. ストレプトグラミン系薬

ストレプトグラミン系薬は，リボソーム50Sサブユニットに結合することによって，蛋白合成を阻害して静菌的に作用する。キヌプリスチンとダルホプリスチンの重量比3：7（Q/D）の配合剤で，リボソーム50Sに相乗的に作用を示す。バンコマイシン耐性エンテロコッカス・フェシウム（VREF）に対し強い抗菌力を示す。

13. オキサゾリジノン系薬

オキサゾリジノン系薬は，リボソーム50Sサブユニットに結合し，70S開始複合体の形成を阻害することによって，蛋白合成を阻害して静菌的に作用する。リネゾリドがあり，MRSA，バンコマイシン耐性腸球菌（VRE）感染症に適応となる。

14. リポペプチド系薬

リポペプチド系薬は，細胞質膜障害により殺菌的に作用する。ダプトマイシンがあり，黄色ブドウ球菌（MRSA感染症を含む），腸球菌，レンサ球菌などに抗菌力を示す。

15. グリシルサイクリン系薬

グリシルサイクリン系薬は，ミノサイクリンの誘導体で，リボソーム30Sサブユニットに結合することによって，蛋白合成を阻害して静菌的に作用する。テトラサイクリン系薬とはリボソーム30Sサブユニットへの結合形式が異なっており，テトラサイクリン耐性菌にも有効である。チゲサイクリンがあり，グラム陽性菌，グラム陰性菌（緑膿菌を除く）などに対して強い抗菌力を示し，抗菌活性は薬剤標的部位の変異，基質特異性拡張型β-ラクタマーゼ（ESBL）産生菌，多剤耐性アシネトバクターなどの耐性菌にも抗菌力を示す。

［板羽秀之］

用語　バンコマイシン耐性エンテロコッカス・フェシウム（vancomycin-resistant *Enterococcus faecium*；VREF），バンコマイシン耐性腸球菌（vancomycin-resistant Enterococci；VRE），基質特異性拡張型β-ラクタマーゼ（extended-spectrum β-lactamase；ESBL）

7.3 | 抗結核薬

・結核の治療は，イソニアジドとリファンピシンを主軸とし，3剤または4剤の併用で治療する。
・結核の治療は，単剤投与だと耐性菌が発現し，治療が困難になる。
・抗結核薬は，初回治療に標準的に用いるべき一次抗結核薬と，一次薬が使用できない場合に用いる二次抗結核薬がある。
・抗菌薬であるアミカシンやカナマイシン，ニューキノロン系薬も抗結核作用をもつ。

結核の治療薬は，1944年にSelman Abraham Waksmanらが放線菌の培養濾液から抽出したストレプトマイシンが最初で，1950年イソニアジド，1952年ピラジナミド，1961年エタンブトール，リファンピシンが開発された。結核の治療は単剤投与だと耐性菌が発現し，治療が困難となるために，現在では初期治療の標準化学療法には2つの方法がある。

1) RFP + INH + PZAにEBまたはSMの4剤併用で2カ月間治療後，RFP + INHで4カ月間治療する。
2) RFP + INHにEBまたはSMの3剤併用で2カ月間治療後，RFP + INHで7カ月間治療する。

抗結核薬は抗菌力が強く初回治療に標準的に用いるべき一次抗結核薬と，抗菌力が劣るが一次抗結核薬が使用できない場合に用いる二次抗結核薬がある（表7.3.1）。

表7.3.1　抗結核薬の種類と作用機序

	薬名（略名）	作用
一次抗結核薬	イソニアジド（INH）	細胞壁のミコール酸の合成阻害によって抗菌活性を示す
	リファンピシン（RFP）	RNAポリメラーゼ阻害によって殺菌効果を示す
	リファブチン（RBT）	リファンピシンと同様にリファマイシン系抗生物質であり，RNA合成阻害で殺菌効果を示す
	ピラジナミド（PZA）	作用機序は不明な点が多い。肝臓で代謝を受けてピラジン酸となって抗菌活性を示すと考えられている
	エタンブトール（EB）	細胞壁のアラビナン合成阻害
	ストレプトマイシン（SM）	細胞のリボソームに結合し蛋白質合成阻害を作用機序とする
二次抗結核薬	カナマイシン（KM）	アミノグリコシド系抗生物質であり蛋白質合成阻害薬
	エンビオマイシン（EVM）	ポリペプチド系抗生物質で，リボソーム上でアミノグリコシド系薬と同様の部位に結合して蛋白質合成阻害作用を示すと考えられている
	エチオナミド（ETH）	DNAおよび蛋白質合成阻害薬
	サイクロセリン（CS）	細胞壁の合成を阻害
	パラアミノサリチル酸（PAS）	葉酸合成阻害
	レボフロキサシン（LVFX）およびその他のニューキノロン系薬	p67　7.2.1 ● 5 参照

［板羽秀之］

用語　ストレプトマイシン（streptomycin;SM），イソニアジド（isoniazid;INH），ピラジナミド（pyrazinamide;PZA），エタンブトール（ethambutol;EB），リファンピシン（rifampicin;RFP），リファブチン（rifabutin;RBT），カナマイシン（kanamycin;KM），エンビオマイシン（enviomycin;EVM），エチオナミド（ethionamide;ETH），サイクロセリン（cycloserine;CS），パラアミノサリチル酸（paraaminosalicylic acid;PAS），レボフロキサシン（levofloxacin;LVFX）

7.4　抗菌薬耐性

- 薬剤耐性は自然耐性と獲得耐性に大別される。
- 獲得耐性には染色体上の遺伝子の変異による場合と，薬剤耐性遺伝子をもつ外来性のプラスミドの獲得による場合がある。
- β-ラクタマーゼはアミノ酸配列の相同性にもとづくAmbler分類でクラスA～Dの4種類に分類されている。
- わが国では2000年以降基質特異性拡張型β-ラクタマーゼ（ESBL）産生菌が増加しており，CTX-M型ESBLが優勢である。
- メタロ-β-ラクタマーゼ産生菌として国内ではIMP-1型産生菌の分離頻度が高いが，近年ではIMP-1型の亜型であるIMP-6産生菌が特定の地域で高頻度に分離されるようになってきている。

抗菌薬は細菌をはじめ微生物による感染症の治療に必須であり，これまで化学修飾を主軸とした抗菌力の強化，抗菌スペクトルの拡大化などがはかられてきた。しかしながら抗菌薬の開発の歴史は薬剤耐性菌の出現，進化の歴史と表裏一体をなす戦いの歴史ともいえる。現在薬剤耐性菌の増加が世界規模で加速化しつつあり，医療環境ならびに市中環境において深刻な問題となっている。

7.4.1　耐性の機序

薬剤耐性は先天的に抗菌薬の作用部位をもたないか有効性が期待されない構造をもつ自然耐性（表7.4.1）と，通常は有効性が期待される抗菌薬に対する耐性を後天的に獲得した獲得耐性に大別される。また，獲得耐性には染色体上の遺伝子の変異による場合と，薬剤耐性遺伝子をもつ外来性のプラスミドの獲得による場合がある。耐性遺伝子の獲得により発現される耐性機序として，①抗菌薬不活化酵素の産生，②抗菌薬作用点の変異，③抗菌薬作用点の修飾酵素産生，④抗菌薬の外膜透過性の低下と細胞外への能動的排出がある。以下の項では耐性機序の代表的なものについて概説する。

表7.4.1　自然耐性の例

	自然耐性	耐性機序
グラム陰性菌	バンコマイシン	外膜を通過できない
嫌気性菌	アミノグリコシド系薬	アミノグリコシドの取り込みに必要な酸化的代謝をもたない
Enterococci	セフェム系薬	PBPのペニシリンに対する親和性が低い
	アミノグリコシド系薬	細胞内への取り込みが低い
Klebsiella spp.	アンピシリン（β-ラクタム系薬）	クラスAペニシリナーゼ*LEN-1*遺伝子を染色体上に保有
Citrobacter koseri	アンピシリン（β-ラクタム系薬）	クラスAペニシリナーゼ*CKO*遺伝子を染色体上に保有
Citrobacter freundii *Enterobacter* spp. *Serratia marcescens*	アンピシリンや第一世代セファロスポリン系薬	クラスCセファロスポリナーゼ（*AmpC*）遺伝子を染色体上に保有
Pseudomonas aeruginosa	テトラサイクリン クロラムフェニコール スルホンアミド トリメトプリム	細胞内への取り込みが低い
Stenotrophomonas maltophilia	イミペネムやその他のβ-ラクタム系薬	メタロ-β-ラクタマーゼL1およびクラスAβ-ラクタマーゼL2の遺伝子を染色体上に保有

用語　プラスミド（plasmid）

7. 4. 2 抗菌薬不活化酵素の産生

1. β-ラクタマーゼ

(1) β-ラクタマーゼとは

β-ラクタム系薬に対する主要な耐性機序で，グラム陰性菌，グラム陽性菌の広範な菌種により産生される（図7.4.1）。β-ラクタマーゼは作用機序に重要な役割を果たすβ-ラクタム環を加水分解により開環させ，標的酵素のペニシリン結合蛋白（PBP）への結合活性を失わせる（図7.4.2）。ブドウ球菌属菌などのグラム陽性菌が産生するβ-ラクタマーゼは菌体外に放出されるため，β-ラクタム系薬は細胞膜に存在するPBPに結合する前にそこで加水分解される（図7.4.1A）。一方，グラム陰性菌が産生するβ-ラクタマーゼは外膜と内膜の間にあるペリプラズム空間にとどまり，そこで外膜に存在するポーリン孔を通過してきたβ-ラクタム系薬が加水分解される（図7.4.1B）。

β-ラクタマーゼはアミノ酸配列の相同性にもとづきクラスA～Dの4種類に分類されている（Ambler分類）。クラスA，C，Dは酵素の活性中心にセリン残基を有しセリン型β-ラクタマーゼ，クラスBは活性中心に亜鉛イオンが存在しメタロ型β-ラクタマーゼに分類される。さらにβ-ラクタマーゼをコードする遺伝子の所在からみると染色体性とプラスミド性に大別される。

これらのβ-ラクタマーゼはすべてのβ-ラクタム系薬に対する加水分解能をもつわけではない。クラスAはペニシリン系薬，クラスCはセフェム系薬（第四世代セファロスポリン系を除く），クラスDはオキサシリン，クラスBはカルバペネム系薬を含めほとんどのβ-ラクタム系薬を分解できる特性を有し，それぞれペニシリナーゼ，セファロスポリナーゼ，オキサシリナーゼ，亜鉛依存性カルバペネマーゼともよばれている（図7.4.2）。

(2) 基質特異性拡張型β-ラクタマーゼ

1980年代の半ばから欧州でクラスAに属するプロトタイプのTEM型やSHV型ペニシリナーゼの遺伝子変異により，第三，第四世代セファロスポリン系薬まで基質特異性を拡張して分解できるようになった酵素として基質特異性

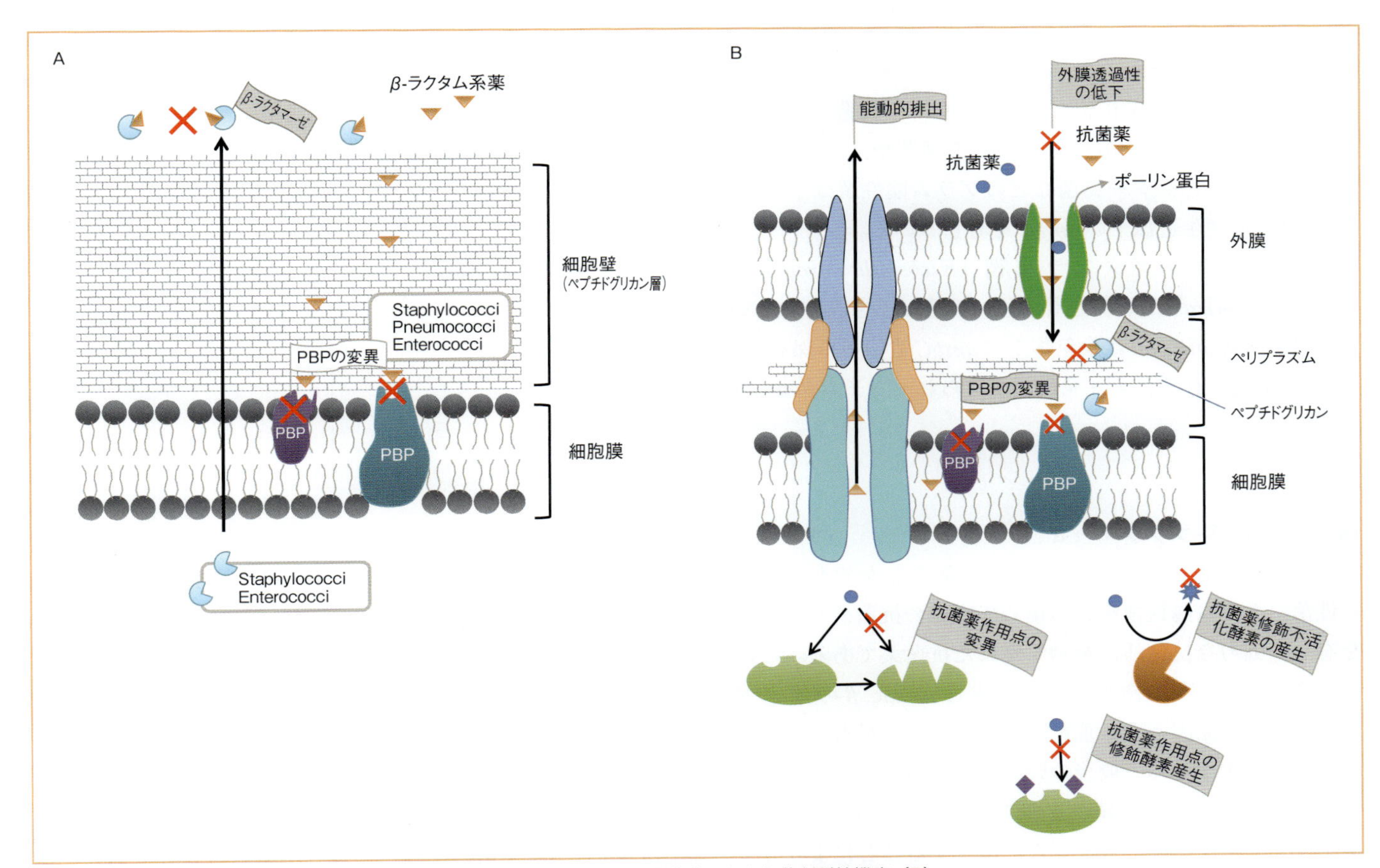

図 7.4.1 グラム陽性菌のおもなβ-ラクタム系薬耐性機序（A）とグラム陰性菌のおもな薬剤耐性機序（B）

用語 β-ラクタマーゼ（β-lactamase），ペニシリン結合蛋白（penicillin-binding protein；PBP），基質特異性拡張型β-ラクタマーゼ（extended-spectrum β-lactamase；ESBL）

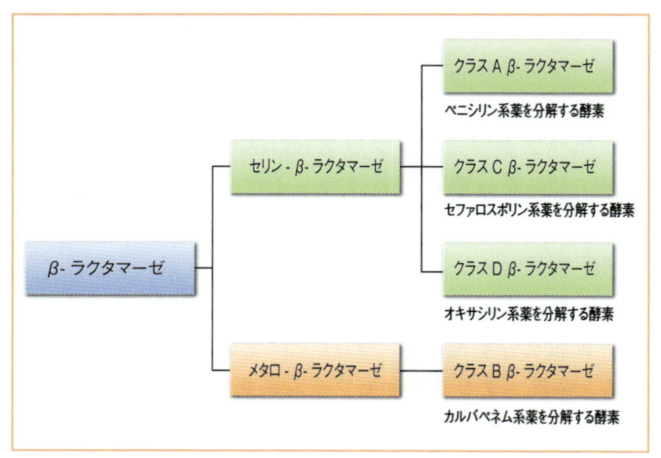

図 7.4.2　β-ラクタマーゼの分類

拡張型β-ラクタマーゼ（ESBL）が出現し，プラスミドの水平伝播などにより種々の菌種に広がっていった。その後，同じくクラスAに属し，同様の基質特性を示すCTX-M型が報告され，ESBLに含められるようになった。欧米では当初TEM型，SHV型ESBL産生菌が主流であったが，2000年代に入ってからはCTX-M型ESBL産生菌が増加してきている。わが国では2000年以降ESBL産生菌が増加しており，CTX-M型が優勢である。

ESBL，とくにCTX-M型β-ラクタマーゼ産生菌の医療施設および市中における蔓延が問題となっている。また，本菌は健常人の糞便中にも保菌され，食肉，愛玩動物，環境水からも多く検出されている。

(3) AmpC β-ラクタマーゼ

クラスC β-ラクタマーゼはAmpC β-ラクタマーゼ（セファロスポリナーゼ）ともよばれ，その遺伝子が菌種特異的に染色体上にコードされている染色体性酵素と，プラスミド上にコードされているプラスミド性酵素の2種類がある。臨床上問題となるのは染色体性酵素の変異による過剰産生菌とプラスミド性酵素産生菌で，基本的にはペニシリン系，第一～第三世代セファロスポリン系，セファマイシン系薬の耐性に関わるが，第四世代セファロスポリン系薬，カルバペネム系薬の加水分解活性は低く，感性となる。ただし，菌種や産生量により薬剤感受性のプロファイルは異なる。

検査室ノート　AmpC β-ラクタマーゼと菌種の関係

腸内細菌目に属するエンテロバクター属菌，シトロバクター属菌，セラチア属菌，*Morganella morganii*などの多くの細菌や，ブドウ糖非発酵グラム陰性桿菌の緑膿菌やアシネトバクター属菌などのグラム陰性菌は本来染色体上に誘導性AmpC β-ラクタマーゼ産生遺伝子の*ampC*を有している。

一方，クレブシエラ属菌（*Klebsiella aerogenes*を除く），*Citrobacter koseri*，*Proteus mirabilis*は染色体に*ampC*遺伝子を保有しない。

*Escherichia coli*は染色体上に*ampC*遺伝子を保有するが，ループ状のアテニュエーター構造の存在により発現が妨げられセフェム系薬に感性を示す。

(4) メタロ-β-ラクタマーゼ

カルバペネム系薬はβ-ラクタム系薬のなかでもグラム陰性菌，グラム陽性菌を含め極めて広域の抗菌スペクトルを有し，強力な抗菌活性を示す優れた抗菌薬である。このことからESBL産生菌やプラスミド性AmpC β-ラクタマーゼ産生菌が原因となる重篤感染症における最も有効な治療抗菌薬，すなわち“最後の砦”と考えられている。しかしながら，グラム陰性菌はクラスBに属するメタロ-β-ラクタマーゼをプラスミド依存性に産生することによりカルバペネム系薬を分解し，耐性を示す。この酵素はモノバクタム系を除くすべてのβ-ラクタム系薬を分解する特性を有する。

メタロ-β-ラクタマーゼのおもなものにIMP型，VIM型，NDM型があり，国内ではIMP-1型産生菌の分離頻度が高い。近年ではIMP-1型の亜型であるIMP-6産生菌が特定の地域で高頻度に分離されるようになっている。また，インド亜大陸，バルカン諸国や中東諸国が保有地域と推定されるNDM型産生菌の国内への侵入例も報告されており，最

用語　AmpC（Ambler class C），VIM型メタロ-β-ラクタマーゼ（Verona integron-encoded metallo-β-lactamase），NDM型メタロ-β-ラクタマーゼ（New Delhi metallo-β-lactamase）

近では渡航歴のない患者からの報告も散見されることがその動向を把握することが重要である。

(5) 腸内細菌目細菌で検出される主要なカルバペネマーゼ

カルバペネム系薬加水分解酵素であるカルバペネマーゼとしてメタロ-β-ラクタマーゼ以外にクラスAのKPC型カルバペネマーゼ，クラスDのOXA-48型カルバペネマーゼなどが世界的に蔓延しつつあり，国内でも検出されてきている。さらにクラスAのGES型カルバペネマーゼは臨床材料由来株ではまだ稀であるが，環境水中の優位なカルバペネマーゼとして検出されてきており，医療関連感染事例も報告されている。

● 2. アミノグリコシド修飾酵素

グラム陰性菌，グラム陽性菌のアミノグリコシド系薬に対する耐性機序として臨床上最も高頻度に見られるのが，プラスミド依存性のアミノグリコシド修飾酵素の産生である。アミノグリコシド修飾酵素はアミノグリコシド分子の水酸基やアミノ基を修飾することにより不活化するが，その反応機構の違いによりアセチル化酵素，リン酸化酵素，アデニリル化酵素の3種に大別される。

7. 4. 3 抗菌薬作用点の変異

β-ラクタム系薬耐性において，標的酵素のペニシリン結合蛋白の変異も重要な役割を果たす（図7.4.1）。メチシリン耐性黄色ブドウ球菌（MRSA）の場合，代替え酵素であるPBP2′（PBP2a）をコードする外来性の*mecA*遺伝子を染色体上に獲得している。MRSAにより産生されるPBP2′はβ-ラクタム系薬との結合親和性が著しく低いことから，ほかのPBPが阻害されてもMRSAは細胞壁合成反応を継続できる。また，ペニシリン耐性肺炎球菌（PRSP）におけるPBPの変異によるβ-ラクタム系薬との親和性の低下もよく知られている。

バンコマイシン耐性腸球菌（VRE）では バンコマイシンの標的部位であるペプチドグリカン前駆体のD-alanyl-D-alanine末端がD-alanyl-D-lactateやD-alanyl-D-serineに変異することでバンコマイシンとの結合親和性が低下し耐性を示す（図7.1.2）。

ニューキノロン系薬耐性のおもな機序は標的酵素であるDNAジャイレースおよびトポイソメラーゼⅣ*1の変異による薬剤結合親和性の低下である。

参考情報

＊1：DNAジャイレースとは，DNA複製の際にらせん状のDNA二本鎖を切断していったんねじれを解き，複製後再結合させ，ねじれを戻すはたらきをする酵素であり，トポイソメラーゼⅣとは，複製後の2つの交差したDNAを個々に分離し娘細胞に与えるはたらきをする酵素。

7. 4. 4 抗菌薬作用点の修飾酵素産生

ブドウ球菌属菌や肺炎球菌で検出されるマクロライド高度耐性株のおもな耐性機序は，薬剤の標的となる50Sサブユニットにある23S rRNAのアデニンをメチル化するプラスミド依存性のリボソームメチル化酵素（*erm*遺伝子がコードする蛋白）の産生である。メチル化された23S rRNAに対するマクロライド系薬の結合親和性は低下し耐性となる（図7.1.4）。この23S rRNAのメチル化によりマクロライド系薬と同じ作用点をもつリンコマイシン系薬に対しても交差耐性を獲得する。

近年，腸内細菌目細菌やブドウ糖非発酵菌などのグラム陰性桿菌において広範囲のアミノグリコシド系薬高度耐性の機序として新たにプラスミド媒介性の16S rRNAメチルトランスフェラーゼの産生が見出されている。16S rRNAメチルトランスフェラーゼはアミノグリコシド系薬の標的部位である30Sリボソーム中の16S rRNAをメチル化するはたらきをもつ。

用語　KPC（*Klebsiella pneumoniae* carbapenemase），GES（Guiana extended-spectrum），メチシリン耐性黄色ブドウ球菌（methicillin-resistant *Staphylococcus aureus*；MRSA），ペニシリン耐性肺炎球菌（penicillin-resistant *Streptococcus pneumoniae*；PRSP），バンコマイシン耐性腸球菌（vancomycin-resistant Enterococci；VRE），DNAジャイレース（DNA gyrase），トポイソメラーゼIV（topoisomerase IV），リボソームRNA（ribosomal RNA；rRNA）

7.4.5　抗菌薬の外膜透過性の低下と細胞外への能動的排出

親水性の抗菌薬はグラム陰性桿菌の外膜中に形成されている多数のポーリン孔とよばれる親水性の小孔（薬剤透過孔）を通じて取り込まれる。抗菌薬の分子サイズが大きくなるほどポーリン蛋白孔を通過しにくくなるが，多くの抗菌薬に自然耐性を示す緑膿菌が有する基質非特異性の主要ポーリン蛋白は孔径が小さく，親水性および疎水性の抗菌薬の通過が困難であることもその理由の1つと考えられる。この緑膿菌では基質特異性のD2ポーリン蛋白の変異減少によりイミペネム耐性となる。また，ポーリン蛋白の減少や欠損によるβ-ラクタム系薬，アミノグリコシド系薬耐性化も*Escherichia coli*，*Klebsiella pneumoniae*など多くの腸内細菌目細菌で報告されている（図7.2.1B）。

細菌の細胞内に取り込まれた特定あるいは複数の抗菌薬を能動的に細胞外に排出し細胞内の濃度を低くする排出システムには多くの種類があり，自然耐性（染色体性）や獲得耐性（プラスミド性）に重要な役割を果たす（図7.2.1B）。排出システムはとくにマクロライド系薬（*mef*遺伝子がコードする蛋白）（図7.1.4），テトラサイクリン系薬，ニューキノロン系薬などの耐性に関与する。また，緑膿菌の多剤排出ポンプは広範な自然耐性に関与する。

ポーリン孔の減少・欠損や排出システムの獲得・機能亢進自体では臨床的に重要な耐性レベルまでには至らないが，ほかの機序との組み合わせでより高度な耐性レベルへと進展する。

［長野則之］

用語　イミペネム（imipenem）

参考文献

1）Patricia T (ed.)："Principles of antimicrobial action and resistance", Bailey and Scott's Diagnostic Microbiology 13th ed, 153-167, Mosby, 2013.

2）Steven M *et al.*："Molecular mechanism of antibiotic resistance in bacteria", Mandell, Douglas and Bennett's Principles and Practice of Infectious Diseases 8th ed, 235–251, Bennet JE *et al.* (eds.), Churchill Livingstone Elsevier, 2014.

3）Takizawa S *et al.*："Genomic landscape of $bla_{\mathrm{GES\text{-}5}}$- and $bla_{\mathrm{GES\text{-}24}}$-harboring Gram-negative bacteria from hospital wastewater: emergence of class 3 integron-associated $bla_{\mathrm{GES\text{-}24}}$ genes", J Glob Antimicrob Resist, 2022；31：196-206.

7.5 | 薬剤耐性菌

- メチシリン耐性黄色ブドウ球菌（MRSA）には医療関連感染型のMRSAと健常人に感染症を起こす市中感染型MRSAがある。
- CLSIの標準法では非経口ペニシリン投与の場合，髄膜炎由来肺炎球菌株と非髄膜由来肺炎球菌株でペニシリン感性，中間，耐性の判断基準が異なっている。
- 多剤耐性緑膿菌，多剤耐性アシネトバクター，カルバペネマーゼ産生腸内細菌目細菌，基質特異性拡張型β-ラクタマーゼ産生菌をはじめとするさまざまな薬剤耐性菌の動向を監視することが医療関連感染防止対策上重要である。

7.5.1 メチシリン耐性黄色ブドウ球菌（MRSA）

メチシリン耐性黄色ブドウ球菌（MRSA）は染色体に*mecA*遺伝子が組み込まれることでPBP2′（PBP2a）を産生し，ほぼすべてのβ-ラクタム系薬に対する耐性を獲得する。この*mecA*遺伝子はSCC*mec*とよばれる可動性DNA断片中に存在している。SCC*mec*はいくつかのタイプに分類され，SCC*mec* type II保有株は医療関連感染に多く認められ，SCC*mec* type IVまたはtype V保有株は市中感染に多く認められる。

MRSAは薬剤耐性菌による医療関連感染の最も重要な起因菌であり，β-ラクタム系薬に加え，多剤に耐性を示す特徴を有することから易感染患者の重症感染症の治療は難渋化する。国内の臨床材料由来*Staphylococcus aureus*に占めるMRSAの割合は2000年当初は60～70%と高かったが，2014年では49%と低下し，その後も2022年まで入院では46%で推移してきている（厚生労働省院内感染対策サーベイランス；JANIS）。2008年から2022年の間のMRSA分離率（MRSA分離患者数/検体提出患者数）は10.5%から5.9%まで経年的に減少してきているが，メチシリン感性黄色ブドウ球菌（MSSA）の分離率は6～7%と一定であり，その結果*S. aureus*全体として分離率が低下してきている（図7.5.1）。

MRSAのなかでも健常人に感染症を起こす市中感染型MRSA（CA-MRSA）がとくに皮膚・軟部組織感染症から分離される。CA-MRSAは白血球溶解毒素（PVL）を産生する株が大半を占めるなど医療関連感染型のMRSA（HA-MRSA）より病原性が高い。また，オキサシリン以外のほとんどの薬剤に感性を示す株が多い。

米国CLSIによる*S. aureus*のメチシリン耐性の判定基準はオキサシリンの最小発育阻止濃度（MIC）が≧4μg/mL，セフォキシチンのMICが≧8μg/mL，あるいはセフォキシチンディスク法による阻止円径が≦21mmのいずれかに該当した場合である。また，*mecA*やPBP2a遺伝子の検査で陽性と判定された菌株もメチシリン耐性とする。近年，欧州の国々で*mecA*のホモログ遺伝子である*mecC*保有のMRSAが人獣共通感染症の起因菌として出現してきているが，この*mecC*は*mecA*やPBP2a遺伝子の検査では検出できない。さらに，オキサシリンのMICが4μg/mL程度でセフォキシチン感性を示し*mecA*や*mecC*遺伝子を保有しない*S. aureus*（BORSA）も存在する。このBORSAは

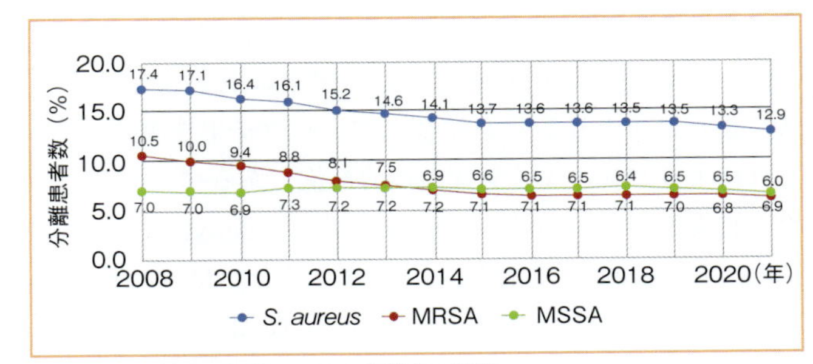

図7.5.1 国内におけるMRSA分離率の推移

用語 メチシリン耐性黄色ブドウ球菌（methicillin-resistant *Staphylococcus aureus*；MRSA），ペニシリン結合蛋白（penicillin-binding protein；PBP），SCC*mec*（Staphylococcal cassette chromosome *mec*），院内感染対策サーベイランス（Japan Nosocomial Infections Surveillance；JANIS），メチシリン感受性黄色ブドウ球菌（methicillin-susceptible *Staphylococcus aureus*；MSSA），市中感染型MRSA（community-acquired MRSA；CA-MRSA），パントン・バレンタイン・ロイコシジン（Panton-Valentine leucocidin；PVL），医療関連感染型のMRSA（healthcare-associated MRSA；HA-MRSA），CLSI（Clinical and Laboratory Standards Institute），オキサシリン（oxacillin），最小発育阻止濃度（minimum inhibitory concentration；MIC），セフォキシチン（cefoxitin），BORSA（borderline-oxacillin resistant *S. aureus*） β-ラクタマーゼの過剰産生によるものと考えられている。

感染症法ではメチシリン耐性黄色ブドウ球菌感染症は5類感染症に分類されており，定点把握対象感染症として指定の医療機関が月単位で届け出ることが求められている。

バンコマイシン耐性黄色ブドウ球菌（VRSA）は獲得型バンコマイシン耐性遺伝子を保有し，バンコマイシン耐性を示す黄色ブドウ球菌である。感染症法ではバンコマイシン耐性黄色ブドウ球菌感染症は5類感染症に分類されており，全数把握対象感染症として全ての医療機関が診断後7日以内に届け出ることが求められている。国内では2023年現在，本感染症の届出は確認されていない。

7. 5. 2　ペニシリン耐性肺炎球菌（PRSP）

ペニシリン耐性肺炎球菌（PRSP）におけるペニシリン耐性の機序はとくに高分子量PBPのPBP2X，PBP2B，PBP1Aの変異によるものであるが，ペニシリンに自然耐性を示す口腔内緑色レンサ球菌群（viridans streptococci）のPBP遺伝子と自己遺伝子との組み換えによるペニシリン結合親和性の低下したモザイク遺伝子の獲得が関与している。加えて複数のPBPで変異が集積することによりβ-ラクタム系薬の耐性度が高められている。また，PRSPの多くがテトラサイクリン系薬やマクロライド系薬など他系統の抗菌薬にも耐性を獲得しており，このような多剤耐性株の増加が臨床治療上の問題となっている。

CLSIの標準法では非経口ペニシリン投与の場合，髄膜炎由来*S. pneumoniae*株と非髄膜由来の*S. pneumoniae*株でペニシリン感性，中間，耐性の判定基準が異なっており，微生物検査ではこの基準が用いられている。すなわち，微量液体希釈法では髄膜炎由来*S. pneumoniae*はペニシリンのMICが≧0.12μg/mLの場合PRSPと判定される。また，非髄膜炎由来*S. pneumoniae*はペニシリンのMICが≧8μg/mLの場合PRSPと判定され，MICが4μg/mLの場合ペニシリン中間耐性肺炎球菌（penicillin-intermediate *S. pneumoniae*；PISP）と判定される（表7.5.1）。一方，感染症法においてペニシリン耐性肺炎球菌感染症は五類感染症定点把握疾患に定められているが，この感染症法でのPRSPの報告基準はペニシリンのMICが≧0.125μg/mL，またはオキサシリンディスク周囲の発育阻止帯の直径が≦19mmを示す*S. pneumoniae*と定められている。

表7.5.1　*S. pneumoniae*におけるペニシリンのMICにもとづく判定基準

抗菌薬	ペニシリンMIC（μg/mL）		
	感性（S）	中間耐性（I）	耐性（R）
ペニシリン非経口（非髄膜炎）	≦2	4	≧8
ペニシリン非経口（髄膜炎）	≦0.06	−	≧0.12
ペニシリン（経口ペニシリンV）	≦0.06	0.12～1	≧2

7. 5. 3　バンコマイシン耐性腸球菌（VRE）

バンコマイシン耐性腸球菌（VRE）は，もともと種々の抗菌薬に自然耐性を示す腸球菌がバンコマイシン耐性遺伝子*vanA*，*vanB*，*vanC*などを保有することにより本薬剤に耐性となる。このバンコマイシン耐性遺伝子にコードされる結合酵素（リガーゼ）はD-アラニンとD-ラクトース（またはD-セリン）を結合してジペプチドを形成する。これによりバンコマイシンの標的部位であるペプチドグリカン前駆体のD-alanyl-D-alanine末端がD-alanyl-D-lactateやD-alanyl-D-serineに変異し，バンコマイシンはもはやこれらに結合できなくなる（図7.1.2）。なお，変異末端のD-lactateやD-serineはペプチドグリカン架橋形成反応の行程で切り離されるため，構築された細胞壁は正常な細胞壁と変わらない。

VREが保有するバンコマイシン耐性遺伝子により表現型に違いがあり，VanA型VREはバンコマイシンとテイコプラニンの両方に耐性を示すが，VanB型VREはバンコマイシンのみ耐性でテイコプラニンは感性である。臨床上重要なVREは*vanA*や*vanB*を獲得した*Enterococcus faecalis*や*Enterococcus faecium*であり，これらのバンコマイシン耐性遺伝子が伝達性プラスミドを介して伝播・拡散する可能性があるため医療関連感染対策の観点からも注意すべき耐性菌である。一方，*Enterococcus gallinarum*（*vanC1*）や*Enterococcus casseliflavus*（*vanC2/3*）は染色体上に*vanC*を保有しバンコマイシンに自然耐性を示すが，その耐性度は*vanA*や*vanB*保有VREよりも低く，またテイコプラニン感性である（表7.5.2）。

用語　ペニシリン耐性肺炎球菌（penicillin-resistant *Streptococcus pneumoniae*；PRSP），バンコマイシン耐性腸球菌（vancomycin-resistant Enterococci；VRE），バンコマイシン（vancomycin）

表 7.5.2　おもなバンコマイシン耐性遺伝子とその特徴

遺伝子型	MIC（μg/mL）		耐性遺伝子の所在	伝達性	作用点（D-Ala-D-Ala）の変異	おもな分離菌種
	バンコマイシン	テイコプラニン				
vanA	≧ 64	≧ 16	プラスミド / 染色体	あり	D-Ala-D-Lac	*E. faecium* *E. faecalis*
vanB	4 ～ > 1000*	≦ 1	染色体 / プラスミド	あり	D-Ala-D-Lac	*E. faecium* *E. faecalis*
vanC	2 ～ 32	≦ 1	染色体	なし	D-Ala-D-Ser	*E. gallinarum* *E. casseliflavus*

* バンコマイシン感性 VanB 型 VRE の存在に注意。

国内での患者分離率は0.02～0.05%と低率であるがアウトブレイクも散見される。いったん院内に伝播・拡散したVREの感染制御は非常に困難で長期を要する。*vanA*や*vanB*を獲得したVREの蔓延はバンコマイシン耐性MRSAの発生につながる可能性もあり，警戒されている。

感染症法ではバンコマイシン耐性腸球菌感染症は5類感染症に分類されており，全数把握対象感染症として全ての医療機関が診断後7日以内に届け出ることが求められている。

7.5.4　ペニシリナーゼ産生リン菌（PPNG）

従来治療に用いられていたペニシリンに耐性を示すペニシリナーゼ産生リン菌（PPNG）の分離頻度は1980年代に15%程度とピークを迎えたが，現在では1%程度に減少している。これに対してペニシリン結合蛋白（PBP）の変異などを耐性機序にもつ染色体性β-ラクタム系薬耐性リン菌（CMRNG）の分離は過去10年間に急増し，高頻度で推移している。さらにはテトラサイクリン，ニューキノロン系薬，次いで第三世代セファロスポリン経口薬も耐性菌の増加により治療に推奨されない。現在は第三世代セファロスポリン注射薬のセフトリアキソンなどが世界的にもリン菌感染症治療の第一選択薬として推奨されている。

7.5.5　β-ラクタマーゼ非産生アンピシリン耐性（BLNAR）インフルエンザ菌

インフルエンザ菌（*Haemophilus influenzae*）については従来β-ラクタマーゼ産生によるアンピシリン耐性株が存在しており，β-ラクタマーゼ阻害薬配合剤による治療が可能である。β-ラクタマーゼ産生株は現在でも臨床分離株の10%前後に認められる。2000年代に入ってからはβ-ラクタマーゼ非産生アンピシリン耐性（BLNAR）株が急増してきている。BLNARの耐性機序はPBPの変異による薬剤結合親和性の低下であり，アンピシリン以外にβ-ラクタマーゼ阻害薬配合剤，第一，第二世代セファロスポリン系薬にも耐性化傾向がある。インフルエンザ菌におけるアンピシリン感性率は近年40%台前半で推移しており，その動向に注意する必要がある。

7.5.6　多剤耐性緑膿菌（MDRP）

緑膿菌は自然界や病院環境中に広く分布し，日和見感染症や医療関連感染の代表的な起因菌である。本菌は広範な抗菌薬に自然耐性を有する細菌であるが，本来有効であったカルバペネム系薬，ニューキノロン系薬，アミノグリコシド系薬の3系統の抗菌薬に同時に耐性を示す多剤耐性緑膿菌（MDRP）の出現が近年問題となってきている。多剤耐性化の機序としては，特定の抗菌薬の継続使用で染色体上の遺伝子が変異することによる内因性の機序と，ほかの耐性菌から伝達性プラスミドを介し耐性遺伝子を獲得する外因性の機序に大別される（表7.5.3）。

国内におけるMDRPの分離率は2008年の0.23%から2014年には0.09%まで低下してきているが，アウトブレイクや死亡事例も認められていることから動向の監視を継続していく必要がある。感染症法ではMDRPによる薬剤耐性緑膿菌感染症が五類定点把握対象疾患となっている。

なお，緑膿菌感染症患者にイミペネムを継続投与中，

用語　ペニシリナーゼ産生リン菌（penicillinase-producing *Neisseria gonorrhoeae*；PPNG），染色体性β-ラクタム系薬耐性リン菌（chromosomally mediated resistant *Neisseria gonorrhoeae*；CMRNG），セフトリアキソン（ceftriaxone），アンピシリン（ampicillin），β-ラクタマーゼ非産生アンピシリン耐性（β-lactamase nonproducing ampicillin resistant；BLNAR），多剤耐性緑膿菌（multidrug-resistant *Pseudomonas aeruginosa*；MDRP）

表 7.5.3 緑膿菌における多剤耐性の機序

	耐性機序	付与耐性
内因性	DNA ジャイレース，トポイソメラーゼⅣの変異	ニューキノロン耐性
	D2 ポーリン蛋白の変異減少	イミペネム耐性
	能動的排出ポンプの機能亢進	種々抗菌薬耐性 / 消毒薬抵抗性
	AmpC β-ラクタマーゼなどの分解酵素の過剰産生	広域セファロスポリン系薬耐性
	バイオフィルムの産生増加	種々抗菌薬 / 消毒薬抵抗性
外因性	メタロ-β-ラクタマーゼの産生	広域セファロスポリン系薬およびカルバペネム系薬耐性
	薬剤修飾不活化酵素の産生	アミノグリコシド系薬耐性
	16S rRNA メチルトランスフェラーゼの産生（稀である）	アミノグリコシド系薬高度耐性

D2ポーリン蛋白の変異減少によるイミペネム低度耐性の緑膿菌に遭遇することがある。この場合，メタロ-β-ラクタマーゼ非産生性を確認する必要がある。

7.5.7 多剤耐性アシネトバクター（MDRA）

*Acinetobactor*属菌は通常土壌や水などの自然環境中に生息し，またしばしば健常人の皮膚からも見出されるが，比較的乾燥環境に強い。臨床の現場では*Acinetobacter baumannii*が日和見感染症や医療関連感染の代表的な起因菌として重要視されているが，とくに気管切開患者や気管内挿管患者の人工呼吸器関連肺炎（VAP）の起因菌として警戒されている。*Acinetobactor*属菌は染色体性のAmpC β-ラクタマーゼ（ADC）を産生し広域セファロスポリンに自然耐性をもつ。

多剤耐性アシネトバクター（MDRA）はカルバペネム系薬，ニューキノロン系薬，アミノグリコシド系薬の3系統の抗菌薬に同時に耐性を示すが，*Acinetobactor*属菌のなかでも*A. baumannii*が大部分を占める。カルバペネム系薬耐性の主要な耐性機序はクラスDに属するOXA型カルバペネマーゼの産生である。*A. baumannii*の染色体上にはOXA-51-like遺伝子が存在しているが，発現に必要なプロモーター配列がなく通常は発現していない。この遺伝子の上流にプロモーターを供与する挿入塩基配列IS*Aba1*を獲得した株ではOXA-51-likeカルバペネマーゼを産生しカルバペネム系薬に耐性を示すようになる。また，プラスミド性のOXA-23-likeやOXA-58-likeなどのOXA型カルバペネマーゼ遺伝子の獲得も耐性化に関与している。ニューキノロン系薬耐性には緑膿菌と同様染色体上のDNAジャイレースとトポイソメラーゼⅣの変異，能動的排出ポンプなどが関与する。アミノグリコシド系薬耐性には緑膿菌と同様にアミノグリコシド修飾酵素の産生や16S rRNAメチルトランスフェラーゼの産生が関与する。

国内ではMDRAの分離率は0.01%で推移しており，多剤耐性緑膿菌の分離率に比較しまだ稀であるが，2008年以降輸入事例を中心に大規模アウトブレイクや散発例が認められてきている。MDRAの世界規模での拡散には*A. baumannii*の特定のクローンであるEuropean clone Ⅱの拡散が関与している。2014年9月に多剤耐性アシネトバクター感染症が五類全数把握対象疾患となった。

7.5.8 基質特異性拡張型β-ラクタマーゼ産生菌（ESBL）

ESBL産生菌についてはわが国ではCTX-M型β-ラクタマーゼ産生菌が高頻度に検出されており，とくにCTX-M-14やCTX-M-27，CTX-M-15産生菌が多い。しかしながら2000年以降は世界的にもCTX-M型β-ラクタマーゼが主要なESBL酵素として拡散していった。

ESBLのなかでもTEM型，SHV型ESBLではセフォタキシムに比べセフタジジムの分解能が高いが，CTX-M型β-ラクタマーゼの場合，セフタジジムよりもセフォタキシムを効率よく分解する酵素特性を有している。したがってCTX-M型ESBL産生菌ではセフタジジムよりもセフォタキシムのMICの方が高値となる傾向を示す。国内でのセフォタキシム耐性*Escherichia coli*の割合は2001年には1%であったが，最近では20%を超えている。

ESBL遺伝子の拡散にはそれを担うプラスミド，トランスポゾン，インテグロンなどの可動性遺伝因子の拡散と宿主菌の特定クローンの拡散が関与しており，たとえばCTX-M-15産生*E. coli*の世界規模での拡散にはMLSTがST131である特定クローンの拡散が関与していることが明

用語 人工呼吸器関連肺炎（ventilator-associated pneumonia；VAP），ADC（*Acinetobacter*-derived cephalosporinase），多剤耐性アシネトバクター（multidrug-resistant *Acinetobacter* spp.；MDRA），リボソーム RNA（ribosomal RNA；rRNA），基質特異性拡張型β-ラクタマーゼ（extended-spectrum β-lactamase；ESBL），セフォタキシム（cefotaxime），セフタジジム（ceftazidime），MLST（multilocus sequence typing）

らかとなっている。また，CTX-M-15産生*E. coli* ST131のなかでも特定のサブクローンがニューキノロン系薬やアミノグリコシド系薬など多剤に耐性を示すことが多い。

7.5.9 カルバペネマーゼ産生腸内細菌目細菌（CPE）

カルバペネマーゼはイミペネムやメロペネムなどのカルバペネム系薬を分解する酵素であり，カルバペネマーゼを産生する*Klebsiella pneumoniae*や*Escherichia coli*などの腸内細菌目細菌（CPE）が現在世界の国々で急速に拡散し，問題となっている。

CPEの産生するおもなカルバペネマーゼにはクラスBのメタロ-β-ラクタマーゼ であるIMP型，VIM型およびNDM型，米国を中心に広がっているクラスAのKPC型カルバペネマーゼ，欧州を中心に広がっているクラスDのOXA-48型カルバペネマーゼがある。国内ではIMP-1型産生菌の分離頻度が高く，さらに2009年以降はIMP-6産生菌の分離が西日本で増加してきている。一方，NDM型，KPC型，OXA-48型産生菌はおもに海外からの帰国者による持ち込みの散発例で報告されているが，海外渡航歴のない患者からの分離例も存在することから注意が必要である。

カルバペネマーゼにはさまざまな種類があり，その酵素特性も異なっている。また，カルバペネマーゼ遺伝子を保有していてもKPC型，OXA-48型産生菌などのなかには必ずしもカルバペネム耐性と判定されない株も存在することから，日常検査での鑑別は困難である（図7.5.2）。しかしながら，カルバペネマーゼ遺伝子の多くが伝達性プラスミドにより媒介されていることから，さまざまな腸内細菌目の菌種へ伝達し得る。したがって医療施設におけるCPEの伝播・拡散を防ぐための感染制御の観点からCPEの動向を監視していくことが重要である。2014年9月にカルバペネム耐性腸内細菌目細菌感染症が五類全数把握対象疾患となった。

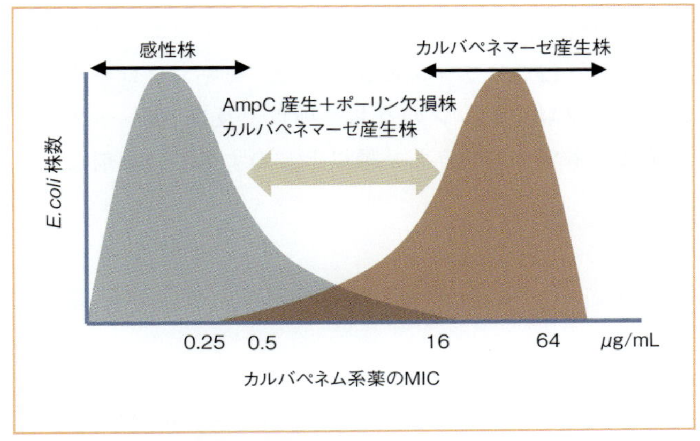

図7.5.2 CPEとCREとの関係
（UK Standards for Microbiology Investigations B 60: detection of bacteria with carbapenem hydrolysing β-lactamases (carbapenemases). issue 3.1 (June 2022) (https://assets.publishing.service.gov.uk/government/uploads/system/uploads/attachment_data/file/1080594/B_60i3.1.pdf) の Figure 1 を一部改変）

検査室ノート　CPEとCRE

腸内細菌目細菌におけるカルバペネム系薬耐性のおもな機序として，カルバペネマーゼの産生のほかに，AmpC β-ラクタマーゼあるいはESBLの過剰産生に外膜蛋白ポーリンの欠損/減少による薬剤の膜透過性低下が加わる場合がある。いずれの機序を有する場合もCREと称され，なかでもカルバペネマーゼの産生により耐性を獲得している場合CPEと称される（図7.5.2）。

- カルバペネム系薬耐性株が必ずしもすべてCPEとは限らない
- カルバペネマーゼ産生株が必ずしもすべてカルバペネム系薬耐性とは限らない
- 2つの機序を薬剤感受性試験の結果から識別するのは困難

用語　カルバペネマーゼ産生腸内細菌目細菌（carbapenemase-producing *Enterobacteriaceae*；CPE），VIM型メタロ-β-ラクタマーゼ（Verona integron-encoded metallo-β-lactamase），NDM型メタロ-β-ラクタマーゼ（New Delhi metallo-β-lactamase），KPC（*Klebsiella pneumoniae* carbapenemase），カルバペネム耐性腸内細菌目細菌（carbapenem-resistant *Enterobacteriaceae*；CRE）

7. 5. 10　多剤耐性結核（MDR-TB）

世界保健機関（WHO）によれば，結核治療の主要な第一選択薬剤であるイソニアジドとリファンピシンの両方に耐性を示す結核菌に起因する結核症を多剤耐性結核（MDR-TB），さらにこれら2剤に加えてフルオロキノロン系薬（レボフロキサシンやモキシフロキサシンなど）のいずれかに耐性，かつアミカシン，カプレオマイシン，カナマイシンのうちの少なくとも1剤に耐性を示す結核菌による結核症を超多剤耐性結核または広範囲薬剤耐性結核（XDR-TB）と定義している。一方，わが国では感染症の予防及び感染症の患者に対する医療に関する法律にもとづく特定病原体等の管理規制により三種病原体等に分類される多剤耐性結核菌は，次に掲げる「(1) イソニコチン酸ヒドラジド，(2) リファンピシン，(3) モキシフロキサシン又はレボフロキサシンのうち一種以上及び (4) ベダキリン又はリネゾリドのうち一種以上」のすべての薬剤に対し耐性を有するものであることと定義づけられている。WHOによるMDR-TBの国内外での増加が問題となっており，さらに近年ではXDR-TBも出現し，治療上深刻な状況を引き起こしている。結核治療には少なくとも3剤以上の併用療法を最短でも6カ月間継続する長期治療が必要であるが，中断や不規則な服薬が起こりやすくなり，これがMDR-TBやXDR-TBの出現する原因となってしまう。

国内における2007年から2012年の調査では，MDR-TBの割合は1.2%から0.7%の間で安定して推移していた。

2014年には世界でおよそ48万人がMDR-TBに罹患し，そのうちの半数以上がインド，中国，ロシアで発生していた。また，MDR-TBの約9.7%がXDR-TBであったと推計されている（WHO : Tuberculosis. Fact sheet N°104, Updated March 2016）。

［長野則之］

用語　世界保健機関（World Health Organization；WHO），イソニアジド（isoniazid），リファンピシン（rifampicin），多剤耐性結核（multidrug-resistant tuberculosis；MDR-TB），超多剤（広範囲薬剤）耐性結核（extensively drug-resistant tuberculosis；XDR-TB）

参考文献

1）厚生労働省院内感染対策サーベイランス事業：検査部門 JANIS（一般向け）期報・年報．https://www.janis.mhlw.go.jp/report/kensa.html
2）Clinical and Laboratory Standards Institute : “Performance Standards for Antimicrobial Susceptibility Testing, 32nd edition”, M100-ED32, Clinical and Laboratory Standards Institute, 2022.
3）Peirano G, Pitout JD : “Molecular epidemiology of Escherichia coli producing CTX-M beta-lactamases: the worldwide emergence of clone ST131 O25:H4”, Int J Antimicrob Agents, 2010 ; 35 : 316-321.
4）結核研究所疫学情報センター：「結核年報 2012（3）患者発見・診断時病状」，結核，2014 ; 89 : 787-793.
5）富田治芳，他：「バンコマイシン耐性腸球菌」，日臨微誌，2014 ; 24 : 180-194.

7.6 ｜ 抗真菌薬

・深在性真菌症には全身性抗真菌薬を投与する。
・表在性真菌症には外用抗真菌薬が使用される。
・抗真菌薬のスペクトルと菌種の組み合わせで適切な抗真菌薬を選択する。

真菌症は，深在性真菌症（内臓に感染）と表在性真菌症（皮膚や粘膜に感染）に分類され，深在性真菌症には全身性抗真菌薬が投与され，表在性真菌症には外用抗真菌薬が使用される。細胞膜であるエルゴステロールを阻害するポリエン系薬，ラノステロールからエルゴステロールの生合成を阻害するアゾール系薬，β-D-グルカン合成酵素を阻害し細胞壁合成を阻害するキャンディン系薬，DNA合成を阻害するピリミジン系薬剤などがある（表7.6.1）。真菌は酵母様真菌，糸状真菌，二形性真菌に分類され，一般的に糸状真菌の方が酵母様真菌より治療がしにくい（表7.6.2）。

表7.6.1　国内で使用可能な抗真菌薬とおもな作用メカニズム

分類	一般名	略号	おもな作用メカニズム	
			標的	結果
ポリエン系	アムホテリシンB	AMPH-B	細胞膜エルゴステロール	細胞膜機能障害
フルオロピリミジン系	フルシトシン	5-FC	チミジン酸合成酵素	DNA合成阻害
アゾール系	ミコナゾール	MCZ	ラノステロール 14α-デメチラーゼ（$P450_{14DM}$）	エルゴステロール合成阻害⇒細胞膜機能障害
	フルコナゾール	FLCZ		
	イトラコナゾール	ITCZ		
	ボリコナゾール	VRCZ		
キャンディン系	ミカファンギン	MCFG	(1→3)-β-D-グルカン合成酵素	(1→3)-β-D-グルカン合成阻害⇒細胞壁構造障害
	カスポファンギン	CPFG		

表7.6.2　抗真菌薬のスペクトラム

一般名	カンジダ	クリプトコックス	アスペルギルス	接合菌
アムホテリシンB	○	○	○	○
ミコナゾール	○	○	○	×
フルコナゾール	○	○	×	×
イトラコナゾール	○	○	○	×
ボリコナゾール	○	○	○	×
フルシトシン	○	○	△	×
ミカファンギン	○	×	○	×

○：保険適応承認，×：未承認，△：保険適応が承認されているが，実地医療では使用されない。

［板羽秀之］

用語　アムホテリシンB（amphotericin B；AMPH-B），フルシトシン（flucytosine；5-FC），ミコナゾール（miconazole；MCZ），フルコナゾール（fluconazole；FLCZ），イトラコナゾール（itraconazole；ITCZ），ボリコナゾール（voriconazole；VRCZ），ミカファンギン（micafungin；MCFG），カスポファンギン（caspofungin；CPFG）

7.7 抗ウイルス薬

- 抗ウイルス薬は，ウイルスの複製を阻害する作用や免疫反応を強化することで，ウイルス感染症の治療が行われている。
- ヘルペスウイルス，サイトメガロウイルス，インフルエンザウイルス，肝炎ウイルス，抗ヒト免疫不全ウイルスなどに対して開発されている。
- 抗インフルエンザウイルス薬は，ノイラミニダーゼ阻害薬とM2蛋白阻害薬がある。

抗ウイルス薬は，ウイルスの複製を阻害する作用や，免疫反応を強化することで，ウイルス感染症の治療が行われている。抗菌薬の抗菌スペクトルは複数菌種に対する抗菌活性を有することが多いが，ウイルスは非常に小さく宿主細胞内で複製されるために，抗ウイルス薬での治療は一部のウイルスにしか効果がない。代表的な抗ウイルス薬の種類と作用機序を表7.7.1に示す。

表7.7.1　代表的な抗ウイルス薬の種類と作用機序

抗ウイルス薬	一般名	作用機序
抗ヘルペス薬	アシクロビル	DNA合成阻害
抗サイトメガロウイルス薬	ガンシクロビル	DNA合成阻害
	ホスカルネット	
抗インフルエンザ薬	アマンタジン	M2蛋白阻害
	オセルタミビル	ノイラミニダーゼ阻害
	ザナミビル	
	ペラミビル	
	ラニナミビル	
抗B型肝炎ウイルス（HBV）薬	インターフェロン	ウイルス増殖阻害
	ラミブジン	逆転写酵素阻害
	アデホビル	
	エンテカビル	
抗C型肝炎ウイルス（HCV）薬	リバビリン	RNAポリメラーゼ阻害
	ソホスブビル	NS5Bポリメラーゼ阻害
	グレカプレビル	プロテアーゼ阻害
抗ヒト免疫不全ウイルス（HIV）薬	アジドチミジン	核酸系逆転写酵素阻害
	アバカビル	
	ラミブジン	
	ネビラピン	非核酸系逆転写酵素阻害
	エファビレンツ	
	インジナビル	プロテアーゼ阻害
	サキナビル	
	ネルフィナビル	
	エルビテグラビル	インテグラーゼ阻害
	ラルテグラビルカリウム	
	マラビロク	侵入阻害

用語　アシクロビル（aciclovir；ACV），ガンシクロビル（ganciclovir；GCV），ホスカルネット（foscarnet），アマンタジン（amantadine），オセルタミビル（oseltamivir），ザナミビル（zanamivir），ペラミビル（peramivir），ラニナミビル（laninamivir），インターフェロン（interferon；IFN），ラミブジン（lamivudine；3TC），アデホビル（adefovir），エンテカビル（entecavir），リバビリン（ribavirin；RBV），ソホスブビル（sofosbuvir；SOF），グレカプレビル（glecaprevir;GLE），アジドチミジン（azidothymidine;AZT），アバカビル（abacavir;ABC），ネビラピン（nevirapine;NVP），エファビレンツ（efavirenz;EFV），インジナビル（indinavir；IDV），サキナビル（saquinavir；SQV），ネルフィナビル（nelfinavir；NFV），エルビテグラビル（elvitegravir；EVG），ラルテグラビルカリウム（raltegravir potassium），マラビロク（maraviroc）

7.7.1 おもな抗ウイルス薬

1. 抗ヘルペスウイルス薬

抗ヘルペスウイルス薬は，DNAの合成を阻害し，増殖を特異的に抑制する作用をもつ。単純ヘルペスウイルス1型（HSV-1），単純ヘルペスウイルス2型（HSV-2），水痘・帯状疱疹ウイルスに対して有効性を示す。アシクロビル，バラシクロビル，ファムシクロビルなどがある。

2. 抗インフルエンザウイルス薬

抗インフルエンザウイルス薬は，ノイラミニダーゼ阻害薬とM2蛋白阻害薬がある。ノイラミニダーゼ阻害薬にはオセルタミビル，ザナミビル，ラニナミビル，ペラミビルがある。細胞内で増殖したウイルスが，再び細胞外へ脱出・遊離する過程でノイラミニダーゼという酵素が重要なはたらきをするが，この過程を阻害して遊離するのを防ぎ，ウイルスの増殖を抑制する作用をもつノイラミニダーゼ阻害薬とM2蛋白阻害薬のアマンタジンがあり，ウイルスの脱殻の過程を阻害し，増殖を抑制する作用をもつ。

3. C型肝炎ウイルス治療薬

C型肝炎ウイルス治療薬は，C型肝炎ウイルス（HCV）の増殖を抑制する作用をもち，RNAポリメラーゼ阻害薬にはHCVのゲノムに突然変異を誘導するリバビリンがある。NS5Bポリメラーゼ阻害薬はHCV複製に関わる非構造蛋白5B（NS5B）のRNAポリメラーゼを阻害するソホスブビルがある。プロテアーゼ阻害薬はグレカプレビルがある。

4. 抗HIV薬

抗HIV薬は，逆転写酵素阻害薬，プロテアーゼ阻害薬，インテグラーゼ阻害薬，CCR5阻害薬に大別され，ヒト免疫不全ウイルス（HIV）の酵素を阻害し，ウイルスの増殖を抑制する作用をもつ。HIV感染治療は，以前は1～2剤の内服治療が主流であったが，耐性化することもあり，現在では抗HIV薬を3～4剤同時に内服する「強力な抗ウイルス療法（HAART）」が主流となっている。

［板羽秀之］

用語　単純ヘルペスウイルス（herpes simplex virus；HSV），ヒト免疫不全ウイルス（human immunodeficiency virus；HIV），C-C ケモカイン・レセプター 5（C-C chemokine receptor type 5；CCR5），HAART（highly active anti-retroviral therapy）

7.8 細菌の薬剤感受性検査法

- 薬剤感受性検査の目的は，感染治療に有効な抗菌薬の選択である。
- わが国での薬剤感受性検査法は微量液体希釈法が主流でディスク拡散法も用いられている。
- 最小発育阻止濃度（MIC）は有効薬剤の選択の指標として使用される。
- β-ラクタマーゼ産生菌は抗菌薬を不活化するため，産生の有無が判定できる検査法が必要である。

薬剤感受性検査の目的は，感染治療に有効な抗菌薬の選択であり，抗菌スペクトル，体内動態，薬剤感受性成績などを考慮して抗菌薬は決定される。検査法は米国CLSIで制定された標準法が用いられ，拡散法と希釈法がある（表7.8.1）。日常検査での主流な検査法は，希釈法である微量液体希釈法と拡散法であるディスク拡散法およびEテスト法が実施されている。

薬剤感受性検査の対象となる菌種は起因菌と推定されるコロニーを選択するが，日和見感染や常在細菌叢の混入によって識別することが困難な場合があり，また治療のための選択薬剤についても，臨床医と相談しながら実施することが必要がある。

表7.8.1 薬剤感受性検査法

拡散法	希釈法
ディスク拡散法 Eテスト	寒天平板希釈法 マクロ液体希釈法 微量液体希釈法

7.8.1 最小発育阻止濃度（MIC）

培地に各種濃度の薬剤を加え被検菌を培養し，菌の発育を阻止する薬剤の最小濃度を最小発育阻止濃度（MIC）という（図7.8.1）。MICはμg/mLかmg/Lの単位で表され，MICの数字が小さいほど低い濃度で細菌の発育を抑制することができ，抗菌薬に対して感受性が高いとされる。逆にMICの数字が大きいほど抗菌薬に対する耐性度が高くなる。MICは有効薬剤の選択などの指標として使用される。

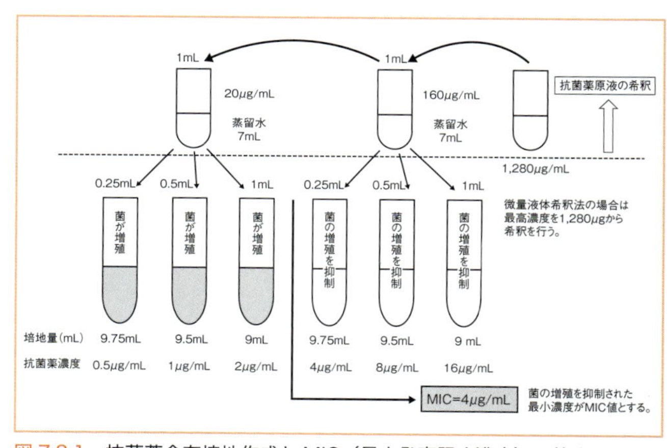

図7.8.1 抗菌薬含有培地作成とMIC（最小発育阻止濃度）の算出する例

7.8.2 最小殺菌濃度（MBC）

菌を殺菌する薬剤の最小濃度を最小殺菌濃度（MBC）という（図7.8.2）。液体培地でMICを測定後にMIC値以下の濃度部分から寒天平板に接種し，生菌数が99.9%以上抑制されている濃度をMBCとする。MBCがMICより大

用語 CLSI（Clinical and Laboratory Standards Institute），最小発育阻止濃度（minimum inhibitory concentration；MIC），最小殺菌濃度（minimum bactericidal concentration；MBC）

きい抗菌薬であれば静菌的抗菌薬でMICとMBCがほぼ同じであれば殺菌的抗菌薬と判断する。

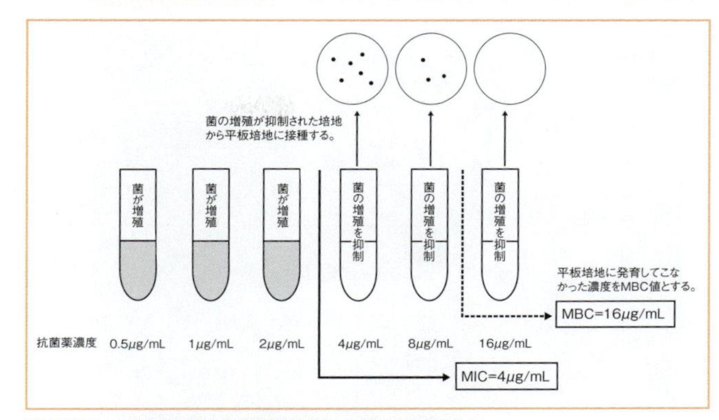

図 7.8.2　MBC（最小殺菌濃度）の算出する例

7. 8. 3　微量液体希釈法

微量液体希釈法は，マイクロプレートに抗菌薬を2倍希釈系列を作製し，McFarland No. 0.5に調整した被検菌を接種する。培地は二価イオン（Ca^{2+}，Mg^{2+}）調整のミューラー・ヒントンブロスを使用する。肉眼的に発育が阻止された点をMICとする。2mm以上の沈殿物あるいは1mm以下の沈殿物が2つ以上認められた場合は発育がありとする。薬剤希釈系列のMICが小さい数字ほど低い濃度で被検菌は抑制され感性と判定される（図7.8.3）。日常の検査では，多数の抗菌薬がセットされた市販のマイクロプレート（図7.8.4）を購入し，薬剤感受性検査装置でMICを測定している。

薬剤配列表

	1	2	3	4	5	6	7	8	9	10	11	12
A	PIPC 64	32	16	8	4	2	IPM 8	4	2	1	0.5	0.25
B	TAZ/PIPC 4/64	4/32	4/16	4/8	4/4	4/2.	MEPM 8	4	2	1	0.5	0.25
C	CAZ 16	8	4	2	1	0.5	IDRPM 8	4	2	1	0.5	0.25
D	CFPM 16	8	4	2	1	0.5	AMK 32	16	8	4	2	1
E	CZOP 16	8	4	2	1	0.5	GM 8	4	2	1	0.5	0.25
F	S/C 32/32.	16/16	8/8	4/4	2/2	1/1	ABK 8	4	2	1	0.5	0.25
G	CPFX 2	1	0.5	0.25	LVFX 4	2	1	0.5	CL 4	2	1	0.5
H	AZT 16	8	4	ST 38/2.	19/1.	9.5/025	4.75/0.25	MINO 8	4	2	1	Cont

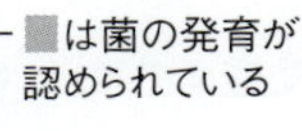

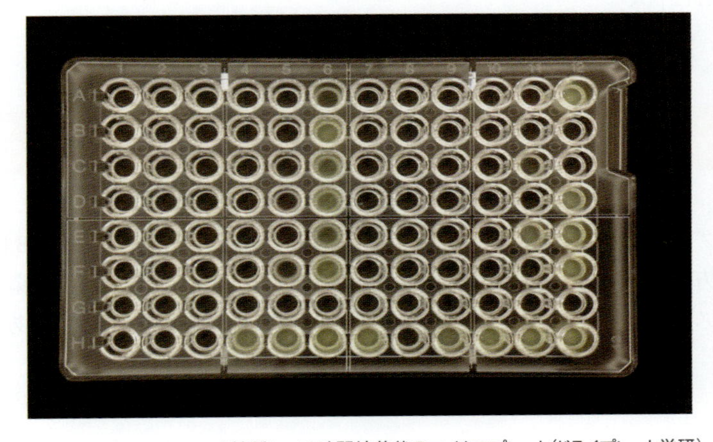

薬剤感受性成績

薬剤名	MIC値	判定
PIPC	4	S
TAZ/PIPC	4/4	S
CAZ	1	S
CFPM	1	S
CZOP	1	S
SBT/ABPC	2/2	S
CPFX	<=0.25	S
AZT	<=4	S
IPM	0.5	S
MEPM	<=0.25	S
DRPM	<=0.25	S
AMK	2	S
GM	1	S
LVFX	<=0.5	S
CL	<=0.5	S
ST	>38/2	R
MINO	8	R

Pseudomonas aeruginosa を接種し，16時間培養後のマイクロプレート（ドライプレート栄研）

図 7.8.3　微量液体培地希釈法による MIC 値の測定

用語　ピペラシリン（piperacillin；PIPC），タゾバクタム・ピペラシリン（tazobactam/piperacillin；TAZ/PIPC），セフタジジム（ceftazidime；CAZ），セフェピム（cefepime；CFPM），セフォゾプラン（cefozopran；CZOP），スルバクタム・セフォペラゾン（sulbactam/cefoperazone；SBT/ABPC），シプロフロキサシン（ciprofloxacin；CPFX），アズトレオナム（aztreonam；AZT），イミペネム（imipenem；IPM），メロペネム（meropenem；MEPM），ドリペネム（doripenem；DRPM），アミカシン（amikacin；AMK），ゲンタマイシン（gentamicin；GM），レボフロキサシン（levofloxacin；LVFX），コリスチン（colistin；CL），スルファメトキサゾール・トリメトプリム（sulfamethoxazole/trimethoprim；ST），ミノサイクリン（minocycline；MINO）

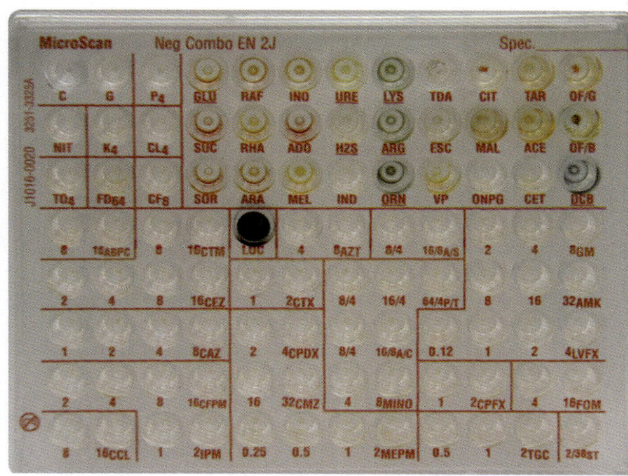

図 7.8.4　希釈法による薬剤感受性用プレート
マイクロスキャン Neg シリーズ（ベックマン・コールター社製）。1 枚のパネルで同定と薬剤感受性を同時に検査可能。

7. 8. 4　ディスク拡散法

ディスク拡散法は，CLSIが世界保健機関（WHO）の勧告基準に準拠して制定されたKirby-Bauer法（K-B法）を基礎とした方法で，世界的に標準化された方法である。一定濃度の抗菌薬を含む直径6.35mmの濾紙をディスクとして使用する。被検菌をMcFarland No. 0.5(1.5×10^8CFU/mL）の濁度に調整した浮遊液をミューラー・ヒントン寒天培地（厚さ4mm）にスワブで接種し，ディスクを置き，35℃，16～18時間培養する。耐性菌が疑われる場合は24時間まで培養する。

ディスクに含まれた薬剤が培地に浸透することで，ディスク周辺の濃度は高くなっており，菌の発育が抑えられて阻止円ができる（図7.8.5）。阻止円の直径はノギスまたは定規で測定する。判定は阻止円直径について，それぞれの薬剤を判定基準と照合し，感性（S），中間（I），耐性（R）の3段階評価で報告する。

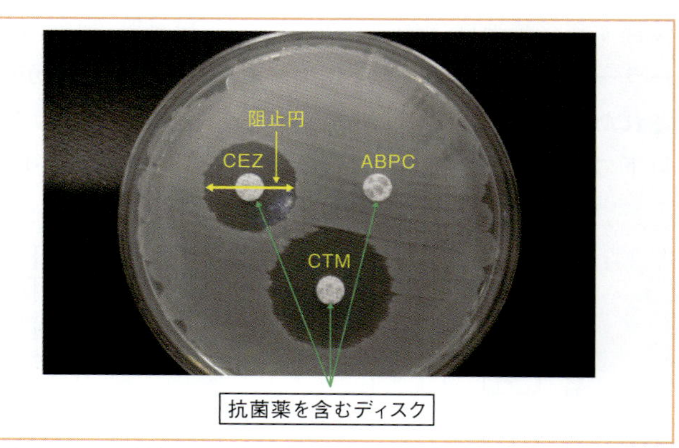

図 7.8.5　ディスク法による薬剤感受性検査
阻止円の直径はノギスまたは定規で測定し，それぞれの薬剤を判定基準と照合して判定する。

7. 8. 5　E テスト

抗菌薬が連続15段階の濃度勾配にコーティングされた薄い樹脂製のテストストリップを用いて測定する方法である。菌液調整，接種はディスク法に準じ，テストストリップ上の目盛りからMIC値を測定できる（図7.8.6）。栄養要求の厳しい菌の肺炎球菌，ピロリ菌，髄膜炎菌，リン菌，嫌気性菌や結核菌，酵母様真菌の測定が可能である。

用語　世界保健機関（World Health Organization；WHO），コロニー形成単位（colony forming unit；CFU），セファゾリン（cefazolin；CEZ），セフォチアム（cefotiam；CTM），アンピシリン（ampicillin；ABPC）

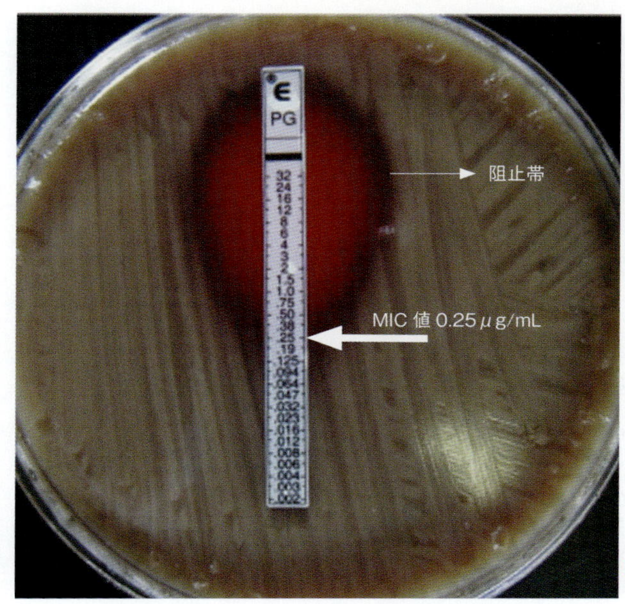

図 7.8.6　E テストによる *Streptococcus pneumoniae* の MIC 測定
判定は，阻止円の生じ始めた部分を読み取り，MIC 値とする。

7. 8. 6　β-ラクタマーゼ検査法

β-ラクタマーゼはβ-ラクタム系薬の基本骨格であるβ-ラクタム環を加水分解して，抗菌力を不活化する細菌が産生する酵素である。ペニシリナーゼ（ペニシリン分解酵素），セファロスポリナーゼ（セファロスポリン分解酵素），カルバペネマーゼ（カルバペネム分解酵素）などがある（表7.8.2）。臨床材料から分離される耐性菌の多くはβ-ラクタマーゼ産生菌であり，抗菌薬を選択するうえでも，β-ラクタマーゼ産生の有無が判定できる検査法が必要になる（表7.8.3）。

(1) ニトロセフィン法

ニトロセフィンはβ-ラクタマーゼの検査に専用試薬として利用され，セファロスポリン系薬の1種であるクロモジェニックセファロスポリンである。ニトロセフィンはβ-ラクタマーゼにより開裂すると発色する性質がある。被検菌を滅菌精製水30μLで湿らせたディスク表面に塗りつけ，5分以内に赤色に変化したものを陽性とし，無変化であれば陰性と判定する（図7.8.7）。

表 7.8.2　β-ラクタマーゼの種類

	Ambler 分類	好適基質	通称	酵素名あるいは型
セリン残基	A	本来はペニシリン系 ESBL はセフェム系を含む広域スペクトラム	ペニシリナーゼ	TEM 型，SHV 型，CTX-M 型，Sme1，Sme2，NMC-A など
	C	セフェム系	セファロスポリナーゼ	AmpC，MOX1，FOX，CMY9，LAT など
	D	クロキサシリンを含むペニシリン系	オキサシリナーゼ	OXA
亜鉛	B	カルバペネム系を含む多くのβ-ラクタム系薬	カルバペネマーゼ	IMP，VIM，Ccr A，NDM-1，CphA など

表 7.8.3　β-ラクタマーゼ検査の対象菌種

検査対象菌種	ニトロセフィン	アシドメトリック	ヨードメトリック
Staphylococcus spp.	○	○	
Enterococcus spp.	○		
Haemophilus spp.	○	○	
Neisseria gonorrhoeae	○	○	○
Moraxella catarrhalis	○		
Prevotella spp.	○		

○：対象菌種。

用語　基質特異性拡張型β-ラクタマーゼ（extended-spectrum β-lactamase；ESBL），クロキサシリン（cloxacillin；MCIPC）

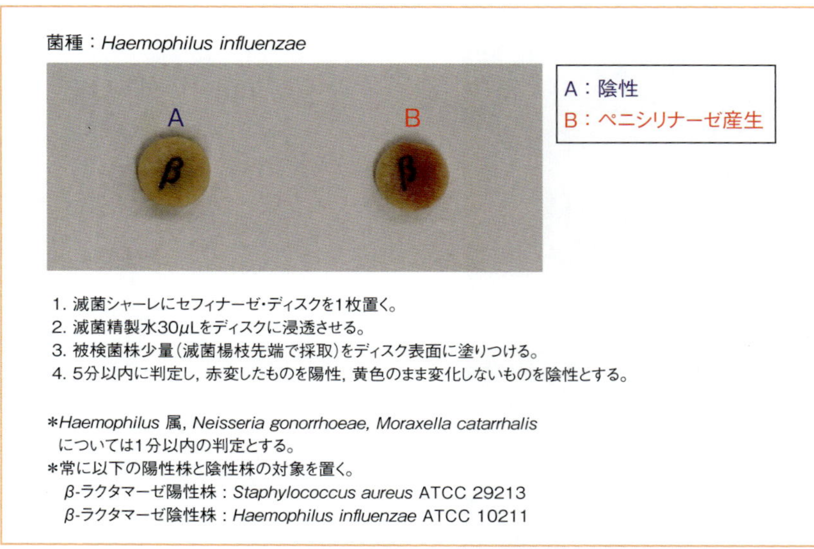

図 7.8.7　β - ラクタマーゼ試験（ニトロセフィン法）

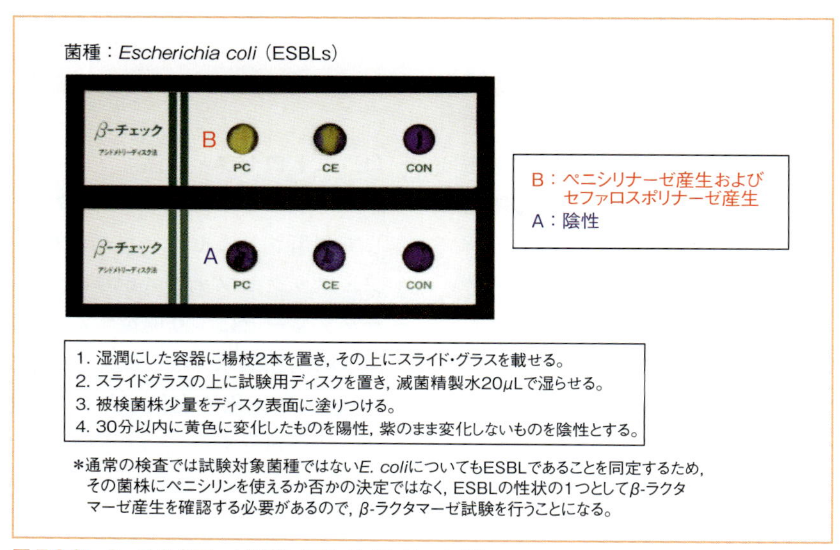

図 7.8.8　β - ラクタマーゼ試験（アシドメトリック法）

(2) アシドメトリック法

アシドメトリック法は基質としてpenicillin G（PC-G）ディスクとcepharoridine（CER）＋クラブラン酸ディスクを用い，β-ラクタマーゼによって加水分解されるとペニシロン酸またはセファロスポリン酸を生じるのでpHの低下（酸性）が起こり，pH指示薬の色調変化で判定する。被検菌を滅菌精製水20μLで湿らせるディスク表面に塗りつけ，30分以内に黄色に変化したものを陽性とし，無変化であれば陰性と判定する（図7.8.8）。

(3) ヨードメトリック法

β-ラクタマーゼによって加水分解されるとペニシリン系薬はペニシロン酸を生じ，セファロスポリン系薬はセファロスポリン酸を生じる。これらはヨウ素を還元することからデンプンがあってもヨウ素とデンプン反応が起こらないことを利用している。β-ラクタマーゼ陽性の場合には透明となり，陰性の場合はヨウ素・デンプン反応のため紫色を呈する。

［板羽秀之］

7.9 ｜ 抗菌薬治療

- 適切な抗菌薬の選択と投与量・投与期間および安全性に配慮して感染症の治療を行う。
- ブレイクポイントは，薬剤感受性成績をもとに適切な抗菌薬を選択できるように設定されている。
- 血中の薬物濃度を測定して治療方針を決め，薬物の治療効果や副作用を確認しながら適切な薬物投与を行う。
- 抗菌薬を有効に使用するためにPK-PDの理論にもとづいて治療が行われるようになってきた。

抗菌薬治療は，推定または同定された起因菌に対して薬剤感受性成績をもとに，使用薬剤の臓器移行性，患者重症度，安全性，コストなどを考慮して抗菌薬が選択される。目的が不明確な抗菌薬の投与を避けるためにも，検査室と薬剤部など関連部門との連携が重要である。適切な抗菌薬の選択と投与量・投与期間および安全性に配慮して感染症を治療することが目的であり，科学的根拠にもとづいた使用が求められる。

7.9.1 抗菌薬感受性とブレイクポイント

ブレイクポイントは，薬剤感受性成績をもとに適切な抗菌薬を選択できるように設定され，感性と耐性の分岐点を意味している。ブレイクポイントには微生物学的ブレイクポイントと臨床学的ブレイクポイントがある（図7.9.1）。

微生物学的ブレイクポイントは，特定菌種の多数株について希釈法でMIC値を測定し，そのMIC分布が感性側と耐性側の二峰性を示す。この分岐点をブレイクポイントとして設定している。耐性菌など二峰性を示さない場合には，薬剤耐性の要因を調べ，MICを考慮しながらブレイクポイントを設定する。臨床学的ブレイクポイントは，希釈法により測定したMIC値が臨床的に治療効果を期待できるMIC値と治療効果を期待できないMIC値との分岐点を設定している。ディスク拡散法で測定した場合は阻止円直径で表示され，希釈法のブレイクポイントにもとづいて，臨床的に治療効果を期待できる阻止円直径と治療効果を期待できない阻止円直径との分岐点を設定している。

ブレイクポイントを提唱している機関は，菌種別に定めている米国CLSIおよびEUCASTと疾患別に定めている

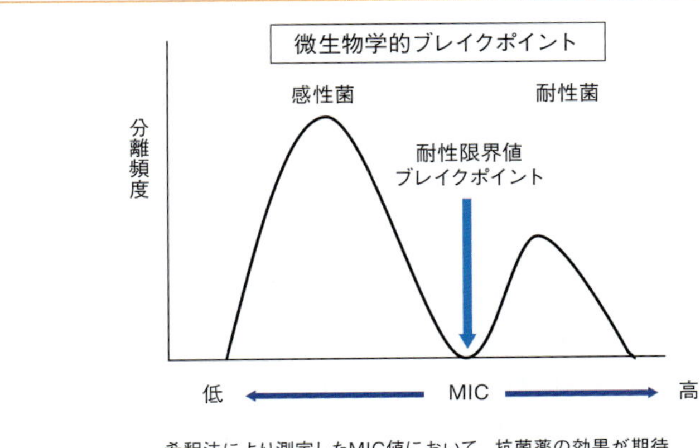

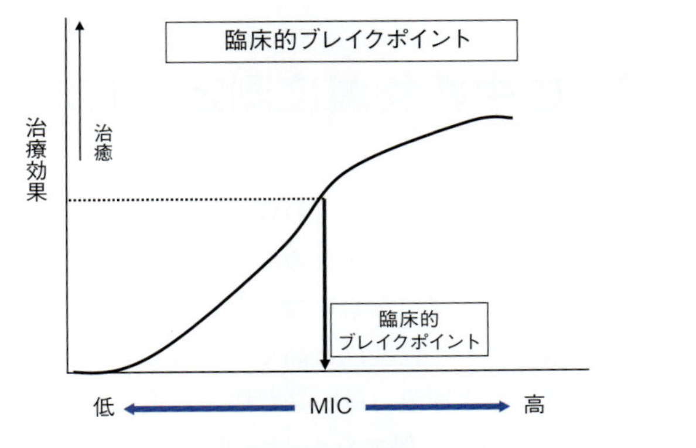

図7.9.1 微生物学的ブレイクポイントと臨床的ブレイクポイント

用語 最小発育阻止濃度（minimum inhibitory concentration；MIC）

表 7.9.1　CLSI 標準法による薬剤感受性検査結果の解釈

カテゴリー	解釈
S：susceptible 感性	推奨される用法用量で，適正な抗菌薬の使用により起因菌の発育が抑制され，治療効果が期待できる。
SDD：susceptible dose-dependent 用量依存的感性	重篤な感染症の場合，用法用量範囲内の高い数値での治療を行うこと。現在は腸内細菌目細菌におけるセフェピムのみに設定されている。
I：intermediate 中間	通常到達可能な血中および組織内濃度に近い抗菌薬の MIC を示すが，その効果は感性の菌より低い菌株である。抗菌薬が生理的に濃縮される部位（尿中のキノロン系薬や β-ラクタム系薬）や多量投与が可能な抗菌薬（β-ラクタム系薬など）は使用することができる。
R：resistant 耐性	通常の投与スケジュールでは，その抗菌薬が到達し得る体内濃度で起因菌の増殖を阻止できない場合や，β-ラクタマーゼなどの薬剤耐性機構がある場合は治療による臨床的効果が期待できない。

SDD：susceptible dose-dependent
SDD は I のブレイクポイントとして取り扱うが，重篤な感染症の場合，用法用量範囲内の高い数値での治療を行うこと。

抗菌薬	ディスク法（mm）				MIC 法（μg/mL）			
	S	SDD	I	R	S	SDD	I	R
旧）セフェピム	≧ 18	-	15−17	≦ 14	≦ 8	-	16	≧ 32
新）セフェピム	≧ 25	19−24	-	≦ 18	≦ 2	4−8	-	≧ 16

＊ MIC ≦ 2 μg/mL：12 時間ごとに 1g の投与計画にもとづく
＊ MIC 4 μg/mL：8 時間ごとに 1g もしくは 12 時間ごとに 2g の投与計画にもとづく
＊ MIC 8 μg/mL もしくはディスク 19−24mm：8 時間ごとに 2g の投与計画にもとづく

図 7.9.2　SDD ブレイクポイント（M100-24）

日本化学療法学会があるが，わが国ではCLSIのブレイクポイントが広く用いられている。CLSI標準法の微量液体希釈法による測定では，結果は測定したMIC値と微生物学的ブレイクポイントによって感性（S），用量依存的感性（SSD），中間（I），耐性（R）カテゴリー判定の両方で報告される（表7.9.1）。2014年版のCLSI標準法では，腸内細菌科に対しセフェピム感受性の解釈に，中間（I）の替わりに用量依存的感性（SSD）の解釈が導入された（図7.9.2）。CLSIでは毎年のように改訂がされているので，最新の情報を得なければならない。EUCASTは臨床学的ブレイクポイントが主体で，薬剤感受性検査結果を有効（S），中間（I）あるいは無効（R）に分類されている（表7.9.2）。

表 7.9.2　EUCAST による薬剤感受性検査結果の解釈

カテゴリー	解釈
S（susceptible, standard dosing regimen） 有効	その薬剤の標準的な投与方法で治療が成功する可能性が高い場合，その微生物は「susceptible, standard dosing regimen」に分類する。
I（susceptible, increased exposure） 中間	投与量の調整や感染部位での濃度によって薬剤への曝露量が増加し治療が成功する可能性が高い場合，その微生物は「susceptible, increased exposure」に分類する。
R（resistant） 耐性	薬剤の曝露量を増やしても治療に失敗する可能性が高い場合，その微生物は「resistant」に分類する。

（小松　方：「薬剤感受性試験とブレイクポイント CLSI と EUCAST の比較」，臨床と微生物，2021；48：307 より引用）

7.9.2　血中薬物濃度測定（TDM）

一般的に治療薬物モニタリング（TDM）とよばれ，血中の薬物濃度を測定して治療方針を決め，薬物の治療効果や副作用を確認しながら，適切な薬物投与を行う方法である。抗菌薬は血中濃度をある程度以上高くしても効果は変わらず，治療の標的となる細菌の最小発育阻止濃度（MIC）以上の濃度をどれくらい長く保てたかが効果に影響する。抗菌薬ではトラフ値とピーク値の2点でモニタリングし，ピーク値が中毒域に達していれば投与量を減らし，無効域では増量する。トラフ値が安全域を超えていれば投与間隔を延長するか投与量を減量する（図7.9.3）。薬物投与後の薬効には個人差があり，個々の患者の薬物血中濃度を測定し，薬物体内動態の把握や副作用などを確認し，有効血中濃度になるように投与方法・投与量を個別に調整して，適正な抗菌薬治療が行えるようにする。TDM が必要な抗菌

用語　CLSI（Clinical and Laboratory Standards Institute），EUCAST（European Committee on Antimicrobial Susceptibility Testing），感性（susceptible；S），用量依存的感性（susceptible dose-dependent；SSD），中間（intermediate；I），耐性（resistant；R），セフェピム（cefepime；CFPM），治療薬物モニタリング（therapeutic drug monitoring；TDM）

薬はゲンタマイシンやアルベカシンなどのアミノグリコシド系薬とバンコマイシンやテイコプラニンなどのグリコペプチド系薬などがある。

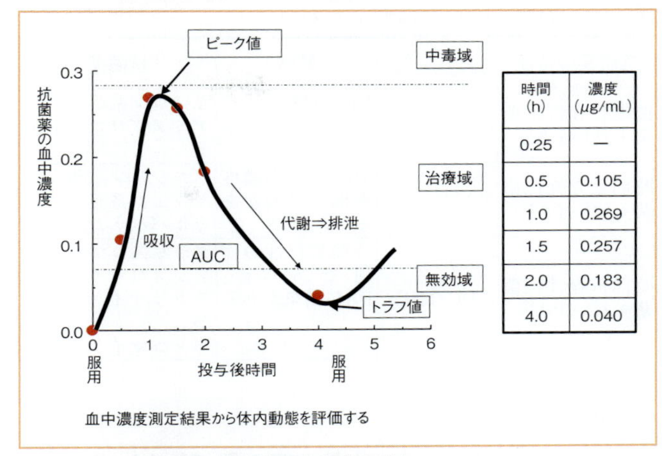

時間 (h)	濃度 (μg/mL)
0.25	—
0.5	0.105
1.0	0.269
1.5	0.257
2.0	0.183
4.0	0.040

図 7.9.3　抗菌薬の経口投与後の血中濃度測定

7. 9. 3　抗菌薬の PK-PD

近年，抗菌薬を有効に使用するためにpharmacokinetics-pharmacodynamics（PK-PD）の理論にもとづいて治療が行われるようになってきた。PKとは薬物動態で投与した抗菌薬の血中濃度，組織内濃度の推移を示し，PDは薬理学において生体内で抗菌薬がどの程度抗菌活性が作用しているかを示している。PKとPDを組み合わせることにより，抗菌薬の最適な用法・容量が設定できる。

PKパラメータはC_{max}（最高血中濃度），AUC（血中濃度時間曲線下面積），TAM（時間依存）の3つが重要であり，PDパラメータとしてはMIC（最小発育阻止濃度）が用いられている。

PK-PDパラメータは，これらを組み合せて抗菌薬の有効性と関連するパラメータを3つに分けられている（図7.9.4）。

・C_{max}/MIC：C_{max}が高ければ高いほど効果を示す濃度依存型抗菌作用

・TAM（time above MIC）：MIC以上の濃度で菌と接触する時間が長ければ長いほど効果を示す時間依存型抗菌

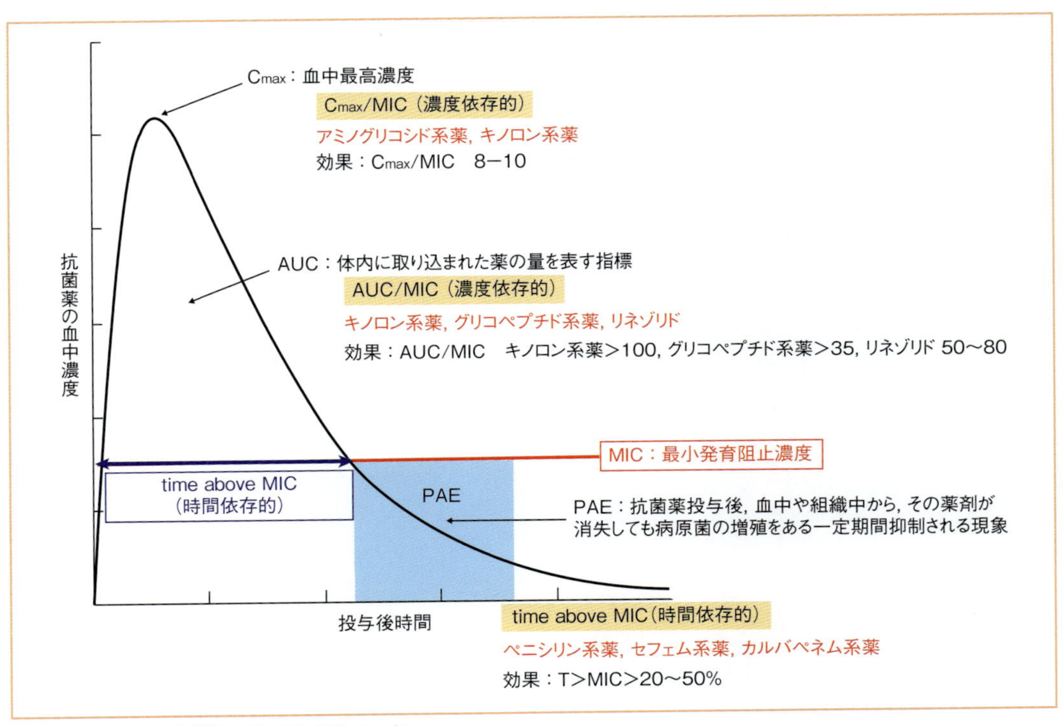

図 7.9.4　MIC と抗菌薬の PK-PD パラメータ

 用語　ゲンタマイシン（gentamicin；GM），アルベカシン（arbekacin；ABK），バンコマイシン（vancomycin；VCM），テイコプラニン（teicoplanin；TEIC）

表 7.9.3　抗菌薬の特性と PK-PD パラメータ

抗菌薬の特性	PK-PD パラメータ	特徴	抗菌薬
濃度依存性抗菌薬＋長い PAE	C_{max}/MIC	1回の投与量を増やして C_{max} を高める	キノロン系薬 アミノグリコシド系薬
時間依存性抗菌薬＋短い PAE	TAM	MIC 以上の濃度を保つ必要がある	ペニシリン系薬 セフェム系薬 カルバペネム系薬
時間依存性抗菌薬＋長い PAE	AUC/MIC	時間依存性の作用であるが，PAE 効果がある	クラリスロマイシン アジスロマイシン テトラサイクリン系薬 バンコマイシン

作用

・AUC/MIC：体内に入った抗菌薬の量が多ければ多いほど効果を示す時間依存型抗菌作用

通常，菌が抗菌薬と触れると増殖が抑制されるが，抗菌薬に触れなくなると，また菌の増殖が起こってくる。しかし，抗菌薬によっては取り除かれても菌の増殖抑制効果が残っている場合もあり，細菌の増殖を抑える作用が持続している状態を post-antibiotic effect（PAE）という。PAE の長短によって PK-PD のパラメータで使用される値が異なってくる（表7.9.3）。PAE はグラム陽性菌では認められるが，グラム陰性桿菌に対しては β-ラクタム系薬はこの作用がなく，アミノグリコシド系薬，ニューキノロン系薬などで認められる。

使用される抗菌薬の量や期間が少ないと薬剤耐性菌だけが増殖できることになり，MIC 値より抗菌薬濃度が高いだけでは不十分である。菌の発育を妨げるために必要な最小の濃度（MIC 値）と，耐性菌の出現を抑えられる濃度（耐性菌出現阻止濃度：MPC）の間の濃度は，耐性菌選抜域（MSW）とよばれ，理論的に最も耐性菌をつくりやすい濃度域である。細菌がこの濃度域の抗菌薬にさらされるのを避けるため，十分量，十分期間の抗菌薬投与が必要である（図7.9.5）。

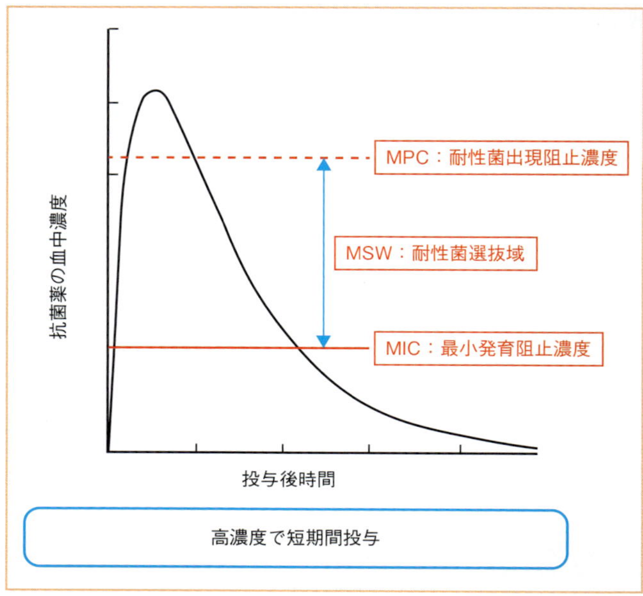

図 7.9.5　抗菌薬の投与方法

［板羽秀之］

用語　薬物動態（pharmacokinetics；PK），薬力学（pharmacodynamics；PD），最高血中濃度（maximum drug concentration；Cmax），薬物血中濃度時間曲線下面積（area under the blood concentration time curve；AUC），TAM（time above MIC），PAE（post-antibiotic effect），耐性菌出現阻止濃度（Mutant prevention concentration；MPC），耐性菌選抜域（Mutant selection window；MSW）

A. 臨床検査の基礎と疾病との関連

8章 感染と発症

章目次

SUMMARY

感染が成立するためには，おもに「病原微生物，感染経路，感受性宿主」の要因が必要であり，この要因のどれか1つだけでも欠ければ感染症を発症することはない。

病原微生物は宿主の生体防御力より感染力が強い必要がある。これらの微生物は空気感染，飛沫感染，接触感染など，さまざまな感染経路により宿主に侵入するが，ヒトに感染を起こす重要な微生物の種類と感染経路はすでに解明されている。特定の微生物が検出されたときには，その微生物のおもな感染経路を遮断することで，感染の広がりを防止することができる。病原微生物が生体に侵入した場合には，健康な宿主は生体防御システムが十分に備わっているため，病原体から身を守ることができる。しかし，近年の感染症の特徴は高齢者や基礎疾患の治療のために免疫抑制剤が投与されるなど，宿主の免疫力が低下した場合に共生していた常在細菌や弱毒菌による細菌が感染の主流となっている。そのため，抗菌薬投与以外にも宿主の免疫力を高めるなどの医療が今後必要となってくる。

8.1　常在菌叢

- ヒトの胎内は原則的に無菌の状態にあるが，出産のときに母親の産道で初めて微生物に汚染される。
- 外界と接触する皮膚，眼，鼻腔，口腔から肛門までの腸管，咽喉から肺までの気道，尿路，女性の性器などでは，生後１日目から微生物の定着が始まり，時間の経過とともに細菌，真菌，ウイルスなどが共生して棲息するようになる。
- ヒトに定着する微生物は宿主に対し通常は平素無害菌のため「常在菌叢」とよばれ，その多くは細菌で構成されている。
- ヒトに存在する常在菌叢は皮膚，口腔，腸管などの部位や年齢，性，民族性，食事，生活環境などにより，細菌の種類や菌量に違いがある。
- 常在菌はヒトが健康で通常の免疫力を保っている限り，病気は起こし難い。

8.1.1　常在細菌叢の分布

図8.1.1に健康人の平均的な常在細菌叢の分布を示した。

1. 皮膚

皮膚の面積は畳1畳分（約1.6m^2）に相当するヒト最大の排泄臓器である。その皮膚は直接外界に接しているため，表層には主として偏性好気性菌・通性嫌気性菌，毛包や脂

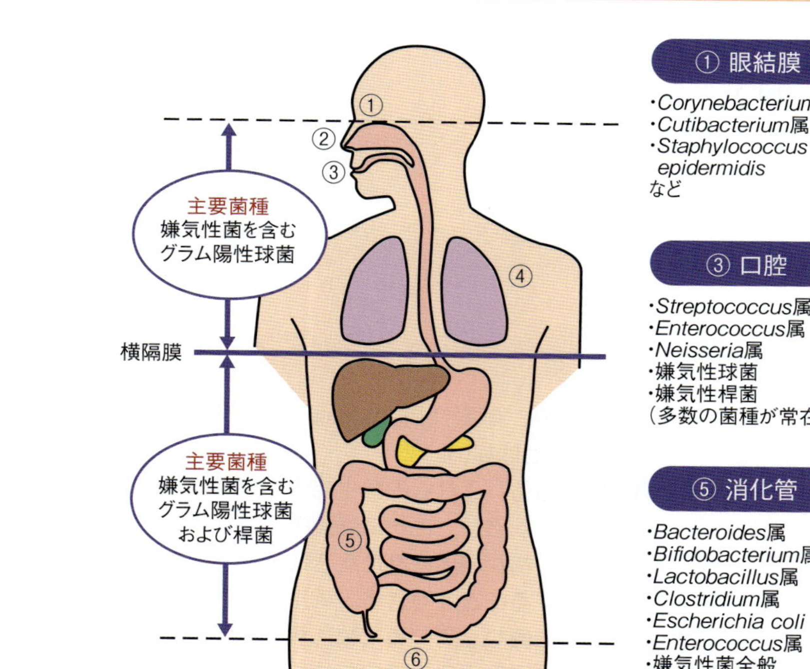

① 眼結膜
- *Corynebacterium*属
- *Cutibacterium*属
- *Staphylococcus epidermidis*

など

② 鼻咽腔
- *Staphylococcus aureus*
- *Staphylococcus epidermidis*
- *Streptococcus pneumoniae*
- *Haemophilus influenzae*
- *Moraxella catarrhalis*
- *Streptococcus*属
- 嫌気性球菌

など

③ 口腔
- *Streptococcus*属
- *Enterococcus*属
- *Neisseria*属
- 嫌気性球菌
- 嫌気性桿菌

（多数の菌種が常在）

④ 皮膚
- *Staphylococcus epidermidis*
- *Cutibacterium acnes*
- *Staphylococcus aureus*
- *Micrococcus*属
- *Corynebacterium*属
- 嫌気性桿菌
- 嫌気性球菌

など

⑤ 消化管
- *Bacteroides*属
- *Bifidobacterium*属
- *Lactobacillus*属
- *Clostridium*属
- *Escherichia coli*
- *Enterococcus*属
- 嫌気性菌全般

など（多数の菌種が常在）

⑥ 泌尿生殖器
- *Lactobacillus*属

など

図8.1.1　常在細菌叢の構成

用語　常在細菌叢（indigenous microbial flora）

腺には偏性嫌気性菌が常在菌として生息している。とくに顔面，頸部，腋窩，陰部などの皮膚には，通性嫌気性の *Staphylococcus epidermidis* や *S. aureus*，偏性好気性の *Micrococcus* 属菌，偏性嫌気性菌の *Cutibacterium acnes* が最も普遍的に見られる。それに加えて真菌の *Candida* 属菌や *Malassezia* 属菌なども存在する。一般的には「通過菌」が皮膚感染症を起こすが，宿主側の条件次第では「常在菌」も感染症を発症する。近年，皮膚表面には約200種類以上の菌属がいることが明らかになった。

2. 眼結膜

眼結膜は涙で常時洗浄されている。涙に含まれるリゾチームには，細菌の細胞壁を加水分解する作用があるため，検出される細菌は極めて少ない。検出される菌種には *Corynebacterium* 属菌，*Streptococcus* 属菌，*Haemophilus* 属菌，*Staphylococcus epidermidis* などがある。

3. 鼻咽腔

鼻咽腔内は湿潤環境のため，通性嫌気性の *Staphylococcus* 属菌や *Corynebacterium* 属菌などが多数存在し，鼻前庭部には *Staphylococcus epidermidis* のほか，*S. aureus* がしばしば見出される。とくに抗生物質に耐性を示すメチシリン耐性黄色ブドウ球菌（MRSA）が常在している場合には，医療関連感染のみならず，近年では市中感染における感染源として重要視される。鼻腔は呼吸器感染症の侵入門戸となるため，一過性に *Streptococcus pneumoniae*，*Haemophilus influenzae* などの菌が定着する場合もあるが，必ずしも発病するとは限らない。咽頭部には *Streptococcus* 属菌（主体は緑色レンサ球菌），*Neisseria* 属菌，*Corynebacterium* 属菌などが常在している。気管や気管支では上皮細胞の線毛による運動によって微生物を外界に排出し，肺胞ではマクロファージにより排除されるため，気管から肺胞までの下部気道には細菌が存在することは少ない。

4. 口腔

口腔内常在菌叢は年齢や食物の嗜好，生活習慣など，口腔環境が変化することに伴って変動する。一般成人の口腔内に常在する菌種のほとんどは *Streptococcus* 属菌で，その種類は数種類に及ぶ。ほかに少数ではあるが，トレポネーマ属や糸状菌なども常在する。常在菌のなかで，*Streptococcus mutans* は歯垢によく見出され，虫歯（う蝕）の起因菌となる。また，偏性嫌気性菌の *Porphyromonas gingivalis* は歯肉溝に生息し，*Candida* 属の助けを借りて歯肉に侵入し歯周病を起こす。

5. 消化管

口から摂取した食物は口腔内常在菌とともに食道を通って胃に入り，分解・消化されて小腸に送られる。胃内は強酸性の胃酸の分泌で，ほとんどの微生物は生存できないが，食物などが大量に入ることで胃酸が中和され，微生物も生存しながら小腸や大腸に達する。大腸に生息する腸内細菌叢には酸素の存在に関係なく生育できる「通性嫌気性菌」と，酸素があっては生育できない「偏性嫌気性菌」の2種類がおもに存在するが，腸内細菌叢の99%は偏性嫌気性菌が占めている。種類は500～1,000種類以上で，菌数は約600から1,000兆個といわれ，重さにすると約1.5kgに達するが，8割近くは菌種や機能などについていまだに不明な点が多い。

偏性嫌気性菌では *Bacteroides* 属菌が最も多く，*Bifidobacterium* 属菌，*Eubacterium* 属菌，嫌気性グラム陽性球菌などがそれに続く。新生児では，生後1日目ですでに腸内細菌叢の形成が見られ，*Bifidobacterium* 属菌が圧倒的に多数を占めるが，老人では総菌数および *Bifidobacterium* 属菌の減少，*Clostridium* 属菌の増加などが認められる。

6. 泌尿生殖器

女性の腟は胎児が生まれ出るときに通る産道の場所で，健康な成人女性の腟内には，デーデルライン桿菌とよばれるグラム陽性の乳酸桿菌（*Lactobacillus acidophilus*）が多数生息する（図8.1.2）。腟上皮には，女性ホルモンのはたらきによってグリコーゲンが蓄積され，乳酸菌は剝がれ

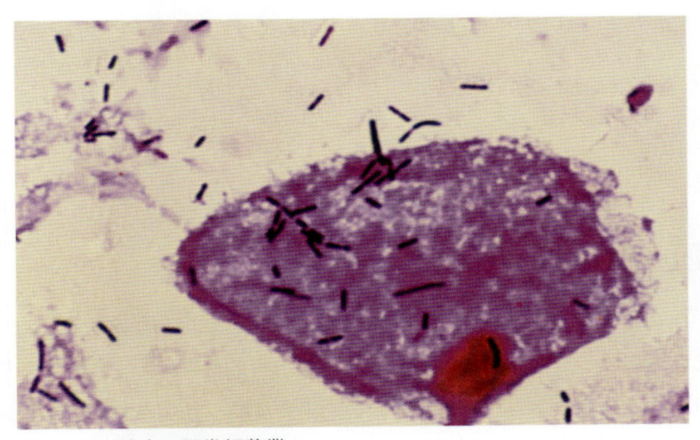

図8.1.2　腟内の正常細菌叢

用語　メチシリン耐性黄色ブドウ球菌（methicillin-resistant *Staphylococcus aureus*；MRSA）

た上皮細胞のグリコーゲンを栄養源として常在している。これらの菌が産生する乳酸によって腟内のpHは酸性に保たれ，多くの病原微生物の発育抑制に役立っている。腟内には少数ながらスメグマ菌（*Mycobacterium smegmatis*）や*Candida*属菌が常在しており，ホルモンバランスが崩れて免疫力が低下すると，乳酸菌が減少して*Candida*属菌による炎症が起こる。また，隣接する皮膚や腸に棲んでいる菌も通過菌として出入りしているが，通常，乳酸桿菌の自浄作用でそれらの菌の数は抑えられている。

膀胱は通常無菌であるが，尿道の先端は外界に触れるため，*Staphylococcus*属菌，*Enterococcus*属菌，*E. coli*などを中心とする腸内細菌叢が少数存在する場合がある。尿路感染症を検査する場合には，常在菌の混入を防ぎながら採尿することが重要である。

［永沢善三］

参考文献

1）古田眞一，他（編）：戸田新細菌学 改訂33版，南江堂，2010.
2）南嶋洋一，他（編）：系統看護学講座　専門基礎分野　疾病のなりたちと回復の促進［4］　微生物学 改訂12版，医学書院，2014.
3）大学検査科学専攻微生物学教員懇談会（編）：メディカルサイエンス微生物検査学，近代出版，2014.
4）日本臨床衛生検査技師会（編）：病院感染対策の実践ガイド，東広社，2005.
5）小林寛伊，他：エビデンスに基づいた感染制御，メヂカルフレンド社，2002.
6）Gilliland SE, Speck ML : "Deconjugation of bile acids by intestinal lactobacilli", Appl Environ Microbiol, 1997 ; 33 : 15-18.

8.2 | 微生物の病原因子

- 感染症は宿主側の生体防御と寄生体側（病原微生物）の相互作用によって，感染や発病が起こるかどうかが決まる。
- 感染の成立には，病原微生物の感染力が宿主の生体防御力より強い場合に起こる。
- 感染力には病原性（特定の条件のときに感染症を引き起こす可能性がある性質）またはビルレンス（病原性菌が感染症を起こすための力の強さ）と薬剤耐性により決まってくる。
- 宿主側は補体系による溶菌作用，貪食作用，殺菌作用により防御する。
- 近年の多くの感染症は強毒菌による感染ではなく，弱毒菌が生体の感染防御能の低下した易感染性宿主に感染する日和見感染症が主流となっている。
- 微生物の病原因子は定着因子，侵入因子，毒素のカテゴリーに大きく分けられる。

8.2.1 定着因子

病原微生物が宿主に定着し，増殖を行うのに必要な因子を，定着因子とよぶ。

鞭毛は菌の運動器官で，菌体外にらせん状の鞭毛が伸びている。着生位置により単毛菌，両毛菌，叢毛菌，周毛菌に分類される。有鞭毛菌は，栄養源のある場所を認識してその方向へ進んだり，毒性のある物質から逃避したり，さらに定着因子としても作用する。

線毛は鞭毛と同じ線状構造物で，線毛には付着線毛と性線毛の2種類があるが，感染の成立には付着線毛が重要なはたらきを担っている。付着線毛は感染部位に線毛のレセプター（受容体）が存在すると容易に付着できる機能を有するため，病原微生物は付着した部位で増殖することができる。

8.2.2 侵入因子

サルモネラ，赤痢菌，エルシニア，レジオネラ，リン菌などは粘膜上皮細胞に侵入して増殖することができる。これらの病原体は標的細胞に情報を送り，細胞内への取り込みを起こさせる。この様式は誘発食菌作用とよばれ，蛋白の分泌を介して侵入するタイプと細胞接着分子を介して侵入するタイプが存在する。

1. 蛋白の分泌を介した侵入

グラム陰性桿菌がもつ蛋白分泌系の一種である。構造は鞭毛と酷似し，その一部は注射針の役割のように，細胞に刺さり蛋白を標的細胞内に直接注入する分泌系で，サルモネラ，赤痢菌，エルシニア，病原性大腸菌などで確認されている。

2. 細胞接着分子を介した侵入

細胞接着因子（CAM）は細胞表面のレセプターで，細胞と細胞の間の接着を担っている。細胞内への侵入にはCAMを介してシグナルが細胞内に入り，細胞骨格の変化や細胞内シグナル伝達の活性化を行う。細菌の一部はこれらのレセプターに接着して細胞内骨格を変化させ細胞内に侵入する。

用語　誘発食菌作用（induced phagocytosis），細胞接着因子（cellular adhesion molecule；CAM）

8.2.3 毒素

病原体がもつ毒素や酵素は，宿主の細胞や組織にさまざまな障害を引き起こす。毒素には菌体の外部に分泌される外毒素とグラム陰性菌の細胞壁に存在する内毒素がある。表8.2.1に外毒素・内毒素産生菌の種類と特徴を示した。

1. 外毒素

細菌が菌体外に放出する毒素の総称を外毒素という。外毒素は蛋白質あるいはポリペプチドを主成分とし，強い抗原性や毒性を有し，生体細胞に選択的に作用して特有な中毒症状を引き起こす。外毒素の毒性は特異的で，ホルマリンなどで処理すると毒性は失うが，免疫原性は残るためトキソイドとしてワクチンに利用される。トキソイドで生体内に生成された抗体は抗毒素とよばれ，感染症の治療に役立っている。代表的な外毒素には*Clostridium perfringens*のα毒素，破傷風菌やボツリヌス菌の神経毒，ブドウ球菌のエンテロトキシンなどがある。

2. 内毒素

内毒素はグラム陰性菌の外膜の主成分であるリポ多糖体に存在する。したがって，外膜を保有しないグラム陽性菌には内毒素は存在しない。内毒素の活性は，リポ多糖体の付け根にある脂質部分のリピドAが担っている。内毒素には強い発熱作用はあるが，毒性は比較的弱く，ホルマリンでは無毒化されない。通常は菌体内に蓄積され，菌体外には放出されないが，グラム陰性菌が溶菌や破壊されたときに菌体外に内毒素が放出される。内毒素のおもな生物学的作用は，致死性ショック，発熱，補体の活性化，白血球の活性化，接着分子発現や血管内皮細胞の障害，播種性血管内凝固症候群（DIC），抗体産生促進，食菌の促進などである。とくに大腸菌，緑膿菌，髄膜炎菌などの菌血症や敗血症では，内毒素により血圧低下と血管内血液凝固を主徴とするショック，さらには全身性のDICを引き起こす可能性が高い。

表8.2.1　外毒素・内毒素産生菌の種類と特徴

	菌種名	酸素要求性	グラム染色性・形態	主要な食品	症状	発病期間
毒素型	黄色ブドウ球菌	通性嫌気性菌	グラム陽性球菌	・おにぎり ・サンドイッチ	・吐気　・嘔吐 ・下痢　・腹痛	平均2～3時間
	セレウス菌	通性嫌気性菌	グラム陽性桿菌（有芽胞）	・穀物加工品 ・チャーハンなど	・吐気　・嘔吐 ・下痢　・腹痛	平均12時間
	ボツリヌス菌	偏性嫌気性菌	グラム陽性桿菌（有芽胞）	・魚肉発酵食品（いずしなど）	・めまい　・頭痛 ・かすみ目・言語障害 ・呼吸困難	下痢型：8～16時間 嘔吐型：1～5　時間
感染型	ウエルシュ菌	偏性嫌気性菌	グラム陽性桿菌（有芽胞）	・食肉加熱調理品（カレーなど）	・腹痛 ・下痢	平均12時間
	病原性大腸菌	通性嫌気性菌	グラム陰性桿菌	・多種類の食品 ・井戸水	・吐気　・発熱　・腹痛 ・下痢　・嘔吐　・血便 ※O157では死亡例あり	平均5日前後
	サルモネラ菌	通性嫌気性菌	グラム陰性桿菌	・鶏卵 ・食肉（とくに鶏肉）	・悪寒　・発熱　・腹痛 ・下痢　・嘔吐	5～72時間
	腸炎ビブリオ	通性嫌気性菌	グラム陰性桿菌	・魚介類（とくに生食）	・吐気　・発熱　・腹痛 ・下痢　・嘔吐	平均12時間
	カンピロバクター	微好気性菌	グラム陰性桿菌（らせん型）	・食肉（とくに鶏肉） ・飲料水	・発熱 ・下痢	平均35時間

［永沢善三］

用語　外毒素（exotoxin），内毒素（endotoxin），播種性血管内凝固症候群（disseminated intravascular coagulation syndrome；DIC），リポ多糖（lipopolysaccharide；LPS）

参考文献

1）古田眞一，他（編）：戸田新細菌学 改訂33版，南江堂，2010.
2）南嶋洋一，他（編）：系統看護学講座　専門基礎分野　疾病のなりたちと回復の促進［4］　微生物学 改訂12版，医学書院，2014.
3）大学検査科学専攻微生物学教員懇談会（編）：メディカルサイエンス微生物検査学，近代出版，2014.
4）日本臨床衛生検査技師会（編）：病院感染対策の実践ガイド，東広社，2005.
5）小林寛伊，他：エビデンスに基づいた感染制御，メヂカルフレンド社，2002.

8.3 | 宿主の抵抗力

- 環境中にはウイルスや細菌などが無数に存在し，これらの微生物が体内に侵入したとき，生体内では防御システムがはたらき，これらの微生物を殺菌・排除しながら生存している。
- 防御システムが免疫機能であり，ヒトのみならず動物類や昆虫類にも備わっている。
- ヒトの身体の場合，皮膚だけではなく，食べ物が口から食道，胃，小腸，大腸へと消化・吸収されていく過程で，食物に付着している多くの細菌やウイルスなどの微生物と常に接している。そのため，免疫担当細胞の７割は腸内に存在し，感染を防ぐはたらきを行っている。

8. 3. 1　生体防御機構

生体は外界から身を守るため，さまざまな防護機能を備えている。体外においては，涙などに含まれるリゾチーム，皮膚での脂肪酸，母乳中の免疫グロブリン（IgA）の分泌による防御機能，体内への侵入を防ぐ方法としては，皮膚や粘膜の物理的バリア，気管での線毛による排出作用がある。体内に侵入した場合には，血清中の殺菌作用，食細胞と免疫力の動員により守られている。図 8.3.1 に生体防御に関する身体のしくみを示した。

1. リゾチーム

涙，唾液，血清，乳汁などや食細胞・組織中に見出される蛋白で，グラム陽性球菌の細胞壁を加水分解する。

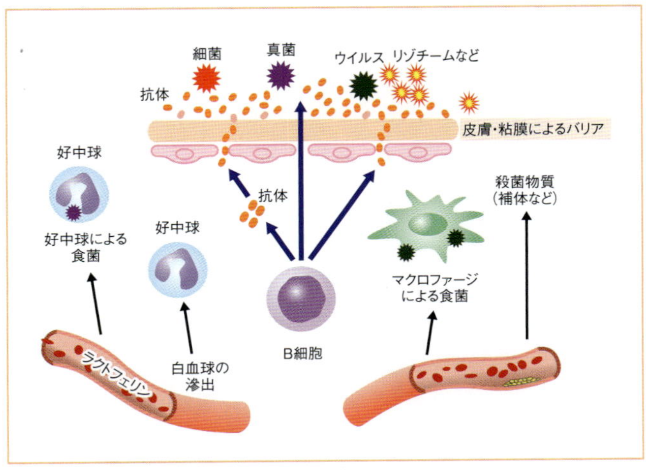

図 8.3.1　生体防御（身体を守るしくみ）

2. ラクトフェリン・シデロフェリン

鉄結合性蛋白で血清中の鉄と結合し，細菌の発育に必要な遊離鉄を抑制する。

3. 抗体

リンパ球のうちＢ細胞を産生する糖蛋白分子で，特定の蛋白質などの分子（抗原）を認識して結合するはたらきをもつ。抗体は血液中や体液中に存在し，体内に侵入した微生物や，微生物に感染した細胞を抗原として認識して結合する。抗体が抗原へ結合すると，その抗原と抗体の複合体を好中球やマクロファージといった食細胞が認識・貪食して体内から除去したり，リンパ球などの免疫細胞が結合して免疫反応を引き起こす。

4. 補体

免疫反応を媒介する血中蛋白質の一群で，動物血液中に含まれる。抗体が体内に侵入してきた微生物に結合すると，補体は抗体により活性化され，微生物の細胞膜を壊す作用がある。

5. 食細胞

好中球とマクロファージが代表的な食細胞で，微生物を異物と認識し，ファゴゾームの形で取り込み，リソソーム由来の酵素や活性酸素によって殺菌する。

6. 免疫システム

ヒトの防御機能で最も重要な1つに免疫システムがある。図8.3.2に生体での免疫反応のしくみを示した。

リンパ球は大別するとBリンパ球とTリンパ球に分類される。Bリンパ球は抗原刺激により抗体（免疫グロブリン）とよばれる蛋白質を産生し，病原体の中和や排除に関与する。これを液性免疫とよび，免疫グロブリンには以下の種類がある。

1) IgG：血中抗体の主体で胎盤通過性の移行抗体。抗原・抗体反応後は長期間産生される。
2) IgM：分子量が最も大きい抗体。抗原で刺激すると最初にIgMが産生されるため，この抗体を検出すれば早期感染が推定できる。
3) IgA：血清型と分泌型の2種類がある。分泌型は，母乳（とくに初乳），唾液，涙などに含まれ粘膜面での感染防御を担う。
4) IgD：血中に微量含まれるが，抗体としてのはたらきは不明である。
5) IgE：血中に微量含まれ，肥満細胞や好塩基球に付着し，侵入した抗原と結合すると細胞からヒスタミンなどの物質を放出させ，アレルギー反応を引き起こす。

Tリンパ球はいくつかの亜集団に分かれ，免疫応答を調節したり（CD4陽性T細胞はヘルパーT細胞へと分化），ウイルス感染細胞を破壊したり（CD8陽性T細胞は細胞傷害性T細胞またはキラーT細胞へと分化）する。また，リンパ球の一種であるナチュラルキラー（NK）細胞は，腫瘍細胞やウイルス感染細胞を破壊する機能をもっている。血液中や各種臓器中のマクロファージは外来の異物を細胞内に取り込み消化するとともに，その情報をリンパ球に伝えて免疫応答を活性化する。これら一連の免疫応答を総称して細胞性免疫とよぶ。

ヒトの免疫には生まれつきもっている自然免疫（先天性免疫）と微生物の保有する抗原（細菌毒素など）に感染することで出現する獲得免疫（後天性免疫）の2種類がある。まず，ヒトではウイルスや細菌などの病原体が体内に侵入すると，マクロファージや顆粒球，リンパ球のNK細胞などが病原体を殺菌・排除する自然免疫系がはたらき，自然免疫で撃退・殺傷できないときに後天性の獲得免疫がはたらく。マクロファージや樹状細胞は微生物を貪食すると，ヘルパーT細胞がB細胞に対し微生物に特異的な抗体であるIgAを産生させて病原体の排除にはたらく。なお，一度記憶した微生物については，すぐに抗体が産生されるしくみとなっている。

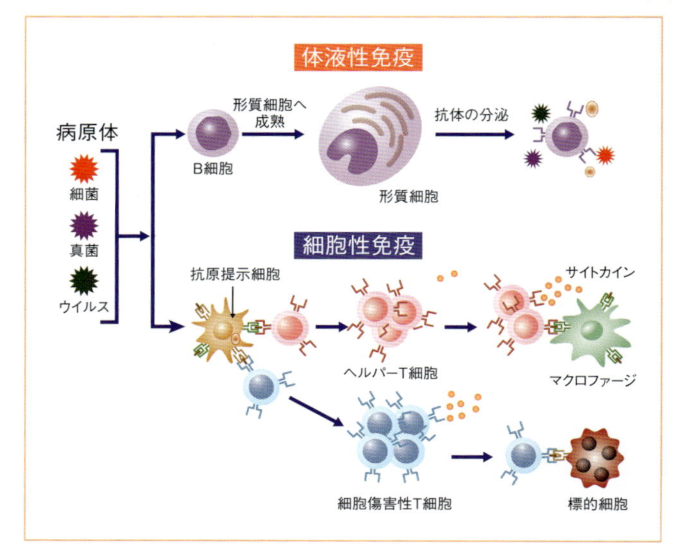

図8.3.2　生体での免疫反応のしくみ

ヒトの腸管には健康を司る免疫機能の70%が存在し，そのうちの50%は小腸にある。

小腸内は無数の絨毛で覆われ，絨毛の間にはパイエル板が存在し，病原菌などの異物が侵入すると，リンパ球が放出されて細菌やウイルスを排除する。この腸内の免疫システムを左右しているのが腸管内に存在する善玉菌（ビフィズス菌，酪酸菌，乳酸菌など）で，善玉菌にはIgAの産生を促進させるはたらきがある。また，プロバイオティクス食品に含まれているビフィズス菌や乳酸菌は，ウイルスなどを排除・撃退させるインターフェロンの産生を促進する作用がある。したがって，腸管内で悪玉菌（ウエルシュ菌，黄色ブドウ球菌など）が増えると腸内環境が悪くなり，その結果，免疫システムが崩れると感染症が起こりやすくなる。

［永沢善三］

用語　CD（cluster of differentiation），ナチュラルキラー（natural killer：NK）

8.4 | 感染の発現

- 宿主の生体にウイルス，細菌，真菌，原生生物などの病原体が侵入し，そこに住み着いて安定した増殖を行うことを「感染」とよぶ。
- 「感染症」とは，体内に侵入した病原体の増殖によって引き起こされる病気のことである。
- 感染症は，病原微生物，感染経路，感受性宿主の 3 つの条件がそろったときに成立する。

感染が成立するためには，おもに「病原微生物，感染経路，感受性宿主」の要因が必要であり，この要因のどれか1つだけでも欠ければ感染症を発症することはない。図8.4.1に感染の成立要因の関係を示した。

1) 病原微生物：感染の発現条件として病原微生物が生体内の細胞に付着する必要がある。ただし，細胞への付着は微生物の種類や細胞の種類により異なるため，すべての微生物が細胞に付着はしない。次に微生物が生体内に侵入して定着（コロナイゼーション）し，生体内を増殖の場として活動を始め，生体内に何らかの反応を引き起こす必要がある。この生体内への影響は微生物の産生する毒素や分泌酵素の種類により感染の種類は異なってくる。
2) 感染経路：病原微生物が感染を起こすための経路であり，空気感染，飛沫感染，接触感染などに大きく区別される。
3) 感受性宿主：生体が保有する免疫力の違いにより感染症の発生は異なる。健康な宿主は生体防御システムが十分に備わっているため，病原体から身を守ることができるが，易感染性宿主では，年齢，性別，免疫力や栄養状態，既往症や基礎疾患，治療中などの場合には，生体防御システムが十分に機能せず，病原性の低い病原体にも容易に感染する宿主となる。感染の発現は病原微生物による影響が生体の抵抗力を上回ったときにのみ感染症を発症する。

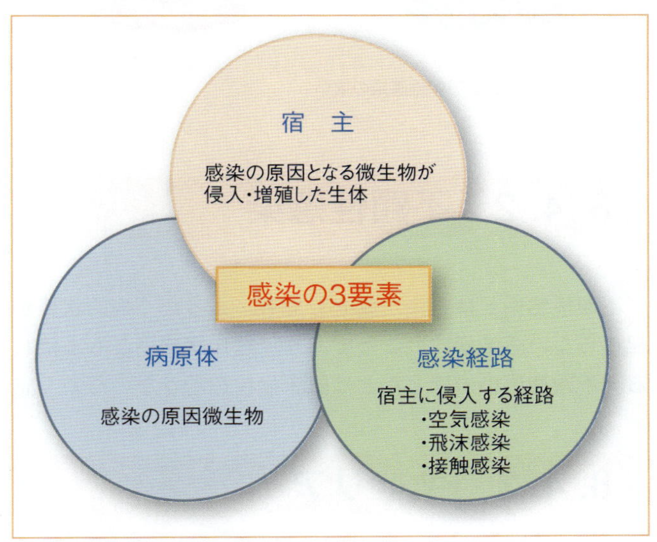

図 8.4.1　感染の成立要因

8.4.1　顕性感染

顕性感染とは微生物が生体内に侵入して定着し，生体内を増殖の場として活動を始め，生体内に何らかの反応を引き起こした場合を感染とよぶ。感染の結果として，生体が障害を受け，発熱などの臨床症状を呈した場合を顕性感染とよび，感染によって引き起こされる疾病を感染症という。図8.4.2に顕性感染と不顕性感染の違いを示した。

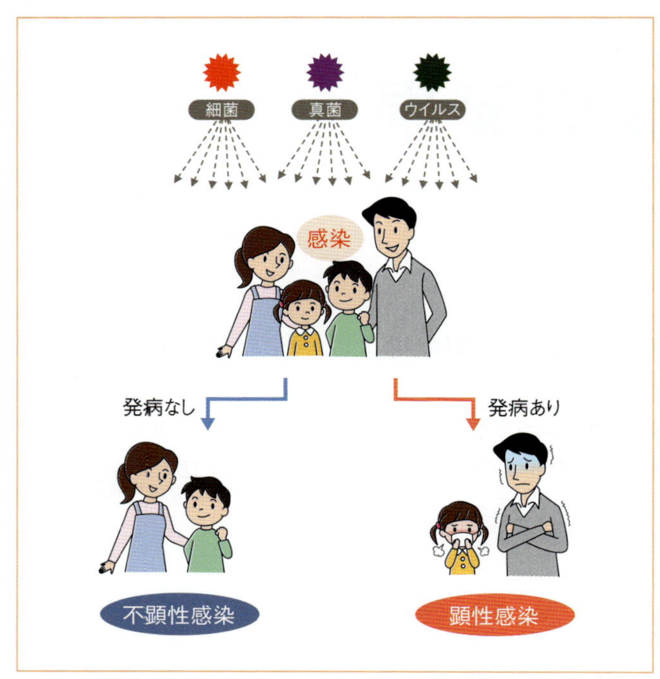

図 8.4.2　顕性感染と不顕性感染の違い

8. 4. 2　不顕性感染

不顕性感染とは感染が成立しても，まったく病的状態が起こらない感染様式のことであり，無症状感染ともよばれる。不顕性感染のほとんどは臨床症状を示さないため，感染源として気付かないうちに微生物を蔓延させるおそれがある。

8. 4. 3　キャリア

病原微生物を自分の体内に保有し続けながら症状を示さず，他宿主への感染源になり得る宿主をキャリアとよぶ。代表的なものにB型肝炎ウイルスやサルモネラ菌などがあり，不顕性感染者は，知らない間にキャリアとなって病原体を排泄し，感染源となって感染を拡げる病気伝播宿主としての役割は大きく，防疫上重要な意義をもつ。

［永沢善三］

参考文献

1）古田眞一，他（編）：戸田新細菌学 改訂 33 版，南江堂，2010.
2）南嶋洋一，他（編）：系統看護学講座　専門基礎分野　疾病のなりたちと回復の促進［4］　微生物学 改訂 12 版，医学書院，2014.
3）大学検査科学専攻微生物学教員懇談会（編）：メディカルサイエンス微生物検査学，近代出版，2014.
4）日本臨床衛生検査技師会（編）：病院感染対策の実践ガイド，東広社，2005.
5）小林寛伊，他：エビデンスに基づいた感染制御，メヂカルフレンド社，2002.

8.5 ｜ 感染経路

- 感染が成立するには，感染源から微生物が宿主の体内に侵入する必要がある。
- 侵入経路には，土壌・海水などの自然環境に生息する微生物が動物や植物に付着して宿主の体内に経口的に侵入する場合，微生物が宿主の手指や医療器具などの接触を介して侵入する場合など，さまざまな経路が存在する。
- 宿主に感染を起こす重要な微生物の種類と感染経路はすでに解明されているため，特定の微生物が検出されたときには，その微生物のおもな感染経路を遮断することで，感染の広がりを防止することができる。

図8.5.1に主要な感染経路を示した。

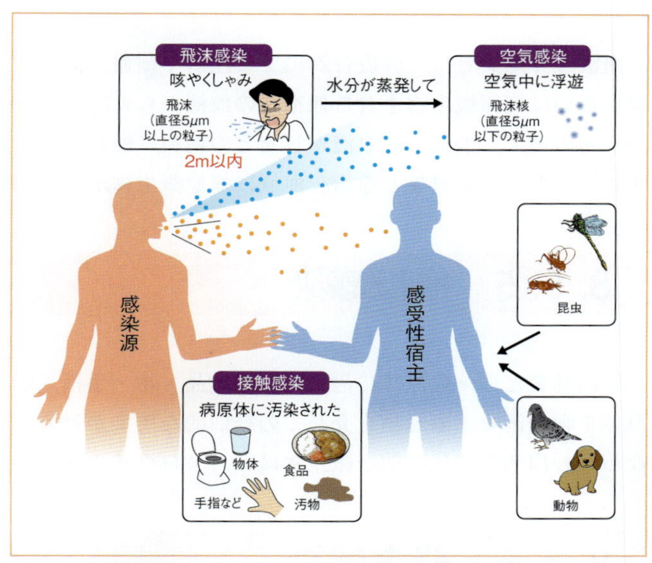

図 8.5.1　感染経路

8.5.1　空気感染

空気感染とは，飛沫に含まれる水分が蒸発した直径5μm以下の飛沫核による感染で，飛沫核は小さく軽いために落下速度も遅く（0.06～1.5cm/秒），埃(ほこり)とともに空間を浮遊して広範囲に拡散する。宿主がこの飛沫核を吸入することで伝播するため，飛沫核感染ともよばれる。空気感染の代表的な微生物には，麻疹，水痘，結核があげられるが，条件によってはノロウイルスなどが残存した環境表面を媒介物として，塵埃(じんあい)が舞い上がり，それを吸い込んで感染する塵埃感染も空気感染の1つである。

8.5.2　飛沫感染

飛沫感染とは，患者または保菌者の咳，くしゃみ，会話，呼吸器や口の粘膜にあった病原体が唾液や痰の細かい粒とともに飛散した病原体を吸入することで感染する。飛沫は直径5μm以上の大きさで，水分を含むため落下速度も速く（30～80cm/秒），拡散範囲は感染源から約2m以内である。そのため，マスクの着用や感染源から距離をとることが有効な対策となる。飛沫感染の代表的な微生物には，インフルエンザウイルス，髄膜炎菌，マイコプラズマ（肺炎），クラミジア（肺炎），ムンプスウイルス，ジフテリア菌など，呼吸器感染症を引き起こす微生物が多く含まれる。

8. 5. 3　接触感染

接触感染とは，微生物が宿主の皮膚や粘膜に直接接触する場合や医療従事者などの手指を介して接触する場合，さらには医療器具，ドアノブ，手すり，便座，スイッチ，ボタンなどの表面を介して接触する場合に起こる感染を対象とする。また，ヒト免疫不全ウイルス（HIV）感染やクラミジアのような性行為による感染症も血液や体液，粘膜を通して感染するため接触感染に含まれる。接触感染の代表的な微生物には，メチシリン耐性黄色ブドウ球菌（MRSA），バンコマイシン耐性腸球菌（VRE），*Clostridioides difficile*，疥癬，しらみ，ヘルペスウイルス，アデノウイルスなど手や皮膚による直接感染，あるいは汚染された媒介物による感染を引き起こす微生物が多く含まれる。

8. 5. 4　血液媒介感染

血液媒介感染とは，医療行為による注射や輸血，歯科治療あるいは病原微生物を含む他宿主の血液からの感染（傷口からの侵入，飛散した血液が目などの粘膜に触れて侵入する場合など）が対象となる。血液に病原微生物が侵入すると，さまざまな臓器に感染症が発生する。血液感染の代表的な微生物にはヒト免疫不全ウイルス（HIV），B型肝炎，C型肝炎などのウイルスが多く含まれる。

8. 5. 5　経口感染

経口感染とは，病原体に汚染された食品・物・手指，病原体を含む汚物・嘔吐物を介しての経口的な感染が対象となる。経口感染の代表的な微生物には，ノロウイルス，ロタウイルス，腸管出血性大腸菌，サルモネラ，黄色ブドウ球菌など腸管感染症を引き起こす微生物が多い。

8. 5. 6　経皮感染

経皮感染とは，病原微生物を保有した動物による咬傷，あるいは媒介昆虫の蚊・ノミ・ダニなどに刺される経皮的な感染が対象となる。経皮感染の代表的な微生物には，ペスト，リケッチア，日本脳炎，マラリア，フィラリアなどがある。

8. 5. 7　水平感染

水平感染とは，感染源から周囲に感染が伝わる感染様式の1つで，接触，飲食物，空気，ベクターなどを介して個体から個体へと伝播する感染が対象となる。

用語　ヒト免疫不全ウイルス（human immunodeficiency virus；HIV），メチシリン耐性黄色ブドウ球菌（methicillin-resistant *Staphylococcus aureus*；MRSA），バンコマイシン耐性腸球菌（vancomycin-resistant Enterococci；VRE）

8. 5. 8　垂直感染

垂直感染とは，母親から胎児・新生児に，胎盤や母乳などを介して病原微生物が直接伝播される感染が対象となる。この垂直感染には，①胎盤を介して病原体が胎児の血液に進入する経胎盤感染，②分娩時に産道に入る病原体が児に伝わる産道感染，③母乳を介して病原体が子供に伝わる母乳感染が含まれる。垂直感染の代表的な微生物には，梅毒，トキソプラズマ，風疹ウイルス，サイトメガロウイルス，ヒト免疫不全ウイルス（HIV），B群溶血レンサ球菌，クラミジア，肝炎ウイルス（B型肝炎，C型肝炎など），単純ヘルペスウイルス，成人T細胞白血病ウイルスⅠ型などが含まれる。

［永沢善三］

用語　B 型肝炎ウイルス（hepatitis B virus；HBV），C 型肝炎ウイルス（hepatitis C virus；HCV），単純ヘルペスウイルス（herpes simplex virus；HSV），成人 T 細胞白血病ウイルス I 型（human T cell leukemia virus type Ⅰ；HTLV- I）

参考文献

1） 古田眞一，他（編）：戸田新細菌学 改訂 33 版，南江堂，2010.
2） 南嶋洋一，他（編）：系統看護学講座　専門基礎分野　疾病のなりたちと回復の促進［4］　微生物学 改訂 12 版，医学書院，2014.
3） 大学検査科学専攻微生物学教員懇談会（編）：メディカルサイエンス微生物検査学，近代出版，2014.
4） 日本臨床衛生検査技師会（編）：病院感染対策の実践ガイド，東広社，2005.
5） 小林寛伊，他：エビデンスに基づいた感染制御，メヂカルフレンド社，2002.

8.6 ｜ 現代の感染症の特徴

- 抗菌薬が存在しなかった第二次世界大戦以前の感染症は，伝染病や強毒菌による感染で健康な宿主にも感染症が発生し，死亡率の第1～3位（肺炎，胃腸感染，結核）を占めていた。
- 戦後，感染症はペニシリンをはじめ多くの抗菌薬の開発および使用により激減した。激減後は強毒菌による感染症ではなく，宿主自身のもつ常在細菌や弱毒菌による感染が主流となっている。
- 2010年以降では相変わらずMRSA感染も継続して認められるが，グラム陰性桿菌を中心とする薬剤耐性菌が急増および蔓延している。
- とくに基質特異性拡張型β-ラクタマーゼ産生菌やカルバペネム耐性腸内細菌目細菌による感染症が問題となっている。
- グラム陰性桿菌の薬剤耐性菌には複数の薬剤耐性遺伝子を保有する菌株が存在するため，薬剤耐性菌の鑑別には微生物学的知識の向上および遺伝子学的検査法の導入が微生物検査領域において必要となる。

薬剤耐性菌の年次的変遷を図8.6.1に示した。薬剤耐性菌はペニシリンGが臨床応用された1940年から出現し，1980年代頃まではグラム陽性球菌における薬剤耐性が見られた。1980年代の後半からはグラム陰性菌の薬剤耐性が見られるようになり，2000年以降は多様な薬剤耐性菌が出現し，世界的に流行している。

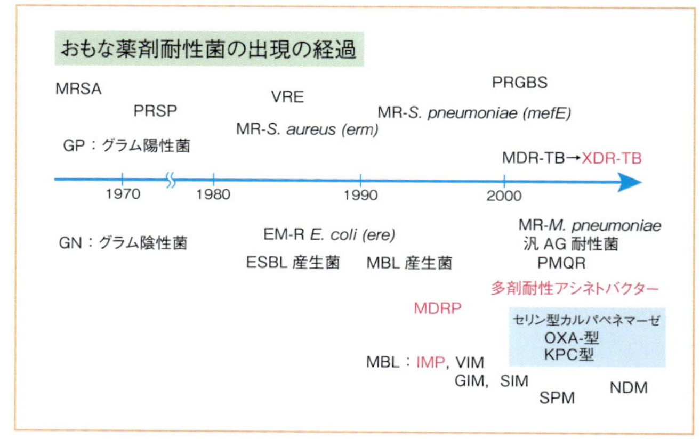

図 8.6.1　薬剤耐性菌の年次的変遷
ESBL：基質特異性拡張型β-ラクタマーゼ，MBL：メタロ-β-ラクタマーゼ，EM-R：エリスロマイシン耐性，AGs：アミノグリコシド，MR：マクロライド耐性，PMQR：プラスミド媒介性キノロン耐性，MDRP：多剤耐性緑膿菌，TB：結核菌，PRGBS：ペニシリン低感受性B群レンサ球菌。
（荒川宜親：「国際的に注目されている主な薬剤耐性菌」，厚生労働省，2010．https://www.mhlw.go.jp/stf2/shingi2/2r9852000000t7u7-att/2r9852000000t7y0.pdf より引用）

8.6.1　市中感染症

市中感染症は医療施設や医療環境に接することなく，社会生活を送っている健常宿主が突然，肺炎などの感染を発症した場合が対象となる。市中感染の代表的な微生物には，肺炎球菌，インフルエンザ菌，嫌気性菌が原因微生物として多く，その他，レジオネラやマイコプラズマ，クラミジア，ウイルスなど多岐の微生物が含まれる。たとえば市中感染肺炎の場合，肺炎球菌は実質性肺炎，レジオネラやマイコプラズマは非定型肺炎を発症し，症例によっては肺炎で死に至る。また，年齢によってかかりやすい病原微生物や投与する抗菌薬は異なるため，原因微生物の検索は重要となる。成人市中肺炎の原因微生物を図8.6.2に示した。

用語　ペニシリン耐性肺炎球菌（penicillin-resistant *Streptococcus pneumoniae*；PRSP），バンコマイシン耐性腸球菌（vancomycin-resistant Enterococci；VRE），超多剤耐性結核菌（extensively drug-resistant tuberculosis；XDR-TB），メタロ-β-ラクタマーゼ（metallo-β-lactamase；MBL），エリスロマイシン耐性（erythromycin-resistance；EM-R），アミノグリコシド（aminoglycoside；AGs），マクロライド耐性（macrolide-resistance；MR），プラスミド媒介性キノロン耐性（plasmid mediated quinolone-resistance；PMQR），多剤耐性緑膿菌（multidrug-resistant *Pseudomonas aeruginosa*；MDRP），結核菌（tubercle bacilli；TB），ペニシリン低感受性B群レンサ球菌（group B Streptococci with reduced penicillin-susceptibility；PRGBS）

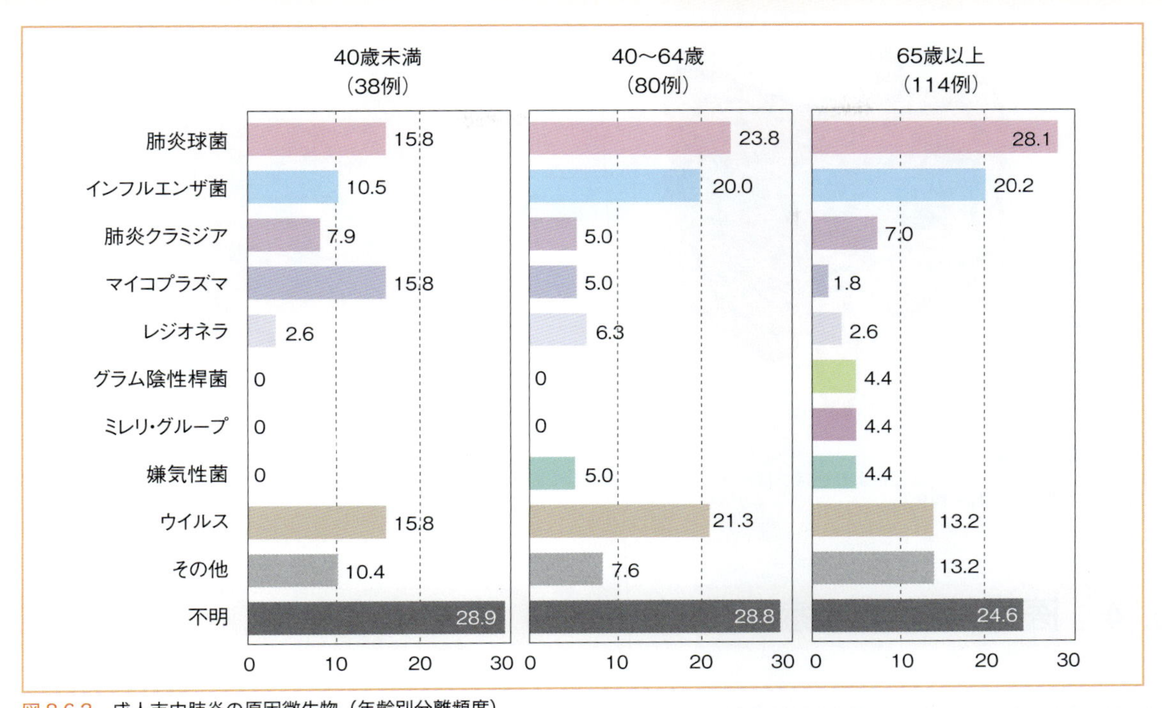

図 8.6.2　成人市中肺炎の原因微生物（年齢別分離頻度）
(Saito A *et al.* : "Prospective multicenter study of the causative organisms of community-acquired pneumonia in adults in Japan", J Infect Chemother 2006 ; 12 : 63 より引用)

8.6.2　日和見感染症

日和見感染症は微生物の感染力と宿主の防御力とのバランスにて影響を受けやすい。感染力は微生物の病原性の強さと薬剤耐性度，生体内の防御能は補体系による溶解と貪食作用および薬剤の抗菌力によって決まる。したがって，高齢者や基礎疾患の治療のため免疫抑制剤が投与されるなど，宿主の免疫力が低下した場合には，共生していた弱毒性の常在細菌でも容易に病原性を発揮し感染が発症する。感染力と抵抗力との関係を図8.6.3に示した。

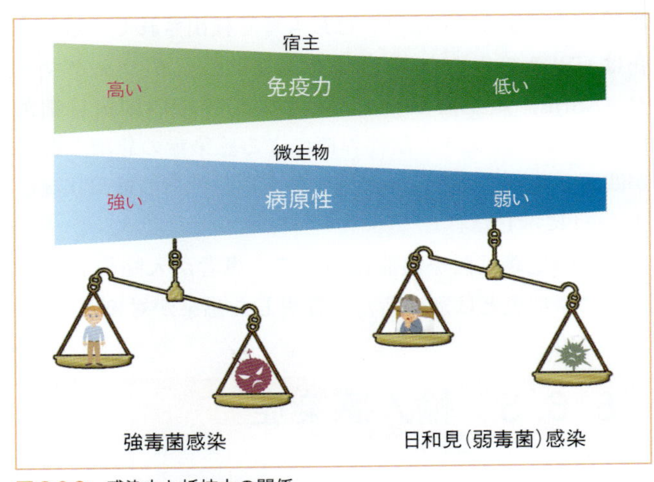

図 8.6.3　感染力と抵抗力の関係

8.6.3　菌交代症

宿主に存在する常在菌は，共生する部位や年齢，性，民族性，食事，生活環境などにより，微生物の種類や菌量に違いがある。常在菌は多種多様な微生物が多数存在することで，侵入した病原微生物の繁殖を抑制し，発病を防ぐ作用がある。さらには宿主の必要とする栄養を供給するなど，宿主には必要な存在である。宿主に感染が発症すると，病原微生物の殺菌を目的に抗菌薬の投与が行われる。適切な抗菌薬の投与により，病原微生物を殺菌できるが，同時に宿主に常在する微生物も死滅・減少させてしまう。その結果，常在菌のなかで抗菌薬に抵抗性をもつ微生物が一過性に増殖するために常在細菌叢の構成が変化し，時に感染症を引き起こす場合がある。このような感染の発症を菌交代症という。腸管内における菌交代現象の概要を図8.6.4に示した。

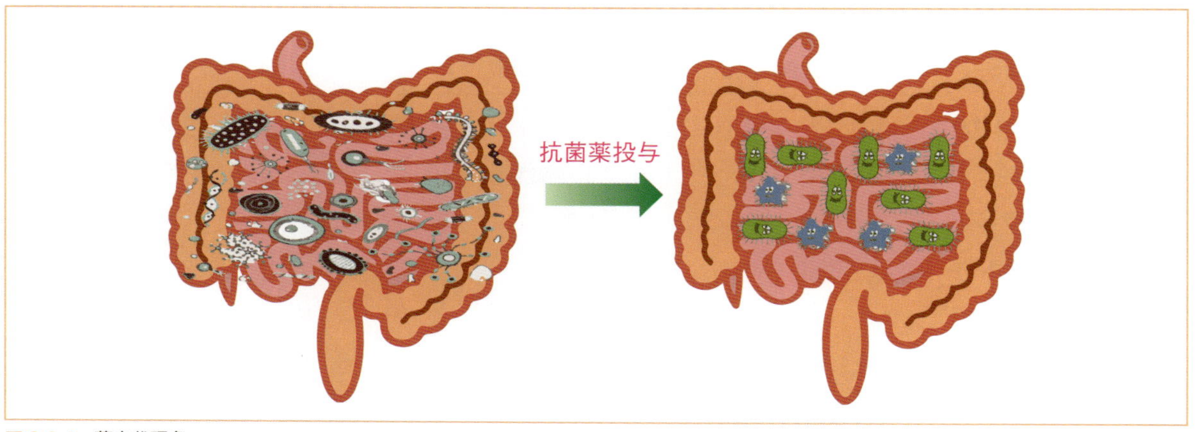

図 8.6.4　菌交代現象
生体において正常菌叢の減少などにより通常では存在しない，あるいは少数しか存在しない微生物が抗菌薬の投与などにより異常に増殖を起こし，正常菌叢が乱れる現象。

8. 6. 4　医療関連感染症

院内感染は医療施設内で発生する感染を対象によばれていたが，近年は病院だけでなく，クリニックや診療所，長期療養施設，さらには在宅など医療行為に関連する施設でも同一菌種による感染が発症しているため，医療関連感染（HAI）とよばれる。医療感染施設で問題となる薬剤耐性菌には色々な微生物が存在するが，なかでもメチシリン耐性黄色ブドウ球菌（MRSA）は最も多く検出されている。現在はMRSAのみならず，基質特異性拡張型β-ラクタマーゼ（ESBL）産生菌やカルバペネム耐性腸内細菌目細菌（CRE）などのグラム陰性桿菌による感染症の急増と蔓延が問題となっている。わが国での薬剤耐性菌の検出状況を表8.6.1に示した。

HAIの定義は医療施設において，患者が入院後48時間以降に原疾患とは別に新たに罹患した感染が対象となる。なお，医療従事者が患者との接触や針刺し事故によって罹患する職業感染もHAIに含まれる。

表 8.6.1　薬剤耐性菌の検出状況（入院検体：2022 年）

	分離率（%）
メチシリン耐性黄色ブドウ球菌（MRSA）	5.87
バンコマイシン耐性黄色ブドウ球菌（VRSA）	0.00
バンコマイシン耐性腸球菌（VRE）	0.07
ペニシリン耐性肺炎球菌（PRSP）	0.25
多剤耐性緑膿菌（MDRP）	0.03
多剤耐性アシネトバクター属（MDRA）	0.00
カルバペネム耐性腸内細菌科細菌（CRE）	0.32
カルバペネム耐性緑膿菌	0.72
第三世代セファロスポリン耐性肺炎桿菌	0.87
第三世代セファロスポリン耐性大腸菌	3.63
フルオロキノロン耐性大腸菌	5.08

〔厚生労働省　院内感染対策サーベイランス事業：公開情報 2022 年 1 月～ 12 月年報（全集計対象医療機関）院内感染対策サーベイランス 検査部門【入院検体】，https://janis.mhlw.go.jp/report/open_report/2022/3/1/ken_Open_Report_202200.pdf をもとに作成〕

8. 6. 5　輸入感染症

輸入感染症とは，わが国に存在しない感染症や稀な感染症と考えられているが，航空機の発達により，実際には日本に輸入される動植物や食品，医薬品製剤による感染症，さらには日本に存在する感染症であっても，海外渡航者によって持ち込まれる感染症が対象となる。輸入感染症は，宿主のみならず，国内での二次感染の危険性もある。輸入感染症の代表的な疾患には，コクシジオイデス症，コレラ，細菌性赤痢，腸チフス・パラチフス，デング熱，ヒストプラズマ症，ブルセラ症，マラリア，ラッサ熱，アメーバ赤痢などがある。輸入感染症と潜伏期の関連性を表8.6.2に示した。

用語　医療関連感染（healthcare associated infection：HAI），メチシリン耐性黄色ブドウ球菌（methicillin-resistant *Staphylococcus aureus*；MRSA），基質特異性拡張型β-ラクタマーゼ（extended-spectrum β-lactamase；ESBL），カルバペネム耐性腸内細菌目細菌（carbapenem-resistant *Enterobacteriaceae*；CRE），バンコマイシン耐性黄色ブドウ球菌（vancomycin-resistant *Staphylococcus aureus*；VRSA），多剤耐性アシネトバクター属（multidrug-resistant *Acinetobacter* spp.；MDRA）

表 8.6.2 輸入感染症と潜伏期

症状	おもな疾患	
10日以内	・デング熱 ・チクングニヤ熱 ・ウイルス性出血熱 ・旅行者下痢症 ・急性灰白髄炎	・黄熱 ・リケッチア症 ・インフルエンザ ・レプトスピラ症 ・西ナイル熱など
11～21日以内	・発疹熱 ・発疹チフス ・腸チフス ・マラリア ・バルトネラ症 ・メリオイドーシス ・トリパノソーマ症	・ヒストプラズマ症 ・コクシジオイデス症 ・ブラストミセス症 ・ランブル鞭毛虫症 ・ブルセラ症 ・トキソプラズマ症 ・Q熱など
30日以上	・ウイルス性肝炎 ・狂犬病 ・住血吸虫症 ・フィラリア症	・肺結核 ・リーシュマニア病 ・アメーバ赤痢など

8.6.6 人獣（畜）共通感染症

人獣（畜）共通感染症とは，脊椎動物とヒトとの間で自然に移行するすべての病気または感染と定義され，ヒトと動物との間に共通する感染症が対象となる。したがって，哺乳類のみならず，魚類，両生類，爬虫類，鳥類も含まれる。

世界には約800種の共通感染症があるといわれるが，そのうち世界保健機関（WHO）が重要と考えている共通感染症は約200種あり，年々増加傾向にある。わが国では，オウム病，Q熱，エキノコックス，狂犬病など数十種類が問題となっており，交通網の発達によるヒトや物資などの移動量の増加，移動の高速化などにより，今までわが国で認められなかった感染症も注目すべき存在となっている。世界で見られる人獣（畜）共通感染症を表8.6.3に示した。

表 8.6.3 世界で見られる人獣（畜）共通感染症

地域	感染症
ヨーロッパ	サルモネラ症 ネズミチフス菌症 ダニ媒介性脳炎 野兎病
アフリカ	エボラ出血熱 マールブルグ熱 エムポックス クリミア・コンゴ出血熱 ラッサ熱
中近東	ブルセラ症 炭疽
北アメリカ	狂犬病 ペスト ウエストナイル熱 ハンタウイルス肺症候群 Bウイルス病 エムポックス
オーストラリア	リッサウイルス感染症 ヘンドラウイルス感染症
アジア	レプトスピラ症 ニパウイルス感染症 鳥インフルエンザ（H5N1） 狂犬病
日本	狂犬病 オウム病 エキノコックス症 腸管出血性大腸菌感染症 Q熱 パスツレラ症 猫ひっかき病 レプトスピラ症 サルモネラ症

8.6.7 性感染症

性感染症（STD）とは，性行為などによって感染する病気と定義されている。性器の接触による性交だけではなく，オーラルセックスやアナルセックスなど性的な接触で感染するすべてが含まれる。STDは症状に気付かず無症状で経過する場合が多いため，感染がいつの間にか他宿主へ広がる恐れがある。また，生殖年齢にある女性が罹患した場合には，胎児や出生した新生児への感染など，垂直感染として次世代にも影響が及ぶ。STDは正しい知識と早期発見，早期治療，注意深さによる予防が重要となる。最近では，STDの病気だけではなく，症状が出ていない感染状態も含めて，性感染症という語が使われることも多い。

用語　世界保健機関（World Health Organization；WHO），性感染症（sexually transmitted disease；STD）

8.6.8　新興・再興感染症

新興感染症とは,「過去20年間に，それまで明らかにされていなかった病原体に起因した公衆衛生学上問題となるような新たな感染症」であり，再興感染症とは,「かつて存在した感染症で公衆衛生上ほとんど問題とならなかったが，近年再び増加してきたもの，あるいは将来的に再び問題となる可能性がある感染症」である。

新興感染症は1970年以降に新たに認識されるようになった公衆衛生上問題となる感染症で，寄生虫感染症のクリプトスポリジウム，細菌感染症の腸管出血性大腸菌O157感染症，新型コレラ，レジオネラ症，ウイルス感染症のエボラ出血熱，後天性免疫不全症候群（AIDS），重症急性呼吸器症候群（SARS），成人T細胞白血病（ATL），鳥インフルエンザ，ラッサ熱，新型コロナウイルス感染症などがある。

再興感染症はかつて流行した感染症のうち，一度は患者数が減少して制圧されたが，近年再び患者数が増えている感染症で，結核，ペスト，狂犬病，ジフテリアなどがある。近年，世界で猛威を振るった新興・再興感染症を図8.6.5に示した。

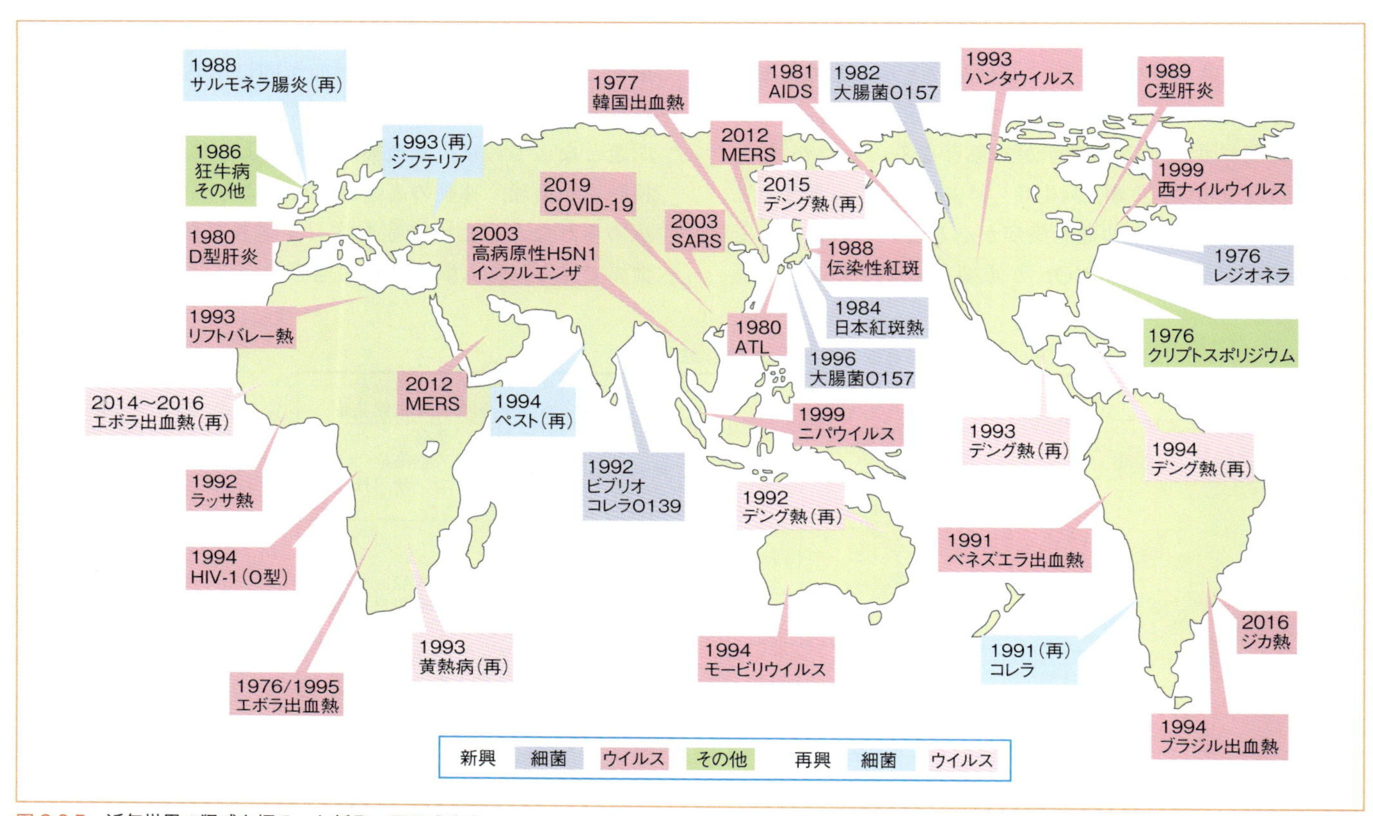

図8.6.5　近年世界で猛威を振るった新興・再興感染症

〔橋本　一，林　泉（監）：抗菌薬を理解するために，第3版，国際医学出版，2007より引用改変〕

［永沢善三］

用語　後天性免疫不全症候群（acquired immunodeficiency syndrome；AIDS），重症急性呼吸器症候群（severe acute respiratory syndrome；SARS），成人T細胞白血病（adult T-cell leukemia；ATL），ヒト免疫不全ウイルス1型（human immunodeficiency virus type 1；HIV-1），中東呼吸器症候群（Middle East respiratory syndrome；MERS）

参考文献

1）古田眞一，他（編）：戸田新細菌学 改訂33版，南江堂，2010.
2）南嶋洋一，他（編）：系統看護学講座　専門基礎分野　疾病のなりたちと回復の促進［4］　微生物学 改訂12版，医学書院，2014.
3）大学検査科学専攻微生物学教員懇談会（編）：メディカルサイエンス微生物検査学，近代出版，2014.
4）日本臨床衛生検査技師会（編）：病院感染対策の実践ガイド，東広社，2005.
5）小林寛伊，他：エビデンスに基づいた感染制御，メヂカルフレンド社，2002.

8.7 | 食中毒

- 食中毒は食品に起因する急性胃腸炎あるいは中毒症の総称である。
- 食中毒の原因はウイルス，寄生虫，化学物質，自然毒など多岐にわたる。
- 細菌性食中毒は感染型と毒素型に分類される。
- ウイルス性食中毒はノロウイルスによるものが最も多い。

食中毒とは食品に起因する急性胃腸炎あるいは中毒症の総称である。食品衛生法第58条によると「食品，添加物，器具若しくは容器包装に起因して中毒した患者若しくはその疑いのある者を食中毒患者等」と定義しており，このような患者を診断，またはその死体を検案した医師は，直ちに最寄りの保健所長に届け出なければならない。

食中毒の原因は細菌，ウイルス，寄生虫，化学物質，自然毒など多岐にわたるが，ノロウイルスを主体とする病原微生物によるものが最も多い（表8.7.1，図8.7.1）。

表 8.7.1　病因物質別食中毒発生状況（厚生労働省食中毒統計 2022 年）

			事件数	%	患者数	%	死者数	%
総数			962	100.0	6,856	100.0	5	100.0
		病因物質判明	953	99.1	6,754	98.5	5	100.0
		病因物質不明	9	0.9	102	1.5	0	0.0
病因物質判明総数			962	100.0	6,856	100.0	5	100.0
細菌総数			258	26.8	3,545	51.7	1	20.0
	感染型食中毒型	サルモネラ属菌	22	2.3	698	10.2	–	–
		腸炎ビブリオ	–	–	–	–	–	–
		腸管出血性大腸菌（VT 産生）	8	0.8	78	1.1	1	20.0
		その他の病原大腸菌	2	0.2	200	2.9	–	–
		ウエルシュ菌	22	2.3	1,467	21.4	–	–
		エルシニア・エンテロコリチカ	–	–	–	–	–	–
		カンピロバクター・ジェジュニ / コリ	185	19.2	822	12.0	–	–
		ナグビブリオ	–	–	–	–	–	–
		コレラ菌	–	–	–	–	–	–
		赤痢菌	–	–	–	–	–	–
		チフス菌	–	–	–	–	–	–
		パラチフス A 菌	–	–	–	–	–	–
		その他の細菌	–	–	–	–	–	–
	毒素型食中毒	黄色ブドウ球菌	15	1.6	231	3.4	–	–
		ボツリヌス菌	1	0.1	1	0.0	–	–
		セレウス菌（感染型含む）	3	0.3	48	0.7	–	–
ウイルス総数			63	6.5	2,175	31.7	–	–
		ノロウイルス	63	6.5	2,175	31.7	–	–
		その他のウイルス	–	–	–	–	–	–
寄生虫総数			577	60.0	669	9.8	–	–
		クドア	11	1.1	91	1.3	–	–
		サルコシスティス	–	–	–	–	–	–
		アニサキス	566	58.8	578	8.4	–	–
		その他の寄生虫	–	–	–	–	–	–
化学物質総数			2	0.2	148	2.2	–	–
自然毒総数			50	5.2	172	2.5	4	81.0
		植物性自然毒	34	3.5	151	2.2	3	60.0
		動物性自然毒	16	1.7	21	0.3	1	20.0
その他			3	0.3	45	0.7	–	–
不明			9	0.9	102	1.5	–	–

（厚生労働省：令和 4 年（2022 年）食中毒発生状況．https://www.mhlw.go.jp/content/001077078.xlsx をもとに作成）

用語　ベロ毒素（verotoxin；VT）

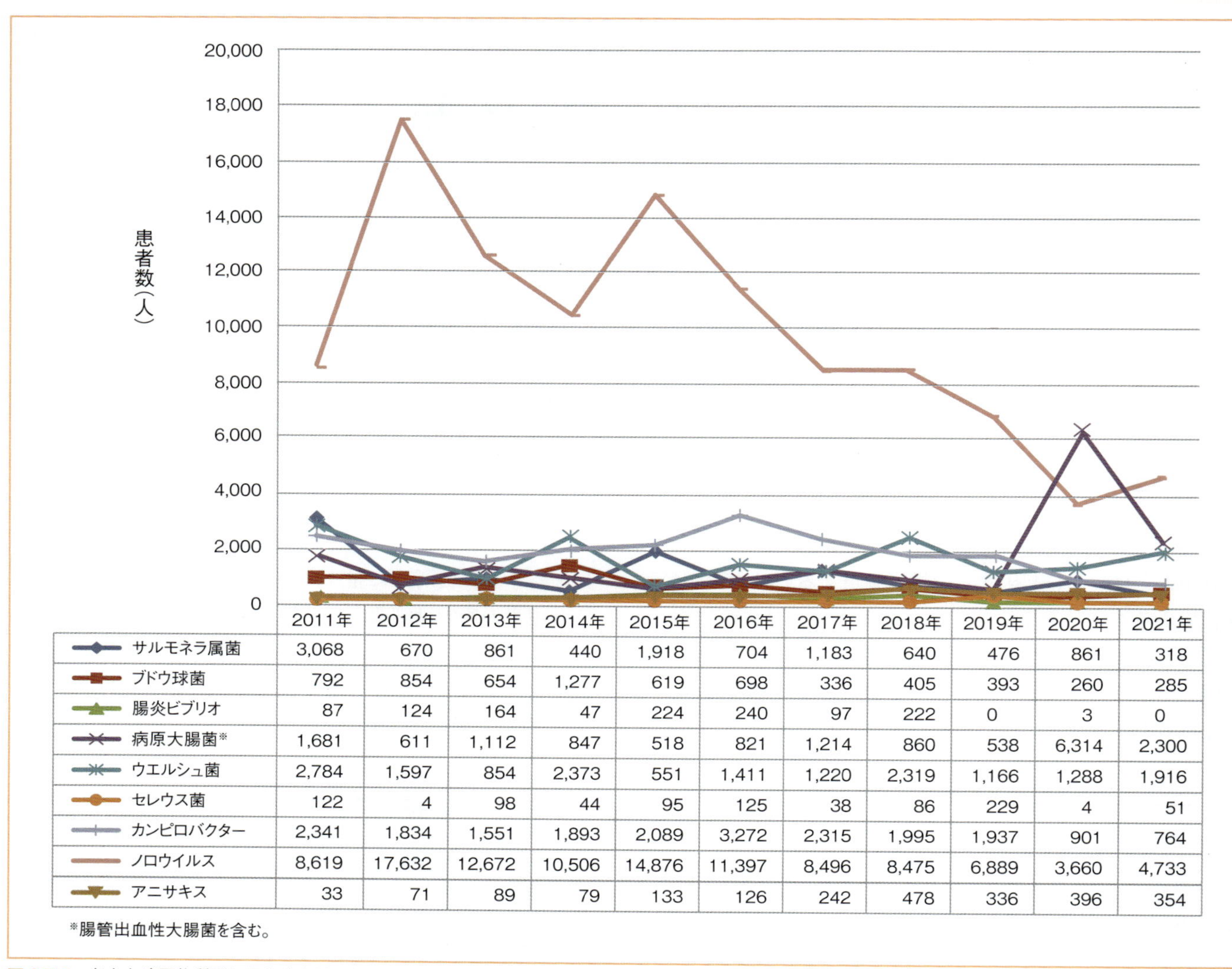

	2011年	2012年	2013年	2014年	2015年	2016年	2017年	2018年	2019年	2020年	2021年
サルモネラ属菌	3,068	670	861	440	1,918	704	1,183	640	476	861	318
ブドウ球菌	792	854	654	1,277	619	698	336	405	393	260	285
腸炎ビブリオ	87	124	164	47	224	240	97	222	0	3	0
病原大腸菌*	1,681	611	1,112	847	518	821	1,214	860	538	6,314	2,300
ウエルシュ菌	2,784	1,597	854	2,373	551	1,411	1,220	2,319	1,166	1,288	1,916
セレウス菌	122	4	98	44	95	125	38	86	229	4	51
カンピロバクター	2,341	1,834	1,551	1,893	2,089	3,272	2,315	1,995	1,937	901	764
ノロウイルス	8,619	17,632	12,672	10,506	14,876	11,397	8,496	8,475	6,889	3,660	4,733
アニサキス	33	71	89	79	133	126	242	478	336	396	354

*腸管出血性大腸菌を含む。

図 8.7.1　おもな病因物質別に見た患者数の年次推移　食中毒患者数の年次推移

（厚生労働省：令和 3 年食中毒発生状況，https://www.mhlw.go.jp/content/12401000/000915160.pdf および
平成 27 年食中毒発生状況，https://www.mhlw.go.jp/file/05-Shingikai-11121000-Iyakushokuhinkyoku-Soumuka/0000116566.pdf をもとに作成）

8. 7. 1　細菌性食中毒

細菌性食中毒はその発現機序の違いにより感染型と毒素型に分類される。感染型は食品とともに取り込まれた病原菌が腸管内で増殖・感染することにより生じるものである。原因菌は集団発生の有無による変動が見られるが，*Campylobacter jejuni/coli*，*Clostridium perfringens*，*Salmonella* sp.，病原大腸菌によるものが多い。感染型は腸管内での菌の増殖が必要であることから，発症までの潜伏期間が毒素型に比べて12～24時間以上と長い。

一方，毒素型は食品中で増殖・産生された毒素を摂取して生じるものであり，原因菌としては*Staphylococcus aureus*や*Bacillus cereus*によるものが多い。毒素型は微生物が存在しなくても食中毒を引き起こすことから，*Staphylococcus aureus*のような耐熱性毒素を産生する場合には加熱処理によっても毒性を除去することはできない。

8. 7. 2　ウイルス性食中毒

ウイルス性食中毒は1998年より厚生労働省の食中毒統計に組み入れられた。原因菌としてはノロウイルスが最も多く，その他のウイルスとしてはロタウイルス，アデノウイルス，エコーウイルスなどがあげられる。ウイルス性食中毒は冬季に見られるものが多く，一方，細菌性食中毒は梅雨から夏季にかけて多く見られる。

［豊川真弘］

8.8 | バイオセーフティ

- バイオセーフティの適正化にはハード（設備）とソフト（技術）の両面から取り組む必要がある。
- 厚生労働省は特定病原体等を一種，二種，三種，四種に分類しており，取り扱う場合の設備基準を定めている。
- 感染リスクの高い操作を認識し，安全な微生物学的技術を習得・実践する。
- エアロゾル対策にはクラスⅡ以上の生物学的安全キャビネットが必要不可欠である。
- 感染性廃棄物は正しく分別し，廃棄容器にはバイオハザードマークを表示する。

バイオセーフティの原則はさまざまなバイオハザード（生物災害）から，①作業者本人を守ること，②共同作業者を守ること，③周辺のまったく無関係な人や環境を守ることにある。そのためには安全対策に必要なハード（検査室設備など）と安全対策を正しく行うためのソフト（安全な微生物学的技術など）の両面から適正化に取り組む必要がある。

8.8.1 感染性微生物のリスク群分類とバイオセーフティ

バイオセーフティの基本はリスクに応じた安全対策の実施にある。国立感染症研究所では，WHOの「実験室バイオセーフティ指針第3版」(2004年）の考えをもとにして感染性微生物を4つのリスク群（表8.8.1）に分類しており，それぞれに応じた安全対策〔バイオセーフティレベル（BSL）1～4；表8.8.2〕の実施とこれら病原体を取り扱

表 8.8.1 感染性微生物のリスク群分類

リスク群	内容
リスク群1 （「病原体等取扱者」および「関連者」に対するリスクがないか低リスク）	ヒトあるいは動物に疾患を起こす見込みのないもの。
リスク群2 （「病原体等取扱者」に対する中等度リスク,「関連者」に対する低リスク）	ヒトあるいは動物に感染すると疾病を起こし得るが，病原体等取扱者や関連者に対し，重大な健康被害を起こす見込みのないもの。また，実験室内の曝露が重篤な感染を時に起こすこともあるが，有効な治療法，予防法があり，関連者への伝幡のリスクが低いもの。
リスク群3 （「病原体等取扱者」に対する高リスク，「関連者」に対する低リスク）	ヒトあるいは動物に感染すると重篤な疾病を起こすが，通常，感染者から関連者への伝幡の可能性が低いもの。有効な治療法，予防法があるもの。
リスク群4 （「病原体等取扱者」及び「関連者」に対する高リスク）	ヒトあるいは動物に感染すると重篤な疾病を起こし，感染者から関連者への伝幡が直接または間接に起こり得るもの。通常，有効な治療法，予防法がないもの。

（国立感染症研究所：国立感染症研究所病原体等安全管理規定（改訂第三版），13，2020，https://www.niid.go.jp/niid/images/biosafe/kanrikitei3/Kanrikitei3_20200401.pdf より引用）

表 8.8.2 病原体等のリスク群分類と，実験室のBSL分類，実験室使用目的，実験手技および安全機器との関連性

病原体等のリスク群	実験室のBSL	実験室の使用目的	実験手技及び運用	実験室の安全機器
1	基本実験室－BSL1	教育，研究	GMT	特になし（開放型実験台）
2	基本実験室－BSL2	一般診断検査，研究	GMT，PPE，バイオハザード標識表示	病原体の取扱いはBSCで行う
3	封じ込め実験室－BSL3	特殊診断検査，研究	上記BSL2の各項目，専用PPE，立入り厳重制限，一方向性の気流	病原体の取扱いの全操作をBSCあるいは，その他の一次封じ込め装置を用いて行う
4	高度封じ込め実験室－BSL4	高度特殊診断検査	上記BSL3の各項目，エアロックを通っての入室，退出時シャワー，専用廃棄物処理	クラスⅢBSCまたは，陽圧スーツとクラスⅡBSCに加え，両面オートクレーブ，給排気はフィルターろ過

※略語　BSC：生物学的安全キャビネット，GMT：安全な微生物学的技術，PPE：個人防護具
（国立感染症研究所：国立感染症研究所病原体等安全管理規定（改訂第三版），16，2020，https://www.niid.go.jp/niid/images/biosafe/kanrikitei3/Kanrikitei3_20200401.pdf より引用）

用語　バイオセーフティ（biosafety），バイオハザード（biohazard），世界保健機関（World Health Organization；WHO），バイオセーフティレベル（biosafety level；BSL），生物学的安全キャビネット（biological safety cabinet；BSC），安全な微生物学的技術（good microbiological technique；GMT），個人防護具（personal protective equipment；PPE）

う場合の設備および技術上の基準（表8.8.3および表8.8.4）を定めている。一方，厚生労働省では病原体を一～四種に分類しており，分類に応じた設備基準を定めている（p126　8.10.9参照）。

表 8.8.3　BSL 実験室の安全設備基準

	BSL			
	1	2	3	4
実験室の独立性*1	不要	不要	必要	必要
汚染除去時の実験室気密性	不要	不要	必要	必要
換気：				
内側への気流	不要	不要	必要	必要
制御換気系	不要	不要	必要	必要
排気の HEPA ろ過	不要	不要	必要	必要
入口部二重ドア（インターロック*2）	不要	不要	必要	必要
エアロック*3	不要	不要	不要	必要
エアロック＋シャワー	不要	不要	不要	必要
前室*4	不要	不要	必要	必要*5
排水処理*6	不要	不要	必要	必要
オートクレーブ：				
管理区域内	不要	必要	必要	必要
実験室内	不要	望ましい	必要	必要
両面オートクレーブ	不要	不要	望ましい	必要
生物学用安全キャビネット	不要	必要*7	必要	必要
作業従事者の安全監視機能*8	不要	不要	必要	必要

*1 施設内の通常の人の流れからの実質的，機能的隔離
*2 二重ドアで構成される部屋は前室に相当する。なお，インターロックドアとは同時に2枚の扉が開放されないような機構を有するドアのことをいう。
*3 エアロックとは気圧を保つために設ける機構のこと。通常は複数の扉を設け，インターロックドアとなっている。
*4 実験室につながる隣室
*5 BSL4 実験室の前室は，入口部二重ドア，エアロック，エアロック＋シャワーが相当する。
*6 一般排水処理とは異なる消毒滅菌処理のことをいう。
*7 エアロゾル発生のおそれがある場合は，生物学用安全キャビネットが必要。
*8 たとえば，観察用窓，監視カメラ，インターフォン，双方向性モニター設備など。
（国立感染症研究所：国立感染症研究所病原体等安全管理規定（改訂第三版），17，2020，https://www.niid.go.jp/niid/images/biosafe/kanrikitei3/Kanrikitei3_20200401.pdf より引用）

表 8.8.4　国立感染症研究所における施設の位置，構造および設備の技術上の基準一覧

		三種病原体等		四種病原体等	
対象病原体等 BSL		BSL3	BSL2	BSL3	BSL2
位置（地崩れ，浸水）		○	○	○	○
耐火構造又は不燃材料（建築基準法）		○	○	○	○
管理区域（例）		実験室，前室，保管庫，滅菌設備等	実験室，保管庫，滅菌設備等	実験室，前室，保管庫，滅菌設備等	実験室，保管庫，滅菌設備等
実験室まで通行制限		○	–	○	–
保管施設（庫）		実験室内・管理区域内	実験室内・管理区域内	管理区域内	管理区域内
	施錠等の設備・器具	○	○	○	○
	通航制限等措置	○	○	–	–
実験室					
	鍵	○	○	○	○
	専用の前室	○	–	○	–
	インターロック	○	–	○	–
実験室内					
	壁・床等の消毒	○	○	○	○
	壁・床・天井等の耐水・気密，消毒	○	–	○	–
	通話又は警報装置	○	–	○	–
	窓等措置	○	–	○	–
	安全キャビネット	○（クラスⅡ以上）	○（クラスⅡ以上）	○（クラスⅡ以上）	○（クラスⅡ以上）
給気設備					
	HEPA	○	–	○	–
	稼働状況確認の装置	○	–	○	–
排気装置					
	HEPA	○（1重以上）	–	○（1重以上）	–
	再循環防止の装置	○	–	○	–
	差圧管理できる構造	○	–	○	–
	稼働状況確認の装置	○	–	○	–
排水装置		○	–	○	–
滅菌設備		実験室内	実験室内又は取扱施設内	実験室内	実験室内又は取扱施設内
維持管理					
	点検・基準維持	年1回以上	年1回以上	定期的	定期的
	HEPA 交換時滅菌	○	○（安全キャビネット）	○	○（安全キャビネット）

*略語　HEPA：high efficiency particulate air filter
（国立感染症研究所：国立感染症研究所病原体等安全管理規定（第三版），23，2020，https://www.niid.go.jp/niid/images/biosafe/kanrikitei3/Kanrikitei3_20200401.pdf より一部を抜粋して転載）

8.8.2　安全な微生物学的技術

WHOは実験室バイオセーフティ指針第3版において，すべての実験室に共通する基本技術である安全な微生物学的技術（GMT）を示している。ここではその概要を紹介する。

1) リスク群2またはそれより高いリスク群の微生物を取り扱う部屋のドアには国際バイオハザード警告マークと標識を表示しなければならない。
2) 実験室の作業区域に立ち入りを許されるのは認証された職員に限られなければならない。
3) 実験室で作業をする際は常に実験室用カバーオール，ガウン，または制服を着用しなければならない。
4) 血液，体液，ほかの感染性の可能性のある材料，感染動物などに直接または誤って触れる可能性のある作業にあたっては，必ず適切な手袋を着用する。
5) 実験室の外，たとえば食堂，喫茶室，事務室，図書館，職員室，化粧室などで実験室用防護衣を着用することは禁じられる。
6) すべての技術的手順はエアロゾルや飛沫の発生を最小限にとどめる方法で実施しなければならない。
7) 病原体の漏出，事故，感染性材料への明白な曝露，あるいは可能性のある曝露などについては，すべて実験室管理者に報告しなければならない。このような事故や事例については文書による記録を作成し保存しなくてはならない。
8) すべての漏出を清掃するための手順を文書で作成し，遵守しなければならない。
9) 汚染された液体は下水道に放流する前に（化学的もしくは物理的に）汚染除去しなければならない。
10) 作業表面は危険のおそれがある試料が漏出した場合，および仕事の終了時，汚染除去しなければならない。
11) 梱包および輸送は適用される国内ないし国際規格に準拠しなければならない。
12) 適応があれば能動あるいは受動免疫処置を行う。
13) 実験室職員が一般的に遭遇する危険度の高い操作に関する訓練を行う（以下に例示）。
    - ループの使用，寒天平板上の塗布，ピペット操作，塗抹標本作製などの際に病原体を吸入するリスク（エアロゾルの発生）
    - 注射器および針を使うときに起こり得る経皮曝露
    - 感染性試料の汚染除去や廃棄処理

8.8.3　エアロゾル対策

エアロゾルは空気中に浮遊した微小な液体のコロイド粒子または固体粒子で，臨床材料や菌液を取り扱うさまざまな状況において発生し得る。エアロゾルは操作者の五感による検出は極めて困難であり，気付かぬうちに汚染が広がることから，最も重要なバイオハザード対策の1つである。

エアロゾル対策の第一歩は，エアロゾルが発生しやすい状況を知り，それぞれにおけるリスクの低減化を行うことであり，また，生物学的安全キャビネットの有効活用も必要不可欠である。エアロゾルの発生要因と対策法を表8.8.5に示した。

表8.8.5　エアロゾルの発生要因と対策法

エアロゾルが発生する実験操作		エアロゾルの発生を減らす工夫
白金耳を用いる操作	菌液を寒天平板へ塗布 液体材料をつけたまま火炎滅菌	白金耳を平板壁にぶつけない カバー付きバーナーを使用する 使い捨て白金耳を使用する
ピペット操作	菌液の先を中に浮かせて排出 ピペットからの最後の1滴の噴出 吸入と排出による混和	器壁につけるか液中に入れて排出する 噴出しない 閉栓後に混和する
遠心操作	表面が菌液で汚染したローターの使用 遠心中の遠心内容の漏洩，遠心管の破損	使用前に点検する 定期的に消毒する バイオハザード対策の施された遠心機を使用する
注射器の使用	菌液をゴムキャップ付き培養液から抜き取る（血液培養など） 菌液の入った注射器を逆さに持って気泡を追い出す	エタノール綿で刺入部を覆う エタノール綿で針先を覆う
凍結乾燥菌体の処理	乾燥菌体の入ったアンプルを開封	エタノール綿で切断部分を覆う
超音波処理	非密閉型の装置で超音波処理を行う	密閉型を使用する
ホモジナイト操作	ホモジナイザー処理後，すぐに開栓する 乳鉢による摩砕	20分以上静置後に開栓する
その他	培養液の入った試験管やフラスコの栓を外す	キャップの裏側や培地中に気泡がないことを確認する
リスクを伴うすべての操作		生物学的安全キャビネット内で操作する

〔日本結核病学会・日本臨床微生物学会・日本臨床衛生検査技師会：「結核菌検査に関するバイオセーフティマニュアル— 2005 —第2版」，https://www.kekkaku.gr.jp/manual/manual.html#5 を参考に作成〕

8.8.4　生物学的安全キャビネット

生物学的安全キャビネット（BSC）は危険な微生物をキャビネット内に封じ込めることにより作業者保護を行う設備であり，キャビネット内空気の排気にはHEPAフィルターによる濾過（無菌化）が行われる。BSCは基本構造の違いにより3つのクラスⅠ，Ⅱ（A1，A2，B1，B2），Ⅲに分類されており，微生物検査室ではクラスⅡ以上を使用することが望ましい（図8.8.1；クラスⅠはキャビネット内への外部雑菌の混入を防止できないことから，試料保護ができないため）。

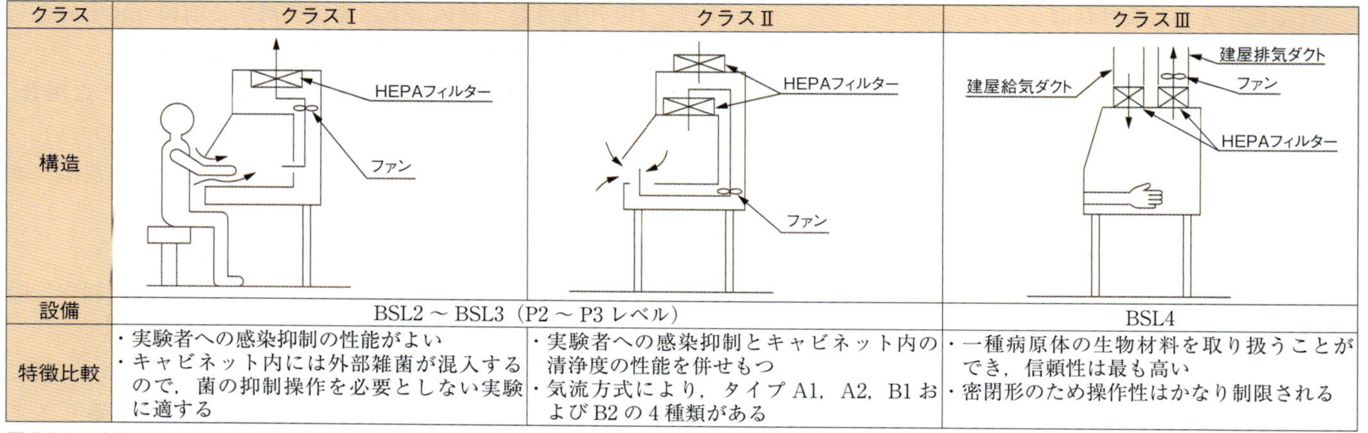

クラス	クラスⅠ	クラスⅡ	クラスⅢ
構造			
設備	BSL2～BSL3（P2～P3レベル）		BSL4
特徴比較	・実験者への感染抑制の性能がよい ・キャビネット内には外部雑菌が混入するので，菌の抑制操作を必要としない実験に適する	・実験者への感染抑制とキャビネット内の清浄度の性能を併せもつ ・気流方式により，タイプA1，A2，B1およびB2の4種類がある	・一種病原体の生物材料を取り扱うことができ，信頼性は最も高い ・密閉形のため操作性はかなり制限される

図8.8.1　生物学的安全キャビネットの分類
（日立産機システム：バイオハザード対策用キャビネットとクリーンベンチの違い・分類．http://www.hitachi-ies.co.jp/products/cleanair/class.htm より引用改変）

Q　BSCとクリーンベンチおよびドラフトチャンバー（ヒュームフード）の違いは？

A　クリーンベンチは試料保護のみを目的とする設備であり，作業者の被曝のリスクが極めて高いことから微生物を取り扱う場合には絶対に使用してはならない。一方，ドラフトチャンバーは有害物質からの作業者保護が目的であり，HEPAフィルターなどによる排気の無菌化が施されていないことから，本設備も微生物検査には用いてはならない。

8.8.5　感染性廃棄物の取扱い方

感染性廃棄物は『廃棄物処理法に基づく感染性廃棄物処理マニュアル』では「医療関係機関等から生じ，人が感染し，若しくは感染するおそれのある病原体が含まれ，若しくは付着している廃棄物又はこれらのおそれのある廃棄物（環境省）」と定義されており，その適用は「形状」「排出場所」および「感染症の種類」をもとに客観的に判断される（図8.8.2）。感染性廃棄物は公衆衛生の保持および病原微生物の拡散防止の徹底の観点から，廃棄物の発生時点においてほかの廃棄物と分別しなければならない。以下に感染性廃棄物の分別の際に必要な厳守事項を示す。

1) 注射針，メスなどの鋭利なものは，ほかの廃棄物と分別し，耐貫通性のある堅牢な容器に廃棄する（鋭利なものは血液などが付着していなくても感染性廃棄物として取り扱う）。
2) 液状または泥状のものは，廃液などが漏洩しない密閉容器に廃棄する。
3) 容器に入った感染性廃棄物をほかの容器に移し替えることは，飛散・流出の防止の観点から避ける。

用語　HEPA（high efficiency particulate air）

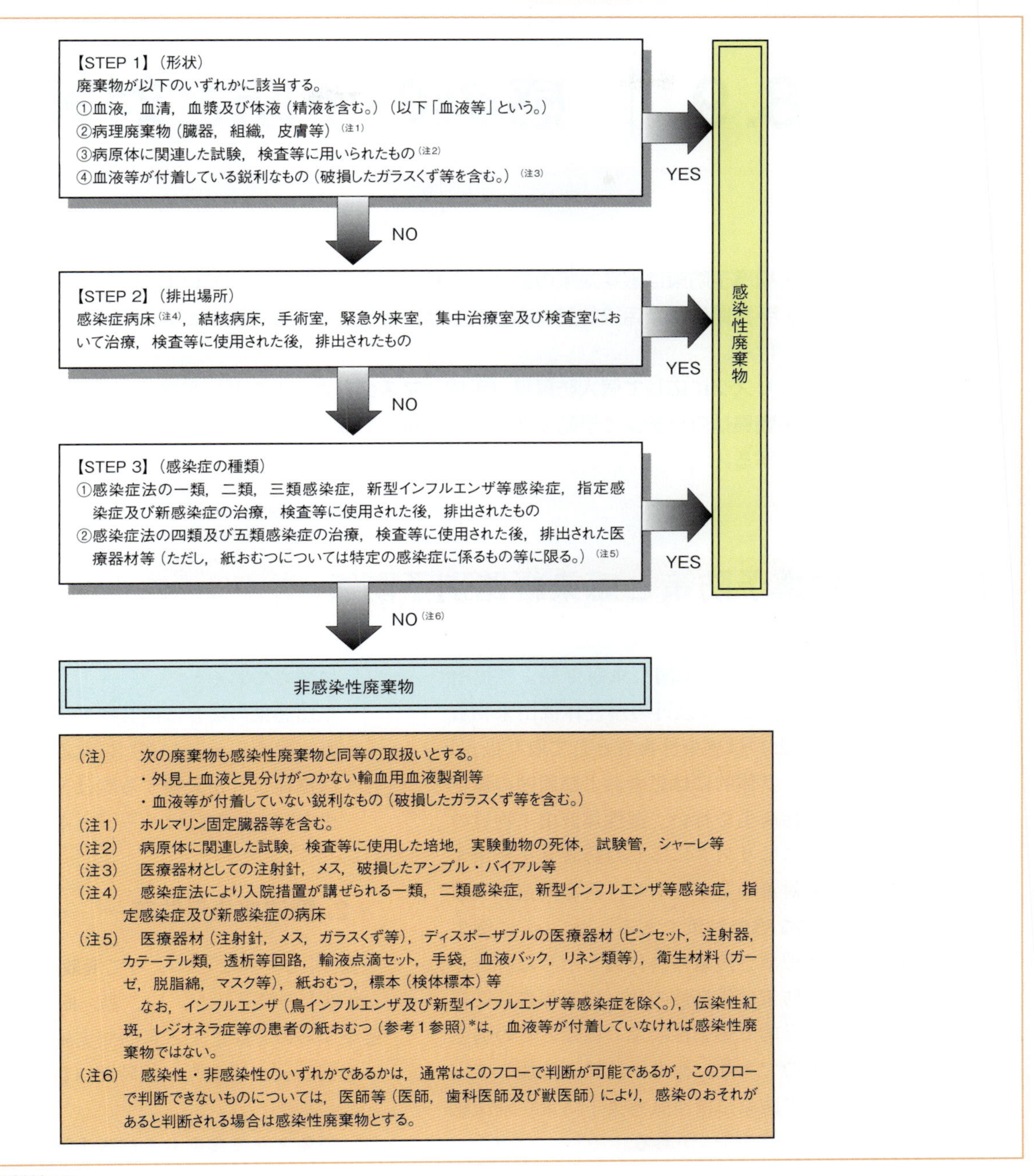

図 8.8.2　感染性廃棄物の判断フロー
（環境省大臣官房廃棄物・リサイクル対策部：廃棄物処理法に基づく感染性廃棄物処理マニュアル，5，2023．https://www.env.go.jp/content/900534354.pdf より引用
＊紙おむつについては引用元 45 ページ，参考 1　紙おむつについてを参照）

4)感染性廃棄物は，容器に入れた後密閉する。

5)関係者が感染性廃棄物であることを識別できるよう，容器にはバイオハザードマークを表示する（図 8.8.3）。マークを表示しない場合には，「感染性廃棄物」と明記する。また，廃棄物の取扱い者に廃棄物の種類が判別できるようにするため，性状に応じてマークの色を分けることが望ましい。

・液状または泥状のもの（血液など）：赤色
・固形状のもの（血液などが付着したガーゼなど）：橙色
・鋭利なもの（注射針など）：黄色

このような色のバイオハザードマークを用いない場合には，「液状または泥状」「固形状」「鋭利なもの」のように，廃棄物の取扱い者が取り扱う際に注意すべき事項を表示する。

図 8.8.3　バイオハザードマーク

［豊川真弘］

8.9　感染の予防と対策

- 標準予防策は感染対策の基本であり，微生物検査業務においても適用される。
- 手指衛生は，汚染状況に応じ，石けんと流水による手洗いとアルコール製剤による消毒を使い分ける。
- リスクに応じて個人防護具（手袋，マスク，ガウンなど）を使用する。
- 職員はワクチンで予防できる疾患に対しては，特別な理由がない限り，必ずワクチン接種を実施する。

8.9.1　標準予防策と感染経路別予防策

標準予防策（SP）は1990年に米国公衆衛生局より提唱された概念で，「すべての人の汗以外の湿性体液由来物質（血液，体液，排泄物など）は感染性物質として取り扱う」ことを前提としている。具体的には患者および周囲の環境に接触する前後には手指衛生を行い，湿性体液由来物質の曝露が予想される場合にはリスクに応じた防護具を使用する。標準予防策は感染対策の基本であり，医療関連感染減少のために必要不可欠な感染対策である。表8.9.1に微生物検査室で実施すべき標準予防策の具体例を示した。

一方，感染経路別予防策は伝染性の強い病原体の感染経路を効果的に遮断する目的で感染性疾患の種類とその病態に応じた対策を行うものであり，標準予防策に追加して実施される。感染経路別予防策には空気感染予防策，飛沫感染予防策，接触感染予防策の3つがある。

1. 空気感染予防策

咳・くしゃみなどによって飛散した病原体を含む飛沫核（5μm以下の微粒子）が空気の流れに乗って運ばれ，医療従事者やほかの患者に経気道的に感染するのを防止する目的で実施される。

(1) 対象となる疾患および微生物

結核，麻疹，水痘（播種性帯状疱疹を含む）。

(2) 感染対策の例

- 患者は個室隔離（陰圧病室が望ましい）し，ドアは常に閉めておく。
- 集団感染の場合は同じ病原体に感染している患者と同室（コホーティング）にする。
- 医療従事者が入室する際はN95マスクを着用する。
- 患者移送の際にはサージカルマスクを着用させる。

2. 飛沫感染予防策

咳・くしゃみなどによって飛散した病原体を含む飛沫（5μm以上の粒子）が，口，鼻，眼の粘膜に付着することで感染するのを防止する目的で実施される。飛沫の飛散範囲は通常1～2mであり，短時間（数秒）で落下する。

(1) 対象となる疾患および微生物

インフルエンザ，風疹，流行性耳下腺炎，マイコプラズマ肺炎，百日咳，髄膜炎菌感染症，ノロウイルス（吐物），新型コロナウイルス感染症（COVID-19）*1など。

(2) 感染対策の例

- 患者は個室隔離あるいはコホーティングする（ドアは開けたままでもよい）。
- やむを得ずほかの患者と同室にする場合は，ベッドの間を1m以上あけ，カーテンで仕切る。
- 患者と1m以内で接触する場合はサージカルマスクを着用する。
- 患者移送の際にはサージカルマスクを着用させる。

用語　標準予防策（standard precautions；SP），公衆衛生局（Public Health Service），感染経路別予防策（transmission based precautions）

表 8.9.1 微生物検査室で実施すべき標準予防策

1. 血液およびすべての体液（精液，膣分泌物，髄液，関節液，胸水，腹水，心嚢液，羊水など），生体組織などの湿性物質（汗を除く）は感染性を有する危険なものとみなし，対応する
2. 検査室内での飲食，喫煙，化粧，飲食物の保管，業務と関連のない生活用品の保管を禁止する
3. 検査室内作業時は次のことを遵守し作業すること
   ①ガウンまたは検査用コート，エプロンなどを着用する
   ②患者検体を扱う場合は手袋を着用し，必要に応じマスクを着用する
   ③採血（かかとや指先からの採血も含む）の際は手袋を着用する
   ④顔面が血液や体液で汚染される可能性のある場合はマスク，ゴーグル（防護用眼鏡），フェイスシールドを用いる
   ⑤汚染の可能性のある手指または手袋をした手で，顔や髪，ポケット内，その他，清潔部位を触れない
   ⑥結核菌検査の場合は手袋，マスク（N95），専用ガウンを着用して行う
4. 次の場合には速やかに衛生的手洗い（石けんと流水で 30 秒～1 分，丁寧に洗う）により手を洗う
   ①血液や体液で手が汚染された場合
   ②手袋をはずした場合（目に見える汚れがない場合は擦式消毒薬で代用可）
   ③消毒薬耐性微生物による汚染（細菌芽胞，ノロウイルスなど消毒薬の効果が期待できない微生物）
   ④作業が終了した場合
5. 注射器の使用は，ほかに代わるべき方法がない場合に限り使用する。もし，用いた場合は絶対にリキャップしない。使用後は注射針脱着装置付きの専用の廃棄ボックスに廃棄する
6. すべての臨床材料は輸送中に漏れないよう蓋の密栓できる丈夫な容器に入れ，さらにプラスチックバッグなどに入れて輸送する
7. ピペット操作は安全ピペッターまたは電動ピペット，スポイトなどを用い，口で吸うピペットは絶対に使用しない
8. 患者検体の検査，微生物の培養検査，エアロゾルが発生する可能性のある操作は安全キャビネットの中で行う
9. 検査に用いた汚染物質は再生する前に滅菌するか，または施設ごとの取り決めに準じて所定のバッグなどに入れる
10. 汚染事故を起こした場合
   ①検査室内で汚染事故などが発生した場合は，速やかに責任者に報告し，指示を仰ぐ
   ②菌液，血液や体液などをこぼした場合には，責任者に報告し，適切な消毒薬で消毒を行った後，室内の作業者全員に知らせ，汚染箇所をマークする
   ③汚染された検査機器は，メーカーに輸送したり検査室で修繕したりする前に，滅菌または消毒する
11. 実験台上の整理・整頓に心がけ，記録は安全な場所で行う
12. 結核菌，ウイルスに有効な消毒薬（次亜塩素酸ナトリウム，ポビドンヨードなど）を常備しておく
13. 作業が終了した時点で実験台（安全キャビネットの中も含む）の上を消毒する
14. 検査用コート，ガウン，エプロンは検査室を出る前には必ず脱ぐ

〔岡田 淳（編著）：「微生物検査室のバイオセーフティ」，必携バイオセーフティ指針，74，医歯薬出版，2010 より引用〕

参考情報

＊1：新型コロナウイルス（SARS-CoV-2）：飛沫感染予防策では防止困難な微小飛沫あるいはエアロゾルによる感染を引き起こすことから，通常の飛沫感染予防策に加え以下の対応を行うことが推奨されている（文献1より一部を引用）。

- 患者と接する際にサージカルマスクを着用します。その他のPPEとして目の防護（アイシールド・ゴーグルまたはフェイスガード），ガウン，手袋を装着します。
- エアロゾル産生手技（気管挿管・抜管，気道吸引，気管切開術，心肺蘇生，気管支鏡検査，ネブライザー療法，誘発採痰など）においては，N95マスクを装着します。
- 多くの患者への対応，激しい咳を伴う患者への対応，換気が悪くウイルスが濃厚と考えられる空間においては，N95マスクの着用を推奨します。
- 患者がマスクを着用できず飛沫を浴びるリスクがある場合は目の防護を行います。その際，アイシールドでは十分に目を保護できない場合がありますので，ゴーグルかフェイスガードの使用を推奨します。
- タイベック®防護服などの全身を覆う着衣の着用は必須ではありません。

3. 接触感染予防策

患者との直接接触あるいは患者周囲の環境を介する間接接触によって伝播する病原体の感染を防止する目的で実施される。

(1) 対象となる疾患および微生物

薬剤耐性菌感染症〔メチシリン耐性黄色ブドウ球菌（MRSA），基質特異性拡張型 β-ラクタマーゼ（ESBL）産生菌など〕，感染性胃腸炎（腸管出血性大腸菌，ノロウイルス，*Clostridioides difficile* など），流行性角結膜炎，疥癬など。

(2) 感染対策の例

- 患者は個室隔離あるいはコホーティングする（ドアは開けたままでもよい）。
- やむを得ずほかの患者と同室にする場合は，ベッドの間をカーテンで仕切り，隔離していることをスタッフが認識できるようにする。
- 病室に入る場合は手袋とガウンを着用する。退出時は病室内で外し，感染性廃棄物として廃棄する。
- 聴診器，血圧計などの器具は患者専用とし，病室外に持ち出さない。
- 患者の高頻度接触面（ベッド柵，ドアノブ，トイレのレバーなど）は1日1回以上の頻度で清拭，消毒を行う。

用語　メチシリン耐性黄色ブドウ球菌（methicillin-resistant *Staphylococcus aureus*；MRSA），基質特異性拡張型 β - ラクタマーゼ（extended-spectrum β-lactamase；ESBL）

8.9.2　手指衛生

手指衛生はすべての医療行為の基本である。手指衛生は大きく分けて，①日常的手洗い，②衛生的手洗い，③手術時手洗いの3つに分類（表8.9.2）され，医療現場（手術時を除く）では衛生的手洗い（図8.9.1，8.9.2）の実施が求められる。

以下にWHOが推奨する「手指衛生を行う5つのタイミング」を示す。

1)患者に触れる前：手指を介して伝播する病原微生物から患者を守るため

2)清潔/無菌操作の前：患者に微生物が侵入するのを防ぐため

3)体液に曝露された可能性のある場合：患者の病原微生物から医療従事者を守るため

4)患者（検体含む）に触れた後：患者の病原微生物から医療従事者と医療環境を守るため

5)患者周辺の環境や物品に触れた後：患者の病原微生物から医療従事者と医療環境を守るため

表 8.9.2　手指衛生の種類と方法

	目的	方法
日常的手洗い	汚れと一過性微生物の一部を落とす	石けんと流水で10～15秒程度の洗浄
衛生的手洗い	汚れと手に付着した一過性の微生物を落とすあるいは殺菌する	石けんと流水による30秒～1分以上のこすり洗い
		擦式アルコール消毒薬による擦り込み
手術時手洗い	常在菌数を減らし，手術中の菌の増殖を抑制する	抗菌性石けんと流水による2分以上のこすり洗い，または，擦式アルコール消毒薬による擦り込み（方法と時間はメーカーの推奨に従う；平均60秒）

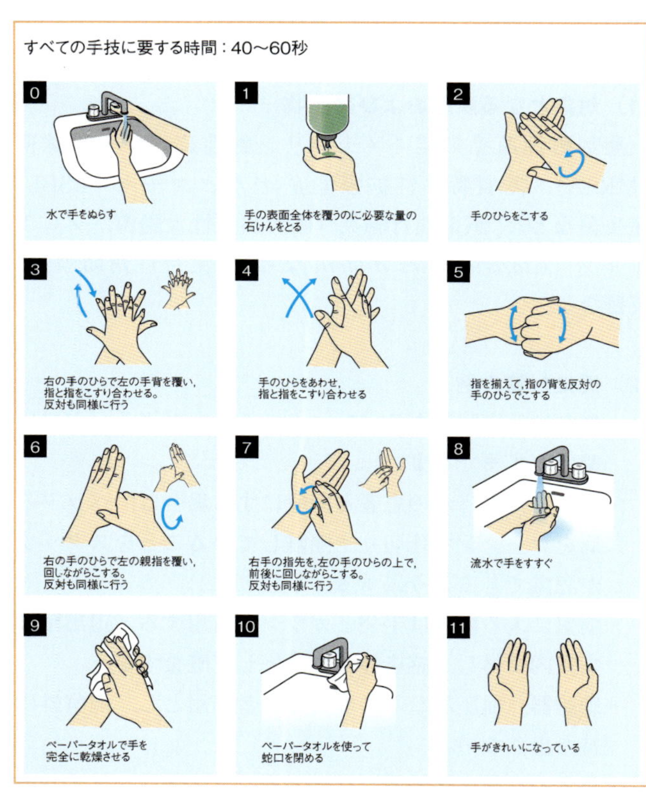

図 8.9.1　衛生的手洗い：流水と石けんによる手洗い方法

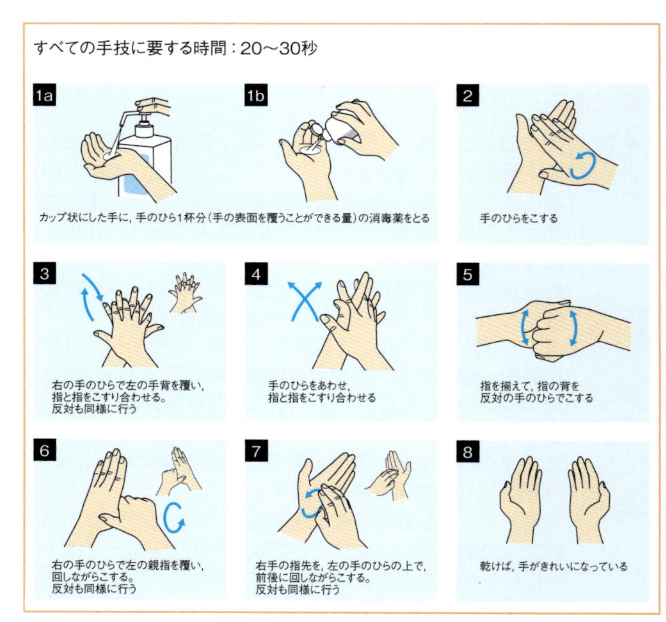

図 8.9.2　衛生的手洗い：アルコール製剤を用いた手指消毒方法

用語　日常的手洗い（social hand washing），衛生的手洗い（hygienic hand washing），手術時手洗い（surgical hand washing）

8. 9. 3　個人防護具

個人防護具（PPE）には手袋，マスク，ガウン，ゴーグル，フェイスシールド，キャップなどがあり，リスクに応じて必要な防護具を選択して使用する（表8.9.3）。微生物検査室においては，通常の微生物検査業務（抗酸菌培養を含む）を生物学的安全キャビネット内で適切な手技のもとで行う場合には，手袋，マスクおよびガウンが必須PPEとなる。一方，生物学的安全キャビネットを使用する場合であっても，培養された濃厚な結核菌を同定や感受性試験などのために取り扱う場合には，N95マスクやゴーグルの使用が望ましい。なお，PPEは単回使用で使い捨てを原則とし，どうしても再利用が必要な場合には適切な洗浄・消毒後に使用する。

表8.9.3　個人防護具と使用目的

防護具	使用目的
手袋	手が汚染されるのを防ぐ
マスク	口・鼻の粘膜の曝露を防ぐ
ガウン，エプロン	自分の衣服が汚染されるのを防ぐ
ゴーグル，アイシールド	眼の粘膜の曝露を防ぐ
フェイスシールド	眼・口・鼻の粘膜の曝露を防ぐ
キャップ	頭髪が汚染されるのを防ぐ 清潔野に頭髪が落下するのを防ぐ

8. 9. 4　ワクチン

ワクチンには，病原性を弱めた病原体を生きたまま接種するもの（生ワクチン）と，死菌や病原体の成分を接種するもの（不活化ワクチンおよびトキソイド）がある。新型コロナウイルス用に開発されたmRNAワクチンは注射された筋肉内で目的の抗原（スパイク蛋白質）を発現して抗体産生を促すものであり，不活化ワクチンに分類される。

医療従事者はその職務形態上，伝染性ウイルス（麻疹，水痘，風疹，流行性耳下腺炎ウイルスなど）や血液媒介病原体（B型肝炎ウイルスなど）への曝露リスクが高い。このため，ワクチンで予防できる疾患（VPD）に対しては，特別な理由がない限り，必ずワクチン接種をしておかなければならない。医療従事者のワクチン接種は，医療従事者から患者への病原体伝播阻止の観点からも極めて重要である。

表8.9.4に2023年8月現在の日本の定期/任意予防接種スケジュールを示した。水痘ワクチン（2014年10月より小児を対象に定期接種化），B型肝炎ワクチン（2016年10月より新生児を対象に定期接種化），インフルエンザワクチン（60歳以上が定期接種対象）および任意接種ワクチン（流行性耳下腺炎等）については，ワクチン接種にかかる費用は病院負担あるいは自己負担となる。

用語　個人防護具（personal protective equipment；PPE），ワクチンで予防できる疾患（vaccine-preventable disease；VPD）

表 8.9.4　わが国で使われているワクチン（2023 年 7 月現在）

接種方式	分類	ワクチン名
定期接種	弱毒生ワクチン	BCG 麻疹・風疹混合（MR） 麻疹（はしか） 風疹 水痘 ロタウイルス（1 価） ロタウイルス（5 価）
	不活化・トキソイドワクチン	DPT-IPV（4 種混合） DPT（3 種混合） DT（2 種混合） IPV（不活化ポリオ） 日本脳炎 インフルエンザ 肺炎球菌（13 価結合型） 肺炎球菌（23 価多糖体） Hib（インフルエンザ菌 b 型）
	組換え DNA ワクチン	HPV（ヒトパピローマウイルス）（2 価） HPV（ヒトパピローマウイルス）（4 価） B 型肝炎
臨時接種	生ワクチン	痘瘡（天然痘）
	不活化ワクチン	H5N1 インフルエンザ
	mRNA ワクチン，ベクターワクチン	新型コロナ
任意接種	弱毒生ワクチン	おたふくかぜ 黄熱 帯状疱疹
	不活化・トキソイドワクチン	破傷風 成人用ジフテリアトキソイド A 型肝炎 狂犬病 髄膜炎菌（4 価） 肺炎球菌（15 価結合型） 帯状疱疹
	組換え DNA ワクチン	HPV（ヒトパピローマウイルス）（9 価）

（国立感染症研究所：日本の予防接種スケジュール，https://www.niid.go.jp/niid/ja/component/content/article/320-infectious-diseases/vaccine/2525-v-schedule.html をもとに作成）

［豊川真弘］

用語　インフルエンザ菌 b 型（*Haemophilus influenzae* type b；Hib），四種混合ワクチン（ジフテリア，百日咳，破傷風，不活化ポリオワクチン）（diphtheria，pertussis，tetanus，inactivated polio vaccine；DPT-IPV），二種混合ワクチン（ジフテリア・破傷風）（diphtheria-tetanus；DT），カルメット・ゲラン桿菌（Bacille de Calmette et Guérin；BCG），麻疹・風疹（measles-rubella；MR），ヒトパピローマウイルス（human papillomavirus；HPV）

参考文献

1） 一般社団法人日本環境感染学会：医療機関における新型コロナウイルス感染症への対応ガイド 第 4 版，http://www.kankyokansen.org/uploads/uploads/files/jsipc/COVID-19_taioguide4-2.pdf

8.10 感染症の予防及び感染症の患者に対する医療に関する法律

- 「感染症の予防及び感染症の患者に対する医療に関する法律」は1998年10月に制定され，2014年11月改定された法律である。
- この法律（略して感染症法）は感染症の予防および感染症の患者に対する医療に関し必要な措置を定めたものである。
- 国および地方公共団体は感染症の発生の予防とその蔓延の防止の施策を講ずる。
- 「感染症」とは一類感染症，二類感染症，三類感染症，四類感染症，五類感染症，新型インフルエンザ等感染症，指定感染症，および新感染症をいう。
- 特定病原体等には一種病原体等，二種病原体等，三種病原体等，四種病原体等がある。

8.10.1 一類感染症

一類感染症は，感染力および罹患した場合の重篤性などにもとづく総合的な観点からみた危険性が極めて高い感染症で，患者，類似および無症状病原体保有者について入院などが必要な感染症である。エボラ出血熱，クリミア・コンゴ出血熱，痘そう，南米出血熱，ペスト，マールブルグ病，ラッサ熱が法律で定義されている。

8.10.2 二類感染症

二類感染症は，感染力および罹患した場合の重篤性などにもとづく総合的な観点からみた危険性が高い感染症で，患者，類似および一部の疑似症患者について入院などが必要な感染症である。急性灰白髄炎，結核，ジフテリア，重症急性呼吸器症候群，中東呼吸器症候群，鳥インフルエンザが法律で定義されている。

Q 感染症法の制定とその背景は？

A 感染症の予防，蔓延の防止，水際対策とし1897年に制定された伝染病予防法をはじめ，性病予防法，結核予防法，予防接種法，検疫法などがあったが，現代における新興感染症の出現や再興感染症などの感染症の脅威と感染症を取り巻く状況の変化に対応するために1998年に「感染症の予防及び感染症の患者に対する医療に関する法律（感染症法）」として制定された。

8. 10. 3　三類感染症

三類感染症は，感染力および罹患した場合の重篤性などにもとづく総合的な観点からみた危険性は高くないが，特定の職業への就業によって感染症の集団発生を起こし得る感染症で，患者および無症状病原体保有者について就業制限などが必要な感染症である。コレラ，細菌性赤痢，腸管出血性大腸菌感染症，腸チフス，パラチフスが法律で定義されている。

8. 10. 4　四類感染症

四類感染症は，感染力および罹患した場合の重篤性などにもとづく総合的な観点からみた危険性は高くないが，動物，飲食物などの物件を介してヒトに感染する感染症で，媒介動物に関わる獣医師の届出，動物などの輸入規制，消毒，ネズミなどの駆除，物件の廃棄を講ずることが必要な感染症である。

E型肝炎，A型肝炎，黄熱，Q熱，狂犬病，炭疽，鳥インフルエンザ（特定鳥インフルエンザを除く），ボツリヌス症，マラリア，野兎病が法律で定義され，ウエストナイル熱，エキノコックス症，オウム病，オムスク出血熱，回帰熱，キャサヌル森林病，コクシジオイデス症，エムポックス，ジカウイルス感染症，重症熱性血小板減少症候群，腎症候性出血熱，西部ウマ脳炎，ダニ媒介脳炎，チクングニア熱，つつが虫病，デング熱，東部ウマ脳炎，ニパウイルス感染症，日本紅斑熱，日本脳炎，ハンタウイルス肺症候群，Bウイルス病，鼻疽，ブルセラ症，ベネズエラウマ脳炎，ヘンドラウイルス感染症，発しんチフス，ライム病，リッサウイルス感染症，リフトバレー熱，類鼻疽，レジオネラ症，レプトスピラ症，ロッキー山紅斑熱が政令で定められている。

Q　感染症法の改正の経緯は？

A　感染症法制定からこれまで4回の改正と省令の追加が行われた。

2003年　重症急性呼吸器症候群（SARS）と痘そう（天然痘）を一類感染症に追加した。

2006年　生物テロの未然防止対策として病原体などの取扱い規制と感染症の分類の見直し（南米出血熱を一類感染症，SARSを一類感染症から二類感染症，結核を二類感染症，腸管感染症を二類感染症から三類感染症，炭疽，ボツリヌス症，野兎病を四類感染症とした），旧結核予防法が廃止された。

2008年　新型インフルエンザと再興型インフルエンザをまとめて「新型インフルエンザ等感染症」を設け対策を講じた。

2014年　H7N9型鳥インフルエンザと中東呼吸器症候群（MERS）を二類感染症に追加した。

2016年　ジカウイルス感染症を四類感染症に追加した。

2018年　急性弛緩性麻痺（急性灰白髄炎を除く）を五類感染症に追加した。

2020年　新型コロナウイルス感染症を指定感染症および検疫感染症に指定した。

2021年　新型コロナウイルス感染症を新型インフルエンザ等感染症に追加した。

2023年　新型コロナウイルス感染症を五類感染症・「インフルエンザ/COVID-19定点及び基幹定点」に移行した。サル痘から「エムポックス」に名称が変更された。

用語　重症急性呼吸器症候群（severe acute respiratory syndrome；SARS），中東呼吸器症候群（Middle East respiratory syndrome；MERS）

8.10.5　五類感染症

五類感染症は，感染力および罹患した場合の重篤性などにもとづく総合的な観点からみた危険性が高くないが，国が感染症発生動向調査を行い，その結果などにもとづいて必要な情報を国民一般や医療関係者に提供・公開していくことによって，発生・蔓延を防止すべき感染症である。インフルエンザ（鳥インフルエンザおよび新型インフルエンザ等感染症を除く），ウイルス性肝炎（E型肝炎，A型肝炎を除く），クリプトスポリジウム症，後天性免疫不全症候群，性器クラミジア感染症，梅毒，麻しん，メチシリン耐性黄色ブドウ球菌感染症が法律で定義され，アメーバ赤痢，RSウイルス感染症，咽頭結膜熱，A群溶血性レンサ球菌咽頭炎，カルバペネム耐性腸内細菌目細菌感染症，感染性胃腸炎，急性出血性結膜炎，急性弛緩性麻痺（急性灰白髄炎を除く），急性脳炎（四類感染症を除く），クラミジア肺炎（オウム病を除く），クロイツフェルト・ヤコブ病，劇症型溶血性レンサ球菌感染症，細菌性髄膜炎，ジアルジア症，新型コロナウイルス感染症，侵襲性インフルエンザ菌感染症，侵襲性髄膜炎菌感染症，侵襲性肺炎球菌感染症，水痘，性器ヘルペスウイルス感染症，尖圭コンジローマ，先天性風しん症候群，手足口病，伝染性紅斑，突発性発しん，播種性クリプトコックス症，破傷風，バンコマイシン耐性黄色ブドウ球菌感染症，バンコマイシン耐性腸球菌感染症，百日咳，風しん，ペニシリン耐性肺炎球菌感染症，ヘルパンギーナ，マイコプラズマ肺炎，無菌性髄膜炎，薬剤耐性アシネトバクター感染症，薬剤耐性緑膿菌感染症，流行性角結膜炎，流行性耳下腺炎，淋菌感染症が省令で定められている。

また，全数把握と定点把握に分けられ，サーベイランスに主眼がおかれている（表8.10.1参照）。

8.10.6　新型インフルエンザ等感染症

新型インフルエンザと再興型インフルエンザがある。新型インフルエンザは，インフルエンザのうち新たにヒトからヒトに伝染する能力を有することとなったウイルスを病原体とするものである。再興型インフルエンザは，かつて世界的規模で流行したインフルエンザで，その後流行することなく長期間が経過しているものとして厚生労働大臣が定めるものが再興したものである。どちらも一般的に現在の国民の大部分がこの感染症に対する免疫を獲得していないことから，この感染症の全国的かつ急速な蔓延により国民の生命および健康に重大な影響を与えるおそれがあると認められたものをいう。

8.10.7　指定感染症

すでに知られている感染症の疾病（一類感染症，二類感染症，三類感染症および新型インフルエンザ等感染症を除く）であって，この疾病の蔓延により国民の生命および健康に重大な影響を与えるおそれのあるものとして政令で定めるものをいう。現時点では法的な対応は必要ないと判断される感染症が集団発生し，緊急に強権的な措置を講じなければならなくなった場合などに政令で指定される感染症である。

8.10.8　新感染症

人から人に伝染すると認められる疾病であってすでに知られている感染性の疾病とその病状または治療の結果が明らかに異なるもので，この疾病にかかった場合の病状の程度が重篤であり，かつ，この疾病の蔓延により国民の生命および健康に重大な影響を与えるおそれのあると認められるものをいう。すなわち未知の疾病であり，原因が究明されるまでの間に甚大な被害が生じるおそれがある。このような疾病について厳しい要件の下で，強権的な措置を講じられる。

用語　RS（respiratory syncytial）

表 8.10.1　感染症法の対象疾患

分類	対象疾患	おもな対応
一類感染症	エボラ出血熱，クリミア・コンゴ出血熱，痘そう，南米出血熱 ペスト，マールブルグ病，ラッサ熱	直ちに届出，原則入院
二類感染症	急性灰白髄炎，結核，ジフテリア，重症急性呼吸器症候群（SARS） 中東呼吸器症候群（MERS），鳥インフルエンザ（H5N1 および H7N9）	直ちに届出，状況に応じて入院
三類感染症	コレラ，細菌性赤痢，腸管出血性大腸菌感染症，腸チフス，パラチフス	直ちに届出，特定職業への就業制限
四類感染症	E 型肝炎，A 型肝炎，黄熱，Q 熱，狂犬病，炭疽，鳥インフルエンザ（特定鳥インフルエンザを除く H5N1 および H7N9），ボツリヌス症，マラリア，野兎病 ウエストナイル熱，エキノコックス症，オウム病，オムスク出血熱，回帰熱，キャサヌル森林病，コクシジオイデス症，エムポックス，ジカウイルス感染症，重症熱性血小板減少症候群（病原体がフレボウイルス属 SFTS ウイルスであるものに限る），腎症候性出血熱，西部ウマ脳炎，ダニ媒介脳炎，チクングニア熱，つつが虫病，デング熱，東部ウマ脳炎，ニパウイルス感染症，日本紅斑熱，日本脳炎，ハンタウイルス肺症候群，B ウイルス病，鼻疽，ブルセラ症，ベネズエラウマ脳炎，ヘンドラウイルス感染症，発しんチフス，ライム病，リッサウイルス感染症，リフトバレー熱，類鼻疽，レジオネラ症，レプトスピラ症，ロッキー山紅斑熱	直ちに届出，消毒，動物の輸入禁止などの措置
五類感染症	全数把握：ウイルス性肝炎（E 型肝炎および A 型肝炎を除く），クリプトスポリジウム症，後天性免疫不全症候群，梅毒，麻しん，アメーバ赤痢，カルバペネム耐性腸内細菌目細菌感染症，急性脳症（ウエストナイル脳炎，西部ウマ脳炎，ダニ媒介脳炎，東部ウマ脳炎，日本脳炎，ベネズエラウマ脳炎およびリフトバレー熱を除く），クロイツフェルト・ヤコブ病，劇症型溶血性レンサ球菌感染症，ジアルジア症，侵襲性インフルエンザ菌感染症，侵襲性髄膜炎菌感染症，侵襲性肺炎球菌感染症，水痘（入院例に限る），先天性風しん症候群，播種性クリプトコックス症，破傷風，バンコマイシン耐性黄色ブドウ球菌感染症，バンコマイシン耐性腸球菌感染症，百日咳，風しん，薬剤耐性アシネトバクター感染症	侵襲性髄膜炎菌感染症，風しんおよび麻しんは直ちに届出，その他の感染症は 7 日以内に届出
	小児科定点：RS ウイルス感染症，咽頭結膜熱，A 群溶血性レンサ球菌咽頭炎，感染性胃腸炎，水痘，手足口病，伝染性紅斑，突発性発しん，ヘルパンギーナ，流行性耳下腺炎 インフルエンザ /COVID-19 定点：インフルエンザ（鳥インフルエンザおよび新型インフルエンザ等感染症を除く），新型コロナウイルス感染症（病原体がベータコロナウイルス属のコロナウイルス（令和二年一月に中華人民共和国から世界保健機関に対して，人に伝染する能力を有することが新たに報告されたものに限る）であるものに限る） 眼科定点：急性出血性結膜炎，流行性角結膜炎 性感染症定点：性器クラミジア感染症，性器ヘルペスウイルス感染症，尖圭コンジローマ，淋菌感染症 基幹定点：感染性胃腸炎（病原体がロタウイルスであるものに限る），クラミジア肺炎（オウム病を除く），細菌性髄膜炎，マイコプラズマ肺炎，無菌性髄膜炎，メチシリン耐性黄色ブドウ球菌感染症，ペニシリン耐性肺炎球菌感染症，薬剤耐性緑膿菌感染症	指定届出機関で情報収集 週単位と月単位で報告
新型インフルエンザ等感染症	なし	直ちに届出
指定感染症	なし	直ちに届出
新感染症	病原体が明らかでない感染症，症状が重篤かつ当該疾患の蔓延により国民の生命および健康に重大な影響を与えるおそれのあるもの	直ちに届出，原則入院

感染症を診断したときの届出は？

A　医師の届出は，一類感染症の患者，二類感染症，三類感染症，四類感染症の患者または無症状病原体保有者，省令で定める五類感染症または新型インフルエンザ等感染症と新感染症にかかっていると疑われる者については，直ちにその者の氏名，年齢，性別について保健所長を経由して都道府県知事に行う。また，省令で定める五類感染症の患者については 7 日以内に，その者の年齢，性別を同様に届出義務がある。

8. 10. 9　特定病原体等（一種，二種，三種，四種）

国内における病原体などのうち管理体制が確立しておらず，生物テロとして使用される危険性が高いことから一種病原体等から四種病原体等まで分類し，使用，輸入などの禁止許可，届出，基準の遵守などの規則を講じたものである。

一種病原体等は原則使用を禁止すべきものであり，現在，わが国に存在しないものである。ラッサウイルス，エボラウイルス，痘そうウイルス，クリミア・コンゴ出血熱ウイルス，マールブルグウイルス，南米出血熱ウイルスが定め

用語　重症熱性血小板減少症候群（severe fever with thrombocytopenia syndrome；SFTS）

表 8.10.2 特定病原体などの分類

<table>
<tr><th></th><th>一種病原体等</th><th>二種病原体等</th><th>三種病原体等</th><th>四種病原体等</th></tr>
<tr><td>病原体など</td><td>ラッサウイルス，エボラウイルス，痘そうウイルス，クリミア・コンゴ出血熱ウイルス，マールブルグウイルス，南米出血熱ウイルス</td><td>ペスト菌，ボツリヌス菌，SARSコロナウイルス，炭疽菌，野兎病菌，ボツリヌス毒素</td><td>Q熱コクシエラ，多剤耐性結核菌，狂犬病ウイルスが法律で定義され，東部ウマ脳炎ウイルス，西部ウマ脳炎ウイルス，ベネズエラウマ脳炎ウイルス，エムポックスウイルス，コクシディオイデス属イミチス，類鼻疽菌，鼻疽菌，ハンタウイルス属，フラビウイルス属，ブルセラ属，フレボウイルス属，MERSコロナウイルス，ヘニパウイルス属，日本紅斑熱リケッチア，発しんチフスリケッチア，ロッキー山紅斑熱リケッチアが政令で定められている</td><td>インフルエンザウイルスA（H2N2，H5N1，H7N7，H7N9），腸管出血性大腸菌，ポリオウイルス，クリプトスポリジウム，チフス菌，パラチフスA菌，志賀毒素，赤痢菌，コレラ菌，黄熱ウイルス，結核菌が定義され，オウム病クラミジア，ウエストナイルウイルス，日本脳炎ウイルス，デングウイルス，新型コロナウイルスが政令で定められている</td></tr>
<tr><td>取扱い</td><td>所持などの禁止
国または政令で定める法人のみ所持（施設を特定），輸入，譲渡しおよび譲受けが可能
運搬の届出（公安委）
発散行為の処罰</td><td>所持などの許可
試験研究などの目的で厚生労働大臣の許可を受けた場合に，所持，輸入，譲渡しおよび譲受けが可能
運搬の届出（公安委）</td><td>所持などの届出
病原体などの種類について厚生労働大臣へ事後届出（7日以内）
運搬の届出（公安委）</td><td>基準の遵守
病原体を所持した場合，厚生労働大臣への届出は不要であるが，所持者に管理責任がある</td></tr>
<tr><td rowspan="6">義務・その他</td><td colspan="2">病院，診療所，検査を行う機関が，業務に伴い病原体を所持することになった場合は，滅菌，無毒化しなければならない</td><td>省令で定めるところにより滅菌，譲渡するまでの間，届出などはいらない</td><td></td></tr>
<tr><td colspan="2">滅菌，譲渡する場合も，記帳義務，政令で定められた施設，保管，運搬，滅菌などの基準の遵守</td><td colspan="2">滅菌，譲渡するまでの間，政令で定められた施設，保管などの基準は適用されない</td></tr>
<tr><td colspan="3">運搬の届出（公安委員会：証明書の交付）</td><td></td></tr>
<tr><td>発散行為の処罰</td><td>許可なく所持した場合は処罰</td><td>届出せず所持した場合は処罰</td><td></td></tr>
<tr><td>一種病原体等の施設基準</td><td>二種病原体等の施設基準</td><td>三種病原体等の施設基準</td><td>結核菌，ウイルスは，生物学的安全キャビネットの設置，排水・廃液の滅菌ほか</td></tr>
<tr><td colspan="4">盗難など事故発生時の届出，災害時の応急措置と届出，厚生労働大臣による改善命令，改善命令違反などに対する罰則</td></tr>
</table>

られている。

二種病原体等は許可制度により，検査・治療・試験研究の目的の所持・輸入が認められている。ペスト菌，ボツリヌス菌，SARSコロナウイルス，炭疽菌，野兎病菌，ボツリヌス毒素が定められている。

三種病原体等は所持などの届出対象とする病原体などである。二種病原体等ほどの病原性はなく，病原体などの所持は認めるが，場合により，国民の生命・健康に影響を与えるため，病原体などの種類，使用目的，使用・保管施設などを常時把握する必要がある。Q熱コクシエラ，多剤耐性結核菌，狂犬病ウイルスが法律で定義され，東部ウマ脳炎ウイルス，西部ウマ脳炎ウイルス，ベネズエラウマ脳炎ウイルス，エムポックスウイルス，コクシジオイデス属イミチス，類鼻疽菌，鼻疽菌，ハンタウイルス属，フラビウイルス属，ブルセラ属，フレボウイルス属，MERSコロナウイルス，ヘニパウイルス属，日本紅斑熱リケッチア，発しんチフスリケッチア，ロッキー山紅斑熱リケッチアが政令で定められている。

四種病原体等は，保管などの基準を遵守する必要がある。インフルエンザウイルスA（H2N2，H5N1，H7N7，H7N9），腸管出血性大腸菌，ポリオウイルス，クリプトスポリジウム，チフス菌，パラチフスA菌，志賀毒素，赤痢菌，コレラ菌，黄熱ウイルス，結核菌が定義され，オウム病クラミジア，ウエストナイルウイルス，日本脳炎ウイルス，デングウイルス，新型コロナウイルスが政令で定められている。

感染症法による感染症の分類を表8.10.1に，特定病原体などの種別と取扱いを表8.10.2に示した。

参考情報

この法律において感染症の分類を指定する方法は，法律を基本とするが，四類感染症は政令，五類感染症は省令で追加することができる。指定感染症は政令で新感染症は当初は厚生労働大臣の指導・助言および指示であるが，政令で追加することができる。

［宮本仁志］

参考文献

1） 厚生労働省健康局結核感染症課（監）：詳解　感染症の予防及び感染症の患者に対する医療に関する法律 四訂版，中央法規，2016.

2） 日本臨床衛生検査技師会（編）：臨床検査技師のための病院感染対策の実践ガイド 改訂版，日本臨床衛生検査技師会，2008.

3） 日本感染症学会：多剤耐性アシネトバクターおよびその感染症について．http://www.kansensho.or.jp/mrsa/pdf/110318_mdra.pdf

4） 厚生労働省：感染症の予防及び感染症の患者に対する医療に関する法律（平成十年十月二日法律第百十四号），最終改正：平成二六年一一月二一日法律第一一五号．http://law.e-gov.go.jp/htmldata/H10/H10HO114.html

8.11　感染制御と感染制御チーム活動

- チーム医療として感染制御チーム（ICT）活動が感染制御に重要な役割を担う。
- アウトブレイクを迅速に把握できるよう，日常的にサーベイランスを実施する。
- 適切な感染症治療と薬剤耐性菌を増やさないためにアンチバイオグラムを作成し，適正な抗菌薬使用のために情報提供する。

8.11.1　アウトブレイク

アウトブレイクの考え方と対応については，2014年12月19日付の厚生労働省医政局地域医療計画課長からの通知『医療機関における院内感染対策について』を参考に記載する。

アウトブレイクの定義は，「一定期間内に，同一病棟や同一医療機関といった一定の場所で発生した院内感染の集積が通常よりも高い状態のこと」である。アウトブレイクの介入基準は，「1例目の発見から4週間以内に，同一病棟において新規に同一菌種による感染症の発症が計3例以上特定された場合，または同一機関内で同一菌株と思われる感染症の発病症例（抗菌薬感受性パターンが類似した症例等）が3例以上特定された場合を基本とする。ただし，カルバペネム耐性腸内細菌目細菌（CRE），バンコマイシン耐性黄色ブドウ球菌（VRSA），多剤耐性緑膿菌（MDRP），バンコマイシン耐性腸球菌（VRE）及び多剤耐性アシネトバクター属（MDRA）の5種類の多剤耐性菌については，保菌を含めて1例目の発見をもって，アウトブレイクに準じて厳重な感染対策を実施すること。」とされている。

アウトブレイク時の対応は，「(1)同一医療機関内又は同一病棟で同一菌種の細菌又は共通する薬剤耐性遺伝子を含有するプラスミドを有すると考えられる細菌による感染症の集積が見られ，疫学的にアウトブレイクと判断した場合には，当該医療機関は院内感染対策委員会又は感染制御チームによる会議を開催し，速やかに必要な疫学的調査を開始するとともに，厳重な感染対策を実施すること。この疫学的調査の開始及び感染対策の実施は，アウトブレイクの把握から1週間を超えないことが望ましいこと。(2)プラスミドとは，染色体DNAとは別に菌体内に存在する環状DNAのことである。プラスミドは，しばしば薬剤耐性遺伝子を持っており，接合伝達により他の菌種を含む別の細菌に取り込まれ，薬剤に感性だった細菌を耐性化させることがある。」

医療機関においては常備している院内感染防止マニュアルなどに従って，アウトブレイク時の対応を的確に，しかも速やかな院内感染防止対策が要求され，標準予防策および感染経路別予防策の徹底とともに感染症患者には適切な治療を行う必要がある。さらにアウトブレイク終息へ向けた職員への情報共有と対策の周知を行う必要がある。

8.11.2　サーベイランス

サーベイランスとはある対策の立案，実施，評価のために系統的，継続的な情報の収集，解析および解釈を行い，その結果と対策を実施する人々に伝えることをいう。

わが国における感染症サーベイランスは「感染症の予防

用語　感染制御チーム（infection control team；ICT），カルバペネム耐性腸内細菌目細菌（carbapenem-resistant *Enterobacterales*；CRE），バンコマイシン耐性黄色ブドウ球菌（vancomycin-resistant *Staphylococcus aureus*；VRSA），多剤耐性緑膿菌（multidrug-resistant *Pseudomonas aeruginosa*；MDRP），バンコマイシン耐性腸球菌（vancomycin-resistant enterococci；VRE），多剤耐性アシネトバクター属（multidrug-resistant *Acinetobacter* spp.；MDRA）

及び感染症の患者に関する法律」（感染症法）の「第三章感染症に関する情報の収集及び公表」にもとづいて行われている。すなわち，「医師及び獣医師の届出，感染症の発生の状況及び動向把握」として定められている。

現在，病院感染対策としてのサーベイランスは病院全体で行うものと特定の疾患を対象に行うものがあり，前者はMRSAや緑膿菌，セラチアサーベイランス，後者は手術部位感染（SSI）サーベイランスや集中治療室（ICU）における感染（血流・尿路・肺）に対するサーベイランスがある。

厚生労働省が実施している院内感染対策サーベイランス（JANIS）事業は，2007年7月から国公立大学附属病院を含む主要な病院を対象に薬剤耐性菌，院内感染に関する情報提供が開始された全国的なサーベイランスである。

検査部門，全入院患者部門，ICU部門，新生児集中治療室部門（NICU部門），SSI部門の5部門から構成されている。これらの部門から収集した薬剤耐性菌の検出状況や特定の薬剤耐性菌などによる感染症患者の発生動向に関する地域別の情報を把握・分析し，積極的に各医療機関へ情報提供することが必要である。

8.11.3 アンチバイオグラム

アンチバイオグラム（抗菌薬感受性率表）とは，ある施設で一定期間に臨床材料から分離された主要病原菌の薬剤感受性試験の成績を集計し，感性率（% S）を表形式にしたものである。病院や病棟別の感受性成績の経時的な推移を観察し，その施設における菌の特徴を把握し，適正な抗菌薬を選択する資料として活用することが目的である。

アンチバイオグラム作成ガイドライン作成チームから「アンチバイオグラム作成ガイドライン」が示されている。

アンチバイオグラム作成法および注意点について記載する。

- 作成が推奨される菌種と抗菌薬の組み合わせを踏まえて作成する。
- 最終報告された感受性検査結果のみを用いる。
- 施設ごとに作成する。
- 1年に1回作成する。
  分離株数が少ない場合には，2年以上のデータを用いて作成してもよい。
- 検出部位や感受性パターンと関係なく，それぞれの菌種において対象期間（通常は1年）中に，患者1人に対し て最初に分離された株（初回分離株）のみを対象とする。
- 保菌検査（MRSAやVREなど），環境調査など診断目的以外の検体からの分離株は原則として除く。
- 対象1菌種あたり 30株以上の分離がある場合のみ解析に含める。
  対象株が30株未満の場合は，参考値である旨の注釈をつける。
- その菌種について日常検査を行っている抗菌薬のみを含める。
- 臨床側への報告の有無とは関係なく，行った感受性検査は全て解析に含める。
- 追加された感受性検査，すなわち特定の患者や耐性菌にのみ行った結果は含めない。
- 感性株の割合（% S）のみを表示する。
  中間（“I”）や用量依存性感性（“SDD”）は含めない。
- 感受性検査の判定は，測定時点のブレイクポイントに従う。
  用いたブレイクポイント（例：CLSI M100-S27）を記載する。
- *Streptococcus pneumoniae*はペニシリン，セフォタキシキム，セフトリアキソン，セフェピムに関しては，検体材料に関わらず全株について髄膜炎と髄膜炎以外の両方の基準で算出する。
  ペニシリンは静注薬用のブレイクポイントを用いる。
- *Staphylococcus aureus*はMRSA, MSSAの2群に分ける。
  詳細は，「アンチバイオグラム作成ガイドライン」を参照のこと。

表8.11.1にグラム陰性桿菌のアンチバイオグラムの一例を示した。

用語　手術部位感染症（surgical site infection；SSI），集中治療室（intensive care unit；ICU），厚生労働省院内感染対策サーベイランス（Japan Nosocomial Infections Surveillance；JANIS），新生児集中治療室（neonatal intensive care unit；NICU）

表 8.11.1　アンチバイオグラム（グラム陰性桿菌）2022 年 4 月 1 日～ 10 月 31 日）

菌名	株数	ABPC	SBT/ABPC	TAZ/PIPC	CEZ	CAZ	CTRX	CFPM	SBT/CPZ	CMZ	FMOX	MEPM	DRPM	GM	AMK	MINO	LVFX	CPFX	FOM
P. aeruginosa	124	−	−	84%	−	89%	−	83%	88%	−	−	72%	77%	98%	98%	−	73%	78%	62%
E. coli	292	71%	81%	98%	84%	100%	100%	100%	100%	100%	100%	100%	100%	93%	100%	94%	79%	79%	99%
E. coli ESBL	67	0%	0%	0%	0%	0%	0%	0%	0%	93%	94%	100%	100%	87%	100%	94%	15%	13%	96%
K. pneumoniae	107	0%	89%	95%	89%	98%	99%	98%	99%	97%	98%	100%	100%	98%	100%	90%	95%	94%	88%
K. oxytoca	67	0%	76%	94%	33%	100%	96%	100%	94%	100%	100%	100%	100%	100%	100%	99%	99%	96%	94%
Enterobacter	111	0%	14%	86%	0%	77%	78%	95%	95%	0%	32%	100%	100%	98%	98%	94%	97%	94%	75%
S. marcescens	28	0%	7%	93%	0%	93%	93%	96%	96%	89%	96%	100%	100%	100%	100%	89%	100%	100%	93%
C. freundii complex	36	0%	53%	81%	0%	75%	78%	100%	97%	0%	61%	100%	100%	97%	100%	81%	92%	92%	94%
C. koseri	16	6%	88%	94%	81%	94%	94%	94%	94%	94%	100%	100%	100%	100%	100%	100%	94%	94%	94%
P. mirabilis	18	100%	100%	100%	33%	100%	100%	100%	100%	100%	100%	100%	100%	100%	100%	0%	94%	94%	94%
M. morganii	25	0%	44%	96%	0%	92%	96%	100%	100%	96%	96%	100%	100%	92%	100%	64%	96%	96%	36%

100% ～ 90%,　89% ～ 70%,　69% ～ 50%
(CLSI M1C0-26)

8. 11. 4　抗菌薬の適正使用

抗菌薬による感染症治療にあたっては，感染症の起因菌に有効な抗菌薬を選択し，十分な効果が発揮されることと副作用の少ない適正な使用が望まれる。

抗菌薬適正使用指針が国公立大学病院感染対策協議会の病院感染対策ガイドライン 改訂第5.1版に記載されている。

その内容は薬剤耐性菌の分離状況と抗菌薬使用には密接な関係があることを指摘し，無駄な抗菌薬の使用削減，臨床効果を最大限に引き出し，耐性菌の出現や菌交代を含む抗菌薬使用による副作用を最小限に抑えること，さらに医療コストを削減する必要があり，適切な感染症治療や科学的根拠にもとづいた抗菌薬の選択と使用が求められている。

感染症治療の基本は，感染部位および起因菌を確定して適切な抗菌薬を選択し，最適な用法・用量で投与することである。そのために必要となる項目が記載されている。

①患者背景，起因菌，感染部位，組織移行性に基づいた抗菌薬の選択を行う。
②医療機関ごとに主要な細菌の抗菌薬感受性パターン（アンチバイオグラム）やその動向を把握し，経験的（empiric）治療での抗菌薬選択に活用する。
③患者状態を勘案し，十分量（高用量）で十分な期間の抗菌薬投与を行う。
④広域抗菌薬は，多用を避け，長期使用を必要最小限とする。
⑤重症例などでは，広域抗菌薬の投与による状態の改善を目指すが，広域抗菌薬は，多用や長期投与により患者体内あるいは環境中の抗菌薬耐性菌の増加につながるため，慎重に使用する。
⑥複数菌感染症や抗菌薬耐性菌感染症の治療などを除いて，通常は単剤療法を選択する。
⑦併用薬との相互作用により，抗菌薬または併用薬の血中濃度や薬理効果が変化することがあるので，併用薬を確認する。
⑧起因菌を特定するために，抗菌薬投与前の適切な検査材料の採取を行う
⑨原則として，保菌に対する抗菌薬投与は行わない。

また，抗菌薬投与時の注意点や抗菌薬の管理，アナフィラキシー対策などの記載がある。

用語　アンピシリン（ampicillin；ABPC），スルバクタム・アンピシリン（sulbactam/ampicillin；SBT/ABPC），タゾバクタム・ピペラシリン（tazobactam/piperacillin；TAZ/PIPC），セファゾリン（cefazolin；CEZ），セフタジジム（ceftazidime；CAZ），セフトリアキソン（ceftriaxone；CTRX），セフェピム（cefepime；CFPM），スルバクタム・セフォペラゾン（sulbactam/cefoperazone；SBT/CPZ），セフメタゾール（cefmetazole；CMZ），フロモキセフ（flomoxef；FMOX），メロペネム（meropenem；MEPM），ドリペネム（doripenem；DRPM），ゲンタマイシン（gentamicin；GM），アミカシン（amikacin；AMK），ミノサイクリン（minocycline；MINO），レボフロキサシン（levofloxacin；LVFX），シプロフロキサシン（ciprofloxacin；CPFX），ホスホマイシン（fosfomycin；FOM）

8. 11. 5 ICT 活動と AST 活動

感染制御チーム（ICT）および抗菌薬適正使用支援チーム（AST）は感染制御医師（ICD），感染制御看護師（ICN），感染制御専門薬剤師（ICPS），感染制御認定臨床微生物検査技師（ICMT）がチームとして活動している。

ICT活動とは①サーベイランスの実施（疫学的に重要な病原体の疫学情報，抗菌薬感受性率など），②アウトブレイク（疑いを含む）への対応（分子疫学的解析，保菌調査など），③院内ラウンドへの参加と環境調査，④院内感染対策に関する教育・啓発活動，⑤地域連携活動を行い，院内感染の抑制に貢献することが目的である。

これに対しAST活動とは，①感染症治療の早期モニタリングと主治医へのフィードバック，②微生物検査・臨床検査の利用の適正化，③抗菌薬適正使用に係る評価，④抗菌薬適正使用の教育・啓発活動，⑤院内で使用可能な抗菌薬の見直し，⑥他の医療機関から抗菌薬適正使用の推進に関する相談を受けるなどの活動を行い，抗菌薬の適正使用に繋げることで，耐性菌の発生を抑制することを目的としている。

2022年度より感染防止対策加算は1～3に分類される感染対策向上加算に改定され，感染対策向上加算1の施設はASTを組織し，業務を実施することが必要となった。

Q 効果的な抗菌薬の管理方法は？

A
1）抗菌薬使用届出制度の実施は，抗菌薬の適正使用および使用量減少に有用である。
2）届出制に加え使用期間の監視やTDM解析など継続的な介入がより効果的である。

［宮本仁志］

用語　抗菌薬適正使用支援チーム（antimicrobial stewardship team；AST），感染制御医師（infection control doctor；ICD），感染制御看護師（infection control nurse；ICN），感染制御専門薬剤師（infection control pharmacy specialist；ICPS），感染制御認定臨床微生物検査技師（infection control microbiological technologist；ICMT），治療薬物モニタリング（therapeutic drug monitoring；TDM）

参考文献

1）感染症教育コンソーシアムアンチバイオグラム作成ガイドライン作成チーム：アンチバイオグラム作成ガイドライン，2019．https://amr.ncgm.go.jp/pdf/201904_antibaiogram_guideline.pdf
2）厚生労働省医政局地域医療計画課長：医療機関における院内感染対策について，医政地発1219第1号(平成26年12月19日)，2014．
3）厚生労働省健康局結核感染症課(監)：詳解　感染症の予防及び感染症の患者に対する医療に関する法律 四訂版，中央法規，2016．
4）日本臨床衛生検査技師会(編)：臨床検査技師のための病院感染対策の実践ガイド 改訂版，日本臨床衛生検査技師会，2008．
5）国公立大学附属病院感染対策協議会(編)：病院感染対策ガイドライン 改訂第5.1版，じほう，2020．

B. 微生物学的検査

9章 細菌

章目次

SUMMARY

菌は原核生物に属する自己複製能力を持った微生物で，一部の細菌を除き，生きた細胞がなくても適切な環境と栄養物が存在すると自分自身で増殖できる。細菌の大きさは真菌とウイルスの中間（真菌＞細菌＞ウイルス）に位置するため，細菌の観察（ブドウ球菌の場合；直径約0.8～1.0μm程度）には光学顕微鏡が用いられ，通常はグラム染色による染色性と形態（球菌，桿菌，らせん菌など）によって大別される。細菌は偏性好気性，通性嫌気性，偏性嫌気性の条件下にて自然環境に広く分布し，ヒトや動物などの体内にも多数存在する。

臨床微生物の検査業務では細菌，真菌，ウイルスが対象となるため，個々の細菌の分類・疫学・形態・培養法・分離培地・同定検査・薬剤感受性検査・病原因子・消毒法など幅広い知識を身につける必要がある。

9.1 好気性・通性嫌気性グラム陽性球菌

- *Staphylococcus* 属は *S. aureus* が臨床的に最も重要である。本菌種は，ヒトでは約30%が保有しており，化膿性疾患や産生する種々の毒素によって感染症を起こす。
- メチシリン耐性 *S. aureus*（MRSA）は，病院感染対策上，最も重要な薬剤耐性菌の1つである。
- コアグラーゼ陰性 staphylococci（CNS）の多くは，皮膚の主要な常在菌であるが，免疫能が低下した患者や体内留置物装着患者において感染症を起こすことがある。
- *Streptococcus* 属は，ヒツジ血液寒天培地上の溶血性から，β溶血，α溶血，γ溶血（非溶血）に分類される。
- β溶血性レンサ球菌は *S. pyogenes*，*S. agalactiae*，ランスフィールドのCおよびG群レンサ球菌が臨床的に重要である。
- α溶血性レンサ球菌は *S. pneumoniae* が臨床的に最も重要である。ほかの菌種の多くはヒトの口腔または上気道の常在菌であるが，感染性心内膜炎などを起こすことがある。
- *Enterococcus* 属は腸管内に常在する弱毒菌であるが，国外ではバンコマイシン耐性菌（VRE）が増加し，病院感染対策上問題となっている。

9.1.1 スタフィロコッカス属（Genus *Staphylococcus*）

Staphylococcus 属が属する *Staphylococcus* 科は，ほかに *Abyssicoccus* 属，*Aliicoccus* 属，*Corticicoccus* 属，*Gemella* 属，*Jeotgalicoccus* 属，*Macrococcus* 属，*Mammaliicoccus* 属，*Salinicoccus* 属および *Nosocomiicoccus* 属がある。そのなかで，*Staphylococcus* 属が臨床的に重要であり，菌種では *S. aureus* がヒトにさまざまな感染症を起こす。ほかの菌種は非病原性～弱毒菌と考えられてきたが，医療の進歩に伴う易感染患者の増加により，起因菌となることがある。

Staphylococcus 属のコアグラーゼ陽性菌の1つである *S. aureus* は，さまざまな外毒素の産生やカテーテルなどへの付着など，病原性の強い細菌である。また，メチシリン耐性黄色ブドウ球菌（MRSA）は薬剤耐性菌として，感染症の治療や病院感染対策上問題となっている。

コアグラーゼ陰性ブドウ球菌（CNS）はおもにヒトの皮膚に常在しており，健常者から分離されても病原性はないと考えられていたが，免疫能の低下した患者では，感染症の起因菌となる。

1. 黄色ブドウ球菌（*Staphylococcus aureus*）

疫学

S. aureus はヒトの鼻腔，腋窩，陰部などの湿った部位に常在菌叢として存在する。市中感染においては擦過傷や切り傷をもとにした癤（せつ），癰（よう），とびひや化膿創，食中毒などの起因菌となる。病院感染例においては肺炎，褥瘡などや，人工物（人工関節，血管カテーテルなど）へのバイオフィルム形成による感染症の原因となる。近年，*S. aureus* と生化学的な鑑別を必要とする，*S. argenteus* と *S. schweitzeri* が新たに認知され，*S. aureus* complex として扱われるようになった*1。

用語 コアグラーゼ（coagulase），メチシリン耐性黄色ブドウ球菌（methicillin-resistant *Staphylococcus aureus*；MRSA），コアグラーゼ陰性ブドウ球菌（coagulase-negative staphylococci；CNS）

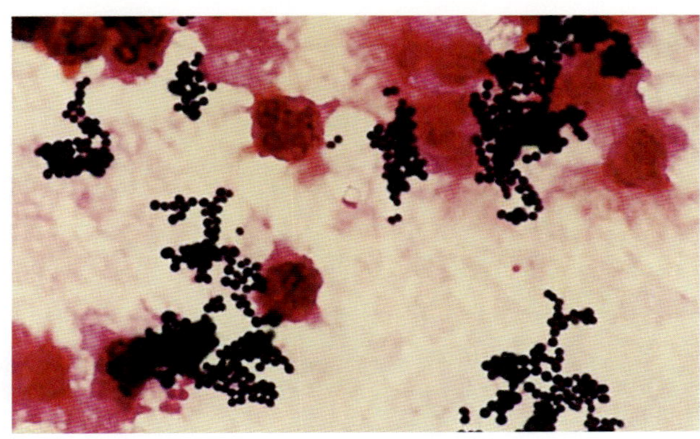

図 9.1.1　*Staphylococcus aureus*　Gram 染色　×1,000
典型的なブドウの房状を呈している。短い連鎖状，小さな集塊として見られる場合がある。

参考情報

＊1：これまで，*Staphylococcus aureus* には *Staphylococcus aureus* subsp. *anaerobius* と *Staphylococcus aureus* subsp. *aureus* の2種が知られていたが，2015年Tongらにより *Staphylococcus argenteus* と *Staphylococcus schweitzeri* が新菌種として提案され，コロニーの性状や生化学的性状が類似しているため *Staphylococcus aureus* complexとして扱われるようになった。MALDI TOF-MSを用いた検討では，*S. aureus* の分離総数の約2%近くが *S. argenteus* であったことが報告されている。検討した例数が少ないがメチシリン耐性率は低いようである。また，*S. schweitzeri* はいまのところ動物からの分離が主である。

PBP2′をコードする *mecA* 遺伝子はSCC*mec* とよばれ，これを保有する *S. aureus* は β-ラクタム系薬の標的部位であるPBP＊2として新たにPBP2′（国外ではPBP2aと表記される）を合成し，薬剤耐性のMRSAとなる。

また，ヨーロッパの家畜由来MRSAの中には従来の *mec*Aとは異なるpenicillin-binding protein産生遺伝子である *mec*Cと命名された *mec*Aホモログを持つ typeXI SCC*mec* 株が分離されるようになってきた。この遺伝子検出には *mec*C用のプライマー使う必要がある。ただし，ヒトからの分離例は少ないため，注視が必要である。

参考情報

＊2：PBPはpenicillin-binding proteinの略である。細胞壁はムレインモノマー同士が架橋されて形成される。その架橋を合成する酵素がPBPである。β-ラクタム系薬は数種類あるPBPの中の特定のPBPと結合し，架橋合成を阻害することにより細胞壁合成を阻害する。

形態

菌体は大きさが直径1μm程度のグラム陽性で球状を示す。運動性や芽胞はなく，莢膜をもつ場合もある。本菌はブドウ状の集塊（クラスター）を形成することが多い（図9.1.1）。

表 9.1.1　臨床的に重要な *Staphylococcus* 属菌の同定のキーとなる性状

菌種	カタラーゼ	遊離（間接）コアグラーゼ	結合（直接）コアグラーゼ（クランピングファクター）	耐熱性DNase	6.5%NaCl加ブイヨンでの発育
S. aureus	+	+	+	+	+
S. auricularis	+	−	−	−	+
S. capitis	+	−	−	−	+
S. cohnii	+	−	−	−	+
S. epidermidis	+	−	−	−	+
S. haemolyticus	+	−	−	−	+
S. hominis	+	−	−	−	+
S. lugdunensis	+	−	(+)	−	+
S. saprophyticus	+	−	−	−	+
S. simulans	+	−	−	−	+
S. intermedius	+	+	(+)	+	+
S. pseudintermedius	+	+	−	+	+
S. schleiferi subsp. *schleiferi*	+	−	+	+	+
S. schleiferi subsp. *coagulans*	+	+	−	+	+
S. argenteus	+	+	ND	ND	+
S. schweitzeri	+	+	ND	ND	+

+は90%陽性，±は89%～11%陽性，−は90%以上陰性，(+)は菌株により陽性，NDは明らかにされていない。

培養

本菌種は通性嫌気性菌であるため大気下でも発育する。

普通寒天培地に発育し，ヒツジ血液寒天培地では比較的明瞭なβ溶血を示す。他菌の存在が疑われる検体では，卵黄加マンニット食塩培地などの選択培地を使用すると *S. aureus* の大部分はレシトビテリン反応（レシチナーゼ反応）が陽性であるため鑑別が容易となる。また，MRSA感染が疑われる検体からの分離には，MRSAスクリーニング培地なども用いられる。

同定（表9.1.1）

①カタラーゼ試験

Staphylococcus 属菌は陽性である。

②コアグラーゼ試験

1）間接コアグラーゼ試験：*S. aureus* は陽性である（図9.1.2）。

2）直接コアグラーゼ試験（クランピングファクター＊3）：*S. aureus* および *S. lugdunensis* は陽性である。

参考情報

＊3：クランピングファクター：直接コアグラーゼ試験で確認される因子で *S. aureus* などが産生する。フィブリン形成を起こし菌の周囲にフィブリン塊をつくることにより，白血球や血漿中の抗体による排除から免れるはたらきがあると考えられている。

用語　SCC*mec*（Staphylococcal cassette chromosomal *mec*），ペニシリン結合蛋白（penicillin-binding protein；PBP）

図 9.1.2　間接コアグラーゼ試験
ウサギ血漿に被検菌を溶かし，35℃，30～60 分培養後に，試験管を傾け，凝固したら陽性と判定する。

表 9.1.2　*S. aureus* が産生する毒素

毒素の種類	作用・疾患名
エンテロトキシン（耐熱性）	嘔吐，下痢，腹痛
毒素性ショック症候群毒素-1（TSST-1）	毒素性ショック症候群
表皮剝脱毒素	皮膚の剝離〔ブドウ球菌性熱傷様皮膚症候群（SSSS）〕
ヘモリジン	赤血球，免疫細胞の破壊
ロイコシジン（パントンバレンタイン・ロイコシジン）	白血球の破壊
レシチナーゼ	細胞膜障害

注：エンテロトキシンはとくに重要な毒素で，健常者の食中毒の原因や院内感染対策上問題となる。この毒素は耐熱性を示し，通常の調理温度では不活化できない。

③耐熱性 DNase 試験など

S. aureus は陽性である。

④6.5%NaCl 加ブイヨンでの発育試験

Staphylococcus 属菌は耐塩性を有し，6.5%NaCl 加ブイヨンに発育する。

⑤*spa* 遺伝子検出

黄色ブドウ球菌の特異的遺伝子である *spa* 遺伝子の存在を確認できれば，本菌種と同定できる。

⑥その他

レシトビテリン試験などがあり，*S. aureus* は陽性である。

抗菌薬耐性

本菌種の抗菌薬に対する耐性の種類により，以下のように区別される。

①ペニシリナーゼ産生 *S. aureus*

本菌種はペニシリナーゼのみを産生する菌種である。

②healthcare-associated methicillin-resistant *S. aureus* (HA-MRSA)，community-acquired methicillin-resistant *S. aureus* (CA-MRSA)

HA-MRSA（院内感染型 MRSA）は医療関連施設由来の MRSA と理解されている。検体から HA-MRSA を分離するには，選択培地の使用が有用である。従来はオキサシリン（MPIPC）を含有した選択培地が用いられていたが MPIPC に低感受性の CA- MRSA（市中感染型 MRSA）の存在が知られるようになり，セフォキシチン（CFX）を選択剤とした選択培地の使用や CFX の薬剤感受性で確認するようになってきている。CA-MRSA は軍隊，刑務所などの閉鎖的な環境で感染が増えると考えられ，米国では CA-MRSA 感染防御のためスポーツ後の手洗いの励行などが推奨されている。わが国では CA-MRSA は少ないが，欧米ではパントン・バレンタイン・ロイコシジン（PVL）産生 CA-MRSA が問題になっている。

③バンコマイシン耐性 MRSA（VRSA）

わが国や米国でバンコマイシン耐性 MRSA による感染症が報告された。これらの報告以後の分離例は極めて少ない。

迅速抗原検査

直接コアグラーゼやプロテイン A を検出するキットならびに，MRSA が産生する PBP2′ の検出キットが市販されている＊4。

病原因子

S. aureus が産生する毒素を表 9.1.2 に示す。

抵抗性

一般的な消毒薬や加熱などにより死滅する。

感染対策と感染症法

①感染対策

MRSA 感染症は，病院感染対策上最も重要な感染症である。そのため，院内における ICT 活動において発生動向や感染者の推移は重視されている。わが国においては近年，MRSA 感染率は減少傾向にある。

②感染症法

1) MRSA 感染症：感染症法五類感染症の定点報告対象疾病であり，対象施設は届出の義務がある。
2) バンコマイシン耐性黄色ブドウ球菌感染症：感染症法第五類感染症の全数把握疾病であり，届出の義務がある。

参考情報

＊4：遊離コアグラーゼ陽性は，*S. aureus*，*S. pseudintermedius*，*S. intermedius*，*S. schleiferi* subsp. *coagulans*，*S. delphini*，*S. lutrae*，*S. hyicus* は d（11～89%が陽性），クランピングファクター陽性は，*S. aureus*，*S. schleiferi* subsp. *schleiferi*，*S. sciuri* である。また，*S. intermedius* を対照としてラテックス凝集試薬の比較を行った成績ではメーカー間差が見られたとの報告がある。

用語　デオキシリボヌクレアーゼ（deoxyribonuclease；DNase），ペニシリナーゼ（penicillinase），オキサシリン（oxacillin；MPIPC），セフォキシチン（cefoxitin；CFX），パントン・バレンタイン・ロイコシジン（Panton-Valentine leukocidin；PVL），バンコマイシン耐性黄色ブドウ球菌（vancomycin-resistant MRSA；VRSA），感染制御チーム（infection control team；ICT），毒素性ショック症候群毒素-1（toxic shock syndrome toxin-1；TSST-1），ブドウ球菌性熱傷様皮膚症候群（Staphylococcal scalded skin syndrome；SSSS），ヘモリジン（hemolysin）

2. コアグラーゼ陰性ブドウ球菌(CNS)

分類

ヒトから分離されるおもな菌種には，*S. auricularis*，*S. capitis*, *S. cohnii*, *S. epidermidis*, *S. haemolyticus*, *S. hominis*, *S. lugdunensis*, *S. saprophyticus*および*S. simulans*などがある。

疫学

コアグラーゼ試験陰性の*Staphylococcus*属菌はCNSと総称される。CNSは，ヒトおよび動物の皮膚の常在菌叢として存在するため検体から分離されても大部分は非病原性と考えられていた。しかし，免疫能が低下した患者においては，感染症の起因菌となる場合がある。

病原性を示す菌種として，*S. capitis*は人工弁や自然弁の感染性心内膜炎，*S. cohnii*はカテーテル関連感染症，*S. epidermidis*は最も多く分離され，さまざまな感染症の起因菌となる。*S. haemolyticus*は菌血症などさまざまな感染症の起因菌，*S. lugdunensis*は比較的病原性が高く，本菌種は*S. aureus*と誤同定されやすい。薬剤感受性検査によるオキサシリン(MPIPC)の判定基準は*S. aureus*と同じである。*S. saprophyticus*は若い女性の急性膀胱炎の起因菌である。また，*S. simulans* は骨・関節感染症の起因菌として報告されている。

形態

2個から数個程度の集塊をなし，グラム染色性は陽性で球状を示す。

培養

CNSは通性嫌気性であり，大気下で発育する。培養にはヒツジ血液寒天培地などが用いられる。CNSが起因菌と解釈されるのは，通常無菌の部位から分離された場合である。

同定

CNSの同定は,同定キットや自動同定機器が用いられる。

抗菌薬耐性

MRSAと同様に*mecA*遺伝子をもつためメチシリン耐性CNSが存在する。

感染症法

感染症法に該当する感染症はない。

9.1.2 ストレプトコッカス属(Genus *Streptococcus*)

*Streptococcus*属は*Lactococcus*属，*Lactovum*属とともに*Streptococcus*科に属する。

*Streptococcus*属はβ溶血を示す*S. pyogenes*, *S. agalactiae*, α溶血を示す*S. pneumoniae*など多くの種類の菌種が属し，このなかには臨床的に重要な菌種がある。

β溶血性レンサ球菌(β-hemolytic Streptococcus)

β溶血性を示すグラム陽性レンサ球菌は，弱いβ溶血性から完全な溶血性を示す菌種がある。臨床的に重要な菌種は, *S. pyogenes*, *S. agalactiae*, *S. dysgalactiae* subsp. *dysgalactiae*，*S. dysgalactiae* subsp. *equisimilis*，*S. equi* subsp. *equi*，*S. equi* subsp. *zooepidemicus*, *S. canis*などがある(図9.1.3，表9.1.3)。

1. ストレプトコッカス・ピオゲネス(化膿レンサ球菌)(*Streptococcus pyogenes*)

疫学

*S. pyogenes*は急性咽頭炎や創傷感染の原因となる。また，感染後に糸球体腎炎やリウマチ熱が起こることが知られている。

侵入門戸が不明な壊死性筋膜炎や血液培養から分離された場合は，医師への迅速な報告と検査が必要である。壊死性筋膜炎は進行が早く予後不良な感染症である。

形態

直径0.5～1μmのグラム陽性球菌で，鞭毛はなく，莢膜をもつ菌株も存在する。液体培地上では長い連鎖状を呈するが，検体のGram染色では短く数個の連鎖の場合が多い。

培養

本菌は通性嫌気性菌であるが，とくに炭酸ガス存在下での発育はよく，嫌気培養すると酸素に鋭敏な溶血毒の作用が増強される。ヒツジ血液寒天培地で分離する。また，血液培養で陽性アラームのボトル内の培養液が溶血している場合には，本菌を含むβ溶血性レンサ球菌感染が疑われる。迅速な報告と患者の臨床背景の把握が必要である。

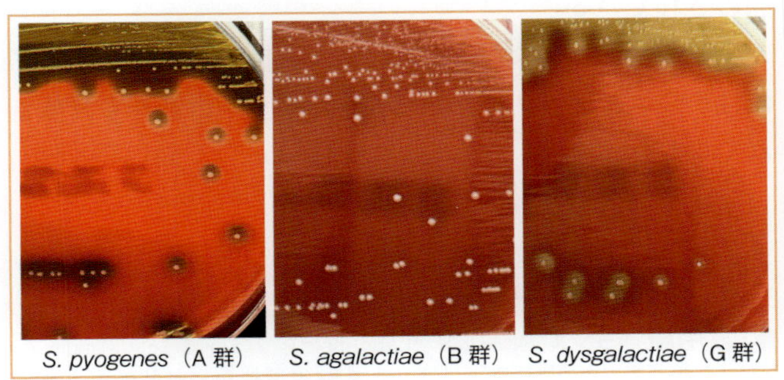

図9.1.3　菌種によるβ溶血性の違い

表 9.1.3　臨床的に重要なβ溶血性レンサ球菌の同定のキーとなる性状試験

菌種	ランスフィールド分類	バシトラシン感受性試験	PYR試験	CAMP試験	馬尿酸塩加水分解試験	トレハロース分解試験	ソルビトール分解試験
S. pyogenes	A	+	+	−	−	+	−
S. agalactiae	B	−	−	+	+	(+)	−
S. dysgalactiae subsp. *dysgalactiae*	C	−	−	−	−	+	(+)
S. dysgalactiae subsp. *equisimilis*	A, C, G, L	−	−	−	−	+	−
S. equi subsp. *equi*	C	−	−	−	−	−	−
S. equi subsp. *zooepidemicus*	G	−	−	−	−	−	+
S. anginosus group	A, C, G, F, none	−		−	−	+	−

+は 90% 陽性，±は 89 ～ 11% 陽性，−は 90% 以上陰性，（+）は菌株により陽性。

同定（表9.1.3）

①ランスフィールド分類試験＊5

Streptococcus 属菌は菌体表面の抗原構造に特徴が見られる。抗原性の違いを用いたのがランスフィールドの群別である。

抗血清に凝集が認められても共通抗原をもつ菌種が存在するため，本試験は補助的なものである。

参考情報

＊5：ランスフィールドの分類は，Rebecca Lancefieldによって菌体の多糖体抗原の免疫学的差異による分類であり，現在では，A群からZ群（I群およびJ群は除く，W群からZ群は暫定的）まで分類されている。A群溶血性レンサ球菌の同定において，このランスフィールドの血清群別は，ほかのβ溶血レンサ球菌と区別できるため重要である。検査室では，市販の群別用キットを用いる。

② バシトラシン（BC）感受性試験

S. pyogenes は感受性を示し陽性である。

③PYR試験（L-ピロリドニル-β-ナフチルアミド試験）

陽性である。

抗菌薬耐性

ペニシリンに感性を示すが，マクロライド系やリンコマイシン系およびテトラサイクリン系薬に耐性をもつものが報告されている。

S. agalactiae はペニシリン低感受性株や，マクロライド耐性かつニューキノロン非感性を示す多剤耐性株も分離されている。

病原因子

①発赤毒

Dick毒素ともよばれ，従来はこの毒素に対する患者の皮膚反応試験が実施されていた。本毒素は発熱，皮膚発赤，および細胞毒性を示す。

②DNase

DNA分解酵素である。

③ストレプトキナーゼ

プラスミノゲンを活性化してフィブリンを溶解する。

④ストレプトリジン

血球成分を溶解する毒素で，酸素に感性なストレプトリジンOと酸素に抵抗性のストレプトリジンSの2種類がある。

感染症法

劇症型溶血性レンサ球菌感染症（STSS）は，感染症法五類感染症の全数把握疾患である。

2. ストレプトコッカス・アガラクティエ（B群レンサ球菌）（*Streptococcus agalactiae*）

疫学

女性の腟内や腸管内に存在する。そのため，稀であるが新生児の髄膜炎，敗血症などの感染症を起こす。出生後1週間以内（early-onset）の発症では予後が極めて悪い。

形態

直径0.5～1 μmのグラム陽性球菌で連鎖状を示す。鞭毛をもたない。

培養

本菌は通性嫌気性菌であるが，とくに炭酸ガスの存在下での発育がよい。血液寒天培地で分離すると，培地上に極めて弱いβ溶血を伴った1.5mm前後の凸型円形コロニーを形成する。

同定

①CAMPテスト

陽性である。

②馬尿酸加水分解試験

陽性である（図9.1.4）。

③ランスフィールドの分類試験

B群に凝集が認められる。

用語　ランスフィールド（Lancefield），バシトラシン（bacitracin；BC），L-ピロリドニル-β-ナフチルアミド（L-pyrrolidonyl-β-naphthylamide；PYR），発赤毒（erythrogenic toxin），劇症型溶血性レンサ球菌感染症（streptococcal toxic shock syndrome；STSS），CAMP（Christie, Atkins, and Munch-Peterson）

図9.1.4 馬尿酸水解試験
馬尿酸試薬に被検菌を接種して，インキュベート後，ニンヒドリン試薬を滴下する。紫は陽性。

3. その他のβ溶血性レンサ球菌

CおよびG群溶血レンサ球菌は，皮膚・軟部組織の感染巣から分離される例や，ほかの感染症の起因菌と考えられる症例が増えてきているため，ランスフィールドの群別も含めた同定が必要な場合がある。とくに，血液培養陽性例で溶血が認められる場合は，Gram染色成績の報告とともに溶血性も伝える。

分離培地所見

C群およびG群は2～3mm程度のコロニーで，いずれも明瞭なβ溶血環を形成する。

同定

①簡易同定キット・自動同定機器

本菌種は同定キットもしくは自動同定機器により同定する。

②血清型別試験

ランスフィールドの分類試薬で検査する*6。

参考情報

*6：近年，A群以外のG群溶血性球菌等による劇症型の感染症が見られるようになった。症状も筋膜壊死や streptococcal toxic shock like syndrome (STLS) など，*S. pyogenes*による劇症型の症状と極めて類似していることが報告されている。さらに，白血球の食作用から防御する働きや，組織侵入といった病原因子を持つMタンパクも，近似の遺伝子を保持していることが報告されている。また，*Streptococcus canis*は動物の口腔内常在細菌叢の1種で，ランスフィールドの分類G群に属するグラム陽性レンサ球菌でイヌやネコなどによる咬傷からヒトへ感染する動物由来感染症の起因菌として知られている。

α溶血性レンサ球菌 (α-hemolytic Streptococcus)

α溶血性レンサ球菌はビリダンス群レンサ球菌を含み，ヒツジ血液寒天培地上で不完全な溶血（メトヘモグロビン）を示し，コロニー周囲が緑色環を形成する菌群である。*S. pneumoniae*, *S. mutans*, *S. sanguinis*, *S. salivarius*などがある。

口腔内に存在し，*S. pneumoniae*以外の病原性は低いが，ほかの菌種との混合感染が見られる場合がある。また，虫歯や口腔内の手術などにより，これらの菌種による感染性心内膜炎や弁膜の疣贅形成などが見られる場合がある。

1. 肺炎球菌 (*Streptococcus pneumoniae*)

疫学

*S. pneumoniae*は小児の常在菌叢として後鼻咽腔に存在し，肺炎や中耳炎，さらに，関節炎，髄膜炎，敗血症などの全身感染症を起こす。近年，ペニシリン結合蛋白（PBP）が変異したペニシリン耐性菌が増加している。

検査材料

*S. pneumoniae*は呼吸器をはじめさまざまな検体から分離される。

形態

菌体の大きさは0.5～1.0μmのランセット状のグラム陽性双球菌で無芽胞，無鞭毛である。多糖体莢膜を有し，病原性と関係している。この場合，Gram染色で菌体周囲が抜けて見えることがある。3日以上の培養ではグラム染色性が陰性化し，溶菌する。

培養

本菌は通性嫌気性菌であるが，炭酸ガスの存在下での発育がよい。本菌をヒツジ血液寒天培地で培養すると典型的な場合，本菌が産生する自己融解酵素によりコロニーの中心が凹んだコロニーを形成する。また，嫌気培養すると自己融解酵素による影響を受けないためムコイド型コロニーを形成する。

同定

①オプトヒン（OP）感受性試験

陽性であり，感性を示す（図9.1.5）。

②胆汁溶解試験

胆汁酸によって速やかに溶菌し陽性である。

抗菌薬耐性

下記の2種類の耐性菌がある。

penicillin-intermediate *S. pneumoniae* (PISP)

penicillin-resistant *S. pneumoniae* (PRSP)

ペニシリン耐性肺炎球菌のペニシリン耐性の基準はCLSI M100-S22以降の標準法では検体が髄膜炎とそれ以外により異なる。髄膜炎からの分離菌はPCG≧0.12μg/mL，非髄膜炎からの分離菌ではPCG≧8μg/mLの場合に，ペニシリン耐性と判定される（いずれも注射薬の場合）（表9.1.4）。

用語　オプトヒン（optochin；OP），CLSI（Clinical and Laboratory Standards Institute），ペニシリンG（penicillin G；PCG）

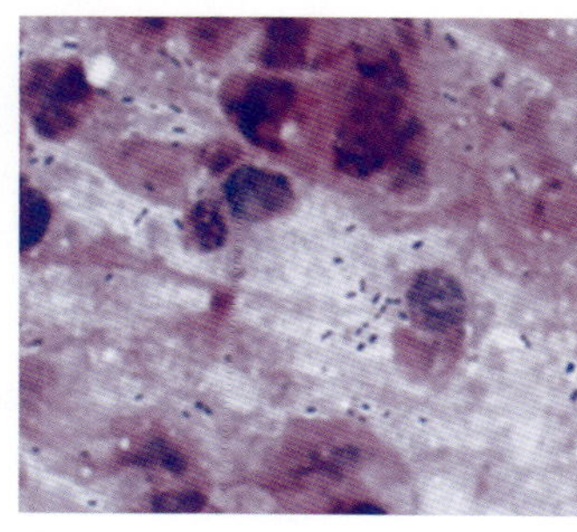
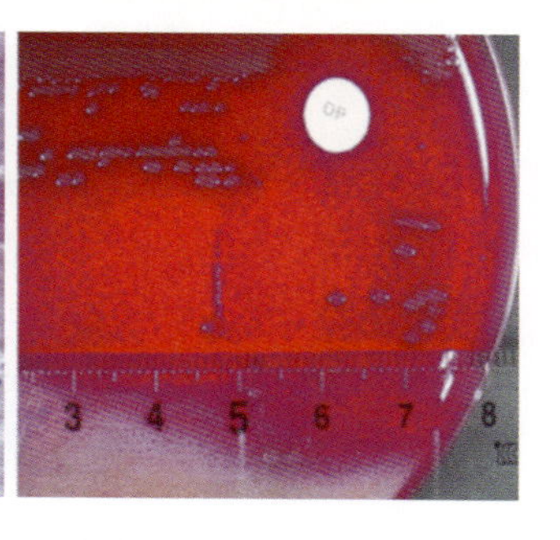

図 9.1.5　*S. pneumoniae*
左は肺炎患者喀痰をグラム染色したもの。多数の好中球とともに，グラム陽性，ランセット型の球菌が認められ，菌体周囲は抜けて見えるものがあり，莢膜が推定される。右はヒツジ血液寒天培地に本菌を接種しオプトヒンディスクを置き，35℃，18 時間培養したものである。

表 9.1.4　ペニシリン耐性肺炎球菌の基準

由来	S	I	R
髄膜炎由来注射ペニシリン	≦ 0.06	−	≧ 0.12
非髄膜炎由来注射ペニシリン	≦ 2	4	≧ 8

迅速抗原検査

従来からの肺炎疑いの場合に用いる尿検体の他に，侵襲性肺炎球菌感染症疑いで髄液からの迅速検査が可能な検出試薬や呼吸器疾患の場合には喀痰や咽頭ぬぐい液，中耳炎・副鼻腔炎疑いでは中耳貯留液・耳漏中の肺炎球菌抗原の検出を目的とするものまで市販されるようになった。本キットの有用性は高いが，小児では偽陽性が見られること，感染症の治療後もしばらくの期間は陽性となることを知っておかなければならない。

抗原構造

莢膜は抗原性の違いにより 90 種以上の血清型があり，そのなかには感染防御に関わるものもある。

抵抗性

消毒薬，熱などに対する抵抗性は弱い。

予防

肺炎球菌ワクチンには 23 価肺炎球菌莢膜ポリサッカライドワクチン（PPV23）と 13 価肺炎球菌結合型ワクチン（PCV13）がある。

感染症法

侵襲性肺炎球菌感染症は，感染症法五類全数把握疾患であり，届出の義務がある。

ペニシリン耐性肺炎球菌性感染症は，感染症法五類感染症の定点把握疾患であり，対象施設は届出の義務がある。

2. その他の α 溶血レンサ球菌

ペニシリン耐性を示す菌種としては肺炎球菌に酷似している *Streptococcus mitis* や *Streptococcus sanguinis* の報告が多く見られるようになった[*7]。また，非感性株ではゲンタマイシンとの併用が推奨されるため，さらに，耐性の強い株では腸球菌に準じた治療を行い，ゲンタマイシンの併用期間も 4〜6 週間と長くなるため正確な同定と薬剤感受性試験は必要である。また，*Streptococcus anginosus* group（以前は，*S. milleri* group として知られていた）は緑色レンサ球菌（viridans streptococci）であり，*S. anginosus*，*S. intermedius*，*S. constellatus* を含む。これらは，咽頭，腸管，腟の常在菌である。

S. bovis による感染性心内膜炎あるいは菌血症を呈した患者群においては一般集団と比較して高率に大腸がんなどの大腸病変の合併が報告されており，血液培養で同菌を検出した場合には大腸病変を検索することが推奨されている。

S. gallolyticus group はヒト・反芻動物腸管内の常在菌であり，健常ヒト腸管の保有率は 2.5〜15% と報告されている。しかし，髄膜炎，感染性心内膜炎，大腸癌，胆嚢癌などの病態と密接な関係があるとされ，これらは亜種により差があるため正確な亜種名の決定が必要となる。

参考情報

＊7：ペニシリン耐性を示す菌種としては肺炎球菌に酷似している *Streptococcus mitis* や *Streptococcus sanguinis* の報告が多く，非感性株ではゲンタマイシンとの併用が推奨される。耐性の強い株では *E. faecalis* に準じた治療を行い，ゲンタマイシンの併用期間も 4〜6 週間と長くなるため正確な同定と薬剤感受性試験は必要である。また，*S. bovis* group による感染性心内膜炎あるいは菌血症を呈した患者群においては一般集団と比較して高率に大腸癌などの大腸病変の合併が報告されている。血液培養から検出した場合には大腸病変を検索することが推奨されている。

用語　23 価肺炎球菌莢膜ポリサッカライドワクチン（23-valent pneumococcal polysaccharide vaccine；PPV23），13 価肺炎球菌結合型ワクチン（13-valent pneumococcal conjugate vaccine；PCV13），侵襲性肺炎球菌感染症（invasive pneumococcal desease；IPD）

9. 1. 3 エンテロコッカス属（Genus *Enterococcus*）

1. エンテロコッカス・フェカーリス（*Enterococcus faecalis*）およびほかの *Enterococcus* spp.

ヒトの材料から分離される*Enterococcus*属菌には*E. faecalis*，*E. faecium*，*E. avium*，*E. casseliflavus*，*E. gallinarum*などがある。

疫学

Enterococcus spp.は腸管内に常在する。

本来は弱毒菌であり，健常者では病原性を示すことは稀である。しかし，担がん患者や免疫能が低下した患者の場合には，さまざまな感染症を起こす場合がある。

形態

大きさは0.5～1.0μmのグラム陽性球菌で，単在性または肺炎球菌と類似した形態を示す場合がある。莢膜や芽胞は形成しない。鞭毛をもつ菌種がある。

培養

Enterococcus spp.は通性嫌気性であり，大気下で発育する。*Enterococcus* spp.は胆汁や窒化ナトリウムの存在においても発育する。バンコマイシン耐性腸球菌（VRE）を分離する場合は選択分離培地を用いる。

Enterococcus spp.はヒツジ血液寒天培地～BTB乳糖寒天培地に発育する。1～2mm程度のコロニーを形成し，溶血性は示さない（γ溶血）。BTB乳糖寒天培地上では乳糖を発酵し小さな黄色コロニーを形成する。

同定

①運動性試験

半流動培地に被検菌を穿刺して，一晩培養する。培地の濁りや，穿刺線から放射状に菌が増殖した場合に陽性と判定する（図9.1.6）。

②色素産生試験

コロニーを滅菌スワブでとり，綿球が黄色に着色した場合，陽性と判定する（図9.1.7）。

③PYR試験

陽性である（図9.1.8）。

①～③の性状を表9.1.5に示す。

④ランスフィールドの血清型別試験

D群に凝集が見られる。

抗菌薬耐性

*E. faecalis*および*E. faecium*は，Rプラスミド上にバンコマイシン（VCM）に耐性の遺伝子である*vanA*や*vanB*を獲得し，院内感染対策上問題となる。*E. gallinarum*や*E. casseliflavus*は染色体上にVCM耐性遺伝子である*vanC*をもつ。形態的に類似の*Leuconostoc* spp.や*Pediococcus* spp.なども染色体にVCM耐性遺伝子をもつため，VCMに対し中等度以上耐性の細菌が分離された場合は，詳細な同定が必要となる（表9.1.6）。

感染症法

VCMのMIC値が≧16μg/mLのVRE感染症は感染症法五類感染症の全数把握対象疾患であるため届出の義務がある。

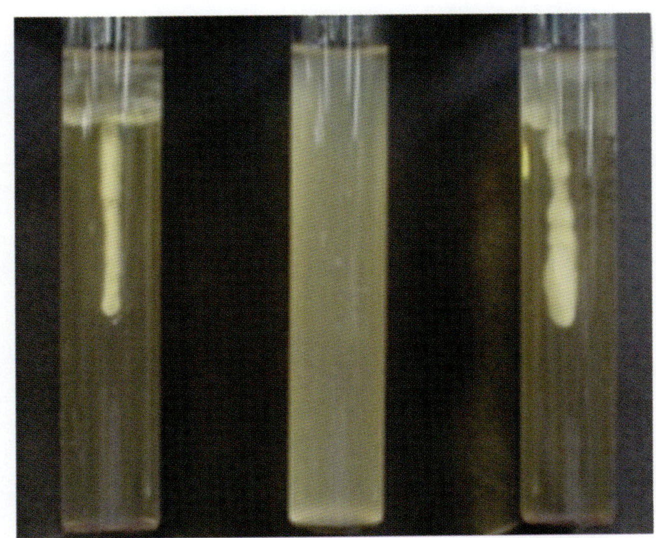

図9.1.6　運動性試験

図9.1.7　色素産生能

図9.1.8　PYR試験

表9.1.5　*Enterococcus*属の性状

菌種	運動性	色素産生性	PYR産生
E. faecalis	−	−	+
E. faecium	−	−	+
E. casseliflavus	+	+（黄色色素）	+
E. gallinarum	+	−	+

用語　バンコマイシン耐性腸球菌（vancomycin-resistant Enterococci；VRE）

表 9.1.6　おもなバンコマイシン耐性 *Enterococcus* の種類と特徴

クラス	耐性に関与する遺伝子	耐性遺伝子の所在	院内感染対策の必要性	耐性の誘導現象	感受性（MIC，μg/mL）		菌種
					VCM	TEIC	
A	*vanA*	plasmid	あり	あり	64 ≦	16 ≦	*E. faecium* *E. faecalis*
B	*vanB*	おもに染色体 稀に plasmid	あり	あり	16 ～ 64	≦ 1	*E. faecium* *E. faecalis* *E. gallinarum*
C	*vanC*	染色体	なし*	なし	4 ～ 32	≦ 1	*E. gallinarum* *E. casseliflavus*
D	*vanD*	染色体？	あり？	?	64	4	*E. faecium*

1996 年　厚生科学特別研究事業　バンコマイシン耐性菌研究班
薬剤耐性菌対策に関する専門家会議　報告書（1997 年 3 月）　表 4 を一部修正の上掲載

＊ 複数の患者から頻回に分離される場合は，背景に耐性菌の院内伝播が起きやすい状況があることが懸念されるため，実施されている院内感染対策の基本的事項の再チェックが必要な場合もある。

〔荒川宜親：「感染症の話　バンコマイシン耐性腸球菌感染症」，IDWR 感染症発生動向調査週報，2002 年第 16 週号　http://idsc.nih.go.jp/idwr/kansen/k02_g1/k02_16/k02_16.html より引用〕

［正木孝幸］

用語　バンコマイシン（vancomycin；VCM），最小発育阻止濃度（minimum inhibitory concentration；MIC），テイコプラニン（teicoplanin；TEIC）

参考文献

1）国立感染症研究所：A 群溶血レンサ球菌（*Streptococcus pyogenes*）検査マニュアル（劇症型溶血性レンサ球菌感染症起因株を含む）．http://www.nih.go.jp/niid/images/lab-manual/streptococcusA.pdf
2）Camara M *et al.*：“Antibiotic susceptibility of *Streptococcus pyogenes* isolated from respiratory tract infections in dakar, senegal”, Microbiol Insights, 2013；6：71-75.
3）Adam HJ *et al.*：“*Streptococcus*”, Manual of Clinical Microbiology 13th ed, 429-448, Carroll KC *et al.* (eds.), ASM Press, 2023.
4）Cowan ST：“*Staphylococcus*”, Cowan and Steel's Manual of the Identification of Medical Bacteria, 70-75, Cambridge University Press, 1974.
5）Beeker K *et al.*：“*Staphylococcus*”, Manual of Clinical Microbiology 13th ed, 392-428, Carroll KC *et al.* (eds.), ASM Press, 2023.
6）Cowan ST：“*Staphylococcus*”, Cowan and Steel's Manual of the Identification of Medical Bacteria, 64-69, Cambridge University Press, 1974.
7）Teixeira LM *et al.*：“*Enterococcus*”, Manual of Clinical Microbiology 13th ed, 449-469, Carroll KC *et al.* (eds.), ASM Press, 2023.

9.2 | 好気性グラム陰性球菌

- *Neisseria* 科，*Moraxella* 科に属する菌は，グラム陰性球菌，球桿菌など多彩な形態を示す。
- Gram 染色で陰性球菌の形状を示すものの代表として，*Neisseria* 属と *Moraxella* 属がある。
- *Neisseria* 属のなかで臨床的に重要な菌種は，病原性ナイセリアとよばれる *N. gonorrhoeae* と *N. meningitidis* である。
- 病原性ナイセリアは，栄養要求性や発育温度域が厳密であり，普通寒天培地では発育できず，検体の保存などにも留意する必要がある。
- *Moraxella* 属で *M. catarrhalis* などが臨床的に重要であり，呼吸器系感染症の起因菌となる。

Neisseria 科として，ヒトから分離され臨床的意義が高い菌属は，*Neisseria* 属，*Kinegella* 属，*Eikenella* 属であり，なかでも *Neisseria* 属は分離される機会も多い。

Moraxella 科には，*Morexella* 属と *Acinetobacter* 属などが含まれている。

Neisseria 科，*Moraxella* 科は，双球菌，球桿菌，桿菌など多彩な形態をとるが，本節では *Neisseria* 属と *Moraxella* 属のグラム陰性球菌を中心に記載する。

9.2.1 ナイセリア属（Genus *Neisseria*）

分類

病原性の高い *N. gonorrhoeae* と *N. meningitidis*（病原性ナイセリア）から口腔内の常在菌である *N. subflaca*，*N. mucosa*，*N. lactamica* など現在39菌種が含まれる。多くは球菌の形態をとるが，球桿菌から桿菌の形態をとるものもある。

非運動性で 芽胞は形成しない。偏性好気性菌であるが，一部は発育に CO_2 を要求する。一般に生体外での生物活性は弱く，生存は難しいとされている。

代表的な *Neisseria* 属菌のグラム染色形態，各種培地での発育性および生化学的性状について表 9.2.1 に示す。

1. リン菌（*Neisseria gonorrhoeae*）

疫学

リン菌は，ヒトにのみ感染する代表的な性感染症の起因菌である。おもな感染経路は性交渉である。

我が国における淋菌感染症の報告数は，2002～2003年をピークに減少しており，2016年以降は男性，女性ともほぼ横ばいである。感染者報告数は20代が最も多く，女性より男性の方が多い。これは男性では症状が顕著であるが女性は自覚症状に乏しく，受診の機会が少ないことが一因と考えられる。近年，抗菌薬耐性菌の増加が問題となっている。

表 9.2.1 おもな *Neisseria* 属菌の性状

菌種	形態	サイアー・マーチン寒天培地での発育	チョコレート寒天培地（22℃）での発育性	普通寒天培地での発育	糖分解性					硝酸塩還元試験	亜硝酸塩還元試験
					グルコース	マルトース	ラクトース	スクロース	フルクトース		
N. gonorrohoeae	球菌	+	−	−	+	−	−	−	−	−	−
N. meningitidis	球菌	+	−	−	+	+	−	−	−	−	v
N. lactamica	球菌	+	v	+	+	+	+	−	−	−	+
N. sicca	球菌	−	+	+	+	+	−	+	+	−	+
N. subflava	球菌	−	+	v	+	+	−	v	v	−	+
N. mucosa	球菌	−	+	+	+	+	-	+	+	+	+
N. flavescens	球菌	−	+	+	−	−	−	−	−	−	+
N. elongata	球～桿菌	−	+	+	−	−	−	−	−	−	+

+：90% 以上が陽性，−：90% 以上が陰性，v：菌株によって反応が異なる

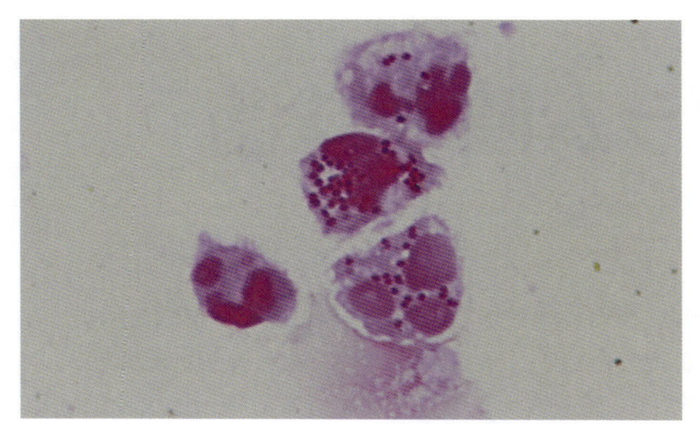

図 9.2.1　膣分泌物で認められた *N. gonorrhoeae*　Gram 染色 ×1,000

淋菌感染症は感染症法で，五類感染症（定点把握対象）として定められている。

形態

直径0.6～1μm前後のグラム陰性球菌。腎臓型またはそら豆型の球菌で，2個の細胞が凹部で向かい合った双球菌をなす。芽胞や鞭毛はなく，新鮮分離株では線毛や莢膜が見られることがあるが，継代とともに消失する。本菌感染者の尿道分泌物などの検体の塗抹標本では，好中球に貪食されたリン菌を確認できる（図9.2.1）。

培養

至適発育温度は35～37℃であり，30℃以下または39℃以上では発育できない。至適pHは7.3～7.4と狭く，湿度も十分に保つ必要がある。3～10％の炭酸ガス条件下で培養する。

栄養要求性が厳しく普通寒天培地には発育できない。分離培養には，血液寒天培地での発育が不良であるため，チョコレート寒天培地やGC培地を用いる。臨床材料からの分離培養にはサイアー・マーチン寒天培地*1が用いられる。

コロニーは直径 0.5～1mmくらいで，粘稠で柔らかく，18時間を超えて培養すると自己融解し，さらに粘稠となり，培地からの釣菌が難しくなる。培養時間が長くなると死滅する場合がある（図9.2.2）。

培養検査には，おもに尿道分泌物や腟分泌物，子宮頸管分泌物などが採取される。血液，関節液，咽頭粘液，直腸粘液や，眼分泌物が検体として提出されることがある。

尿道分泌物のグラム染色で好中球に貪食されたグラム陰性球菌が観察された場合は，迅速検査として有用であるが，咽頭や直腸など常在菌が多く存在する部分から採取された検体ではグラム染色で検出することは難しく培養を行う。

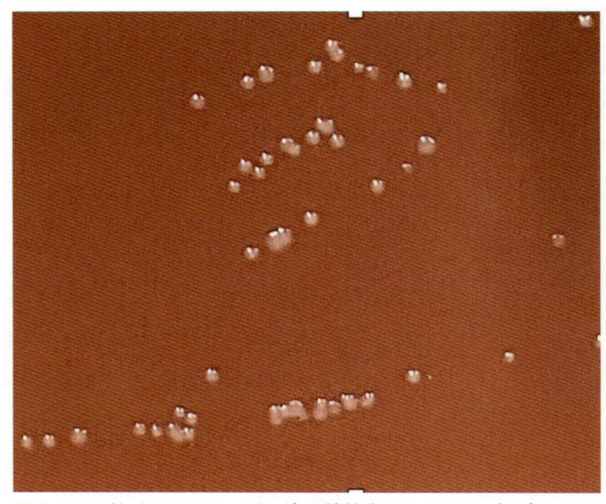

図 9.2.2　サイアー・マーチン寒天培地上のコロニー（35℃，5% CO_2 条件下，48 時間培養）

参考情報

＊1：サイアー・マーチン寒天培地：チョコレート寒天培地を基礎とし，選択剤として抗菌薬であるバンコマイシン，コリスチン，抗真菌薬であるナイスタチンを含む。

同定

カタラーゼテスト陽性，オキシダーゼテスト陽性，硝酸塩還元試験陰性。糖分解性はグルコースのみを分解する。

抗菌薬耐性

*N. gonorrhoeae*の抗菌薬耐性は，ペニシリナーゼ産生によるもの（PPNG）と染色体遺伝子の変異によるPBPが変化した耐性（CMRNG）があり，近年はCMRNGの増加が問題となっている。CMRの推定試験は，β-ラクタマーゼが陰性で，ペニシリンに中間または耐性を示す株をCMRNGと推定する。近年，第三世代セファロスポリンであるセフトリアキソン耐性株が増加し，世界的に懸念されている。

抗菌薬感受性

ペニシリンG（PCG）およびテトラサイクリン（TC）には，耐性化が進んでいる。また，レボフロキサシン（LVFX）やシプロフロキサシン（CPFX）などのニューキノロン系薬も耐性菌が増加し，治療に推奨され難い。第三世代セファロスポリン系薬であるセフトリアキソン（CTRX），セフォジジム（CDZM），およびアミノグリコシド系薬であるスペクチノマイシン（SPCM）が治療薬として推奨されている。

迅速抗原検査

酵素免疫測定法（EIA），液相ハイブリダイゼーション法，核酸増幅検査法（PCR法，SDA法，TMA法など）がある。

用語　GC（gonococcus），ペニシリナーゼ産生リン菌（penicillinase-producing *Neisseria gonorrhoeae*；PPNG），染色体性ペニシリン耐性リン菌（chromosome mediated penicillin-resistant *Neisseria gonorrhoeae*；CMRNG），ペニシリンG（benzylpenicillin；PCG），テトラサイクリン（tetracycline；TC），レボフロキサシン（levofloxacin；LVFX），シプロフロキサシン（ciprofloxacin；CPFX），セフトリアキソン（ceftriaxone；CTRX），セフォジジム（cefodizime；CDZM），スペクチノマイシン（spectinomycin；SPCM），酵素免疫測定法（enzyme immunoassay；EIA），ポリメラーゼ連鎖反応（polymerase chain reaction；PCR），SDA（strand displacement amplification），TMA（transcription mediated amplification）

核酸増幅検査法は*N. gonorrhoeae*と重複して感染するケースが多い*Chlamydia trachomatis*の同時検出が可能である。検出感度は高いが死菌も検出してしまうため治療効果の判定には使用できない。

病原因子

定着因子としては線毛とprotein Ⅱが重要である。新鮮分離株は線毛をもち，好中球の貪食にも抵抗する。また内毒素は粘膜を傷害する。IgAプロテアーゼを産生しIgA_1を切断する。*N. gonorrhoeae*はヒトのみに感染するが，抵抗力が弱いので直接接触感染によって化膿性疾患を起こす。

病原性

尿道や性器に感染し，男性は前立腺，副睾丸，女性は腟，子宮内膜，卵管，卵巣の化膿性疾患を起こす。全身に播種し，菌血症，心内膜炎，関節炎を起こすこともある。ほかに，産道感染による膿漏眼（新生児），リン菌性咽頭炎，直腸炎などがある。

抵抗性

日光，乾燥や温度の変化，消毒薬で容易に死滅する。熱に対しては55℃，5分以内に死滅。ただし感染力は非常に強く，*N. gonorrhoeae*感染者と性行為を行った場合の感染確率は50％程度である。

2. 髄膜炎菌（*Neisseria meningitidis*）

疫学

わが国においては，第二次世界大戦前後が感染者数のピークであった。1960年代前半からは激減しており，現在では極めて稀な疾患である。海外においては，髄膜炎ベルトとよばれるアフリカ中央部において罹患率が高く，先進国においても散発的に発生することがある。わが国では，髄膜炎菌性髄膜炎は第二種感染症に定められており，病状により学校医その他の医師において感染のおそれがないと認めるまで出席停止となる。このように，学校保健安全法の「学校で予防すべき感染症」の1つに定められており，発症した場合は速やかな対応が必要である。

髄膜炎菌性髄膜炎は感染症法で，五類感染症（全数把握対象）として定められている。

形態

直径 0.6～0.8μmで，腎臓またはソラマメ状の球菌が相対する双球菌である。

グラム染色形態で，*N. gonorrhoeae*と非病原性ナイセリアを鑑別することは困難である。莢膜をもち莢膜多糖体の種類によって少なくとも13種類（A，B，C，D，X，Y，Z，E，W135，H，I，K，L）の血清群に分類され，このうち血清群A，B，C，Y，およびW135がおもな髄膜炎菌感染症の原因となっている。

培養

至適発育温度は35～37℃であり，30℃以下または39℃以上では発育できない。至適pHは7.3～7.4と狭く，湿度も十分に保つ必要がある。3～10％の炭酸ガス条件下で発育が良好となるため炭酸ガス培養を行う。コロニーは1～2mmで，*N. gonorrhoeae*に比べるとやや発育がよい。灰白色，半透明，光沢あるやや隆起した正円形のコロニーを形成し，莢膜抗原型A群およびC群株のコロニーはムコイド状になる。コロニーは粘稠で柔らかい。栄養要求性が厳しく普通寒天培地には発育できないが，分離培地としてチョコレート寒天培地やGC培地を用い，血液寒天培地でも*N. gonorrhoeae*よりも良好に発育する。臨床材料からの分離培養にはサイアー・マーチン寒天培地が用いられる。

同定

カタラーゼテスト陽性，オキシダーゼテスト陽性，硝酸塩還元試験陰性。糖分解性はグルコースとマルトースを分解する。

抗菌薬耐性

*N. meningitidis*の治療薬であるPCGおよびアンピシリン（ABPC）には中等度耐性株，予防投与薬であるCPFXには耐性株が確認されている。今後，耐性菌の動向に注意が必要である。

抗菌薬感受性

第一選択薬はPCGである。髄膜炎の初期治療に用いられるセフォタキシム（CTX），CTRX，セフロキシム（CXM）は髄膜炎菌に優れた感受性がある。またマクロライド系薬，テトラサイクリン系薬も治療に用いられる。

迅速抗原検査

髄液中の細菌抗原の存在有無を検出するラテックス凝集反応による検査キットがある。

髄液から抽出・精製した核酸を，マルチプレックスPCRを用いて標的核酸を増幅しさらに，蛍光色素とともにnested PCRを用いて標的核酸を増幅する方法がある。

その他の検査

流行を起こす起因菌のグループ分けに，菌の成育に必要な遺伝子（ハウスキーピング遺伝子）の塩基配列を解析し，分子レベルで分類するMLSTとよばれる方法が活用されている。

病原因子

*N. meningitidis*はヒトにのみ感染し，ヒト以外の動物には感染しない。ヒトへは飛沫感染により鼻や喉の粘膜に定着し，ときに眼の結膜や生殖器の粘膜に定着することも

用語 アンピシリン（ampicillin；ABPC），セフォタキシム（cefotaxime；CTX），セフロキシム（cefuroxime；CXM），ハウスキーピング遺伝子（housekeeping gene），MLST（multilocus sequence typing）

ある。定着因子として，線毛と莢膜が重要である。また免疫グロブリンAという抗体を分解するIgAプロテアーゼを分泌する。

病原性

定着した粘膜において，1%未満の人で*N. meningitidis*が粘膜に侵入し血流に入り込む。その後*N. meningitidis*が髄腔に入り，髄膜炎菌性髄膜炎を引き起こす。劇症型の場合には突然発症し，頭痛，高熱，痙攣，意識障害を呈し，播種性血管内凝固症候群（DIC）を伴い，ショックに陥って死に至るウォーターハウス・フリーデリクセン症候群を起こす。潜伏期は2～10日，平均で4日程度。致死率は10～15%となる。

抵抗性

日光，乾燥や温度の変化，消毒薬で容易に死滅する。熱に対しては55℃，5分以内に死滅。また低温にも弱いため，検査材料の取扱いには注意が必要である。

予防

髄膜炎の予防にはワクチンがある。わが国では2015年5月からワクチンが使用されている。ワクチン以外の予防法として抗菌薬の予防投与が推奨されており，おもにリファンピシンが用いられている。

Q 髄膜炎菌ワクチンはどのような人が接種すべきか？

A ワクチン接種が望ましいのは，集団生活を行う10歳代から20歳代前半の学生，そして「髄膜炎ベルト」とよばれるアフリカの中央部（西はセネガルから東はエチオピアやスーダン）への渡航時やイスラム教のメッカ巡礼（「ハッジ」）時期にサウジアラビアへ入国する時である。

2015年5月，日本国内で*N. meningitidis*のワクチンが導入された。*N. meningitidis*による髄膜炎は10歳代から20歳代に多く発症する。ワクチン先進国の米国では，初回の接種を11～12歳時に行い，追加接種は16歳時に行っている。*N. meningitidis*による感染症は稀であるが，国内でも髄膜炎菌感染症の集団発生が報告されている。ワクチン接種の必要性も含め，今後注意が必要である。

▶参考情報

髄膜炎菌予防ワクチン
4価結合体ワクチンであり，菌血清群A，C，YおよびWに対する4価の抗原を含んだジフテリアトキソイドを共有結合した結合体ワクチンである。

髄膜炎菌が検出された場合
血液や髄液から髄膜炎菌が検出された場合には，侵襲性髄膜炎として感染症法の五類全数報告対象であり，直ちに届け出が必要である。

3. その他の*Neisseria*属

口腔や鼻咽頭に常在し，ほとんどは病原性ナイセリア（*N. gonorrhoeae*と*N. meningitidis*）と区別し，非病原性ナイセリアとして区別されるが歯性感染症や副鼻腔炎などを起こすことがある。

9. 2. 2 モラクセラ属（Genus *Moraxella*）

分類

現在32菌種が含まれる（2023年10月時点）。

非運動性で芽胞は形成せず，Gram染色で*M. catarrhalis*は球菌であるが，その他の*Moraxella*属菌は桿菌状に見えるものもある。

代表的なGram染色形態と培地での発育性および生化学性状について表9.2.2に示す。

1. モラクセラ・カタラーリス（*Moraxella catarrhalis*）

疫学

小児においては中耳炎，全年齢層では急性および慢性の副鼻腔炎の原因となる。成人市中肺炎での検出は稀であるが，慢性閉塞性肺疾患（COPD）や気管支拡張症の急性増悪時に検出されることが多く，冬季に症例数が増える季節性変動が特徴的である。

用語 播種性血管内凝固症候群（disseminated intravascular coagulation syndrome；DIC），ウォーターハウス・フリーデリクセン（Waterhouse-Friderichsen），慢性閉塞性肺疾患（chronic obstructive pulmonary disease；COPD）

表 9.2.2 おもな *Moraxella* 属菌の性状

菌種	形態	糖分解性				硝酸塩還元試験	亜硝酸塩還元試験	DNase	ブチレート試験	酢酸アルカリ化試験
		グルコース	マンニトール	キシロース	エチレングリコール					
M. catarrhalis	球菌	−	−	−	−	+	+	+	+	ND
M. lacunata	桿菌	−	−	−	v	+	−	−	+	−
M. nonliquefaciens	桿菌	−	−	−	−	+	−	−	+	−
M. osloensis	球桿菌	−	−	−	+	v	−	−	+	+

＋：90% 以上が陽性，－：90% 以上が陰性，v：菌株によって反応が異なる

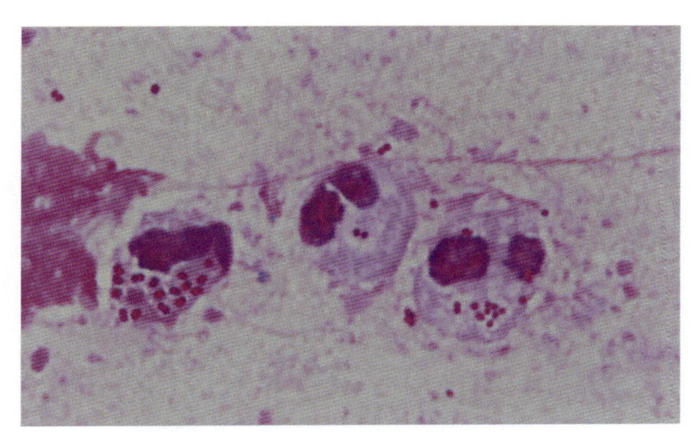

図 9.2.3 喀痰 *M. catarrhalis* Gram 染色 ×1,000

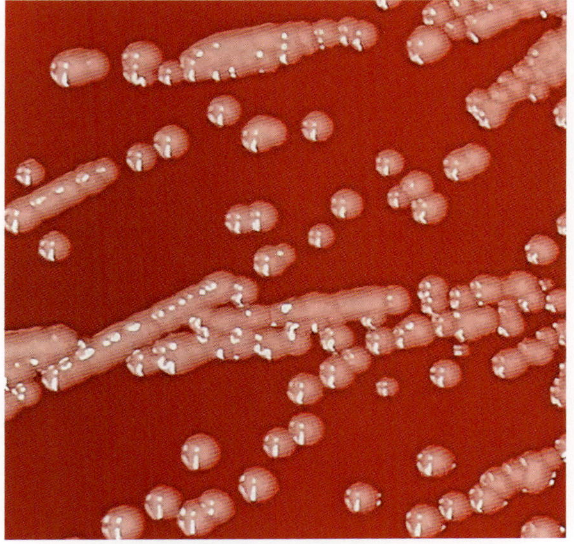

図 9.2.4 ヒツジ血液寒天培地上の *M. catarrhalis* のコロニー（35℃ 好気条件下，18 時間培養）

形態

Gram染色で，グラム陰性双球菌として観察される（図9.2.3）。直径は，1.0μm前後。鞭毛，芽胞はなく，一部の菌で莢膜を有する，偏性好気性菌である。

培養

至適発育温度は35～37℃で普通寒天培地およびヒツジ血液寒天培地によく発育する。

好気条件下で18～24時間後に1.0mmの小型で光沢のあるS型コロニーを形成し，48時間後には2mm程度の灰白色からクリーム色になる（図9.2.4）。白金線などでコロニーに触れると，コロニーの形が崩れず培地上を滑るように移動する（ホッケーパックテスト陽性）。

同定

カタラーゼテスト陽性，オキシダーゼテスト陽性である。

硝酸塩還元試験陽性。糖分解性はグルコース，マルトース，ラクトース陰性であり，DNase産生陽性，ブチレート試験陽性である。

抗菌薬耐性

β-ラクタマーゼを産生する。その他，エリスロマイシン耐性株が報告されている。

抗菌薬感受性

ほとんどの株がβ-ラクタマーゼを産生するため，β-ラクタマーゼ阻害薬配合ペニシリンを選択する。第三世代セファロスポリン系薬やキノロン系薬も治療に用いられる。

病原因子

気道細胞に対する*M. catarrhalis*の付着のメカニズムは，まだ十分に理解されていない。ただし，早期の定着は反復性中耳炎の危険因子である。定着率には地域差があり，生活条件，衛生状態，環境因子，たとえば，家庭内の喫煙などが関係している。気道の定着部位から感染部位へと連続的に広がる特徴をもつ。

病原性

ヒトの鼻咽頭粘膜に常在するが，ときに肺炎，気管支炎などの呼吸器感染症の起因菌となる。β-ラクタマーゼ産生株がほぼ100%であることが，小児における急性中耳炎を治療困難にしている。成人における市中肺炎からの検出は稀である。

抵抗性

日光，乾燥や温度の変化，消毒薬で容易に死滅する。熱に対しては55℃，5分以内に死滅する。

用語 デオキシリボヌクレアーゼ（deoxyribonuclease；DNase）

2. その他の *Moraxella* 属

その他の*Moraxella*属はヒトの皮膚や粘膜，とくに上気道の常在菌であり，なかでも*M. lacunata*，*M. nonliquefaciens*は，稀に感染症の起因菌として分離される。両菌種ともGram染色では陰性桿菌の形態を示し，眼科由来の検体から検出されることがあり，結膜炎，角膜炎などを引き起こす。

参考情報

*Moraxella*属のなかの，*M. osloensis*は，洗濯物の部屋干しの際に発生する悪臭の起因菌であることが同定された。この菌は，雑巾のような悪臭を発生する4-メチル-3ヘキセン酸という物質をつくる。

［米谷正太］

参考文献

1）山本　剛：「グラム陰性球菌および球桿菌」，最新臨床検査学講座　臨床微生物学，120-124，松本哲哉（編），医歯薬出版，2017.

2）Elias JE *et al.*：“*Neisseria*”，Manual of Clinical Microbiology 12th ed，640-655，Carroll KC *et al.*（eds.），ASM Press，2019.

3）齋藤良一，他：髄膜炎菌 *N. meningitidis* 検査マニュアル（一部 淋菌 *N. gonorrhoeae* を含む），2019. https://www.niid.go.jp/niid/images/lab-manual/neisseria_meningitidis20201225.pdf

4）Cools P *et al.*：“*Actinobacter*，*Chryseobacterium*，*Moraxella*，and other nonfermentative gram-negative rods”，Manual of Clinical Microbiology 12th ed，829-857，Carroll KC *et al.*（eds.），ASM Press，2019.

9.3 | 通性嫌気性グラム陰性桿菌

- 通性嫌気性グラム陰性桿菌は，酸素の存在に関係なく増殖が可能である。
- 腸内細菌目，*Vibrio* 科，*Aeromonas* 科は普通寒天培地に発育し，培養が容易である。
- 腸内細菌目に属する腸内細菌科は，2016 年に複数の新しい科（Family）に再分類された。
- 腸内細菌目には一類感染症の原因細菌であるペスト菌，三類感染症の原因細菌である腸管出血性大腸菌，赤痢菌，チフス菌およびパラチフス菌，*Vibrio* 科のコレラ菌を含み，迅速かつ正確な検査が要求される。
- 基質拡張型 β‐ラクタマーゼやカルバペネマーゼ産生能の獲得による β‐ラクタム系薬の耐性化，ニューキノロン系薬に耐性化した腸内細菌目細菌が世界的に増加し問題となっている。
- *Pasteurella* 科，*Capnocytophaga* 属，*Bartonella* 属は人獣共通感染症の原因となり，普通寒天培地に発育せず，特殊な培養方法が必要である。

このグループに属する科または属は，酸素の存在に関係なく増殖可能であり，酸素存在下では酸化（呼吸），酸素非存在下では発酵によってエネルギーを生産する。臨床的に重要なグラム陰性桿菌の多くがこのグループに属し，DNAの近縁性の高い腸内細菌目（*Enterobacterales*），*Vibrio*科，*Aeromonas*科，*Pasteurella*科，および分類学的に科が確定されていない*Capnocytophaga*属，*Bartonella*属などが含まれる。

1. 腸内細菌目

腸内細菌目細菌は，2016年にAdeoluらによって下位の分類である腸内細菌目（*Enterobacteriaceae*）が*Morganella*科，*Yersinia*科，*Hafnia*科などいくつかの科に再分類された。これらの細菌はヒトや温血動物の腸管内，自然界などに広く分布する（表9.3.1）。形態は0.3～1.0×0.6～6.0μmであり，まっすぐな桿菌あるいは球桿菌を示す。ヒトへの関与は腸管感染症とそれ以外の感染症に大別される。

腸内細菌目細菌の共通性状は，①グルコースを24時間以内に発酵し酸または酸とガスを産生する，②マッコンキー寒天培地やBTB乳糖寒天培地などによく発育する，③硝酸塩を亜硝酸塩に還元する，④オキシダーゼを産生しない（例外：*Plesiomonas*，*Shigelloides*は陽性），⑤芽胞を形成しない，⑥一般的には周毛性鞭毛を保有するが，*Klebsiella*属，*Shigella*属，および*Yersinia pestis*は鞭毛をもたない，である。腸内細菌目の鑑別はフォーゲス・プロスカウエル（VP）反応，インドールピルビン酸（IPA）反応，硫化水素産生性，クエン酸利用能などの性状を用いてグルーピングしながら同定する（表9.3.2）。

用語　ブロモチモール青（bromothymol blue；BTB），フォーゲス・プロスカウエル（Voges-Proskauer；VP），インドールピルビン酸（indole pyruvic acid；IPA）

表 9.3.1 おもな腸内細菌目細菌の科，属，種，関連するおもな感染症とおもな棲息場所

科	属	種	関連するおもな感染症	おもな棲息場所
Enterobacteriaceae	*Citrobacter*	*C. freundii*	日和見感染症	糞便，食品，水系など
		C. koseri		
		C. amalonaticus		
	Cronobacter	*C. sakazakii*	日和見感染症	自然界，乳幼児用ミルク
	Enterobacter	*E. cloacae*	日和見感染症	糞便，水系，土壌，汚水，食肉
	Escherichia	*E. coli*	急性胃腸炎，食中毒，尿路感染症，敗血症，髄膜炎腸管出血性大腸菌感染症（三類感染症）	糞便，食品など
	Klebsiella	*K. pneumoniae* subsp. *pneumoniae*	呼吸器感染症，尿路感染症	呼吸器系，糞便，自然界，さまざまな場所
		K. oxytoca		
		K. pneumoniae subsp. *ozaenae*	慢性呼吸器感染症	呼吸器系，糞便，ヒトに限定する
		K. pneumoniae subsp. *rhinoscleromatis*		
		Klebsiella aerogenes（Enterobacter aerogenes）	日和見感染症	糞便，自然界，さまざまな場所
		K. granulomatis	ドノバン症（鼠径部肉芽腫）	泌尿生殖器系，ヒトに限定する
	Plesiomonas	*P. shigelloides*	急性胃腸炎，食中毒	水生生物
	Raoultella	*R. ornithinolytica*	日和見感染症	食品
		R. planticola		植物，水系
		R. terrigena		
	Salmonella	*S. enterica* subsp. *enterica* serotype（serovar）Typhi	腸チフス（三類感染症）	糞便，食品，汚水など
		S. enterica subsp. *enterica* serotype（serovar）Paratyphi A	パラチフス（三類感染症）	
		S. enterica subsp. *enterica* serotype（serovar）他 2,000 型以上の血清型	急性胃腸炎	
		S. enterica subsp. *arizonae*		食品，汚水，爬虫類など
	Shigella	*S. dysenteriae*	細菌性赤痢（三類感染症）	糞便，食品，汚水など
		S. flexneri		
		S. boydii		
		S. sonnei		
Erwiniaceae	*Pantoea*	*P. agglomerans*	日和見感染症	植物
Morganellaceae	*Morganella*	*M. morganii*	日和見感染症	糞便，食品など
	Proteus	*P. mirabilis*	日和見感染症	糞便，動物，鳥類，魚類，食品など
		P. penneri		
		P. vulgaris		
	Providencia	*P. alcalifaciens*	日和見感染症	哺乳動物，水系
		P. rettgeri		
		P. stuartii		
Yersiniaceae	*Yersinia*	*Y. pestis*	ペスト（一類感染症）	げっ歯類，ノミ
		Y. enterocolitica	急性胃腸炎，食中毒	糞便，食品など
		Y. pseudotuberculosis		糞便，食品，河川水，井戸水など
	Serratia	*S. marcescens*	日和見感染症	自然界，さまざまな場所
		S. liquefaciens		

表 9.3.2 腸内細菌目細菌の同定のための群別表

菌属	H_2S	VP	IPA
Escherichia	−	−	−
Shigella			
Yersinia			
Salmonella Paratyphi A			
Citrobacter（重複）			
Plesiomonas			
Salmonella	+	−	−
Citrobacter（重複）			
Edwardsiella			
Klebsiella	−	+	−
Enterobacter			
Serratia			
Proteus	+ or −	− or +	+
Morganella			
Providencia			

H_2S：硫化水素産生，VP：フォーゲス・プロスカウエル反応，IPA：インドールピルビン酸産生。

9.3.1 エシェリキア属（Genus *Escherichia*）

分類

*Escherichia*属は腸内細菌科の基準属である。基準種は*E. coli*であり臨床材料から最も高頻度に分離される。ほかに，*E. albertii*，*E. fergusonii*，*E. hermannii*，*E. marmotae*，*E. ruysiae*が含まれ，合計6菌種となっている。

疫学

ヒトや温血動物の腸管，河川や土壌中などの自然界に広く分布する。ヒトでは生後数時間以内に腸管に定着し，腸管内正常細菌叢の主たる構成細菌となる。免疫抑制患者，術後患者などで，腸管内の定着菌が感染症の原因となることがある。食物，ヒトからヒト，動物，糞便に汚染された環境物などから容易に伝播する。臨床的に，腸管病原因子を獲得した*E. coli*による下痢症や食中毒，腸管外感染症として尿路感染症，血流感染症，腹腔内感染症，また新生児における細菌性髄膜炎が重要である。

形態

1.1～1.5 × 2.0～6.0 μmの中程度の大きさの桿菌であり，腸内細菌科の基準となる大きさである。莢膜および周毛性の鞭毛をもつが，稀に鞭毛を保有しない株も存在する。

培養

普通寒天培地によく発育する。35～37℃の好気環境下で培養する。下痢便を対象とする場合は，BTB乳糖寒天培地あるいはマッコンキー寒天培地を使用する。24時間培養で2～3mmの光沢のある円形コロニーを形成する。ほとんどの株は乳糖を分解し，前者の培地は黄色，後者の培地は赤色の色調を示すコロニーを形成する。この培地以外に腸管出血性大腸菌（EHEC）O157の検出を目的とした選択培地〔セフィキシム-テルル酸含有ソルビトール・マッコンキー寒天培地（CT-SMAC）やCHROMagar O157など〕が用いられる。EHEC O157のほとんどはソルビトール分解性がなく，ほかの*E. coli*との鑑別に使用する。最近はEHEC O26やO111の検出可能な選択培地も市販されている。腸管外感染症由来の検体を培養する場合は，血液寒天培地やCHROMagarなどを併用する。

同定

VP反応，IPA反応，硫化水素産生性，クエン酸利用能がすべて陰性となるグループに含まれる。これらのグループに含まれる重要な細菌は*Shigella*属菌，*Yersinia*属菌，*Salmonella enterica* serovar Paratyphi Aがある。*E. coli*の多くの株は，ブドウ糖からのガス産生，乳糖・白糖分解，リジン脱炭酸反応陽性，インドール反応陽性，運動性陽性であるが，腸管組織侵入性大腸菌や非典型的な*E. coli*は，本来陽性となるべきこれらの性状のほとんどが陰性となり，*Shigella*属と類似する（表9.3.3）。

抗菌薬耐性

臨床的に問題となっているさまざまなβ-ラクタマーゼ産生菌が世界各国で拡大している。2000年頃から基質特異性拡張型β-ラクタマーゼ（ESBL）産生*E. coli*の増加が問題となっている。ペニシリン系，セファロスポリン系，モノバクタム系が耐性となる。その多くはさまざまな病原因子を獲得した世界的パンデミッククローンでありMLSTのタイプがST131に分類される株が市中および院内を問わず尿路感染症，菌血症患者から分離されており，CTX-M-15やCTX-M-14型ESBLを産生し，かつニューキノロン系にも同時に耐性を示す。最近国内において，プラスミド関連セファロスポリナーゼ（AmpC）産生株やIMP-6型メタロ-β-ラクタマーゼ（MBL）およびCTX-M-2型ESBL同時産生株が検出され，医療関連感染対策上問題視されている。流行地における海外渡航歴がある患者から，OXA-48型，KPC型，NDM型などのカルバペネマーゼ産生株も検出されている。現在，カルバペネム耐性腸内細菌目細菌（carbapenem-resistant *Enterobacterales*；CRE）感染症は，五類感染症（全数把握）として届け出対象となっている。

抗菌薬感受性

TEM-1型ペニシリナーゼ産生株が多く，ペニシリン系薬の耐性率は高い。通常セファロスポリン系，セファマイ

表9.3.3　硫化水素産生，VP反応，IPA反応がすべて陰性を示す菌の鑑別性状

菌種または血清型	TSI培地			SIM培地		脱炭酸培地		シモンズクエン酸培地	尿素培地	オキシダーゼ
	斜面	高層	ガス	インドール	運動性	リジン	オルニチン			
Escherichia coli	A	A	+	+	+	+	d	−	−	−
Shigella spp.	K	A	−	−	−	−	d	−	−	−
Yersinia enterocolitica	A	A	−	−	−	−	+	−	+	−
Yersinia pseudotuberculosis	K	A	−	−	−	−	−	−	+	−
Salmonella Paratyphi A	K	A	+	−	+	−	+	−	−	−
Plesiomonas shigelloides	K	A	−	+	+	+	+	−	−	+

K：アルカリ化，A：酸性化，d：菌種や株によって異なる。

用語　腸管出血性大腸菌（enterohemorrhagic *Escherichia coli*；EHEC），セフィキシム-テルル酸含有ソルビトール・マッコンキー寒天培地（MacConkey agar with sorbitol, cefixime and tellurite；CT-SMAC），基質特異性拡張型β-ラクタマーゼ（extended-spectrum β-lactamase；ESBL），MLST（multilocus sequence typing），セフォタキシム（cefotaxime；CTX），イミペネム（imipenem；IMP），メタロ-β-ラクタマーゼ（metallo-β-lactamase；MBL），OXA（oxacillinase），KPC（*Klebsiella pneumoniae* carbapenemase），NDM（New Delhi metallo-β-lactamase），TSI（triple sugar iron），SIM（sulfide indole motility）

表 9.3.4 下痢原性大腸菌の種類，病原因子，臨床症状

分類	病原因子・病原遺伝子	臨床症状
腸管病原性大腸菌（EPEC）	A/E 束状線毛（BFP） タイプⅢ分泌系（T3SS） インチミン（*eae* 遺伝子）	水様性下痢
毒素原性大腸菌（ETEC）	易熱性毒素（LT） 耐熱性毒素（ST）	コレラ様下痢
腸管組織侵入性大腸菌（EIEC）	細胞侵入因子（*ipaH* 遺伝子，*invE* 遺伝子）	赤痢様下痢
腸管出血性大腸菌（EHEC）	ベロ毒素（Stx1，Stx2） タイプⅢ分泌系（T3SS） インチミン（*eae* 遺伝子）	出血性下痢 溶血性尿毒素症症候群 脳症
凝集付着性大腸菌（EAEC）	細胞上凝集塊形成因子（*aggR* 遺伝子） 耐熱性腸管毒（ESAT1，*astA* 遺伝子）	小児の下痢
均一付着性大腸菌（DAEC）	腸管細胞付着因子	乳幼児の水様性下痢

シン系，オキサセフェム系，モノバクタム系，カルバペネム系薬は感性であるが，ESBL産生株はセファロスポリン系，モノバクタム系薬は無効，カルバペネマーゼ産生株は多くのβ-ラクタム系薬が無効となる。ESBLはクラブラン酸などのβ-ラクタマーゼ阻害薬で酵素活性が阻害され，アモキシシリン・クラブラン酸などの合剤に感性を示す。カルバペネマーゼ産生株やAmpC産生株は各種阻害薬に無効であることが多い。β-ラクタム系以外に，アミノグリコシド系，ニューキノロン系薬に感性を示すが，いずれも抗菌薬感受性検査の結果にもとづき，治療薬を選択する。

抗原構造

病原性に関連する抗原はO抗原，H抗原およびK抗原が重要である。

O抗原は細胞壁外膜に存在するLPSから形成され，糖の種類や配列の違いで抗原性が約180種類存在する。121℃の加熱でも変性しない耐熱性の性質をもつ。感染症の原因となる大腸菌は特定のO抗原型のものが多いとされている。

H抗原は鞭毛を構成するフラジェリンの重合蛋白質であり易熱性であり，約50種類ある。

K抗原は莢膜を構成する酸性の多糖体抗原であり易熱性であり，約100種類ある。

下痢原性大腸菌はO抗原とH抗原の組み合わせで分類され，記載は*E. coli* O157:H7などとする。ただし，抗原性と病原性は必ずしも相関しない場合があり，最終的にはPCRなどを用いた病原因子の証明が必要である。

迅速抗原検査

糞便を直接用い，腸管出血性大腸菌感染症の診断に使用する。EHEC O157の抗原はイムノクロマト法やラテックス凝集法で10〜20分以内に検出が可能であるが，検出感度は10^4CFU/mL程度である。糞便中のベロ毒素はELISAを用いて3時間以内に検出可能である。抗原検査の感度は培養法より低いため，単独使用ではなく必ず培養を併用する。

その他の検査

各種下痢原性大腸菌の病原因子は，PCRや抗原検査で検出する。溶血性尿毒素症症候群（HUS）を発症した患者の血清中にある*E. coli* O157に特有なリポ多糖（LPS）に反応するIgMをラテックス凝集反応で検出する。症状が出現してから約1週間後に検出されるため，HUS併発例や抗菌薬投与後により培養法で検出できない場合に有用である。

病原因子

腸管病原性に関与する複数の毒素，腸管上皮細胞や膀胱上皮細胞への接着因子，新生児の髄膜炎に関与するK1抗原（莢膜）など，病態と相関した各種病原因子を保有する。

病原性

*E. coli*は下痢症，尿路感染症，髄膜炎などに関与する。下痢に関連した*E. coli*は下痢原性大腸菌（diarrheagenic *E. coli*）と総称され，さらに病原因子や臨床症状の違いから6種類に細分されている（表9.3.4）。

1. 下痢原性大腸菌（diarrheagenic *E. coli*）

（1）腸管病原性大腸菌

*E. coli*の腸管病原性が発見された当時は，すべてEPEC（広義）と表現されていた。現在のEPEC（狭義）は，A/E病変とよばれる腸管の上皮細胞への束状線毛（BFP）を介しての接着と，染色体にコードされた腸管上皮細胞障害領域（LEE）に関連した病原性を示す株と定義されている。LEEには腸管上皮の絨毛を破壊するタイプⅢ分泌系（T3SS）や強い腸管上皮への接着に関与するインチミン（*eae*遺伝子）などの複数の腸管病原性に関連する遺伝子が

用語 腸管病原性大腸菌（enteropathogenic *Escherichia coli*；EPEC），腸管毒素原性大腸菌（enterotoxigenic *Escherichia coli*；ETEC），腸管組織侵入性大腸菌（enteroinvasive *Escherichia coli*；EIEC），凝集付着性大腸菌（enteroaggregative *Escherichia coli*；EAEC），均一付着性大腸菌（diffusely adherent *Escherichia coli*；DAEC），アモキシシリン（amoxicillin；AMPC），クラブラン酸（clavulanic acid；CVA），コロニー形成単位（colony forming unit；CFU），酵素免疫測定法（enzyme-linked immunosorbent assay；ELISA），ポリメラーゼ連鎖反応（polymerase chain reaction；PCR），溶血性尿毒素症症候群（hemolytic uremic syndrome；HUS），リポ多糖（lipopolysaccharide；LPS），A/E（attaching and effacing），束状線毛（bundle-forming pili；BFP），接着（attaching），腸管上皮細胞障害領域（locus of enterocyte effacement；LEE）

コードされている。

(2) 毒素原性大腸菌

プラスミドに支配される易熱性毒素（LT）と耐熱性毒素（ST）を病原因子とする。LTはコレラ毒素と構造が類似しており，臨床症状もコレラ様の下痢を起こす。国内では海外旅行者事例で検出される。

(3) 腸管組織侵入性大腸菌

*Shigella*属菌がプラスミドに保有する細胞侵入因子である*ipaH*遺伝子や*invE*遺伝子などのいくつかの共通する因子を保有する。臨床症状も赤痢と同様である。EIECはリジン脱炭酸反応陰性，運動性陰性，乳糖非分解など，通常の*E. coli*とは異なり，*Shigella*属菌と同様の性状を示す。

(4) 腸管出血性大腸菌

1982年に米国で初めて*E. coli* O157:H7に汚染されたハンバーガーが原因による集団感染が発生した新興感染症の原因細菌である。ほかの下痢原性大腸菌と比較して致死性が最も高い。腸管出血性大腸菌感染症は三類感染症に指定されている。病原因子は*Shigella dysenteriae*血清型1（志賀赤痢菌）が産生する毒素と同様のベロ毒素1型（Stx1）とアミノ酸の相同性がやや異なるベロ毒素2型（Stx2）である。国内では志賀毒素（Stx）ともよぶ。この2種類の毒素は同時に産生する場合とどちらか一方を産生する場合があり，またそれぞれの毒素には複数の亜型がある。Stxは合併症としてHUSや脳症の原因となり，重症例では死亡する。国内では1996年の大阪府堺市，岡山県邑久町（現瀬戸内市）などで1万人，2011年には富山県などの牛肉ユッケを原因とした150名以上の集団発生と死者を出した。O抗原は特有でありO157（50%以上）が最も多いが，国内ではそれ以外にO26，O111などが関与している。2011年にはドイツ北部，米国，カナダにおいてStx2を産生しかつESBLを産生する*E. coli* O104:H4が原因による4,000名以上の集団感染が発生した。現在国内においても年間3,000人以上の感染者が報告されている。

(5) 凝集付着性大腸菌

試験管内での細胞培養において，ヒトの上咽頭がん由来細胞であるHEp-2細胞に付着する性質をもつ。病原因子は腸管細胞上で凝集塊の形成（*aggR*遺伝子）と，ETECのSTと作用機序が類似した耐熱性腸管毒（ESAT1，ST-like toxin，*astA*遺伝子）である。小児における腹痛，発熱を伴う軽度の炎症と血液や白血球混入を伴わない下痢を引き起こす。

(6) 均一付着性大腸菌

最も新しく定義付けられた概念を示す*E. coli*である。ほかの下痢原性大腸菌がもつ病原因子を保有しない*E. coli*である。腸管細胞に均一に付着（diffusely adherent）する性質をもつ。1～5歳の小児における水様性下痢と関連している。現在，さらなるメカニズムの解析について研究が進んでいる。

2. 腸管外感染症

急性膀胱炎や急性腎盂腎炎において最も高頻度に検出される病原体でありuropathogenic *E. coli*（UPEC）とよぶ。この*E. coli*は通常とは異なり尿路の上皮細胞へ定着するための特殊な線毛（Pap，タイプ1線毛）をもち，かつヘモリジンや細胞壊死因子（CNF）などの毒素を産生する。また特定のO抗原（O1，O2，O4，O6，O18，O22，O25，O75など）に限定した株が多く分離される傾向がある。

新生児の細菌性髄膜炎の原因細菌として*Streptococcus agalactiae*と同様に重要な病原体であり，meningitis/sepsis-associated *E. coli*（MNEC）とよばれる。MNECは通常の*E. coli*とは異なり，血液中に侵入し血行性に髄膜腔へ転移しやすい。病原因子として莢膜抗原であるK1，いくつかの関連因子（Ibe，AslA，CND1，FimH，OmpA）が同定されている。

抵抗性

培養菌は室温で数週間生息する。一般の環境においても数カ月間生存が可能である。熱に対する抵抗性は55℃で1時間，60℃で15分でも生存する場合がある。消毒薬への抵抗性は低い。

用語　易熱性エンテロトキシン（heat-labile enterotoxin；LT），耐熱性エンテロトキシン（heat-stable enterotoxin；ST），志賀毒素（Shiga-toxin；Stx），細胞壊死因子（cytotoxic necrotizing factor；CNF）

Q 臨床的に問題となっている基質特異性拡張型β-ラクタマーゼ（ESBL）とは？

A 多くのβ-ラクタム系薬を加水分解するため，抗菌化学療法を行ううえで，抗菌薬の選択肢が限られてしまう。β-ラクタマーゼの遺伝子はRプラスミド上に存在するため，菌種間を越えてRプラスミドが伝播し拡大していく。医療関連対策上も問題となっているが，近年市中感染症においても検出されている。環境や家畜からの伝播も報告されている。

Q multilocus sequence typing（MLST）とは？

A 株のタイピングは医療関連対策や公衆衛生学的研究などでパルスフィールドゲル電気泳動法（PFGE法）がおもに使用されていた。近年，複数のハウスキーピング遺伝子（細菌の生存に必ず必要な遺伝子）のそれぞれをPCRダイレクトシークエンスや全ゲノムシークエンスで塩基配列を決定し，その遺伝子配列の差異にもとづいた解析によってタイピングを行うMLSTが用いられている。

Q カルバペネム耐性腸内細菌目細菌感染症とは？

A カルバペネム耐性腸内細菌目細菌（CRE）とは，グラム陰性桿菌による感染症治療薬として最も重要なカルバペネム系薬（イミペネムやメロペネムなど）に耐性を示す腸内細菌目細菌の総称である。メロペネム耐性，あるいはイミペネムとセフメタゾール同時耐性を示した株による感染症は，五類感染症全数把握として届け出対象となる。おもな耐性メカニズムはカルバペネマーゼ産生によるが，稀に細胞壁の透過性の変化による耐性機序の獲得による場合もある。

9.3.2 シゲラ属（Genus *Shigella*）

分類

生化学的性状とO抗原の血清型によって*S. dysenteriae*，*S. flexneri*，*S. boydii*および*S. sonnei*の4菌種に分類される。またこれらは亜群ともよばれ，それぞれの菌種はA群，B群，C群およびD群に相当する。1897年，細菌学者である志賀 潔は*S. dysenteriae*を発見した。学名*Shigella*の名前の由来である。*Escherichia coli*と*Shigella*属菌の染色体はDNAハイブリダイゼーションで区別がつかず，現在の分類学では同じ菌種とみなされるが，医学的にまったく異なる意義をもつことから，現在においても別の菌属として独立している。*Shigella*属菌と腸管組織侵入性大腸菌（EIEC）の生化学的性状は極めて類似し，病原因子も同じものを保有する。現在の*Shigella*属菌はすでに作製している抗体で反応するという観点で*E. coli*と区別されている。

疫学

宿主はヒトおよび霊長類である。経口感染を主としたヒトからヒトへの感染がおもなルートであるが，汚染された食物や水からも伝播する。サルにも感染するため，輸入サルから感染に拡大した事例も報告されている。わが国では細菌性赤痢（三類感染症）として年間数百例が報告されているが，インド，インドネシア，中国，カンボジア，フィリピン，バングラデシュ，ネパールなどのアジア地域からの国外渡航例と国内例がいずれも半数ずつで認められる。国内，国外いずれも*S. sonnei*の分離頻度が最も高く（70％程度），次いで*S. flexneri*（20％程度）である。国外渡航例でわずかに*S. boydii*が検出されるが，*S. dysenteriae*は

用語 パルスフィールドゲル電気泳動（pulsed-field gel electrophoresis；PFGE），カルバペネム耐性腸内細菌目細菌（carbapenem-resistant *Enterobacteriaceae*；CRE），亜群（subgroup）

ほとんど認めない。

形態

0.4～0.6×1.0～3.0μmの中程度の大きさの桿菌で*E. coli*と類似する。腸内細菌目のなかでは鞭毛を保有しない数少ない菌属である。線毛も莢膜ももたない。

培養

*E. coli*と同様，普通寒天培地によく発育する。35～37℃の好気環境下で培養する。下痢便を対象とする場合は，SS寒天培地，DHL寒天培地あるいはマッコンキー寒天培地を使用する。これらの培地には乳糖が入っているため，乳糖非分解あるいは遅分解菌である*Shigella*属菌は24時間培養で2～3mmの光沢のある無色透明な円形コロニーを形成する。

同定

*E. coli*と同様，VP反応，IPA反応，硫化水素産生性，クエン酸利用能などの性状はすべて陰性となるグループに含まれる（表9.3.3）。リジン脱炭酸反応陰性，尿素分解性陰性，乳糖・白糖非分解であるが，*S. sonnei*は乳糖・白糖遅分解（2日以上の培養）である。鞭毛をもたず，運動性がない。菌種や血清型によって一部の生化学的性状が異なる（表9.3.5）。マンニット分解性は*S. dysenteriae*以外は陽性である。カタラーゼ産生は*S. dysenteriae*血清型1以外は陽性，オルニチン脱炭酸反応は*S. sonnei*のみが陽性である。インドール産生性は*S. sonnei*は陰性であるが，ほかの菌種の血清型の違いによって陽性となる株がある。ブドウ糖からのガス産生は原則陰性であるが，*S.flexneri*の一部の株で産生する場合がある。分離菌の生化学的性状が*Shigella*と合致した場合，*Shigella*同定用抗血清を用いて検査する。抗血清は通常の*E. coli*も交差反応が見られるため，血清学的検査を実施する場合は，必ず生化学的性状が*Shigella*に合致している株を使用する。

抗菌薬耐性

アンピシリン，テトラサイクリン，クロラムフェニコールなどに多剤耐性化した株が多く分離されている。これらの耐性株のほとんどはRプラスミド上に耐性遺伝子が取り込まれている。

抗菌薬感受性

レボフロキサシンやシプロフロキサシンなどのニューキノロン系薬が第一選択薬であるが，耐性の場合はマクロライド系薬であるアジスロマイシンが有効な場合がある。アジスロマイシンは感染細胞内への移行が優れており*Salmonella* Typhiの治療薬としても注目されている。2016年の米国CLSIが刊行しているM100-S26の薬効判定基準に*S. flexneri*と*S. sonnei*を対象としたアジスロマイシンの疫学的カットオフ値が掲載された。

表9.3.5 *Shigella*属菌の菌種別の生化学的性状

菌種	血清型	カタラーゼ産生	ブドウ糖からのガス産生	乳糖分解	白糖分解	マンニトール分解	インドール産生	アルギニン脱炭酸	オルニチン脱炭酸
S. dysenteriae	血清型1	−	−	−	−	−	−	−	−
	左記以外	＋	−	−	−	−	d	−	−
S. flexneri	血清型1～5	＋	−	−	−	＋	d	−	−
	左記以外	＋	d	−	−	＋	−	d	−
S. boydii		＋	−	−	−	＋	d	d	−
S. sonnei		＋	−	＋※1	＋※1	＋	−	−	＋

※1：培養2日目以降に遅れて分解。
d：株や血清型によって反応が異なる。

表9.3.6 *Shigella*属菌の血清型分類

菌種	亜群	血清型（O抗原）
S. dysenteriae	A	1～12
S. flexneri	B	1～6（1～5はさらに亜型あり），X，Y
S. boydii	C	1～18
S. sonnei	D	Ⅰ相：スムース型，Ⅱ相：ラフ型

迅速抗原検査

*S. dysenteriae*血清型1は，ベロ毒素である志賀毒素（Stx1）を産生することからベロ毒素検出用のELISAで陽性となる。

その他の検査

細胞侵入性に関する*ipaH*や*invE*遺伝子をPCRで検出方法がある。糞便を直接使用した場合はEIECと交差反応する。ほかに，モルモットの眼に生菌を接種し，細胞侵入性と細胞障害性を確認するセレニー試験がある。

抗原構造

4つの亜群のうち，A群はさらに15血清型に分かれる。そのうち血清型1が志賀赤痢菌でベロ毒素を産生する，B群は8血清型（1～6，XおよびY）に分けられ，さらに1～5の血清型は11種類の血清亜型に分けられる。C群は19血清型，D群は単一血清型である（表9.3.6）。

病原因子

*Shigella*属菌の特徴は巨大プラスミド（100～200kb）を保有していることであり，このプラスミド上に*ipaH*などの細胞内侵入に関する遺伝子がコードされている。また，*Shigella*属菌のうち*S. dysenteriae*血清型1のみが志賀毒素を産生する。ほかに，2種類の腸管毒素（ShET1，ShET2）を産生する場合があり水溶性下痢の原因となっている。

用語 DHL（deoxycholate-hydrogen sulfide-lactose），CLSI（Clinical and Laboratory Standards Institute），疫学的カットオフ値（epidermiological cutoff value）

病原性

細菌性赤痢として三類感染症に指定されている。*Shigella*属菌は胃酸抵抗性を示し腸管へ到達する。潜伏期は1～4日，1週間程度で症状は軽快する。感染に必要な菌数は10～100個と極めて少ない量で成立する。感染は初めに大腸粘膜に侵入する。マクロファージに貪食されるが殺菌されず，むしろマクロファージのアポトーシスを誘導する。大腸上皮の側壁部位から隣接する細胞へ感染を拡大させる。結果的に大腸粘膜に潰瘍を形成する。この際出血し，しぶり腹を伴いながら膿粘血便が出現する。水溶性下痢が出現するが，腸管毒素（ShET1，ShET2）によるものである。血管内に侵入することはないので，血中の抗体価はほとんど上昇しない。*S. dysenteriae*血清型1による感染が最も重症化しやすいが，現在は少なくなっている。*S. sonnei*の場合は軽症で経過することが多い。

抵抗性

55℃で30分，60℃で10分の加熱で死滅する。酸への抵抗性をもつ。消毒薬への抵抗性は弱い。

9. 3. 3　サルモネラ属（Genus *Salmonella*）

分類

S. enterica，*S. bongori*および*S. subterranea*の3菌種がある。さらに*S. enterica*は*S. enterica* subsp. *enterica*，*arizonae*，*diarizonae*，*houtenae*，*indica*および*salamae*の6亜種に分類される。ヒトに病原性を示すのは*S. enterica* subsp. *enterica*と*S. enterica* subsp. *arizonae*である。ヒトへの食中毒やチフスを起こす血清型のほとんどは*S. enterica* subsp. *enterica*に含まれる。*S. enterica* subsp. *enterica*にはさらに2,000種類の血清型が含まれる。チフス菌の正式な記載法は*Salmonella enterica* subsp. *enterica* serovar Typhiとなる。日常的には*Salmonella enterica* serovar Typhiや*S.* Typhiなどと記載する。

疫学

ヒトへの食中毒やチフスを起こす血清型のほとんどは*S. enterica* subsp. *enterica*の血清型に含まれる。*S. enterica* subsp. *enterica*は哺乳類の腸管に生息し，それ以外の亜種および*S. bongori*は爬虫類，両生類などの冷血動物の腸管に生息する。ウシ，ブタ，ニワトリなどの家畜・家禽類の腸管に分布することから，汚染した食肉の経口摂取によって感染が成立する。チフス，パラチフスの国内の感染症例はインドネシア，マレーシア，バングラデシュ，ミャンマー，フィリピン，インドなどの流行地への渡航歴がある患者から分離され，年間50例以内が届けられている。

形態

0.5～0.8 × 1.0～3.5 μmと中等度の大きさの桿菌である。周毛性鞭毛をもち，運動する。*S.* Typhiや*S.* Paratyphi Aの一部の血清型は莢膜様抗原を保有する。

培養

普通寒天培地によく発育する。35～37℃の好気環境下で培養する。下痢便を対象とする場合は，SS寒天培地，DHL寒天培地あるいはマッコンキー寒天培地を使用する。*S.* Typhiや*S.* Paratyphi A以外の一般的な*Salmonella*属菌のほとんどは硫化水素を多く産生するためSS寒天培地やDHL寒天培地上のコロニーの中心が黒変したコロニーを形成する（図9.3.1）。また乳糖・白糖非分解菌であるため，黒変したコロニーの辺縁は無色透明である。*S.* Typhiや*S.* Paratyphi Aはこれらの培地に*Shigella*に類似した無色透明コロニーを形成する。増菌培地としてセレナイト培地，食中毒型の*Salmonella*の増菌用としてセレナイト培地より選択性の高いセレナイト-ブリリアント緑（SBG）培地を併用することがある。これらの培地には，亜セレン酸ナトリウムが含まれ*Salmonella*以外の腸内細菌目細菌や腸球菌などの増殖を抑制する。

同定

VP反応陰性，IPA反応陰性，硫化水素産生性陽性（*S.* Paratyphi A以外）である。乳糖・白糖非分解である。硫化水素はクリグラー寒天培地やTSI寒天培地で高層の全体が黒変することで産生性がよく観察できる。*S.* Typhiは硫化水素の産生量が少ないためクリグラー寒天培地やTSI寒天培地の穿刺部位にのみわずかに黒変が見られる程度である。同様に硫化水素を産生する菌種に*Citrobacter freundii*,

図9.3.1　SS寒天培地上の*S. enterica* subsp. *enterica* serovar Typhimuriumのコロニー（矢印）
無色透明なコロニーは*Morganella morganii*。

用語　しぶり腹（tenesmus），セレナイト-ブリリアント緑（selenite brilliant green；SBG）

表 9.3.7　硫化水素産生，VP 反応陰性，IPA 反応陰性を示す菌の鑑別（一般的性状）

菌種，亜種または血清型	TSI培地				SIM培地		脱炭酸培地		シモンズクエン酸培地
	斜面	高層	ガス	硫化水素	インドール	運動性	リジン	オルニチン	
Salmonella Typhi	K	A	−	+w	−	+	+	−	−
Salmonella enterica subsp. *enterica*	K	A	+	+	−	+	+	+	+
Citrobacter freundii	A	A	+	+	−	+	−	−	+
Edwardsiella tarda	K	A	+	+	+	+	+	+	−

K：アルカリ化，A：酸性化，+w：産生量が弱い。

表 9.3.8　*Salmonella* 属菌の生化学的性状による鑑別

亜種または血清型	ブドウ糖からのガス	硫化水素	インドール	リジン脱炭酸	オルニチン脱炭酸	クエン酸	マロン酸	ONPG
S. enterica subsp. *enterica*（*S.* Typhi, *S.* Paratyphi A 以外）	+	+	−	+	+	+	−	−
S. Typhi	−	+w	−	+	−	−	−	−
S. Paratyphi A	+	−	−	−	+	−	−	−
S. enterica subsp. *arizonae*	+	+	−	+	+	+	+	d

+w：産生量が少ない，d：株によって異なる。

表 9.3.9　*Salmonella* 属菌の抗原構造

O 抗原群（旧名称）	血清型（serotype）	O 抗原	H 抗原	
			Ⅰ相	Ⅱ相
2 群（A）	Paratyphi A	1, 2, 12	a	[1, 5]
4 群（B）	Paratyphi B	1, 4, [5], 12	b	1, 2
	Typhimurium	1, 4, [5], 12	i	1, 2
7 群（C1，C4）	Paratyphi C	6, 7, [Vi]	c	1, 5
	Choleraesuis	6, 7	[c]	1, 5
	Montevideo	6, 7, 14	g, m, [p], s	[1, 2, 7]
	Thompson	6, 7, 14	k	1, 5
	Infantis	6, 7, 14	r	1, 5
	Tennessee	6, 7, 14	z29	[1, 2, 7]
8 群（C2，C3）	Narashino	6, 8	a	e, n, x
	Newport	6, 8, 20	e, h	1, 2
9 群（D1）	Sendai	1, 9, 12	a	1, 5
	Typhi	9, 12, [Vi]	d	−
	Enteritidis	1, 9, 12	g, m	[1, 7]
	Gallinarum	1, 9, 12	−	−
3，10 群（E1, E2, E3）	Anatum	3, 10, [15], [15, 34]	e, h	1, 6
	London	3, 10, [15]	l, v	1, 6
1, 3, 19 群（E4）	Senftenberg	1, 3, 19	g, [s], t	−

[ ]：欠如している場合がある。

Edwardsiella tarda，*Proteus*属菌がある（表9.3.7）。これらとの鑑別はIPA反応，リジン脱炭酸反応，インドール反応を用いる。*Citrobacter freundii*はリジン脱炭酸反応陰性，*Edwardsiella tarda*はインドール反応陽性，*Proteus*属菌はIPA反応陽性である。*S.* Paratyphi A以外の*Salmonella*属菌はリジン脱炭酸反応陽性であり，すべての*Salmonella*属菌はインドール反応陰性である。また，*Salmonella*属菌はクエン酸を炭素源として利用するが，*S.* Typhiと*S.* Paratyphi Aは利用できない。ブドウ糖からガスを産生するが，*S.* Typhiのみ陰性である。*S. enterica* subsp. *enterica*と*S. enterica* subsp. *arizonae*との鑑別は，マロン酸利用能やONPGテストを利用する。両試験とも*S. enterica* subsp. *enterica*は陰性，*S. enterica* subsp. *arizonae*は陽性である（表9.3.8）。

抗菌薬耐性

一般的にニューキノロン系薬の経口あるいは静脈投与が行われるが，近年ニューキノロン系に低感受性を示す株が検出されている。最近，CLSIは*Salmonella*属菌のニューキノロン低感受性菌判定用のブレイクポイントを提示している。世界的流行株である*S.* Typhimuriumファージ型DT104はアンピシリン，クロラムフェニコール，ストレプトマイシン，スルホンアミド，テトラサイクリンおよびニューキノロンに感受性が低下した多剤耐性菌として問題視されている。本菌は1990年代頃から英国で増加し，1998年にはデンマークで集団発生し，特効薬的薬剤であるニューキノロンによる治療も奏功せず死亡例が出た。DT104の出現および流行は，家畜への不必要なニューキノロンの予防投与が原因と考えられている。

抗原構造

O抗原，H抗原およびVi抗原の組み合わせによって多数の血清型が存在し，カウフマン・ホワイトの分類表として整理されている（表9.3.9）。O抗原は耐熱性抗原であり，1つの主抗原と2〜3種類の副抗原をもち，O血清群として群が決定されている。H抗原は易熱性の鞭毛抗原であり，O抗原との組み合わせにより，最終血清型名が決定される。H抗原には相変異という現象があり，Ⅰ相とⅡ相の間をそれぞれの相で異なる抗原構造をもつ鞭毛を可逆的に変異している。たとえばO4群の*S.* TyphimuriumはⅠ相はi，Ⅱ相は1，2という抗原性に変異している。この2つの相をもつ場合を複相性，Ⅰ相のみしかもたない場合を単相性とよぶ。単相性は*S.* Typhiなどがある。Vi抗原は*S.* Typhiや*S.* Paratyphi Cがもつ易熱性の莢膜様抗原であり，100℃，30分間の加熱で消失する。Vi抗原を発現している血清型はO抗原が血清凝集反応で検出できないため，O抗原の検査の前は加熱を行い，莢膜抗原を除去する必要がある。血清型の名称は当初は病気や動物名から命名されたが，現在は分離した地域や国の名称を使用することになっており，*S. enterica* subsp. *enterica*のみに固有の名称を命名することになっている。O抗原およびH抗原の表記は，*S.* Typhimuriumであれば1，4，12:i:1，2と記載する。

用語　*o*-nitrophenyl 1-β-galactopyranoside；ONPG，カウフマン・ホワイト（Kauffmann-White）

抗菌薬感受性

腸管感染症ではニューキノロン系薬が第一選択薬である。腸チフスやパラチフスおよび腸管外サルモネラ感染症には第三世代セファロスポリン系薬であるセフトリアキソンが第一選択薬であり，次いでアジスロマイシンが第二選択薬となる。いずれもCLSIのブレイクポイントで薬効評価を行う。過去においてはクロラムフェニコールが特効薬であったが，強い副作用の観点から使用されなくなった。

その他の検査

腸チフスは第3週病日以降，血中の抗体価が上昇するため，*S.* Typhiの死菌を抗原として抗体価を凝集法で定量できる。これをウィダール反応という。

病原因子

*Salmonella*属は細胞内寄生菌である。染色体に病原性を発揮するための遺伝子群であるSPIが存在する。SPIはSPI-1～SPI-10に分かれ，それぞれにタイプⅢ分泌系（T3SS），腸炎発症，全身感染に派生するために必要な蛋白質，Vi抗原がコードされている。そのうち，SPI-2は*Salmonella*属菌以外の菌種では確認されておらず，この遺伝子群はマクロファージからの排除機構からの回避，肝臓や脾臓に広がるための機能に関係している。またSPI-7はVi抗原をコードしている。

病原性

*Salmonella*属菌の病態は食中毒あるいは急性胃腸炎を起こす菌とチフス様疾患を起こす菌がある。

1. チフス様疾患

腸チフスは*S.* Typhi，パラチフスは*S.* Paratyphi Aが原因細菌となり，いずれも三類感染症に指定されている。感染宿主はヒトのみである。汚染された食品や水などから経口的に接種され，小腸に到達した後に粘膜下のリンパ節のパイエル板で増殖する。感染の成立には10^6～10^9個の菌数が必要とされているが，少量でも発症する場合がある。1～2週間の潜伏期を経てリンパ節からリンパ管を経て血流に入り菌血症状態となる。発症時は，悪寒，発熱に加え，チフス3主徴といわれる徐脈，バラ疹，脾腫が出現する。この時期は便秘となることが多い。発症2週目頃から脾臓，腎臓，骨髄，パイエル板に壊死病巣を形成し，腸管穿孔や腸出血を引き起こす。治療しない場合は1カ月程度症状が続き，死亡することがある。治療後は，菌が胆嚢内に常在し慢性保菌者となることがある。下痢や腹部症状に先行して菌血症症状を引き起こすため，第1週目は血液培養からの菌検出率が最も高く，時間が経過するとともに検出率は減少し，第4週目にはほとんど検出されない。糞便からの検出は第2週から3週に検出率が増大する。この期間中には胆汁や尿中にも菌が出現することがあり，各臓器の壊死などが進み死亡率が高くなる。

2. 食中毒あるいは急性胃腸炎

ウシ，ブタ，ニワトリなどの食用肉や鶏卵の摂取により感染する。この場合集団食中毒として発生することが多い。わが国では*Vibrio parahaemolyticus*と*Campylobacter*と並ぶ食中毒の主要原因細菌である。またペット用カメ，イヌ，ネコなどからの接触感染もある。*S.* Typhiと同様，感染の成立には10^6個以上の菌数が必要とされているが，少量（1,000個以下）でも発症する場合がある。潜伏期は6時間から24時間であり，発熱，頭痛，下痢，嘔吐などで発症する。チフス様疾患と異なりリンパ節の病変や血液培養から検出されることはなく，症状は1週間程度で回復するが，小児や高齢者の場合は腸チフスと同様に敗血症に進展することがあり，死亡例も認められる。国内の血清型は1980年頃までは*S.* Typhimuriumが優勢であったが，以降鶏卵関連の食品が原因により*S.* Enteritidis，次いで*S.* Infantisが優勢となった。1999年には子供用のイカ菓子が原因となった*S.* Oranienburgによる集団発生など，ほかの血清型による集団発生も見られる。

抵抗性

60℃で10～20分の加熱で死滅するが，乾燥や冷凍に抵抗性が強い。胆汁および胆汁酸，亜セレン酸に対する抵抗性をもつため，これらを含む選択分離培地や増菌培地中で増殖が可能である。

予防

1970年代まで国内では腸チフス・パラチフス混合ワクチンが実施されていたが，国内の患者減少と強い副作用が原因で中止となった。海外では海外旅行者用ワクチンのため，現在もなお開発が行われている。現在，弱毒生菌ワクチン，Vi多糖体ワクチン，加熱フェノール不活化（あるいはアセトン不活化）ワクチンが海外で使用されている。

用語　ウィダール（Widal），SPI（*Salmonella* pathogenicity island）

Q ニューキノロン系薬耐性菌とは？

A 染色体上にコードされているDNAジャイレース（DNA合成に関与，*gyrA*，*parC*遺伝子など）内にあるキノロン耐性決定領域の変異によってニューキノロンに耐性度が上昇する。変異箇所の数によって低感受性から耐性まで幅広いMICを示す。*Salmonella*属菌をはじめ多くの腸内細菌目細菌は同じ耐性メカニズムをもち，ニューキノロン系薬耐性菌が近年急増している。2012年のCLSIドキュメントにおいて*S.* Typhiおよび腸管外由来の*Salmonella*臨床分離株について治療効果を判断するための新しいブレイクポイントが，ほかの腸内細菌目細菌とは別に設定された。従来の基準で感性と判定されていた株も，新しい基準では耐性となることがある。

9. 3. 4 シトロバクター属（Genus *Citrobacter*）

分類

*C. freundii*が基準種であり，これを含み17菌種に分類されている。ほかに*C. amalonaticus*，*C.braakii*，*C.koseri*（旧名*C. diversus*）などがヒトから分離される。

疫学

ヒトからは*C. freundii*が最も高頻度に分離される。おもに糞便中に存在し，尿路感染，膿瘍，敗血症に伸展することがあるが，一般的には病原性は低く，日和見感染症の原因細菌である。汚水，魚類，動物，食物などの環境中にも存在する。

培養

普通寒天培地によく発育する。硫化水素を産生することから，SS寒天培地，DHL寒天培地では*Salmonella*属菌に類似した中央が黒色化したコロニーを呈する。多くの株は乳糖を分解するためコロニーは赤色となり（図9.3.2），*Salmonella*属菌と区別できるが，稀に乳糖非分解の*Citrobacter*属菌も存在し*Salmonella*属菌と混同することがある。

同定

VP反応陰性，IPA反応陰性，硫化水素産生性陽性である。*C. freundii*は硫化水素を産生することから*Salmonella*属菌との鑑別が必要となる（表9.3.7）。リジン脱炭酸反応陰性となることから*Salmonella*と区別される。多くは乳糖を分解し，クエン酸利用能陽性となる。*C. freundii*以外の*Citrobacter*属菌の多くは硫化水素を産生しない株であり，*Escherichia coli*と類似した性状を示す場合があるが，*Citrobacter*属菌はクエン酸利用能が陽性となることから区別される。*Citrobacter*属菌の種の鑑別はインドール産生（*C. freundii*は陰性，*C. koseri*や*C. amalonaticus*は陽性），オルニチン脱炭酸反応（*C. freundii*は陰性，*C. koseri*や*C. amalonaticus*は陽性），アドニトール分解（*C. koseri*のみが陽性）などが用いられる。

抗菌薬耐性

*C. freundii*は染色体性にAmpC β-ラクタマーゼ（セファロスポリナーゼ）を産生し，第一，第二世代セファロスポリンやペニシリンに耐性，*C. koseri*は染色体性にクラスA β-ラクタマーゼを産生し，ペニシリンに耐性を示す。

抗菌薬感受性

第三世代セファロスポリン，カルバペネム，ニューキノロンが有効である。

抗原構造

*Citrobacter*属菌の一部に*Salmonella*属菌のO抗原に対する抗体と反応する株がある。

病原性

一般的に病原性は弱く，日和見感染症の原因細菌である。*C. koseri*は新生児髄膜炎の原因となる。

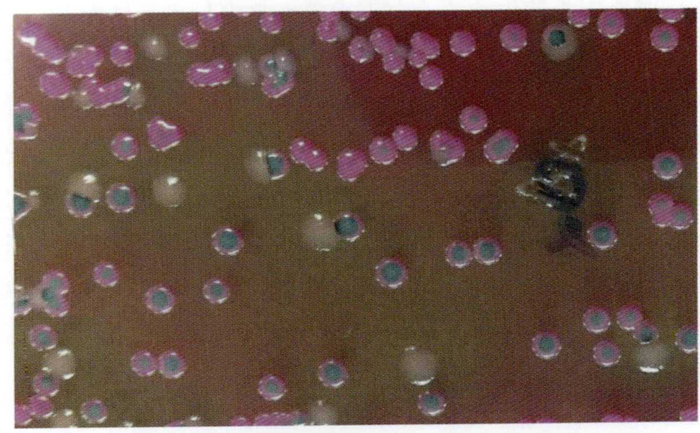

図 9.3.2 DHL寒天培地上の*C. freundii*（中心部黒色）と*Shigella sonnei*（無色透明）

9. 3. 5　クレブシエラ属（Genus *Klebsiella*）

分類

*K. pneumoniae*が基準種である。*K. pneumoniae*には*K. pneumoniae* subsp. *pneumoniae*，*K. pneumoniae* subsp. *ozaenae*，*K. pneumoniae* subsp. *rhinoscleromatis*の3亜種に分けられる。ほかに，*K. aerogenes*，*K. oxytoca*，*K. granulomatis*など全部で17菌種が含まれる。*K. ornithinolytica*，*K. planticola*および*K. terrigena*は*Raoultella*属へ，*K. aerogenes*（2017年）は*Enterobacter*属から*Klebsiella*属へ再分類されている。

疫学

ヒトからは*K. pneumoniae* subsp. *pneumoniae*が最も高頻度に分離される。おもに，呼吸器や尿路から分離されるが，腸管を含むほとんどすべての部位で検出される。*K. oxytoca*はヒトの腸管内に生息する。両種とも環境中に広く生息する。*K. pneumoniae* subsp. *ozaenae*，*K. pneumoniae* subsp. *rhinoscleromatis*，*K. granulomatis*はヒトを宿主とする。*R. planticola*および*R. terrigena*は植物や水系から分離されるが，ヒトへの関与は*K. pneumoniae* subsp. *pneumoniae*と類似する。

形態

*Escherichia coli*と比較してやや大型である。莢膜を有し，鞭毛はない。

培養

普通寒天培地によく発育する。*K. pneumoniae* subsp. *pneumoniae*は粘性があり半球状の大きなムコイド型コロニーを形成するのが特徴である。乳糖を分解し，DHL寒天培地やマッコンキー寒天培地では赤色，BTB乳糖寒天培地では黄色の大型コロニーを形成する。SS寒天培地では胆汁酸塩によって発育が抑制される。

同定

VP反応陽性，IPA反応陰性，硫化水素産生性陰性である。VP反応が陽性となる*Serratia*属菌や*Enterobacter*属菌との鑑別は運動性，リジン脱炭酸反応，オルニチン脱炭酸反応などを使用する。ブドウ糖から大量のガスを産生し，TSI培地に大きな亀裂を形成する。運動性がなく，インドール陰性，リジン脱炭酸反応陽性，オルニチン脱炭酸反応陰性，マロン酸分解陽性である（表9.3.10）。*R. ornithinolytica*と*K. oxytoca*はインドール陽性である。*K. oxytoca*は黄褐色のペクチンを産生し，TSI培地斜面部を変色させる。*R. ornithinolytica*はオルニチン脱炭酸反応陽性である。*K. ozaenae*，*K. rhinoscleromatis*はVP反応陰性，*K. ozaenae*はマロン酸分解陰性である（表9.3.11）。

抗菌薬耐性

K. pneumoniae subsp. *pneumoniae*や*K. oxytoca*はそれぞれLEN-1（SHV-1関連）とKOXY（K1）とよばれる染色体由来のクラスA β-ラクタマーゼを産生し，アンピシリンに自然耐性を示す。K1過剰産生*K. oxytoca*は第一，第三世代セファロスポリンにも耐性化する。近年，基質拡張型β-ラクタマーゼ（ESBL）産生株が増加している。欧米ではKPC型，OXA-48型，NDM型などのカルバペネマーゼ産生株が問題視され，国内では流行地への海外渡航歴がある患者から分離されている。

抗菌薬感受性

一般的に第三世代セファロスポリン系薬，カルバペネム系薬，β-ラクタマーゼ阻害薬配合ペニシリン，ニューキノロンが治療に使用される。

抗原構造

K. pneumoniae subsp. *pneumoniae*は莢膜抗原が病原性に関連している。とくにK1型は，遺伝子上に高度ムコイド形成を促す遺伝子（*magA*，*rmpA*）を保有しており，病原性と関連する。コロニーを白金線で釣菌するとK1型

表 9.3.10　硫化水素非産生，VP反応陽性，IPA反応陰性を示す菌種の鑑別（一般的性状）

菌種	TSI培地			SIM培地		脱炭酸培地		シモンズクエン酸培地	マロン酸	DNase
	斜面	高層	ガス	インドール	運動性	リジン	オルニチン			
Klebsiella pneumoniae	A	A	+	−	−	+	−	+	+	−
Klebsiella oxytoca	A	A	+	+	−	+	−	+	+	−
Enterobacter cloacae	A	A	+	−	+	−	+	+	d	−
Klebsiella aerogenes *	A	A	+	−	+	+	+	+	+	−
Serratia marcescens	A	A	d	−	+	+	+	+	−	+

K：アルカリ化，A：酸性化。
* 旧名 *Enterobacter aerogenes*

表 9.3.11　*Klebsiella*属菌と*Raoultella*属菌の鑑別のための生化学的性状

菌種または亜種	インドール	オルニチン	VP	マロン酸	ONPG
K. pneumoniae subsp. *pneumoniae*	−	−	+	+	+
K. pneumoniae subsp. *ozaenae*	−	−	−	−	d
K. pneumoniae subsp. *rhinoscleromatis*	−	−	−	+	−
K. oxytoca	+	−	+	+	+
R. ornithinolytica	+	+	d	+	+
R. planticola	d	−	+	+	+
R. terrigena	−	−	+	+	+

d：株によって反応が異なる。

用語　高度ムコイド形成（hypermucoviscosity），粘稠性試験（string test）

以外の株と比較して5mm以上の長さの糸を引くような現象を認める。これを粘稠性試験（string test）という（図9.3.3）。

病原性

K. pneumoniae subsp. *pneumoniae*は肺炎，尿路感染症から分離される。K1型は重症肺炎，敗血症，肝膿瘍，髄膜炎などの重篤な疾患と関連する。*K. oxytoca*は腸管に常在するが，染色体由来の易熱性細胞変性毒素産生遺伝子保有株は抗菌薬関連出血性腸炎を引き起こすことが報告されている。*K. pneumoniae* subsp. *ozaenae*, *K. pneumoniae* subsp. *rhinoscleromatis*は慢性呼吸器感染症の原因となり，それぞれ臭鼻症と鼻硬化症の患者から分離されたことから，種名の由来となっている。*K. granulomatis*は，かつて*Carymmatobacterium granulomatis*とよばれ，熱帯地域の流行国における性行為感染症であるドノバン症（鼠径部肉芽腫）の原因細菌である。人工培地を用いた培養は困難であり，感染部位の塗抹検査，細胞培養，PCR法などの方法で検出する。*R. ornithinolytica*は膿瘍，尿路感染，敗血症，*R. planticola*および*R. terrigena*は*K. pneumoniae* subsp. *pneumoniae*による病態と類似する。

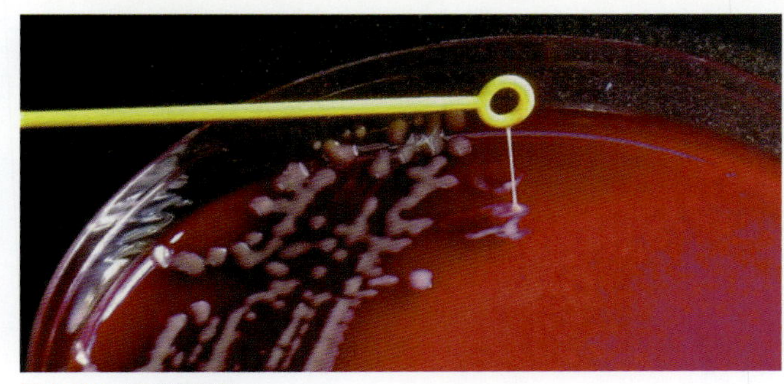

図 9.3.3　粘稠性試験
(Shon AS *et al.*: "Hypervirulent (hypermucoviscous) *Klebsiella pneumoniae*: a new and dangerous breed", Virulence, 2013；15：107–118より引用)

9. 3. 6　セラチア属（Genus *Serratia*）

分類

*Serratia*属は，2016年に腸内細菌科（*Enterobacteriaceae*）から*Yersinia*科に再分類された。*S. marcescens*が基準種である。現在，23菌種が含まれる。ヒトからはほかに*S. liquefaciens*，*S. fonticola*，*S. rubidaea*などが分離される。

疫学

環境中に広く生息する。院内の湿潤環境中に生息し医療関連感染に関与する。腸内細菌目細菌のなかでは，ヒトの腸管内には定着しにくい傾向がある。

培養

普通寒天によく発育する。*S. rubidaea*，*S. plymuthica*はプロジギオシンとよばれる非拡散性の赤色色素を産生する（図9.3.4）。しかし，患者材料から分離される*S. marcescens*は色素非産生株がほとんどである。

同定

VP反応陽性，IPA反応陰性，硫化水素産生性陰性である。VP反応が陽性となる*Klebsiella*属菌や*Enterobacter*属菌との鑑別が必要である。*Serratia*属菌は一般に乳糖非分解，白糖分解，リジン脱炭酸反応陽性，マロン酸分解陰性である。運動性があり，DNaseを産生する。

抗菌薬耐性

*S. marcescens*は染色体性にAmpC β-ラクタマーゼ（セファロスポリナーゼ）を産生し，第一，第二世代セファロスポリン系薬やペニシリン系薬に耐性を示す。また基質拡張型β-ラクタマーゼ（ESBL）やメタロ-β-ラクタマーゼ（MBL）産生性を獲得し，多剤耐性化した株の院内伝播が問題となる。

抗菌薬感受性

第三世代セファロスポリン系薬，カルバペネム系薬，ニューキノロン系薬が有効である。

病原性

*S. marcescens*は日和見感染症に関与する主要な菌種であり，尿路感染症，呼吸器感染症，術後創部感染症，血管カテーテル感染症，髄膜炎などに関与する。また，消毒薬の不適切な使用，点滴製剤の作り置き，呼吸器ケア用の超音

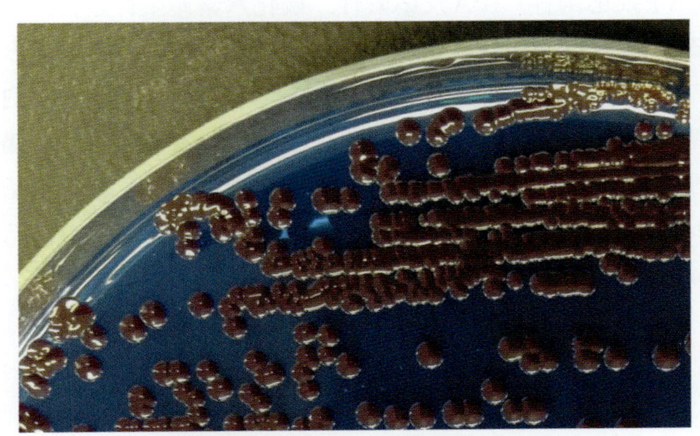

図 9.3.4　BTB乳糖寒天培地上の赤色色素産生 *S. marcescens*
一般的に患者から分離される株は色素を産生せず，本培地上では無色のコロニーとなる。

用語　臭鼻症（ozena, atrophic rhinitis），鼻硬化症（rhinosclercma），鼠径部肉芽腫（granuloma inguinale），デオキシリボヌクレアーゼ（deoxyribonuclease；DNase）

波ネブライザー内の汚染などが原因の集団感染による死亡例も報告されている。国内では，2000年に厚生労働省から，「セラチアによる院内感染防止対策の徹底について」*1を通知し，院内感染対策を推進し，院内感染を疑う事例を把握した場合は，速やかに保健所への届け出を行う旨の依頼が行われた。一方，市中感染症への関与は稀であるが，コンタクトレンズ関連の眼内炎の原因細菌として報告されている。

抵抗性

クロルヘキシジングルコン酸塩などの低水準消毒薬に対してほかの腸内細菌目細菌と比較して耐性度が高い。

参考情報

＊1：セラチアによる院内感染防止対策の徹底について（抜粋）
　喀痰吸引，尿道カテーテル，中心静脈カテーテル留置，口腔ケア，ネブライザー吸入などの医療行為，医療器具および患者の状態（寝たきりなど）と，喀痰中のセラチア陽性者の間には，統計的に有為な相関があった。また，血流感染に関して，静脈留置針，三方活栓の取扱い，消毒用エタノールの種類，濃度およびその消毒効果に対する過信，エタノール綿の取扱い・保管などに問題があったことが判明した。さらに，ネブライザー薬液や石鹸箱，ハンドソープなどからセラチアが検出された。これらを介した医療行為が同菌による院内感染を引き起こす要因の1つと考えられることから，これらの医療操作や医療器具の消毒および管理方法等に関して留意する必要がある。（医薬案第127号：2000年10月27日厚生省医薬安全局安全対策課長）

9. 3. 7　エンテロバクター属（Genus *Enterobacter*）

分類

*E. cloacae*が基準種である。現在22菌種が含まれる。*E. aerogenes*は2017年に*Klebsiella aerogenes*として再分類された。しかし，本菌種は，有鞭毛，オルニチン脱炭酸能をもつ，および尿素分解性が欠如しているなど，*Klebsiella*の基本性状と異なることから，教科書上は*Enterobacter*の一菌種として扱うことが多い。*Enterobacter*属の菌種は分類学上変更が多く，たとえば，*E. agglomerans*は*Pantoea*属（2016年に*Erwinia*科に再分類）に，*E. sakazaki*は*Cronobacter*属に再分類されている。

疫学

土壌，下水，野菜などの自然環境中に認められる。ヒトからは腸管をはじめ，さまざまな部位から検出され，医療関連感染に関与する。

同定

VP反応陽性，IPA反応陰性，硫化水素産生性陰性である。VP反応が陽性となる*Klebsiella*属菌や*Serratia*属菌との鑑別が必要である。*Enterobacter*属菌は一般に乳糖・白糖分解，リジン脱炭酸反応陰性，オルニチン脱炭酸反応陽性である。運動性があり，DNaseを産生しない。*K. aerogenes*（旧*E. aerogenes*）はリジン脱炭酸反応陽性，*P. agglomerans*はオルニチン脱炭酸反応陰性である。

抗菌薬耐性

*Enterobacter*属菌の多くの菌種は染色体性にAmpC β-ラクタマーゼ（セファロスポリナーゼ）を産生し，第一世代・第二世代セファロスポリン系薬やペニシリン系薬に耐性を示す。また基質拡張型β-ラクタマーゼ（ESBL）やメタロ-β-ラクタマーゼ（MBL）産生性を獲得し，多剤耐性化した株の院内伝播が問題となることが多い。

抗菌薬感受性

第三世代セファロスポリン系薬，カルバペネム系薬，ニューキノロン系薬が有効である。

病原性

*Enterobacter*属菌は日和見感染症に関与する主要な菌種であり，尿路感染症，呼吸器感染症，術後創部感染症，血管カテーテル感染症，髄膜炎などに関与する。2001年に厚生労働省から，「エンテロバクター菌による院内感染防止対策の徹底等について」を通知し，院内感染への注意喚起と，院内感染を疑う事例を把握している場合は，所轄の保健所あての情報提供の依頼が行われた。

抵抗性

低水準消毒薬に対し，ほかの腸内細菌目細菌と比較して耐性度が高い。*C. sakazaki*（旧名*E. sakazaki*）は短時間高熱殺菌に抵抗性を示し，粉ミルクへの汚染が原因となり，乳児の髄膜炎や敗血症に関与した事例が報告されている。

9. 3. 8 エルシニア属（Genus *Yersinia*）

分類

*Yersinia*属は，2016年に腸内細菌科（*Enterobacteriaceae*）から*Yersinia*科に再分類された。*Yersinia*属には26菌種が含まれるが，そのうち，ヒトに病原性を示すのは*Y. pestis*，*Y. pseudotuberculosis*，*Y. enterocolitica*の3菌種である。ゲノム解析の結果，*Y. pestis*と*Y. pseudotuberculosis*のDNAの相同性は90%以上と高く，分類学的には同一菌種である。*Y. enterocolitica*とのDNA相同性は50%以内である。

疫学

ヒトに病原性を示す3菌種の*Yersinia*は，いずれも動物への寄生性が強く，これらがヒトへの感染源となる。ペストは*Y. pestis*によって引き起こされる感染症で，齧歯類とこれに寄生するノミの間を行き来する。ヒトへはノミの吸血によって感染する。ペストは5世紀以降から知られている疾患であり，14世紀には黒死病とよばれ，欧州全域に拡大し多くの死者を出した。*Y. pestis*の最初の分離は1893年の香港の流行によってYersinと北里によって成し遂げられた。現在はペストの発生は激減し，流行域はインド，ベトナム，モンゴル，中国，ペルー，タンザニア，ザイールなどの一部の地域に限定されている。わが国にはまったく存在しない細菌であり，唯一の細菌感染症として一類感染症に分類されている。

*Y. pseudotuberculosis*は土壌や水などの環境，野生動物（齧歯類，ウサギ，野鳥など）から検出される。主としてわが国を含むアジア，北欧などの寒冷地に生息する。ヒトへは感染動物との接触や汚染された野菜や肉（おもに豚肉），沢水や井戸水から感染する。国内では1981年に岡山県内の小学校における野菜ジュースが原因による500人以上の集団感染が初めて確認された。以降，小・中学校，山間部住民から，井戸水，沢水，焼肉が原因による数十人から数百人規模の集団感染が発生している。

*Y. enterocolitica*はヒトと動物の間を行き来する世界中に分布している細菌である。ブタなどの家畜，齧歯類，イヌなどに分布し，非殺菌牛乳，生肉や加熱が不十分な肉を介して経口的に感染する。

形態

0.5〜0.8×1〜3μmの卵形から桿状の桿菌であり，ほかの腸内細菌目細菌より小さい。*Y. pestis*や*Y. pseudotuberculosis*は菌体の両端が濃染（bipolar）する。*Y. pestis*は鞭毛がなく，莢膜を有さないが，37℃で培養すると菌体の周囲に膜状のエンベロープが認められる。*Y. pseudotuberculosis*と*Y. enterocolitica*は30℃以下で周毛性鞭毛を発現し運動する。

培養

普通寒天培地に発育するが，ほかの腸内細菌目細菌と異なり世代時間が約40分と長く，37℃，24時間培養ではピンポイント状の（0.1mm程度）の微小なコロニー形成にとどまる。至適発育温度はほかの腸内細菌目細菌より低温であり，25〜30℃がよい。培地はマッコンキー寒天培地がよいが，25℃，48時間程度の培養で乳糖非分解性の1〜2mm程度のコロニーを形成する。*Y. enterocolitica*用選択分離培地としてCIN培地があり（図9.3.5），48時間培養でマンニットを分解して直径1mm程度の赤色コロニーを形成する。*Y. enterocolitica*はSS培地でも分離が可能である。*Y. pseudotuberculosis*はCIN培地やSS培地に発育しない株がある。回復期の患者や菌量が少ないことが疑われる場合は，増菌を目的としてリン酸緩衝液（pH 7.6）に糞便を入れて，4℃，3週間培養した後に分離培養を行う。

同定

VP反応，IPA反応，硫化水素産生性，クエン酸利用能などの性状はすべて陰性となるグループに含まれる。リジン脱炭酸反応陰性，乳糖非分解である。37℃の培養では鞭毛を発現せず，運動性がない。菌種間の生化学的性状の違いは，*Y. enterocolitica*は白糖分解，オルニチン脱炭酸反応陽性，VP反応は25℃で陽性となる株がある。また*Y. enterocolitica*と*Y. pseudotuberculosis*は尿素を分解する（表9.3.3）が，*Y. pestis*は分解しない。

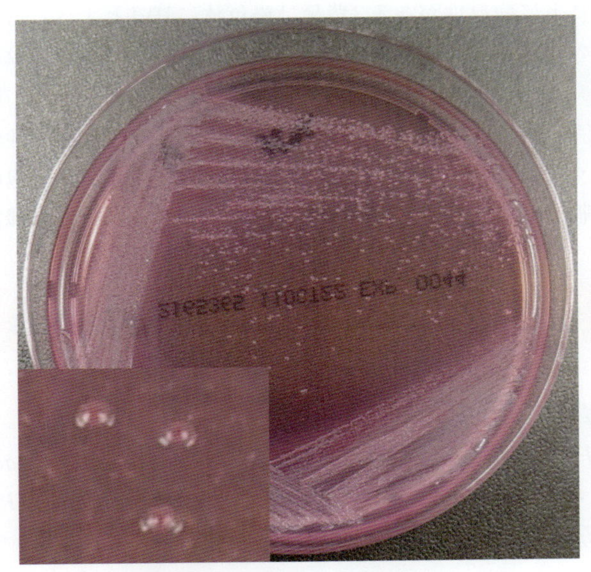

図 9.3.5　CIN 寒天上の *Yersinia enterocolitica*

用語　ペスト（plague），黒死病（black death），セフスロジン・イルガサン・ノボビオシン寒天（cefsulodin-irgasan-novobiocin agar；CIN）

抗菌薬耐性

*Y. enterocolitica*はクラスA β-ラクタマーゼを産生するためペニシリン系や第一世代セファロスポリン系薬は無効である。

抗菌薬感受性

ペストはストレプトマイシン，テトラサイクリンなどが有効である。腸炎エルシニアは自然治癒することが多いが，症状が強い場合はニューキノロン系や第三世代セファロスポリン系薬を投与する。腸間膜リンパ節炎，敗血症などでは第三世代セファロスポリン系（セフトリアキソン），ニューキノロン系（シプロフロキサシン），アミノグリコシド系（ゲンタマイシン），テトラサイクリン系薬が有効，仮性結核ではアンピシリン，ニューキノロン系薬，ゲンタマイシン，テトラサイクリンが有効である。

その他の検査

*Y. enterocolitica*の感染症を疑うが菌が分離できない場合，患者の初期血清と回復期血清を用いて抗体価を測定できる。

抗原構造

*Y. persis*は易熱性のエンベロープ抗原をもつ。抗血清を用いた診断や，エンベロープ抗原を血球に用いた受身赤血球凝集反応で血清抗体の検出が可能である。

*Y. enterocolitica*のO抗原は57種類，H抗原は19種類，K抗原は6種類ある。病原性に関連する血清型はO3，O5，O8，O9であるが，わが国ではO3がほとんどである。

*Y. pseudotuberculosis*のO抗原は15種類に型別され，血清型1，2，4および5はさらに2～3種類の亜群に分けられている。病原性に関連しているO抗原型は，国内ではO4とO5が多い。

病原因子

ヒトに病原性がある3菌種は染色体にHPIとよばれる共通の遺伝子カセットをもち，鉄獲得システム（シデロフォア）の1つであるエルシニアバクチン（*ybt*遺伝子）やpYV（pCD1）プラスミドをもつ。pYVを失うと病原性がなくなる。pYVはタイプⅢ分泌系（T3SS），貪食細胞の抑制，血清抵抗性，腸管への定着などの多くの病原性機能に関連している。*Y. pestis*のみが保有する因子として，染色体性のインヴェイジン（細胞内侵入に関与），およびpH6抗原（PsaA，細胞表層蛋白質，貪食細胞の貪食に抵抗），プラスミド性にpYT（エンベロープ，fraction 1 antigenなど），pYP（プラスミノーゲンアクチベーターなど）があり，毒素，凝固線溶系，貪食細胞に対する抵抗性や，シデロフォアなどの増殖因子を保持しながらヒトに対する病原性を発揮している。

病原性

ペストの病型は，感染の仕方によって腺ペスト，肺ペスト，敗血症型ペスト，皮膚ペストに分かれる。腺ペストは，ペストを保有するノミに吸血された部位周辺のリンパ節が腫脹し，肝臓や脾臓でも増殖し，1週間以内に死亡する。肺ペストは稀な病型であるが，飛散した*Y. pestis*が経気道的に侵入し肺炎を起こし，数日以内に死亡する。敗血症型ペストは*Y. pestis*が全身に散布され，末梢の毛細血管で塞栓を起こし，黒色に変化した皮膚の病変が形成される。これが「黒死病」の名前の由来となっている。皮膚ペストはノミに吸血された部位の潰瘍病変の形成であり感染部位が限局している。

腸炎エルシニアは，胃腸炎を引き起こすが，腸管膜リンパ節炎，回腸末端炎，虫垂炎を引き起こす。腹部超音波検査で回腸末端の腸管壁肥厚や多数の腸管膜リンパ節の腫大の所見から本細菌感染症を疑うことが可能である。集団食中毒の原因菌の1つである。

仮性結核は，胃腸炎，腸管膜リンパ節炎，結節性紅斑を引き起こす。一部の症例に川崎病の診断基準である眼球結膜充血，苺舌，リンパ節腫大を満たすものがあり，その関連が研究されている。

抵抗性

*Y. pestis*は55℃，10～15分間で死滅するが，4℃の低温状態では長期に生存する。消毒薬に対しては抵抗性が低い。

予防

ペスト流行地で長期に医療行為や野外作業などを行う場合は，ペストワクチンを接種することが薦められている。

9. 3. 9　プロテウス属（Genus *Proteus*）

分類

*Proteus*属は，2016年に腸内細菌科（*Enterobacteriaceae*）から*Morganella*科に再分類された。*P. mirabilis*，*P. vulgaris*，*P. penneri*など10菌種が含まれる。

疫学

ヒトの腸管内常在菌であり，動物，食材，水，土壌などに腐敗菌として生息する。

培養

普通寒天培地によく発育する。周毛性鞭毛で活発に運動

用語　HPI（high-pathogenicity island），エルシニアバクチン（yersiniabactin；ybt），インヴェイジン（invasin）

するため，普通寒天培地やヒツジ血液寒天培地上で遊走（スウォーミング，図9.3.6）する株が多いが，胆汁酸塩を含むマッコンキー寒天培地などでは遊走が阻止される。BTB乳糖寒天培地では乳糖非分解の青色コロニー，SS寒天培地では，やや発育が抑制されるが中心部が黒色で辺縁が無色透明のコロニー，DHL寒天培地では，コロニー周囲にIPA反応による培地の褐色化が認められる。

同定

*Proteus*属菌は後述する*Morganella*属菌と*Providencia*属菌と同様，アミノ酸を酸化的に脱アミノし，ケト酸を生じさせる酵素を産生する特徴がある。たとえば，トリプトファンはインドールピルビン酸，フェニルアラニンはフェニルピルビン酸を脱アミノ反応によって生じる。*Morganella*属菌や*Providencia*属菌との鑑別は，インドール産生，硫化水素産生，オルニチン脱炭酸反応，クエン酸利用能，ウレアーゼ産生を利用する。*Proteus*属菌は硫化水素陽性，クエン酸利用陰性，ウレアーゼ産生である。*P. mirabilis*は白糖非分解，インドール産生陰性，オルニチン脱炭酸陽性，*P. vulgaris*は白糖分解，インドール産生陽性，オルニチン脱炭酸陰性である（表9.3.12）。*P. mirabilis*の一部の株はVP反応が陽性になる。

抗菌薬耐性

基質特異性拡張型β-ラクタマーゼ（ESBL）産生株が増加している。テトラサイクリンに自然耐性である。

抗菌薬感受性

*P. mirabilis*は*P. vulgaris*より感受性傾向が高い。*P. vulgaris*は染色体性にクラスA β-ラクタマーゼ産生性を保有し，過剰発現株はESBL産生株と同様の耐性パターンを示す。

抗原構造

*Proteus*属菌のO抗原と*Rickettsia*属菌と共通抗原をもつことが古くから知られており，リケッチア症患者の血清と*Proteus*属菌の死菌抗原とを反応させたワイル・フェリックス反応がリケッチア症のスクリーニングに利用されている。*P. vulgaris*のOX19とOX2株は発疹チフス群や紅斑熱群の患者血清と反応し，*P. mirabilis* OXK株はツツガムシ病の患者血清と反応する。

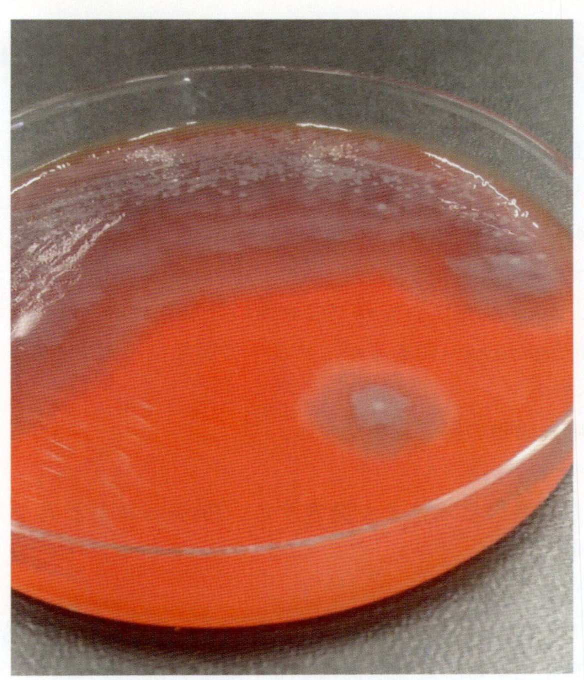

図9.3.6 *Proteus mirabilis*の血液寒天培地上のスウォーミング現象

病原性

ヒトの腸管に常在していることから尿路感染症の原因となることが多い。ほかに，日和見感染症原因菌として各種部位から検出される。*P. vulgaris*は，*P. mirabilis*と比較して膿，軟部組織から分離される傾向がある。

表9.3.12 IPA反応陽性を示す菌種の鑑別（一般的性状）

菌種	TSI培地				SIM培地			脱炭酸培地		シモンズクエン酸培地	マロン酸	尿素	アドニトール	イノシトール	マンニトール
	斜面	高層	ガス	硫化水素	硫化水素	インドール	運動性	リジン	オルニチン						
Proteus mirabilis	K	A	+	+	+	−	+	−	+	d	−	+	−	−	−
Proteus vulgaris	A	A	+	+	+	+	+	−	−	−	−	+	−	−	−
Morganella morganii	K	A	+	−	+	+	+	−	+	−	−	+	−	−	−
Providencia alcalifaciens	K	A	+	−	−	+	+	−	−	+	−	−	+	−	−
Providencia rettgeri	K	A	−	−	−	+	+	−	−	+	−	+	+	+	+
Providencia stuartii	d	A	−	−	−	+	+	−	−	+	−	d	−	+	−

K：アルカリ化，A：酸性化。

用語 遊走〔スウォーミング（swarming)〕，ワイル・フェリックス（Weil-Felix）

9. 3. 10 モルガネラ属（Genus *Morganella*）

分類

*Morganella*属は，2016年に腸内細菌科（*Enterobacteriaceae*）から*Morganella*科に再分類された*M. morganii*が基準種で，*M. morganii* subsp. *morganii*と*M. morganii* subsp. *sibonii*の2亜種に分類される。ほかに*M. psychrotolerans*があるが，ヒトへの関与は不明である。

疫学

哺乳動物の腸管に生息する。

培養

普通寒天培地によく発育する。*Proteus*属菌と異なり，遊走しない。

同定

アミノ酸を酸化的に脱アミノし，ケト酸を生じさせる酵素を産生する。硫化水素はTSI培地やクリグラー培地では検出できないが，SIM培地ではわずかに褐色を呈するレベルで検出できる。インドールテスト陽性，オルニチン脱炭酸反応陽性，クエン酸利用能陰性，尿素分解陽性である。

抗菌薬耐性

染色体性にAmpC β-ラクタマーゼ(セファロスポリナーゼ）を産生し，第一，第二世代セファロスポリン系薬やペニシリン系薬に耐性を示す。テトラサイクリンに自然耐性である。

抗菌薬感受性

第三世代セファロスポリン系薬，カルバペネム系薬，ニューキノロン系薬が有効である。

病原性

*Proteus*属菌と同様である。

9. 3. 11 プロビデンシア属（Genus *Providencia*）

分類

*Providencia*属は，2016年に腸内細菌科（*Enterobacteriaceae*）から*Morganella*科に再分類された。*P. alcalifaciens*，*P. rettgeri*，*P. stuartii*など11菌種が含まれる。

疫学

哺乳動物の腸管に生息する。

培養

普通寒天培地によく発育する。*Proteus*属菌と異なり遊走しない。

同定

アミノ酸を酸化的に脱アミノしてケト酸を生じさせる酵素を産生する。硫化水素は産生しない。インドールテスト陽性，オルニチン脱炭酸反応陰性，クエン酸利用能陽性である。菌種の鑑別は，尿素分解，アドニトール，イノシトール，マンニトールなどの糖分解で行う（表9.3.12）。

抗菌薬耐性

*P. alcalifaciens*は各種β-ラクタムに感受性傾向が強いが，*P. rettgeri*，*P. stuartii*は染色体性にAmpC β-ラクタマーゼ（セファロスポリナーゼ）を産生し，第一世代セファロスポリン系薬やペニシリン系薬に耐性を示す。テトラサイクリンに自然耐性である。

抗菌薬感受性

第三世代セファロスポリン系薬，カルバペネム系薬，ニューキノロン系薬が有効である。

病原性

尿路感染などさまざまな部位から検出される。*P. mirabilis*，*P. penneri*，*M. morganii*および*P. alcalifaciens*は正常便より下痢便から優位に分離される傾向があるがそのメカニズムは明らかではない。近年，*P. alcalifaciens*と*P. rettgeri*の一部の株が細胞侵入性を示すことが報告されており，下痢症との関連性が研究されている。

9. 3. 12 プレジオモナス属（Genus *Plesiomonas*）

分類

*P. shigelloides*の1菌種を含む。

疫学

淡水，河川水に生息し水媒介性感染症の原因となる。両生類，鳥類，魚類，動物など，広い宿主域をもつ。国内では東南アジアなどの海外旅行者関連の下痢症の原因である。

形態

ほかの腸内細菌目細菌とは異なる，菌体の端に数本の叢毛性鞭毛を保有する。

培養

乳糖遅分解・白糖非分解のため，SS寒天培地やDHL寒天培地ではコロニー性状が*Shigella*と類似する。

同定

腸内細菌目細菌のなかで唯一オキシダーゼ試験が陽性となる。インドール陽性，リジン脱炭酸反応陽性，ブドウ糖からのガス発生はない（表9.3.2）。

抗菌薬感受性

ニューキノロン系薬が有効であるが，予後が良好であるため治療を必要としない場合もある。

抗原構造

O抗原に*Shigella sonnei*と共通抗原をもつ。

病原因子

コレラ様毒素，耐熱性毒素，易熱性毒素，β-ヘモリジン，サイトトキシンなどを産生する。

病原性

①水溶性下痢，②赤痢様組織侵入性，③2週間から3カ月程度継続する亜急性・慢性下痢症の3種類の病型がある。また時に敗血症を起こす場合がある。

［小松　方］

9. 3. 13　ビブリオ科（Family *Vibrionaceae*）

前述した腸内細菌目細菌と本項で述べるビブリオ科，後述するエロモナス属はまず始めに表9.3.13にしたがって各種分離培地の発育およびオキシダーゼ試験の結果からおよその菌群を推定し，その後の同定手順の方向性を決定する。

ヒトに病原性を有する菌種は，*Vibrio* 属13菌種，*Photobacterium*属と*Grimontia*属は各1菌種の計15菌種である。

分類

V. cholerae（コレラ菌）や*V. parahaemolyticus*（腸炎ビブリオ）のように胃腸炎・下痢症を起こす群と，*V. vulnificus*のように敗血症・創傷感染を起こす群に大別される。本菌群はまっすぐか，弯曲（コンマ状）したグラム陰性桿菌である。多くの菌種は液体培地では一端一毛（極単毛）を有するが，液体培地では側毛を有する菌種（*V. parahaemolyticus*, *V. alginolyticus*）もある。多くは発育に0.5～3%の食塩を要求（好塩性菌）し，ブドウ糖を発酵して酸を産生するが，ガスを産生しない。淡水や海水に分布し，魚介類やカニ，エビのなどの汚染によりヒトに感染する（表9.3.14）。

表9.3.13　腸内細菌目，ビブリオ科およびエロモナス属における分離培地上コロニーの特徴

分離培地	発育（コロニーの形成）		
BTB乳糖寒天培地	+	±[※2]	+
（マッコンキー寒天培地）	+	±[※2]	+
TCBS寒天培地	−	+	−
オキシダーゼ試験	原則−[※1]	+	+
疑う菌群	腸内細菌目	ビブリオ科	エロモナス属
詳細な同定に必要な確認培地	TSI寒天培地，SIM培地，VP半流動培地，シモンズ・クエン酸塩培地，リジン脱炭酸塩培地，オルニチン脱炭酸塩培地，尿素培地，DNA培地	腸内細菌目細菌の確認培地（左記）＋食塩加ペプトン水（0%，3%，8%，10%）	腸内細菌目細菌の確認培地（左記）＋食塩加ペプトン水（0%，3%，8%，10%）＋胆汁エスクリン培地

※1 *Plesiomonas shigelloides* はオキシダーゼ陽性。
※2 菌種によって異なる

1. コレラ菌（*Vibrio cholerae*）

疫学

コレラは古くからインドのガンジス川デルタ地帯の風土病であった。その後，19世紀初めから世界各地へ拡散し，20世紀前半まで6回の世界的大流行を繰り返し，これらの流行はアジア型*V. cholerae*によるものであった。一方，エジプトのエルトール検疫所で分離されたエルトール型*V. cholerae*は，20世紀後半（1961年～）第7次世界的大流行を起こした。1992年からコレラ毒素を産生するnon-O1コレラ菌，O139型（新型コレラ，ベンガル型）がインドやバングラデシュのベンガル地方で流行し，急速にインド亜大陸に広がった。

形態

0.4～1.0 × 1.0～5.0 μmのコンマ状のやや弯曲したグラム陰性桿菌（図9.3.7）。芽胞，莢膜はない。極単毛を有し，活発に直線的な運動を示す。

表9.3.14　ヒトに病原性を起こす*Vibrio* 属菌

1. おもに腸管感染（下痢）の原因となる菌種
V. cholerae O1, O139
V. cholerae non-O1, non-O139
V. mimicus
V. parahaemolyticus
V. fluvialis
V. furnissii
Grimontia hollisae[※1]
2. 創傷感染，敗血症などの原因となる菌種
V. vulnificus
V. alginolyticus
V. metschnikovii
V. harveyi
V. cincinnatiensis
Photobacterium damselae[※2]

※1 旧学名；*V. hollis*，※2 旧学名；*V. damsela*。
〔飯田哲也：「第4編 細菌学各論 2. グラム陰性通性嫌気性桿菌 B. ビブリオ科」，シンプル微生物学 改訂第6版，東 匡伸，他（編）149，南江堂，2018を一部加筆〕

図 9.3.7　*V. cholerae* O1 の電子顕微鏡画像　×16,000

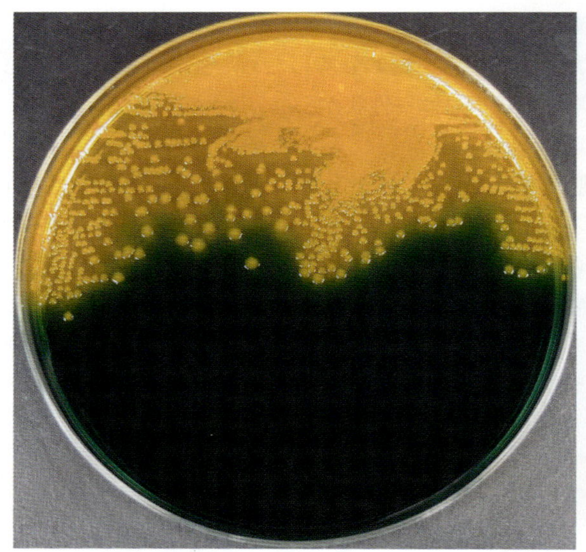

図 9.3.8　TCBS 寒天培地上の *V. cholerae*

表 9.3.15　*Vibrio* 属菌とその類縁菌の生化学性状

菌種	TCBS	TSI	アミノ酸脱炭酸			インドール	VP	食塩加ペプトン水			
	コロニー色	斜面／高層	Lys	Arg	Orn	産生	反応	0%	3%	8%	10%
V. cholerae	黄	A/A	+	−	+	+	v	+	+	−	−
V. mimicus	緑	−/A	+	−	+	+	−	+	+	−	−
V. parahaemolyticus	緑	−/A	+	−	+	+	−	−	+	+	−
V. alginolyticus	黄	A/A	+	−	v	+	+	−	+	+	+
V. vulnificus	緑または黄	−/A	+	−	v	+	−	−	+	−	−
V. fluvialis	黄	A/A	−	+	−	−	−	−	+	+	−
V. furnissii	黄	A/AG	−	+	−	−	−	−	+	+	−
V. metschnikovii	黄	A/A	v	v	−	−	+	−	+	v	−
V. cincinnatiensis	黄	A/A	v	−	−	−	−	−	+	v	−
V. harveyi	v	v/A	+	−	−	+	v	−	+	+	−
Grimontia hollisae ※1	−	−/A	−	−	−	+	−	−	+	−	−
Photobacterium damselae ※2	緑	−/A	v	+	−	−	+	−	+	−	−

※1 旧学名；*Vibrio hollisae*，※2 旧学名；*Vibrio damselae*，v：株により異なる。

〔Tarr CL *et al.*: "Vibrio and Related Organisms", Manual of Clinical Microbiology, Volume 1, 12th ed, Carroll KC *et al.* (eds.), 777, ASM Press, 2019 を一部参照〕

培養

通性嫌気性菌で普通寒天培地によく発育する。至適発育温度は37℃，至適pHは7.6〜8.4であり，この性質を利用して増菌培地にアルカリペプトン水（pH 8.4）が用いられる。選択分離培地としてTCBS寒天培地，ビブリオ寒天培地がある。TCBS寒天培地上では35〜37℃，18〜20時間培養で白糖を分解して，黄色コロニーを形成する（図9.3.8）。

同定

オキシダーゼ陽性，ブドウ糖発酵するがガスは産生しない。食塩無添加ペプトン水で発育する。白糖を分解し，乳糖は遅分解する。インドール産生し，リジン脱炭酸反応陽性である（表9.3.15）。

菌型

血清型，生物型およびファージ型などがある。

①血清型

生化学的性状が *V. cholerae* と同様な性状を示す *Vibrio* 属は，O抗原によって210種類に分類される。このうち，O1抗原あるいはO139抗原（ベンガル型）をもち，コレラ毒素を産生するものが *V. cholerae* で，それ以外は非O1（non-O1），非O139（non-O139）*V. cholerae*（NAGビブリオ）とよばれる。

V. cholerae O1のO抗原はA，B，Cの3特異因子があり，それらの組み合わせにより小川型（AB），稲葉型（AC），彦島型（ABC）に分けられる。

②生物型

V. cholerae O1はアジア型（古典型）とエルトール型に分けられる。エルトール型はニワトリ赤血球反応陽性，ポリミキシンBに耐性である。*V. cholerae* O139は1種類である。

③ファージ型

アジア型はファージⅣに感受性で，エルトール型は耐性である。

用語　TCBS（thiosulfate citrate bile salts sucrose），NAG ビブリオ（non-agglutinable vibrio）

抗菌薬感受性

テトラサイクリン系薬やニューキノロン系薬に感受性がある。

病原因子

代表的病原因子はCTである。A，Bの2つのサブユニットからなり，Bサブユニットが粘膜上皮細胞に結合する。Aサブユニットが細胞内に侵入して腸上皮からの水分分泌の亢進が起こる。ほかに腸管に付着するための定着因子であるタイプⅣ線毛TCPもある。

病原性

*V. cholerae*に汚染された飲料水や食物を介して経口感染し，数時間～5日間の潜伏期間を経て，激しい水溶性下痢（米のとぎ汁様）と嘔吐を起こす。発熱や腹痛は稀。主要な死因は下痢や嘔吐に伴う脱水症。高齢者，胃切除者で重症化傾向を示す。特有の下痢症状はコレラ毒素〔コレラエンテロトキシン（CT）〕が腸管上皮細胞に作用して，電解質と水分の多量排泄により起こる。国内のコレラ発症例のほとんどはコレラ流行地域での感染例である。コレラは「感染症の予防及び感染症の患者に対する医療に関する法律（感染症法）」の三類感染症，*V. cholerae* O1およびO139は四種病原体等に属する。

抵抗性

酸に弱く，健康人の胃酸により殺菌される。また乾燥，日光，高温にも弱く死滅しやすい。

予防

経口不活化コレラワクチンが世界各地で使用されている。ただし小児には無効とされている。

2. 非 O1，非 O139 コレラ菌（*Vibrio cholerae* non-O1，non-O139）

形態および生化学的性状は*V. cholerae*と同一であるが，血清学的にO1抗原およびO139抗原に凝集しない*V. cholerae* non-O1，non-O139はNAGビブリオとよばれる。O1およびO139抗原を有し，かつコレラ毒素（CT）を産生する*V. cholerae*とは厳密に区別される。多数の血清型が知られており，ほとんどの菌種は毒素を出さない。多くは食中毒の原因菌で，海水，海泥，魚介類にも広く分布しており，河川からも検出される。旅行者下痢症の原因菌として重要である。稀に創部感染，胆道感染，菌血症を起こす場合がある。

3. ビブリオ・ミミカス（*Vibrio mimicus*）

食中毒の原因菌で，淡水，海水，魚介類に分布する。*V. cholerae*（*V. cholerae*およびNAGビブリオ）と極めて類似した生化学的性状を有するが，白糖非分解性で*V. cholerae*と区別される。

4. 腸炎ビブリオ（*Vibrio parahaemolyticus*）

わが国の食中毒原因菌のなかで，重要な原因菌の1つである。1950年に大阪地方で発生した「シラス食中毒事件」を契機として，わが国で初めて分離された好塩性菌である。

疫学

海水および汽水域に生息し，夏季に増殖して魚介類から検出される。本菌に汚染された食品を介してヒトに感染する。魚介類を生食する習慣のあるわが国では食中毒統計で常に上位を占めていたが，1998年以降減少している。

形態

0.5～0.8 × 1.4～2.0 μmの大きさのグラム陰性桿菌（図9.3.9）。液体培地では一端一毛（極単毛）だが，固形培地では周毛を有する。

培養

通性嫌気性。食塩無添加の培地では発育せず，1～8%食塩添加で発育する（好塩性菌）が10%食塩添加では発育しない。選択分離培地としてはTCBS寒天培地，ビブリオ寒天培地がある。増菌培地は4% NaCl加アルカリ性ペプトン水を使用する。本菌は白糖非分解のため，TCBS寒天培地上では緑色コロニー，ビブリオ寒天培地では桃色がかったやや不透明コロニーを形成する（図9.3.10）。

同定

オキシダーゼ陽性，ブドウ糖発酵するがガスは産生しない。乳糖，白糖非分解で好塩性だが10%食塩添加では発育しない。インドール産生，リジン脱炭酸陽性，VP反応陰性（表9.3.15）。

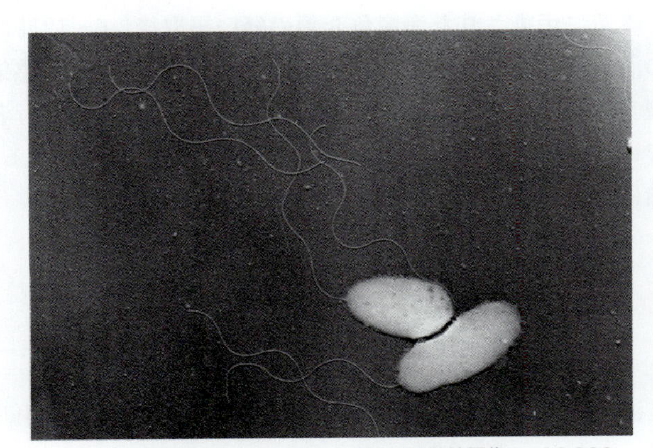

図9.3.9　*V. parahaemolyticus*の電子顕微鏡画像　×16,000

用語　TCP（toxin-coregulated pili），コレラエンテロトキシン（cholera enterotoxin；CT）

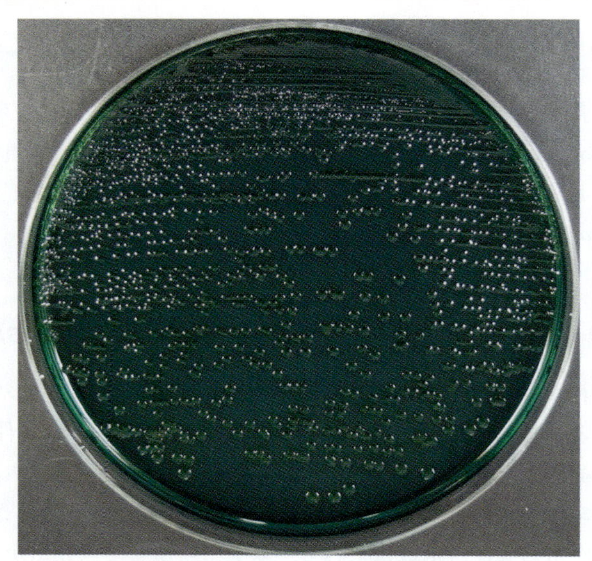

図 9.3.10　TCBS 寒天培地上の *V. parahaemolyticus*

菌型

血清型として耐熱性の菌体抗原（O抗原），鞭毛抗原（H抗原），莢膜抗原（K抗原）を有する。O抗原は13種類，K抗原は75種に分類され，両者の組み合わせで各種型別（例；O3：K6，O4：K68，O1：K25）されている。

抗菌薬感受性

テトラサイクリン系薬，ニューキノロン系薬に感受性がある。

病原因子

神奈川現象に関与する耐熱性溶血毒（TDH）およびその類似毒素（TRH）があり，両者は細胞膜に孔を形成する毒素で腸管毒性と心臓毒性を有する。また新たな病原因子として，タイプⅢ分泌機構の存在が明らかになった。神奈川現象とは本菌が特定条件下で血球（ヒト，ウサギ）を溶血する現象をいう。本現象は病原性と密接な関係があり，患者由来株の多くは陽性（溶血）で，環境由来株の多くは陰性である。

病原性

本菌に汚染された海産魚介類の経口摂取後，6～12時間の潜伏期を経て，腹痛，下痢，嘔吐，発熱が主症状の感染型食中毒を起こす。わが国では夏季に多いが，海外旅行者では季節に関係なく発症する。 多くは数日で回復する。稀に創傷感染，敗血症を起こすこともある。

5. ビブリオ・アルギノリチカス（*Vibrio alginolyticus*）

海水中に生息し，一般的には病原性は弱いがヒトに中耳炎や創傷感染，菌血症を起こす。腸管病原性はない。白糖を分解，10%食塩加ペプトン水で発育する点が特徴である。

6. ビブリオ・バルニフィカス（*Vibrio vulnificus*）

疫学

沿岸海水や海泥，とくに塩分の低い汽水域に生息する魚介類に分布する。肝硬変などの基礎疾患のあるヒトに経口感染あるいは創傷感染し重症化する。夏季に感染例が多い。

形態

やや弯曲したグラム陰性桿菌（短いバナナ状，コンマ状）。一端一毛をもち活発に運動する。

培養

通性嫌気性の好塩性菌。35～37℃，一夜培養後のヒツジ血液寒天培地では溶血性のコロニー，TCBS寒天培地では緑色コロニーを形成するが黄色コロニーを形成する株もある。乳糖分解性で，白糖非分解，VP反応陰性，リジン脱炭酸陽性，食塩加ペプトン水（食塩濃度：0，3，8，10%）では3%のみに発育を認める。

抗菌薬感受性

第三世代セファロスポリン系薬やカルバペネム系薬，ニューキノロン系薬やテトラサイクリン系薬に感受性が高く，これらを組み合わせて投与される。

病原因子

VVP蛋白質分解酵素やVVH溶血毒素がある。

病原性

感染経路は生魚介類の摂取による経口感染と海水や海泥への接触による創傷感染がある。おもに肝障害や糖尿病などの基礎疾患をもつ患者に四肢から壊死性筋膜炎などを生じ，急激に敗血症やショック死など重篤な経過をとる場合が多い。創傷感染より経口感染の方がより重症である。本菌感染には肝障害などによる鉄代謝異常の要因が関与している。

7. ビブリオ・フルビアリス（*Vibrio fluvialis*）およびビブリオ・ファニシイ（*Vibrio furnissii*）

疫学

両菌種は *V. parahaemolyticus* などと同様，沿岸海水，河口域に広く分布している。汚染した魚介類による食中毒や下痢症の原因となる。わが国では海外旅行者による輸入散発例が主で，そのほとんどは *V. parahaemolyticus* との混合感染例である。

用語　耐熱性溶血毒（thermostable direct hemolysin；TDH），耐熱性毒素関連溶血毒（TDH-related hemolysin；TRH），VVP（*Vibrio vulnificus* protease），VVH（*Vibrio vulnificus* hemolysin）

形態と培養

グラム陰性桿菌，液体培地では極単毛だが固形培地では周毛である。好塩性菌であり，TCBS寒天培地上では白糖分解し，コレラ菌と似た黄色コロニーを形成する。乳糖非分解，白糖分解，VP反応陰性，リジンおよびオルニチン脱炭酸反応陰性，アルギニン脱炭酸反応陽性である。*V. fluvialis*は*V. furnissii*と極めて類似するが，ブドウ糖からガス産生能（*V. furnissii*陽性）で鑑別可能である。

8. その他の*Vibrio*および*Vibrio*類縁の菌

*V. metschnikovii*や*V. cincinnatiensis*は，稀に菌血症や下痢を起こすことがある。その他，ビブリオ類縁菌として*Grimontia hollisae*は*V. hollisae*として知られていた菌であり，下痢症の原因になることがあるがTCBS寒天培地には発育しない。*Photobacterium damselae*（旧名*V. damselae*）は創傷感染を起こすことがある。

Q ***V. cholerae*** **O1/O139（CT陽性）の検査法は？**

A 疑わしい患者からの菌検出は予防対策上，一刻を争うことを念頭に検査を進める。また糞便中の*V. cholerae*は死滅しやすいため，採便後，速やかに培養を行う（直ちに培養できない場合はキャリー・ブレア培地を使用する）。

(1) 顕微鏡学的検査

水溶性下痢便から直線的で活発な運動する菌とグラム陰性のコンマ状桿菌が観察できれば予想できる。

(2) 分離と増菌培養

選択分離培地としてTCBS寒天培地（あるいはビブリオ寒天培地），増菌培地としてアルカリ性ペプトン水を用いて35～37℃で培養する。TCBS寒天培地では一夜培養後，黄色コロニーを形成する。増菌培地では6～8時間後TCBS寒天培地に接種し，培養する。

(3) 同定

TCBS寒天培地上の黄色コロニーから，直接診断用血清でスライド凝集反応を行う。このとき，必ず生理食塩水を対照とし，自然凝集が認められない場合のみ判定する。O1あるいはO139血清に凝集が認められたら好塩性試験をはじめとする各種性状試験や同定キットによる同定検査とコレラ毒素（CT）検査を行う。それと同時に直ちにその旨を主治医（保健所）に連絡し，衛生研究所に菌株を提出することが，迅速診断および予防対策上重要である。

(4) コレラ毒素検査

逆受身ラテックス凝集反応を用いたキットが市販されている。また確定診断法としてPCR法によるコレラ毒素遺伝子の検出法がある。

Q ***V. parahaemolyticus*** **のⅢ型分泌装置とは？**

A グラム陰性細菌がもつ蛋白質の分泌機構で，自らが産生する蛋白質を菌体外に分泌できるだけでなく，その複合体が注射器様の構造であるため，その蛋白質（エフェクター）を直接宿主細胞に打ち込むことができる。そしてエフェクター蛋白質は宿主細胞内の機能を阻害する。*V. parahaemolyticus*のⅢ型分泌装置は細胞毒性や腸管毒性に深く関与する。

Q ***V. vulnificus*の検査法は？**

A 本症は発症後数時間～数日で死亡することが多いため，迅速な対応が求められる。検査材料は血液培養，壊死部の組織，水泡内溶液などである。血液培養以外は直ちにGram染色を行い，やや弯曲した陰性桿菌が認められた場合は*V. vulnificus*感染症が疑われる。分離培地として，ヒツジ血液寒天培地やTCBS寒天培地を用いる。培養後は疑わしいコロニーを速やかに同定する。生化学的性状は*V. parahaemolyticus*や*V. alginolyticus*に極めて類似するが，本菌は乳糖発酵性が陽性である。

9. 3. 14　エロモナス属（Genus *Aeromonas*）

分類

現在20菌種以上が報告されており，*A. hydorophila* complex，*A. caviae* complex，*A. veronii* complexに大別される。臨床材料から検出されるおもな菌種は各complexより*A. hydorophila* subsp. *hydrophila*，*A. caviae* および *A. veronii* biovar. *sobria*（旧名*A. sobria*）の3菌種である。

疫学

淡水域（河川，湖沼）およびその周辺の土壌や魚介類などに広く分布している。飲料水や淡水魚などを介してヒトに感染し，下痢症状を起こす。魚類，爬虫類および両生類にも病原性を示す。*A. hydorophila* subsp. *hydrophila*と*A. veronii* biovar. *sobria*は食中毒の原因菌である。また壊死性軟部組織感染症の重篤例も引き起こす。

1. エロモナス・ハイドロフィラ 亜種ハイドロフィラ（*Aeromonas hydorophila* subsp. *hydrophila*）

形態

0.3～1.0 × 1.0～3.5μmのグラム陰性桿菌である。極単毛をもち，運動性を有するが固形培地ではしばしば周毛を有する。莢膜，芽胞はない。

培養

通性嫌気性菌。オキシダーゼ陽性。ブドウ糖を発酵して酸を産生し，多くの株はガスを産生する。多くは乳糖非分解だが白糖は分解する。生物活性は22～25℃で強く，普通寒天培地によく発育し，DHL寒天培地やSS寒天培地などにも発育する。TCBS寒天培地には発育しない。35～37℃，一夜培養後のSS寒天培地上で無色透明の露滴状コロニーを形成し，DHL寒天培地では赤色コロニーを形成する。ヒツジ血液寒天培地上ではβ溶血を示す株が多い。ほかの菌種との鑑別は表9.3.16に示した。腸内細菌目の菌種とはオキシダーゼ陽性が重要な鑑別点であり，*Plesiomonas shigelloides*とはリジン，オルニチン脱炭酸で鑑別できる。

抗菌薬耐性

ABPC耐性。狭域セファロスポリンや阻害剤配合β-ラクタム薬に耐性の場合がある。誘導型染色体性β-ラクタマーゼとして，Class Cセファロスポリナーゼ，Class Dペニシリナーゼ，Class Bメタロ-β-ラクタマーゼが確認されている。

抗菌薬感受性

第三世代セファロスポリン系薬やカルバペネム系薬，ニューキノロン系薬などに感受性がある。

病原因子

接着因子，細胞侵入因子，溶血毒などが知られている。

病原性

下痢や食中毒を起こす。開発途上国への海外旅行の感染者が多いとされている。時に激しい米のとぎ汁様の水様下痢を起こす。下痢症以外では皮膚や筋肉などの軟部組織感染も多く，敗血症など重症例も報告されている。

表9.3.16　*Aeromonas*属菌と*Plesiomonas*属菌との鑑別性状

菌種	オキシダーゼ	TSI培地			インドール産生	VP反応	リジン脱炭酸	オルニチン脱炭酸	シモンズ・クエン酸塩	DNase	アラビノース分解	エスクリン加水分解
		高層部	斜面部	ガス								
A. hydrophila subsp. *hydrophila*	+	黄	黄	+	+	+	−	−	+	+	+	+
A. caviae	+	黄	黄	−	+	−	−	−	+	+	+	v
A. veronii biovar. *sobria*※	+	黄	黄	+	+	+	−	−	+	+	−	−
P. shigelloides	+	黄	赤	−	+	−	+	+	−	−	−	−

v：株により異なる，※ 旧名；*A. sorbia*。

〔Lamy B *et al.*："Aeromonas", Manual of Clinical Microbiology, Volume 1, 12th ed, Carroll KC *et al.*（eds.），771，ASM Press, 2019と小栗豊子，他：「V．細菌の同定法　4．グラム陰性桿菌の同定」，臨床微生物検査ハンドブック 第5版，小栗豊子（編），137，三輪書店，2017を一部改変〕

2. エロモナス・キャビエ，エロモナス・ベロニー生物型ソブリア（*Aeromonas caviae, Aeromonas veronii* biovar. *sobria*）（旧 *Aeromonas sobria*）

両菌種とも下痢症の原因で胃腸炎を起こす。*A. veronii* biovar. *sobria*は食中毒の原因菌で，稀に腸管外感染症も起こす。形態，培養性状および生化学的性状は*A. hydrophila* subsp. *hydrophila*に類似し，ブドウ糖からのガス産生，VP反応，エスクリン加水分解などが菌種間の鑑別となるが，必ずしも容易でない場合がある。確実な方法は遺伝学的方法による。

［中村彰宏］

9. 3. 15　パスツレラ属（Genus *Pasteurella*）

分類

*Pasteurella*属は通性嫌気性のグラム陰性桿菌であり，現在30菌種以上が報告されている。*P. multocida*がヒトを含め人獣共通感染症として最も多く分離されている。*P. multocida*の他，*P. canis*，*P. dagmatis*，*P. stomatis*などがイヌ・ネコに関連する感染症の原炎菌として報告されている。

疫学

哺乳類，鳥類の口腔・上気道の常在菌である。イヌ・ネコによる咬傷・掻傷によりヒトに感染症を起こす人獣共通感染症の起因菌の1つである。

1. パスツレラ・ムルトシダ（*Pasteurella multocida*）

P. multocida subsp. *gallicida*，*P. multocida* subsp. *multocida*，*P. multocida* subsp. *septica*の3亜種に分類される。3亜種のなかでも*P. multocida* subsp. *multocida*がヒトからの分離が最も多い。

ヒトを除くほとんどの動物の口腔内に常在し，イヌの75%，ネコのほぼ100%が保菌しているとされ，ヒトからの分離が最も多い。人獣共通感染症の起因菌の1つである。

形態

0.3～0.5 μm × 0.5～1 μmの短桿菌（極染色性，両端濃染），莢膜を有する。非運動性であり芽胞を形成しない。Gram染色上では*Haemophilus*属と鑑別が困難である（図9.3.11）。

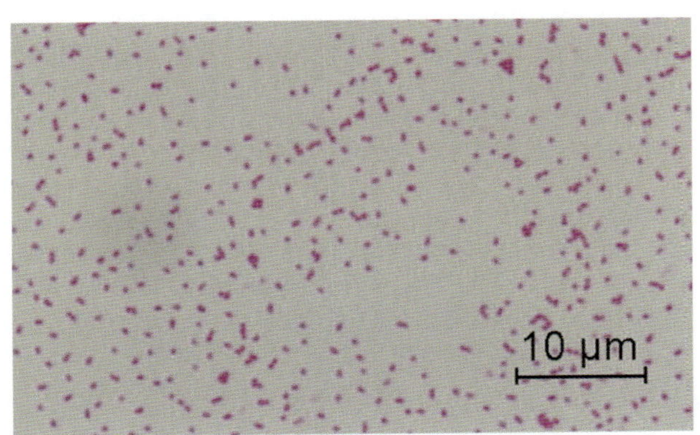

図9.3.11　*P. maltocida* subsp. *multocida*　Gram染色　×1,000

培養

35～37℃でヒツジ血液寒天培地やチョコレート寒天培地上によく発育する（図9.3.12）。非溶血性。BTB乳糖寒天培地には発育不良である。SS寒天培地など胆汁を含む培地には発育しない。精液様の特有な臭気を有する株がある。病原性の強い株は，小さいS型の蛍光を帯びたコロニーを形成する。

同定

オキシダーゼ陽性，カタラーゼ陽性，ブドウ糖および白糖を発酵するがガスは産生しない。インドール陽性である（表9.3.17）。*P. multocida* subsp. *multocida*はソルビトー

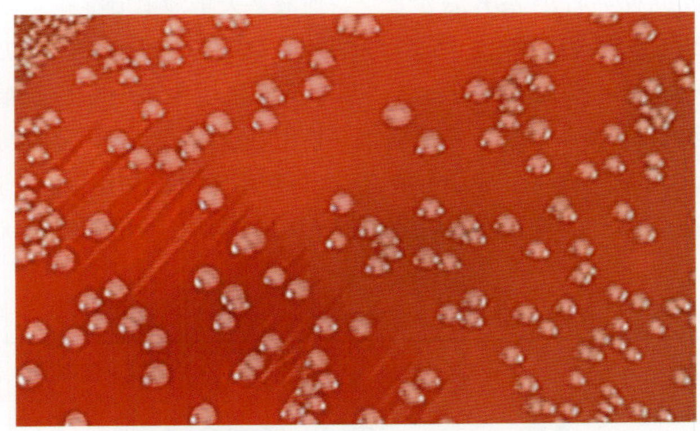

図9.3.12　ヒツジ血液寒天培地上の*P. multocida* subsp. *multocida*のコロニー

表9.3.17　*Pasteurella*属菌の鑑別性状

菌種	オキシダーゼ	インドール	ウレアーゼ	オルニチン脱炭酸	ブドウ糖からのガス	糖の分解性				
						乳糖	白糖	キシロース	マルトース	マンニトール
P. multocida	+	+	−	+	−	−	+	v	−	+
P. canis	+	+	−	+	−	−	+	−	−	−
P. dagmatis	+	+	+	−	v	−	+	−	+	−
P. stomatis	+	+	−	−	−	−	+	−	−	−

v：株により異なる。

（Zbinden R："37 *Aggregatibacter*, *Capnocytophaga*,*Eikenella*, *Kingella*, *Pasteurella*, and other fastidious or rarely encountered Gram-negatibve rods", Manual of Clinical Microbiology, Volume 1, 12th ed. 665., Carrol KC *et al.*(eds.), ASM Press, 2019を引用改変）

ル分解とズルシトール非分解の発酵性の相違でほかの亜種と鑑別される。

抗菌薬感受性

ペニシリン系薬が有効であり，セフェム系薬も抗菌活性が良好である。テトラサイクリン系薬やニューキノロン系薬にも感受性を示すが有効性は乏しい。

病原性

イヌ・ネコによる咬傷・掻傷によりヒトに局所化膿症を起こす。膿瘍や蜂窩織炎を呈し重症化する場合がある。また，気管支炎や気管支拡張症などの呼吸器感染症や敗血症，髄膜炎，脳膿瘍など全身感染症も引き起こす場合がある。

9. 3. 16　ヘモフィルス属（Genus *Haemophilus*）

分類

現在29菌種が含まれ，ヒトの病原性に関与する*Haemophilus*属は*H. influenzae*を含め9種類が知られている。

2006年に*H. aphrophilus*, *Haemophilus segnis*が，新設された*Aggregatibacter*属が移籍され，それぞれ*Aggregatibacter aphrophilus*, *Aggregatibacter segnis*に菌名変更された。

疫学

多くの菌種はヒト，動物の粘膜（口腔，上気道など）に生息する。グラム陰性短桿菌で多形性を示す。通性嫌気性で芽胞や鞭毛はない。莢膜をもつものがある。発育因子として耐熱性のX因子（ヘミン）および易熱性のV因子（NAD）の両方か一方を必要とする。*Haemophilus influenzae*と*Staphylococcus aureus*がヒツジ血液寒天培地上で混在すると，*S. aureus*のコロニー周囲にV因子が増え*H. influenzae*が発育する。この現象を衛星現象という。分離培地はチョコレート寒天培地が使用される。至適発育温度は37℃で，5〜10% CO_2培養で発育が促進される。*Haemophilus*属，*Aggregatibacter*属の主要な生化学的性状を表9.3.18に示した。

表9.3.18　おもな*Haemophilus*属菌の生化学的性状

菌種	発育因子		ポルフィリン	溶血性	炭酸ガス要求	オキシダーゼ	カタラーゼ	糖の発酵		
	X因子	V因子						グルコース	白糖	乳糖
H. influenzae	+	+	−	−	−	+	+	+	−	−
H. parainfluenzae	−	+	+	−	−	+	v	+	+	−
H. haemolyticus	+	+	−	+	−	+	+	+	−	−
H. parahaemolyticus	−	+	+	+	−	+	v	+	+	−
H. aegyptius	+	+	−	−	−	+	+	+	−	−
H. ducreyi	+	−	−	−	+	+	−	v	−	−
H. pittmaniae	−	+	+	+	−	v	w	+	+	−
H. paraphrohaemolyticus	−	+	+	+	−	+	+	+	+	−
H. sputorum	−	+	+	+	−	+	uk	+	uk	−
Aggregatibacter aphrophilus※	−	v	+	−	+	v	−	+	+	+
A. segnis※	−	+	+	−	−	−	v	+	+	−

v：株により異なる，uk：不明，w：弱陽性，※：旧名*Haemophilus*。

〔Zbinden R：“37 *Aggregatibacter*, *Capnocytophaga*,*Eikenella*, *Kingella*, *Pasteurella*, and othe- fastidious or rarely encountered Gram-negatibve rods”, Manual of Clinical Microbiology, Volume 1, 12th ed. Carrol KC *et al.*(eds.), ASM Press, 2019 と Public Health England：Standards for microbiology investigations. https://www.gov.uk/government/collections/standards-for-microbiology-investigations-smi より作成〕

1. ヘモフィルス・インフルエンザ（インフルエンザ菌）（*Haemophilus influenzae*）

分布

ヒトの上気道に常在する。とくに小児では高率である。

形態

0.3〜0.5 × 0.5〜1 μmのグラム陰性小短桿菌（図9.3.13）。鞭毛，芽胞はない。莢膜を有するものがある。

培養

通性嫌気性で発育にX因子とV因子の両方を必要とする。

ヒツジ血液寒天培地には発育しないが，ウマやウサギの血液寒天培地には微小なコロニーを形成するが溶血性はない，チョコレート寒天培地を用い35〜37℃の24時間培養で1〜2 mmの灰白色のコロニーを形成する（図9.3.14）。莢膜保有株はムコイド状のコロニーを形成する。

同定

カタラーゼテスト陽性。オキシダーゼテスト陽性。ブドウ糖を発酵するがガスは産生しない。X因子，V因子の両方を必要とする，ポルフィリンテスト*1陰性。ウマ血液寒天培地上での溶血性は陰性である（図9.3.15）。

参考情報

＊1 ポルフィリンテスト：ポルフィリン合成能の有無を調べることを目的とした検査である。

原理は，多くの培地にはX因子が微量に含まれるため，X因子要求性を正確に判断できない。ポルフィリン合成系経路の最初の生成物であるδ(デルタ)-アミノレブリン酸：dALAからポルフィリンを合成できるかどうかを調べる。δ-アミノレブリン酸を含む試薬に被験菌を加え36℃，2時間または60℃，30分間インキュベートし，360nmの紫外線下でポルフィリンの赤色蛍光の発色を観察する，またはコバック試薬滴下によりポルフォビリノゲンの生成を示す赤紫色反応が観察されれば，ポルフィリンテスト陽性と判定され，X因子を自力で合成できる菌と解釈される。したがって，X因子要求性の菌種は本検査陰性である。

菌型

莢膜形成菌は莢膜多糖体の抗原性によってa〜fの6型の

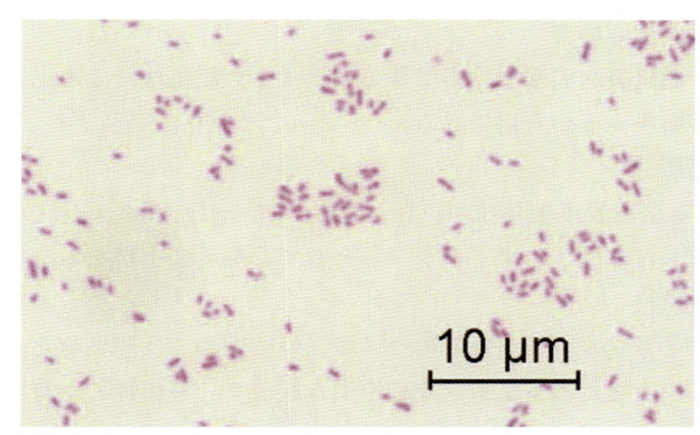

図 9.3.13　*H. influenzae*　Gram 染色　×1,000

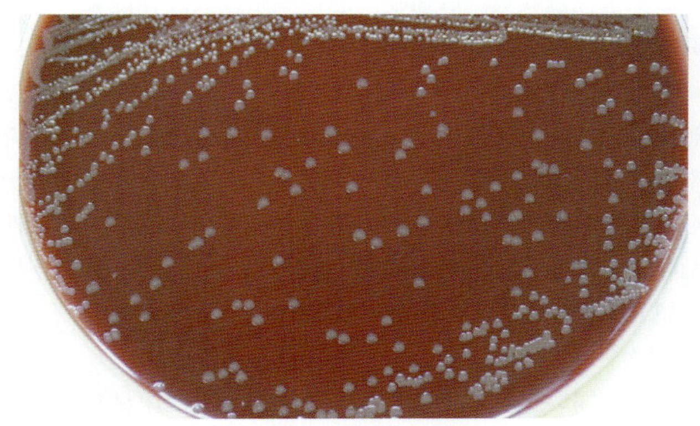
図 9.3.14　チョコレート寒天培地上の *H. influenzae* のコロニー

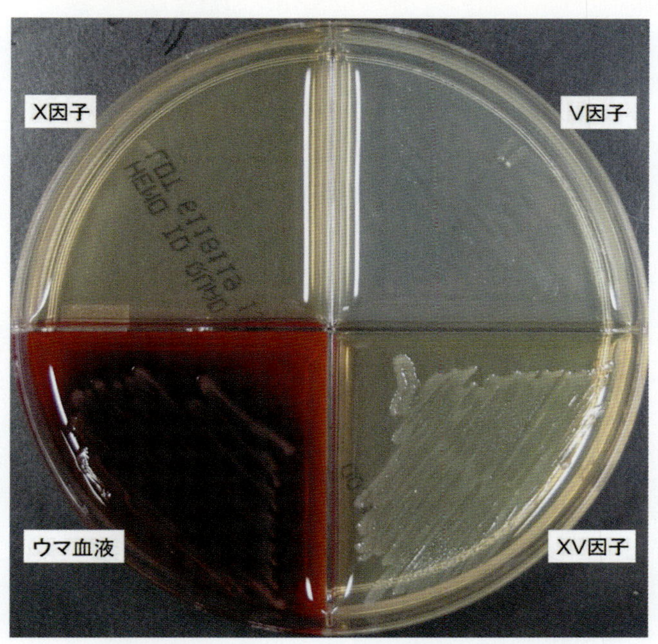

図 9.3.15　*H. influenzae* のヘモフィリスID4分画培地での発育（判定；X・V 因子要求，非溶血）

Q 衛星現象とは何か？

A ある微生物のコロニー周囲に，あたかも“衛星”のように発育している現象を指す。

代表的な例として，*H. influenzae* はヒツジ血液寒天培地ではV因子の阻害酵素が多量に存在するために発育できない。しかしヒツジ血液寒天培地上に *Staphylococcus aureus* が同時に発育すると *S. aureus* の増殖とともに産生されるV因子と，ヒツジ血液中に含まれるX因子を利用し，*H. influenzae* が *S. aureus* のコロニー周囲に“衛星”のような発育が見られる（図 9.3.16）。

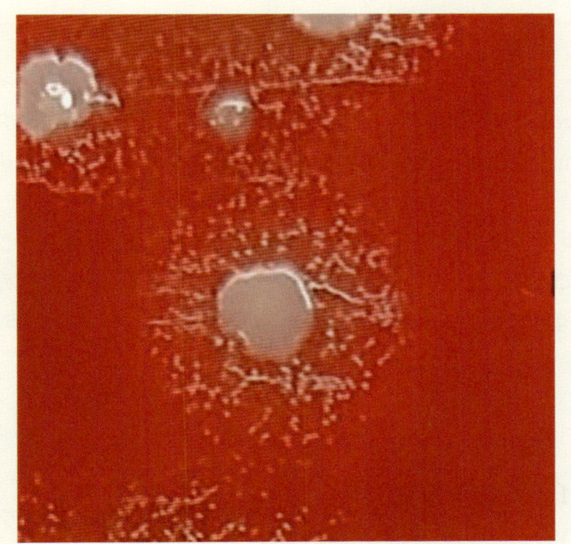
図 9.3.16　**衛星現象**
ヒツジ血液寒天培地上に *H. influenzae* が *S. aureus* の周囲にも“衛星”のような発育が見られる。

serotype（血清型）に分類され，莢膜非形成菌は無莢膜型（nontypable *Haemophilus influenzae*，NTHi）に分類される。莢膜は重要な病原因子であり，とくにserotype b（莢膜血清型b型菌：Hib）は侵襲性インフルエンザ菌感染症（髄液または血液などの無菌部位から菌が検出された感染症）の起因菌になることが多く，小児の髄膜炎や敗血症例（侵襲性インフルエンザ菌感染症）から分離される株は，95%以上が莢膜血清型b型（Hib）である。

NTHiは肺炎，気管支炎の起因菌になることが多い。上皮細胞へ付着因子を多く発現しており，局所感染を引き起こしやすい。また，小児の多くは上気道に保菌しているため，ウイルス感染の際に続発する二次感染として下気道感染症を引き起こすことが多い。中耳炎のほか，眼内炎の起因菌としても分離される。Ⅰ～Ⅷのbiotype（生物型）に型別される。

抗菌薬耐性

薬剤作用点であるpenicillin binding protein（PBP）3の変異によりABPC耐性を獲得したBLNARや，β-ラクタマーゼ産生によりABPC耐性を獲得したBLPARに加え，β-ラクタマーゼ阻害剤であるクラブラン酸に耐性を獲得したBLPACRなどの増加が臨床上問題となっている。

抗菌薬感受性

一般にアンピシリン，第三世代セファロスポリン系薬，およびニューキノロン系薬に感性である。

迅速抗原検査

髄膜炎起因菌を検出できるラテックス凝集法による迅速診断キットが有用である。

病原因子

b型莢膜多糖体抗原，IgAプロテアーゼ，バクテリオシン，付着因子（アドヘジン）としての線毛などがある。

病原性

インフルエンザなどのウイルス性感冒の二次感染症として，上または下気道感染症を引き起こす。侵襲性の全身感染症を起こすb型（*H. influenzae* b；Hib）は，小児における細菌性髄膜炎，敗血症，急性喉頭蓋炎，骨髄炎，関節炎などの起因菌として重要である。成人は抗体を獲得しているため小児のような化膿性疾患は起こりにくい。一方，無莢膜型は肺炎，慢性下気道感染症の急性増悪期，中耳炎や副鼻腔炎などの起因菌として重要である。血液や髄液から検出された場合は，五類感染症として届け出る。細菌性髄膜炎や敗血症から分離される株は莢膜血清型bおよび生物型Ⅱ，Ⅲが多い。

抵抗性

乾燥に弱い。外界では死滅しやすいため臨床材料は速やかに培養を開始する必要がある。

予防

b型多糖体をキャリア蛋白と結合させたワクチン（Hib）が有効で定期接種に加えられている。

「インフルエンザ」という似た名前の細菌とウイルスがいるのか？

A *Haemophilus influenzae*は1892年インフルエンザ流行時に患者の喀痰から検出されたPfeiffer influenza bacillusとよばれ，当時はインフルエンザの原因微生物と考えられていた。

その後にインフルエンザウイルスが発見され，このウイルスこそがインフルエンザを起こす病原体であることが明らかになった。そこで先に発見された細菌は発見の歴史をその名に残し*Haemophilus influenzae*（インフルエンザ菌）と命名された。

2. ヘモフィルス・デュクレイ（軟性下疳菌）（*Haemophilus ducreyi*）

疫学

性感染症の1つで軟性下疳を起こす。性器の感染部位に痛みの強い壊死性潰瘍と鼠径リンパ節の化膿性炎症が特徴である。

形態

0.5～1.5μmのグラム陰性の連鎖状桿菌である。莢膜はない。

培養

極めて困難である。GC寒天培地を基礎に1% IsoVitaleX，5%ウシ胎児血清，1%ヘモグロビンおよびバンコマイシン3μgを添加した選択培地があり，5%炭酸ガス環境下で33

用語 莢膜型（typable），無莢膜型（non-typable），β-ラクタマーゼ非産生アンピシリン耐性株（β-lactamase-nonproducing ampicillin resistant；BLNAR），β-ラクタマーゼ産生アンピシリン耐性株（ampicillin res β-lactamase-positive resistant；BLPAR），β-ラクタマーゼ産生アモキシシリン/クラブラン酸耐性株（β-lactamase-positive AMPC/CVA resistant；BLPACR）

℃，5日間の培養を行う。

抗菌薬感受性

アジスロマイシン，エリスロマイシン，セフトリアキソン，シプロキサシンなどが有効である。

同定

カタラーゼテスト陽性。オキシダーゼテスト陽性。グルコースの分解性は株により異なるが，スクロース，ラクトースは発酵しない。X因子を必要とする。

3. ヘモフィルス・パラインフルエンザ (*Haemophilus parainfluenzae*)

ヒトの上気道に常在しており，咽頭粘液や喀痰からしばしば検出される。稀に心内膜炎，菌血症を起こすことがある。V因子のみを要求し，ポルフィリンテスト陽性である。

4. その他の *Haemophilus* と類縁菌

H. aegyptius はKoch-Weeks菌ともよばれ，*H. influenzae*（とくに生物型Ⅲ）に近縁の菌種，XおよびV因子要求性である。小児で伝染性の強い急性化膿性結膜炎を起こす。

ほかに *H. haemolyticus*，*H. parahaemolyticus* および *H. paraphrohaemolyticus* などがあるが，いずれも上気道や口腔内常在菌である。

Aggregatibacter aphrophilus は旧名 *Haemophilus aphrophilus* と *H. paraphrophilus* が統合，再編成されたものである。上気道に常在するが，心内膜炎，脳腫瘍，菌血症を引き起こすことがある。培養には5～10% CO_2 を必要とする。

参考情報

HACEKとは，*Haemophilus* 属（*Haemophilus influenzae* を除く），*Aggregatibacter* 属，*Cardiobacterium* 属，*Eikenella* 属，*Kingella* 属の頭文字である。口腔内のグラム陰性桿菌からなるこれらの菌は感染性心内膜炎（IE）の起因菌として知られているが，HACEK群のIE症例は1～3%程度と稀である。

9.3.17 カプノサイトファーガ属（Genus *Capnocytophaga*）

分類

Flavobacteria 科に属し，属名は培養に二酸化炭素（Capnoはラテン語で二酸化炭素）が必要であることに由来する。*Capnocytophaga canimorsus*，*C. canis*，*C. cynodegmi*，*C. felis*，*C. gingivalis*，*C. granulosa*，*C. haemolytica*，*C. leadbetteri*，*C. ochracea*，*C. periodontitidis*，*C. sputigena* などが存在する。臨床上重要な菌種は *C. canimorsus* であり *canimorsus* は，canis（ラテン語で犬）とmorsus（ラテン語で咬む）に由来し，イヌ咬傷（dog bite）による感染症の原因となる。

疫学

C. canimorsus，*C. cynodegmi*，*C. canis* はイヌやネコの口腔内の常在菌であり，国内の調査において90%以上の割合で3菌種のうち1菌種以上を保菌している。ペットからの感染症の起因菌としてよく知られており，人獣共通感染症の起因菌である。

その他 *C. ochracea*，*C. sputigena* などはヒトの口腔内常在菌である。

形態

グラム陰性桿菌であり，細く両端の尖った紡錘形を示すものが主であるが（図9.3.17），短桿菌など多形性を示すこともある。

培養

通性嫌気性菌であり，発育に二酸化炭素（CO_2）を要求する。普通寒天培地に発育せず35℃から37℃，ヒツジ血液寒天培地およびチョコレート寒天培地で48から72時間培養後2～4mmのコロニーを形成する。

コロニー形態は，菌種によって異なり，動物由来株は辺縁がスムースで淡灰白色の小さなコロニーを形成するのに対し，ヒトの口腔内に常在する菌種は辺縁不整で培地上で波状に広がる滑走運動（gliding）を示す（図9.3.18）。

同定

カタラーゼテスト陽性，オキシダーゼテスト陽性であり，

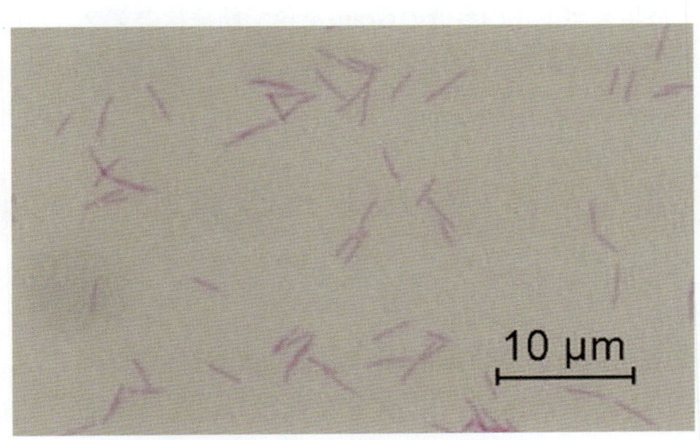

図9.3.17 *C. ochracea* Gram染色 ×1,000

用語 感染性心内膜炎（infections endocarditis；IE）

図 9.3.18 チョコレート寒天培地に発育する *C. sputigena* のコロニー

ヒトの口腔内由来の*Capnocytophaga*属菌との鑑別点となる。菌種間の正確な同定は生化学的性状では困難であり遺伝子学的方法が求められる。

おもな*Capnocytophaga*属の生化学的性状を表9.3.19に示す。

抗菌薬感受性・耐性

多くの抗菌薬に感受性がある。しかし，β-ラクタマーゼを産生する株があるため，β-ラクタマーゼ阻害薬配合ペニシリン系薬や第三世代セファロスポリンが第一選択薬になる。その他，クリンダマイシン，マクロライド，テトラサイクリン，フルオロキノロンにも感受性がある。しかし，アミノグリコシド，コリスチンには耐性を示す。

表 9.3.19 おもな Genus *Capnocytophaga* 菌の生化学鑑別性状

菌種	カタラーゼ	オキシダーゼ	インドール	アルギニン脱炭酸	硝酸塩還元	エスクリン加水分解	ONPG反応	糖の分解		
								ラクトース	サッカロース	キシロース
C. ochracea	−	−	−	−	v	v	+	+	+	−
C. sputigena	−	−	−	−	v	+	+	v	+	−
C. gingivalis	−	−	−	−	−	−	−	v	+	−
C. granulosa	−	−	−	ND	−	−	+	+	+	−
C. haemolytica	−	−	−	ND	+	+	+	+	+	−
C. canimorsus	+	+	−	+	−	v	+	+	−	−
C. cynodegmi	+	+	−	+	v	+	+	+	+	−

v：株により異なる，ND：データなし。

〔Zbinden R: "37 *Aggregatibacter*, *Capnocytophaga*,*Eikenella*, *Kingella*, *Pasteurella*, and other fastidious or rarely encountered Gram-negatibve rods", Manual of Clinical Microbiology, Volume 1, 12th ed, 663, Carrol KC *et al.*(eds.), ASM Press, 2019 を改変して作成〕

病原性

動物由来の*Capnocytophaga*属は，咬・掻傷が軽度で，受傷時には医療機関を受診していないケースが多い。*C. canimorsus*および*C. canis*感染では，創部に目立った病変が見られないまま，数日の潜伏期の後に急激に発熱，意識混濁などの全身症状を呈する特徴がある。重症例では急激に敗血症が進行し，しばしば播種性血管内凝固症候群や急性感染性電撃性紫斑病に至る。敗血症と比較し頻度は低いが，髄膜炎や心内膜炎を起こすこともある。

ヒトの口腔内常在*Capnocytophaga*属菌は，歯肉の溝や歯垢に生息し，免疫抑制患者における歯肉炎，歯周病口腔咽頭の粘膜炎の起因菌と考えられている。抜歯などの歯科治療により菌決症は心内膜炎を起こすことがある。

検査室ノート　*Capnocytophaga* spp. が疑われる場合の血液からの検出法

本菌による感染症が疑われる場合の血液培養は，培養日数を延長する。培養陽性でも培養装置の陽性シグナルを示さない場合があるため，必ずサブカルチャーを実施する。血液培養ボトル内容液のGram染色で紡錘状のグラム陰性桿菌が見つかれば，本菌の推測は可能である。

9. 3. 18　バルトネラ属（Genus *Bartonella*）

分類

*Bartonella*科に分類され，現在37菌種が知られている。ヒトに感染し医学的に重要な菌種は，*B. henselae*，*B. quintana*，*B. baciliformis*である。

疫学

*Bartonella*は1909年にオロヤ熱（アンデス山脈に限定される風土病）の起因菌*B. bacilliformis*を発見したペルー人医師A.L. Bartonに因んで命名された。これとは別に塹

用語　播種性血管内凝固症候群（disseminated intravascular coagulation syndrome；DIC）

壕熱の起因菌として*B. quintana*が発見された。1990年以降，欧米で塹壕熱とは無関係に菌血症，心内膜炎，血管腫の起因菌として*B. quintana*が，また猫ひっかき病（CSD）の起因菌として*B. henselae*が検出された。本菌は人獣共通感染症の起因菌の1つである。*Bartonella* spp.はネコ，イヌ，齧歯類などに分布し，種々なベクターが関与するが，とくにシラミやノミが重要である。

1. バルトネラ・クインタナ（*Bartonella quintana*），バルトネラ・ヘンセラ（*Bartonella henselae*）

形態

0.2～0.6 × 0.5～1.0 μmのグラム陰性小桿菌で多形性を示す。鞭毛は有しないが，痙攣用の運動（twitching）がある。

培養

発育にはヘミン（X因子）を要求し，培養にはチョコレート寒天培地，または血液含有培地にヘミンや血液を添加する必要がある。35～37℃，5% CO_2培養で1～2週間で微小コロニーを形成する。発育が緩徐で難しい培養菌とされる。

*B. henselae*は分離培地上で直径1 mm程度大小不同の隆起した白色の乾燥したR型の培地に食い込んだコロニーと褐色円形の湿潤した粘稠性のあるコロニーの2タイプが観察される（図9.3.19）。*B. quintana*は，微小なS型の光沢あるコロニーで培地に食い込むような所見は見られない。なお，両菌種のコロニーからのGram染色では陰性桿菌（難染性）で一部が湾曲し*B. henselae*では集塊状として認められる（図9.3.20）。

同定

オキシダーゼ試験陽性，カタラーゼ試験陽性。極めて発育が遅いことから臨床化学検査による菌種同定は困難である。日常検査レベルでは同定ができないため遺伝学的な方法または質量分析法が用いられる。

その他の検査

PCR法による臨床材料からの直接検出が有用であるが一般的には血清学的診断法が広く使用されている。とくにIFA法による*B. henselae*および*B. quintana* IgM/IgG抗体価測定が世界的に広く使用されている。

病原性

①*B. henselae*

猫ひっかき病（CSD）の主要な病原体として知られている一方，*B. quintana*と同様に血流感染症やIEを起こすこともある。また，免疫不全患者では重症化しやすく，細菌性血管腫や肝臓紫斑病などを起こすことがある。本菌の宿主はネコ，ベクターはネコノミである。ネコノミによってネコからネコへ伝播し，ネコの歯や爪に付着している。ネコには病原性を示さないが，保菌しているネコに咬まれたり，引っかかれたりすることで感染する。ネコ以外にはイヌからの感症の報告がある。

②*B. quintana*

宿主はヒト，媒介動物はコロモジラミである。ヒト－ヒト間をコロモジラミによって伝播し，血流感染症やIEにいたることがある細菌性血管腫を起こす。塹壕熱（trench fever）の病原体として知られ，第一次および第二次世界大戦中に兵士の間で蔓延したが，現代では衛生状態が悪い環境（路上生活者）での流行が報告されている。

薬剤感受性

感受性は，ほとんどの抗菌薬に感性で，菌種別にも大きな差はない。

治療薬

血流感染症ではテトラサイクリン系薬，IEでは弁の外科的除去に加えてテトラサイクリン系薬とアミノグリコシド系薬の併用，猫ひっかき病ではマクロライド系薬が用い

図 9.3.19　チョコレート寒天培地上での *B. henselae* のコロニー

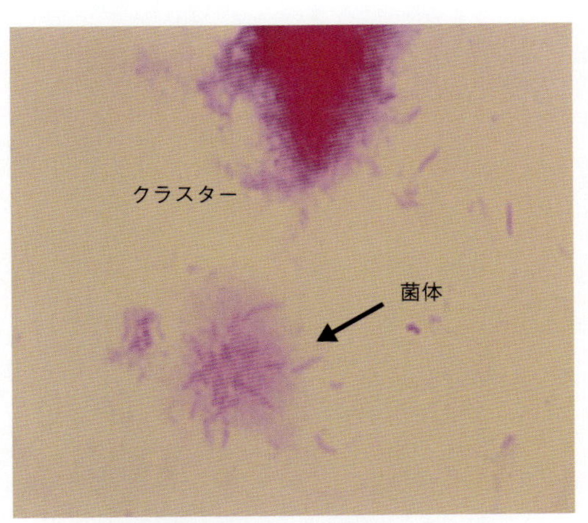

図 9.3.20　*B. henselae*　Gram 染色　×1,000

用語　猫ひっかき病（cat scratch disease；CSD），間接蛍光抗体法（indirect fluorescent antibody technique；IFA）

られる。

ペニシリン系薬やセフェム系薬は*in vitro*では感受性を示すが治療効果は期待できない。

2. バルトネラ・バシリフォミス (*Bartonella bacilliformis*)

*B. bacilliformis*の宿主はヒト，媒介動物はサシチョウバエである。アンデス渓谷内の標高が高い南米ペルーを中心としたアンデス山脈周囲に存在が古典的流行地とされており，わが国では輸入感染症としての位置づけられている。

*B. bacilliformis*は，オロヤ熱またはカリオン病と呼ばれる。急性の溶血性貧血を伴う敗血症性疾患や，ペルーいぼとよばれる慢性の有茎性血管性丘疹を起こす。

野口英世がオロヤ熱とペルーいぼが同一の病原体によることを突き止めた。

Q ***Bartonella* spp.感染が疑われる場合の臨床材料からの検出法は？**

A 臨床材料からの菌検出は容易でない。*B. quintana*および*B. henselae*はいずれも赤血球に接着または侵入して存在しており，血液や組織（リンパ節，心臓弁）がおもに用いられる。これら以外の臨床材料からは分離されにくい。

(1) 血液からの分離

通常の培養1週間では検出できない。さらに2〜3週間延長して培養する。自動血液培養検査機器装置では*Bartonella*属菌の菌発育陽性サインが出ないため，必ず1週間ごとに取り出し，チョコレート寒天培地や5%ウサギ血液寒天培地にサブカルチャーする。培養ボトルからのGram染色による菌の確認は困難である。サブカルチャーは35℃，5% CO_2，高湿度環境で寒天培地の乾燥に配慮して，4週間まで続ける。

(2) 組織からの分離

材料をホモジナイズしてチョコレート寒天培地や5%ウサギ血液寒天培地に接種後，血液培養サブカルチャー同様に培養を行う。組織中の*Bartonella*属菌の染色はWarthin-Starry銀染色（ワルチン・スターリー銀染色）が推奨される。

［米谷正太］

参考文献

1) 吉田眞一，他（編）：「腸内細菌科の細菌」，戸田新細菌学 第34版，313-351，南山堂，2013.
2) Buchan BW *et al.*："*Escherichia, Shigella,* and *Salmonella*", Manual of Clinical Microbiology 12th ed, 688-723, Carroll KC *et al.*(eds.), ASM Press, 2019.
3) Forsythe SJ *et al.*："*Klebsiella* and selected *Enterobacterales*", Manual of Clinical Microbiology 12th ed, 724-750, Carroll KC *et al.*(eds.), ASM Press, 2019
4) Kingry LC *et al.*："*Yersinia*", Manual of Clinical Microbiology 12th ed, 751-764, Carroll KC *et al.*(eds.), ASM Press, 2019.
5) 松本哲哉，他（編）：「グラム陰性，通性嫌気性の桿菌，腸内細菌科（Enterobacteriaceae）」，臨床検査学講座　臨床微生物学 第1版，127-149，医歯薬出版，2017.
6) 一山　智，田中美智男（編）：「通性嫌気性グラム陰性桿菌　1．腸内細菌科」，微生物学・臨床微生物学・医動物学，47-58，医学書院，2013.
7) 林谷秀樹，岩田剛敏："*Yersinia pseudotuberculosis* 感染症（仮性結核）"，モダンメディア，2005；51：211-215.
8) 小栗豊子（編）：「グラム陰性桿菌の同定」，臨床微生物検査ハンドブック 第4版，112-126，三輪書店，2011.
9) 国立感染症研究所　感染症疫学センター（IDSC）．http://www.nih.go.jp/niid/ja/from-idsc.html
10) Zbinden R："37 *Aggregatibacter*, *Capnocytophaga*, *Eikenella*, *Kingerlla*, *Pasterurella* and other fastidious or rarely encountered Gram-negative rods", Manual of Clinical Microbiology 12th ed, 656-669, Carroll KC *et al.* (eds.), ASM Press, 2019.
11) Gonzales M *et al.*："*Haemophilus*", Manual of Clinical Microbiology 12th ed, 670-687, Carroll KC *et al.* (eds.), ASM Press, 2019.
12) Suzuki M *et al.*："Characterization of three strains of *Capnocytophaga canis* isolated from patients with sepsis", Microbiol Immnunol, 2018；62：567-573.
13) Dumler J *et al.*："*Bartonella*", Manual of Clinical Microbiology 12th ed, 893-904, Carroll KC *et al.* (eds.), ASM Press, 2019.
14) Angelakis E *et al.*："Pathogenicity and treatment of *Bordetella* infections", Int J Antimicrob Agents, 2014；44：16-25.
15) 岡崎充宏：「バルトネラ科」，最新臨床検査学講座　臨床微生物学，163-164，松本哲哉（編），医歯薬出版，2017.

9.4　好気性グラム陰性桿菌

- *Pseudomonas aeruginosa* は湿潤な環境に広く分布し，日和見感染や医療関連感染における最も重要な細菌である。薬剤耐性緑膿菌による感染症は感染症法の五類感染症に指定されており，日常検査において監視しなければならない。
- *Burkholderia pseudomallei* は熱帯・亜熱帯地域の水や土壌などの自然環境に生息し，ヒトに感染して類鼻疽（メリオイドーシス）を起こす。*Burkholderia mallei* はウマやロバ・ラバなどの感染動物からヒトへ感染して鼻疽を起こす。この 2 菌種はバイオセーフティレベル 3，三種病原体等に属し，類鼻疽と鼻疽は感染症法の四類感染症に指定されている。
- *Acinetobacter* 属は水系，土壌など自然界に広く生息し，日和見感染や医療関連感染の起因菌として重要な細菌である。近年，薬剤耐性化と耐性菌による感染症が世界的に問題となっており，薬剤耐性アシネトバクター感染症は，感染症法の五類感染症に指定されている。*Acinetobacter* 属菌の生化学的性状による同定は，現在の分類と一致せず遺伝学的または質量分析法によらなければならない。
- *Bordetella pertussis* は百日咳の起因菌であり，飛沫感染により伝播する。培養にはボルデー・ジャング培地などの特殊な培地が必要である。百日咳はワクチンにより予防可能な疾患であり，感染症法の五類感染症に指定されている。
- *Brucella* 属菌は人獣共通感染症であるブルセラ症の起因菌であり，感染動物からヒトへ感染する。本菌はバイオセーフティレベル 3，三種病原体等に属する。ブルセラ症は感染症法の四類感染症に指定されている。
- *Francisella tularensis* は人獣共通感染症である野兎病の起因菌であり，マダニによって媒介または感染動物との接触によってヒトへ感染する。本菌種はバイオセーフティレベル 3，二種病原体等に属する。野兎病は感染症法の四類感染症に指定されている。
- *Legionella* 属菌は細胞内増殖性の性質を有し，自然界では水系のアメーバや藻類中に存在するが，クーリングタワー，循環式浴槽，温泉に広く生息し，本菌を含むエアロゾルを吸入してヒトへ感染する。レジオネラ症には重症型のレジオネラ肺炎と軽症のポンティアック熱がある。
- *Coxiella burnetii* はリケッチアから独立した細菌であり，世界に広く分布しており，人獣共通感染症である Q 熱の起因菌である。本菌種は偏性細胞内寄生菌であり，人工培地では培養できない。また，本菌種は三種病原体等に属し，Q 熱は感染症法の四類感染症に指定されている。

9. 4. 1　シュードモナス属（Genus *Pseudomonas*）

分類

芽胞を形成しないブドウ糖非発酵性グラム陰性桿菌であり，現在300菌種以上が本属に含まれている。基準種は *P. aeruginosa* である。

疫学

土壌や水などの環境中に存在し，ヒトの常在細菌叢としても存在する。ヒトの感染症の起因菌として重要なのが *P. aeruginosa*（緑膿菌）である。偏性好気性であるが，一部は硝酸塩の存在する環境下にて嫌気的に発育することができる。糖を酸化的に分解し，嫌気的には分解しない。オキシダーゼ試験とカタラーゼ試験が陽性であり，マッコンキー寒天培地に発育する。

1. シュードモナス・エルギノーサ（緑膿菌）（*Pseudomonas aeruginosa*）

疫学

土壌や下水などの湿潤な環境に広く分布している。ヒトにおいては消化管や咽頭，鼻腔粘膜，腋窩部など湿潤した部位に定着することがあり，頻度は低いが健常人からも分離されることがある。医療環境では人工呼吸器や加湿器などの湿潤環境が重要な感染源となり，医療関連感染を生じやすい。

形態

0.5～0.8×1.3～3.0μmの少し長細く，まっすぐもしくはわずかに弯曲したグラム陰性桿菌（図9.4.1）である。極単毛を有し，活発に運動する。莢膜，芽胞はない。

培養

硝酸塩を含む培地以外では偏性好気性であり，4℃で発育せず，42℃で発育する。35～37℃，18～20時間培養後，普通寒天培地やヒツジ血液寒天培地などにて扁平で辺縁不整なコロニーを形成し，トリメチルアミンの臭気（魚の腐敗臭）を生ずる。ヒツジ血液寒天培地ではβ溶血を示し，金属光沢を伴うことがある（図9.4.2）。ムコイド型のコロニーは隆起状で正円形の透明な粘稠性のあるコロニーを形成する。選択培地として抗菌薬であるナリジクス酸と消毒薬であるセトリマイド（セトリミド）を含有するNAC培地がある。分離される多くの菌株は特徴ある色素を産生する。キングA培地にて水溶性およびクロロホルム可溶性の青緑色のピオシアニン産生を，キングB培地にて蛍光黄緑色のピオベルジン産生を確認することができる（図9.4.3）。その他，赤色のピオルビン，褐色のピオメラニンを産生する菌株もある。菌体外にアルギン酸であるグリコカリックスを分泌し，非特異的で強力な粘着性を示すようになったものをムコイド型という。体内ではバイオフィルムを形成し，バイオフィルム内の菌への抗菌薬や抗体の到達を阻害し，感染を慢性化させる。

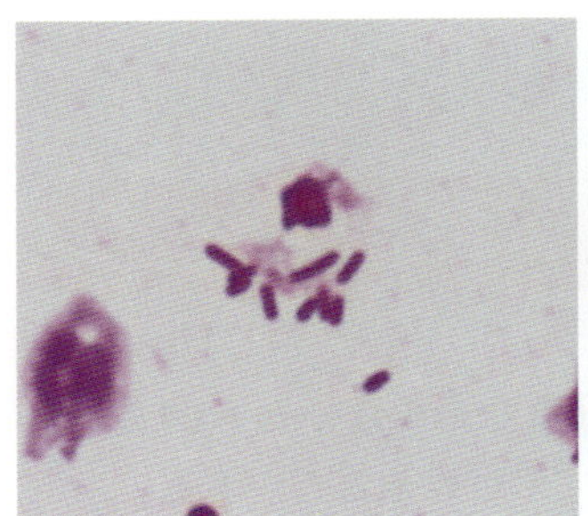
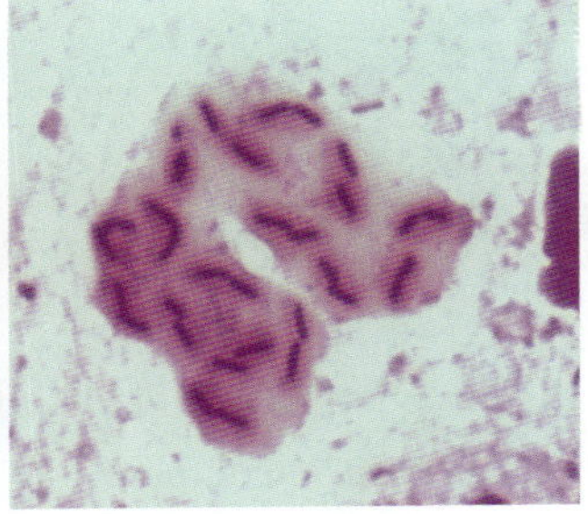

図9.4.1 *P. aeruginosa* のGram染色の顕微鏡所見 ×1,000
左：まっすぐ，もしくはわずかに弯曲した菌体，右：菌体周囲にムコイド物質が確認できる。

同定

カラターゼ陽性，オキシダーゼ陽性。グルコースを酸化的に分解，硝酸塩還元試験陽性，ゼラチン加水分解陽性，アセトアミド加水分解陽性。キングA培地にて青緑色色素ピオシアニン産生陽性，キングB培地にて蛍光色素ピオベルジン（別名フルオレシン）産生陽性（表9.4.1）。

抗菌薬耐性

染色体性のAmpC β-ラクタマーゼを産生し，第一世代および第二世代セファロスポリンなどに耐性を示す。また頻度は高くないが外来性にカルバペネマーゼであるIMP型やVIM型のメタロ-β-ラクタマーゼを産生する株も分離されており，カルバペネム系薬に耐性を示す。また，カルバペネム系薬は染色体性OprDポーリンによって形成されたチャネルにより菌体内に移行するが，*oprD*の変異によってOprDの欠損が生じることなどでカルバペネム系薬に耐性化する。

キノロン系薬への耐性獲得にはDNAジャイレースおよびトポイソメラーゼⅣの遺伝子変異が最も重要な因子である。

アミノグリコシド系薬への耐性獲得には外来性のアミノグリコシド修飾酵素の産生が関与する。リン酸化，アセチ

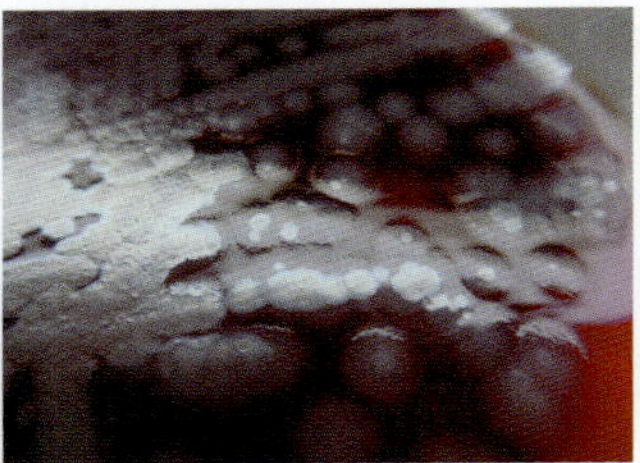

図9.4.2 *P. aeruginosa* の培地上のコロニー所見
左：BTB寒天培地，右：5％ヒツジ血液寒天培地。

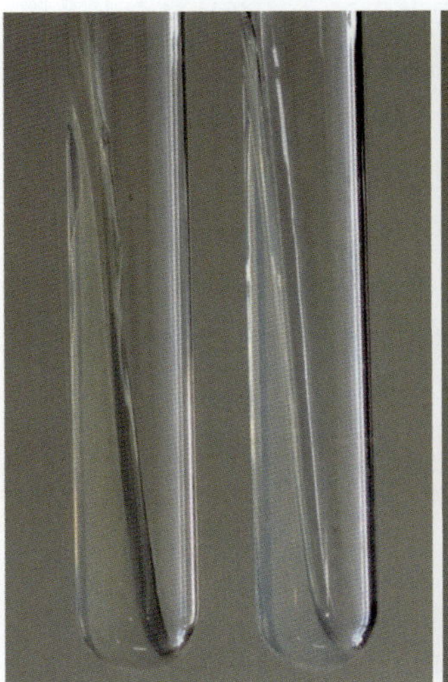

図9.4.3 キングA培地とキングB培地での色素産生試験

用語 NAC（nalidixic acid-cetrimide agar），ブロモチモール青（bromothymol blue；BTB）

表 9.4.1　おもな *Pseudomonas* 属菌の性状

菌種	マッコンキー培地での発育	42℃での発育	ピオシアニン産生	ピオベルジン産生	オキシダーゼ試験	硝酸塩還元試験	ゼラチン加水分解	アセトアミド加水分解	グルコースからの酸産生	スクロースからの酸産生	キシロースからの酸産生	シモンズ・クエン酸塩培地	鞭毛の数
P. aeruginosa	+	+	+	+	+	+	+	+	+	−	+	+	1
P. fluorescens	+	−	−	+	+	d	+	−	+	d	+	+	>1
P. putida	+	−	−	+	+	−	−	−	+	−	+	+	>1

+：陽性，−：陰性，d：菌株により異なる。

ル化，およびアデニリル化などのアミノグリコシド系への修飾不活性化や，アミノグリコシド系薬の標的部位である16S rRNAをメチル化する外来性の16S rRNAメチラーゼ（RmtA）の産生も知られている。

染色体性の異物排出システムであるRNDファミリーのefflux pumpもキノロン系薬とアミノグリコシド系薬の耐性に関与している。

感染症法では，カルバペネム系薬，ニューキノロン系薬およびアミノグリコシド系薬の3系統の抗菌薬に対し，すべて耐性（イミペネム≧16μg/mL，シプロフロキサシン≧4μg/mL，アミカシン≧32μg/mL）と判定された緑膿菌による感染症を薬剤耐性緑膿菌（MDRP）感染症（五類感染症）として定点施設からの報告を求めている。MDRPはメチシリン耐性黄色ブドウ球菌（MRSA）と並んで最も注意しなければならない院内感染の起因菌である。

抗菌薬感受性

一般的にピペラシリンやタゾバクタム/ピペラシリンなどのペニシリン系薬，セフォペラゾン，セフタジジムなどのセフェム系薬，イミペネムなどのカルバペネム系薬，アミカシンやゲンタマイシンなどのアミノグリコシド系薬，ニューキノロン系薬に感性である。

病原性

*Pseudomonas*属菌は日和見感染症に関与する菌であり，創傷，やけど，尿路感染症から分離される。ほとんどの場合で健常者の感染の起因菌とはならず，好中球，肝臓・脾臓機能が低下した易感染者やICU患者では深刻な感染症を惹起する。慢性疾患にはカテーテル留置後の尿路感染症，びまん性汎細気管支炎，気管支拡張症，中耳炎がある。欧米の嚢胞性線維症患者は易感染者で慢性気道感染症を発症する。この疾患にはムコイド型菌が関与する。

病原因子にリボソームのペプチド伸長因子をADP-リボシル化して蛋白合成を阻害するエキソトキシンAや，血管などのエラスチンを分解するエラスターゼ，免疫グロブリンなどを分解するアルカリプロテアーゼなどがあげられる。

抵抗性

エタノール，クロルヘキシジングルコン酸塩，塩化ベンザルコニウムなど各種消毒薬が有効であるが，低水準消毒薬の第四級アンモニウム塩であるセトリミドに対して抵抗性がある。熱に対しては55℃，1時間で死滅する。

2. シュードモナス・フルオレッセンス（*Pseudomonas fluorescens*）

土壌や水中などの自然環境に生息する菌で，2本以上の鞭毛を一端にもつ極多毛性で，25～30℃でよく発育する。4℃で発育可能であるが42℃では発育できない。黄緑色の蛍光色素であるピオベルジンを産生する。オキシダーゼ陽性，アセトアミド加水分解陰性，ゼラチン加水分解陽性である。稀に免疫不全患者から分離されることがあり，感染の起因菌となる日和見感染菌である。

3. シュードモナス・プチダ（*Pseudomonas putida*）

土壌などの自然環境に広く生息する菌で，2本以上の極多毛性鞭毛をもつ。25～30℃でよく発育する。4℃では発育する株と発育しない株があり，42℃では発育しない。黄緑色の蛍光色素であるピオベルジンを産生する。オキシダーゼ陽性，アセトアミド加水分解陰性，ゼラチン加水分解陰性，グルコース分解陽性。頻度は低いが臨床材料から検出される日和見感染菌である。外来性のIMP型メタロ-β-ラクタマーゼを産生する株が報告されている。

9.4.2　バークホルデリア属（Genus *Burkholderia*）

分類

*Burkholderia*属には80菌種以上が含まれる。基準種は*B. cepacia*である。*B. cepacia*は生化学的性状では鑑別が困難であり，遺伝子型にて分類した少なくとも24菌種を含む*B. cepacia* complexとして示されることがある。

用語　RND（resistance-nodulation-cell division），薬剤耐性緑膿菌（multidrug-resistant *Pseudomonas aeruginosa*；MDRP），メチシリン耐性黄色ブドウ球菌（methicillin-resistant *Staphylococcus aureus*；MRSA），集中治療室（intensive care unit；ICU），嚢胞性線維症（cycstic fibrosis；CF），アデノシン二リン酸（adenosine diphosphate；ADP）

疫学

臨床材料から分離される頻度の高い菌種は*B. cepacia*であるが，その他にヒトや動物の病原菌である*B. pseudomallei*と*B. mallei*が臨床的に重要な菌種である。*B. cepacia*は自然環境に広く生息する。*B. pseudomallei*と*B. mallei*は東南アジア，アフリカ，中東地域などの熱帯・亜熱帯地域に分布し，*B. pseudomallei*は土壌などの自然環境に生息するが，*B. mallei*は土壌中などの環境中で生存することができないと考えられている。わが国において*B. mallei*による感染症例の報告はないが，*B. pseudomallei*は輸入感染症として報告されており注意を要する。

1. バークホルデリア・セパシア（*Burkholderia cepacia*）

*B. cepacia*は汚染された医療器具や消毒薬に関連した医療関連感染の起因菌として知られている。日和見病原菌である。

疫学

自然界に広く生息する。稀にシンクやシャワーなどの医療環境から分離される。

形態

好気性，0.5～1×1～5μmのブドウ糖非発酵性グラム陰性桿菌である。2本以上の極多毛の鞭毛をもち，芽胞はない。

同定

25～35℃が至適発育温度であり，4℃で発育しない。オキシダーゼ陽性，アセトアミド加水分解陽性，リジン脱炭酸陽性，グルコース分解陽性（表9.4.2）。

抗菌薬耐性

各種抗菌薬に耐性を示すことが多く，アミノグリコシド系薬に対する耐性には染色体性の異物排出システムであるRNDファミリーのefflux pumpが関与している。

抗菌薬感受性

コリスチンやゲンタマイシンに対し内因性耐性を示す。ST合剤，メロペネム，シプロフロキサシン，ミノサイクリンが有効である。

抵抗性

低水準消毒薬であるクロルヘキシジングルコン酸塩，逆性石けんの第四級アンモニウム塩に耐性を示すため，医療関連感染・日和見感染が発生しやすい。

2. バークホルデリア・シュードマレイ（*Burkholderia pseudomallei*）

疫学

熱帯・亜熱帯地域の水や土壌などの自然環境に生息し，時にヒトに感染して人獣共通感染症であるメリオイドーシス（類鼻疽）を起こす。日本国内においても輸入感染症として発症例が少数報告されている。おもな感染経路は，菌を含む粉塵の吸入による経気道感染や損傷皮膚などからの経皮感染などである。ヒトからヒトへの感染は稀である。感染症法にもとづく特定病原体の三種病原体であり，バイオセーフティレベル3以上の実験・検査室で菌体を取り扱わなければならない。また四類感染症である。生物兵器に使用される可能性があるため，米国疾病予防管理センター（CDC）では生物テロ分類のcategory Bに分類されている。

形態

大きさ約0.8×1.5μmのグラム陰性桿菌で，極多毛の鞭毛を有する。極染色性を示すブドウ糖非発酵グラム陰性桿菌であり，通性細胞内寄生菌である。

培養

BTB乳糖寒天培地や血液寒天培地によく発育し，BTB乳糖寒天培地では37℃，2日培養後あたりから培地が黄変する。培養開始時はスムース型のコロニーを形成するが，時間が経過すると放射状の皺を有するコロニーを生じることが多い。オキシダーゼ陽性，4℃では発育しないが42℃で発育できる。

抗菌薬感受性

ペニシリン，第一世代・第二世代セファロスポリン，アミノグリコシド系薬などの抗菌薬に耐性を示す。セフタジジムやカルバペネム系薬，ST合剤などが有効である。

3. バークホルデリア・マレイ（*Burkholderia mallei*）

疫学

熱帯・亜熱帯地方でおもに見られる人獣共通感染症である鼻疽の起因菌で，わが国での報告はない。家畜，とくにウマやラバ，ロバに感染し，鼻疽を起こす。土壌などの環境中で生存することができないと考えられており，感染動物もしくは感染患者経由で感染が生じると考えられている。加熱培養濾液を濃縮したマレインを用い，感染の診断としてツベルクリン反応様のアレルギー反応が行われる（マレイン反応）。感染症法にもとづく特定病原体の三種病原体であり，バイオセーフティーレベル3以上の実験・検査室で菌体を取り扱わなければならない。また四類感染症であ

用語　スルファメトキサゾール・トリメトプリム（sulfamethoxazole/trimethoprim；ST）

表 9.4.2 おもな*Burkholderia*属菌の性状

菌種	マッコンキー培地での発育	42℃での発育	オキシダーゼ試験	アセトアミド加水分解	硝酸塩還元試験	リジン脱炭酸試験	グルコースからの酸産生	マルトースからの酸産生	運動性
B. cepacia	+	d	+	+	−	+	+	d	+
B. mallei	+	−	d	−	+	−	+	−	−
B. pseudomallei	+	+	+	−	+	−	+	+	+

る。生物兵器に使用される可能性があるため，CDCでは生物テロ分類のcategory Bに分類されている。

形態

大きさは約0.5×1～5μmのブドウ糖非発酵グラム陰性桿菌であり，通性細胞内寄生菌である。鞭毛はなく運動性はない。

培養

好気性で発育し，至適培養温度は37℃であり，4℃と42℃での発育は陰性である。血液寒天培地やミューラー・ヒントン寒天培地などの一般的に用いられる培地で発育する。コロニー形態はスムース状で皺状にはならない。オキシダーゼ試験は陰性もしくは陽性。硝酸塩還元試験陽性。

抗菌薬感受性

スルファジアジンやアモキシシリン/クラブラン酸が第一選択薬であり，テトラサイクリン，ストレプトマイシン，イミペネムなども有効である。

［松本竹久］

9.4.3 ステノトロフォモナス属（Genus *Stenotrophomonas*）

分類

*Stenotrophomonas*属はかつて*Pseudomonas*属のrRNAホモロジーグループVに属していた。*Xanthomonas*属として独立後，*Stenotrophomonas*属に再分類された。*Stenotrophomonas*属には現在17菌種が登録されているが，*S. maltophilia*が臨床的に重要である。

疫学

*Stenotrophomonas*属菌は水系，土壌，植物，野菜など世界中に広く分布する環境細菌であり，植物病原体でもある。ヒトに対して病原性を発揮するのは，*S. maltophilia*であるが，健常人には病原性を示さない。主として医療関連感染症で問題視されている。

形態

0.4～0.7×0.7～1.8μmの大きさの桿菌であり，極多毛の鞭毛をもつ。

培養

普通寒天培地に発育するが，37℃，24時間培養のコロニーは極めて小さく，48時間培養で2～3mm程度の金属様光沢があるが表面は粗く，緑色調の円形コロニーを形成する（図9.4.4）。コロニーはアンモニア臭がある。発育にメチオニンやシスチンを要求する。分離培養はマッコンキー寒天培地やヒツジ血液寒天培地を使用する。

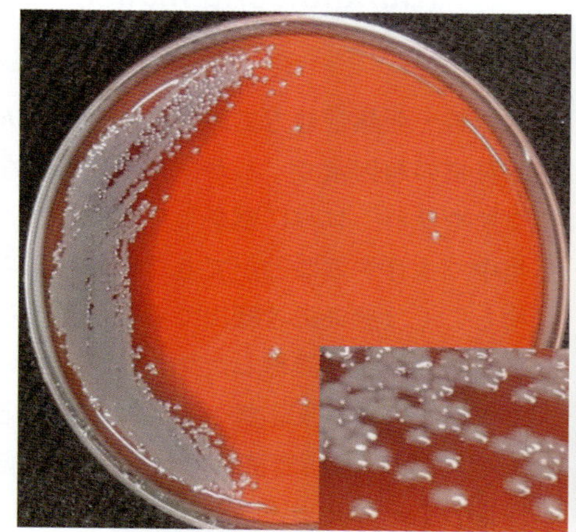

24時間培養後

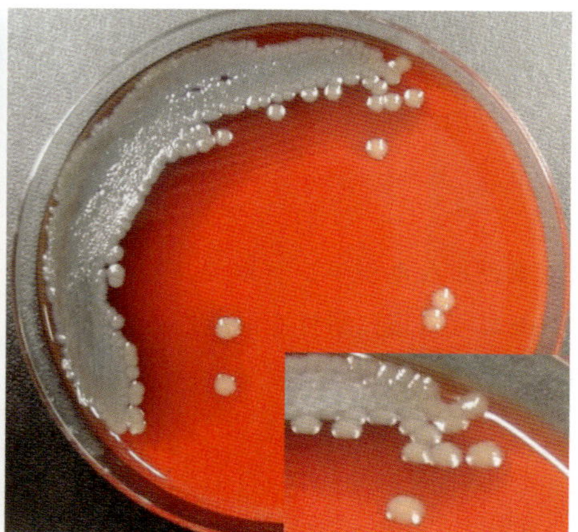

48時間培養後

図 9.4.4 *Stenotrophomonas maltophilia*のヒツジ血液寒天培地上のコロニー

用語 米国疾病予防管理センター（Centers for Disease Control and Prevention；CDC），ミューラー・ヒントン（Mueller-Hinton）寒天培地

同定に用いる性状

オキシダーゼ陰性，DNase産生陽性，リジン脱炭酸反応陽性であり，*Pseudomonas*属などのほかのブドウ糖非発酵菌との鑑別に使用する。ブドウ糖よりマルトースを速やかに分解する。

抗菌薬耐性

染色体性メタロ-β-ラクタマーゼ（クラスB β-ラクタマーゼ）を産生してカルバペネム系薬（メロペネムやイミペネム）に耐性を示す。

抗菌薬感受性

CLSIによる*S. maltophilia*の抗菌薬感受性検査の適応薬剤はセフタジジム，ミノサイクリン，レボフロキサシン，ST合剤などがある。記載されている薬剤数は少ないことから感受性を有する抗菌薬は限られている。

病原性

免疫力が低下した患者の敗血症，肺炎，尿路感染症，髄膜炎，軟部組織感染症，各種カテーテル感染症などさまざまな感染症の原因となる。また，白人に多い遺伝性疾患である嚢胞性線維症患者の肺炎の原因細菌として高頻度に関与する。

9. 4. 4　アシネトバクター属（Genus *Acinetobacter*）

分類

*Acinetobacter*属は78菌種以上が存在する。これらのなかには生化学的性状で区別ができない菌種があることから，*Acinetobacter*属の遺伝種という名称で，数字で表現されていた。臨床材料からおもに分離される菌種として*A. baumannii*，*A. lwoffii*などがある。*A. baumannii*として生化学的性状検査で同定された場合，区別が困難とされている*A. pittii*（genomic species 3），*A. nosocomialis*（genomic species 13TU），*A. calcoaceticus*（genomic species 1），および狭義の*A. baumannii*（genomic species 2）が含まれることから，これらは，*A. calcoaceticus-baumannii* complexと呼称される。現在，正式な菌種名を決定する際は，16S rRNA遺伝子，RNAポリメラーゼサブユニットB遺伝子（*rpoB*），リコンビネーションA蛋白質遺伝子（*recA*）遺伝子などのDNAシークエンスによる塩基配列決定で行う。

疫学

*Acinetobacter*属菌は水系，土壌など広く自然界に生息する。院内環境や医療従事者の皮膚からも分離される。ほかのブドウ糖非発酵グラム陰性桿菌は湿潤環境での生息を好み乾燥状態では長期間生息できない特徴を有するが，*Acinetobacter*属菌は乾燥状態でも数週間生存する。そのため医療関連感染症の原因細菌となりやすい。

形態

0.9～1.6 × 1.5～2.5 μmの大きさの球桿菌であり，鞭毛をもたない。

培養

普通寒天培地に発育し，ほとんどの菌種は37℃，24時間培養で腸内細菌目細菌と類似した1～2mmの白濁，ドーム状，スムース型コロニーを形成する（図9.4.5）。分離培養はマッコンキー寒天培地やヒツジ血液寒天培地を使用する。

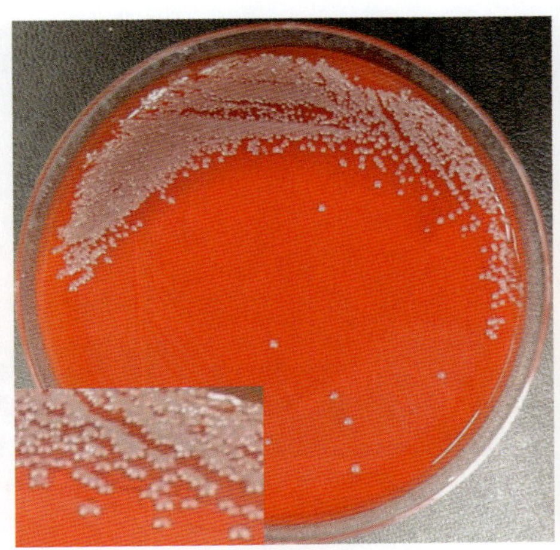

24時間培養後

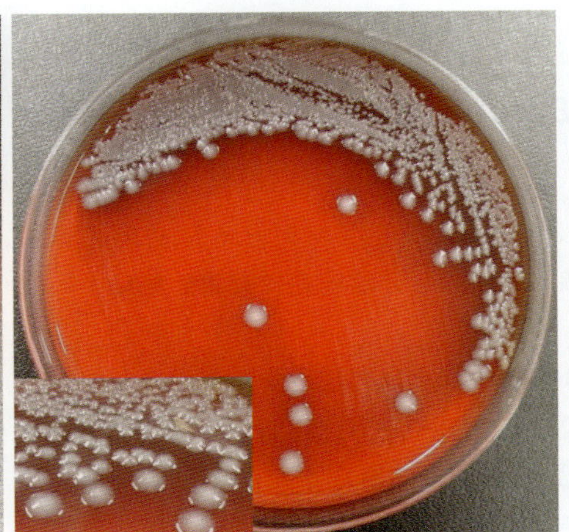

48時間培養後

図9.4.5　*Acinetobacter baumannii*のヒツジ血液寒天培地上のコロニー

用語　CLSI（Clinical and Laboratory Standards Institute），遺伝種（genomic species），球桿菌（coccobacilli）

同定に用いる性状

オキシダーゼ陰性，カタラーゼ陽性である。ほとんどの株は硝酸塩還元陰性である。種の鑑別でグルコース分解（酸化），ヒツジ血液の溶血性，ゼラチン液化反応を使用するが，完全には区別できないことが多い。*A. calcoaceticus-baumannii* complexはグルコース分解陽性，ゼラチン液化陰性，溶血性陰性，*A. lwoffii*はグルコース分解陰性である。*A. haemolyticus*は溶血性陽性である。

抗菌薬耐性

*A. baumannii*は染色体にOXA-51様β-ラクタマーゼ（クラスD β-ラクタマーゼ）遺伝子を獲得している。この遺伝子は通常発現していないが，遺伝子の上流にIS*Aba*とよばれるプロモーター機能を保有する遺伝子が挿入されると発現し，カルバペネム系薬に耐性を示す。また，プラスミド性にクラスD型カルバペネマーゼ（OXA-23やOXA-58など），メタロ-β-ラクタマーゼ（IMP-1など）の産生性を獲得してカルバペネム系薬に耐性を示すことがある。また，セファロスポリナーゼを通常産生しており，第一世代や第二世代セファロスポリンに耐性を示すが，第三世代や第四世代セファロスポリンまで耐性を示すのは稀である。

現在，イミペネム，アミカシンおよびシプロフロキサシンに対し同時に耐性を獲得した薬剤耐性アシネトバクター（MDRA）による感染症が五類感染症全数把握として指定されている。MDRAは世界的にも問題となっており，European（あるいはInternational）クローンⅠとクローンⅡが世界中で流行している。

抗菌薬感受性

上述した耐性メカニズムを獲得していなければ，比較的多くの抗菌薬に感性である。CLSIによる*Acinetobacter*属の抗菌薬感受性検査の適応薬剤はピペラシリン，スルバクタム・アンピシリン，セフタジジム，イミペネム，コリスチン，ゲンタマイシン，ミノサイクリン，レボフロキサシン，ST合剤などがある。MDRAの治療薬としてコリスチン（ポリペプチド系）やチゲサイクリン（新規テトラサイクリン系）の使用が注目されている。

病原性

*A. baumannii*は人工呼吸器関連肺炎，血管留置や尿路留置カテーテルの汚染が原因による感染症，創部感染症などの原因となるが，病原因子と感染症との関連はよくわかっていない。健常人には病原性を示さず，主として医療関連感染症で問題視されている。

［小松　方］

9. 4. 5　ボルデテラ属（Genus *Bordetella*）

分類

*Alcaligencs*科に属し，*Bordetella*属には*B. pertussis*（百日咳菌），*B. parapertussis*（パラ百日咳菌），*Bordetella bronchiseptica*など15菌種が含まれる。

形態

*Bordetella*属菌は，直径1～2μmの小さなグラム陰性球桿菌である。また，多形成およびGram染色で極染性が観察される。

1. 百日咳菌（*Bordetella pertussis*）

疫学

1906年にBordetとGengouが，ボルデー・ジャング培地を開発し，百日咳の患者から分離培養に成功した。

培養

鼻咽腔粘液をボルデー・ジャング培地やシクロデキストリン寒天培地（CSM）を用い，35℃，3日以上培養する。4～5日培養で，直径1mm程度の真珠または水銀様の光沢を示す小さなコロニーが観察される。ボルデー・ジャング培地では，弱いβ溶血が認められる（図9.4.6）。ヒツジ血液寒天培地やチョコレート寒天培地には発育しない。

同定

カタラーゼおよびオキシダーゼ陽性で，運動性は陰性である（表9.4.3）。

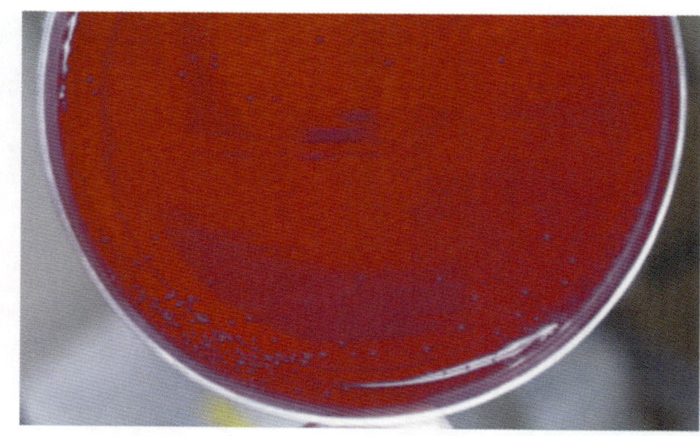

図9.4.6　ボルデー・ジャング培地に発育した百日咳菌のコロニー
培養3日目，透過光。
（画像提供：郡　美夫氏）

用語　薬剤耐性アシネトバクター（multidrug-resistant *Acinetobacter* spp.；MDRA），ボルデー・ジャング（Bordet-Gengou）培地，シクロデキストリン寒天培地（cyclodextrin solid medium：CSM）

表 9.4.3 おもな *Bordetella* 属菌の性状

菌種	ボルデー・ジャング培地		血液寒天培地での発育	オキシダーゼ	運動性	ウレアーゼ	硝酸塩還元
	発育日数	溶血性					
B. pertussis	3日以上	+	−	+	−	−	−
B. parapertussis	2〜3日	+	+	−	−	+	−
B. bronchiseptica	1〜2日	+	+	+	+	+	+

診断と治療

培養検査のほかに，血清診断として百日咳菌凝集素価の測定が行われる。また，遺伝学的検査としてPCR法やLAMP法が用いられている。

百日咳菌に対する治療として，エリスロマイシン，クラリスロマイシンなどのマクロライド系薬が用いられる。

感染と病原性

百日咳の起因菌で，特有の痙攣性の咳発作を特徴とする急性気道感染症である。感染力が高く，患者の同居人の90％ほどが感染する。小児が中心で重症化しやすく，死亡者の大半を占めるのは生後6カ月未満の乳児である。世界保健機関（WHO）の発表によれば，世界の百日咳患者数は年間2,000万〜4,000万人で，その約90％は開発途上国の小児であり，死亡数は約20〜40万人とされている。

初期は軽い風邪症候群のような症状のカタル期，中期は重い咳の発作が起こる痙咳期，そして回復期の3段階に分けられる。

病原因子と考えられるものとして，線維状血球凝集素（FHA），パータクチン（69kD外膜蛋白），凝集素（アグルチノーゲン2，3）などの定着因子と，百日咳毒素，気管上皮細胞毒素，アデニル酸シクラーゼ，易熱性皮膚壊死毒素などの毒素がある。

飛沫感染を起こし，五類感染症に指定されている（小児科定点報告）。

予防

百日咳に対する予防接種は，百日咳，ジフテリアおよび破傷風トキソイドを混合したワクチン（DPTワクチン）が使用されている。

［長沢光章］

9.4.6 ブルセラ属（Genus *Brucella*）

分類

本属の代表的な菌種として*Brucella melitensis*（自然宿主：ヤギ，ヒツジ）があげられる。この菌種は分離された宿主の違いにより*B. abortus*（ウシ），*B. suis*（ブタ），*B. canis*（イヌ）の呼称が同義語として用いられるが，いずれも正式登録された名称ではない。この菌種以外に，2023年時点で20以上の菌種が登録されている。

疫学

*Brucella*属菌は人獣共通感染症であるブルセラ症の原因となる。食料や社会・経済面において動物への依存度が高い国や家畜衛生対策が進んでいない国で多くの患者・感染動物を認めている。わが国では，輸入感染例として家畜からのブルセラ菌感染，国内感染例としてイヌからのブルセラ菌感染を年間に少数例認めている。

また，本属の菌は強い感染力を有することから，バイオセーフティレベル3および三種病原体に指定されており，ブルセラ症は四類感染症に分類されている。

形態

0.6〜1.5 × 0.5〜0.7 μmのグラム陰性の短桿菌または球桿菌である。鞭毛はもたない。

培養

実際のブルセラ症の検査は，血液を検査対象とするケースが多いため，おもに血液培養ボトルを用いて培養検査を実施する。増菌培養後のサブカルチャーやその他の材料などは，ヒツジ血液寒天培地やトリプトソイ寒天培地を用いて炭酸ガス培養を実施する。発育速度は遅く，3日以上の培養で，直径1.5〜2mmのコロニーを形成する。

同定に用いる性状

カタラーゼ陽性，オキシダーゼ陰性，炭水化物分解陰性，ウレアーゼ陽性，硫化水素産生は菌種により異なる。

抗菌薬感受性

テトラサイクリン系薬（ドキシサイクリン），アミノグリコシド系薬（ゲンタマイシン，ストレプトマイシン）およびリファンピシンに対して感受性があり，治療にはこれらを併用して用いることが推奨されている（テトラサイクリン系薬＋その他の抗菌薬）。

その他検査

検体からの菌の分離は困難かつ時間を要するケースもあるため，以下の方法も活用されている。

①抗体検査

ブルセラ症は慢性経過をたどることが多いため，その場

用語 ポリメラーゼ連鎖反応（polymerase chain reaction；PCR），LAMP（loop-mediated isothermal amplification），世界保健機関（World Health Organization；WHO），線維状赤血球凝集素（filamentous hemagglutinin；FHA），三種混合ワクチン（diphtheria, pertussis, tetanus；DPT）

合は有症期でもすでに抗体を保有している。試験管内凝集反応（ブルセラ菌の死菌と患者血清を反応させて凝集力価を測定する）を用いて抗体の検出を行う。

②遺伝子検査

血液などの検体からDNAを抽出し，*Brucella*属菌に特異的なプライマーを用い，PCR法にて検出を行う。

病原性

*Brucella*属菌は10～100個の少量の菌で感染を成立させることができる病原性の高い細菌であり，細胞内寄生の性質を有している（通性細胞内寄生菌）。感染経路は，本菌に汚染された食肉や乳製品を加熱殺菌処理が不十分なまま摂取すること，および感染動物（ウシ，ヒツジ，ヤギ，ブタ，イヌなど）との直接接触や死体との接触によりエアロゾルを吸入することがおもな原因とされる。とくに，酪農家や獣医師，ペットブリーダーなどのハイリスク集団は注意が必要である。また，検査室・実験室内での感染事故を起こしやすい菌として知られており，作業中に生じたエアロゾルを介して感染するとされている。

一般的には1～3週間の潜伏期間の後，菌血症となり持続的または間欠的な発熱，全身的な疼痛や倦怠感を示す。同時に心内膜炎や肺炎，骨髄炎，精巣炎を認めることもある。病期は，数週間から数カ月に及ぶこともある。

9. 4. 7　フランシセラ属（Genus *Francisella*）

分類

本属には，*Francisella tularensis*や*F. philomiragia*など9菌種が含まれる（2023年時点）。臨床的には野兎病の原因となる*F. tularensis*が重要である。また，*F. tularensis*は，生化学的性状や病原性，分布などから，4つの亜種に分けられる（subsp. *tularensis*, subsp. *holarctica*, subsp. *mediasiatica*, subsp. *novicida*）。

1. フランシセラ・ツラレンシス（野兎病菌）（*Francisella tularensis*）

疫学

代表的な人獣共通感染症の1つである野兎病（ツラレミア）の起因菌である。本菌はマダニなどの吸血性節足動物を介して，野兎や齧歯類などの野生動物の間で維持されており，これらの感染動物を介してヒトが感染する。野兎病は，北米，北アジアから欧州に至る，北緯30度以北の北半球で広く発生している。わが国では，東北地方や房総半島を中心に認められていたが，近年では非常に稀な感染症となっている。また，本菌は感染力の強さゆえバイオテロに使用される可能性のある病原体としてリストアップされており，現在も留意すべき感染症の起因菌の1つである。これらより，バイオセーフティレベル3および二種病原体に指定されており，野兎病は四類感染症に分類されている。

形態

0.2～0.3 × 0.7 μmのグラム陰性の短桿菌または球桿菌であり，多形性を示す。鞭毛はもたない。

培養

分離培養には，腫脹したリンパ節の膿汁などが検体として用いられる。本菌はシステイン要求性であり普通寒天培地に発育不良であるため，8%ヒツジ血液加ユーゴン寒天培地などを用いて培養を実施する。35℃，好気条件下にて培養開始後，通常2～4日でコロニーが観察される（増殖が遅い場合もあるため，適宜延長して培養する）。培地上では，光沢を伴う白色から灰白色，湿潤・露滴状で粘稠性の高いコロニーを形成する。

同定に用いる性状

カタラーゼ弱陽性，オキシダーゼ陰性，糖分解能は亜種や生物型により異なる。

病原性

本菌は，前項の*Brucella*属菌と同様に，10～50個の少量の菌で感染を成立させることができる病原性の高い細菌であり，マクロファージ内で増殖可能な通性細胞内寄生菌である。感染力は極めて強く，目などの粘膜部分や皮膚の細かい傷，健康な皮膚からも侵入できるのが特徴である。わが国での感染経路の多くは野ウサギとの接触であり，その他の動物との接触によるものも一部ある。とくに，保菌動物の剝皮や調理，肉の生食などは，菌を含んだ血液や臓器に直接触れる可能性があるため極めてリスクが高いとされる。海外では汚染された飲料水，河川での水系感染や汚染された塵芥での呼吸器感染も発生している。よって，侵入門戸は経口，経皮，結膜などさまざまである。

野兎病は急性熱性疾患であり，多くは1週間以内の潜伏期の後に，発熱，悪寒・戦慄，頭痛，筋肉痛，関節痛など，全身の感冒様症状が認められる。また，局所所見として，侵入部位周辺のリンパ節の腫脹，膿瘍・潰瘍の形成および疼痛を認め，菌はリンパ，血液を介して全身に広がる（菌血症）。1週間以内にいったん解熱し，その後，弛張熱となって長く続く。

また，感染経路や症状，培養検査の難しさにおける類似

用語　ユーゴン（Eugon）寒天培地

点から，ブルセラ症や猫ひっかき病，リケッチア症（ツツガムシ病，日本紅斑熱）などの疾患との鑑別が重要となる。

抗菌薬感受性

アミノグリコシド系薬（ゲンタマイシン，ストレプトマイシン）およびテトラサイクリン系薬（テトラサイクリン，ミノサイクリン）に対して感受性があり，治療にはこれらを併用して用いることが推奨されている。キノロン系薬にも感受性がある。

その他検査

検体からの菌の分離は困難かつ時間を要するケースもあるため，以下の方法も活用されている。

①抗体検査

本菌に対する血中抗体価は発症後1～2週後から上昇する。死菌を用いた凝集反応などにて抗体の検出を行う。急性期および回復期のペア血清にて測定，評価することが望ましい。

②遺伝子検査

血液や膿瘍，生検材料などの検体からDNAを抽出し，野兎病菌に特異的なプライマーを用い，PCR法にて検出を行う。

［大瀧博文］

9. 4. 8　レジオネラ属（Genus *Legionella*）

分類

1979年以降，レジオネラ症患者から分離された*Legionella*属の菌種には，*L. pneumophila*（3亜種が存在），*L. bozemanii*，*L. dumoffii*，*L. gormanii*，*L. micdadei*，*L. longbeachae*，*L. jordanis*，*L. oakridgensis*，*L. wadsworthii*，*L. feeleii*，*L. sainthelensi*，*L. anisa*，*L. parisiensis*，*L. hackeliae*，*L. maceachernii*，*L. birminghamensis*，*L. cincinnatiensis*，*L. tucsonensis*，*L. lansingensis*などがある。なお，*Legionella*属菌の一部には生化学的性状では区別できず，DNA相同性の違いで登録された菌種も存在する。

疫学

1976年7月，米国フィラデルフィアで開催された在郷軍人会員の年次大会において，221名が原因不明の肺炎を発症し，29名が死亡した。その後，この肺炎は在郷軍人会で集団発症したことより，Legionnaires' disease（在郷軍人病）と呼称するようになった。

*Legionella*属は世界各地の土壌，温泉水および自然界または人工の淡水に生息するブドウ糖非発酵性のグラム陰性桿菌で，自由生活するアメーバや繊毛虫など細菌捕食性原虫内で大量に増殖する特徴がある。感染様式は*Legionella*属に汚染された人工的水利用設備（空調冷却塔，給水給湯設備，循環濾過式浴槽など）で発生したエアロゾルを吸入することで感染を起こすが，ヒトからヒトへの感染は認められていない。

形態

大きさは0.3～0.9×1.5～5μmのグラム陰性桿菌で，臨床検体では短桿菌状を呈することが多いが，培養コロニーでは細長い桿菌として観察される。芽胞および莢膜は保有していない。運動性は数本の極鞭毛にて運動するが，*L. oakridgensis*，*L. nautarum*，*L. londiniensis*は鞭毛をもたず非運動性である。*Legionella*属は細胞内寄生菌のため臨床検体のGram染色では染まりにくいが，細胞内への移行性がよいGiménez（ヒメネス）染色（赤色）（図9.4.7）や菌体中の核酸を染めるAcridine Orange（アクリジンオレンジ）染色（オレンジ色）では明瞭に染色される。

培養

*Legionella*属は偏性好気性菌で，至適発育温度は36℃，至適発育pHは非常に狭く6.7～7.0であり，栄養要求性も厳しく，発育にはアミノ酸のL-システインやL-メチオニンおよび可溶性のピロリン酸鉄を必要とする。そのため，通常の血液寒天培地やチョコレート寒天培地には発育せず，分離培地にはB-CYE寒天培地や発育促進物質のα-ケトグルタル酸を添加したB-CYEα寒天培地が多く使用されている。その他，雑菌の発育抑制を目的に抗菌薬や抗真菌薬が添加されたWYOα寒天培地，BMPAα寒天培地，

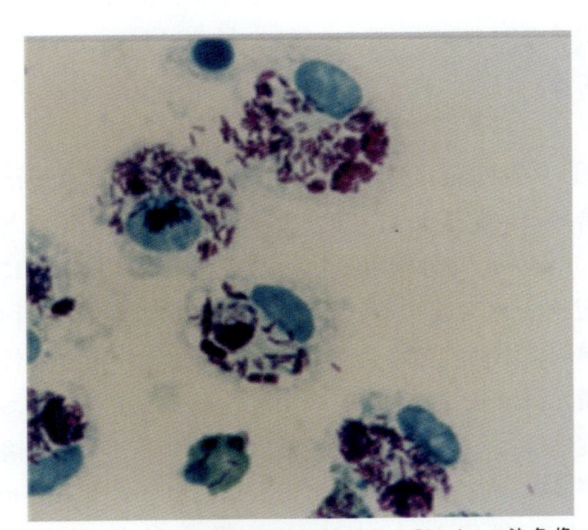

図9.4.7　*Legionella pneumophila*　Giménez染色像 ×1,000
（画像提供：佐賀大学医学部病因病態学講座 宮本比呂志氏）

用語　B-CYE（buffered-charcoal yeast extract），WYO（Wadowsky-Yee-Okuda）

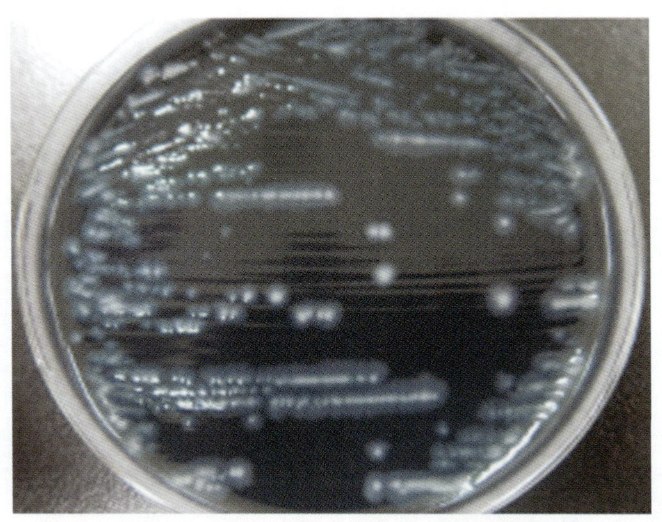

図 9.4.8　*Legionella pneumophila*　BCYE α寒天培地での発育像

GVPC寒天培地，GVPN寒天培地，CCVC寒天培地，MWY寒天培地などがある。

培養には喀痰，気管内吸引物，血液，胸水，肺組織などが用いられるが，*Legionella*属以外の雑菌を処理するために，常在菌混入の可能性が高い臨床検体では，熱処理あるいは酸処理が行われる。

①熱処理

臨床検体を50℃の恒温槽で20～30分，あるいは56℃で10～15分加温する。

②酸処理

pH 2.2の高圧蒸気滅菌した酸処理液（0.2M KCl 25mL＋0.2M HCl 3.9mL）を検体に等量混合し，35℃または室温で10～20分放置する。

上記処理した試料を*Legionella*用分離培地に塗沫した後，35～37℃の湿潤環境下で3～10日間好気培養を実施する。*Legionella*属菌はコロニー形成に最低3日間は必要であり，3日目以降に湿潤，灰白色，大小不同，辺縁がやや不正，酸臭のするコロニー（図9.4.8）を対象に*Legionella*属菌を検索する。

同定

3日目以降に発育したコロニーを対象に，*Legionella*分離用培地とL-システインを含まない血液寒天培地などに接種し，*Legionella*分離用培地のみ発育したコロニーについて同定検査を実施する。*Legionella*属菌は糖を利用せず，生化学的に不活性の場合が多いが，カタラーゼ弱陽性，硝酸塩還元試験陰性，ウレアーゼ陰性，ゼラチナーゼおよび運動性はほとんどの菌種で陽性，オキシダーゼは弱陽性の菌種が多い。血清学的検査には菌体抗原に対するウサギ免疫血清を利用したスライド凝集試験があり，*L. pneumophila*血清型1～6，*L. bozemanii*，*L. dumoffii*，*L. gormanii*，*L. micdadei*の10種類がある。その他，蛍光抗体法を利用した直接蛍光抗体法（DFA）や間接蛍光抗体法（IFA）も利用されるが，近年では質量分析計により迅速かつ正確な菌種同定が可能となった。

抗菌薬耐性

多くの菌種はβ-ラクタマーゼを産生する。さらに細胞内寄生菌のため，細胞内への移行性が低いβ-ラクタム系抗菌薬は無効である。

抗菌薬感受性

*Legionella*属菌はマクロファージの細胞内で増殖する細胞内増殖菌のため，生体内と生体外では効果が乖離する。薬剤感受性試験ではリファンピシンやニューキノロン系薬（レボフロキサシン，シプロフロキサシンなど）は最も優れた抗菌力を示し，マクロライド系薬（エリスロマイシン，クラリスロマイシンなど）やミノサイクリン，ケトライド系薬（テリスロマイシン）も優れた抗菌力を有している。

迅速抗原検査

レジオネラ肺炎では*L. pneumophila*血清型1による感染症の頻度が最も高い。症状は急激に進行し，致死率も高いため早期の的確な診断が求められる。尿中抗原検査は侵襲性が極めて低く，尿中抗原は症状の出現後2～3日で陽性となるため迅速性に優れ，操作法も簡易に実施できる利点がある。尿中抗原検査は尿に排泄されるリポ多糖（LPS）を主成分とする可溶性の特異抗原とリボソーム蛋白の種特異抗原を検出する方法で，*L. pneumophila*血清型1～15抗原に反応する。したがって，*Legionella*尿中抗原が陰性であったとしても，*L. pneumophila*以外の菌種による感染症を完全には否定することはできない。

病原性

レジオネラ症は感染症法において四類感染症に分類され，重症型のレジオネラ肺炎と軽症でインフルエンザ様のポンティアック熱に区別される。レジオネラ肺炎は，強い呼吸困難，意識障害，高度の低酸素血症を呈し，検査所見は白血球数，CRPなどの炎症マーカー以外にLD，AST，CPKなどの酵素も上昇することが多い。ポンティアック熱は特徴的な症状はなく，発熱や筋肉痛など風邪様症状の疾患を呈する。レジオネラ肺炎は*Legionella*属菌がヒトの肺胞マクロファージ内で大量増殖する結果と考えられているが，ポンティアック熱の発症機構については不明である。病原性の発揮には，宿主細胞の殺菌に抵抗し，その細胞内で増殖しながら，最後には鞭毛および細胞溶解毒性を発現して感染細胞を破り，新たな細胞に感染する能力をもつ必要がある。

用語　直接蛍光抗体法（direct fluorescent antibody technique；DFA），間接蛍光抗体法（indirect fluorescent antibody technique；IFA），リポ多糖（lipopolysaccharide；LPS），C反応性蛋白（C-reactive protein；CRP），乳酸脱水素酵素（lactate dehydrogenase：LD），アスパラギン酸アミノ基転移酵素（asparatate aminotransferase；AST），クレアチンホスホキナーゼ（creatine phosphokinase；CPK）

抵抗性

*Legionella*属は20〜45℃で増殖能力を保有しているため，低温あるいは高温にて温度管理すれば*Legionella*属菌の増殖は抑制できる。消毒薬に対しては抵抗性が低く，60℃以上では殺菌される。

感染対策

温度管理を徹底すると同時にエアロゾルの発生を抑制することも重要である。温水などでエアロゾルの発生する可能性がある場合には，次亜塩素酸などの殺菌剤を使用し，換水するなどの対応が必要である。また，エアロゾルの発生する高圧洗浄あるいは粉塵の発生する腐葉土の取扱いなどではマスクを着用して感染を予防する。また，高齢者や新生児のみならず，大酒家，重喫煙者，透析患者，悪性疾患・糖尿病・AIDS患者や細胞性免疫機能が低下したヒトでは肺炎を起こす危険性が通常より高いので留意する。

［永沢善三］

9.4.9 コクシエラ属（Genus *Coxiella*）

分類

*Coxiella*属は従来*Rickettsia*科に分類されていたが，16S rRNA塩基配列の解析により遺伝学的には*Legionella*属と類縁の細菌であることが明らかにされた。*Coxiella*属の菌種は*C. burnetii* 1種のみである。

疫学

*C. burnetii*は世界に広く分布し，人獣共通感染症であるQ熱の原因となる。ヒトに対しては種々の病態を引き起こすが，動物においては不顕性感染の場合が多い。本菌は多種類の哺乳動物，鳥類およびダニ類に不顕性感染を起こしている。ヒトへの感染源として重要なものはウシ，ヤギ，ヒツジなどの家畜である。ネコ，イヌ，ウサギなどの愛玩動物も感染源となる。これらの動物が妊娠すると感染している*C. burnetii*は胎盤において盛んに増殖し，分娩時の羊水や胎盤，排泄物に多量に含まれる。これらの汚染エアロゾルまたは塵埃を吸入することによりヒトへの感染が起こる。その他，乳汁，尿，糞便も感染源となり得る。ヒトからヒトへの感染はほとんど起こらないとされている。

形態

0.2〜0.4 × 0.4〜1.0 μmの小桿菌状を呈し，多形性を示す。グラム陰性菌に類似した細胞壁を有し，表層にリポ多糖体（LPS）が存在する。電子顕微鏡写真では0.2 × 0.7 μm程度で全体的に電子密度の高い小型細胞と，0.4 × 1.0 μm程度で電子密度の低い細胞質をもつ大型細胞およびその中間的な細胞が混在して観察される。大型細胞には芽胞形成能を有するものが存在する。

培養

*C. burnetii*は偏性細胞内寄生細菌であり，人工培地では増殖しない。培養は発育鶏卵の卵黄嚢内接種，L細胞，Vero細胞，マクロファージ系株化細胞などの培養細胞への接種あるいはマウス，モルモットへの腹腔内接種により行う。本菌は宿主細胞の食胞内，とくにリソソームが融合したファゴリソソーム内pH 4.5の環境下でも増殖する。

同定および診断

*C. burnetii*は血液検体のバッフィーコートあるいは組織検体からシェル・バイアル細胞培養法により分離できる。しかし，本菌は感染性が非常に高いため，検査室で分離・培養を行う場合には十分なバイオハザード対策が必要である。

*C. burnetii*に特異的なDNA領域を増幅・検出するPCR法も診断に有用である。標的遺伝子には*C. burnetii*外膜糖蛋白を支配する*com1*遺伝子や挿入配列の*IS111*が一般的に使用される。

Q熱の診断は血清学的検査が最も一般的に行われる。*C. burnetii*に対する血清中の抗体価測定法には，補体結合反応，間接蛍光抗体法（IFA），ELISA法が用いられる。IFA法は感度と特異度が高いため一般に使用される。I相菌に対するIgG抗体価が800倍以上の場合には慢性Q熱が疑われる。急性Q熱は急性期と回復期のペア血清間で4倍以上の抗体価上昇で証明することができる。

Q熱は感染症法で四類感染症に定められている。

抗菌薬感受性と治療

急性Q熱に対してはテトラサイクリン系薬が第一選択薬として用いられる。マクロライド系薬，ニューキノロン系薬も有効である。β-ラクタム系薬およびアミノ配糖体薬は無効である。慢性Q熱の場合には*C. burnetii*に有効な少なくとも2つの抗菌薬を使用する。ドキシサイクリンとリファンピシンまたはキノロン系薬の組み合わせで数カ月から数年にわたる長期間投与が必要であるが，必ずしも十分な効果が得られない場合が多い。

用語 後天性免疫不全症候群（acquired immunodeficiency syndrome；AIDS），Q熱（Q fever），シェル・バイアル（shell vial），酵素免疫測定法（enzyme-linked immunosorbent assay；ELISA）

検査室ノート　Q熱

Q熱は1935年オーストラリアにおいて食肉処理業者の間に集団発症した熱性疾患として初めて報告された。正体不明（query）の熱性疾患であったことからQ熱と命名された。このときの患者材料からBurnetらによって本菌が分離された。一方，これと同時期に米国のモンタナ州においてCoxらがマダニから分離した菌もこれと同様であることが判明した。菌名*Coxiella burnetii*は両研究者に由来する。

病原性

*C. burnetii*による感染症は世界のほとんどの国々で起こっている。日本国内における報告例も疾患概念の普及とともに近年増加している。

*C. burnetii*にはⅠ相とⅡ相菌が存在する。動物やヒトから分離されるⅠ相菌は非常に感染性や病原性が高く，これを培養細胞や発育鶏卵で培養するとⅡ相菌に変化して感染性や病原性が低下する。*C. burnetii*は芽胞形成能を有するためさまざまな環境下で生存できる。実際，15～20℃の汚染した土壌中で1カ月目まで容易に発育することが可能で，室温のスキムミルク中で40カ月以上生存できる。

Q熱は*C. burnetii*の感染によって起こる。Q熱には臨床的に急性感染症と慢性感染症の大きく2つの病態がある。

①急性Q熱

潜伏期は3～30日と幅があり，曝露菌量が多いと短い傾向があるが，その多くが不顕性感染に終わる。急性Q熱に特有な症状は認められず，発熱，悪寒，頭痛，嘔吐などのインフルエンザ様症状，肺炎，肝炎，髄膜脳炎などが見られる。

急性Q熱に引き続き5～10年の長期間にわたる疲労症候群post Q fever fatigue syndrome（QFS）の症状を呈する例がオーストラリアと英国で報告されている。これらの患者から感染後1～5年経っても*C. burnetii*のDNAが少量検出された。わが国においてもこの病態に類似した症例が存在し，抗菌薬の長期投与により症状の改善が認められている。

②慢性Q熱

慢性Q熱は*C. burnetii*感染後数カ月～数年の経過をとる稀な疾患で，その多くが心内膜炎を伴う。この場合，基礎疾患として心弁膜疾患を有する患者が多く，心内膜炎の約1～3%が慢性Q熱であると報告されている。慢性Q熱性の心内膜炎における疣贅はほかの細菌性心内膜炎とは異なり，弁上に小結節として現れる。

［大楠清文］

9. 4. 10　その他のグラム陰性桿菌

ヒトの上気道，自然界や動物に常在して，稀に日和見感染を起こす*Actinobacillus*属，*Aggregatibacter*属，*Capnocytophaga*属，*Cardiobacterium*属，*Chromobacterium*属，*Eikenella*属および*Kingella*属のおもな菌種の生化学的性状を表9.4.4に示す。

また，稀に心内膜炎を起こす毒性の弱い非運動性のグラム陰性桿菌または球桿菌の5菌種をHACEK群とよんでいる。当初は，*Haemophilus aphrophilus*，*A. actinomycetemcomitans*，*C. hominis*，*E. corrodens*および*K. kingae*であったが，現在は表9.4.5に示す菌となっている。

表9.4.4　その他グラム陰性桿菌の性状

菌種	カタラーゼ	オキシダーゼ	インドール	硝酸塩還元	エスクリン加水分解	オルニチン脱炭酸	マッコンキー培地の発育性	その他
Actinobacillus lignieresii	V	+	−	+	−		V	
Aggregatibacter actinomycetemcomitans	+	V	−	+	−	−	−	
Capnocytophaga canimorsus	+	+	−	−	V	−	−	
Cardiobacterium hominis	−	+	+	−	−	−	−	
Chromobacterium violaceum	+	V	V	+	−	−	+	青紫色素産生
Eikenella corrodens	−	+	−	+	−	+	−	
Kingella kingae	−	+	−	−	−	−	−	β溶血

V：菌株により異なる（variable reaction）。

表 9.4.5　HACEK 群細菌

H	*Haemophillus* spp. *H. influenzae*, *H. aegyptius*, *H. haemolyticus*, *H. parahaemolyticus* など
A	*Aggregatibacter* spp. *A. actinomycetemcomitans*, *A. aphrophilus* (*Heamophilus aphrophilus*) など
C	*Cardiobacterium* spp. *C. hominis*, *C. valvarum*
E	*Eikennella corrodens*
K	*Kingella.* spp. *K.kingae*, *K. denitrificans*, *K. oralis*

［長沢光章］

HACEK (*Haemophilus-Actinobacillus-Cardiobacterium-Eikenella-Kingella*)

参考文献

1) 吉田眞一, 他(編):「緑膿菌とブドウ糖非発酵グラム陰性桿菌」, 戸田新細菌学 改訂 34 版, 265-274, 南山堂, 2013.
2) Lipuma JJ *et al.*: "*Burkholderia*, *Sternotrophomonas*, *Ralstonia*, *Cupiavidus*, *Pandoraea*, *Brevundimonas*, *Comamonas*, *Delftia*, and *Acidovorax*", Manual of Clinical Microbiology 12th ed, 807-828, Carroll KC *et al.* (eds.), ASM Press, 2019.
3) Cools P *et al.*: "*Acinetobacter*, *Chryseobacterium*, *Moraxella*, and other nonfermentative Gram-negative rods", Manual of Clinical Microbiology 12th ed, 829-857, Carroll KC *et al.* (eds.), ASM Press, 2019.
4) 岡田 淳, 他(編):「Gram 陰性, 好気性の桿菌」, 臨床検査学講座　微生物学 / 臨床微生物学 第 3 版, 179-188, 医歯薬出版, 2012.
5) 一山　智, 田中美智男(編):「好気性グラム陰性桿菌」, 標準臨床検査学　微生物学・臨床微生物学・医動物学, 65-72, 医学書院, 2013.
6) 斉藤　厚(編):レジオネラ感染症ハンドブック 第 1 版, 日本医事新報社, 2007.

9.5 微好気性グラム陰性らせん菌

- *Campylobacter jejuni* および *C. coli* は，経口感染により感染型食中毒を起こす。
- カンピロバクターが原因の感染性胃腸炎は，感染症法における五類感染症（定点把握疾患）である。
- 糞便検体からカンピロバクターを培養するには，スキロー寒天培地またはバツラー寒天培地を用いる。
- *C. fetus* は，菌血症を引き起こし，血液培養から検出される。
- *Helicobacter pylori* は，胃壁に生息し，強いウレアーゼ活性を有する。
- *H. pylori* 感染の非侵襲的検査法として，尿素呼気試験，血清または尿中の抗 *H. pylori*-IgG 抗体，便中の *H. pylori* 抗原測定がある。
- *Helicobacter cinaedi* は，血液培養または糞便から検出され，カンピロバクターと間違われることがある。

微好気性グラム陰性らせん菌で，ヒトに病原性があるのはカンピロバクター（*Campylobacter*）およびヘリコバクター（*Helicobacter*）である。*Epsilonproteobacteria*（イプシロンプロテオバクテリア）綱，*Campylobacterales* 目に属し，*Campylobacteraceae* 科および *Helicobacteraceae* 科に分類されている。

Campylobacteraceae 科には *Campylobacter* 属，*Arcobacter* 属など4属，*Helicobacteraceae* 科には *Helicobacter* 属など6属がある。

Campylobacter 属は34種，*Helicobacter* 属は36種の記載がある（表9.5.1）。

表 9.5.1　微好気性グラム陰性らせん菌の分類

綱，目	科	属	種
Epsilonproteobacteria 綱 *Campylobacterales* 目	*Campylobacteraceae*	*Campylobacter*	*C. jejuni* subsp. *jejuni*
			C. jejuni subsp. *doylei*
			C. coli
			C. fetus subsp. *fetus*
			C. fetus subsp. *testudinum*
			C. fetus subsp. *venerealis*
			（他 41 種）
		（他 1 属）	
	Arcobacteraceae	*Arcobacter*	*A. butzleri*
			A. cryaerophilus
			（他 32 種）
	Helicobacteraceae	*Helicobacter*	*H. pylori*
			H. cinaedi
			H. fennelliae
			（他 50 種）
		（他 5 属）	

9.5.1 カンピロバクター属（Genus *Campylobacter*）

疫学

動物（ニワトリ，ウシ，ブタなど）の消化管内に常在し，加熱不十分な汚染食物を介してヒトに感染症を起こす人獣共通感染症である。

形態

0.2～0.8 × 0.5～5mm のS字型弯曲した形態のグラム陰性桿菌として観察される。菌体の一端（時に両極）に単毛性鞭毛をもち，コルクスクリュー状に運動する。培養が古くなると球状体（コッコイドフォーム）になる。コロニーは灰白色で，Gram染色では両端がやや尖ったらせん状の形状で観察される。

下痢便を直接塗抹したGram染色により，らせん状のグ

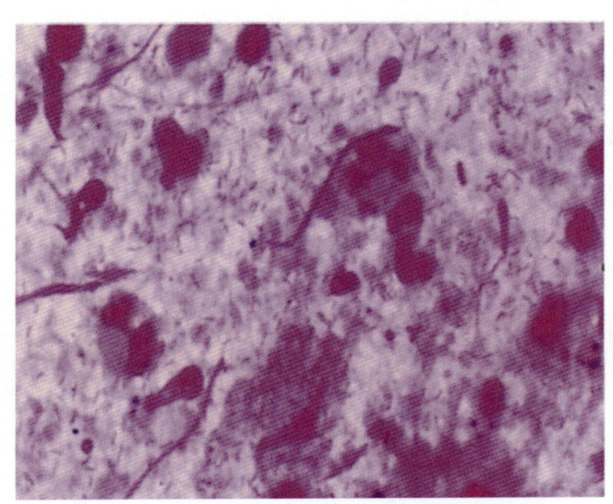

図 9.5.1　*Campylobacter* spp.の Gram染色(下痢便) ×1,000

表 9.5.2　おもな *Campylobacter* 属菌および *Arcobacter* 属菌の性状

菌種または亜種	カタラーゼ	硫化水素(TSI)	ウレアーゼ	加水分解		発育		
				馬尿酸	酢酸インドキシル	好気	25℃	42℃
C. jejuni subsp. *jejuni*	+	−	−	+	+	−	−	+
C. coli	+	V	−	−	+	−	−	+
C. fetus subsp. *fetus*	+	−	−	−	−	−	+	−
C. lari subsp. *lari*	+	−	V	−	−	−	−	+
C. upsaliensis	−	−	−	−	+	−	−	+
A. butzleri	V	−	−	−	+	+	V	−
A. cryaerophilus	V	−	−	−	+	+	+	−

V：菌株により異なる（variable reaction）。

ラム陰性桿菌が観察されれば推定が可能である（図9.5.1）。

培養

スキロー培地（Skirrow培地）などで微好気（発育に3～10%の酸素が必要）培養，または炭酸ガス培養を行う。水素ガス要求性や炭酸ガス要求性の株もある。糞便からの培養の場合，死滅しやすいため，検体採取から2時間以内に検査をするように努める。やむなく，すぐに検査ができないときにはハイドラフロックなどの改良液体アミーズ培地（Amies培地）が入っている輸送培地で4℃保存するとよい。また，*C. jejuni*，*C. coli*の分離には，多数の腸内細菌の影響を除くため，選択剤として抗生物質の入ったスキロー寒天培地またはバツラー寒天培地（Butzler寒天培地）を42℃で48時間培養する。スキロー培地に42℃で発育すると非溶血性で半透明のコロニーが観察されるが，グラム陰性らせん菌であれば，*C. jejuni*または*C. coli*の可能性が高い。らせん菌のグラム染色性は弱いので，後染色の作用時間を長くするとよい。*C. fetus*は組織侵入性で，糞便検体より血液培養から分離されることが多い。42℃では発育不良なので37℃で培養する。

同定

ブドウ糖などすべての炭水化物を，酸化的にも発酵的にも分解しない。オキシダーゼ陽性，カタラーゼを産生するものとしないものがある。インドール非産生，硝酸塩を亜硝酸に還元する。また，馬尿酸および酢酸インドキシルの加水分解，25℃および42℃での発育性が鑑別のポイントとなる（表9.5.2）。

*C. jejuni*は馬尿酸塩加水分解陽性であり，ほかのカンピロバクターとの鑑別点となる。

診断・治療

臨床症状からサルモネラ食中毒，細菌性赤痢との鑑別は困難である。培養検査による菌の分離同定が確定診断になる。下痢に対する対症療法とニューキノロン系薬による治療を行う。近年ニューキノロン系薬への耐性率が上昇しているため，耐性の場合マクロライド系薬やテトラサイクリン系薬が有効である。

感染と病原性

①*C. jejuni*，*C. coli*

経口感染により感染型食中毒を起こす。牛乳，水などによる大規模な食中毒や，鶏肉からの感染も多い。病原因子として細胞付着因子（CadF），細胞致死性膨張性毒素（Cdt），エンテロトキシンなどが報告されている。

i）腸炎

8～48時間の潜伏期間の後，腹痛，下痢，発熱（38℃台）を伴って発症する。通常は2～5日で自然に軽快する例が多いが，稀に菌血症を起こす。血便を伴うことがあり，小児，高齢者では菌血症に進展することがある。未治療の場合には数週間便中に排菌が認められることがある。

感染性胃腸炎は感染症法における五類感染症（定点把握疾患）である。

ii）ギラン・バレー症候群

*C. jejuni*のLPS（O19型）と神経のG_{M1}ガングリオシドとの共通抗原性により誘導される自己免疫疾患である。急性の末梢神経麻痺性疾患で，四肢の筋力低下をきたす。

②*C. fetus*

腸管外感染症として，免疫能低下患者の菌血症，化膿性関節炎，髄膜炎などを発症し，重症化すると髄膜炎をきたす。感染源としてレバーの生食からの感染例がある。確定診断は血液培養から菌を分離する。42℃では発育しないため37℃で培養する。

③その他のカンピロバクター

*C. lari*や*C. upsaliensis*は，おもにイヌやネコなどのペットや鳥類の腸管に分布している。これらの菌はともに下痢などの腸管感染症の起因菌として注目されており，易感染性患者では血流感染の起因菌となることがある。

用語　細胞付着因子（Campylobacter adhesion to fibronectin；CadF），細胞致死性膨張性毒素（cytolethal distending toxin；Cdt），ギラン・バレー症候群（Guillain-Barré syndrome），リポ多糖（lipopolysaccharide；LPS），TSI（triple sugar iron）

◆*Arcobacter*属

*Campylobacter*科に属し，*Campylobacter*属菌と同様に動物の消化管内に常在する。ヒトからは*A. butzleri*と*A. cryaerophilus*が分離されることがある。両者とも菌血症，腸炎などの起因菌であるが，*A. butzleri*は心内膜炎や腹膜炎も起こす。

臨床検体からのアルコバクターの培養方法は確立されていないが，カンピロバクター用の選択培地を用い，37℃の微好気培養による分離が報告されている。

9. 5. 2 ヘリコバクター属（Genus *Helicobacter*）

1983年にオーストラリアのJohn Robin WarrenとBarry James Marshallによって胃疾患患者の胃から発見された微好気性のらせん菌である。*H. pylori*（最初の菌名*Campylobacter pyloridis*）が分離され，当初は*Campylobacter*に類似することから分類されていたが，16S rRNAの遺伝子配列から1989年に*Helicobacter*属が新設された。ヒトや種々の動物の胃，腸管，肝臓から多くの*Helicobacter*が分離されて，胃に生息するgastric *Helicobacter*（胃存位菌）と腸や肝に生息するenterohepatic *Helicobacter*（腸肝存位菌）に分類されている。*Helicobacter*のhelicoは「らせん」の意味である。

グラム陰性，非芽胞形成桿菌であるが長期に培養すると球菌様の形態をとることがある。現在，*Helicobacter*属として36菌種が含まれている。

形態と培養

*H. pylori*の形態は0.4～1.2×2.5～5.0mmのグラム陰性らせん状ないしS状桿菌である。片端に4～7本の鞭毛をもつ。鞭毛の先端に球状のbulbを形成する特徴がある。一般に感染胃粘膜中では菌体の長さが短く，らせんも少ない。*H. pylori*以外の*Helicobacter*属菌のなかには菌体にペリプラズムファイバーとよばれる構造物をもつ菌もある。培養が古くなると球状体（コッコイドフォーム）になり，人工培地に発育しなくなる。

1. ヘリコバクター・ピロリ（*Helicobacter pylori*）

分布

代表的な胃在位菌である。ヒトの胃のほか，時には飼育されているネコや霊長類にも感染する。感染経路は不明であるが，ヒトからヒト，汚染された食品からの感染などが考えられている。pyloriは，ラテン語のpylorusで幽門を意味し，*H. pylori*は胃の幽門部にいるらせん状の細菌のことである。

培養

*H. pylori*感染は，病理組織診断，血清学的検査，尿素呼気試験などで診断される。近年，抗菌薬の耐性が問題となっており，培養および薬剤感受性検査の重要性は高まっている。

死滅しやすいので，胃の生検組織は破砕後すぐに培地へ接種する。ブレインハートインフュージョン培地（brain heart infusion培地）などに発育するが，選択培地としてスキロー変法培地（Skirrow変法培地）のほか，ヘリコバクター専用培地など培地中に発色試薬のテトラゾリウム紫を含有し，濃紺のコロニーを形成させる培地などが市販されている。

ヒツジ血液寒天培地，チョコレート寒天培地などを用い，37℃，微好気培養する。普通寒天培地や好気的条件下では発育しない。培養には血清または血液成分が必要である。また，すべての炭水化物を利用しない。胃粘膜からの初代培養は1週間行う。薬剤感受性検査は，培養時間が長いため，ディスク法や微量液体希釈法ではなくEテストで行うのが一般的である。

胃粘膜の生検材料を直接塗抹したGram染色により，コンマ状のグラム陰性桿菌が観察されれば推定が可能である（図9.5.2）。

同定

強いウレアーゼ活性をもち，アンモニアを産生して胃酸から菌を保護しており，おもに粘膜層中に生息している。オキシダーゼとカタラーゼ陽性，硝酸塩を還元しない。

検査

侵襲的検査法である内視鏡を用いて粘膜生検や胃液を採取する方法と非侵襲的な検査方法がある。

①侵襲的な検査方法（内視鏡を用いる）

1) 生検材料検査：病理組織学的な鏡検として組織切片をHematoxylin-eosin染色〔ヘマトキシリン・エオジン（HE）染色〕，あるいはGiemsa染色がある。
2) 培養法：生検材料の培養により薬剤感受性検査の実施が可能である。
3) 迅速ウレアーゼ試験：尿素とpH指示薬が混入された検査試薬内に，内視鏡で採取した胃生検組織を入れ，アンモニア量を測定する。

用語　コッコイドフォーム（coccoid like forms），ヘマトキシリン・エオジン（hematoxylin-eosin；HE）

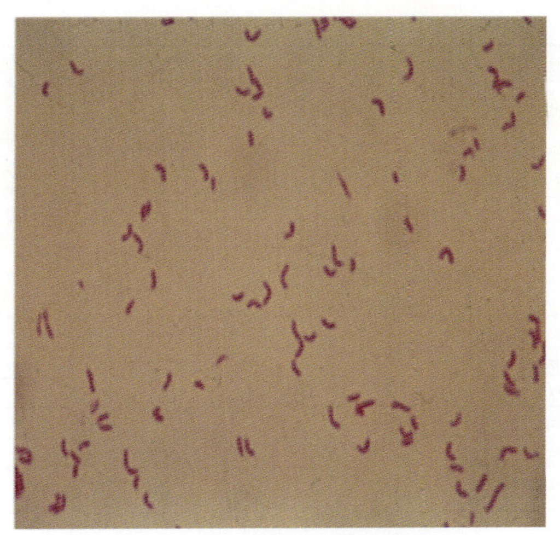

図 9.5.2 *H. pylori*の Gram染色(培養コロニーより) ×1,000

②非侵襲的な検査方法

1)尿素呼気試験：^{13}C標識尿素を経口投与し，ウレアーゼにより分解した呼気中のCO_2濃度を測定する。

2)抗体測定試験：血清または尿中の抗*H. pylori*-IgG抗体をELISA法で測定する。

3)便中抗原検査：便中の*H. pylori*抗原をイムノクロマト法により測定する。

治療

治療は，*H. pylori*感染陽性の再発性の潰瘍，MALTリンパ腫の50〜70%，血小板減少性紫斑病（ITP）の約50%が抗生物質による除菌治療により治癒する。プロトンポンプ阻害薬（PPI），アモキシシリン，クラリスロマイシンの3剤を1週間服用する。近年，クラリスロマイシンの耐性率が上昇し，除菌の成功率が低下している。このためメトロニダゾールを用いる方法が広まりつつある。

感染と病原性

ヒトにおける病原性が確立している菌種は*H. pylori*のみである。ほとんどの感染者は小児期に感染し，長期間にわたって慢性活動性胃炎状態となり，慢性萎縮性胃炎，胃潰瘍，十二指腸潰瘍，過形成ポリープを発症するものが出てくる。また胃のMALTリンパ腫などを発症する。長期感染者は，胃がん発症の確率が高くなることも報告されている。その他，蕁麻疹，ITP，鉄欠乏性貧血，動脈硬化の進展に関与している。病原因子はウレアーゼによりアンモニアを産生することで，胃酸から守っている。細胞空胞化毒素（VacA）は胃粘膜や上皮細胞の障害を誘発する。細胞変性作用を有するcytotoxin-associated gene A（CagA）は，Type Ⅳ分泌システムを介して粘膜の上皮細胞に注入されると，発がんリスクが高まると考えられている。

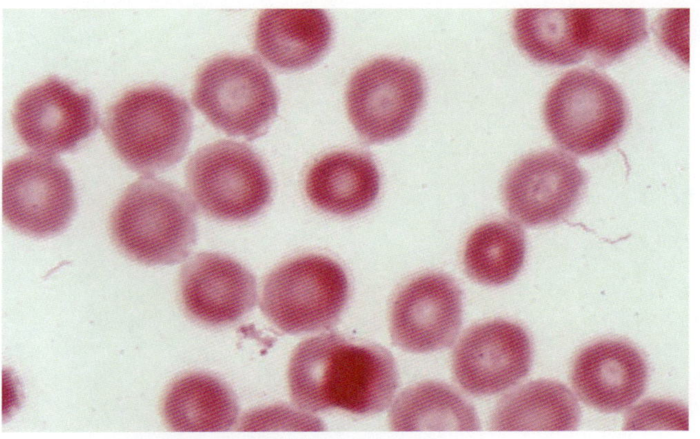

図 9.5.3 *H. cinaedi* Gram染色 ×1,000

2. ヘリコバクター・シネディ (*Helicobacter cinaedi*)

疫学

*H. cinaedi*は，ヒトを含むさまざまな動物（ハムスター，ラット，ネコ，イヌ，キツネ，サルなど）の腸管に生息する。近年，血液腫瘍をはじめとする抗がん剤治療中の患者，透析患者の血液培養から本菌が分離される症例が増加している。

形態と培養

グラム陰性のらせん状桿菌（やや長め2〜4巻き；図9.5.3）で鞘のある鞭毛を有する。血液培養では好気ボトルで3日〜10日間培養後に陽性シグナルを示す。サブカルチャーによって寒天培地上でフィルム状の発育（図9.5.4）あるいは発育不能の場合も多い。最適な培養環境は，高濃度の水素ガスが必要（5〜10%の水素存在下）であるため，水素ガス発生のガスパックを用いて培養するとよい。

同定

カタラーゼ陽性，オキシダーゼ陽性，硝酸塩還元陽性，酢酸インドキシル加水分解陰性，ウレアーゼ陰性である。Gram染色像，コロニー外観，患者背景を含めて*H. fennelliae*と類似しているが，鑑別のポイントは，*H. fennelliae*は硝酸塩還元陰性，酢酸インドキシル加水分解陽性である（表9.5.3）。

抗菌薬感受性

ペニシリン系薬，カルバペネム系薬など多くの抗菌薬に感受性であるが，ニューキノロン系薬やマクロライド系薬には耐性株が存在する。

病原性

*H. cinaedi*の病原性については十分に解明されていないが，細胞致死性膨化性毒素（CLDT）を産生する。らせん状の形態と鞭毛により粘膜環境下で活発に運動し，宿主粘

用語 酵素免疫測定法(enzyme linked immunosorbent assay；ELISA)，MALT(mucosa associated lympho-tissue)，血小板減少性紫斑病(idiopathic thrombocytopenic purpura；ITP)，プロトンポンプ阻害薬（proton pump inhibitor；PPI)，細胞空胞化毒素（vacuolating cytotoxin A；VacA)

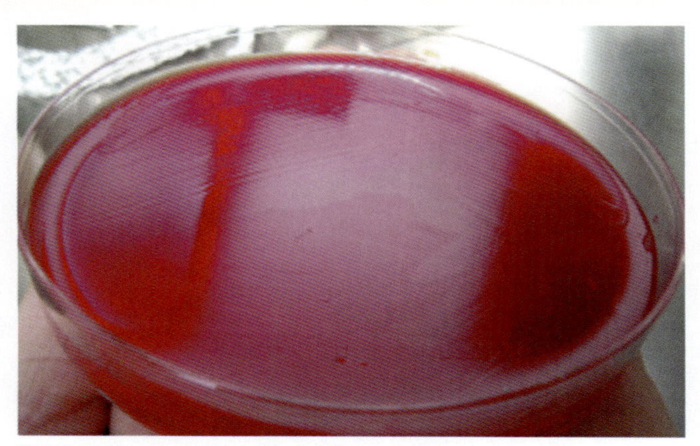

図 9.5.4 *H. cinaedi* コロニー外観

膜上皮に付着する能力に加えて，CLDTを産生して上皮細胞内に侵入もしくは貫通することによって菌血症を呈する可能性が考えられる。血液腫瘍をはじめとする抗がん剤治療中の患者，透析患者の敗血症（菌血症），蜂窩織炎あるいは発赤，皮疹を伴う患者から分離されることが多い。

表 9.5.3 血液培養から分離されるグラム陰性らせん菌の鑑別性状

菌種	血液培養ボトル	運動性	溶血	オキシダーゼ	カタラーゼ	硝酸塩還元	馬尿酸加水分解	インドキシル酢酸	ウレアーゼ
H. cinaedi	好気	+	−	+	+	+	−	−	−
H. fennelliae	好気	+	−	+	+	−	−	+	−
C. fetus	好気	+	−	+	+	+	−	−	−
C. jejuni	好気	+	−	+	+	+	+	+	−
C. lari	嫌気	+	−	+	+	+	−	−	−/+
C. upsaliensis	好気	+	−	+	+w	+	−	+	−
B. pilosicoli	嫌気	+	βw	+	+	−	+	−	−
A. succiniciproducens	嫌気	+（両極多毛）	β	−	−	−	+	−	−
D. desulfuricans	嫌気	+	−	−	+	+	−	−	−

［長沢光章，大楠清文］

用語 細胞致死性膨化性毒素（cytolethal distending toxin；CLDT）

9.6 | 好気性・通性嫌気性グラム陽性有芽胞桿菌

- *Bacillus* 属は，芽胞形成能を有する好気性または通性嫌気性グラム陽性桿菌であり，特に，*B. anthracis*（炭疽菌）および *B. cereus*（セレウス菌）が臨床的に重要である。
- *B. anthracis* は四類感染症である炭疽の原因となり，バイオテロに利用される恐れのある病原体として菌株の所持が制限されている。
- *B. cereus* は一般に病原性は低いが，毒素型食中毒や易感染宿主における血流感染症の原因となる。
- *Bacillus* 属内の菌種鑑別においては，莢膜や鞭毛，β溶血性，卵黄反応などの性状がポイントとなる。

9.6.1 バシラス属（Genus *Bacillus*）

分類

*Bacillus*属は，芽胞形成能を有する好気性または通性嫌気性グラム陽性桿菌であり，200菌種以上が本属に含まれている。ヒトに病原性を示す菌種としては，炭疽菌（*B. anthracis*）およびセレウス菌（*B. cereus*）が重要である。この2菌種と系統発生学的に近縁の6菌種（*B. thuringiensis*，*B. mycoides*など）を合わせた計8菌種を，*Bacillus cereus* groupとする一群として位置づけている。菌種同定には従来からの性状検査（表9.6.1）が鑑別の大きな助けとなるが，*B. cereus*と*B. thuringiensis*（昆虫の病原菌）は互いの性状が酷似しているため日常検査で鑑別困難である。その他の菌種では，自然界に広く分布している枯草菌（*B. subtilis*）が有名である。

1. バシラス・アンスラシス（炭疽菌）（*Bacillus anthracis*）

疫学

炭疽菌は1876年にRobert Kochが初めて分離に成功している。土壌などの環境中で長期間にわたり生存しており，動物およびヒトに炭疽を引き起こす人獣共通感染症の起因菌として知られている。炭疽は四類感染症に分類される。病原性の強さや芽胞の耐久性などから生物兵器として利用される危険性があり，2001年に米国で起こったバイオテロでは22名の患者が発生し，そのうち5名が死亡している。これらの理由より，わが国は本菌を二種病原体等に指定しており，菌株の所持を制限している。また，P3レベルの施設での取扱いが要求される。

形態

大きさは，1〜2×10μmと病原菌のなかでは最大である。生体内では単独または短い連鎖状であるが，培養菌は長い連鎖状を示す。生体内ではポリペプチド（グルタミン酸の重合体）からなる莢膜を形成するのが特徴である。芽胞は菌体の中央に形成される。鞭毛がなく，非運動性であるのが重要な特徴である。

培養

通性嫌気性であり，37℃の好気培養にて普通寒天培地や血液寒天培地によく発育し，R型のコロニーを形成する。ヒツジ血液寒天培地では溶血性を示さない。液体培地では管底に発育する。

同定

カタラーゼ陽性，ブドウ糖分解，ガス非産生，VPテスト陽性，硝酸塩還元能陽性，パールテスト陽性，アスコリ

表 9.6.1　*Bacillus* 属菌のおもな鑑別点

菌種	莢膜	運動性（鞭毛）	β溶血	卵黄反応	カタラーゼテスト	VPテスト	パールテスト	アスコリテスト	γ-ファージテスト
B. anthracis	+	−	−	+	+	+	+	+	+
B. cereus	−	+	+	+	+	+	−	−	−
B. subtilis	−	+	d	−	+	+	ND	ND	−

d：菌株により異なる，ND：データなし。

用語 フォーゲス・プロスカウエル（Voges-Proskauer；VP）

テスト陽性，γ-ファージテスト陽性が用いられる。

①パールテスト

微量のペニシリンを含んだ血液寒天培地で分離菌を培養すると，菌は丸く膨大し（プロトプラスト化），真珠様のコロニーをつくる。

②アスコリテスト

患者検体から抽出した炭疽菌抗原と抗血清試薬を反応させ，沈降の有無を検査する。

抗菌薬感受性

多くの株がペニシリン系薬に対して感性を示す。キノロン系薬，テトラサイクリン系薬に対しても感性を示し，曝露後の発症予防や，感受性結果判明前などで用いられる。

病原因子

莢膜形成能と毒素産生能が本菌の高病原性に大きく影響している。毒素には浮腫毒，致死毒および防御抗原の3種類の外毒素があり，複合的にはたらいて局所に炎症を誘発し，組織の出血や壊死を起こす。

病原性

炭疽の病型は皮膚炭疽（経皮感染），腸炭疽（経口感染）および肺炭疽（吸入感染）の3つに分けられる。肺炭疽，腸炭疽，皮膚炭疽の順に致命率が高い。

①皮膚炭疽

自然感染の多くを占めている。創傷部位などからの感染後に皮膚に潰瘍を形成，重症化すると全身性の炎症に移行し，死に至ることもある。

②腸炭疽

感染獣の肉を摂取して感染する。嘔吐や食欲不振の初期症状の後，発熱，腹痛，重度の下痢を伴い，重症の場合は死に至る。

③肺炭疽

芽胞の吸入により感染する。初期のインフルエンザ様症状に続き，高熱，胸部・腹部の疼痛，呼吸困難，髄膜炎などを引き起こす。未治療での致命率は約90%で極めて高い。

2. バシラス・セレウス（セレウス菌）（*Bacillus cereus*）

疫学

自然界に広く分布しており，一般に病原性は低く，おもに病院内における日和見感染症の原因となる。しかし，稀に食中毒の原因となることから厚生労働省の食中毒統計調査にも記載されており，毎年数件の集団発生例を認めている。

形態

大きさ1×3～5μmの桿菌であり，連鎖を認めることも多い。芽胞は菌体の中央に楕円形として認める（図9.6.1）。莢膜はない。周毛性鞭毛をもち，運動性を有する。

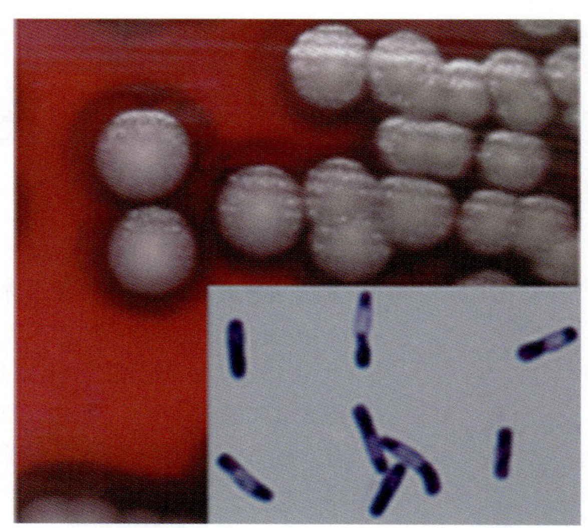

図9.6.1　*B. cereus* のGram染色および培養所見
35℃　24時間　好気培養　×1,000

培養

通性嫌気性であり，37℃の好気培養にて普通寒天培地や血液寒天培地によく発育し，R型のコロニーを形成する（図9.6.1）。ヒツジ血液寒天培地でβ溶血を認めるのが特徴である。

同定

カタラーゼ陽性，硝酸塩還元能陽性，卵黄反応陽性（卵黄含有培地で培養するとコロニー周囲が乳白色になる），VPテスト陽性。

抗菌薬感受性

バンコマイシンやクリンダマイシン，エリスロマイシン，ゲンタマイシンなどに感性を示す。β-ラクタマーゼを産生するため，ペニシリン系薬やセフェム系薬は無効である。

病原因子

嘔吐型食中毒に関与する嘔吐毒（セレウリド）と下痢型食中毒に関与する下痢原性毒素（エンテロトキシン）がある。前者は耐熱性，耐酸性，耐アルカリ性であるのに対し，後者は易熱性であり酸や消化酵素で失活する性質をもつ。

病原性

本菌の食中毒は嘔吐型（潜伏期1～6時間）と下痢型（潜伏期6～24時間）の2つに分けられる。嘔吐型は食品内で産生された毒素によって発症する毒素型食中毒であり，下痢型は食品内で増えた菌を摂取後，腸管内で菌の増殖とともに産生された毒素によって起こる感染型（感染毒素型食中毒）である。いずれも症状は軽く，1～2日で回復する。食中毒以外においては低病原性とされるが，稀に易感染宿主における敗血症，感染性心内膜炎，カテーテル関連血流感染などの原因になる。

3. バシラス・サブチリス（枯草菌）（*Bacillus subtilis*）

疫学

自然界に広く分布しており，基本的に非病原性菌とされ，汚染菌として扱われる。

形態

周毛性の鞭毛をもち，運動性がある。

培養

偏性好気性であり，普通寒天培地によく発育する。卵黄反応陰性である。

病原性

通常，病原性はもたないが，稀に易感染宿主による菌血症や肺炎などの原因となる。

［大瀧博文］

9.7 ｜ 好気性・通性嫌気性グラム陽性無芽胞桿菌

- *Listeria monocytogenes* は，経口感染により高齢者や妊婦，易感染宿主における髄膜炎や敗血症の原因となる。ヒツジ血液寒天培地で弱い β 溶血を認め，BTB 乳糖寒天培地に発育するのが特徴である。
- *Corynebacterium* 属において，ジフテリアの原因となる *C. diphtheriae* およびジフテリア毒素産生株を一部に認める *C. ulcerans*，乳腺炎の原因となる *C. kroppenstedtii*（脂質好性 *Corynebacterium* 属菌）が本属に特徴的な疾患の起因菌として有名であり，その他の菌種の多くは日和見感染の起因菌として位置づけられる。
- *Gardnerella vaginalis* 腟内での過剰増殖は細菌性腟症の原因となり，診断には Nugent の診断基準が有用である。

9. 7. 1　リステリア属（Genus *Listeria*）

分類

*Listeria*属には，2022年現在，*Listeria monocytogenes* や*L. grayi*，*L. innocua*など26菌種が含まれている。ヒトに病原性を示す菌種として*L. monocytogenes*が最も重要である。

1. リステリア・モノサイトゲネス（*Listeria monocytogenes*）

疫学

*L. monocytogenes*は広く自然界に存在し，ウシやヒツジをはじめとしたさまざまな動物や種々の環境材料から検出されるリステリア症の起因菌である。本菌で汚染された食肉や乳製品，野菜などは感染源としてとくに重要であり，実際にこれらの食品を介した集団事例も散見される。また，4℃の低温でも増殖できることから，長期冷蔵保存された食品からの感染も報告されている。

形態

0.5×1～2μmのグラム陽性短桿菌である（図9.7.1）。25～30℃での培養にて数本の周毛性鞭毛を有し運動性が活発となる。莢膜はもたない。

培養

通性嫌気性であるが，好気培養より微好気培養や炭酸ガス培養の方が発育良好である。普通寒天培地における発育は遅いまたは不良であるが，ヒツジ血液寒天培地に良好に発育し，弱い β 溶血を示す。また，BTB乳糖寒天培地に

表 9.7.1　臨床的に重要なグラム陽性桿菌（代表的な菌種のみを記載）

属	種	おもな疾患	備考
Bacillus	*B. anthracis*	炭疽	芽胞（＋）
	B. cereus	食中毒，日和見感染症	
	B. subtilis		
Listeria	*L. monocytogenes*	髄膜炎，敗血症	
Corynebacterium	*C. diphtheriae*	ジフテリア	
	C. ulcerans	ジフテリア様疾患	
	C. kroppenstedtii	乳腺炎	
	C. striatum	日和見感染症	
	C. jeikeium		
	C. urealyticum	尿路感染症	
Gardnerella	*G. vaginalis*	細菌性腟症	グラム陰性の場合あり
Lactobacillus	*L. acidophilus*		
Erysipelothrix	*E. rhusiopathiae*	類丹毒，敗血症，ブタ丹毒（動物）	
Nocardia	*N. asteroides*	肺炎，脳膿瘍	抗酸性（＋）

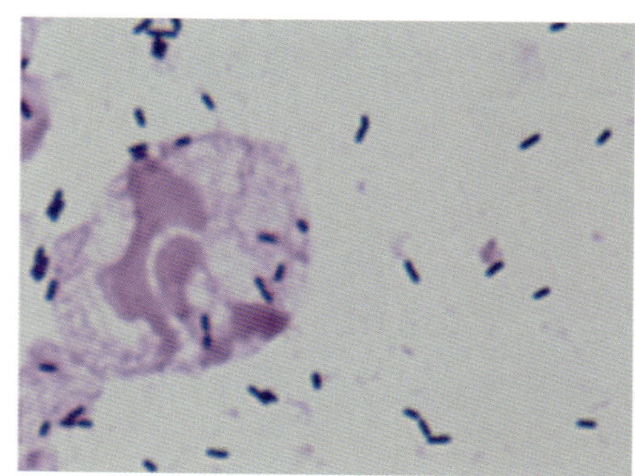

図 9.7.1　*L. monocytogenes* の Gram 染色所見
血液培養ボトルより　×1,000

用語　ブロモチモール青（bromothymol blue；BTB）

も発育する。発育可能温度域は0〜45℃と広く，35℃前後が至適発育温度であるが，4℃でも発育可能である点が重要な特徴である。24時間培養で直径1〜2mmのコロニーを形成する。また，半流動高層培地に穿刺し培養すると培地表面から数mm下層に傘状の発育が認められる。

同定

カタラーゼ陽性，オキシダーゼ陰性，ブドウ糖分解，ガス非産生，VPテスト陽性，インドールテスト陰性，CAMPテスト陽性，馬尿酸加水分解陽性が特徴である。

抗菌薬感受性

ペニシリン系薬，アミノグリコシド系薬，マクロライド系薬，テトラサイクリン系薬に感性を示す。治療においては，アンピシリンが第一選択として推奨されている。セフェム系薬には耐性を示す。

その他の検査

O（菌体）抗原とH（鞭毛）抗原の組み合わせにより，13種類の血清型（1/2a，1/2b，1/2c，3a，3b，3c，4a，4ab，4b，4c，4d，4e，7）に分けられる。ヒトのリステリア症のほとんどが1/2a，1/2b，4bのいずれかの血清型による。血清型と病原性の直接的な関連は明確でない。

病原因子

低温増殖性，食塩抵抗性，胆汁酸抵抗性，高浸透圧耐性などの性質をもつため，さまざまな環境下での生存能力が高く，経口摂取後の腸管までの到達も可能である。直接的な病原因子ではないが，感染成立にとって重要な要素である。

細胞に対するいくつかの定着因子と侵入因子をもつ。経口摂取された菌はこれらの因子により腸管上皮細胞に侵入・増殖し感染エリアを拡大していく。

通性細胞内寄生性細菌である。はじめは，エンドサイトーシスにより細胞内に取り込まれるが，細胞質に脱出して増殖する。とくに，マクロファージなどの食細胞に貪食されても，食胞とリソソームが融合して各種殺菌因子が作用する前に細胞質に逃れることができ，病原性に大きく関与している。

病原性

リステリア症の病型は髄膜炎や敗血症などが主である。成人では，担がん患者や後天性免疫不全症候群（AIDS）患者などの免疫機能低下宿主が感染した場合に発症に至るが，健常成人では無症状または一過性の症状で終わることも多い。妊婦が感染すると母体には重大な疾患を及ぼさないにも関わらず，垂直感染により流産・死産，新生児髄膜炎などの周産期リステリア症を起こすことがある。また，小児および高齢者においては，基礎疾患がなくても髄膜炎や敗血症を発症したケースも報告されており，念頭に置く必要がある。多くは経口感染による食品媒介感染症であるが，細菌性食中毒のような典型的な胃腸炎症状は認めないのが通常である。

9. 7. 2 コリネバクテリウム属（Genus *Corynebacterium*）

分類

本属には100菌種以上が登録されているが，臨床的には20菌種程度が重要である。最も重要な菌種は，ジフテリアの原因となる*C. diphtheriae*である。近年，ジフテリアと同様の病態を示すとして報告が散見される*C. ulcerans*や乳腺炎の起因菌として注目されている*C. kroppenstedtii*があげられる。その他の菌種は，多くがヒトの皮膚や口腔の常在菌であり，日和見病原菌として扱われる場合が多い。本属の菌は好気性または通性嫌気性菌であり，鞭毛はもたず，運動性はない。また，Gram染色では多くが柵状，松葉状，V字状の配列を示し，本属の特徴として認識されている。

1. コリネバクテリウム・ジフセリエ（ジフテリア菌）（*Corynebacterium diphtheriae*）

疫学

ジフテリアの起因菌である。わが国におけるジフテリア患者の届け出数は，1945年には約86,000人で約10%が死亡したが，ジフテリアの発症予防を目的としたトキソイドワクチンの普及により，患者発生数は激減している。

形態

0.5×1〜8μmのまっすぐか少し弯曲した多形性のグラム陽性桿菌である。莢膜や鞭毛は形成しない。菌体内に1〜数個の異染小体があり，異染小体染色〔Neisser染色（ナイセル染色）〕によって黄褐色の菌体中に黒色の異染小体が観察される。

培養

好気性〜微好気的環境で良好に発育する。至適発育温度は35℃前後，至適pHは7.0〜7.6である。普通寒天培地での発育は不良であり，ヒツジ血液寒天培地やレフレル培地が非選択培地として使用される。選択培地としては，亜テルル酸カリウムを含有した培地（荒川培地，クラウベルグ培地など）が用いられ，灰色〜黒色のコロニーを形成する。

用語　CAMP（Christie, Atkins, and Munch-Peterson），後天性免疫不全症候群（acquired immunodeficiency syndrome；AIDS）

同定

ブドウ糖分解，マルトース分解，ガス非産生，カタラーゼ陽性，インドールテスト陰性，ウレアーゼ陰性が特徴である。

抗菌薬感受性

ペニシリン系，マクロライド系薬などに感性がある。

その他の検査

ジフテリア毒素の遺伝子および産生能を確認する。毒素遺伝子の確認にはPCR法，毒素産生の確認にはエレク試験やELISA法などを用いる。

①エレク試験

シャーレ中央に抗毒素を染み込ませた濾紙を置き，ウマ血清を加えた基礎培地を流し込む。培養菌を濾紙と直角に交わるように画線塗抹し，37℃，3～4日間の培養を実施する。毒素産生株であれば沈降線が出現する。

病原因子

細胞の蛋白合成を阻害するジフテリア毒素（易熱性の外毒素）を産生する。毒素本体の遺伝子は，溶原化したバクテリオファージに由来している。この遺伝子を有さない毒素非産生のジフテリア菌も存在している。

病原性

飛沫感染により上気道粘膜（扁桃，咽頭，喉頭，鼻粘膜など）に局所感染する。2～5日間の潜伏期を経て発熱，咽頭痛，嗄声や犬吠様（けんばいよう）咳嗽などの症状を認め，扁桃・咽頭周辺に白～灰白色の偽膜が形成される。偽膜ではジフテリア菌が限局的に増殖しつつ，大量のジフテリア毒素を産生している。この毒素は体内に吸収され全身的な中毒症状の原因となり，心筋炎による循環器系障害，四肢の筋肉および呼吸筋などの麻痺（ジフテリア後神経麻痺）を起こすと考えられる。発症後の治療には血清（抗毒素）療法を行う。

予防

ジフテリア毒素を無毒化したトキソイドワクチンが用いられている。四種混合ワクチン（DPT-IPV），三種混合ワクチン（DPT），二種混合ワクチン（DT）として予防接種にて用いられている。生後3カ月以降から順次接種が開始される。

2. コリネバクテリウム・ウルセランス (*Corynebacterium ulcerans*)

疫学

幅広い動物種からの検出が確認されている人獣共通感染症の起因菌の1つであり，動物には乳腺炎や皮膚炎，上気道炎を起こすことが知られている。わが国では2001年にジフテリア症状を呈した患者からジフテリア毒素産生能を有した*C. ulcerans*が初めて分離されており，疫学的にも重要視されている。その他，咽頭炎や扁桃炎の原因になるとされ，いずれもの場合もウシやヒツジ，イヌ，ネコなどとの動物接触歴がある患者が多いのが特徴である。

培養

ヒツジ血液寒天培地にて37℃，24時間の好気培養にて直径1～2mmの乳白色の辺縁平滑なコロニーを形成し，弱いβ溶血を認める。

同定

カタラーゼ陽性，ブドウ糖分解，マルトース分解，硝酸塩還元試験陰性，ウレアーゼ陽性が特徴である。

抗菌薬感受性

ペニシリン系薬，マクロライド系薬などに感性がある。

その他の検査

本菌が分離された場合は，ジフテリア菌同様に毒素産生の確認を行う。

病原性

咽頭炎や扁桃炎を起こす。また，ジフテリア毒素産生能を有する株が報告されており，上気道粘膜に偽膜形成を伴ったジフテリア様疾患を起こす場合があるため注意が必要である。

予防

ジフテリア予防に用いられるトキソイドワクチンの効果が本菌感染症にも認められるとされる。また，動物との接触や飛沫に対して注意を払い，ほかの人獣共通感染症と同様に手洗いなどを含めた感染防御を心がける必要がある。

3. コリネバクテリウム・クロッペンステッディ (*Corynebacterium kroppenstedtii*)

疫学

近年，化膿性乳腺炎や肉芽腫性乳腺炎などの起因菌として検出の報告が相次いでいる。とくに肉芽腫性乳腺炎においては理学所見および画像所見が乳がんと類似しているため，これらとの鑑別が非常に重要視されている。

形態

ほかの菌種と同様，本属に典型的な形態を示す。

培養

好気または炭酸ガス環境下でヒツジ血液寒天培地に発育し，培養後48時間で1mm以下の微小コロニーを認める。脂質好性のためTween 20または80などの脂質成分を添加した培地では発育が促進される。

同定

カタラーゼ陽性，ブドウ糖分解，マルトース分解，エスクリン分解能陽性，硝酸塩還元能陰性，ウレアーゼ陰性が特徴である。

用語　ポリメラーゼ連鎖反応（polymerase chain reaction；PCR），酵素免疫測定法（enzyme-linked immunosorbent assay；ELISA），四種混合ワクチン（diphtheria, pertussis, tetanus, inactivated polio vaccine；DPT-IPV），三種混合ワクチン（diphtheria, pertussis, tetanus；DPT），二種混合ワクチン（diphtheria-tetanus；DT）

薬剤感受性

ペニシリン系薬，セフェム系薬，マクロライド系薬，テトラサイクリン系薬など多くの抗菌薬に感性を示す。しかし，乳腺から本菌が検出された場合は，脂溶性の高い抗菌薬（マクロライド系薬，テトラサイクリン系薬，キノロン系薬）が治療に選択される。

病原性

化膿性乳腺炎や肉芽腫性乳腺炎などを起こす。感染時は脂肪が豊富な乳腺に棲みついていることから，好中球が接近しにくく免疫機構から逃れやすい。このことから再発を繰り返しやすいとされている。

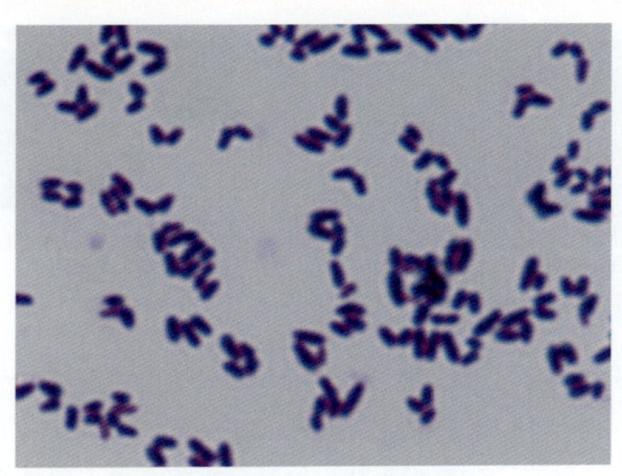

図 9.7.2　*C. striatum* の Gram 染色所見
培養後のコロニーより　×1,000

4. その他のコリネバクテリウム属

多くの菌種がヒトの皮膚や口腔の常在菌であり，日常検査にて頻繁に分離される。一般的に病原性が低く日和見病原菌として扱われる場合が多い。形態は，いずれも典型的な柵状，松葉状，V字状の配列を認める菌種が多く，本属の推定に役立つ（図9.7.2）。培養では，コアグラーゼ陰性ブドウ球菌（CNS）と類似のコロニーを形成するため，Gram染色を行って鑑別することが重要である。近年，これらの菌群における薬剤耐性化が進んでおり，今後の動向を注視する必要がある。ここでは，代表的な菌種のみを記載する。

(1) コリネバクテリウム・ストリアータム（*Corynebacterium striatum*）

皮膚常在菌であり，さまざまな臨床材料から分離されている。免疫不全状態において，肺炎を引き起こす場合があるが，病原性は低いと考えられる。近年では薬剤耐性化が進んでおり，菌交代症として種々の日和見感染症に関与している。

(2) コリネバクテリウム・ジェイケイアム（*Corynebacterium jeikeium*）

皮膚常在菌である。グリコペプチドとテトラサイクリン系以外の抗菌薬に多剤耐性を示す。日和見感染症の原因として認識されている。

(3) コリネバクテリウム・ウレアリティカム（*Corynebacterium urealyticum*）

おもに高齢者における尿路感染症の起因菌として知られている。強いウレアーゼ活性を有する菌であり，稀に高アンモニア血症を起こす原因となる。

(4) コリネバクテリウム・シュードジフセリチクム（*Corynebacterium pseudodiphtheriticum*）

口腔内または咽頭部の常在菌であり，呼吸器系材料からの分離が主である。

［大瀧博文］

9.7.3 ノカルジア属（Genus *Nocardia*）

Nocardia 属は自然界に存在する病原性の比較的弱い細菌とされているが，急性あるいは慢性でしばしば播種性の化膿性または肉芽腫性感染症を発症する。わが国では，*N. farcinica*, *N. asteroides*, *N. brasiliensis*, *N. nova* の4菌種の分離が多いとされている。感染経路は吸入や外傷創部からの直接侵入であるため，健常者では土壌に触れる作業中の受傷後に皮膚潰瘍を起こす場合が多い。ステロイド使用などの易感染患者の場合は皮膚のほか，呼吸器，中枢神経感染症などを起こすことが多い。本菌は弱抗酸性という特徴をもつ。

分類

Nocardia 科は *Nocardia* 属のみが存在する。

N. asteroides や *N. brasiliensis* など菌種の数は約100種に及ぶ。非運動性，無芽胞性でカタラーゼ陽性である。

疫学

Nocardia 属菌は土壌中や朽ち木などの自然界に存在し，ヒト–ヒト感染はないとされている。健常者では土壌に触れる作業中の受傷による皮膚感染症や埃に混在する本菌の吸引により肺感染症が見られるが，ステロイド使用患者，臓器移植患者などの免疫が低下している患者の場合，皮膚，

用語　コアグラーゼ陰性ブドウ球菌（coagulase-negative staphylococci；CNS）

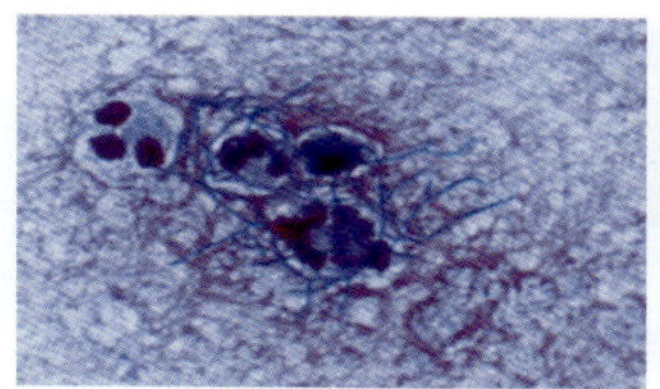
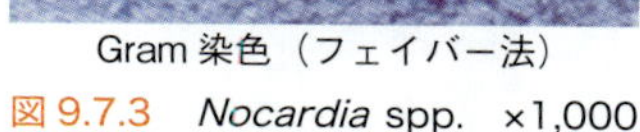

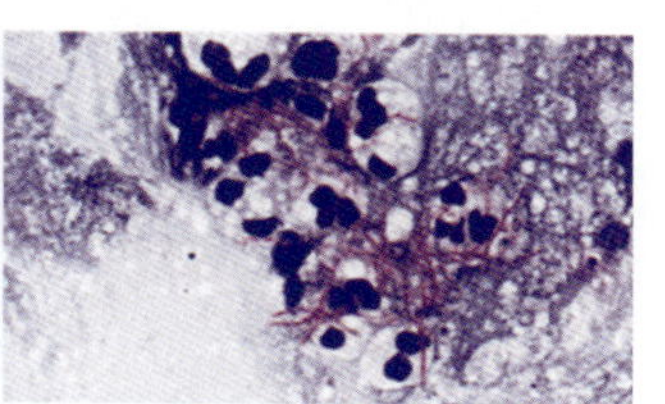
Kinyoun 染色

図 9.7.3　*Nocardia* spp.　×1,000

消化器系，脳，心臓，眼および骨などに感染する場合がある。

形態

本菌は形態に特徴があり，分岐を示すグラム陽性桿菌である。このような形態の細菌が鏡検された場合には0.5%硫酸水を用いたKinyoun（キニヨン）変法などによる抗酸菌染色を行い，抗酸性が確認されれば，*Nocardia*属と推定してよい（図9.7.3）。

培養

本菌種は好気性菌であるため大気下で発育する。

本菌種は発育に3日以上の時間を必要とするため，ヒツジ血液寒天培地などでは分離することが難しい。稀に，抗酸菌培養で分離されることがあるが，本菌感染症が疑われる場合には，本菌種に耐性の薬剤が入っている*Legionella*属などの選択分離培地を使用する方法も報告されている。

表 9.7.2　*Nocardia* 属の同定のキーとなる性状試験 [a]

菌種	45℃の発育	硝酸塩還元試験	カゼイン水解	キサンチン水解	ヒポキサンチン水解	チロシン水解
N. asteroides	−	+	−	−	−	−
N. brasiliensis	−	+	+	−	+	+
N. farsinica	+	−	−	−	−	−
N. otitidiscaviarum	V	+	−	+	+	−

a：＋は 90% 陽性，±は 90% または多くの種で弱い陽性，−は 90% 以上陰性，V は株でさまざま。

同定（表9.7.2）

①カゼイン水解試験

*N. asteroides*は陰性，*N. brasiliensis*は陽性を示す。

②チロシンおよびキサンチン分解試験

*N. asteroides*はいずれも陰性，*N. brasiliensis*はチロシン陽性，キサンチン陰性である。

③その他

糖分解性試験，硝酸塩還元試験などがある。

抗菌薬感受性

ST合剤やリネゾリド（LZD）の感受性が良好である。

［正木孝幸］

9.7.4　ガードネレラ属（Genus *Gardnerella*）

分類

*Gardnerella*属は*G. vaginalis*が本属を代表する菌種である。これまで，この1菌種のみであったが，現在合計4菌種が含まれている。古くは，*Haemophilus*属や*Corynebacterium*属として扱われたこともあったが，遺伝学的な背景や性状，細胞壁の特殊な構造により独立した属として確立されている。グラム染色性は不定であり，陽性および陰性のどちらに染まることもある。グラム陰性菌として扱われることも多いが，次項の*Lactobacillus*属との関連性もあるため，便宜的に本節に記載した。

疫学

ヒトの腟から検出され，腟内の正常細菌叢のバランスが崩れた場合に本菌が増殖し，細菌性腟症に関与するとされている。

形態

1.5〜2.0 × 0.5μmのグラム陽性または陰性の桿菌であり，一般的にGram染色不定の多形性の桿菌として認識されている（図9.7.4）。鞭毛はなく，非運動性である。

培養

通性嫌気性菌であり，ヒツジ血液寒天培地にて，35℃，48時間の炭酸ガス培養で0.5mm程度の微小なコロニーを形成する。ウサギ血液寒天培地上でβ溶血を示す（ヒツジ血液寒天培地では溶血を示さない）。

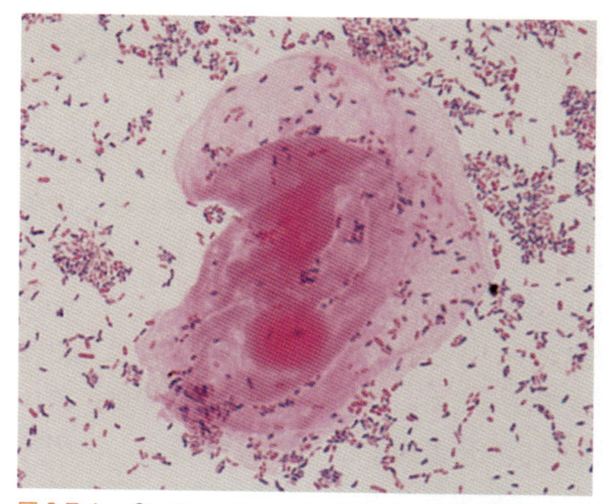

図 9.7.4　*Gardnerella vaginalis* の Gram 染色所見
グラム不定の短桿菌を多数認める
腟分泌物　×1,000

用語　スルファメトキサゾール・トリメトプリム（sulfamethoxazole/trimethoprim；ST），リネゾリド（linezolid；LZD）

同定

カタラーゼ陰性，オキシダーゼ陰性。

抗菌薬感受性

メトロニダゾールやクロラムフェニコール，クリンダマイシンが細菌性腟症（BV）の治療に用いられる。薬剤耐性の報告は少なく，上記の薬剤およびペニシリン系薬，セフェム系薬，マクロライド系薬に感性を示す。

その他の検査

BVの診断には，世界保健機関（WHO）の診断基準（腟分泌物の性状より判定）およびNugentの診断基準（腟分泌物のGram染色標本より判定）が用いられる。Nugentの診断基準は，Nugent scoreを用いてBVの診断を行うものであり，*Lactobacillus* type，*Gardnerella* type，*Mobiluncus* typeを菌の染色・形態所見からそれぞれをカウント，スコア化しその合計スコアから判定する（表9.7.3）。迅速かつ簡便に実施ができるため，有用な検査である。

表 9.7.3　Nugent scoreによる細菌性腟症の判定

	個 / 視野（1,000 倍）	0	＜1	1～4	5～30	＞30
細菌	*Lactobacillus* type	4	3	2	1	0
	Gardnerella type	0	1	2	3	4
	Mobiluncus type	0	1	1	2	2

合計スコア	解釈
0～3	正常
4～6	判定保留
7～10	細菌性腟症

病原性

BVに関与する細菌の1つとされる。BVとは，*Lactobacillus* spp.を主体とする腟内の正常細菌叢が減少し，本菌および*Mobiluncus* spp.などの細菌が過剰増殖し炎症を起こした状態と考えられているが，炎症所見に乏しく未治療で放置されている例も少なくない。しかし，絨毛膜羊膜炎や早産，前期破水の危険率がBVによって上昇することが報告されているため，妊婦においてはとくに注意する必要がある。また，防御機能が低下した宿主においては，骨盤内感染症などに関与する場合もある。

9. 7. 5　ラクトバシラス属（Genus *Lactobacillus*）

分類

*Lactobacillus*属　は，*L. acidophilus*，*L. crispatus*，*L. gasseri*など45菌種が登録されている（2023年時点）。自然界に広く分布し，ヒトや動物の腸管，植物，各種発酵食品から検出される。

疫学

腸管や腟の常在菌である。腟上皮細胞に含まれるグリコーゲンを分解して乳酸を生成，腟内のpHを酸性化し腟の自浄作用に寄与している（かつては発見者にちなんでデーデルライン桿菌ともよばれていた）。腸管においては病原菌や常在の腐敗菌に対して抑制的に作用するため，生菌製剤やヨーグルトなどの生菌を含んだ食品の摂取はプロバイオティクスとして整腸作用があるとされる。さらには，免疫力の向上やアレルギーの抑制などの効果も認められており，近年注目を集めている分野である。これらのことが俗に「善玉菌」と称されている。

形態

0.5～0.7 × 2～10 μmの細長く，多様な形態をしたグラム陽性桿菌である。芽胞は形成せず一般に鞭毛はないが，一部の菌種は周毛性鞭毛をもち運動性を有する。

培養

通性嫌気性菌であるが，5～10%の炭酸ガスや低酸素分圧の環境下をとくに好み，ヒツジ血液寒天培地にて48～72時間培養後に微小なコロニーの発育を認める。

病原性

健常者に病原性を示すことはないが，易感染宿主に対して菌血症や感染性心内膜炎を起こした症例が稀に報告されている。

［大瀧博文］

用語　細菌性腟症（bacterial vaginosis；BV），世界保健機関（World Health Organization；WHO）

参考文献

1）Conville PS *et al.*："*Nocardia*, *Rhodococcus*, *Gordonia*, *Actinomadura*, *Streptomyces*, and other aerobic actinomycetes", Manual of Clinical Microbiology 12th ed, 525-557, Carroll KC *et al.*(eds.), ASM Press, 2019.
2）Cowan ST："*Nocardia*", Cowan and Steel's Manual of the Identification of Medical Bacteria, 98-100, Cambridge University Press, 1974.

9.8 | グラム陽性抗酸性桿菌

- グラム陽性，抗酸性を有する菌は，*Mycobacterium* 属と *Nocardia* 属が属する。
- *Mycobacterium* 属は結核菌群と非結核性抗酸菌に分類される。
- 抗酸菌の検査では，とくに感染防止に注意を払う必要があり，生物学的安全キャビネットの設置や個人防護具の着用が必須である。
- 非結核性抗酸菌による感染症は，*M. avium* や *M. intracellulare* によるものが 70 〜 80%を占め，次いで *M. kansasii* 感染症が 10%未満である。

9. 8. 1　マイコバクテリウム属（Genus *Mycobacterium*）

大きさは1.0〜10 × 0.2〜0.6 μmで，形態は桿菌であるが弯曲や分岐状を示すこともある。好気性，非運動性，芽胞はもたず，発育は2〜3日から2カ月近くを必要とする菌種もある。

本菌属の大きな特徴として高級脂肪酸であるミコール酸を細胞壁に有する。ミコール酸は細菌学的には酸やエタノールに対して脱色されないという抗酸性（acid-fast）を示すものであり，免疫学的には免疫賦活をもたらす。また，*M. tuberculosis* や *M. leprae* はヒトにのみ感染するという宿主特異性を有する。

結核は現在でも世界的には発展途上国を中心に毎年900万人が新たに発病し，そのうち約150万人が死亡するとされている。また，先進国においても薬剤耐性菌による結核が問題になっている。わが国では若年者の罹患率の減少が見られているが，高齢者の罹患率は高く，再燃などにより若年者の感染源となる場合もある。

同じ抗酸菌感染症でも結核とは別に扱う非結核性抗酸菌（NTM）による感染症，とくに *Mycobacterium avium-intracellulare* 感染症も高齢者を中心に見られるため重要視されている。

分類（表9.8.1）

- 結核菌群：*M. tuberculosis*，*M. tuberculosis* var. *bovis*（旧 *M. bovis*），（*M. africanum*，*M. microti* はわが国では稀）
- 光発色菌群：*M. kansasii*，*M. marinum*，（*M. simiae* はヒトでは稀）
- 暗発色菌群：*M. szulgai* など

表 9.8.1　*Mycobacterium* 属菌の分類

結核菌群	
病原性が強い	病原性は弱い
M. tuberculosis，“*M. bovis*”	“*M. africanum*”，“*M. microti*”

非結核菌群		
	病原性が強い	病原性は弱い
色素産生菌	*M. kansasii*，*M. marinum*	*M. simiae*，*M. asiaticum*，*M. intermedium*
色素産生菌	—	*M. scrofulaceum*，*M. szulgai*，*M. gordonae*，*M. interjectum*，*M. lentiflavum*，*M. bohemicum*
色素非産生菌	*M. avium*，*M. intracellulare*，*M. xenopi*，*M. malmoenzae*，*M. haemophilum*，*M. ulcerans*	*M. shimoidei*，*M. shinjukuense*，*M. celatum*，*M. genavense*，*M. conspicuum*，*M. branderi*，*M. heiderbergense*，*M. triplex*，*M. gastri*，*M. terrae*，*M. nonchromogenicum*
色素非産生菌	*M. fortuitum*，*M. abscessus*，*M. chelonae*	*M. peregrinum*，*M. mucogenicum*，*M. smegmatis*，*M. thermoresistibile*，*M. flavescens*，*M. neoarum*

- 非発色菌群：*M. avium*，*M. intracellulare*，*M. ulcerans* など
- 迅速発育菌群：*M. fortuitum*，*M. chelonae* など

1. 結核菌（ヒト型結核菌）（*Mycobacterium tuberculosis*）

疫学

結核の年齢別死亡率は，2014年では60歳以上が約1.0以上，80歳以上では15.8，59歳以下では0.3と年齢構成により差がある。

用語　非結核性抗酸菌（non-tuberculosis mycobacteria；NTM）

臨床的意義

*M. tuberculosis*による感染症である結核は，肺結核，腎結核，腸結核，粟粒結核，カリエス，結核性髄膜炎など全身を侵す。

形態

大きさは1～4×0.3～0.6μmで，Gram染色では染まらず抜けたように見えgram-ghostともよばれる。莢膜，芽胞，および鞭毛はもたない。

検査材料

抗酸菌感染は一般的に呼吸器系が最も多く，喀痰や気管支洗浄液がおもな材料となる。また，尿，糞便，髄液，血液などのさまざまな臨床材料も対象となる。

培養

好気培養を行う。小川培地を用いる方法では，前処理後の材料を接種後1週間は斜面のまま培養し，その後は立てて培養し，最終8週間まで観察する。自動機器を用いる場合は培養ボトルに前処理検体を接種後，機器にセットする。本菌種は液体培養ではオレイン酸などの脂質を必要とする。培養は最終6週間まで行うが，自動機器が菌の発育をモニタリングする。

①前処理法

ｉ）水酸化ナトリウム法

検体と等量の4%水酸化ナトリウム液を加え，十分に混合後30分放置し，その0.1mLを小川培地に接種する。

ii）NALC（*N*-アセチル-L-システイン）-NaOH法

検体の2倍量のNALC-NaOH液を加え混合後15分程度放置し，リン酸緩衝生理食塩液を加えて遠心後の沈渣を検査に用いる。検体の前処理には，生物学的安全キャビネットの使用，バイオハザード対策された遠心機を用いなければならない。

②培養

固形培地としては3%小川培地，工藤PD培地，液体培地としてミドルブルック7H9ブロスが用いられる。

同定（表9.8.2）

従来はナイアシンテスト，硝酸塩還元試験，PNB培地発育試験などが行われていたが，判定までに時間がかかること，同定精度が十分でないこと，シアンなどの毒物を使用することから現在では行われなくなった。

現在では，結核菌群に特徴的な蛋白であるMPB64をターゲットとしたイムノクロマト法や遺伝子検査による同定法が用いられる。

抗菌薬耐性

結核菌を含む抗酸菌感染症治療には，抗結核薬が使用される。近年，リファンピシン（RFP），イソニアジド（INH），アミノグリコシド系薬，ニューキノロン系薬のすべてに耐性である多剤耐性結核菌や，多剤耐性結核で主要2次抗結核薬6剤中3剤以上に耐性を示す超多剤耐性結核も出現し，治療を困難にしている。なお，いずれも感染症法に基づく特定病原体法管理規制で，三種病原体等に指定されている。

迅速抗原検査

MPB64検出のイムノクロマト法が利用可能である。

塗抹検査

①Ziehl-Neelsen染色（表9.8.3）

Ziehl-Neelsen（チール・ネールゼン）染色では1,000倍で全視野を観察する。抗酸菌は赤色，背景は青色に染まる。

②蛍光染色

オーラミン・ローダミン法もしくはアクリジンオレンジ法は，蛍光顕微鏡により200倍で観察する。

抗酸菌は橙黄色もしくは黄色～橙色の明瞭な桿菌となる。

ただし，蛍光染色法を実施し陽性となった場合はZiehl-Neelsen染色を行う（図9.8.1）。

表9.8.2　臨床材料から分離される*Mycobacterium*属菌の性状

菌種	至適発育温度	コロニー形態	暗発色	光発色	ナイアシンテスト	硝酸塩還元能	tween 80水解	アリルスルファターゼ	HA培地の発育	ピクリン酸培地の発育
M. tuberculosis	37	R	−	−	+	+	−	−	−	−
M. bovis	37	S-R	−	−	−	−	−	−	−	−
M. kansasii	37	R-S	−	黄	−	+	+	+	+	−
M. marinum	32	S	−	黄	−	−	+	+	+	−
M. simiae	37	S	−	黄	+	+	−	+	+	+
M. scrofulaceum	37	S	橙	橙	−	−	+	+	+	−
M. szulgai	37	S	橙	橙	−	+	−	+	+	−
M. avium complex	37	S	−	−	−	−	+	±	+	−
M. xenopi	37	S	黄/(−)	黄/(−)	−	−	−	+	+	−
M. ulcerans	37	S	−	−	+	+	−	−	+	−
M. terrae complex	37	S-R	−	−	−	±	+	+	+	−
M. fortuitum	37	S(R)	−	−	−	+	+/−	+	+	+
M. chelonae	37	S(R)	−	−	∓	−	−	+	+	−
M. abscessus	37	S(R)	−	−	−	−	∓	+	+	+

S：スムーズ型，R：ラフ型。

表9.8.3　鏡検における検出菌数記載法

記載法	蛍光法（200倍）（視野）	チール・ネールゼン法（1,000倍）（視野）	備考*（ガフキー号数）
−	0/30	0/300	G0
±	1～2/30	1～2/300	G1
1+	2～20/10	1～9/100	G2
2+	≧20/10	≧10/100	G5
3+	≧100/1	≧10/1	G9

* 相当するガフキー号。
（阿部千代治：「第3章 塗抹検査」，新結核菌検査指針，19-26，日本結核病学会抗酸菌検査法検討委員会，2000より引用）

用語　*N*-アセチル-L-システイン（*N*-acetyl-L-cysteine；NALC），リン酸緩衝生理食塩液（phosphate buffered saline；PBS），パラニトロ安息香酸（*p*-nitorobenzoic acid；PNB），MPB64（mycobacterial protein fraction from BCG of Rm 0.64 in electrophoresis），リファンピシン（rifampicin；RFP），イソニアジド（isonicotinic acid hydrazide；INH），超多剤耐性結核菌（extensively drug-resistant tuberculosis；XDR-TB）

結核菌群 *M. tuberculosis*　光発色菌 *M. kansasii*　暗発色菌群 *M. scrofulaceum*　非発色菌群 *M. avium*

図 9.8.1　*Mycobacterium* 属菌の小川培地上のコロニー

抵抗性

アルコール系，両面活性剤の消毒薬，熱などにより不活化される。

感染症法

結核は感染症法の二類感染症であり，多剤耐性結核菌は三種病原体等として厳重な管理が必要である。

予防

出生後6カ月未満にBCGワクチン接種をすることで，結核性髄膜炎や結核に対して有効である。

2. マイコバクテリウム・カンサシイ（*Mycobacterium kansasii*）

本菌種はじん肺の患者などから多く分離されるが，抗結核薬に感性を示す。分離直後のコロニーは無色であるが，蛍光灯などの光に曝露すると橙色となる（光発色性）。

3. マイコバクテリウム・マリヌム（*Mycobacterium marinum*）

熱帯魚関係や魚の養殖・調理関係に従事する方の手などの潰瘍の起因菌となる。本菌の分離は30℃での培養が必要である。光発色菌であり，*M. kansasii* とは硝酸塩還元試験陰性の点で鑑別される。

4. マイコバクテリウム・アビウムおよびイントラセルラーレ（*Mycobacterium avium-intracellulare*）

本菌群は非結核性抗酸菌症の70～80%を占める。肺に基礎疾患〔慢性閉塞性肺疾患（COPD），気管支拡張症，じん肺など〕をもつ患者やヒト免疫不全ウイルス（HIV）感染患者，白血病患者，臓器移植患者などで抵抗力が落ちている場合に発症しやすい。

M. avium（鳥型結核菌）と *M. intracellulare* は生化学的性状が酷似し鑑別不能であり，*M. avium-intracellulare* complex と名づけられた。現在は遺伝子検査により鑑別可能である。

多くの抗結核薬に耐性を示し，抗結核薬とクラリスロマイシン（CAM），シプロフロキサシン（CPFX）などと併用されるが，治療に難渋する感染症である。本菌種は非光発色菌である。

5. らい菌（*Mycobacterium leprae*）

ハンセン病の起因菌である。乳児期に濃厚な接触がない限り感染はほとんどないと考えられている。人工培地で培養できない。

6. 迅速発育菌群

M. fortuitum，*M. chelonae*，*M. abscessus* などの抗酸菌は1週間以内にコロニー形成するため，迅速発育菌群とされる。おもに肺感染症からの報告例が多いが，外傷などによる局所の防御力低下などがある場合には経皮感染を起こすことがある。また，血流感染症（BSI），手術部位感染症（SSI）などの起因菌としても報告されている。ヒツジ血液寒天培地に発育することから，Gram 染色で染まらない場合は Ziehl-Neelsen 染色を行うとよい。

［正木孝幸］

用語　カルメット・ゲラン桿菌（Bacille de Calmette et Guérin；BCG），慢性閉塞性肺疾患（chronic obstructive pulmonary disease；COPD），ヒト免疫不全ウイルス（human immunodeficiency virus；HIV），クラリスロマイシン（clarithromycin；CAM），シプロフロキサシン（ciprofloxacin；CPFX），血流感染症（bloodstream infection；BSI），手術部位感染症（surgical site infection；SSI）

参考文献

1）Brown-Elliott BA, Wallace RJ jr：“*Mycobacterium*”, Manual of Clinical Microbiology 9th ed, 589-600, Murray PR *et al.*(eds.), American Society for Microbiology, 2007.
2）阿部千代治：「第３章 塗抹検査」，新結核菌検査指針，19-26，日本結核病学会抗酸菌検査法検討委員会，2000.
3）公益財団法人結核予防会結核病研究所疫学情報センター．https://www.jata-ekigaku.jp
4）斎藤　肇：「特集 結核　非定型抗酸菌の分類」，臨床と細菌，1982；9：35-43.

9.9 | 嫌気性グラム陽性球菌

- 嫌気性菌による感染症は，好気性菌との混合感染が多い。嫌気性菌も複数菌が分離されることを念頭に置く。
- 分離用培地はヘミン・ビタミンK加血液寒天培地，増菌培地（ヘミン・ビタミンK半流動寒天培地など）を準備する。平板培地は開封後も嫌気状態で保存する。
- 嫌気性グラム陽性球菌は発育が遅いため，最低2～5日間の培養を行う。
- 同定はGram染色所見，コロニーの大きさ・色・形状，カタラーゼ試験などから菌種を推定する。
- 迅速同定としてSPSディスク，スポットインドール，迅速硝酸塩還元試験，迅速ウレアーゼが利用できる。
- 血液などの無菌検体からの分離菌やほかの検体から分離頻度の高いグラム陽性嫌気性菌は，原則菌種レベルまで同定する。
- 同定キットは，純粋かつ新鮮菌株の多量な菌量が必要なことと，同定できる菌種を理解しておく。

分類

嫌気性グラム陽性球菌は，現在*Peptococcus*属（2菌種），*Peptostreptococcus*属（4菌種），*Parvimonas*属（1菌種），*Peptoniphilus*属（18菌種），*Anaerococcus*属（14菌種），*Finegoldia*属（1菌種），*Atopobium*属（1菌種），*Gallicola*属（1菌種），*Blautia*属（1菌種），*Murdochiella*属（3菌種）以外に，*Anaerosphaera*属（2菌種），*Fastidiosipila*属（1菌種），*Slackia*属（1菌種），*Ezakiella*属（3菌種）に分類されている。*Staphylococcus*属である*S. saccharolyticus*も嫌気性グラム陽性球菌として分類されている。

疫学

嫌気性グラム陽性球菌は口腔，上気道，皮膚，消化管，腟などの常在細菌叢のおもな構成菌である。病原性は弱く多くは日和見感染菌であり，臨床材料からは複数菌種が分離されることが多い。膿瘍や創部で内因性感染症が起こると最初に偏性好気性菌や通性嫌気性菌が増殖し，感染部位の酸化還元電位が低下し，常在性の偏性嫌気性菌が増殖しやすくなる。このことから壊死組織や膿瘍部などの臨床材料からは通性好気性菌と偏性嫌気性菌が混合感染として分離されることが多い。臨床材料から分離される嫌気性菌のうち，嫌気性グラム陽性球菌は25～30%を占めるとされる。分離頻度の高い嫌気性グラム陽性球菌は*Peptostreptococcus anaerobius*，*Finegoldia magna*，*Parvimonas micra*，*Peptoniphilus harei*，*Anaerococcus prevotii*，*Anaerococcus hydrogenalis*であり，皮膚膿瘍，硬膜外膿瘍，菌血症，感染性心内膜炎，壊死性肺炎などを起こす。

形態

グラム陽性球菌は球状もしくは楕円形，ペア状，短い連鎖，四連，小さなブドウ状配列を示す。芽胞は形成しない。

培養

臨床材料からの分離には，ブルセラHK血液寒天培地，嫌気性フェニルエチルアルコール（PEA）血液寒天培地，HK半流動寒天培地などを使用するが，好気培養も併せて実施する。分離培養に際しては，培地を嫌気状態に保ち，酸化還元電位が低下した状態で使用する。

臨床材料からは通性嫌気性グラム陰性桿菌などの混合感染菌が分離されることが多いため，これらの菌の発育を抑制するためにPEA血液寒天培地を用いる。また，検体を半流動寒天培地に接種して，24時間培養後に半流動寒天培地から分離培地に再分離すると検出率が上昇するとされている。

嫌気性グラム陽性球菌は*Bacteroides*属や*Clostridium*属などの嫌気性菌に比べ発育が遅く，ブルセラ血液寒天培地では48時間までにほとんど発育できない。*Peptostreptococcus anaerobius*は24時間でも発育する。通常2～5日間の嫌気培養を行うと，0.5～2mm微小で凸状の灰色がかった不透明なコロニーを形成する。嫌気性グラム陽性球菌のコロニー性状を以下に示す（表9.9.1）。

- *Finegoldia magna*は≦0.5mm，スムースで隆起した非溶血のコロニーを形成する。

用語 嫌気性グラム陽性球菌（gram positive anaerobic cocci；GPAC），リボソームRNA（ribosomal RNA；rRNA），ヘミン・ビタミンK（hemin, vitamin K_1；HK），フェニルエチルアルコール（phenylethyl alcohol；PEA）

表 9.9.1 おもな嫌気性グラム陽性球菌の性状

菌種	インドール	PYR	ウレアーゼ	グルコース発酵	ALP	α-ガラクトシダーゼ	Gram染色による形態	コロニーの大きさ（2日間培養），性状
Peptostreptococcus anaerobius	−	−	−	+	−	−	球桿菌，時々連鎖	0.5～1mm，非溶血，凸状で光沢のある灰白色，甘い匂い
Parvimonas micra	−	+	−	−	+	−	クラスターまたは短い連鎖，＜0.6μm	0.5～1mm，不透明で光沢のある小さな白色，コロニー周囲にハロー
Finegoldia magna	−	+	−	−w	d	−	ペア，4連，塊状，＞0.6μm	≦0.5mm，凸状で光沢のない灰白色のコロニー
Blautia producta	−		−	+	−	+	卵型のペアまたは連鎖	光沢のある灰色コロニー
Peptoniphilus asaccharolyticus	+	−	−	−	−	−	単独でブドウ状	0.5～2mm，小さな灰白～わずかに黄色いコロニー
Peptoniphilus harei	V	−	−	−	−	−	種々の形とサイズ	扁平で半透明コロニー
Anaerococcus vaginalis	V	−	−	+	d	−	種々のサイズ，塊，4連	凸状の灰白色のコロニー
Anaerococcus hydrogenalis	+	−	V	+	+w	−	短い連鎖か塊	小さな非溶血コロニー
Anaerococcus prevotii	−	+	V	V	−	V	塊状もしくは4連	≦0.5mm，光沢のない凸状の灰色コロニー
Anaerococcus tetradius	−	+	+	+	−	−	塊状もしくは4連	光沢のない灰色で凸状コロニー
Atopobium parvulum	−			+		+	細長い短い連鎖	*Lactobacillus*様コロニー
Staphylococcus saccharolyticus	ND	ND	ND	+	ND	ND	塊と4連	カタラーゼ＆コアグラーゼ陰性
Staphylococcus aureus subsp. *anaerobius*				+				カタラーゼ＆コアグラーゼ陰性

+，陽性；−，陰性；d，遅れて陽性；w，弱い；V，菌株により陽性もしくは陰性；ND，不明。

（Hall GS："Anaerobic cocci", Clinical Microbiology Procedures Handbook 4th ed, 4.13.1-4.13.10, Leber AL (ed), ASM Press, 2016より改変）

・*Parvimonas micra*は0.5～1mm，光沢のない凸状，コロニー周囲に部分溶血のようにハローを観察する。

・*Peptostreptococcus anaerobius*はほかの球菌より大きく0.5～1mmである。24時間，非溶血，灰白色，光沢があり不透明なコロニーを形成する。

・*Peptoniphilus asaccharolyticus*，*P. harei*は血液寒天培地では0.5～2mmくらいの灰白～黄色のコロニーを形成する。

・嫌気性グラム陽性球菌はバンコマイシン（VCM）ディスク（5μg）で感性，コリスチン（CL）ディスク（10μg）は耐性を示す。

・メトロニダゾールディスク（5μg）は，*Streptococcus*属菌と*Peptostreptococcus*属菌を鑑別するのに有用である。

同定

培地上のコロニーの大きさ，色，形状およびグラム染色による形態学的特徴が菌種同定の手がかりとなる。嫌気性菌用同定キットでも多数の生化学的検査が利用可能である。

簡易検査試薬としてSPSディスク，スポットインドール，迅速硝酸塩還元試験，迅速ウレアーゼが利用できる。SPSは1,000μgディスクを*Peptostreptococcus anaerobius*の同定に用いる。スポットインドール試験陽性は，*Anaerococcus vaginalis*，*Anaerococcus hydrogenalis*，*Peptoniphilus asaccharolyticus*，*Peptoniphilus harei*，*Peptoniphilus indolicus*が陽性を示す。アルカリフォスファターゼ試験を行うと*Peptoniphilus asaccharolyticus*，*P. harei*が陰性で，ほかの3菌種は陽性である。*Peptoniphilus indolicus*は臨床材料から分離されることは稀である（図9.9.1）。

嫌気性菌用同定キットは，API 20Aが利用されているが，嫌気ジャーや嫌気パウチを利用した35℃で24時間嫌気培養後に判定しなければならない。迅速に結果を必要とする場合は，ほかの迅速同定キットを利用する。使用には新鮮菌株が要求されることや菌量としてMacFarland No.4の濁度の菌液が求められる。また，追加試験としてGram染色で確認後にインドールやカタラーゼの検査が必要である。カタラーゼは1% Tween 80添加15%過酸化水素液が推奨されている。

高速液体クロマトグラフィー（HPLC）またはガスクロマトグラフィーは嫌気性菌の同定に用いられ，脂肪酸とデータベースとの比較により同定する。測定機器が高価であることや精度管理が煩雑であることが難点である。

近年，質量分析装置であるMALDI-TOF MSを用いた方法では約30分で可能である。種レベルでの一致は約90%，属レベルでは95%程度で，コストパフォーマンスにも優れ，同定が難しかった嫌気性菌の同定が可能となってきている。また，16S rRNA配列を解析する遺伝子学的方法も行われる。

治療・抗菌薬

嫌気性菌はアミノグリコシド系薬（ゲンタマイシン，ア

用語　バンコマイシン（vancomycin；VCM），コリスチン（colistin；CL），ポリアネトールスルホン酸ナトリウム（sodium polyanethol sulfonate；SPS），アルカリフォスファターゼ（alkaline phosphatase；ALP），高速液体クロマトグラフィー（high performance liquid chromatography；HPLC），マトリックス支援レーザー脱離イオン化飛行時間型質量分析計（matrix assisted laser desorption/ionization time of flight mass spectrometer；MALDI-TOF MS）

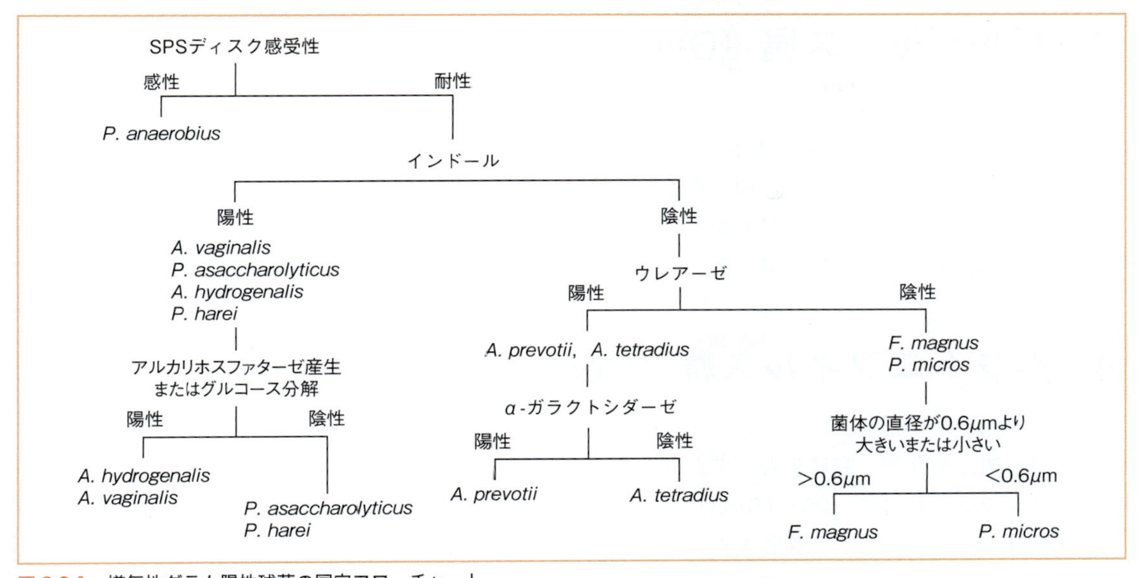

図 9.9.1 嫌気性グラム陽性球菌の同定フローチャート
(Hall GS : "Anaerobic cocci", Clinical Microbiology Procedures Handbook 4th ed, 4.13.1-4.13.10, Leber AL (ed), ASM Press, 2016 より改変)

ミカシンなど）が無効で，ニューキノロン系薬（レボフロキサシン，シプロフロキサシンなど）も無効である。クリンダマイシン，カルバペネム系薬（イミペネム，メロペネムなど），メトロニダゾールが有効である。

9. 9. 1 ペプトストレプトコッカス属（Genus *Peptostreptococcus*）

P. anaerobius, *P. russelli*, *P. stomatis*, *P. canis*の4菌種が分類されている。*P. anaerobius*は口腔，皮膚，消化管，腟の常在菌叢であり，グラム陽性で短桿菌状，時に連鎖が見られる。臨床材料からの分離は*P. anaerobius*が最も多く，腹部・腹腔内膿瘍，産道の潰瘍，脳，耳，鼻，顎，胸腔内，骨盤などの広範囲の領域，下肢・肛門周囲膿瘍や壊死性菌膜炎，血液などから分離される。*P. stomatis*は口腔の歯槽膿瘍などの感染症と関係している。*P. russellii*はブタから分離され，ヒトからの分離報告例はない。

9. 9. 2 ファインゴルディア属（Genus *Finegoldia*）

*F. magna*は皮膚，消化管，腟に常在し，ブドウ状配列を示す大きなグラム陽性球菌で酸素抵抗性がある。臨床材料では皮膚軟部組織，創傷感染，細菌性腟症，肝膿瘍，骨・関節感染からの分離頻度が高い。近年，PCRにより血液培養や感染性心内膜炎の起因菌としても考慮されている。病原因子については莢膜の存在，コラゲナーゼ・ゲラチナーゼ活性の存在が報告されている。ペプトンとアミノ酸がおもなエネルギー源であり，フルクトース以外の糖を発酵せず，発酵経路は酢酸産生経路のみである。インドール，ウレアーゼは陰性で，硝酸塩を還元しない。同定ではMALDI-TOF MSや16S rRNA遺伝子配列による方法からの報告が増えている。病原因子はProtein L，PAB，SufAおよびFAFが考えられている。

用語　ポリメラーゼ連鎖反応（polymerase chain reaction；PCR），PAB（Peptostreptococcal albumin binding protein），SufA（subtilisin-like serine proteinase），FAF（Finegoldia adhesion factor）

9. 9. 3 パルビモナス属（Genus *Parvimonas*）

*P. micra*は口腔，消化管の常在細菌叢である。Gram染色ではブドウ状または短い連鎖を示す小さな菌である。コロニーはラフ型とスムース型がある。臨床材料からは慢性歯周病，歯性感染症閉鎖膿瘍，扁桃周囲膿瘍，慢性副鼻腔炎，中耳炎，肺化膿症，菌血症などから分離される。病原因子は莢膜形成，高いプロテアーゼ活性，グルタチオン利用による硫化水素産生とされる。

9. 9. 4 ペプトニフィルス属（Genus *Peptoniphilus*）

*Peptoniphilus*属は皮膚，消化管，腟に生育しており，単独のブドウ状を示すグラム陽性球菌（0.5～1.5μm）である。臨床材料からは細菌性腟症，卵巣膿瘍，腹腔内膿瘍，血液，涙腺膿瘍，仙骨潰瘍の膿汁，足潰瘍，眼科領域，皮膚軟部組織感染症から分離される。主要なエネルギー源としてペプトンを利用し，酪酸塩は主な代謝最終生成物になる。炭水化物は発酵しない。*P. asaccharolyticus*と*P. harei*は生化学性状が同じであり，鑑別にはMALDI-TOFや16S rRNA遺伝子配列による同定が必要である。

9. 9. 5 アネエロコッカス属（Genus *Anaerococcus*）

2001年に*Peptostreptococcus*属から*Anaerococcus*属に8菌種が再分類された。菌の大きさは0.6～0.9μmでペア，4連，短連鎖や塊状をなす。嫌気性血液寒天培地のコロニーは0.5～2.0μmと菌種により異なる。ペプトンとアミノ酸がおもなエネルギーとして利用され，酪酸塩がおもな代謝産物である。炭水化物をわずかに発酵させ，*A. hydrogenalis*以外はインドール反応陰性である。*A. prevotii*と*A. hydrogenalis*はウレアーゼを産生する。

皮膚，口腔，消化管，腟の細菌叢を構成し，腟炎，卵巣腫瘍，皮膚軟部組織感染，尿路感染症から分離される。*A. vaginalis*と*A. prevotii*は血液培養からMALDI-TOF MSと16S rRNA遺伝子配列によって同定されている。糖尿病患者の足潰瘍から*A. lactolyticus*と*A. vaginalis*の報告があり，今後検出数が増える可能性がある。

［三澤成毅］

参考文献

1） 日本臨床微生物学会：「嫌気性菌検査ガイドライン 2012」，日臨微誌，2012；22(Suppl.1)：1-142.
2） Hall GS : “Anaerobic cocci”, Clinical Microbiology Procedures Handbook 4th ed, 4.13.1-4.13.10, Leber AL (ed), ASM Press, 2016.
3） Veloo ACM, Johnson CN ; “*Peptostreptococcus*, *Finegoldia*, *Anaerococcus*, *Peptoniphilus*, *Parvimonas*, *Murdochiella*, *Veillonella*, and other anaerobic cocci”, Manual of Clinical Microbiology 13th ed, 1020-1032, ASM Press, 2023.
4） Murphy EC, Frick IM : “Gram-positive anaerobic cocci – commensals and opportunistic pathogens”, FEMS Microbiol Rev, 2013 ; 37 : 520-553.
5） 一山 智，田中美智男(編)：標準臨床検査学 微生物学・臨床微生物学・医動物学，医学書院，2013.
6） 渡邊邦友：「いわゆる嫌気性菌が関与する感染症に関する最近の話題」，感染症学誌，2006；80：76-83.
7） 上野一恵(監)，日本臨床微生物学会(編)：「微生物検査マニュアル -- 臨床嫌気性菌検査法 '97」，日臨微誌，1997；7(suppl.1)：1-115.

9.10 | 嫌気性グラム陰性球菌

- *Veillonella* 属は，歯周病における最初のバイオフィルム形成に関与する。
- *Veillonella parvula* が最もよく分離されるが，病原性は弱い。
- 嫌気性グラム陰性球菌のうち，硝酸塩還元テストが陽性であれば *Veillonella* 属と同定できる。
- 嫌気培養には 2 ～ 5 日間が必要である。
- *Veillonella* 属は培養コロニーに UV ライト（波長 366nm）を照射すると赤い蛍光を発する。
- *Veillonella* 属は多くの場合，薬剤感受性検査を必要としない。

分類

嫌気性グラム陰性球菌は非運動性，オキシダーゼ陰性を示し，*Veillonella* 属，*Acidaminococcus* 属，*Megasphaera* 属，*Anaeroglobus* 属，*Negativicoccus* 属があり，*Acidaminococcus* 科に属する。

Veillonella 属は，糖を分解できず，ほかの細菌が糖を分解して産生する乳酸，ピルビン酸，リンゴ酸，フマル酸などの中間代謝産物をエネルギー源として利用し，最終代謝産物として，おもにプロピオン酸，酢酸を産生する。

疫学

Acidaminococcus 属菌は酢酸と酪酸，*Megasphaera* 属菌はイソ酪酸，酪酸，吉草酸，カプロン酸を産生する。ヒトの臨床検体からは *Veillonella* 属菌，*Acidaminococcus intestino*，*Megasphaera micronuciformis*，*Anaeroglobus geninatus* などが分離される。これらは日和見感染菌であるが，ときに菌血症，心内膜炎などの重篤な内因性感染を起こす。

歯周病の原因であるデンタルプラーク（歯垢）は，バイオフィルム形成が原因とされる。口腔内の *Streptococcus* 属菌や *Veillonella* 属菌は *Porphyromonas gingivalis* や *Fusobacterium nucleatum* などの複数の菌種が原因とされており，最初のバイオフィルム形成には *Veillonella* 属菌が関わっているとされている。

Veillonella 属菌は迅速硝酸塩還元テストを実施すると陽性になり，ほかの菌属と鑑別できる（表 9.10.1）。また，*Veillonella* 属菌はカナマイシン（KM）ディスク（1,000μg）で感性S，バンコマイシン（VCM）ディスク（5μg）で耐性R，コリスチン（CL）ディスク（10μg）で感性Sも利用できる。

表 9.10.1　嫌気性グラム陰性球菌のおもな性状

菌属	菌の大きさ（μm）	微好気性の発育	コロニーの大きさ 2日培養（mm）	硝酸塩還元	炭水化物発酵	乳糖分解	コハク酸塩脱炭酸	ガス産生 半流動寒天
Veillonella	0.3 ～ 0.5	−	1.0 ～ 3.0	+	−	+	+	+
Acidaminococcus	0.5 ～ 1.0	−	0.3 ～ 0.5	−	−	−	−	+
Megasphaera	1.7 ～ 2.6	−	0.5 ～ 1.0	−	+	+	−	+
Anaeroglobus	0.5 ～ 1.1	−	0.5 ～ 1.0	−	+	−	−	−
Negativicoccus	0.4	+	＜ 0.5	−	−	−	+	−

9.10.1 ベイヨネラ属（Genus *Veillonella*）

Veillonella 属は糖非分解性の偏性嫌気性グラム陰性球菌であり，鞭毛，芽胞，莢膜をつくらない。直径が平均0.3～0.5μm程度の小さな球菌である。培養菌では双球菌様，集塊状，あるいは短い連鎖状になることもある。*Veillonella* 属菌はヒトの口腔，上気道，腸管に常在する。ヒトの口腔内では歯垢，舌苔および唾液などがおもな常在部位である。

現在15菌種が報告されている。口腔からは，*V. parvula*，*V. atypica*，*V. disper*，*V. denticariosi*，*V. rogosae* の5菌種が分離される。*Veillonella* 属菌はシステインなどを還元して硫化水素を産生することから口臭の起因菌とされ，日

用語　カナマイシン（kanamycin；KM），バンコマイシン（vancomycin；VCM），コリスチン（colistin；CL）

和見感染などにも深く関わっているとの報告がある。また，口腔内の細菌と歯垢の成熟化に関与している。ヒトからは*V. parvula*が最も多く分離され，歯性感染症，心内膜炎，骨髄炎，菌血症などからも分離される。また嫌気性菌を中心とした正常細菌叢の乱れが原因となる疾患である歯周病や細菌性腟症からも分離される。

培養

培地は嫌気性血液寒天培地，ブルセラHK寒天培地などを使用し，2～5日間の培養を実施する。発育は小さな凸状の透明なコロニーを形成する。Gram染色で0.5μm以下のブドウ状もしくはペア状の陰性球菌を確認する。UVライト（波長366nm）でコロニーを照射すると赤い蛍光を発する。*Veillonella*属菌の蛍光は空気曝露で弱まるので，15分以内に判定する。

性状

本菌はヘキソキナーゼ，グルコキナーゼ，フルクトキナーゼなどを欠くため炭水化物を利用できない。発育のために乳酸塩，ピルビン酸塩，マロン酸塩，フマル酸塩およびオキザロ酢酸塩などが必要である。乳酸塩を利用しプロピオン酸塩，酢酸，炭酸ガスなどを産生する。

［三澤成毅］

用語　ヘミン・ビタミンK（hemin，vitamin K_1；HK）

参考文献

1）日本臨床微生物学会：「嫌気性菌検査ガイドライン2012」，日臨微誌，2012；22(Suppl.1)：1-142.
2）Hall GS：“Anaerobic cocci”, Clinical Microbiology Procedures Handbook 4th ed, 4.13.1-4.13.10, Leber AL (ed), ASM Press, 2016.
3）Veloo ACM, Johnson CN；“*Peptostreptococcus*, *Finegoldia*, *Anaerococcus*, *Peptoniphilus*, *Parvimonas*, *Murdochiella*, *Veillonella*, anc other anaerobic cocci”, Manual of Clinical Microbiology 13th ed, 1020-1032, ASM Press, 2023.
4）一山　智，田中美智男(編)：標準臨床検査学　微生物学・臨床微生物学・医動物学，医学書院，2013.
5）渡邊邦友：「いわゆる嫌気性菌が関与する感染症に関する最近の話題」，感染症学誌，2006；80：76-83.
6）上野一恵(監)，日本臨床微生物学会(編)：「微生物検査マニュアル -- 臨床嫌気性菌検査法 '97」，日臨微生物誌，1997；7(suppl.1)：1-115.

9.11 | 嫌気性グラム陽性有芽胞桿菌

- Gram 染色で芽胞を確認した場合，培養で *Bacillus* 属，*Clostridium* 属，*Clostridioides* 属を判別する。
- *Clostridium* 属と *Clostridioides* 属は嫌気要求の厳しいものから炭酸ガス培養で発育する菌種もある。
- *C. perfringens*，*C. ramosum*，*C. innocuum* は非運動性である。
- *C. tetani*，*C. septicum*，*C. sordellii* は培地上で遊走するコロニーを形成する。
- 入院患者の下痢症は最初に *Clostridioides difficile* を疑う。
- *C. difficile* 迅速診断キットで陽性を示した場合，直ちに主治医および ICT へ連絡し感染予防策を実施する。
- *C. tetani*，*C. perfringens*，*C. botulinum* を分離した際は毒素検査が必要であり，保健所などの専門機関へ相談する。

9.11.1 クロストリジウム属（Genus *Clostridium*）

分類

Clostridium 属は偏性嫌気性（一部耐気性）のグラム陽性桿菌であり，土壌，汚水，昆虫，動物，ヒトの腸管内に存在する。周囲の環境に応じて，増殖可能な栄養細胞と厳しい環境に耐えることができる芽胞とに形態を変化させる特徴を有する。

遺伝学的研究によって *Clostridium* 属は異なる菌種の集団であり，16S rRNA による分析では19のクラスターに分かれる。ヒトの感染症に関係する臨床的な菌種は *Clostridium* 科の *Clostridium* 属に含まれていたが，*Clostridium difficile* が *Peptostreptococcus* 科に属する *Clostridioides* 属に再分類され，他の菌種も *Asaccharospora* 属，*Hathewaya* 属，*Hungatella* 属，*Paeniclostridium* 属，*Paraclostridium* 属，*Lachnospira* 科（*Entrocloster* 属，*Faecalicatena* 属，*Lacrimispora* 属　），*Oscillosprira* 科（*Acetoanaerobium* 属　），*Acetovibrio* 属，*Anaerotruncus* 属，*Favronifractor* 属，*Tissierella* 属に再構成された。この変更に伴い，*C. sordellii* は *Paeniclostridium sordellii*，*C. histolyticum* は *Hathewaya histolytica*，*C. bifermentans* は *Paraclostridium bifermentans*，*C. clostridioforme* は *Enterocloster clostirdioformis* に再分類されたが，本書では *Clostridium* 属として表記する。

形態

Clostridium 属はグラム陽性の嫌気性の大きな桿菌（0.6〜2.4 × 1.3〜19 μm）である。Gram 染色では栄養型菌の早い段階では陽性に染まるが，長時間培養または保存菌では陰性に染まることが多い。菌体の両端はほとんどが鈍円形で，単在性〜短連鎖性を示す。一般に栄養型菌は周毛性鞭毛を形成し運動性を有するが，*C. perfringens*，*C. butyricum* は鞭毛形成能を欠損しており，非運動性である。本来有芽胞菌であるが，系統的に芽胞形成型と芽胞非形成型に分けられ，*C. perfringens* は臨床材料から芽胞形成は認められない。芽胞は卵形〜球状を示し，端在性，亜端在性，中心性に形成される。

培養

Clostridium 属菌と *Clostridioides* 属菌は偏性嫌気性菌であるが，嫌気要求度の厳しいものから炭酸ガス培養で発育するものまで存在する。培養には嫌気性血液寒天培地や半流動増菌培地（GAM 半流動寒天培地，HK 半流動寒天培地）が用いられる。病原菌の一部は耐気性で *C. tertium*，*C. histolyticum*，*C. carnis* は炭酸ガス培養で発育する。芽胞形成菌には通性嫌気性の *Bacillus* 属があるが，好気性で発育すること，長方形の芽胞をつくることおよびカタラーゼ

用語　感染制御チーム（infection control team；ICT），端在性（turminal），亜端在性（subturminal），中心性（central），GAM（Gifu anaerobic medium），ヘミン・ビタミン K（hemin，vitamin K_1；HK）

表 9.11.1　おもな *Clostridium* 属菌の性状

糖分解性，蛋白分解性によるグループ	菌種（型）	運動性	ゼラチン液化	レシチナーゼ	リパーゼ	インドール	エスクリン分解	硝酸塩還元	グルコース	ラクトース	スクロース	サリシン	芽胞の位置
糖発酵，蛋白分解	*C. botulinum*（A, B, F）	+	+	−	+	−	+	−	+$^{-}$	−	−	−	亜端在性
	（B, E, F）						−		+		−	V	
	（C, D）						−		+		+ w	V	
	C. difficile	+	+	−	−	−	+	−	+ w	−	−	− w	亜端在性
	C. novyi	+	+	+	+	−	−	−	+	−	−	− w	亜端在性
	C. perfringens	−	+	+	−	−	V	V	+	+	+	−$^{+}$	認めない
	C. septicum	+	+	−	−	−	+	V	+	+	−	V	亜端在性
	C. sordellii	+	+	+	−	+	−$^{+}$	−	+	−	−	−	亜端在性
	C. sporogenes	+	+	−	+	−	+	−	+	−	−	−	亜端在性
糖分解，蛋白非分解	*C. baratii*	−	−	+	−	−	+	+$^{-}$	+	W +	+	+$^{-}$	亜端在性
	C. butyricum	−	+	−	−	−	+	−	+	+	+	+ w	亜端在性
糖非分解	*C. histolyticum*	+	+	−	−	−	−	−	−	−	−	−	亜端在性
	C. tetani	+	+	−	− w	+/−	−	−	−	−	−	−	端在性

(Leber AL (ed.) : Clinical Microbiology Procedures Handbook 4th ed, American Society for Microbiology, 2016 を改変)

表 9.11.2　おもな *Clostridium* 属菌の Gram 染色およびコロニー性状

菌種	Gram 染色など性状	コロニー性状
C. bratii	大きい，先端が丸い，稀に亜端在性芽胞	非溶血
C. botulinum	大きい，亜端在性芽胞	溶血性は種々
C. butyricum	先端が丸い，大きな卵型亜端在性芽胞	特徴がない
C. difficile	長い，稀に大きな卵型芽胞	馬小屋のような強い悪臭，黄緑色の蛍光
C. novyi		明確な β 溶血
C. perfringens	長方形の大きなグラム陽性桿菌，芽胞は認めない	二重リング β 溶血，逆 CAMP 試験陽性，酢酸臭
C. septicum	稀に卵形芽胞，広がった粘性のコロニー，多形性	medusa-head 様コロニー（辺縁が縮れたフィラメント状）
C. sordellii	大型のまっすぐなグラム陽性桿菌，中央〜亜端在芽胞	強い悪臭
C. sporogenes	大型の卵形芽胞	培地に強く付着した辺縁がフィラメント状コロニー，強い悪臭
C. bifermentans	大きな桿菌，亜端在性で連鎖	卵黄寒天培地でチョーク様の白いコロニー
C. clostridioforme	葉巻型（フットボール型）の菌体，通常グラム陰性	ほかの *Clostridium* 属菌と比べて小さなコロニー，半透明で凸型
C. histolyticum	卵型	スムースとラフ型コロニー，辺縁は根性
C. tetani	太鼓のバチ状芽胞	培地全体に遊走（ガラス板状）

陽性であることで区別される。

Clostridium 属菌と *Clostridioides* 属菌はカタラーゼ陰性，メトロニダゾール感性を示す。糖発酵および蛋白質分解に強い活性を示す群，どちらか一方に活性を示す群および両者に活性を示さない群に分けられる。オキシダーゼ陰性で莢膜は形成しない。ただし *C. perfringens* は生体内や血清添加培地で莢膜を形成することがある（表 9.11.1）。

臨床的意義

外因性の *Clostridium* 感染症は，外傷性の破傷風と毒素性のボツリヌス中毒が恐れられてきたが減少傾向にある。近年は医療の進歩とともに基礎疾患の低下した易感染患者や術後感染として内因性感染のガス壊疽など増加している。*C. perfringens* は土壌あるいは下部消化管（糞便）に存在し，土壌中の *C. perfringens* により外因性のガス壊疽が，下部消化管の *C. perfringens* により内因性のガス壊疽が発症する。ガス壊疽の起因菌には *C. perfringens* のほか，*C. novyi*，*C. septicum*，*C. histolyticum* がある。院内感染や市中感染として *Clostridioides difficile* 腸炎による症例が増加しており，積極的な検査体制が重要となってきている。

培養

培養にはブルセラ血液寒天培地，卵黄寒天培地，半流動寒天培地の GAM 培地や HK 半流動培地などが用いられる。*Clostridioides difficile* を疑った場合は，CCM（F）A 培地を用い，嫌気培養と好気培養を実施する。

Clostridium 属は偏性嫌気性菌であるが，嫌気要求の厳しいものから炭酸ガス培養で発育するものまで見られる。*C. botulinum*，*C. tetani* など多くは酸素に感受性であるが，*C. perfringens*，*C. tertium*，*C. histolyticum*，*C. innocuum* は耐気性である。臨床材料では炭酸ガス培養や血液培養の好気ボトルからの発育報告もある。おもな Gram 染色およびコロニー性状を表 9.11.2 に示す。

同定

微生物検査室での *Clostridium* 属菌の同定は非常に難しい。おもな生化学性状は表 9.11.1 に示した。同定に用いる

用語　サイクロセリン・セフォキシチン・マンニトール（フルクトース）寒天〔cycloserine-cefoxitin-mannitol (fructose) agar；CCM (F) A〕，CAMP (Christie, Atkins, and Munch-Peterson)

純培養には5%ヒツジ血液ブルセラ寒天培地が推奨される。

*Clostridium*属菌同定の要点を以下に示す。

1) Gram染色で大きなグラム陽性桿菌を確認する。時々球桿菌状やフィラメント状を示す。
2) 時に*C. clostridioforme*, *C. ramosum*, *C. tetani*はグラム陰性に染まることもある。
3) 運動性はスライドガラスに生理食塩水を1滴滴下し，白金線でコロニーから釣菌し生理食塩水で軽く混和，カバーガラスをかけて顕微鏡下400倍で確認する。*C. perfringens*, *C. ramosum*, *C. innocuum*は運動性がない。GAM半流動寒天培地の利用も可能である。
4) カタラーゼ陰性。
5) *C. tertium*, *C. carnis*, *C. histolyticum*は耐気性で5～10%炭酸ガス培養が可能である。通性嫌気性の*Bacillus*属菌との鑑別には，カタラーゼ試験が有用で*Clostridium*属菌は陰性，*Bacillus*属菌は陽性を示す。*C. haemolyticum*と*C. novyi* type Bは酸素に曝露されると発育しない。
6) 培地上を遊走するコロニーは*C. tetani*, *C. septicum*, *C. sordellii*を疑う。

病原性

*Clostridium*属菌は芽胞の状態で環境に長期間生存しており，発育条件がよくなると毒素を産生して増殖し感染性を示す。*Clostridium*感染症は外因性感染と内因性感染があり，症状が急性のもの，慢性のもの，非常に重篤な疾患までさまざまである。本菌の産生する菌体外毒素は感染に関与しており，破傷風の神経疾患，ガス壊疽疾患，ボツリヌス毒素や*P. perfringens*エンテロトキシンによる食中毒に分かれる。破傷風毒素やボツリヌス毒素は菌体内に前駆物質が形成され，菌体の融解とともに毒素活性を呈する。その他の毒素は菌体内で産生と同時に菌体外へ放出される。

1. クロストリジウム・テタニ（破傷風菌）（*Clostridium tetani*）

形態

大きく長い桿菌（0.4～1.2 × 3～8μm）で周毛性の鞭毛を有し，端在性の「太鼓のバチ状」芽胞を形成する（図9.11.1）。*C. tetani*は芽胞の形で土壌中に広く分布し，創傷部位から体内に侵入する。破傷風の起因菌で三叉神経の硬直，嚥下困難，開口困難，全身性痙攣が起こる。感染部位で発芽・増殖し破傷風毒素（tetanospasmin）と溶血毒（tetanolysin）を産生する。

臨床的意義

破傷風は土，肥料，錆びた釘，交通事故などの軽度な怪我に続いて発生する。わが国では年間100人以上の報告がある。潜伏期間3～21日の後，感染局所で産生された破傷風毒素が中枢神経系に作用する。開口障害，嚥下困難などに始まり後弓反張，呼吸困難を起こし死亡率が高い。診断は臨床症状を中心に行われることが多く，細菌学的検査はほとんどされないことがある。

塗抹および培養

*C. tetani*は分離培養が難しい。栄養型菌は，検査時に好気環境へ曝露すると容易に死滅するので，臨床材料を採取後および菌の継代などの作業は可能な限り速やかに行う。創傷や交通事故などの臨床材料はGram染色で太鼓のバチ状の芽胞菌および大きなグラム陽性桿菌の有無を確認する。使用培地は嫌気的に還元しているブルセラHK血液寒天培地，PEA血液寒天培地を3～5日間，半流動寒天培地は7日間培養する。嫌気培養した平板培地で遊走したコロニー

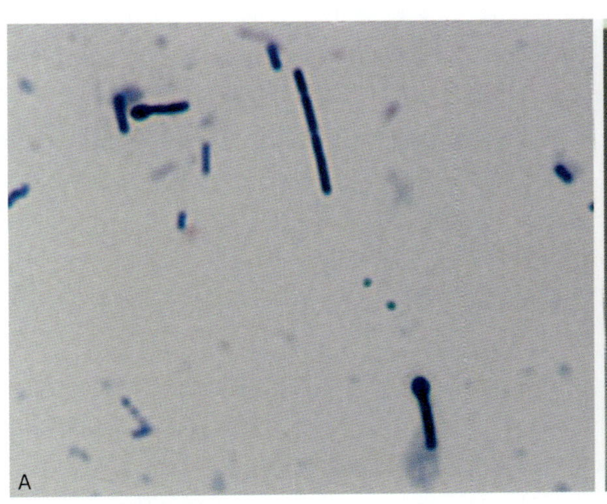

図9.11.1　*C. tetani*
A：創部のGram染色像　×1,000，B：ブルセラHK寒天培地上の発育。

（画像提供：信州大学 長野則之氏）

用語　フェニルエチルアルコール（phenylethyl alcohol；PEA）

のGram染色で太鼓のバチ状の芽胞を確認する。

同定および毒素の証明

*C. tetani*を疑う菌を分離したら，医師へ連絡し臨床経過などを確認する。必要に応じてPCR法を用いて毒素遺伝子の検出やマウスを用いた毒素中和試験を実施する。破傷風は感染症法の届出疾患であり，保健所に連絡し，毒素検査を依頼することも可能である。

予防および治療

治療には抗破傷風免疫グロブリンを筋肉注射して毒素を中和する。予防は四種混合（ジフテリア，百日咳，破傷風，ポリオ）ワクチンを接種する。

報告

破傷風は五類感染症全数把握疾患に定められており，診断した医師は7日以内に最寄りの保健所に届け出る。

2. クロストリジウム・パーフリンジェンス（*Clostridium perfringens*, ウエルシュ菌 *Clostridium welchii*）

形態

*C. perfringens*は直径0.6～2.4×13.0～19.0μmの車輌状の大きなグラム陽性桿菌で非運動性である（図9.11.2）。環境中では芽胞形成菌として生息している。。臨床材料ではエタノールで脱色されやすくグラム陰性に染まりやすい。芽胞をみることは困難である。以前は*C. welchii*（ウエルシュ菌）とよばれていたことがあり，現在もウエルシュ菌食中毒とよばれる。

培養

分離培地はブルセラ血液寒天培地および卵黄寒天培地を用いる。ブルセラ血液寒天培地ではコロニーの周囲に二重リング溶血（完全なβ溶血を示す小さめの帯と不完全な溶血を示す広い帯）を形成する。卵黄寒天培地ではレシチナーゼ反応陽性を確認する。

生化学的性状

*C. perfringens*のα毒素は，レシチンをホスホリルコリンとジグリセリドに分解する酵素でレシチナーゼともよばれる。本菌はレシチナーゼ産生，逆CAMP試験陽性，ゼラチン液化，ラクトース，スクロース，マルトースを分解し，牛乳培地中で大量のガスを産生して増殖する。

病原性

*C. perfringens*は，嫌気性菌のなかでは比較的低い嫌気状態でも増殖が可能で，12～50℃でも増殖できる。*C. perfringens*は致死毒素（α, β, ε, ι）の産生性からA, B, C, D, Eの5つの毒素型に分類される。*C. perfringens* A型株

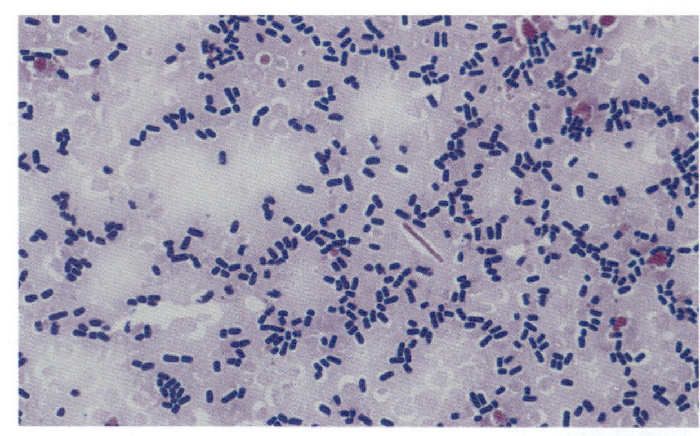

図9.11.2 *C. perfringens*のGram染色 血液培養ボトル内容液 ×1,000

はα毒素のみを産生し，B型株はα毒素に加えβおよびε毒素，C型株はα毒素とβ毒素，D型株はε毒素とα毒素，E型株はι毒素のほかにα毒素を産生する。*C. perfringens*の産生するエンテロトキシンは易熱性の蛋白毒素で，60℃，10分の熱やpH 4以下の酸により容易に不活化される。

①食中毒

*C. perfringens*のA，C，D型は食品とともに摂取した栄養型菌が，腸管内で芽胞形成時にエンテロトキシンを産生し食中毒を起こす。ヒトの下痢症を起こす*C. perfringens*はほとんどがA型エンテロトキシンを産生する。潜伏期は8～24時間，症状は水様下痢で軽症なことが多く，経過も短い。

②ガス壊疽

ガス壊疽にはクロストリジウム性と非クロストリジウム性が知られている。クロストリジウム性ガス壊疽は受傷後6～72時間で局所の激痛から発症し，筋組織の浮腫，血行障害，挫滅などによる低酸素下で菌が増殖し，α毒素と腐臭性のガスを産生しながら急速に筋壊死が進行する。*C. perfringens*のα毒素は心臓毒性が強く，溶血や黄疸を呈し腎不全など多臓器不全に陥る。ほかに*C. novyi*，*C. septicum*，*C. sordellii*，*C. sporogenes*，*C. histolyticum*などが起因菌となる。

病変部の滲出液のGram染色を行い，大型のグラム陽性桿菌と好中球を認めない場合はクリストリジウム性ガス壊疽を疑う。直ちに病巣を切開してデブリードマン（壊死した組織を除去する手術）を行い，ペニシリンなどの抗菌薬を投与する。高気圧酸素療法も有効とされる。

毒素試験

細胞培養試験，マウス致死性試験などの生物学的検査法のほかに，逆受身ラテックス凝集反応やELISA法などの免疫学的検査法，PCRなどの遺伝子学的手法が用いられる。市販品には「ウェルシュ菌毒素遺伝子検出用 Primer Set

---

用語 ポリメラーゼ連鎖反応（polymerase chain reaction；PCR），食中毒（food poisoning），ガス壊疽（gas gangrene），デブリードマン（debridement），高気圧酸素療法（hyperbaric oxygen therapy），酵素免疫測定法（enzyme-linked immunosorbent assay；ELISA）

表 9.11.3　*C. botulinum* の性状

生化学群	細胞壁の糖	芽胞耐熱性	リパーゼ産生	特徴
Ⅰ群：A，B，F 型 蛋白分解性	グルコース	120℃ 5 分	+	グルコース分解，硫化水素産生，インドールとウレアーゼは非産生 ゼラチン，カゼインを水解する 最も耐熱性の高い芽胞を形成する 菌の発育至適温度は 37℃であるが，毒素産生は 30℃が適
Ⅱ群：B，E，F 型 蛋白非分解性	グルコース ガラクトース	80℃ 6 分	+	グルコース，フルクトース，マンノース，マルトース，トレハロースを分解 ゼラチンを水解する。カゼインは水解しない 発育至適温度は 30℃と最も低く，耐熱性の低い芽胞を形成する
Ⅲ群：C，D 型	アラビノース ガラクトース	100℃ 15 分	+	毒素産生能はファージに依存しているため容易に消失する ほかの群菌と比べて発芽，増殖に高い嫌気条件を要求する 発育至適温度は 37 ～ 40℃で，多くの菌は 45℃でも増殖する
Ⅳ群：G 型 糖非分解性 弱い蛋白分解性 （*C. argentinense* に分類）	芽胞形成不良	121℃ 15 分	−	ゼラチンおよびカゼインを水解する 形成される芽胞は大部分が易熱性である

CPE-1 & 2」がある。

3. クロストリジウム・ボツリヌム（ボツリヌス菌）（*Clostridium botulinum*）

形態

C. botulinum はグラム陽性偏性嫌気性菌（0.5～2.4 × 1.7～22.0 μm）で耐熱性の亜端在性の芽胞を形成する。弛緩性麻痺を起こす強力な神経毒であるボツリヌス菌を産生し，胃腸症状のほかに，末梢神経と結合して嚥下不能，呼吸筋麻痺などを起こし，致死率は30～70％とされている。*C. botulinum* は生化学性状と細胞壁の糖によりⅣ群に，毒素の抗原特異性によりA～G型に分類される。

ヒトの食中毒はA，B，E，F型で起こる。A，B型は芽胞の形で土壌中に分布し，C，E型は海底や湖沼に分布する。

生化学的性状と細胞壁の糖によるⅠ～Ⅳ群の分類では，Ⅰ群は蛋白分解性で細胞壁にグルコースを含み，抗原型A，B，F型菌で蛋白分解性の芽胞の耐熱性が最も高いグループである。Ⅱ群はB，E，F型菌で蛋白非分解性の芽胞の耐熱性が最も低いグループである。Ⅲ群にはC，D型菌，Ⅳ群は糖非分解のG型菌が含まれるが，G型菌は現在，*C. argentinense* に分類されている。ヒトのボツリヌス症はA，B，E 型菌によるものが多く，稀にF型菌による食中毒事例がある（表 9.11.3）。

病原性

ボツリヌス毒素は腸管から吸収され，血液を介して神経-筋伝達系に作用し，コリン作動性シナプスのアセチルコリン遊離を抑制する。患者は視力障害，眼瞼下垂，発語障害など弛緩性麻痺が起こり，呼吸・嚥下障害などの神経麻痺が出現し致死に至ることが多い。毒素は中枢神経系への作用がないため意識は清明である。

ボツリヌス症は発症機序により，食餌性ボツリヌス症，乳児ボツリヌス症，創傷ボツリヌス症，子供および成人の乳児型ボツリヌス症に分類されている。

①食中毒（食餌性ボツリヌス症）

直接菌を摂取しても腸管内での増殖を起こすことがなく問題ないが，ソーセージや真空パックした食品中で増殖し産生された毒素を摂取することにより食中毒を起こす。集団発生が多く，潜伏期は18～96時間，A，B，E，F型によるが，日本ではE型が多い。初期症状として，腹痛，悪心，嘔吐，下痢などの胃腸炎症状を伴うことが多く，下行性麻痺，発声障害，嚥下障害，四肢筋力低下があり，重症化すると呼吸障害で死亡する。*C. butyricum*，*C. baratii* による報告もある。

②乳児ボツリヌス症

腸管細菌叢が確立する前に不十分な状態で *C. botulinum* を摂取したことにより乳児ボツリヌス症を起こすことがある。食品中に含まれる毒素による一般的なボツリヌス食中毒と異なり，ボツリヌス菌芽胞を生後1年未満の乳児が経口的に摂取した結果，腸管内で芽胞が発芽・増殖して産生した毒素により発症する。糞便の培養検査によって確認できる。*C. botulinum* 芽胞で汚染した離乳食を摂取することにより起こる。原因食材としてハチミツの報告例が多く，現在乳児にハチミツを与えないように指導されている。ハチミツなどの食材以外の報告例もあるため，ほかの感染経路も考えられている。症状は便秘，筋力低下，倦怠感があり，哺乳力や泣き声の低下が見られる。稀に1歳以上で乳児ボツリヌス症と同様の症状を起こすことがある。子供および成人の乳児ボツリヌス症とされ，抗菌薬投与などにより腸管の細菌叢が減少するときに *C. botulinum* に感染したことによる。

③創傷ボツリヌス症

外傷を受けた創部から芽胞が侵入し，創部組織内で発芽・増殖し，毒素の産生が起こり発症する。症状は食餌性ボツリヌス症と同じであるが，胃腸症状は示さない。

毒素試験

・マウス腹腔内注射法によるマウス試験：ボツリヌス毒素を100℃10分間不活化し，診断用抗毒素血清による中和反応を行ってからマウスに接種する。10～100pg/mLのボツリヌス毒素を検出する。
- ・ボツリヌス毒素に対するモノクローナル抗体を用いたELISA法
- ・イムノPCR法，改良エンドペプチダーゼ法
- ・ボツリヌス菌検出用 Primer Set A，B，C，D，E，F

などがある。

報告

ボツリヌス症は四類感染症の全数把握対象疾患で保健所への届け出が必要である。

4. クロストリジオイデス・ディフィシル（*Clostridioides difficile*）

C. difficile（旧*Clostridium difficile*）は土壌，汚水，ペットや家畜などから分離される偏性嫌気性の大きなグラム陽性桿菌で，芽胞形成が良好で耐熱性がある（図9.11.3）。健常者では約10%が腸管内に常在し，抗菌薬投与者では20%程度に上昇するとされる。*C. difficile*感染症（CDI）は加齢，重篤な基礎疾患などの患者が抗菌薬投与により腸管細菌叢の撹乱が生じ，*C. difficile*が定着・増殖する（抗菌薬関連下痢症：偽膜性大腸炎）。

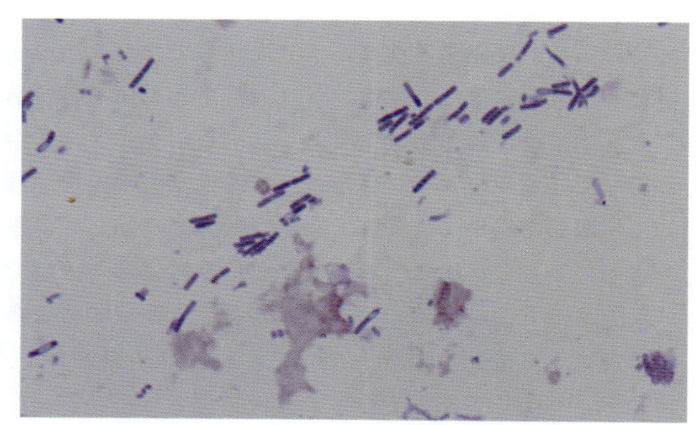

図9.11.3　*C. difficile*　糞便　Gram染色　×1,000

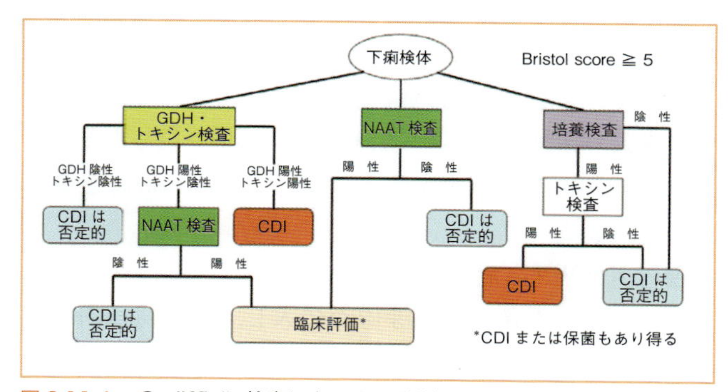

図9.11.4　*C. difficile*検査によるCDI診断のフローチャート
〔公益社団法人日本化学療法学会・一般社団法人日本感染症学会CDI診療ガイドライン作成委員会：「*Clostridioides difficile*感染症診療ガイドライン2022」，日本化学療法学会雑誌 2023；71（1）：1-90より引用〕

CDIの検査診断

CDIの検査はEIA法による便中の*C. difficile*由来グルタミン酸脱水素酵素（glutamate dehydrogenase：GDH）とトキシン検出や核酸増幅法（nucleic acid amplification test：NAAT）によるトキシン遺伝子の検出が行われる。

*C. difficile*は一定の割合で保菌していること，NAATはトキシン産生の有無に関係なくトキシン遺伝子を検出することから，CDIの診断は図9.11.4に示すフローチャートに従って実施，解釈される。検体である糞便は，外観から性状をブリストル便形状スケール（表9.11.4）を用いて判定し，5以上の下痢便を検査することが推奨される。ただし，腸閉塞（イレウス）や巨大結腸症を疑う場合には便性状に関係なく検査する。

EIA法による検査でGDH陽性・トキシン陽性の場合CDIと診断される。GDH陽性・トキシン陰性の場合は，EIA法によるトキシン検出感度が低いことからNAATで補い，陽性の場合は臨床評価と総合して診断する。臨床評価は無症候性の保菌患者がCDIと過大に評価されることを避けるためである。初回からNAATで検査し陽性の場合も臨床評価と併せて診断する。

培養によって*C. difficile*を分離した場合は，EIA法の検査キットに付属の希釈液に複数のコロニーを懸濁してトキシンを検査することができる。

分離培養

糞便の採取は必ずしも嫌気性菌用採取容器でなくてもよいが，適正な採取と提出が必要になる。糞便採取に際し，標準予防法を遵守して，手袋，エプロンなどを装着する。採取が困難な無形便の採取ではおむつや排便シートを活用し，スポイトなどで5mL程度を採取して検査室に提出する。おむつの提出やスワブでの採取は推奨されない。

1）糞便検体0.5gに95%エタノール0.5mLを加え，1時間室温放置する。
2）嫌気状態に還元しておいたCCMA培地またはCCFA培地に処理した糞便を接種し，35℃，48時間嫌気培養する。
3）血液寒天培地ではやや大きな辺縁不整の光沢のないラフ型コロニーにUVライトを照射して黄緑色の蛍光を確認する。CCM（F）A培地では黄色のやや大きな辺縁不整

表9.11.4　ブリストル便形状スケールによる便性状

スコア	便性状
1	硬くてコロコロの兎糞状の便
2	ソーセージ様だが硬い便
3	表面にひび割れのあるソーセージ状の便
4	表面が滑らかで柔らかいソーセージ状の便
5	半固形の柔らかい便
6	境界不明，不定形の泥状便
7	固形物を含まない液体状の便

用語　クロストリジウム・ディフィシル感染症（*Clostridium difficile* infection；CDI），グルタミン酸デヒドロゲナーゼ（glutamate dehydrogenase：GDH）

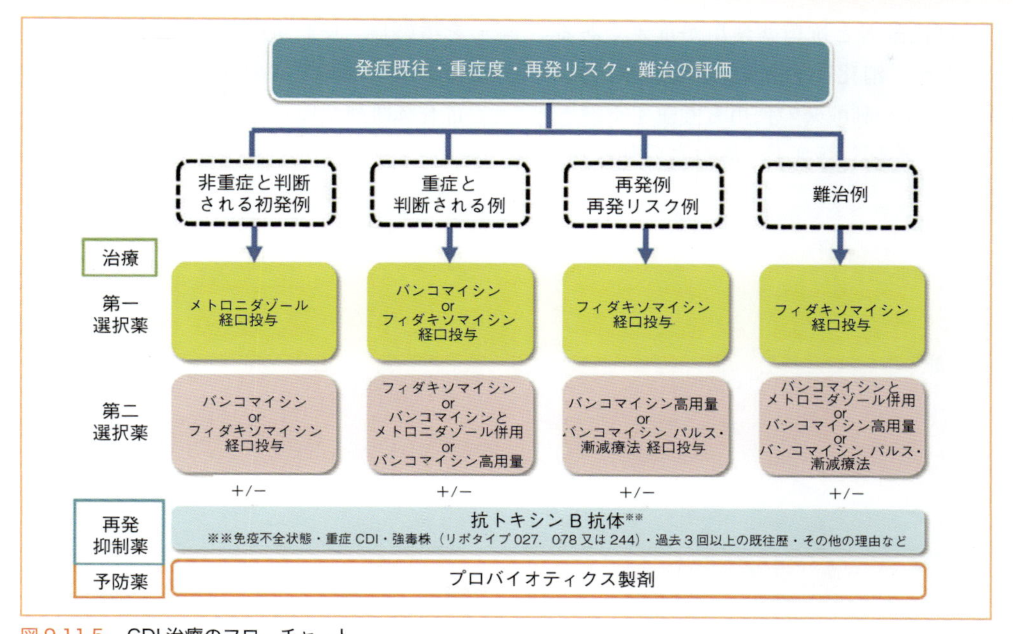

図 9.11.5　CDI治療のフローチャート
〔公益社団法人日本化学療法学会・一般社団法人日本感染症学会CDI診療ガイドライン作成委員会：「*Clostridioides difficile* 感染症診療ガイドライン2022」，日本化学療法学会雑誌 2023；71（1）：1-90より引用〕

のラフ型コロニーを示す。両培地とも，馬小屋臭とよばれる特有の悪臭は本菌の推定に極めて有用である。なおGram染色でグラム陽性桿菌と芽胞の形成を確認する。芽胞形成は選択培地よりも非選択培地の方が良好とされる。

4)生化学的性状や市販キットなどで同定する。

5)イムノクロマト法やリアルタイムPCR法でトキシンAおよびトキシンBを確認する。

6)必要に応じて薬剤感受性を実施する。

病原性

C. difficile の病原因子はトキシンAとBであり，両方とも糖転移酵素（グルコシルトランスフェラーゼ）活性を有する。CDIの発症はトキシンA陽性・B陽性またはトキシンA陰性・B陽性の株が関与する。強毒株と呼ばれるBI/NAP1/027は，トキシンAとトキシンBの産生が亢進している特徴を有する。一部の株は第三のトキシンであるバイナリートキシン（*C. difficile* transferase：CDT）を産生する。CDTはADPリボシルトランスフェラーゼ（CDTa）と宿主細胞との結合成分としてはたらくCDTbの2種類の蛋白質からなる。CDT産生株によるCDIは重症化率と死亡率が高い。

参考情報

BI/NAP1/027は，制限酵素処理解析でBI型，パルスフィールドゲル電気泳動法によるタイピングでNorth America 1型，PCRリボタイピングで027型という3つの型別によるタイプを意味する。トキシン産生に抑制的に調節する遺伝子の一部に欠損があり，トキシンAとトキシンBの産生が亢進している。このタイプは欧米でアウトブレイクを起こしたが日本では検出例が少ない。

治療および予防

クロストリジウム・ディフィシル関連下痢症（CDAD）の患者では最初に抗菌薬投与を中止する。CDI患者は可能な限り個室管理とし，院内での拡散を防止する。

治療薬はメトロニダゾール50mg 1日3回/10日間もしくはバンコマイシン散剤125mg 1日4回/5〜7日間投与する。

健常者からCDI患者への糞便移植も行われている。ほかにプロバイオティクスの使用が再発軽減になると注目されている。

CDIの治療は重症度と再発かどうかによって図9.11.5に示すフローチャートによって選択される。軽症のCDIの場合は原因と考えられる抗菌薬の投与を中止する。中等度以上のCDIは抗菌薬治療を行う。再発例または難治例にはフィダキソマイシンやトキシンBに対するモノクローナル抗体製剤の投与が検討される。糞便移植が再発性CDIに対し高い再発予防効果を有するとの報告があるが，長期的な安全性評価が必要である。予防としてのプロバイオティクスは，現時点では有効とする十分なエビデンスがない。

用語　クロストリジウム・ディフィシル関連下痢症（*Clostridium difficile*-associated disease；CDAD）

CDIのリスク因子は高齢者と抗菌薬使用が重要である。基礎疾患（過去の入院歴，消化管手術，慢性腎臓病，炎症性腸疾患），経鼻経管栄養や制酸薬の使用も考慮する。

*C. difficile*の芽胞はトイレ，ベッド，床などの病院環境を汚染し，長期間残存する。熱やエタノール消毒に抵抗性である。CDI患者の病室の消毒は，1,000ppm以上の塩素含有洗浄剤や他の殺芽胞製剤による清掃と消毒を行う。

［三澤成毅］

参考文献

1）日本臨床微生物学会：「嫌気性菌検査ガイドライン 2012」，日臨微誌，2012；22(Suppl.1)：1-142.

2）Hall GS："Anaerobic Gram-positive bacilli", Clinical Microbiology Procedures Handbook 4th ed, 4.12.1-4.12.17, Leber AL (ed), ASM Press, 2016.

3）Kuijper EDJ *et al.*："*Clostridium*, *Clostridioides*, and other clostridia", Manual of Clinical Microbiology 13th ed, 1068-1099, ASM Press, 2023.

4）Surawicz CM *et al.*："Guidelines for Diagnosis, Treatment, and Prevention of Clostridium difficile Infections", Am J Gastroenterol, 2013；108：478-498.

5）一山　智，田中美智男(編)：標準臨床検査学　微生物学・臨床微生物学・医動物学，医学書院，2013.

6）渡邊邦友：「いわゆる嫌気性菌が関与する感染症に関する最近の話題」，感染症学誌，2006；80：76-83.

7）上野一恵(監)，日本臨床微生物学会(編)：「微生物検査マニュアル -- 臨床嫌気性菌検査法 '97」，日臨微誌，1997；7(suppl.1)：1-115.

8）井上　治，他：「*Clostridium* 性ガス壊疽，壊死性筋膜炎，Fournier 壊疽など致死性軟部感染症に対する高気圧酸素療法(HBO)～国内外の主要な文献から」，日高気圧環境・潜水医会誌，2010；45：47-64.

9）Centers for Disease Control and Prevention *et al.*：Botulism in the United States, 1899-1996: Handbook for Epidemiologists, Clinicians, and Laboratory Workers, Centers for Disease Control and Prevention, 1998.

10）Leffler DA, Lamont JT："*Clostridium difficile* Infection", N Engl J Med, 2015；372：1539-1548.

11）公益社団法人日本化学療法学会・一般社団法人日本感染症学会 CDI 診療ガイドライン作成委員会：「*Clostridioides difficile* 感染症診療ガイドライン 2022」，日本化学療法学会雑誌，2023；71(1)：1-90.

12）藤永由佳子：「5 ディフィシル菌」，標準微生物学 第 14 版，157-159，神谷　茂(監)，錫谷達夫，松本哲哉(編)，医学書院，2021.

9.12 ｜ 嫌気性グラム陽性無芽胞桿菌

- 嫌気性グラム陽性無芽胞桿菌はヒトの皮膚，口腔や泌尿生殖器の粘膜に常在菌叢を構成し，*Actinomyces* 属，*Cutibacterium* 属，*Pseudopropionibacterium* 属，*Propionibacterium* 属，*Mobiluncus* 属，*Bifidobacterium* 属がおもに臨床材料から分離される。
- 常在菌として生息している部位に混合感染を生じることから，真の起因菌を検出するためには適切な検体採取と検体に適した分離培養が必須である。
- 分離培地としてフェニルエチルアルコールを添加した血液寒天培地やコリスチン・ナリジクス酸血液寒天培地を併用することによって共存する通性嫌気性菌の発育を抑制する。
- 嫌気性グラム陽性無芽胞桿菌の多くは発育が遅く，同定検査や薬剤感受性検査が困難である。また，混合感染しているケースが多いため検査には純培養菌を得る必要がある。

9. 12. 1　アクチノミセス属（Genus *Actinomyces*）

分類

ヒトから分離される*Actinomyces*属は25菌種が知られており，病原性を示すおもな菌種は*A. israelii*，*A. odontolyticus*，*A. viscosus*，*A. meyeri*，*A. tricensis*がある。*A. meyeri*以外は炭酸ガス培養でも発育可能であるが，臨床材料からの分離には嫌気培養が適している。ブドウ糖の最終代謝産物としてコハク酸と乳酸を産生する。

1. アクチノミセス・イスラエリ（*Actinomyces israelii*）

疫学

ヒトの口腔内（唾液，歯肉，扁桃腺など）や腹・骨盤領域に常在し内因性の嫌気性菌感染症として放線菌症を起こす。

形態

多形性で分岐を有するグラム陽性の桿菌で，長さ0.2～1 μmの短いものから10～50 μmのフィラメント状のものまで見られる（図9.12.1）。鞭毛，芽胞，莢膜をもたない。Kinyoun染色で非抗酸性の点で*Nocardia*属と区別される。

培養

耐気性を有するが二酸化炭素（CO_2）の分圧が高い方が発育が促進される。ブレインハートインフュージョン（BHI）寒天培地に，18～48時間培養でクモ状コロニーと称される放射状に分岐した微小コロニーが培地表面に観察される。血液を含むブルセラ寒天培地に37℃，嫌気条件下で3～7日間培養すると，非溶血性で0.5～2.0mmのR型の白色～灰白色の臼歯様コロニーが形成される。液体培地では，顆粒状に分散した個々の塊や薄い膜状の発育をみる。

同定

カタラーゼ陰性，ウレアーゼ陰性，硝酸塩還元陽性，エスクリン加水分解陽性，α-グルコシダーゼ陽性，β-ガラクトシダーゼ陽性。グルコース，マルトース，ラフィノース，シュクロース，トレハロースを分解して酸を生じるが，マンニトールを分解できない。*Actinomyces*属の主要菌種の性状を表9.12.1に示す。

抗菌薬耐性

他の嫌気性菌感染症に用いられるメトロニダゾール

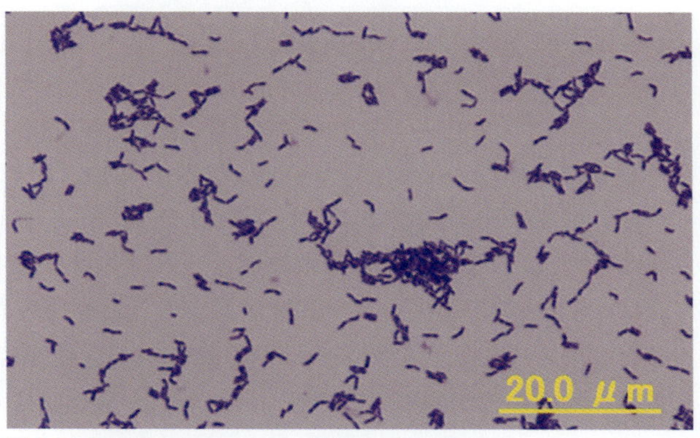

図9.12.1　*A. israelii*　Gram染色　×1,000
（画像提供：県立多治見病院 八島繁子氏）

用語　放線菌症（actinomycosis），ブレインハートインフュージョン（brain heart infusion；BHI），R（rough）

表 9.12.1　*Actinomyces* 属菌の主要菌種の性状

菌種	耐気性	硝酸塩還元	エスクリン加水分解	カタラーゼ	ウレアーゼ	α-グルコシダーゼ	β-ガラクトシダーゼ	マルトース分解	マンニトール分解	ラフィノース分解	シュクロース分解	トレハロース分解
A. israelii	+	+	+	−	−	+	+	+	−	+	+	+
A. odontolyticus	+	+	+ / −	−	−	−	+	+	−	−	+	−
A. viscosus	+	+	+ / −	+	+ / −	+ / −	+ / −	+	+ / −	+	+	+ / −
A. meyeri	−	+ / −	−	−	−	+	+	+	−	−	+	−
A. tricensis	+	−	−	−	−	+	−	+	−	+ / −	+	+ / −

＋ / −：＋の株と−の株が存在する。

（MNZ）に耐性を示す。

抗菌薬感受性

骨盤内，肺，顎，腹部放線菌症において，第一選択薬としてアンピシリン（ABPC），ペニシリンG（PCG），第二選択薬としてドキシサイクリン（DOXY），セフトリアキソン（CTRX），クリンダマイシン（CLDM）が用いられる[1]。

病原性

放線菌症は顎口腔顔面や頸部，胸部，腹部に慢性化膿性の肉芽腫を形成する疾患で，膿瘍形成や硬結部の自壊による排膿が見られる。誘因としては，顎口腔部では，う歯，歯槽膿漏などの歯周病，インプラント関連感染症などで，胸部型では誤嚥性肺炎，腹部型では腹部手術や子宮内避妊具の装着が誘引となる[2]。臨床材料中に好塩基性に染色される菌塊（硫黄顆粒：ドルーゼ）が見られることがある。

2. アクチノミセス・ビスコーサス（*Actinomyces viscosus*）

カタラーゼ試験で強陽性を示す。呼吸器の放線菌症の原因となり，他の臓器に播種することが知られている。

3. アクチノミセス・ミエリ（*Actinomyces meyeri*）

炭酸ガス培養では発育不能である。*A. israelii*とともに心膜炎の症例が報告されている[3]。

4. アクチノミセス・ツリセンシス（*Actinomyces turicensis*）

*A. israelii*と同じように子宮内避妊具の装着を誘引とする放線菌症を生じる。また，肛門周囲，鼠径部，腋窩や胸部に軟部組織感染症を生じる。

5. アクチノミセス・オドントリティカス（*Actinomyces odontolyticus*）

ブルセラ寒天培地ではピンク色または赤色のコロニーを形成し，ウサギ溶血液を添加した寒天培地で濃い色のコロニーを形成する。

検査室ノート　*Actinomyces*属と*Nocardia*属

臨床材料のGram染色において，グラム陽性，分岐を有する多形性桿菌を示す*Nocardia*属菌は，抗酸性および好気発育で*Actinomyces*属菌と鑑別される。*Actinomyces*属菌による感染症では治療にペニシリン系薬が選択されるが，*Nocardia*属菌の場合は，ST合剤が選択され，診断が異なると治療薬も異なることに注意が必要である。また，子宮内避妊具を挿入している患者の子宮頸部スメアのGram染色で，分岐したグラム陽性桿菌が観察されれば*Actinomyces*属菌による感染が示唆される。

用語　ドキシサイクリン（doxycycline；DOXY），スルファメトキサゾール・トリメトプリム（sulfamethoxazole/trimethoprim；ST）

9. 12. 2　キューティバクテリウム属（Genus *Cutibacterium*）

分類

Propionibacterium 属から16S rRNA塩基配列の分析結果によって *Cutibacterium* 属に再分類された。

1. キューティバクテリウム・アクネス（*Cutibacterium acnes*）

疫学

皮膚の常在菌で皮脂腺や毛根の周囲に生息し，尋常性痤瘡（にきび）の起因菌の1つと考えられている。

形態

大きさ0.5〜0.8×1〜1.5μm，非運動性の嫌気性グラム陽性桿菌で多形性を示し，棍棒状，分岐状やX，Y字状に配列する（図9.12.2）。

培養

ヘミンとビタミンKを添加した血液寒天培地で嫌気培養によって発育するが，耐気性を有する嫌気性菌である。

同定

インドール陽性，カタラーゼ陽性，硝酸塩還元陽性，エスクリン加水分解陰性となる。

抗菌薬耐性

一般的に β-ラクタム系薬に感性を示すが，嫌気性菌感染症に用いられるメトロニダゾール（MNZ）には耐性を示す。また，クリンダマイシン（CLDM）に耐性を示す株がある。

抗菌薬感受性

尋常性痤瘡に対して抗菌薬を使用することは稀であるが，眼内炎にはバンコマイシン（VCM），人工物の挿入による感染症ではペニシリンG（PCG），セフトリアキソン（CTRX），VCM，ダプトマイシン（DAP），リネゾリド（LZD）が治療薬として選択される[1]。

病原性

微生物検査では，血液培養ボトルで遅れて陽性（5〜6日間）になった場合に汚染菌として判断される場合が多い。しかし，心臓の人工弁置換術後の心内膜炎などの人工物を挿入する医療行為に伴う感染症の原因となることから，患者情報を参考に判断する必要がある[2]。また，コンタクトレンズ装用者に見られる角膜炎[4]や白内障治療の眼内レンズ挿入者に生じた眼内炎[5]の原因となる。

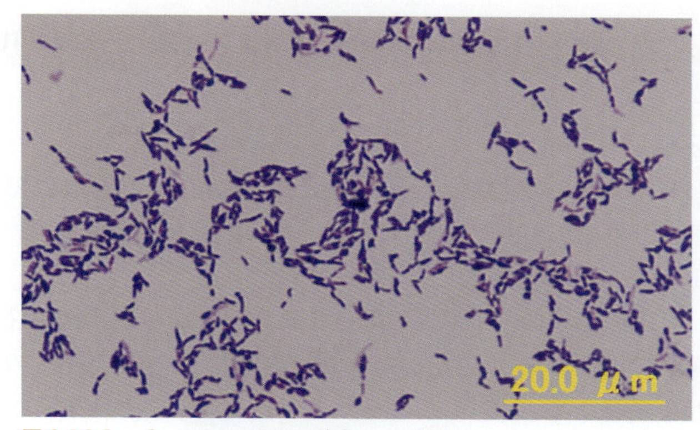

図 9.12.2　*C. acnes*　Gram 染色　×1,000
（画像提供：県立多治見病院 八島繁子氏）

9. 12. 3　シュードプロピオニバクテリウム属（Genus *Pseudopropionibacterium*）

分類

Propionibacterium 属から16S rRNA塩基配列の分析結果によって *Pseudopropionibacterium* 属に再分類された。

1. シュードプロピオニバクテリウム・プロピオニクム（*Pseudopropionibacterium propionicum*）

疫学

ヒトの口腔内に常在菌として存在する。

形態

非運動性の嫌気性グラム陽性桿菌で多形性を示す。

培養

寒天培地表面にクモ状コロニーが観察され，*Actinomyces israelii* と類似する臼歯様コロニーを形成する。また，UV照射によってオレンジ色や赤色の蛍光が観察される。耐気性を有する。

同定

耐気性陰性，インドール陰性，硝酸塩還元陽性，エスクリン加水分解陰性で，*Cutibacterium acnes* と異なりカタラーゼ陰性である。

抗菌薬感受性

放線菌症の場合にPCGやアンピシリン（ABPC）が選択される。

用語　メトロニダゾール（metronidazole；MNZ），クリンダマイシン（clindamycin；CLDM），バンコマイシン（vancomycin；VCM），ペニシリンG（penicillin G;PCG），セフトリアキソン（ceftriaxone;CTRX），ダプトマイシン（daptomycin;DAP），リネゾリド（linezolid;LZD），クモ状コロニー（spider colony），アンピシリン（ampicillin；ABPC）

病原性

口腔や眼に放線菌症に類似した感染症を起こすことがある[6]。

9. 12. 4 プロピオニバクテリウム属（Genus *Propionibacterium*）

分類

Propionibacterium 属は多形性を示すグラム陽性桿菌で，耐気性を有する菌種もある。炭水化物を分解し，最終産物としてプロピオン酸を産生する。*P. acidifaciens*，*P. granulosum*，*P. avidum* がある。

1. プロピオニバクテリウム・アシディファシエンス（*Propionibacterium acidifaciens*）

疫学

ヒトの口腔内に生息し，う歯の形成に関与していることが報告されている[7]。

同定

耐気性，インドール，カタラーゼ，硝酸塩還元，エスクリン加水分解のすべてが陰性である。

9. 12. 5 モビルンカス属（Genus *Mobiluncus*）

分類

Mobiluncus 属には *M. curtisii* と *M. mulieris* が含まれる。糖を分解しておもに酢酸，乳酸，コハク酸を産生する。

疫学

ヒトの泌尿器，生殖器における常在菌であるが，細菌性腟症で優位となり *Gardnerella* 属とともにNugent scoreの対象菌種となっている（表9.12.2）。*M. curtisii* は，子宮内膜の膿や血液から分離された報告がある[8〜10]。

形態

細胞壁は構造的にグラム陽性であるが，実際の染色ではグラム陰性または不定である。運動性を有する弯曲した桿菌である（図9.12.3：矢印）。

培養

ヘミンとビタミンKを添加した血液寒天培地で2〜3日の嫌気培養で微小なコロニーを形成する。耐気性はなく酸素の存在に弱い。β-ヘモリジン産生の *Staphylococcus aureus* を用いたCAMPテストで陽性を示す特徴がある。

表 9.12.2 Nugent score

(× 1,000) 個数 / 視野	*Lactobacillus* 型 score	*Gardnerella* 型 score	*Mobiluncus* 型 score
0	4	0	0
＜1	3	1	1
1-4	2	2	1
5-30	1	3	2
＞30	0	4	2
	(L)	(G)	(M)
Nugent score ＝（L）＋（G）＋（M）			

Nugent score：腟分泌物のGram染色標本を1,000倍で検鏡し，*Lactobacillus* 型，*Gardnerella* 型，*Mobiluncus* 型のそれぞれの細菌型についてスコアをつけ，スコアの合計が7以上の場合に細菌性腟症，4〜6を判定保留，3以下を正常と判定する。

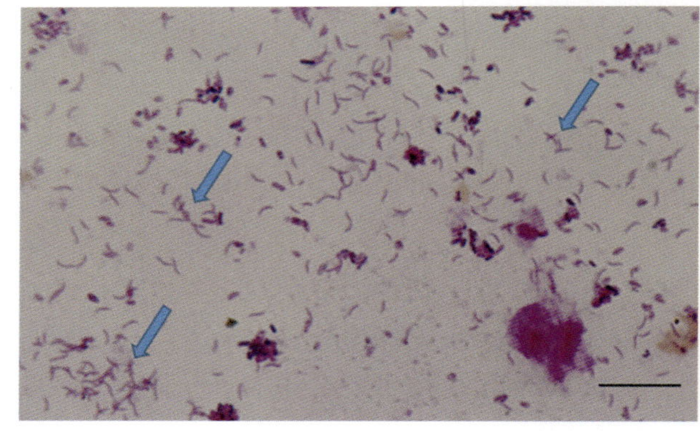

図 9.12.3 *Mobiluncus* 属（矢印） Gram 染色 ×1,000
（画像提供：彦根市立病院 茂籠邦彦氏）

用語 CAMP（Christie, Atkins, and Munch-Peterson）

9. 12. 6　ビフィドバクテリウム属（Genus *Bifidobacterium*）

分類

Bifidobacterium 属は，ヒトの口腔内や腸管内の常在菌として存在する。本菌属は，腸内環境の維持に重要な役割を担っていると考えられており，プロバイオティクスとして健康食品や生菌製剤として利用されている。

1. ビフィドバクテリウム・ビフィダム（*Bifidobacterium bifidum*）

疫学

ヒトの腸管内に多く存在し，とくに母乳栄養児の腸管内で優勢である。

形態

大きさ0.5～1.3 × 1.5～8 μm，棍棒状のグラム陽性桿菌で，V字形やY字形の形態をとる。非運動性で芽胞を形成しない。

培養

偏性嫌気性で37～41℃，pH 6.5～7.0で発育する。

同定

カタラーゼ陰性，インドール陰性でブドウ糖からの最終代謝産物として酢酸と乳酸を産生する。*Bifidobacterium* 属の基準種である。

2. ビフィドバクテリウム・デンティウム（*Bifidobacterium dentium*）

ヒトの口腔内に生息し，う歯の起因菌として知られている。

［中山章文］

参考文献

1) Gilbert DN *et al.*（編），菊池　賢，橋本正良（監）：サンフォード感染症治療ガイド 2015（第45版），ライフサイエンス出版，2015.
2) Butler-Wu SM, She RC : "*Actinomyces*, *Lactobacillus*, and other non-spore-forming anaerobic Gram-positive rods", Manual of Clinical Microbiology 12th ed, 938-967, Carroll KC *et al.* (eds.) , ASM Press, 2019.
3) Brock I : "Pericarditis caused by anaerobic bacteria", Int J Antimicrob Agents, 2009 ; 33 : 297-300.
4) 山田昌和：「眼感染症セミナー　*Propionibacterium acnes* 角膜炎」，あたらしい眼科，2005 ; 22 : 1085-1086.
5) 原　二郎，荒木かおる：「眼内レンズ挿入眼における嫌気性菌による眼内炎」，眼紀，1989 ; 40 : 1899-1905.
6) Brock I : "Actinomycosis: diagnosis and management", South Med J, 2008 ; 101 : 1019-1023.
7) Downes J, Wade WG : "*Propionibacterium acidifaciens* sp. nov., isolated from the human mouth", Int J Syst Evol Microbiol, 2009 ; 59 : 2778-2781.
8) Bahar H *et al.* : "*Mobiluncus* species in gynaecological and obstetric infections: antimicrobial resistance and prevalence in a Turkish population", Int J Antimicrob Agents, 2005 ; 25 : 268-271.
9) Gomez-Garces JL *et al.* : "*Mobiluncus curtisii* bacteremia following septic abortion", Clin Infect Dis, 1994 ; 19 : 1166-1167.
10) Sahuquillo-Arce JM *et al.* : "*Mobiluncus crutisii* bacteremia", Anaerobe, 2008 ; 14 : 123-124.

9.13 ｜ 嫌気性グラム陰性桿菌

- 嫌気性グラム陰性桿菌による感染症は，基礎疾患や外科的処置などが誘引となり生息部位の粘膜表面に関連した複数菌種による内因性感染症として生じる。
- *Bacteroides* 属はおもに下部消化管，*Porphyromonas* 属と *Prevotella* 属は口腔および腟に生息し，*Fusobacterium* 属は下部消化管に生息する菌種と口腔および腟に生息する菌種がある。
- 臨床材料からの分離には，非選択分離培地と選択分離培地をセットで用いる。非選択分離培地としては，ビタミン K_1 とヘミンを添加した血液加ブルセラ寒天培地を用いる。選択分離培地としては，カナマイシンとバンコマイシンを含むヒツジ血液寒天培地や BBE 寒天培地を用いる。また，フェニルエチルアルコールを加えたヒツジ血液寒天培地は，共存する通性嫌気性グラム陰性桿菌の発育を抑制する。

9.13.1 バクテロイデス属（Genus *Bacteroides*）

分類

*Bacteroides*属は，糖分解陽性，胆汁耐性，色素非産生でおもに消化管に生息する。旧来の*Bacteroides*属には多くの菌種が含まれていた。しかし現在は，分類の再編によってヒトから分離される25菌種を含む40菌種以上からなる*B. fragilis*グループに限られている[1)]。臨床材料から分離されるおもな菌種は*B. fragilis*，*B. thetaiotaomicron*，*B. vulgatus*，*B. ovatus*などがある。

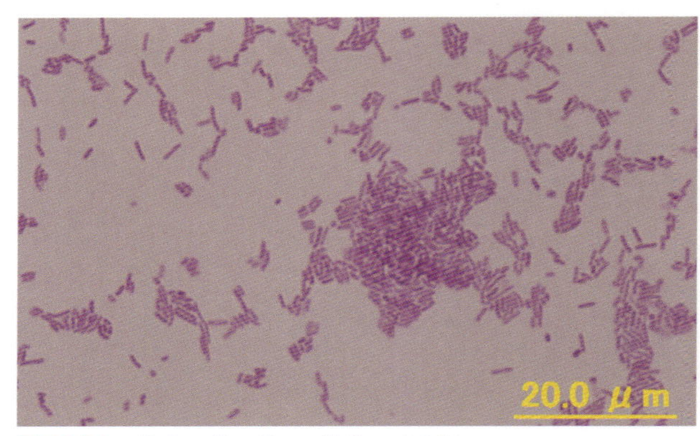

図 9.13.1　*B. fragilis*　Gram 染色　×1,000
（画像提供：県立多治見病院 八島繁子氏）

1. バクテロイデス・フラジリス（*Bacteroides fragilis*）

疫学

ヒトや動物の腸管に存在し，腹腔内の感染症を生じる。また，嫌気性菌による菌血症は本菌によることが最も多い。

形態

大きさは0.8～1.3×1.6～8.0μm，先端が丸みを帯びたグラム陰性桿菌として観察される（図9.13.1）。Gram染色で空胞形成が見られることがある。非運動性，莢膜を有する。

培養

20%の胆汁を含むBBE寒天培地に発育し，37℃，24～48時間の嫌気培養で直径1mm以上の正円形コロニーを形成する。また，エスクリンの加水分解によって生じたエスクレチンと培地中の鉄が結合しコロニー周囲の培地が暗褐色または黒色になる（図9.13.2）。耐気性が比較的強い嫌

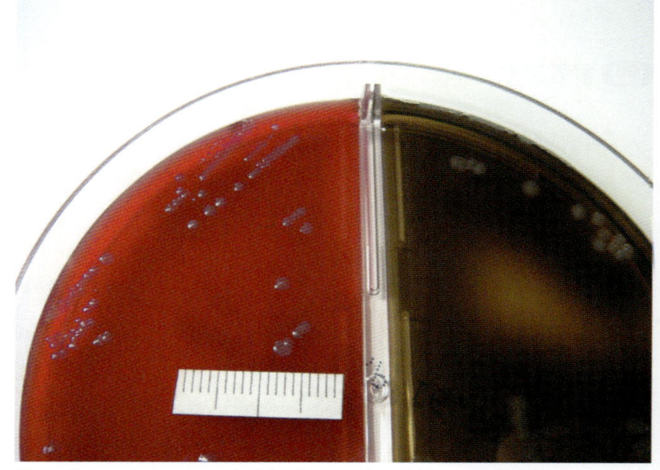

図 9.13.2　*B. fragilis*　血液加ブルセラ寒天培地・BBE 寒天培地
（画像提供：県立多治見病院 八島繁子氏）

用語　BBE（Bacteroides bile esculin）

気性菌である。

同定

エスクリン加水分解陽性，カタラーゼ陽性，インドール産生陰性。ブドウ糖からの最終代謝産物としておもに酢酸，コハク酸を産生する。*Bacteroides*属および*Parabacteroides*属の主要菌種の生化学的性状を表9.13.1に示す。

抗菌薬耐性

*B. fragilis*グループは，β-ラクタマーゼ産生株が多く，ペニシリンG (PCG)やアンピシリン(ABPC)に耐性である。また，ほぼすべてのβ-ラクタム系薬を分解するメタロ-β-ラクタマーゼ産生株の分離[2]と，メタロ-β-ラクタマーゼの産生を調節する*cfiA*遺伝子の存在が報告されている[3]。そして，これまで本菌の治療に用いられてきたクリンダマイシン（CLDM）について，*erm*遺伝子にコードされるリボソームメチル化酵素による耐性株の増加も問題となっている[4]。さらに，ニトロイミダゾールレダクターゼをコードする*nim*遺伝子を保有する株によるメトロニダゾール耐性も報告されている[2]。

抗菌薬感受性

治療にはβ-ラクタマーゼ阻害薬配合ペニシリン系薬〔スルバクタム・アンピシリン（SBT/ABPC），クラブラン酸・アモキシシリン（CVA/AMPC），タゾバクタム・ピペラシリン（TAZ/PIPC）など〕やカルバペネム系薬〔イミペネム・シラスタチン（IPM/CS），メロペネム（MEPM）など〕が優れた感受性を有している。また，ニトロイミダゾール系のメトロニダゾール（MNZ）やオキサセフェム系薬〔ラタモキセフ（LMOX），フロモキセフ（FMOX）〕，セファマイシン系薬のセフメタゾール（CMZ）も推奨されている。

病原性

腹腔内感染症（肝膿瘍，横隔膜下膿瘍，骨盤内膿瘍など）や軟部組織感染症，敗血症の起因菌で，産婦人科および腹部外科領域の術後感染症の起因菌として多く分離される[1]。また，*B. fragilis*の10〜20%程度の株がエンテロトキシンを産生し，子供や成人の下痢に関与することが報告されている[1]。

2. バクテロイデス・シータイオタオーミクロン（*Bacteroides thetaiotaomicron*）

疫学

*B. fragilis*グループに属する他の菌種と同様にヒトの腸管に常在する。

表9.13.1 *Bacteroides*属および*Parabacteroides*属の主要菌種の生化学的性状

菌種	BBE寒天培地の黒色化	インドール	カタラーゼ	α-フコシダーゼ	アラビノース分解	トレハロース分解	サリシン分解
B. fragilis	+	−	+	+	−	−	−
B. thetaiotaomicron	+	+	+	+	+	+	−
B. vulgatus	−	−	−	+	+	−	−
B. ovatus	+	+	+	+	+	+	+
P. distasonis	+	−	+	−	−	+	+

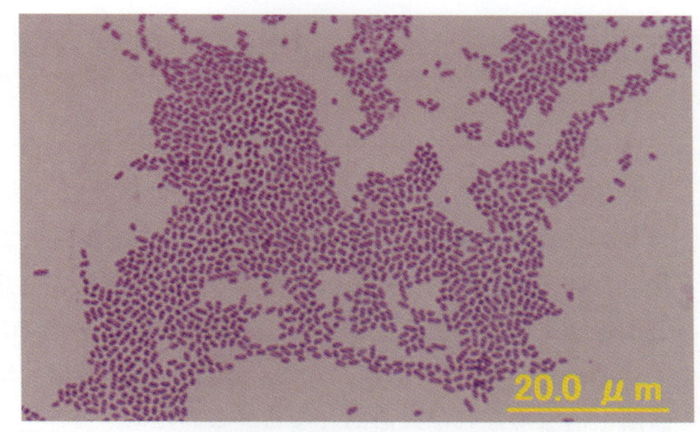

図9.13.3 *B. thetaiotaomicron* Gram染色 ×1,000
（画像提供：県立多治見病院 八島繁子氏）

形態

グラム陰性の桿菌で，菌体はθ型，ι型，o型などの多形性を示し菌種名の由来となった（図9.13.3）。

培養

BBE寒天培地に発育し，エスクリンの分解によりコロニー周囲の培地を黒変する。

同定

20%胆汁加培地に発育，エスクリン加水分解陽性，カタラーゼ陽性で*B. ovatus*とともにインドール反応陽性が特徴である。

抗菌薬耐性

*B. fragilis*グループに属する他の菌種よりも種々の抗菌薬に高い耐性を示し，とくにCLDMやモキシフロキサシン（MFLX）に対する耐性株が多いことが報告されている[5]。

抗菌薬感受性

β-ラクタマーゼ阻害薬配合ペニシリン系薬やカルバペネム系薬が優れた感受性を有している。

用語 ペニシリンG（penicillin G；PCG），アンピシリン（ampicillin；ABPC），クリンダマイシン（clindamycin；CLDM），スルバクタム（sulbactam；SBT），クラブラン酸（clavulanic acid；CVA），アモキシシリン（amoxicillin；AMPC），タゾバクタム（tazobactam；TAZ），ピペラシリン（piperacillin；PIPC），イミペネム（imipenem；IPM），シラスタチン（cilastatin；CS），メロペネム（meropenem；MEPM），メトロニダゾール（metronidazole；MNZ），ラタモキセフ（latamoxef；LMOX），フロモキセフ（flomoxef；FMOX），セフメタゾール（cefmetazole；CMZ），モキシフロキサシン（moxifloxacin；MFLX）

3. バクテロイデス・ブルガータス (*Bacteroides vulgatus*)

疫学

*B. fragilis*グループに属する他の菌種と同様にヒトの腸管に常在する。

形態

グラム陰性桿菌で芽胞を形成しない。

培養

BBE寒天培地に発育するが，ほかの*Bacteroides*属と異なりエスクリンを分解せずコロニー周囲の培地を黒変しない。

同定

20%胆汁加培地に発育，エスクリン加水分解陰性，カタラーゼ陰性，インドール陰性。

抗菌薬耐性

ほかの*B. fragilis*グループに比べて多くの株がMFLXに耐性を示す[5]。

抗菌薬感受性

β-ラクタマーゼ阻害薬配合ペニシリン系薬やカルバペネム系薬が優れた感受性を有している。

検査室ノート　壊死性筋膜炎について

急速に進行する軟部組織感染症に壊死性筋膜炎がある。壊死性筋膜炎は，β-溶血性レンサ球菌や黄色ブドウ球菌，*Clostridium*属菌によって基礎疾患のない健常者に生じる群と，糖尿病や術後組織などの基礎疾患のある患者に好気性菌や通性嫌気性菌と偏性嫌気性菌が混合感染を生じる群がある。後者の場合のおもな起因菌の1つとして*Bacteroides*属菌があげられる。壊死性筋膜炎は，緊急の処置を要する感染症で，診断・治療の遅れは致命的となる。このため，臨床材料のGram染色所見の迅速な報告や適切な培地による分離培養などの対応が必要である。

9. 13. 2　パラバクテロイデス属 (Genus *Parabacteroides*)

分類

*Parabacteroides*属は，*P. distasonis*, *P. merdae*, *P. goldsteinii*, *P. johnsonii*が含まれる。16S rRNA遺伝子配列，菌体脂肪酸組成やメナキノン組成の相違によって*Bacteroides*属から新属として承認された[6]。

1. パラバクテロイデス・ディスタソニス (*Parabacteroides distasonis*)

疫学

ヒト消化管の常在菌である。

形態

短いグラム陰性桿菌で芽胞形成はなく，非運動性である(図9.13.4)。

培養

*Bacteroides*属菌と同じく20%の胆汁を含む培地に発育する。

同定

カタラーゼ陽性，インドール陰性，硝酸塩還元陰性，*Bacteroides*属菌と同じく炭水化物を分解し最終産物として酢酸とコハク酸を生じる。*Parabacteroides*属菌のすべての菌種が，インドールとα-フコシダーゼが陰性であることから*Bacteroides fragilis*グループとの鑑別に有用である。生化学的性状の詳細を表9.13.1に示す。

抗菌薬耐性

β-ラクタム系薬に比較的高いMIC値を示す[2]。

病原性

内因性感染症として虫垂炎や腹腔内膿瘍，血流感染症を生じる[1]。

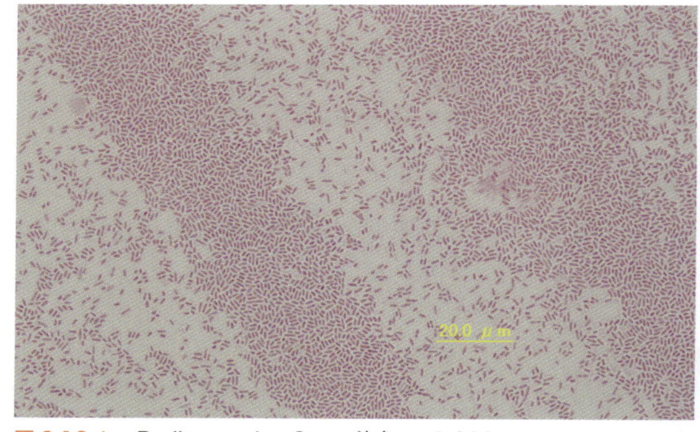

図9.13.4　*P. distasonis*　Gram染色　×1,000
(画像提供：県立多治見病院 八島繁子氏)

9.13.3 プレボテラ属（Genus *Prevotella*）

分類

*Prevotella*属は炭水化物を発酵するが，20%胆汁を含むBBE寒天培地に発育しない。血液加ブルセラ寒天培地に発育し，黒色コロニーを形成するpigmented *Prevotella*の*P. melaninogenica*，*P. intermedia*，*P. corporis*，*P. denticola*などと，黒色コロニーを形成しないnon-pigmented *Prevotella*の*P. bivia*，*P. oris*，*P. oralis*，*P. buccae*，*P. disiens*などがある。

pigmented *Prevotella*

1. プレボテラ・メラニノゲニカ（*Prevotella melaninogenica*）

疫学

ヒトの口腔，膣の常在菌として生息する。

形態

グラム陰性，無芽胞，非運動性，短桿菌または長桿菌を呈し多形性を示す（図9.13.5）。

培養

血液加ブルセラ寒天培地に35〜37℃，3〜7日間の嫌気培養で，正円形，表面が平滑で光沢のある茶褐色コロニーを形成する。血液を含む培地においてプロトポルフィリンの産生によってコロニーが茶色または黒色に着色し，紫外線照射によってピンク色から赤色の蛍光を発する。増殖にヘミンとビタミンKを要求する。

同定

インドール陰性，リパーゼ陰性，α-フコシダーゼ陽性，ゼラチン加水分解陽性で，糖分解はラクトースを分解するが，アラビノース，セロビオースを分解しない。炭水化物の分解によっておもにコハク酸と酢酸を産生する。表9.13.2にpigmented *Prevotella*の主要菌種の性状を示す。

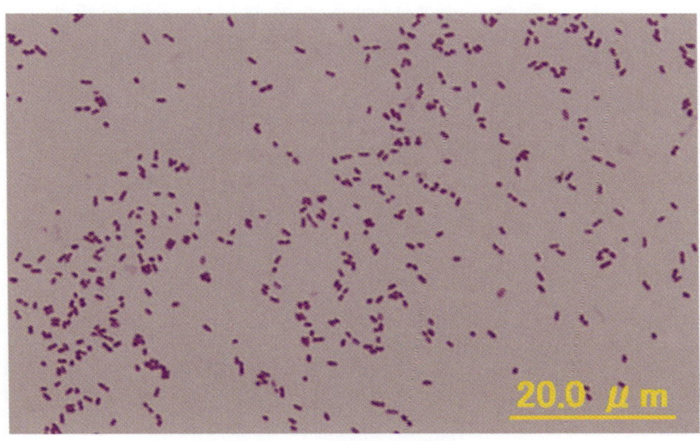

図9.13.5 *P. melaninogenica* Gram染色 ×1,000
（画像提供：県立多治見病院 八島繁子氏）

抗菌薬耐性

ほとんどの*Prevotella*属が，β-ラクタマーゼ産生によってペニシリンG（PCG）やアンピシリン（ABPC）に耐性である。

抗菌薬感受性

メトロニダゾール（MNZ），β-ラクタマーゼ阻害薬配合ペニシリン系薬，カルバペネム系薬に感受性を有している。

病原性

唾液中の優位な菌種として，*Fusobacterium nucleatum*，*P. intermedia*，*P. buccae*とともに耳鼻科領域，口腔外科領域の膿瘍の起因菌として重要である。また，誤嚥性肺炎において多数菌種の1つとして検出される。

2. プレボテラ・インターメディア（*Prevotella intermedia*）

疫学

ヒトの口腔常在菌として生息する。

形態

グラム陰性桿菌，無芽胞，非運動性である。

培養

血液加ブルセラ寒天培地に35〜37℃，3〜7日間の嫌気培養で，正円形，表面が平滑で光沢のある茶褐色から黒色のコロニーを形成し，*P. melaninogenica*よりも黒色調が強い（図9.13.6）。紫外線照射によってピンク色から赤色の蛍光を発する。

同定

インドール陽性，リパーゼ陽性，α-フコシダーゼ陽性，ゼラチン加水分解陽性で，糖分解はラクトース，アラビノー

表9.13.2 pigmented *Prevotella*の主要菌種の性状

菌種	色素	インドール	リパーゼ	α-フコシダーゼ	エスクリン加水分解	ゼラチン加水分解	ラクトース分解	シュクロース分解
P. intermedia	褐色	+	+	+	−	+	−	+
P. corporis	黒色	−	−	−	−	+	−	−
P. melaninogenica	褐色	−	−	+	+/−	+	+	+
P. denticola	褐色	−	−	+	+	+	+	+

+/−：+の株と−の株が存在する。

用語 最小発育阻止濃度（minimum inhibitory concentration；MIC）

図 9.13.6 *P. intermedia* 血液加ブルセラ寒天培地 37℃ 3 日間
（画像提供：県立多治見病院 八島繁子氏）

ス，セロビオース陰性である。

抗菌薬感受性

メトロニダゾール（MNZ），β-ラクタマーゼ阻害薬配合ペニシリン系薬，カルバペネム系薬に感受性を有している。

病原性

慢性および進行性の歯周炎の起因菌として重要である。

non-pigmented *Prevotella*

● 1. プレボテラ・ビビア（*Prevotella bivia*）

疫学

腟の常在菌として生息している。

形態

グラム陰性の球桿菌で球菌と見誤ることがある。材料のGram染色で対または短連鎖の形状を示す。芽胞形成はなく，非運動性である。

培養

胆汁に感受性でBBE寒天培地に発育しない。血液を含む培地においてコロニーが着色しない。

同定

インドール陰性，リパーゼ陰性，α-フコシダーゼ陽性，ゼラチン加水分解陽性，エスクリン加水分解陰性で，糖分解はラクトースを分解するが，アラビノース，セロビオースを分解しない。炭水化物の分解によってコハク酸，酢酸，イソ吉草酸を産生し，悪臭を放つ。表 9.13.3 に non-pigmented *Prevotella* の主要菌種の性状を示す。

表 9.13.3 non-pigmented *Prevotella* の主要菌種の性状

菌種	20%胆汁発育	インドール	リパーゼ	α-フコシダーゼ	エスクリン加水分解	ゼラチン加水分解	ラクトース分解	シュクロース分解	キシロース分解
P. oralis	−	−	−	+	+	+/−	+	+	−
P. buccae	−	−	−	−	+	+	+	+	+
P. oris	−	−	−	+	+	+/−	+	+	+
P. bivia	−	−	−	+	−	+	+	−	−

+/−：+の株と−の株が存在する。

抗菌薬感受性

細菌性腟症の場合はメトロニダゾール（MNZ）やクリンダマイシン（CLDM）が用いられるが，子宮内感染症の場合はβ-ラクタマーゼ阻害薬配合ペニシリン系薬やカルバペネム系薬が選択される。

病原性

P. disiens とともに，泌尿生殖器や産婦人科領域の感染症から分離される。

● 2. プレボテラ・ブッカ（*Prevotella buccae*）

疫学

口腔や腟に分布する。

形態

グラム陰性桿菌，無芽胞，非運動性である。

培養

胆汁に感受性がありBBE寒天培地に発育しない。血液を含む培地においてコロニーが着色しない。

同定

インドール陰性，リパーゼ陰性，α-フコシダーゼ陰性，ゼラチン加水分解陽性，エスクリン加水分解陽性で，糖分解はラクトースを分解するが，アラビノース，セロビオースを分解しない。

抗菌薬感受性

メトロニダゾール（MNZ），β-ラクタマーゼ阻害薬配合ペニシリン系薬，カルバペネム系薬に大部分が感受性を有している。

病原性

P. oris とともに歯原性感染症の重要な菌種である。

検査室ノート　*Prevotella*属菌による感染症

*Prevotella*属菌は口腔や腟部の内因性感染症だけでなく，体の広い範囲の感染症に関与している。たとえば，糖尿病患者における脚を含む皮膚・軟部組織感染からの*P. bivia*や*P. melaninogenica*，扁桃・咽頭膿瘍や深頸部軟部組織膿瘍，関節炎患者の滑液からの*P. intermedia*の分離が報告されており，種々の*Prevotella*属菌による血流感染の報告もある[1]。このことから，日常検査ではこれらの可能性を念頭に置いて検査を進める必要がある。また，*Prevotella*属菌による嫌気性菌感染症治療によく用いられるCLDMに対する感性率の低下が報告されている[7]。

9. 13. 4　ポルフィロモナス属（Genus *Porphyromonas*）

分類

*Porphyromonas*属は，炭水化物を発酵せず，20%胆汁を含むBBE寒天培地に発育しない。臨床材料から分離されるおもな菌種に*P. asaccharolytica*，*P. gingivalis*，*P. endodontalis*がある。

1. ポルフィロモナス・アサッカロリティカ（*Porphyromonas asaccharolytica*）

疫学

ヒトや動物の消化管や腟に常在する。

形態

大きさは0.5～0.8 × 1.0～3.5 μm，両端が鈍円の短いグラム陰性桿菌である。芽胞形成はなく，非運動性である。

培養

血液加ブルセラ寒天培地に35～37℃，3～7日間の嫌気培養で，正円形，表面が平滑で光沢のある茶褐色から黒色のコロニーを形成する。

同定

主要代謝産物として酪酸，酢酸，プロピオン酸を産生する。表9.13.4に*Porphyromonas*属の主要菌種の性状を示す。

抗菌薬耐性

*Porphyromonas*属菌はβ-ラクタム系薬をはじめ，多くの抗菌薬に良好な感受性を示す。

病原性

*P. asaccharolytica*は，横隔膜より下部の感染症として虫垂炎，腹膜炎，毛巣膿瘍，仙骨褥瘡性潰瘍などから検出されている。

2. ポルフィロモナス・ジンジバリス（*Porphyromonas gingivalis*）

疫学

ヒトや動物の口腔に生息し，歯周病の原因となる。

形態

グラム陰性の球桿菌で芽胞形成はなく，非運動性である（図9.13.7）。

培養

血液加ブルセラ寒天培地で茶褐色から黒色のコロニーを形成する。*Prevotella*属や，*Porphyromonas*属のほかの着色菌種と異なり，コロニーの紫外線照射において蛍光を発しない点が特徴的である。

同定

主要代謝産物として酪酸，イソ吉草酸，フェニル酢酸を産生する。

病原性

歯周ポケットに生息し，歯周炎や潰瘍性歯肉炎，インプラント周囲病変などの歯周疾患に関与している[1]。また，動物の口腔にも生息していることから動物の咬傷による感染例もある。

表9.13.4　*Porphyromonas*属の主要菌種の性状

菌種	インドール	α-フコシダーゼ	カタラーゼ	トリプシン	キモトリプシン	グルコース分解
P. asaccharolytica	+	+	−	−	−	−
P. gingivalis	+	+	−	+	+	−
P. endodontalis	+	−	−	−	−	−

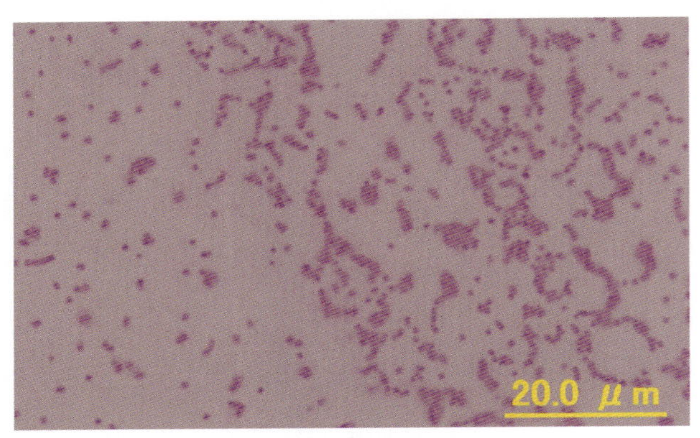

図9.13.7 *P. gingivalis* Gram染色 ×1,000
(画像提供：県立多治見病院 八島繁子氏)

形態

グラム陰性桿菌で芽胞形成はなく，非運動性である。

培養

血液加ブルセラ寒天培地で茶褐色から黒色のコロニーを形成する。

同定

主要代謝産物として酪酸，酢酸，イソ吉草酸，コハク酸を産生する。

病原性

口腔内の混合感染症（歯科膿瘍，歯根管感染症）から分離される。

3. ポルフィロモナス・エンドドンタ―リス (*Porphyromonas endodontalis*)

疫学

ヒトや動物の口腔に生息し，歯周病の原因となる。

9. 13. 5 フソバクテリウム属（Genus *Fusobacterium*）

分類

Fusobacterium 属は，炭水化物を分解し主要な代謝産物として酪酸を産生するため，悪臭が強い。変法FM培地に発育するが，BBE寒天培地に発育する菌種と発育しない菌種がある。ヒトから分離されるおもな菌種に *F. nucleatum*，*F. necrophorum*，*F. varium*，*F. mortiferum* がある。*F. necrophorum* には，亜種 *funduliforum* と亜種 *necrophorum* が存在する。

1. フソバクテリウム・ヌクレアータム (*Fusobacterium nucleatum*)

疫学

ヒトの口腔に生息する。

形態

大きさは0.4～0.7 × 3.0～10.0 μm，グラム陰性桿菌で紡錘状の両端が尖った細い菌体が特徴的である（図9.13.8）。芽胞形成はなく，非運動性である。

培養

20％胆汁培地に発育しない。血液加ブルセラ寒天培地に35～37℃，2～4日間の嫌気培養で，直径1～2mm，辺縁不規則，不透明，パンくず状のコロニーを形成する（図9.13.9）。酸素の存在に対して比較的強く，6％の酸素存在下まで発育可能である。

同定

インドール陽性，リパーゼ陰性，エスクリン加水分解陰性，乳酸からプロピオン酸を生成せず，スレオニンからプロピオン酸を生成する。炭水化物を分解し，主要代謝産物として酪酸を生成する。表9.13.5に *Fusobacterium* 属の主要菌種の性状を示す。

抗菌薬感受性

メトロニダゾール（MNZ），β-ラクタム系薬，クリンダマイシン（CLDM）に感受性を有している。

病原性

歯周ポケットのバイオフィルム形成に重要な細菌で，インプラント周囲の炎症や歯根管感染症，歯槽膿瘍などの歯周病に関与していると考えられている。また，口腔外の部位でも血液，脳，胸部，心臓，肺，肝臓，虫垂，関節，腹部，腸，尿生殖路においても重要な病原体と考えられている[1]。

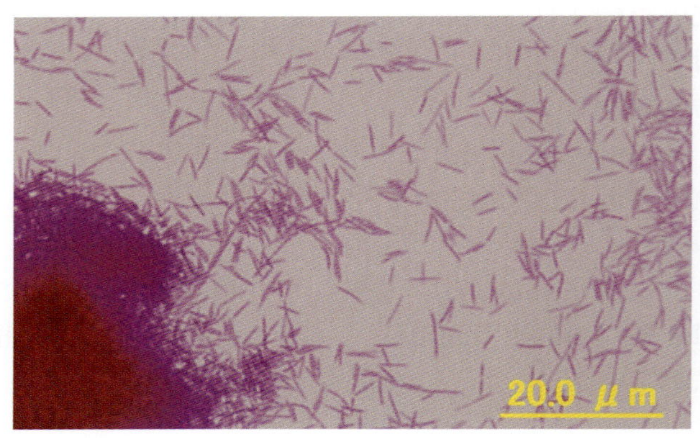

図9.13.8 *F. nucleatum* Gram染色 ×1,000
(画像提供：県立多治見病院 八島繁子氏)

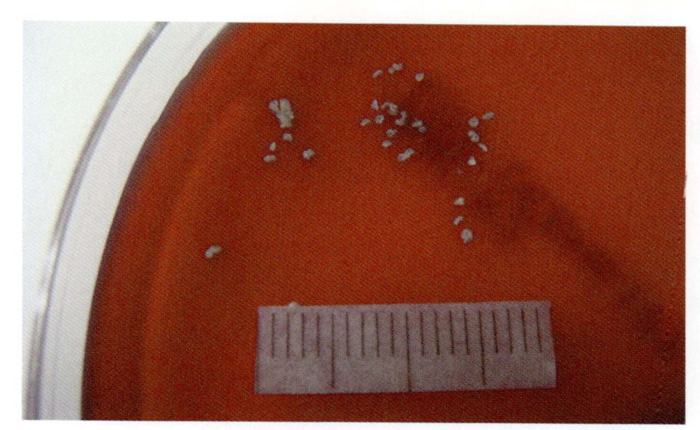

図 9.13.9 *F. nucleatum* 血液加ブルセラ寒天培地 37℃ 3 日間
(画像提供:県立多治見病院 八島繁子氏)

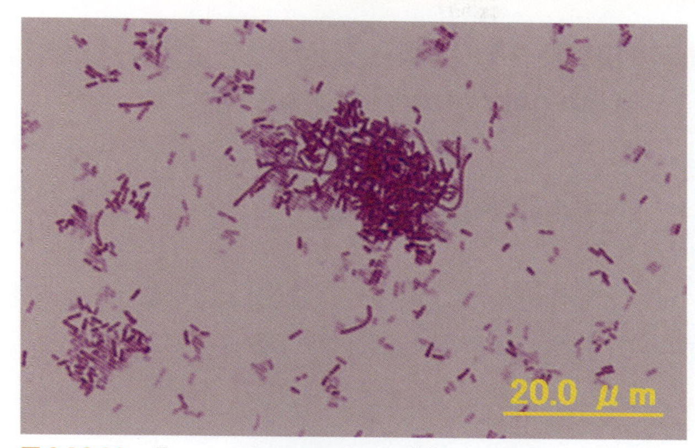

図 9.13.10 *F. necrophorum* Gram 染色 ×1,000
(画像提供:県立多治見病院 八島繁子氏)

表 9.13.5 *Fusobacterium* 属の主要菌種の性状

菌種	菌体	インドール	20%胆汁発育	リパーゼ	エスクリン加水分解	乳酸塩からプロピオン酸塩への変換
F. nucleatum	紡錘状	+	−	−	−	−
F. necrophorum	球桿菌 or 多形性	+	−	+	−	+
F. varium	両端が丸い	+	+	−	−	−
F. mortiferum	極端な多形性	−	+	−	+	−

2. フソバクテリウム・ネクロフォラム (*Fusobacterium necrophorum*)

疫学

ヒトや動物の口腔に生息する。

形態

グラム陰性桿菌で，両端が丸いものや尖ったものがあり長短が混じった多形性を示す（図 9.13.10）。芽胞形成はなく，非運動性である。

培養

20%胆汁培地に発育しない。血液加ブルセラ寒天培地に発育し，中央部が隆起した臍状と辺縁が波状のコロニーを形成する。ウマ血液寒天培地のコロニーは，β溶血を示す。

同定

subsp. *funduliforum* と subsp. *necrophorum* は，インドール陽性で，リパーゼを産生する。

抗菌薬耐性

Fusobacterium 属はマクロライド系薬〔アジスロマイシン（AZM），エリスロマイシン（EM），クラリスロマイシン（CAM）など〕に自然耐性株が存在する。

抗菌薬感受性

メトロニダゾール（MNZ）やβ-ラクタム系薬にほぼ感受性を有している。レミエール症候群の場合は第一選択薬としてβ-ラクタマーゼ阻害薬配合ペニシリン系薬，第二選択薬としてイミペネム（IPM），MNZ，セフトリアキソン（CTRX）またはCLDMが選択される。

病原性

白血球毒を産生し，レミエール症候群（感染性血栓性頸静脈炎）との関連が知られている。また，扁桃腺炎や扁桃周囲膿瘍の膿から検出されている。このほか，髄膜炎，敗血症，胸膜肺感染症，骨感染症，軟部組織感染症，腹腔内感染症，心内膜炎を生じる可能性が考えられており，本菌による侵襲性の感染症が増加傾向にある[8,9]。

3. フソバクテリウム・バリウム (*Fusobacterium varium*)

疫学

ヒトや動物の腸管に生息する。

形態

グラム陰性桿菌で芽胞形成はなく，非運動性である。

培養

20%胆汁培地に発育する。

抗菌薬感受性

MNZ，β-ラクタム系薬，CLDMにほぼ感受性を有している。

病原性

腹腔内の感染症から分離され，潰瘍性大腸炎との関係が注目されている[10]。

4. フソバクテリウム・モルティフェラム (*Fusobacterium mortiferum*)

疫学

ヒトや動物の腸管に生息する。

形態

グラム陰性桿菌で，繊維状，球状などの極端な多形性を示す。芽胞形成はなく，非運動性である。

培養

20%胆汁培地に発育する。

抗菌薬感受性

メトロニダゾール（MNZ），*β*-ラクタム系薬，クリンダマイシン（CLDM）にほぼ感受性を有しているが，セファロスポリン系薬に耐性株が見られる。

病原性

腹腔内の感染症から分離される。

検査室ノート　*Fusobacterium* 属菌の特徴と病原性

- 表9.13.5に示すように，*Fusobacterium* 属の菌種は形態学的な特徴を有することから，臨床材料のGram染色所見は起因菌推定に有用である。また，分離培地の観察では，血液寒天培地上のコロニーに長波長の紫外線を照射することによって，*F. nucleatum* と *F. necrophorum* は黄緑色の蛍光を発するため菌種の推定に有用である。
- 過去数年間に，*Fusobacterium* 属菌の急性虫垂炎，炎症性腸疾患および結腸がんへの役割に対する関心が高まっている。また，血液分離株は，ほかの部位の感染症から分離される菌株よりも抗菌薬に対する感受性が低い傾向があり[11]，*Prevotella* 属と同様にCLDMに対する感性率の低下が見られる[7]。

［中山章文］

参考文献

1) Conrad G *et al.* : "*Bacteroides*, *Porphyromonas*, *Prevotella*, *Fusobacterium*, and other anaerobic gram-negative rods", Manual of Clinical Microbiology 12th ed, 995-1023, Carroll KC *et al.* (eds.) , ASM Press, 2019.
2) Schuetz AN, Carpenter DE : "Susceptibility test methods : Anaerobic bacteria", Manual of Clinical Microbiology 12th ed, 1377-1397, Carroll KC *et al.* (eds.) , ASM Press, 2019.
3) Wybo I *et al.* : "Differentiation of *cfiA*-negative and *cfiA*-positive *Bacteroides fragilis* isolates by matrix-assisted laser desorption ionization-time of flight mass spectrometry", J Clin Microbiol, 2011 ; 49 : 1961-1964.
4) Roberts MC *et al.* : "Nomenclature for macrolide and macrolide-lincosamide-streptogramin B resistance determinants", Antimicrob Agents Chemother, 1999 ; 43 : 2823-2830.
5) Karlowsky JA *et al.* : "Prevalence of antimicrobial resistance among clinical isolates of *Bacteroides fragilis* group in Canada in 2010-2011: CANWARD surveillance study", Antimicrob Agents Chemother, 2011 ; 56 : 1247-1252.
6) Sakamoto, M, Benno Y : "Reclassification of *Bacteroides distasonis*, *Bacteroides goldsteinii* and *Bacteroides merdae* as *Parabacteroides distasonis* gen. nov., comb. nov., *Parabacteroides goldsteinii* comb. nov. and *Parabacteroides merdae* comb. nov.", Int J Syst Evol Microbiol, 2006 ; 56 : 1599-1605.
7) Liu CY *et al.* : "Increasing trends in antimicrobial resistance among clinically important anaerobes and *Bacteroides fragilis* isolates causing nosocomial infections: emerging resistance to carbapenems", Antimicrob Agents Chemother, 2008 ; 52 : 3161-3168.
8) Brazier JS : "Human infections with *Fusobacterium necrophorum*", Anaerobe, 2006 ; 12 : 165-172.
9) Megged O *et al.* : "Neurologic manifestations of *Fusobacterium* infections in children", Eur J Pediatr, 2013 ; 172 : 77-83.
10) Scaldaferri F *et al.* : "Gut microbial flora, prebiotics, and probiotics in IBD: their current usage and utility", Biomed Res Int, 2013 ; 2013 : 435268.
11) Aldridge KE *et al.* : "Multicenter survey of the changing in vitro antimicrobial susceptibilities of clinical isolates of *Bacteroides fragilis* group, *Prevotella*, *Fusobacterium*, *Porphyromonas*, and *Peptostreptococcus* species", Antimicrob Agents Chemother, 2001 ; 45 : 1238-1243.

9.14 | スピロヘータ

- 0.1 ～ 3.0 × 5 ～ 250 μm の細長いらせん状形態をしている。
- 軸糸によって回転運動を示す。
- Gram 染色では陰性に染まるが，難染性のため Giemsa 染色などで染めることが多い。
- 人工培養は一般に困難である。
- ペニシリン系やマクロライド系，テトラサイクリン系の抗菌薬に感受性がある。

スピロヘータは大きさが0.1～3.0 × 5～250 μmの細長いらせん状の形をして，エンベロープに囲まれた菌体内に存在する軸糸とよばれる菌体内鞭毛の伸縮回転によって，うねったり回転するなどの運動性を示す細菌の総称である。

スピロヘータ綱（Class *Spirochaetia*）の分類はまだ十分整理されておらず混沌としている部分もあるが，スピロヘータ目（*Spirochaetales*），ブラキスピラ目（*Brachyspirales*），レプトスピラ目（*Leptospirales*），ブレウィネマ目（*Brevinematales*）に分類されている。このうちヒトに病原性を示すものにスピロヘータ目とレプトスピラ目が知られている。

スピロヘータ目のおもな属は，スピロヘータ属，クリスチスピラ属，トレポネーマ属，ボレリア属などがある。このうちスピロヘータ属は淡水や海水などの水中に生息し，クリスチスピラ属は貝類の消化管に生息し，非病原性である。一方，トレポネーマ属とボレリア属には病原性を示す菌種がある。

レプトスピラ目にはヒトに病原性を示すレプトスピラ属と非病原性のレプトネマ属がある。

Gram染色では陰性に染まるが，難染性のためGiemsa染色や鍍銀染色，パーカーインク染色，暗視野照明法などを行う。レプトスピラ属を除いて，人工培養は一般に困難である。

9.14.1 トレポネーマ属（Genus *Treponema*）

ヒトの梅毒の病原体である *Treponema pallidum* は現在，3つの亜種に分類され，*T. pallidum* subsp. *pallidum*（梅毒），*T. pallidum* subsp. *pertenue*（熱帯イチゴ腫），*T. pallidum* subsp. *endemicum*（地方流行性梅毒）がある。

1. 梅毒トレポネーマ（*Treponema pallidum*）

本菌は1905年にSchaudinnとHoffmanによって梅毒患者から発見された。15世紀にコロンブスの新大陸探検の際，アメリカ大陸から欧州に持ち帰り，その後，急速に全世界に広がったとする説や，コロンブスの航海以前に中央アフリカから欧州にもたらされたとする説などがある。現在，3つの亜種に分類され，亜種*pallidum*のみが主として性交によって感染し梅毒を引き起こす。また，極めて稀に血液から感染する可能性がある。

梅毒の発生数は2018年までは年1,000例以下であったが，2013年以降は増加の一途をたどり，2022年には年間1万人を超えた。性別・年代別では，女性は20代と30代が75%を占めており，男性は20代から50代までの幅広い年齢層で患者が増えている。

形態

5～15 × 0.2 μmの大きさで，屈伸性のある細長いらせん状構造で，規則的な回転形をしており緩やかな波状運動を行う。形態の観察は，暗視野または位相差顕微鏡法，パーカーインク法，Giemsa染色法，鍍銀染色法などが用いられる。第1期では，潰瘍部の分泌物から *T. pallidum* を直接鏡検することができる（図9.14.1）。

用語　梅毒（syphilis）

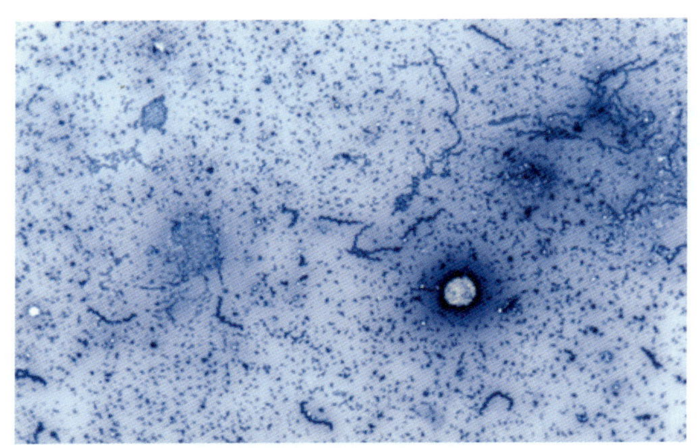

図 9.14.1　梅毒トレポネーマ（パーカーインク染色）

培養

確実な培養方法はない。病原性のある菌株はウサギの睾丸内に接種して増殖できる。

抗菌薬感受性

ペニシリン系薬が第一選択薬で，アレルギーがある場合は，マクロライド系やテトラサイクリン系の抗菌薬を用いる。梅毒の治療は，ペニシリン系抗菌薬の内服（1日3回，4～12週間）のみであったが，2021年に日本でも持続性ペニシリン製剤の筋肉注射による治療が承認され，1回の投与で治療可能となった（後期梅毒では3回投与）。

血清学的診断法

抗体は，感染後約4～5週間で検出可能となる。産生される抗体は，特異的抗体と非特異的抗体がある。

①非特異的抗体

カルジオライピンに対する抗体を検出する方法であり沈降反応（ガラス板法など），凝集法（RPRカードテストなど），補体結合反応（緒方法など）がある。生物学的偽陽性反応を起こすことがある。

②特異的反応

T. pallidum 自体に対する抗体を検出する方法で，感度および特異性が高い。梅毒トレポネーマ血球凝集テスト（TPHA）や梅毒トレポネーマ蛍光抗体吸収テスト（FTA-ABS）などがある。

病原性

ヒトの梅毒の病原体である。

①先天（性）梅毒

妊婦が *T. pallidum* に感染していると，胎盤を通して胎児に垂直感染する。多くの場合は流産，死産を起こす。出生後にハッチンソン三徴（ハッチンソン歯，内耳性難聴，実質性角膜炎）を示すことがある。

②後天性梅毒

- 第1期：感染後3週間の潜伏期の後，局所に初期硬結が現れ，それが増大し硬性下疳を形成する。その後，リンパ節の無痛性腫脹ができる。
- 第2期：約3カ月後，*T. pallidum* が血流により全身に転移し，粘膜や皮膚にバラ疹，丘疹，膿疱，白斑などの発疹が現れる。頭部の脱毛や粘膜の扁平コンジローマなども現れる。
- 第3期：感染から約3年後，種々の臓器にゴム腫が形成され，皮膚の潰瘍も見られる。
- 第4期：感染後10年を経過すると中枢神経系が侵され脊髄癆や進行麻痺となり変性梅毒となる。

抵抗性

抵抗性は弱く，宿主以外では1～2時間以上生存することはできない。熱に感受性が高く42℃以上では速やかに死滅する。

2. その他のトレポネーマ感染症

T. pallidum 以外にヒトに病原性を示すものとして *T. vincentii*（フソバクテリウム・ヌクレアタムと共存して起こす壊疽性の咽頭炎（ワンサンアンギーナ），*T. carateum*（接触伝播性皮膚疾患・ピンタ），*T. denticola*（歯周囲炎）などが知られている。

9. 14. 2　ボレリア属（Genus *Borrelia*）

ヒトに病原性を示すものに，*B. recurrentis*，*B. duttonii*，*B. burgdorferi* がある。*B. burgdorferi* は微好気性で人工培養が可能であるがかなり難しい。

1. 回帰熱ボレリア（*Borrelia recurrentis*, *Borrelia duttoniis*）

回帰熱の原因となるボレリアには，シラミが媒介する回帰熱ボレリアやダニが媒介するダットン回帰熱ボレリアなどがある。

用語　RPR（rapid plasma reagin），梅毒トレポネーマ血球凝集テスト（*Treponema pallidum* hemagglutination test；TPHA），梅毒トレポネーマ蛍光抗体吸収テスト（fluorescent treponemal antibody-absorption test；FTA-ABS）

形態

本菌は長さ約20μm，幅約0.3μmのゆるい不規則な回転をもつらせん状の微生物である。

グラム陰性。Giemsa染色でよく染まる。発熱発作時の血液をGiemsa染色するか，暗視野顕微鏡で生菌を観察する。

抗菌薬感受性

ペニシリンG（PCG），テトラサイクリン（TC）などに感性である。

病原性

感染して約1週間の潜伏期のあと，悪寒と戦慄を伴った発熱が3〜4日持続し，急速に解熱し，無熱期が1〜2週間続く。その後再び，発熱が繰り返し現れる。この症状を数回繰り返し，徐々に症状は治まっていく。有熱期には血液中に多数の虫体を認める。南アメリカ，欧州，アジア，アフリカなどの熱帯地方で散発的に発生する。わが国には存在しない。

2. ライム病ボレリア（*Borrelia burgdorferi*）

ライム病は1970年代に米国コネチカット州Lymeで子供に流行した関節炎の原因微生物として検出された*Borrelia burgdorferi*の感染により起こる。ライム病は世界的規模で確認され，わが国でも発見されている。マダニにより媒介され，発熱，頭痛，関節痛を伴う慢性遊走性紅斑を生じる。

染色

Gram染色では陰性に染まる。Giemsa染色でもよく染まる。

抗菌薬感受性

ペニシリン系薬，テトラサイクリン系薬，エリスロマイシン（EM）などに感性である。

病原性

ライム病は全身性の疾患で皮膚，関節，神経，循環器，眼などに病変を生じる。病期によりいろいろな症状を示し，感染初期にはマダニ咬着部周辺皮膚に遊走性紅斑を形成し，発熱，頭痛，関節痛などを伴うことがある。その後，不整脈や房室ブロックなど循環器症状や顔面神経麻痺や神経根炎などの神経症状が現れ，数カ月から数年後には，慢性萎縮性肢端皮膚炎，慢性脳脊髄炎，慢性関節炎など典型的なライム症状が見られる。

［大楠清文］

用語　ペニシリンG（penicillin G；PCG），テトラサイクリン（tetracycline；TC），エリスロマイシン（erythromycin；EM）

9.15　レプトスピラ

- 0.1 × 6 ～ 12 μm の規則的な細かいコイル状の形態をしており，先端は彎曲している。
- 人工培地に発育する。
- 人獣共通感染症であり，ネズミ，イヌ，ネコ，ウマ，ブタ，ウシなどが保菌している。

9.15.1　レプトスピラ属（Genus *Leptospira*）

本菌は従来，病原性のある *Leptospira interrogans* と非病原性の *Leptospira biflexa* の2菌種に分類されてきたが，最近の遺伝学的方法では20菌種に分類されている（図9.15.1）。レプトスピラによる感染症は世界中に蔓延する人獣共通感染症の1つであり，ヒトに感染症を起こすものの多くは *L. interrogans* に含まれる。わが国で分離されているものを表9.15.1に示す。

形態と染色

幅0.1 μm，長さ6～12 μm の規則的な細かいコイル状の形態をしており，先端は彎曲している。暗視野法，Giemsa染色，鍍銀法，蛍光抗体法などで観察される。

培養

人工培地で発育し，ウサギ血清を加えたコルトフ培地，フレッチャー培地などが用いられる。至適発育温度は一般的な細菌より低く28～30℃である。1～2週間で発育するが，最大数に発育しても培地は十分に混濁しない。

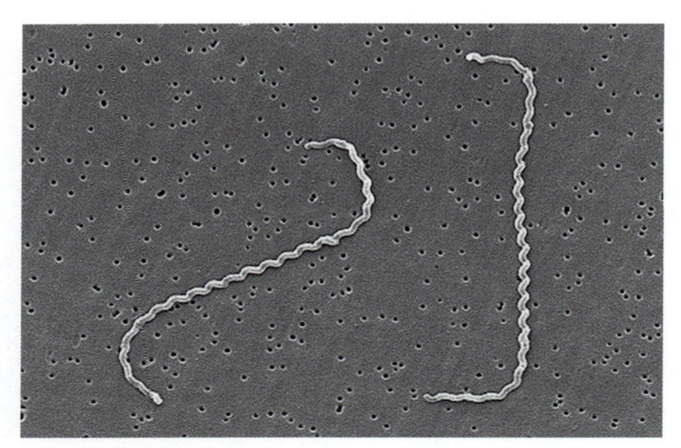

図9.15.1　*Leptospira interrogans*
（Carr JH : https://phil.cdc.gov/PHIL_Images/02142002/00003/PHIL_1220_lores.jpg より引用）

抗菌薬感受性

ストレプトマイシン（SM），ペニシリンG（PCG），テトラサイクリン（TC）が用いられる。

検査

発病後，第1週は菌血症状態となりレプトスピラが血中に現れる。第2週以降は尿から排泄される。病期に合わせた材料を暗視野法などで検出する。また培地での培養やモルモット腹腔内接種などによっても検出する。

また，感染第2週以降は血中に抗体が産生されるので，血清学的診断法として，顕微鏡凝集反応，蛍光抗体法などが用いられる。

保菌動物

ノネズミ，ドブネズミなどが保菌している。ほかにもイヌ，ネコ，ウマ，ブタ，ウシなども知られている。病原体保有動物の尿で汚染された下水などから経皮的に感染する。また，経口的に感染することもある。ヒトからヒトへは感染しない。

表9.15.1　*Leptospira interrogans* のおもな血清型と和名・分布

血清型	和名	分布
Icterohaemorrhagiae	黄疸出血性レプトスピラ	全国
Autumnalis	秋疫Aレプトスピラ	静岡，岡山，長崎，大分など
Hebdomadis	秋疫Bレプトスピラ	静岡，福岡，長崎，大分など
Australis	秋疫Cレプトスピラ	静岡など

用語　ストレプトマイシン（streptomycin；SM），ペニシリンG（penicillin G；PCG），テトラサイクリン（tetracycline；TC）

病原性

世界中に広く分布する。日本各地で見られるワイル病（黄疸出血性レプトスピラ症），イヌ型レプトスピラ症，地方病として秋疫（あきやみ）A，B，Cレプトスピラ症がある。

1. 黄疸出血性レプトスピラ (*Leptospira interrogans* serovar *icterohaemorrhagiae*)

ワイル病の病原体で，1915年に稲田と井戸によって発見された。ネズミが尿中にレプトスピラを持続的に排泄し，ヒトに経皮または経口感染する。潜伏期は約10日で，腎尿細管組織で増殖する。発熱，全身倦怠感，筋肉痛，黄疸と出血傾向などを起こす。

2. 秋疫 A，B，C レプトスピラ (*Leptospira interrogans* serovar *autumnalis*，serovar *hebdomadis*，serovar *australis*)

ワイル病に似ているが症状は軽い。夏から秋にかけて発生し，地方病として秋疫，用水病，作州熱などの病名がついている。発熱，リンパ節腫脹，蛋白尿などが現れるが，黄疸は通常現れず，予後はよい。保菌動物はノネズミである。

3. イヌレプトスピラ (*Leptospira interrogans* serovar *canicola*)

イヌが保菌し，ワイル病に似た症状を起こす。黄疸を伴うことは少ないが，脳膜炎症状を呈することが多い。ヒトへの感染は九州，四国での感染例がある。

［大楠清文］

用語　ワイル病（Weil disease）

9.16　マイコプラズマ

- 細胞壁を有しておらず，著しい多形性を示す。
- 人工培地で培養が可能であり，固型培地上で微小コロニーをつくり，光学顕微鏡で観察できる。
- 発育にコレステロールを必要とする。
- 培養検査は確定診断に有用であるが，コロニー出現までに日数を要するため，臨床的意義は低い。
- 早期診断法として，直接抗原検出や遺伝子増幅法は検査試薬が市販されており，手軽に利用可能となっている。

歴史と分類

1898年，Nocardらが伝染性ウシ肺炎の濾過材料から極めて特異な性状をもつ病原体を純培養で得ることに成功した。その後これに似た菌が相次いで発見され，これらの菌は一括してPPLOとよばれるようになった。そして1956年になり命名規約にもとづいて，マイコプラズマという学名が与えられた。

ヒトにおける意義は，1944年にEatonらが原発性異型肺炎の病原菌を孵化鶏卵によって発見しEaton因子とよんでいたが，その後1962年Chanockが特殊な培地を考案し純培養を行いEaton因子とよばれていたものは，マイコプラズマと同一のものであるということが明らかとなり，急速にこの方面の学問の研究が進歩した。

ヒトから分離されるマイコプラズマは，*Mycoplasma*属と*Ureaplasma*属に分類され，人工培地に発育可能な自己増殖性微生物のうちで最も小さい（濾過性病原体）（表9.16.1）。

特徴

マイコプラズマは次の特徴をもっている。

1) 細胞壁を完全に欠き，細胞表面が3層からなる限界膜に覆われている。
2) 培養形態は著しい多形性を示し，幅125～250nmの球状あるいは楕円形に近いものから，150μmにも及ぶフィラメント状，らせん状を示すものなどが観察される。
3) 最小再生単位は大型ウイルスとほぼ同じ大きさで，細菌濾過器を通過する。
4) 核酸はDNAとRNAをもち，人工培地での発育が可能である。
5) グラム陰性，通性嫌気性，非運動性で芽胞を形成しない。
6) 発育にコレステロールを必要とする。
7) PPLO寒天培地などの固型培地に5～14日間で1mm以下の微小コロニーをつくり，光学顕微鏡（40～100倍）で観察できる。

表9.16.1　*Mycoplasma*科の分類

科	属	種
Mycoplasmataceae	*Mycoplasma*	*M. pneumoniae*
		M. salivarium
		M. orale（type 1）
		M. buccale（*M. orale* type 2）
		M. faucium（*M. orale* type 3）
		M. fermentans
		M. hominis
		M. genitarium
	Ureaplasma	*U. urealyticum*

用語　PPLO（pleuropneumonia-like organism）

9. 16. 1 マイコプラズマ属（Genus *Mycoplasma*）

マイコプラズマは発育にコレステロールを必要とする。至適温度は36～37℃，至適pHは約7.0で，動物およびヒトに広く分布している。

1. マイコプラズマ・ニューモニエ（*Mycoplasma pneumoniae*）

ヒトから分離されるマイコプラズマのうちで，病原性が明らかなものは*M. pneumoniae*で原発性異型肺炎（マイコプラズマ肺炎）の原因となる。胸部X線像で，境界不鮮明な均質で淡い浸潤影が見られる。4年ごとのオリンピックの年に流行するといわれていたが，近年はその周期が崩れつつある。感染経路は飛沫感染で，小児，学童に多く，学校，職場，家庭内で感染が見られる。1～3週の潜伏期の後，咳嗽，発熱，結膜充血，頭痛などをきたす。症状は一般に軽いが頑固な咳嗽が持続する。

培養

マイコプラズマは，通常の培地には発育しない。分離にはマイコプラズマ寒天培地（PPLO寒天培地）を用いる。湿潤環境で35～37℃，数日間以上培養すると1mm以下の小コロニーを形成するが肉眼では確認できないので低倍率（40～100倍）の顕微鏡下で観察する（図9.16.1）。コロニーは丸く，無色で，大きさ幅10～600μm。分離当初のコロニーは桑の実状であるが，継代すると目玉焼き状となってくる。コロニーは培地の中に食い込んで形成され，中央部は厚く，周囲にいくほど薄くなっている。そのためコロニーをかきとるのがきわめて困難である。

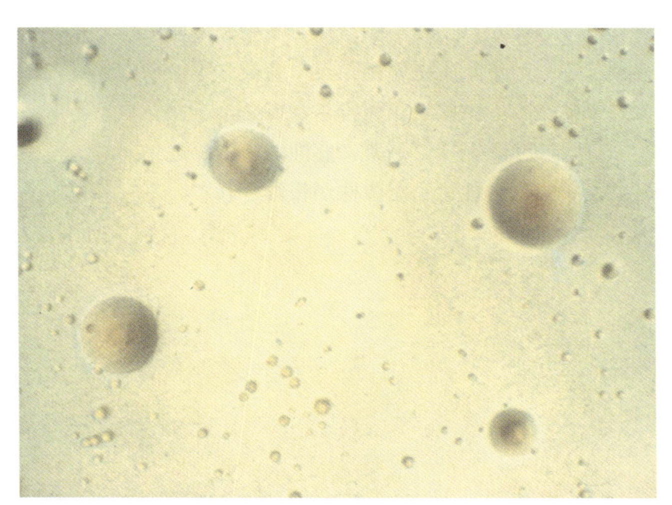

図9.16.1 マイコプラズマコロニー

同定

*M. pneumoniae*はブドウ糖を分解し，アルギニン加水分解テスト陰性，ウレアーゼテスト陰性である。固体培地のコロニーはニワトリ赤血球などを吸着する。モルモットまたはヒツジの赤血球を溶血する（表9.16.2）。

抗菌薬感受性

細胞壁を欠くためペニシリン系やセフェム系などのβ-ラクタム系薬は無効である。マクロライド系薬およびテトラサイクリン系薬が感受性を有するが，マクロライド耐性株の増加が報告されている。

検査

確定診断には，病原菌を分離培養するか，検体から直接抗原や特異DNAを検出する方法がある。分離培養には特殊培地が必要で，コロニーが出現するまでに14日前後の日数を要するため，臨床的意義は低い。培養によらない早期診断法として，直接抗原検出，DNAハイブリダイゼーションまたは遺伝子増幅法が行われる。直接抗原検出や遺伝子増幅法は検査試薬が市販されており手軽に利用可能となっている。

補助的診断としての血清学的検査には，寒冷赤血球凝集反応や特異的血清反応が用いられる。寒冷赤血球凝集反応は特異的反応ではなく自己免疫反応の一種であるが，原発性異型肺炎において上昇頻度が高いため補助的に用いられる。特異抗体価の測定法は，補体結合反応，赤血球凝集反応または粒子凝集反応（PA，HDPA）が広く行われている。

表9.16.2 ヒトから分離される*Mycoplasma*属菌と*Ureaplasma urealyticum*の性状，分離材料，病原性

菌種	ブドウ糖発酵	アルギニン加水分解	尿素分解	ヒツジ血球溶血性	モルモット血球吸着性	検体	病原性
M. pneumoniae	+	−	−	β	+	喀痰，咽頭粘液	異型肺炎，気管支炎
M. salivarium	−	+	−	−	+	喀痰，咽頭粘液	尿道炎，卵管炎
M. orale	−	+	−	−	−	口腔粘液	尿道炎，卵管炎
M. buccale	−	+	−	−	−	口腔粘液	
M. faucium	−	+	−	−	−	口腔粘液	
M fermentans	+	+	−	−	−	泌尿・性器分泌液	
M. hominis	−	+	−	−	−	泌尿・性器・結膜分泌液	
U. urealyticum	−	−	+	β (W)	+	泌尿・性器分泌液	

β：β溶血，W：weak。

用語 粒子凝集反応（particle agglutination；PA）高比重粒子凝集反応（high density particle agglutination；HDPA）

染色

臨床材料の直接塗抹標本では菌体は検出されない。発育コロニーの染色にはディーンス（Dienes）の方法が用いられる。マイコプラズマのコロニーは青く染まる。

2. その他のマイコプラズマ

*M. hominis*は泌尿生殖器の常在菌として女性の約20～50%から分離される。泌尿生殖器に定着している*M. hominis*が帝王切開，子宮がんや卵巣がんの手術によって骨盤内感染や創傷感染，そして血行播種性に敗血症，関節炎，髄膜炎などを発症することがある。血液寒天培地で炭酸ガス環境下あるいは嫌気性環境下で2～3日間培養後に微小コロニーを形成する。コロニーをグラム染色して菌体を確認できなかった場合には，上述の患者背景と併せて本菌を疑う根拠となる。*M. hominis*はβ-ラクタム系薬だけでなくエリスロマイシン，クラリスロマイシンにも耐性で，クリンダマイシン，ミノサイクリン，ニューキノロン系薬には感性を示す。

*M. genitalium*はゲノムサイズが約58万bpで自己増殖可能な最少の細菌である。1980年にTullyとTaylor-Robinsonらにより非淋菌性尿道炎の患者からはじめて分離され，1983年に新種として記載された。*M. genitalium*は男性の症候性・無症候性尿道炎の原因となり，非淋菌性尿道炎（NGU）の約15～20%，非クラミジア性NGUの20～25%，持続性・再発性尿道炎の40%を占める。女性では，子宮頸管炎，骨盤内炎症性疾患（PID），早産，自然流産，不妊症との関連性が示されている。臨床検体からの*M. genitalium*の分離培養は極めて困難であり，コロニー形成までに最低6カ月を要する。したがって，日常検査では核酸増幅法による検出が一般的である。腟トリコモナスと本菌との同時核酸検出検査が2022年6月に保険収載された。*M. genitalium*は細胞壁をもたないため，細胞壁生合成を標的としたβ-ラクタム系薬は本菌に無効である。近年，マクロライド耐性やキノロン耐性*M. genitalium*の出現が，尿道炎治療を行ううえで世界的な問題となっている。

9. 16. 2　ウレアプラズマ属（Genus *Ureaplasma*）

*Ureaplasma*属菌は1954年にNGU患者から初めて分離された。発育にコレステロールを要求するマイコプラズマ科に属する。PPLO培地でマイコプラズマより小さな（Tiny）コロニーを形成する一群の微生物であったことからT-Mycoplasmaと呼ばれていたが，1974年に*Ureaplasma*属が新設された。2022年現在，*U. urealyticum*や*U. parvum*など9菌種が記載されている。尿素を加水分解できるが，ブドウ糖やアルギニンは非分解である。増殖培地（pH 6.0 ± 0.5）は尿素とフェノールレッド（指示薬）を加える。発育すると尿素を加水分解してアンモニアが発生するので赤色に変化する。

*U. urealyticum*は10種類（2，4，5，7，8，9，10，11，12，13）の血清型が存在する。尿道，外陰部粘膜，腟などに常在しており，性的な接触で伝播し，NGUや子宮頸管炎などの起因菌とされている。早期産児，低出生体重児，絨毛膜羊膜炎，不妊，流産との関連が疑われているが，まだ不明な点も多い。テトラサイクリン系薬やマクロライド系薬に感性である。近年，ニューキノロン系薬に耐性化した菌株が報告されている。

*U. parvum*は2002年に*U. urealyticum*から独立した菌種で，種形容語の「*parvum*」は*U. urealyticum*よりゲノムサイズが小さいことに由来する。*U. urealyticum*の4種類（1，3，6，14）の血清型を示した株が本菌種に移籍された。尿道，外陰部粘膜，腟などに常在しており，早期産児，低出生体重児，絨毛膜羊膜炎，不妊，流産との関連が疑われているが，まだ不明な点も多い。泌尿生殖器系の術後創部感染症，新生児の髄膜炎や肺炎，手術後の骨盤内感染，縦隔炎，心内膜炎が報告されている。マクロライド系薬やテトラサイクリン系薬に感性である。近年，ニューキノロン系薬に耐性化した菌株が報告されている。

［大楠清文］

用語　エリスロマイシン（erythromycin；EM），非淋菌性尿道炎（nongonococcal urethritis；NGU），テトラサイクリン（tetracycline；TC）

9.17 | リケッチア

- 偏性細胞寄生性であり，人工培地では増殖できない。
- 細胞壁をもち，細胞内にはDNAとRNAをもつ。
- 2分裂で増殖する。
- ダニ，シラミ，ノミなどの節足動物の腸管に寄生している。

概要

1916年にH. da Rocha-Limaが発疹チフス患者に付着していたシラミの腸管細胞内に，従来の細菌より小型の人工培地に発育しない新しい型の微生物を発見し，発疹チフスの病原体とした。そして，この分野での先の研究において病原体を発見しながらも感染し若くして亡くなったRicketts (1910) とProwazek (1915) の貢献を讃え，*Rickettsia prowazekii*と命名した。その後，続々と発見された類似の微生物の名称は研究者の名前に由来するものが多い。

リケッチア症に関連する細菌は，リケッチア科，アナプラズマ科，ホロスポラ科からなる。ヒトに病原性があるのはリケッチア科のリケッチア属（*Rickettsia*），オリエンチア属（*Orientia*），アナプラズマ科のエールリキア属（*Ehrlichia*），アナプラズマ属（*Anaplasma*），ネオリケッチア属（*Neorickettsia*）である（図9.17.1）。

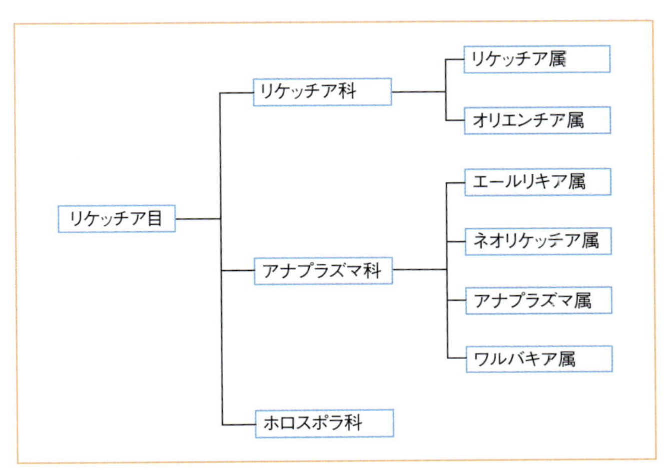

図9.17.1　リケッチアの分類

特徴

リケッチアは，動物細胞内でしか増殖できない微生物であり，節足動物とともに自然界に存在している。人獣共通感染症を起こす病原体の1つとして重要である。

リケッチア属のおもな特徴は，

- 偏性細胞内寄生性である。
- 光学顕微鏡で観察できるが一般の細菌より小型である。
- 細菌濾過器を通過しない。
- グラム陰性球桿菌で約0.4 × 0.8〜2.0 μmの多形性を示す。
- Giemsa染色でよく染まり赤紫色の球桿菌として観察される。
- 細胞壁をもち，細胞内にはDNAとRNAをもつ。
- 2分裂で増殖する。
- ダニ，シラミ，ノミなどの節足動物の腸管に寄生していてヒトその他の動物に感染して病原性を発現する。
- テトラサイクリンなどの薬剤に感受性を示す。

などがあげられる。

抗菌薬感受性

治療薬にはテトラサイクリン（TC），とくにミノサイクリン（MINO），クロラムフェニコール（CP）などの抗菌薬が有効である。

検査

①培養法

患者血液を検体として，マウス，モルモット，ラットなどの感受性を有する動物に接種し継代培養できる。発育鶏卵，培養細胞への接種によって培養することもできる。

②血清学的診断法

抗体価測定は，急性期と回復期のペア血清を測定し，4倍以上の上昇を認めた場合を有意とする。

用語　テトラサイクリン（tetracycline；TC），ミノサイクリン（minocycline；MINO），クロラムフェニコール（chloramphenicol；CP）

i）リケッチアを特異抗原とし特異抗体を測定する方法

補体結合反応（CF），間接免疫ペルオキシダーゼ法（IP），ELISA法，間接蛍光抗体法（IFA）などがある。

ii）ワイル・フェリックス反応（WFR）

リケッチアと変形菌（*Proteus vulgaris*）の菌体の共通抗原（OX_{19}株，OX_2株，OX_K株）を利用した凝集反応で，リケッチア症患者血清と変形菌との間の凝集を測定する。リケッチア症のスクリーニングテストとして用いられているが，群特異性はあるものの，病原体そのものを抗原としていないので診断的価値は低い。

③遺伝子診断法

遺伝子増幅法などで感染の疑いがある患者血液中からリケッチアの遺伝子を検出することによって，早期診断が可能である。

予防

予防には，媒介昆虫・保菌動物の駆除，ワクチン接種などを行う。

9. 17. 1　リケッチア属（Genus *Rickettsia*）

1. 発疹チフスリケッチア（*Rickettsia prowazekii*）

発疹チフスとブリル・ジンサー病の病原体である。数々の戦争において大流行を起こし，第一次，第二次世界大戦においては，欧州を中心に，数百万人の死者が報告された。病原体の保有はヒトであり，コロモジラミやアタマジラミによって媒介され，ヒトからヒトへ伝播する。1～2週の潜伏期の後，悪寒，高熱，頭痛，筋肉痛で発症する。発疹は体幹にバラ疹として出現し，全身に拡散し出血斑に移行する。中枢神経系症状，有熱期の頻脈，血圧下降などの症状を呈することもある。化学療法薬のなかった時代の致命率は10～70%といわれている。免疫蛍光法，ワイル・フェリックス反応（WFR），ELISA法などで診断する。ニール・ムーザー反応（腹腔内に検査材料を接種した雄モルモットの陰嚢に発赤と腫脹が現れる反応）が陽性である。感染後，免疫は成立するが，リケッチアはリンパ節に存続し得る。体内に存続したリケッチアが，宿主の免疫低下により再活性した場合（再発型）をブリル・ジンサー病といい，この場合，症状は発疹チフスよりも軽く発疹を伴わないことが多い。

2. 発疹熱リケッチア（*Rickettsia typhi*）

発疹熱の病原体で，世界各地に風土病的に存在している。ネズミノミによって，ネズミからネズミに媒介される。ヒトへは偶発的にネズミから媒介される。症状は発疹チフスに似ているが予後は良好で，致命率は低い。WFRは発疹チフスリケッチアと同じOX_{19}株を凝集する。発疹チフスリケッチアとは粒子抗原を用いた補体結合反応で血清学的に鑑別することができる。ニール・ムーザー反応は陰性である。

3. 紅斑熱群リケッチア

紅斑熱群リケッチアは世界中に広く分布するリケッチアで，その代表はロッキー山紅斑熱リケッチアであるが，その抗原的類縁種が地中海，シベリア，北アジア，日本などにも存在する。

(1) ロッキー山紅斑熱リケッチア（*Rickettsia rickettsii*）

もともとはロッキー山地方の風土病として知られていたが，今では米国南部を中心に広範囲に広がっている。森林マダニ，アメリカイヌダニ，ウサギダニ，テキサスダニなどの種々のダニによって媒介される。これらのダニはリザーバーとベクターを兼ねている。症状は発疹チフスと似ている。発疹の出現は発疹チフスでの広がり方とは逆で，手足から体幹へ広がる。血栓形成を主症状として播種性血管内凝固症候群（DIC）へ発展することもある。WFRは，OX_{19}株とOX_2株に対して陽性反応を示す。

(2) 日本紅斑熱リケッチア（*Rickettsia japonica*）

わが国には紅斑熱は存在しないと思われていたが，1984年，四国の南東部で高熱，頭痛，発疹を主訴とする患者が発生し，血清学的検査の結果，紅斑熱群リケッチアと共通抗原をもつと同時に独自の特異抗原をもつことが明らかとなり*Rickettsia japonica*と命名された。以後，西日本を主体に各地で発生が確認されている。WFRはOX_2型に対して陽性反応を示す。

用語　補体結合反応（complement fixation test；CF），間接免疫ペルオキシダーゼ法（indirect immunoperoxidase method；IP），酵素免疫測定法（enzyme-linked immunosorbent assay；ELISA），間接蛍光抗体法（indirect fluorescent antibody technique；IFA），ワイル・フェリックス反応（Weil-Felix reaction；WFR），ブリル・ジンサー（Brill-Zinsser），ニール・ムーザー反応（Neill-Mooser reaction），発疹熱（murine typhus），播種性血管内凝固症候群（disseminated intravascular coagulation syndrome；DIC）

4. ツツガ虫病リケッチア (*Orientia tsutsugamushi*)

ツツガ虫病は，古くから新潟県，山形県，秋田県で発生する熱性・発疹性疾患として知られていた。農作業，森林作業などで *O. tsutsugamushi* を保有するツツガムシ幼虫に刺咬されることにより発病するので，ツツガムシ幼虫に刺された刺口（小潰瘍）が必ず存在する。

ツツガムシは *O. tsutsugamushi* のリザーバーとベクターを兼ねており，経卵垂直伝播によって次世代へ伝えられる。ツツガムシは卵→幼虫→若虫→成虫という変態サイクルの過程で卵からかえった幼虫の時期に一度だけ宿主動物を刺してその組織液を吸い，その後は地表や土中で生活する。ヒトは地表に出た *O. tsutsugamushi* を保有するツツガムシ幼虫に刺咬されることによって感染する。ヒトにリケッチアを伝播する代表的なものはアカツツガムシ，タテツツガムシ，フトゲツツガムシの3種類である。

10日前後の潜伏期の後は，頭痛，発熱，全身倦怠などで急激に発症する。発疹，局所リンパ節の腫脹，悪寒，関節痛，筋肉痛などの症状を呈する。発疹は体幹と顔面に初発後，四肢に及ぶ。皮膚の刺された部分（刺し口）は軽い発赤を示し，4〜5日目には小さな水疱をつくり，やがて直径1cm前後の潰瘍となり，次いで黒褐色の痂皮となる。

治療は，ミノサイクリン（MINO）などのテトラサイクリン系薬の投与が有効である。β-ラクタム系薬，アミノグリコシド系薬は無効である。

WFRは OX_K 株に対して陽性反応を示す。

9.17.2 エールリキア属（Genus *Ehrlichia*）

1991年に米国でダニに刺されて急性熱性疾患を発症した患者から新種の *E. chaffeensis* が検出され，本菌が主として単球内で増殖することからヒト単球性エールリキア症とよばれている。エールリキア症の症状は，発熱，不快感，筋肉痛，頭痛などがあり，重症例では呼吸不全，腎不全，中枢神経系症状，消化管出血などをきたして死亡する例もあるが，臨床症状としてあまり特徴的ではない。

9.17.3 ネオリケッチア属（Genus *Neorickettsia*）

西日本で，鏡熱（熊本県），日向熱（宮崎県），土佐熱（高知県）などとよばれ散発していた地方病の病原体である。欧米の伝染性単核球症（腺熱）（EBウイルスが原因）と類似した症状のため同一のものと考えられていたが，1953年に，ある種のリケッチアが検出され，独立した疾患であることが判明した。そのリケッチアは *Rickettsia sennetsu* と命名されていたが，*Ehrlichia sennetsu* と改名され，さらに近年，16S rRNAの類似性からアナプラズマ科のネオリケッチア属に再分類され，*Neorickettsia sennetsu* となった。保有動物と媒介動物がまだ明確ではない。現在，わが国ではほとんど発生は見られないが，東南アジアでは発生している。

［大楠清文］

用語　ツツガ虫病（tsutsugamushi disease），エプスタイン・バー（Epstein-Barr；EB）

9.18　クラミジア

・偏性細胞寄生性であり，人工培地では増殖できない。
・増殖環において，基本小体と毛様体の 2 種類の形態をとる。
・DNA と RNA の両方を有している。
・鳥類，哺乳類などに感染し，自然界に広く分布している。
・感染の伝播に節足動物の介在を必要としない。

従来，クラミジア科（*Chlamydiaceae*）はクラミジア属（*Chlamydia*）の1属のみであったが，1999年の新分類により16S rRNAと23S rRNAの塩基配列にもとづく新たな分類が提唱された。クラミジア属（*Chlamydia*）とクラミドフィラ属（*Chlamydophila*）に分類され，ヒトに病原性を示す3菌種であるトラコーマ・クラミジア（*Chlamydia trachomatis*）は*Chlamydia*属に，肺炎クラミジア（*Chlamydophila pneumoniae*）とオウム病クラミジア（*Chlamydophila psittaci*）は*Chlamydophila*属に再編された。しかしその後に，専門家で議論され，*Chlamydia*属に戻すことになった。

特徴

・一般細菌より小さい（0.3μm）球状菌である。
・光学顕微鏡で観察できる。
・偏性細胞寄生性であり，人工培地では増殖できない。
・増殖環において，基本小体（EB）と網様体（RB）の2種類の形態をとる。
・DNAとRNAの両方を有している。
・リボソームをもち2分裂で増殖する。
・鳥類，哺乳類などに感染し，自然界に広く分布している。
・感染の伝播に節足動物の介在を必要としない。
・テトラサイクリン系，マクロライド系，ニューキノロン系などの抗菌薬に感受性がある。

①増殖環

クラミジアはほかの微生物と区別される特徴的な増殖環をもつ（図9.18.1）。宿主細胞外にあるEBが宿主細胞に吸着・感染すると，宿主細胞膜が包み込み，ファゴソームを形成し，EBが大型のRBに変わり2分裂増殖する。やがて，大きな封入体内で，網様体から中間体（IF）へ経て再びEBに変わり，細胞外に放出される。

染色性

染色性をみると，Macchiavello染色（マキアベロ染色）ではRBは青色に，EBは赤色に染め分けられる。Giemsa染色ではRB，EBの染め分けはできないが，封入体の染色に用いられる。*C. trachomatis*の封入体をヨード染色液（またはルゴール液）で染色すると，グリコーゲンの蓄積により茶色に染まる（図9.18.2，9.18.3）。

抗菌薬感受性

クラミジア感染症に対する治療は，テトラサイクリン系薬〔ミノサイクリン（MINO），ドキシサイクリン（DOXY）など〕が投与される。

検査

クラミジア感染症の診断は，臨床材料からクラミジアを分離・同定することが基本であるが，技術的に容易ではな

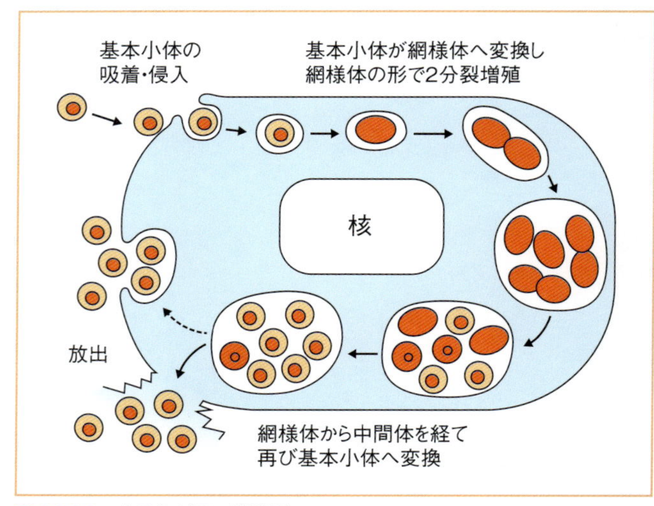

図 9.18.1　クラミジアの増殖環

用語　基本小体（elementary body；EB），網様体（reticulate body；RB），ファゴソーム（phagosome），中間体（intermediate form；IF），ミノサイクリン（minocycline；MINO），ドキシサイクリン（doxycycline；DOXY）

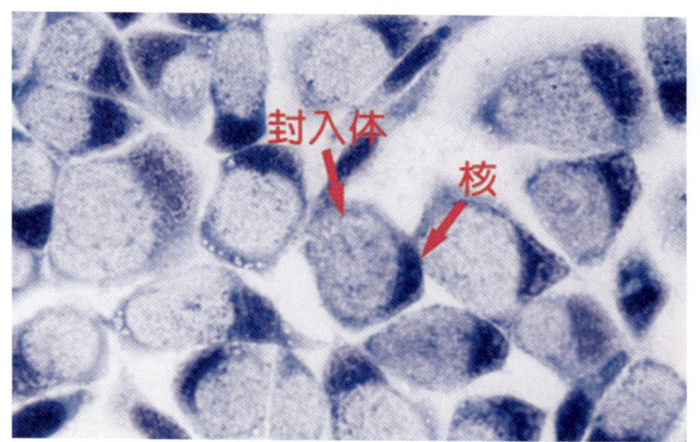

図 9.18.2　*C. trachomatis* の感染した細胞の Giemsa 染色

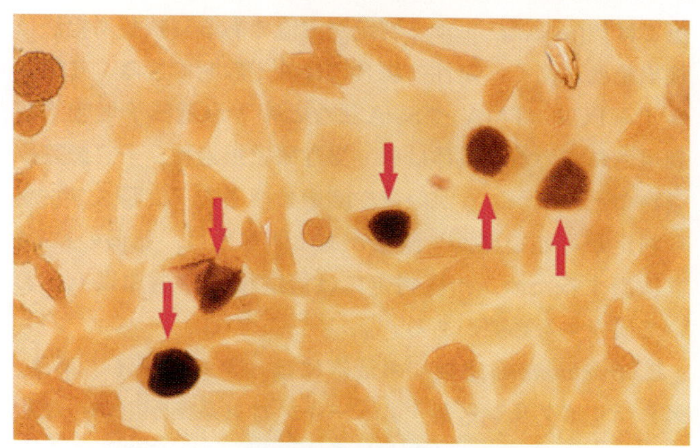
図 9.18.3　*C. trachomatis* の感染した細胞のヨード染色

いため，臨床の場では実施されることは少ない。その他の方法として，抗原または特異遺伝子を検出する方法がある。日常検査として利用しやすいものとして，直接蛍光抗体法で抗原を検出する方法がある。また，酵素抗体法は，属共通抗原であるリポ多糖（LPS）を使用しているのでトラコーマ・クラミジア，肺炎クラミジア，オウム病クラミジアの検出が可能であり，尿検体（初尿沈渣）からの検出も可能である。

補助的診断法としての抗体価測定は，ELISA法によりIgGとIgAを測定し，IgA抗体陽性であればクラミジア感染を疑う。

9. 18. 1　クラミジア属（Genus *Chlamydia*）

1. トラコーマ・クラミジア（*Chlamydia trachomatis*）

C. trachomatis によって引き起こされる性器クラミジアは，淋病の発生を上回る最も頻度の高い性感染症（STD）である。また，*C. trachomatis* はNGUの起因菌を代表する。*C. trachomatis* は男女両方において尿道炎，直腸炎，結膜炎を，男性では精巣上体炎，副睾丸炎，前立腺炎，女性では子宮頸管炎や卵管炎，Fitz-Hugh-Curtis症候群（肝周囲炎）を起こす。卵管細胞の微絨毛に付着して細胞内に侵入した後で増殖して，細胞を破壊する。結果として，卵管内腔の狭窄と卵管蠕動運動の障害を招き，不妊症や子宮外妊娠，流早産の合併症や後遺症の原因となるため，本感染症の早期診断と治療が大切である。また，クラミジア感染症の低年齢化と無徴候性感染の増加が憂慮されている。男性での尿道炎は淋菌性と異なり，痛みも軽く，分泌物も透明感の粘液性であるため，特異的な自覚症状に乏しい。同じく，女性においても無徴候性の割合が高いため，気づかないうちにパートナーに感染させることになる。口腔性交（オーラルセックス）による無徴候性の咽頭感染も少なくない。したがって，患者本人だけでなく，性的パートナーについても症状の有無に関わらず，検査の必要性を強調すべきである。また，とくに10歳代後半から20歳代の若年齢層における無徴候性感染者を発見するには，スクリーニング検査の実施がきわめて重要である。

トラコーマ（trachoma）は *C. trachomatis* 血清型A，B，BaまたはCの感染に関連した慢性角結膜炎である。角膜への血管侵入（パンヌス）して潰瘍を形成して結果的に角膜瘢痕と失明を伴う場合がある。感染者の眼から手やタオルなどを介して伝播する。未治療の場合，角膜潰瘍を合併し失明するが，現在わが国ではほとんど見られなくなった。一方，封入体結膜炎は *C. trachomatis*（通常血清型D〜K）がおもに生殖器の分泌物から伝播する急性の眼感染症である。重症化することは少なく，一般に予後は良好である。新生児では出産時に産道で感染して結膜炎や肺炎の原因となる。

鼠径リンパ肉芽腫症は，*C. trachomatis* の特定の株（L1，L2，およびL3血清型）によって起こるまれなSTDである。この疾患はおもに男性で起こり，鼠径部またはその近くのリンパ節が腫れる。クラミジアの感染細胞は，リンパ腺から直腸に移動し，激痛を伴う直腸肛門炎を引き起こすことがある。

C. trachomatis 感染症の診断は，分離培養の検出感度は40〜80%と低く，検査施設が限られているので，実際の診

用語　リポ多糖（lipopolysaccharide；LPS），酵素免疫測定法（enzyme-linked immunosorbent assay；ELISA），性感染症（sexually transmitted infection；STI）

療では核酸増幅法による判定が主流である。核酸増幅法は，検出感度が高く，陽性の場合には確定診断できる。リアルタイムPCR，TMA やSDA法などの等温遺伝子増幅法が利用されている。検体は尿，男性尿道擦過物，子宮頸管擦過物などのほか，うがい液や咽頭の擦過物，直腸スワブでも判定が可能な機器・試薬がある。本法は，死菌のDNAも検出するため，治癒判定には治療後2〜3週間以上をおいて検査する必要がある。

*C. trachomatis*感染症の治療には，マクロライド系薬，テトラサイクリン系薬，ニューキノロン系薬が用いられる。とくに，アジスロマイシンは*C. trachomatis*に対して高い抗微生物活性を有し，細胞内で濃縮されることから1,000mg単回投与で約10日間の効果が持続する。

2. オウム病クラミジア（*Chlamydia psittaci*）

鳥類・哺乳類を本来の宿主とするクラミジアで，ヒトに対しては鳥類からの感染により肺炎・全身性熱性疾患を起こす人獣共通感染症の病原体である。餌の口移しや鳥かごの清掃時に罹患鳥の排泄物中の*C. psittaci*を吸引するなどにより感染するが，ヒトからヒトに感染することはまずない。1〜2週間の潜伏期の後，悪寒，発熱，頭痛などの全身倦怠感で発症し，肺炎症状を呈することが多い。ときには多臓器不全を呈し死に至ることもある。迅速診断を行い，早期治療が重要である。テトラサイクリン系やマクロライド系の抗菌薬が有効である。

3. 肺炎クラミジア（*Chlamydia pneumoniae*）

オウム病クラミジアの亜種として分類されていたが，1989年に新たな種として確立されたクラミジアである。ヒトを本来の宿主としてヒトからヒトへ伝播する。肺炎，気管支炎，遷延する乾性咳嗽などの気道感染を起こす。本菌による肺炎は，市中肺炎の約10%を占める。抗体保有率は年齢とともに上昇し，成人の抗体保有率は約60%である。本菌の肺炎は比較的症状が軽く経過するが，高齢者では重症化することもある。呼吸器感染症以外に，動脈硬化症との関係が示唆されているが，さらなる研究が必要である。

［大楠清文］

B. 微生物学的検査

10章 真菌

章目次

SUMMARY

真菌は細菌より種類が多く，われわれの環境に広く分布している。これらのなかには発酵・醸造食品の製造に利用され，われわれの生活に寄与するもの，腐敗・腐食の原因になるものなどがあり，一部はヒトの病原菌となる。病原真菌のなかで輸入真菌症の起因菌を除くほとんどの真菌は，ヒトに対する病原性が低く，健常者における真菌症は水虫などを除くとそれほど多くない。しかし，近年の感染症は免疫能が低下した易感染性患者に続発する日和見感染症がほとんどであり，その起因菌の1つとして真菌は重要である。真菌症は発生部位別に，①表皮（爪，毛髪を含む）や可視粘膜に病巣が形成される表在性真菌症，②真皮以下に形成される深部皮膚真菌症，③血液や各種臓器に形成される深在性真菌症（内臓真菌症），および④その他（耳真菌症，角膜真菌症）に分類され，病型別起因真菌はある程度限定される。臨床検査法は真菌の特性から細菌検査と異なる部分が多く，検査中の環境浮遊真菌による汚染にも留意が必要で，培養結果の判定は患者背景ならびに臨床症状を考慮し慎重に行う。ここでは，おもな病原性真菌を形態などから便宜上4群に分類し，それぞれの特徴，病型，および検査法などについて概述した。真菌は無性世代および有性世代別に2つの学名を有していたが，2011年の国際藻類・菌類・植物命名規約会議において，世代別二名法が廃止され，1菌種1学名とすることが決まり，現在作業中であるが，ここでは従来の学名で記述した。

10.1　酵母様真菌

- 酵母は球形～亜球形の形状を示す単細胞の真菌で，出芽あるいは 2 分裂によって増殖する。
- 酵母様真菌の多くは 25 ～ 30℃の好気培養，2 ～ 4 日でコロニーを形成する。
- 臨床検査室での同定は形態，生理学的性状および生化学的性状で行うが，近年では，質量分析装置を用いた同定も行われている。
- 日常検査に用いられることは稀であるが，必要に応じて分子生物学的方法も用いられる。

酵母様真菌は球形から亜球形のいわゆる酵母状の形態を示す単細胞真菌で，出芽（分芽）あるいは分裂によって増殖する。菌糸を形成する菌種もある。The Yeasts：A Taxonomic Study 第5版[1]には151属，1,312種の酵母が記載されているが，この中でヒトの起因菌となる頻度が最も高いのは*Candida*属菌で，次いで*Cryptococcus neoformans*および*C. gattii*，稀に*Pneumocystis jirovecii*，*Trichosporon asahii*，*Malassezia*属菌などであり，真菌の分類では子嚢菌門および担子菌門のいずれかに属す（表10.1.1）。簡易な鑑別法はウレアーゼの産生性で，*Candida*属菌は非産生，*Cryptococcus*属菌，*Trichosporon*属菌，*Malassezia* 属菌は産生である。

表 10.1.1　主要酵母のおもな生理学的・生化学的性状

分類	菌種	仮性菌糸形成	真正菌糸形成	厚膜胞子形成	分節胞子形成	発芽管形成	莢膜形成	37℃で発育	糖利用能										ウレアーゼ産生
									グルコース	スクロース	マルトース	ラクトース	セルビオース	トレハロース	ラフィノース	キシロース	ラムノース	イノシット	
子嚢菌門	*Candida albicans*	+	−	+	−	+	−	+	+	v	+	−	−	+	−	+	−	−	−
	C. glabrata	−	−	−	−	−	−	+	+	−	−	−	−	v	−	−	−	−	−
	C. guilliermondii	+	−	−	−	−	−	+	+	+	+	−	+	+	+	+	v	−	−
	C. krusei	+	−	−	−	−	−	+	+	−	−	−	−	−	−	−	−	−	−
	C. parapsilosis	+	−	−	−	−	−	+	+	+	+	−	−	+	−	+	−	−	−
	C. tropicalis	+	−	−	−	−	−	+	+	v	+	−	+	+	−	+	−	−	−
	Pneumocystis jirovecii	−	−	−	−	−	−		uk	uk	uk	uk	uk	uk	uk	uk	uk	uk	
担子菌門	*Cryptococcus neoformans*	−	−	−	−	−	+	+	+	+	+	−	+w	+	+w	+	+	+	+
	Trichosporon asahii	−	+	−	+	−	−	+	+	v	+	+	+	+	−	+	+	v	+
	Rhodotorula mucilaginosa	−	−	−	−	−	−	−	+	+	+	−	+	+	+	+	−	−	+
	Malassezia globosa	−	v	−	−	−	−	v											+

V：+または−，+w：弱陽性，斜線：同定検査に適用されない，uk：不明。

10. 1. 1　カンジダ属（Genus *Candida*）

1. カンジダ・アルビカンス（*Candida albicans*）

分類

子嚢菌門，サッカロミセス亜門，サッカロミセス目，デバリオマイセス科。

疫学

ヒトの消化管，口腔や腟などの粘膜および表皮などに常在している。宿主の免疫能低下に伴って発症する内因性真菌症の主要起因菌である。

形態

球形から亜球形（3～7 × 3～14μm）の酵母状形態を示し，酵母細胞が分裂せずに伸長した仮性菌糸も形成する。また

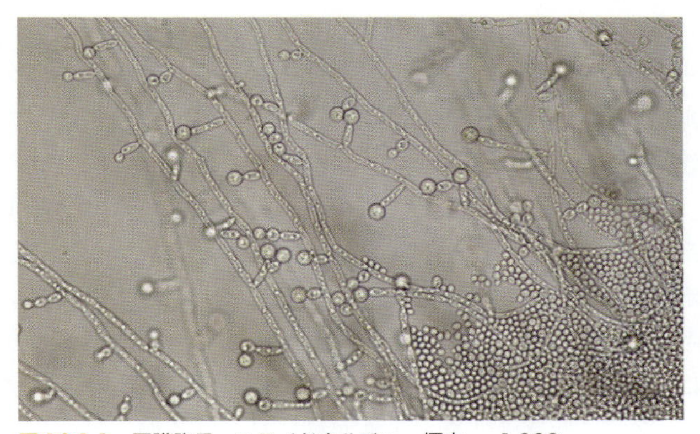

図 10.1.1　厚膜胞子　スライドカルチャー標本　×1,000

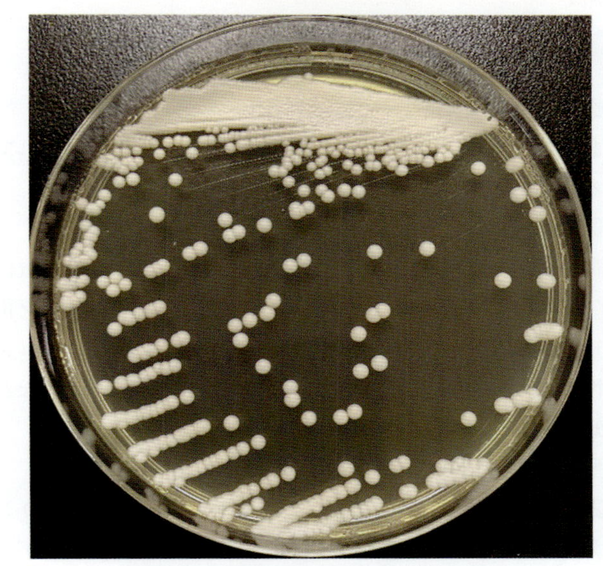

図 10.1.2　*C. albicans* のコロニー　SDA 培地

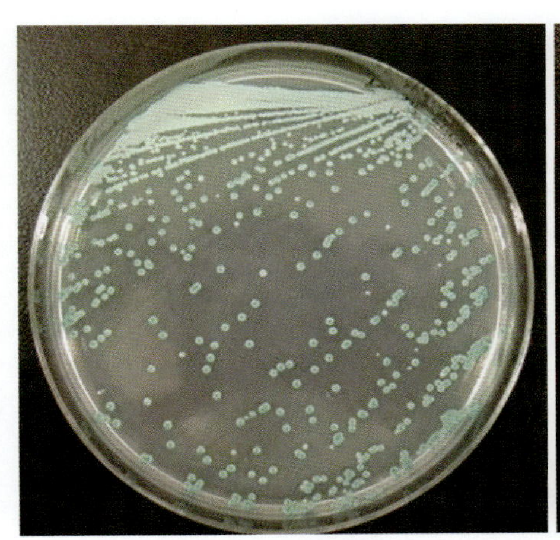

C. albicans

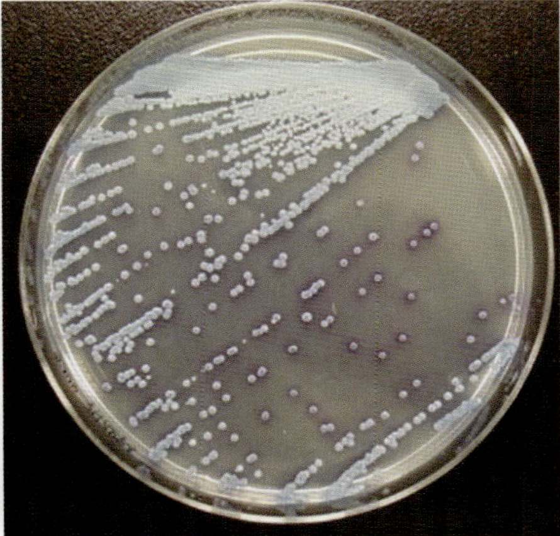

C. tropicalis

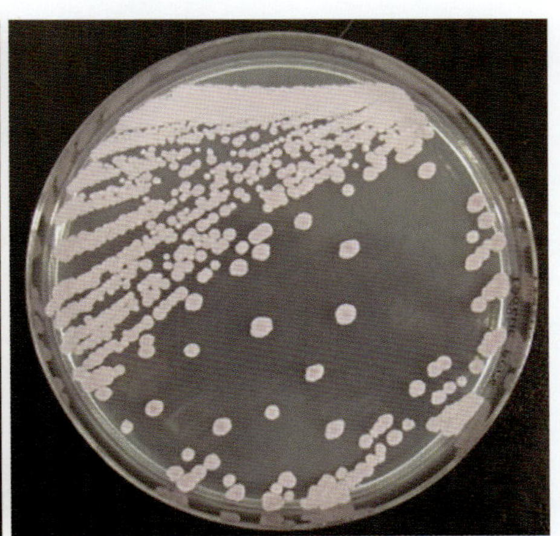

C. krusei

図 10.1.3　クロモアガーカンジダ® 培地でのコロニー

培養後の形態では菌糸先端に二重構造の厚い膜に包まれた厚膜胞子（図 10.1.1）を形成し，本菌種同定のポイントとなる。

培養

サブローデキストロース寒天（SDA）培地や酵素基質培地などの分離培地で，25～30℃で48時間，好気培養を行う。SDAでは，表面平滑，辺縁スムースな白色コロニーを形成する（図 10.1.2）。酵素基質培地では*Candida*属菌の主要菌種別に特有のコロニー色を示すことから複数菌の発育が明瞭となりスクリーニング培地として有用性が高く日常検査で多用されている（図 10.1.3）。

同定

本菌種の形態学的同定ポイントは，厚膜胞子および発芽管（ジャームチューブ）（図 10.1.4）の形成である。1995年に本菌種から独立して新菌種となった*C. dubliniensis*[1]も同様の性状を示すため識別は難しいが，*C. dubliniensis*は厚膜胞子を旺盛に産生すること，45℃で増殖しない点が鑑別性状となる。その他に糖の利用能などわずかに差があ

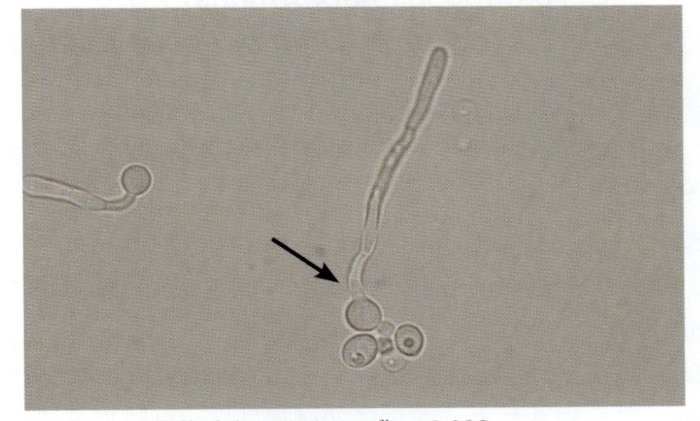

図 10.1.4　発芽管（ジャームチューブ）　×1,000

用語　サブローデキストロース寒天（Sabouraud dextrose agar；SDA）

ることから，同定検査キットによる同定が可能である（表10.1.1）。

迅速抗原検査

血中のカンジダ・マンナン抗原検出キットが市販されている。

病原因子

宿主細胞への接着因子として菌体表層に存在する糖蛋白（アグルチニン様蛋白，インテグリン様蛋白，マンナン蛋白），および宿主細胞の破壊にはたらく加水分解酵素（分泌性アスパラギン酸プロテアーゼ，ホスホリパーゼ）などが知られている。

病原性

表在性真菌症として口腔カンジダ症（鵞口瘡（がこうそう）），腟カンジダ症，皮膚カンジダ症および消化管カンジダ症などがあり，深在性真菌症としては開腹手術後あるいはカテーテル挿入時に発症するカンジダ血症，長期抗菌薬使用後の消化管の菌交代症として発症する深在性カンジダ症などがある。さらにこれらが進展してカンジダ性眼内炎を併発することも稀ではない。カンジダ血症の起因菌種別頻度は施設によって差があり，*C. albicans*は53～71％[2~4]程度であるが，経年的に減少しほかの*Candida*菌種（*C. parapsilosis*など）が増加の傾向にある。

抵抗性

酵母全般に対し，第四級アンモニウム塩，グルコン酸クロルヘキシジンおよび両性界面活性剤はほぼ有効，アルコール類，ポピドンヨード，次亜塩素酸ナトリウムおよびグルタラールは有効である。

治療

ポリエン系〔アムホテリシンB（AMPH-B）〕，アゾール系〔フルコナゾール（FLCZ），イトラコナゾール（ITCZ），ボリコナゾール（VRCZ）〕，キャンディン系〔ミカファンギン（MCFG），カスポファンギン（CPFG）〕薬のいずれにも比較的良好な感受性を示す。アゾール系薬（とくにFLCZ）に低感受性を示す株が稀に見られるが，耐性化率は低い。フルシトシン（5-FC）の抗菌力は弱く，通常使用されない。

2. その他の*Candida*属菌

*C. albicans*に次いで臨床材料から多く検出されるのは，*C. glabrata*，*C. tropicalis*，*C. parapsilosis*，*C. krusei*などで，血液からは*C. parapsilosis*，*C. glabrata*が，腟分泌物では*C. glabrata*，*C. tropicalis*が多く分離される。いずれもコロニーはSDAなどでは*C. albicans*と同様に白色でスムースだが，*C. krusei*はラフなコロニーを形成する。*C. glabrata*は仮性菌糸を形成しないのが特徴である。*C. krusei*および*C. glabrata*はアゾール系薬（VRCZ以外）に低感受性株が多い。

10. 1. 2　クリプトコックス属（Genus *Cryptococcus*）

1. クリプトコックス・ネオフォルマンス（*Cryptococcus neoformans*）／クリプトコックス・ガッティ（*Cryptococcus gattii*）

分類

担子菌門，ハラタケ亜門，シロキクラゲ目，シロキクラゲ科。

疫学

従来の*C. neoformans*は血清型でA，B，C，Dの4型に分けられ，さらに混合型であるAD型が存在したが，A，DおよびAD型は*C. neoformans*に，BおよびC型は*C. gattii*に分類された（さらに2014年には，血清型Aは*C. grubiii*とする提案[5]もある）。*C. neoformans*は鳥類の糞中に，*C. gattii*は特定種のユーカリの葉に多く存在するとされ[6]，ヒトは空中に浮遊するこれらの菌体または胞子を吸引して感染する。オーストラリアを除くほとんどの国で検出されるのは*C. neoformans*であるが，*C. gattii*も諸外国に広がりつつある。最近，遺伝子変異した高病原性*C. gattii*感染例がカナダや米国で報告され[6]，わが国においても散見されるようになり[7]，その動向が注目されている。

形態

球形から亜球形（3×8μm）の酵母で，出芽によって増殖し，菌糸は形成しない。臨床材料中の菌体は一般的に厚い莢膜を有し，墨汁法で観察可能であるが（図10.1.5）人工培地で培養後の菌体は莢膜が薄くなるため注意が必要である。血液ボトル培養液からのGram染色では，糸をひいたような特徴のある菌体として観察できる場合もある（図10.1.6）。

培養

真菌分離用培地で，25～30℃で2～3日，好気培養を行う。粘稠で辺縁がスムース，白色～クリーム色のコロニーを形成（図 10.1.7）するが，コロニーの粘稠度は使用培地や

用語　アムホテリシン B（amphotericin B；AMPH-B），フルコナゾール（fluconazole；FLCZ），イトラコナゾール（itraconazole；ITCZ），ボリコナゾール（voriconazole；VRCZ），ミカファンギン（micafungin；MCFG），カスポファンギン（caspofungin；CPFG），フルシトシン（flucytosine；5-FC）

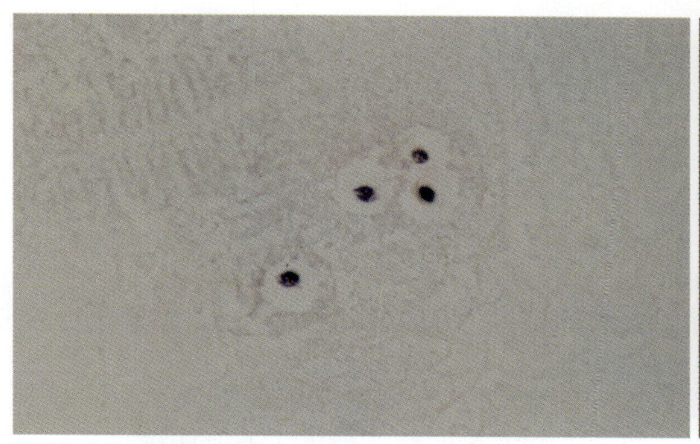

図 10.1.5　髄液中の *C. neoformans*
左：Gram 染色　×1,000，右：墨汁法　×400

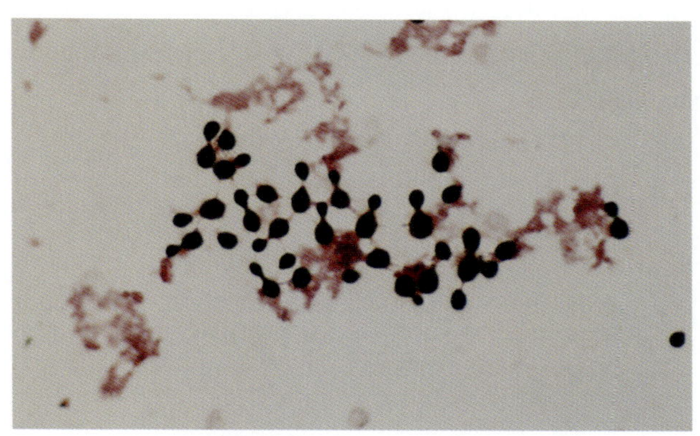

図 10.1.6　血液ボトル培養液で観察された *C. neoformans*　×1,000

菌株によって異なる。

同定

前述のように培養後は莢膜が薄くなるので注意して観察する。ウレアーゼを産生し，*Cryptococcus* 属菌のなかでは本2菌種のみがフェノールオキシダーゼを産生しメラニンを作るため，バードシード寒天培地では暗褐色〜黒色のコロニーとなる（図10.1.8）。その他に，硝酸塩資化試験，糖利用能などにより同定される（表10.1.1）。2菌種の鑑別にはCGB寒天培地を用い，*C. neoformans* は黄色，*C. gattii* は青色のコロニーとなる。

迅速抗原検査

血中および髄液中のクリプトコックス抗原検出キットが市販されている。ただし，*C. neoformans* 以外の *Cryptococcus* 属菌や *Cryptococcus* 属菌と近縁の *Trichosporon* 属菌は交差反応を示すため，偽陽性に注意が必要である。

病原因子

莢膜が食細胞による貪食，および莢膜多糖が食細胞による殺菌に抵抗する。また，メラニン産生に関与するフェノールオキシダーゼも殺菌抵抗因子と考えられている。

病原性

Cryptococcus 属菌は健常者でも感染し，健診などで胸部異常陰影を指摘され，稀に髄膜炎を発症することがあるが，多くは不顕性感染にとどまる。易感染性患者では，呼吸器感染症，髄膜炎，播種性感染症および皮膚感染症などを発症し，とくにAIDS患者における本症の併発率は高い。本菌は神経親和性が高く，髄膜炎の発症で本症を認識後，呼吸器感染に気付くことも多い。高病原性 *C. gattii* 感染例は病状の進展が速く，*C. neoformans* 症例より致死率が高い。

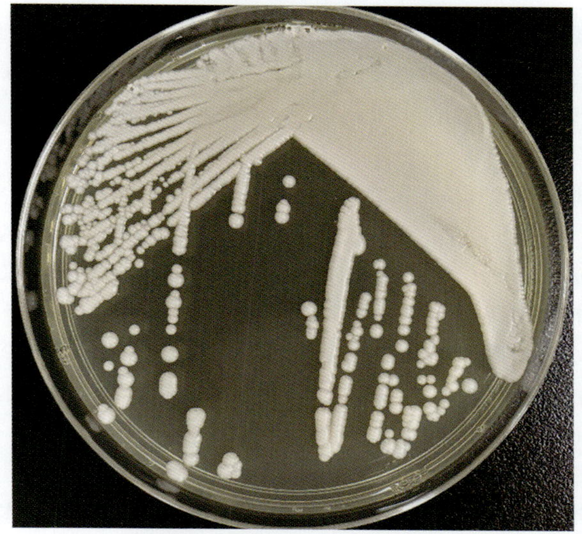

図 10.1.7　SDA 培地における *C. neoformans* のコロニー

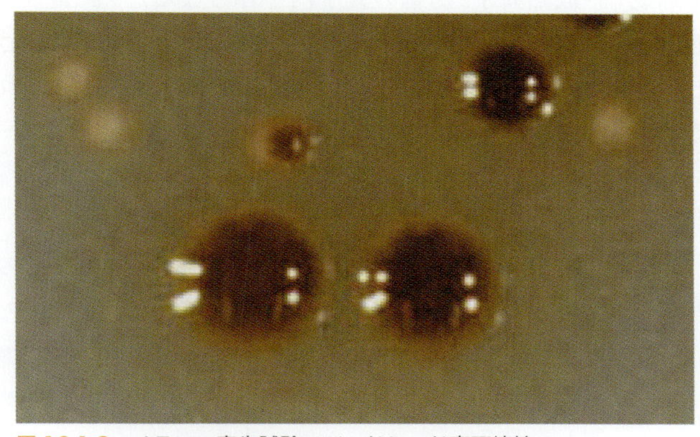

図 10.1.8　メラニン産生試験　バードシード寒天培地
茶色：*C. neoformans*，白色：*C. glabrata*。
〔阿部美知子先生より提供〕

用語　後天性免疫不全症候群（acquired immunodeficiency syndrome；AIDS），canavanine-glycine-bromthymol blue（CGB）

治療

ポリエン系〔アムホテリシンB（AMPH-B）〕，アゾール系薬〔フルコナゾール（FLCZ），イトラコナゾール（ITCZ），ボリコナゾール（VRCZ）〕に感受性を示す。フルシトシン（5-FC）はAMPH-Bとの併用で使用される。キャンディン系薬〔ミカファンギン（MCFG）〕は無効である。耐性株は少ない。

10. 1. 3 その他（*Pneumocystis jirovecii*, Genus *Trichosporon*, Genus *Malassezia*）

1. ニューモシスチス・イロベチイ（*Pneumocystis jirovecii*）

分類

子嚢菌門，タフリナ亜門，ニューモシスチス目，ニューモシスチス科。

疫学

単細胞の真核生物であり，以前は原虫に分類されていたが，分子生物学的解析により真菌へ編入された。菌種名は*Pneumocystis carinii*であったが，ヒトおよび動物由来菌は核酸が異なるとされ，ヒト由来菌は*P. jirovecii*，ラットなど動物由来菌は*P. carinii*となった。人工培地での培養法は確立されていない。ヒトは2～3歳までに不顕性感染しているとされ，気道に定着する。

形態

本菌の生活環は，感染組織の所見から栄養型（一倍体から二倍体）→前嚢子（嚢子内で減数分裂により嚢子内小体を形成）→成熟嚢子（8個の嚢子内小体となる）→脱嚢〈成熟嚢子から嚢子内小体〔放出後の栄養型（一倍体）〕を放出〉と考えられており，病巣中には各発育段階のものが含まれるが，鏡検標本では栄養型（1.5～5μm）および嚢子（4～5μm）の2形態が確認できる。

同定

臨床材料からの検出は，気管支肺胞洗浄液や喀痰などの直接鏡検あるいは直接PCR法（呼吸器系材料，血液）のいずれかである。染色は嚢子および栄養型のどちらかを染色し，両者を同時に染色する方法はない。一般的にAIDS症例は菌量が多く両形態が観察されるが，非AIDS症例は菌量が少なく栄養型が観察されない場合もあるとされる[8]。

〈嚢子染色〉Grocott染色（グロコット染色），toluidine blue O染色。

〈栄養型染色〉Giemsa染色*1，Gram染色。

〈直接PCR〉検査受託会社に依頼。

参考情報

*1：通常のGiemsa染色液は最低1時間の染色が必要で，5分程度で染色ができるGiemsa染色変法の検査キット“Diff-Quick”が市販されている。

嚢子（5μm）は，Grocott染色では紫黒色，toluidine blue O染色では薄紫色に染まる。栄養型はサイズが1.5～5μmと幅があるが概して小さく，集塊となって観察されることが多いので，Giemsa染色では点状に赤く染まる核を指標に，その周囲に細胞質が淡く染まっているものを検出する（図10.1.9）。

また，ニューモシスチス肺炎では血清中のβ-D-グルカンが高値を示すことが多いので，β-D-グルカンの測定は補助診断法として有用である[9]。

病原因子

栄養型表層にある糖蛋白質抗原のマンノース残基が，I型肺胞上皮細胞や肺胞マクロファージ上のマンノースレセプターと架橋することによって肺胞に接着，さらに宿主組織のフィブロネクチンが接着を強化しているとされる。

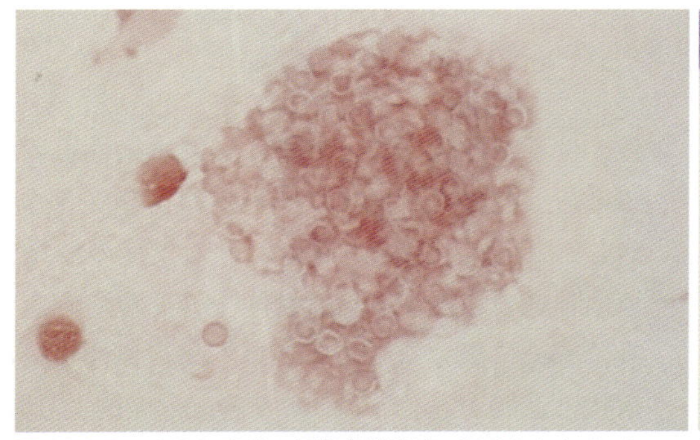
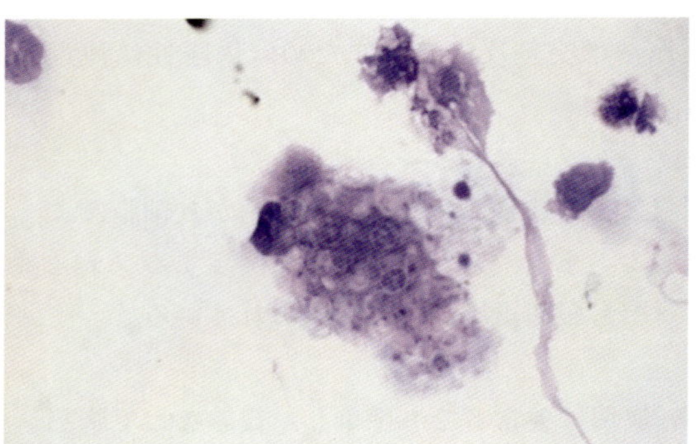

図10.1.9 AIDS患者の気管支洗浄液で認められた*P. jirovecii*の嚢子
左：Gram染色 ×1,000，右：Diff-Quick染色 ×1,000

用語 ポリメラーゼ連鎖反応（polymerase chain reaction；PCR）

病原性

白血病，膠原病，後天性免疫不全症候群（AIDS）および臓器移植などで宿主の免疫能が低下すると発症，または再感染後に発症する。とくにAIDSでの発症率は40%程度と高率である。病型は，肺炎（間質性）がほとんどで，肺胞腔内に充満した菌体と浸潤した細胞などにより肺胞のガス交換が障害され，低酸素血症をきたす。稀に血行性に播種し，他臓器にも病巣を形成する。

治療

抗菌薬のスルファメトキサゾール・トリメトプリム（ST合剤），あるいは抗原虫薬のペンタミジンが使用される。抗真菌薬は無効である。

2. トリコスポロン属（Genus *Trichosporon*）

分類

担子菌門，ハラタケ亜門，シロキクラゲ目，トリコスポロン科。

疫学

自然界，とくに土壌中に生息する。菌体表層の多糖成分が*C. neoformans*と共通抗原性を有する。ヒトは本菌の定着や吸引により，場合によって感染症あるいはアレルギー性呼吸器疾患を惹起する。

形態

円柱型～卵円形（3～7×3～14 μm）の分節型分生子および真正菌糸を形成する。

培養

SDA培地で，25～30℃，48時間好気培養すると，灰白色，ラフなコロニーを形成する。酵素基質培地では，薄ピンク色のコロニーでラフ感がわかりやすい（図10.1.10）。

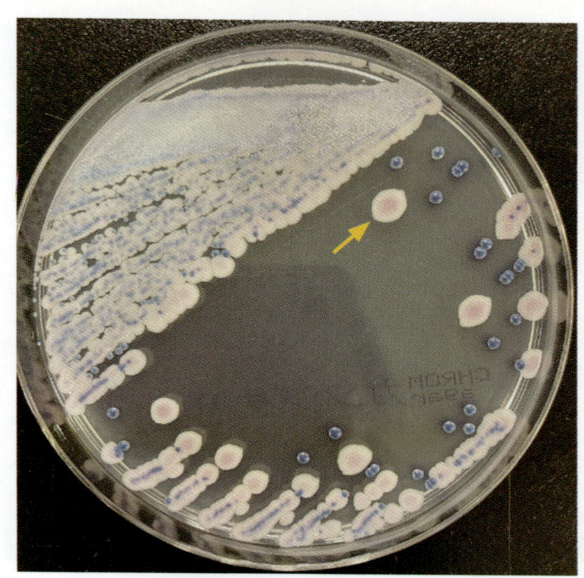

図10.1.10　クロモアガーカンジダ培地での*C. krusei*のコロニー．青色のコロニーは，*C. tropicalis*

同定

ウレアーゼ産生試験，糖利用能などで同定する（表10.1.1）。

迅速抗原検査

なし。*C. neoformans*と共通抗原を有するため，クリプトコックスの迅速抗原検査キットに交差反応を示す。

病原性

トリコスポロン感染症は，易感染性患者，とくに血液悪性腫瘍患者などに本菌による侵襲性トリコスポロン症が増加傾向にあり，予後不良である。原因真菌の多くは*Trichosporon asahii*である。また，アレルギー疾患として，夏型過敏性肺炎の原因にもなる。古くは*T. ovoides*や*T. inkin*などが毛髪に感染する白色砂毛（菌体が毛髪周囲に鞘状に発育する）があったが，最近はあまり見られない。

治療

アゾール系薬〔フルコナゾール（FLCZ），イトラコナゾール（ITCZ），ボリコナゾール（VRCZ）〕に比較的良好な感受性を示す。殺菌的に作用し代表的抗真菌薬であるポリエン系薬〔アムホテリシンB（AMPH-B）〕に対する感受性が低いことが問題視されている。また，キャンディン系薬〔ミカファンギン（MCFG）〕は無効であることから，MCFG投与中にトリコスポロン属菌によるブレークスルー感染症を起こすことがあるため注意を要する。

3. マラセチア属（Genus *Malassezia*）

分類

担子菌門，ハラタケ亜門，マラセチア目，マラセチア科。

疫学

*Malassezia*属菌種は，発育に脂質を必要とする6菌種と脂質を必要としない1菌種が存在し，ヒトおよび動物の皮膚常在菌であるが，ときに皮膚感染症を引き起こす。

形態

球形，卵円形およびボウリングのピン様（図10.1.11）など（1.5～3.0×1.5～8.0 μm。菌種によりサイズが異なる）を呈する，アネロ型分生子。培養後の菌体は菌糸を認めないが，癜風患者の臨床材料（皮膚落屑）の直接鏡検では酵母と菌糸が混在して観察される（図10.1.12）。

培養

発育に脂質を必要とすることから，通常の培養では発育しない。そのため，検査材料の鏡検が重要となる。ボウリングのピンのような菌体を認めた場合にはオリーブ油やオ

用語　スルファメトキサゾール・トリメトプリム（sulfamethoxazole/trimethoprim；ST）

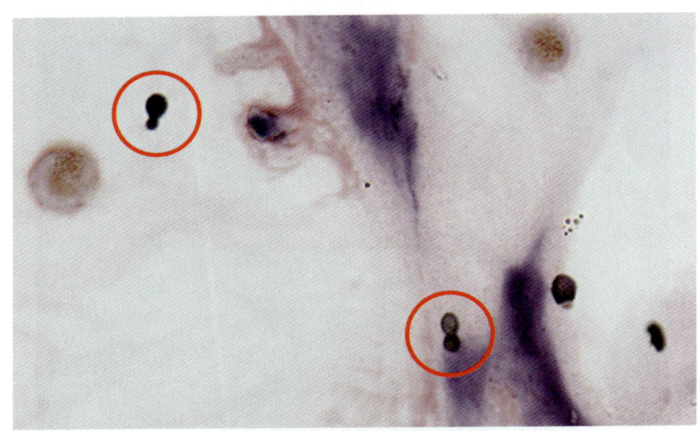

図 10.1.11 中心静脈カテーテル Gram 染色 ×1,000 で認められた *Malassezia* 属菌の菌体

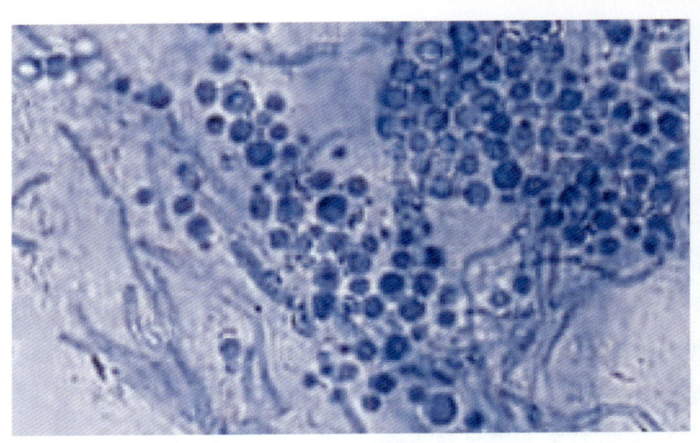

図 10.1.12 癜風患者の *Malassezia* 属菌

〔阿部美知子先生より提供〕

レイン酸添加培地（ディクソン培地）などを使用する。通常の真菌用培地に臨床材料を接種後，オリーブ油を培地全面に重層する方法も用いられるが，発育しにくい菌種もある。32～34℃，3～10日間好気培養で，淡黄白色のコロニーを形成する。

現在ではクロモアガーマラセチア分離用培地が市販されており，*M. globosa*などはやや発育しにくいものの，菌種別に特徴的なコロニーを形成することや脂質の添加も必要がないことから日常業務に取り入れやすい。

同定

Tween20，Tween40，Tween60，Tween80の利用能，Cremophor ELおよびオレイン酸の利用能（いずれもオキサノグラフ法），発育温度（37℃，40℃）などで同定する。

病原性

代表的な感染症は癜風（体幹部や頭部の表皮に，細かい鱗屑を付着した淡い褐色斑あるいは脱色素斑を生ずる）で，次いで毛包炎（体幹部や頸部に毛孔一致性の粟粒～米粒大の紅褐色丘疹が多発する）などである。近年，本菌群の脂漏性皮膚炎やアトピー性皮膚炎への関与が注目されている。また，脂質を多く含む高カロリー輸液の静注に使用されたIVHカテーテルからの本菌群の分離例が散見される。IVHカテーテルより本菌を確認した場合には，患者背景を考慮し，発熱を認める場合には血液培養からの本菌の分離にも注意が必要である。

参考文献1）には13菌種が記載されているが，癜風の起因菌と目されているのは*M. globosa*[10]，脂漏性皮膚炎の増悪因子と目されているのは，*M. restricta*[11]である。ペットなど動物の疾患では，発育に脂質を必要としない*M. pachydermatis*が起因菌となることが多い。

治療

皮膚疾患ではアゾール系薬の外用〔ケトコナゾール（KCZ），ミコナゾール（MCZ）など〕および内服〔イトラコナゾール（ITCZ）など〕，内科領域ではアゾール系薬〔フルコナゾール（FLCZ），イトラコナゾール（ITCZ）〕，ポリエン系薬〔アムホテリシンB（AMPH-B）〕を使用する。

用語　中心静脈栄養法（intravenous hyperalimentation；IVH），ケトコナゾール（ketoconazole；KCZ），ミコナゾール（miconazole；MCZ）

Q 世界が注目する *Candida auris* とは

A *C. auris*は2009年に日本において患者の外耳道から初めて分離され，新種として認識された。それ以降，欧州や米国にて*C. auris*のアウトブレイクが発生し，2016年に抗真菌薬に対して多剤耐性であり感染患者の致死率が高いこと，アウトブレイクを引き起こすこと，検査室での同定が難しいことなどから，患者から検出される*C. auris*に注意するよう米国疾病予防管理センター（CDC）から警告が発出された。*C. auris*は全ゲノム配列決定によりインド，南アフリカ，南米，東アジアの4つのグレードに分けられ，グレードによって病原性や薬剤感受性が異なる可能性が推測されている[12]。この菌は，同定キットを用いると誤同定されることが知られており，検査室での菌の検出が難しかったが，2021年に*C. auris*を鑑別できる酵素基質培地（図10.1.13）が上市されたことから*C. auris*の動向が注目される。

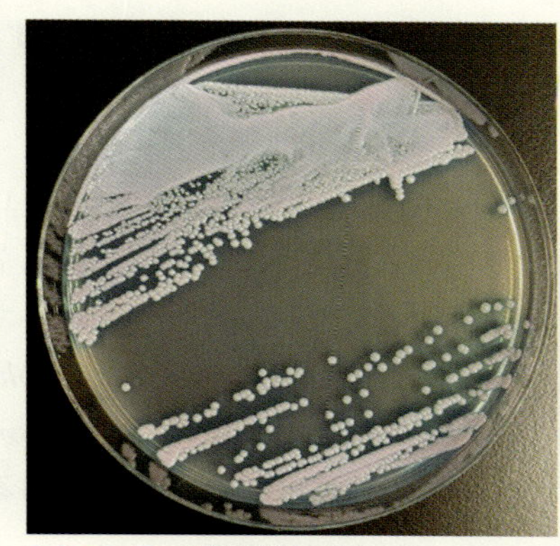

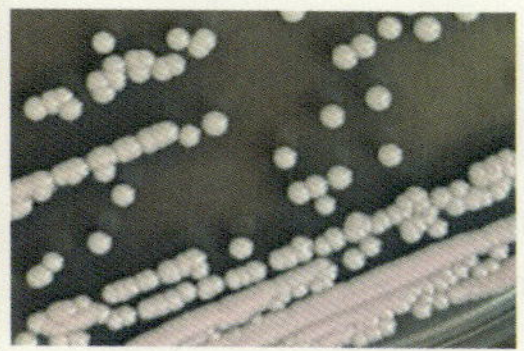

青色のハローを伴う白〜ピンク色のコロニー

図 10.1.13　酵素基質培地上での *C. auris* のコロニー

［石垣しのぶ］

用語　米国疾病予防管理センター（Centers for Disease Control and Prevention；CDC）

参考文献

1）Kurtzman CP *et al.*(eds.)：The Yeasts：A Taxonomic Study 5th ed, Elsevier Science, 2011.
2）櫻田政子，他：「血液培養から分離された酵母様真菌の年次推移と薬剤感受性」，日臨微生物誌，1999；9：149-155.
3）内田　幹，他：「各種検査材料からのカンジダ属分離状況と抗真菌薬感受性について」，日臨微生物誌，2006；16：74-80.
4）山口英世，他：「Japan Antifungal Surveillance Program による真菌臨床分離株の抗真菌薬感受性に関する調査」，日臨微生物誌，2009；19：128-141.
5）Hagen F *et al.*：“Taxonomic revision of the *Cryptococcus neoformans* and *Cryptococcus gattii* species complex”, The 10th International Mycological Congress, Bangkok, Abstract ID ABS0354, 2014：749.
6）Kidd SE *et al.*：“A rare genotype of *Cryptococcus gattii* caused the cryptococcosis outbreak on Vancouver Island (British Columbia, Canada)”, Proc Natl Acad Sci USA, 2004；101：17258-17263.
7）Okamoto K *et al.*：“*Cryptococcus gattii* genotype VG Ⅱ a infection in man, Japan, 2007”, Emerg Infect Dis, 2010；16：1155-1157.
8）後藤美江子，高橋　孝：「真菌同定の実際 *Pneumocystis jirovecii*」，臨床と微生物，2011；38（増刊）：607-616.
9）Gabriela Corsi-Vasquez *et al.*：Point-Counterpoint: Should Serum β-D-Glucan Testing Be Used for the Diagnosis of *Pneumocystis jirovecii* Pneumonia? J Clin Microbiol 58：e01340-19.
10）Morishita N *et al.*：“Molecular analysis of malassezia microflora from patients with pityriasis versicolor”, Microbiol Immunol, 2006；50：851-856.
11）Tajima M *et al.*：“Molecular analysis of *Malassezia* microflora in seborrheic dermatitis patients: comparative with other diseases and healthy subject”, J Invest Dermatol, 2008；128：345-351.
12）山口英世：「カンジダ・アウリス（*Candida auris*）感染症―初の真菌性新興感染症」，モダンメディア，2017；63：213-229.

10.2 糸状菌

- 糸状菌は胞子（分生子）から菌糸を形成，さらに分生子形成細胞（分生子柄，フィアライドなど）を形成して増殖する多細胞真菌である。
- 組織中の糸状菌の形態は培養後の形態と異なり，菌糸のみであることが多い。
- 病原性糸状菌は25～30℃の好気性培養，3～14日でコロニーを形成する。
- 臨床検査室における糸状菌の同定は，①コロニーの形態，②顕微鏡下の形態および③生理学的性状（発育温度など）で行われ，必要に応じ分子生物学的方法で同定する。

糸状菌は胞子または分生子から菌糸を形成，さらに分生子形成細胞や胞子を形成し増殖する多細胞真菌である。菌種別に種々のコロニーおよび顕微鏡下の形態を示し，それらが同定のキーポイントとなる。病原性糸状菌は子嚢菌門，担子菌門，ムーコル（ケカビ）亜門およびエントモフトラ（ハエカビ）亜門に分類され，これらのなかにはキノコの仲間も含まれる。病型別に起因菌種はある程度限定され，内科領域の真菌症で最も高頻度に検出されるのは*Aspergillus fumigatus*，次いでムーコル目の真菌，皮膚科領域ではほとんどが*Trichophyton*属菌などの皮膚糸状菌，次いで二形性真菌の*Sporothrix schenckii*，*Fonsecaea pedrosoi*などの黒色真菌である。

10.2.1 アスペルギルス属（Genus *Aspergillus*）

分類

子嚢菌門，チャワンタケ亜門，ユーロチウム目，マユハキタケ科。

疫学

土壌をはじめ自然界に広く分布する。ヒトは空中に浮遊するおもに分生子を吸入して感染するが，通常は肺胞マクロファージや好中球などの食細胞によって貪食・殺菌される。しかし，血液疾患や膠原病，悪性腫瘍などの治療に伴い食細胞の減少や機能不全を生じると発症しやすい。

形態

検査材料をスライドガラスに薄く塗抹しGram染色を実施し鏡検すると，*Aspergillus*属菌は多くの場合，赤色に染まった隔壁のある（有隔）真正菌糸として認められる（図10.2.1）。培養後の形態は，柄足細胞（foot cell），菌糸（分生子柄），頂嚢，フィアライド（およびメツラ）ならびに分生子で構成される（図10.2.2）。

培養

*Aspergillus*属菌は，真菌用培地で25～30℃の好気培養を行うと3～4日でコロニーを形成する。

同定

*Aspergillus*属菌の同定は，頂嚢の形，メツラを有するか否か，フィアライドの着生範囲（頂嚢の全周，2/3など），

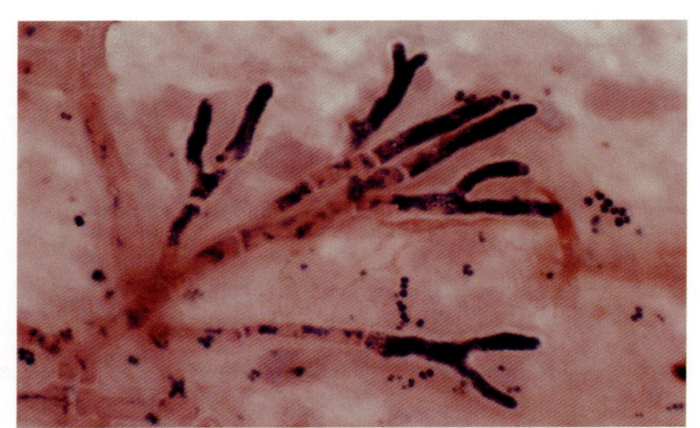

図10.2.1 喀痰中の*Aspergillus*属菌 Gram染色 ×1,000

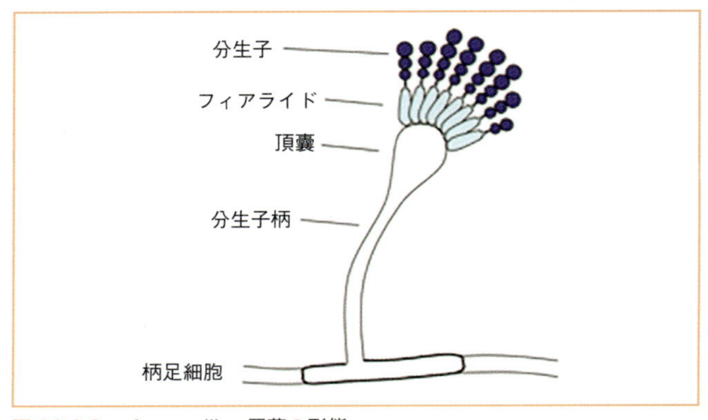

図10.2.2 *Aspergillus*属菌の形態

分生子柄の幅および壁の厚さと壁面(粗，滑)，分生子の形，サイズおよび分生子壁（粗，滑）などを精査する。

迅速抗原検査

血中のガラクトマンナン(アスペルギルスの細胞壁成分)検出キットがある。

病原因子

真菌細胞壁の表層に存在するラミニンレセプター蛋白やヒドロホビン（疎水性蛋白）は，宿主細胞への接着因子となる。アルカリ性セリンプロテアーゼやメタロプロテアーゼなどの加水分解酵素を産生し宿主細胞への侵入を助長する。菌体に含まれるメラニンや産生されたカタラーゼなどは食細胞の殺菌に抵抗する。

病原性

病型は肺感染症が最も多い。非侵襲性肺アスペルギルス症（NIPA），侵襲性肺アスペルギルス症（IPA），アレルギー性気管支肺アスペルギルス症（ABPA）に大別すると，NIPAは，とくに陳旧性肺結核の空洞や気管支拡張症などによって生じた既存空洞内などに菌塊（fungus ball）をつくる肺アスペルギローマや慢性壊死性肺アスペルギルス症（CNPA）が属し[1]，肺アスペルギローマは，わが国での肺アスペルギルス症の大半を占める。また，IPAは急速に進行して最も重篤化する病型で急性アスペルギルス肺炎ともよばれ，血液疾患患者や易感染患者での最多病型である。ABPAは，*Aspergillus*属菌，とくに*A. fumigatus*の分生子の吸入によって引き起こされるアレルギー性疾患としての病態が主となる。

抵抗性

糸状菌全般に対し，第四級アンモニウム塩，グルコン酸クロルヘキシジンおよび両性界面活性剤は効果が弱く，アルコール類，ポビドンヨード，次亜塩素酸ナトリウムおよびグルタラールは有効である。

治療

ポリエン系薬〔アムホテリシンB(AMPH-B)〕，アゾール系薬〔イトラコナゾール（ITCZ)，ボリコナゾール（VRCZ)〕，キャンディン系薬〔ミカファンギン（MCFG)，カスポファンギン（CPFG)〕が有効。フルコナゾール（FLCZ）およびフルシトシン（5-FC）は無効。耐性菌は多くない。

1. アスペルギルス・フミガーツス (*Aspergillus fumigatus*)

培養

35℃で培養すると2日でコロニーを形成する。

同定

i）コロニー

灰青緑色，表面はきめ細かくビロード状（図10.2.3)。

ii）顕微鏡下の形態

分生子柄は幅5～10μmで，分生子柄壁は薄く滑らか。頂嚢はしゃもじ型（頂嚢と分生子柄の移行部が幅広い)。フィアライドは，単列性で頂嚢の上2/3のみに生じる。分生子は円形で，表面が滑らかかやや粗い（図10.2.4)。

図10.2.3　*A. fumigatus* のコロニー　PDA 培地

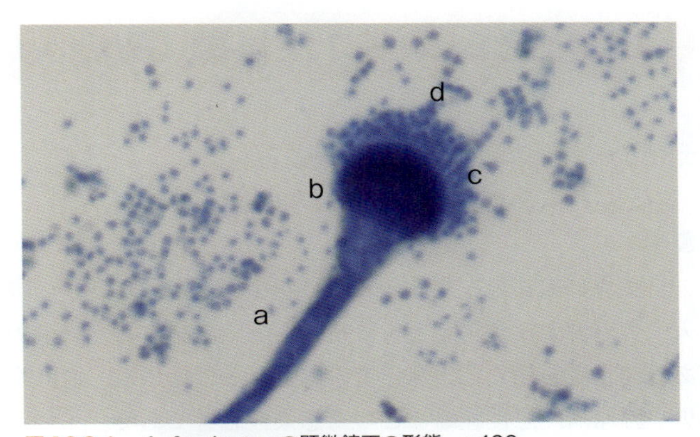

図10.2.4　*A. fumigatus* の顕微鏡下の形態　×400
a：分生子柄，b：頂嚢，c：フィアライド，d：分生子

用語　非侵襲性肺アスペルギルス症（non-invasive pulmonary aspergillosis；NIPA)，侵襲性肺アスペルギルス症（invasive pulmonary aspergillosis；IPA)，アレルギー性気管支肺アスペルギルス症（allergic bronchopulmonary aspergillosis；ABPA)，慢性壊死性肺アスペルギルス症（chronic necrotizing pulmonary aspergillosis；CNPA)，アムホテリシンB（amphotericin B；AMPH-B)，イトラコナゾール（itraconazole；ITCZ)，ボリコナゾール（voriconazole；VRCZ)，ミカファンギン（micafungin；MCFG)，カスポファンギン（caspofungin；CPFG)，フルコナゾール（fluconazole；FLCZ)，フルシトシン（flucytosine；5-FC)

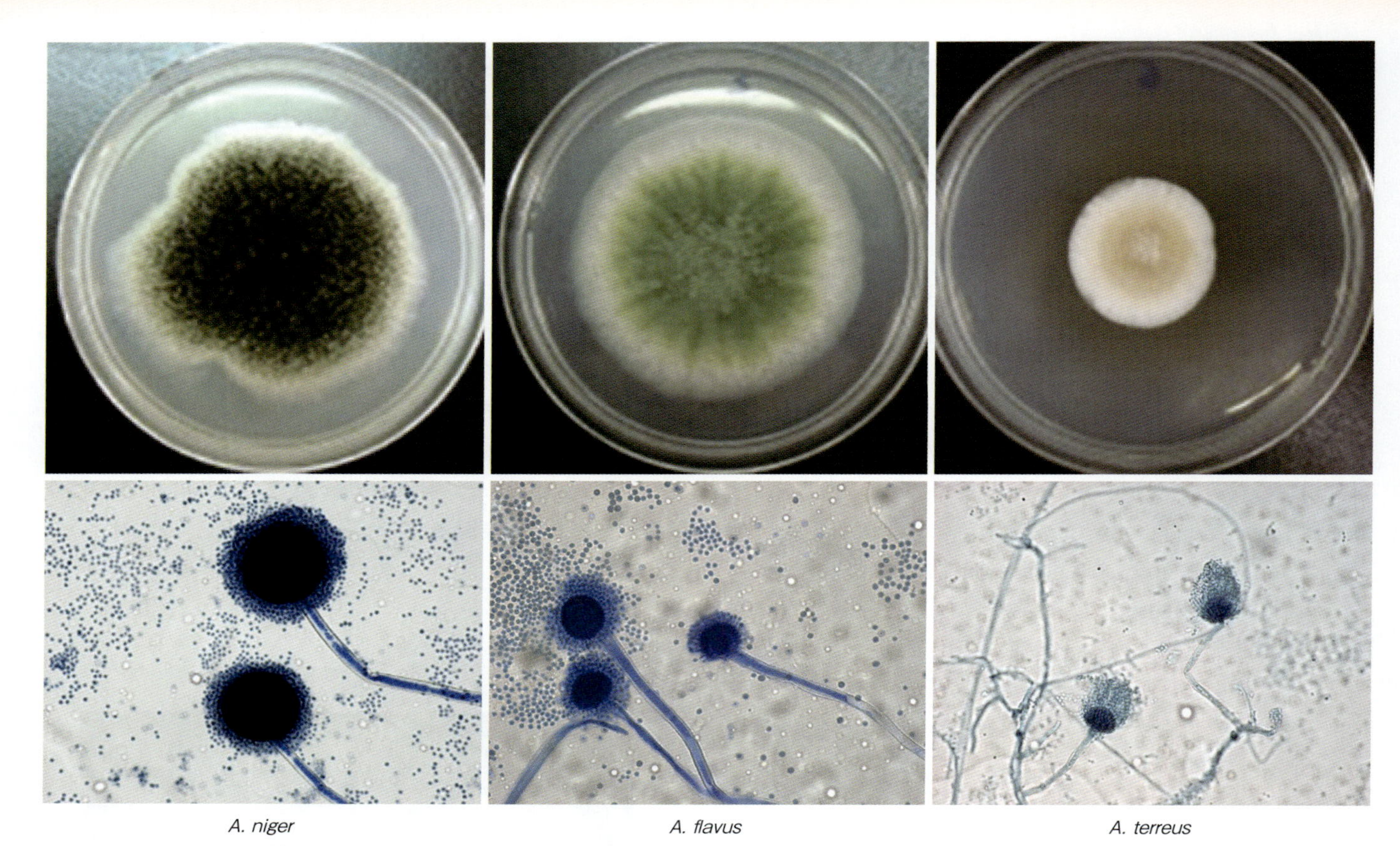

図 10.2.5 *Aspergillus* 属菌の形態 上：コロニー，下：顕微鏡下 ×400

2. その他のアスペルギルス属 (*Aspergillus* spp.)

*A. fumigatus*に次いで検出されるのは*A. niger*, *A. flavus*, *A. terreus*および*A. nidulans*などである（図10.2.5）。外耳道真菌症では*A. fumigatus*は検出されず，*A. niger*, *A. terreus*などが主要起因菌である。近年，形態学的には識別が困難であるが分子系統的には明らかな相違を認める菌（隠蔽種）として*A. niger*の隠蔽種（*A. tubingensis*, *A. welwitschiae*, *A. neoniger*など）や*A. fumigatus*の隠蔽種（*A. lentulus*, *A. udagawae*, *A. viridinutans*など）が報告されている。隠蔽種の中には，AMPH-Bやアゾール系薬に低感受性とされ[2, 3]注意が必要である。隠蔽種のうちいくつかの菌種はコロニー色が白っぽく，分生子が亜球状で分生子壁が滑面であるなど形態上の差異があるとされる[4]が，鑑別は特定遺伝子の塩基配列検索で行われる。

10. 2. 2 ムーコル目菌（*Rhizopus* 属, *Rhizomucor* 属, *Mucor* 属など）

分類

ムーコル（ケカビ）亜門，ムーコル目，ムコール科。

疫学

自然界に広く分布する。ヒトは空中に浮遊する胞子の吸入，付着および食物とともに摂食などで感染する。外傷のある健常者を除くと，発症者のほとんどは糖尿病，血液疾患，膠原病，悪性腫瘍などの易感染性患者である。

形態

幅の広い（10μm前後），無隔壁の真正菌糸で，菌糸壁は薄い。培養後の形態は菌属別に特徴があり，仮根の有無と形成場所，胞子嚢柄の分岐の有無およびアポフィシスの有無と形状，ならびに胞子嚢の形態などが鑑別点となる（表10.2.1，図10.2.6）。

真菌はGram染色陽性を示すが，本菌群もグラム陰性に染色されやすい（図10.2.7）。

培養

真菌用培地で，25～30℃の好気培養，翌日にはコロニーを形成する。発育は速く，コロニー形成後数日で培地全面を覆う。ただし，無隔壁菌糸の本菌群は死滅しやすく，臨床材料の検査では培養陰性も多い。検出の見落としを防ぐため直接鏡検の併用は必須である。鏡検のための標本を作製するときには，検査材料を細かく裁断しすぎると菌が死滅する可能性があるため注意が必要である。

表 10.2.1 おもなムーコル目菌の鑑別点

形態 ＼ 菌属	*Rhizopus*	*Rhizomucor*	*Mucor*	*Lichtheimia*（*Absidia*）	*Cunninghamella*
胞子嚢内の胞子数	多数	多数	多数	多数	1 個
仮根，着生部（胞子嚢柄と）	あり（発達，多い），対生（胞子嚢柄直下に着生）	あり（未発達，少ない），非対生	なし	あり（未発達，少ない），非対生	あり（未発達，少ない），対生
胞子嚢柄の分岐	なし	あり	あり	あり	あり
アポフィシス	ほとんど目立たない	なし	なし	あり，円錐形	なし
ストロン	あり	あり	なし	あり	なし

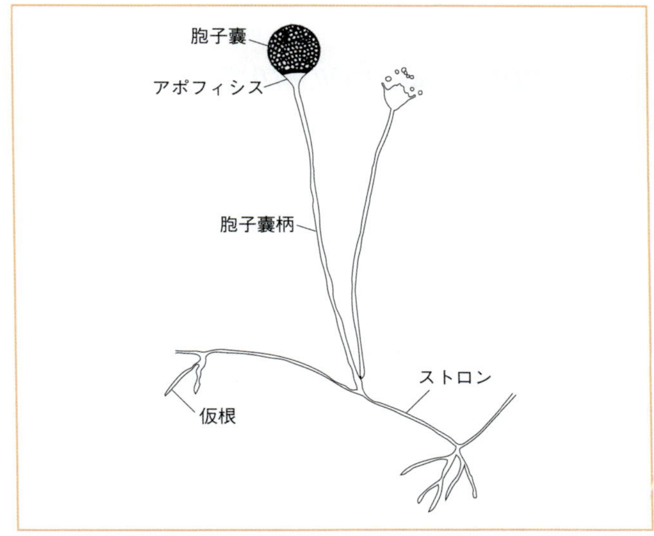

図 10.2.6 ムーコル目菌の形態

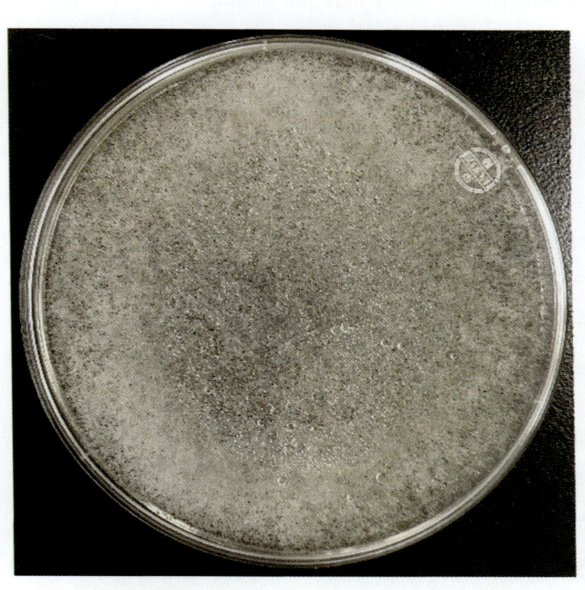

図 10.2.8 *R. oryzae* のコロニー サブロー培地

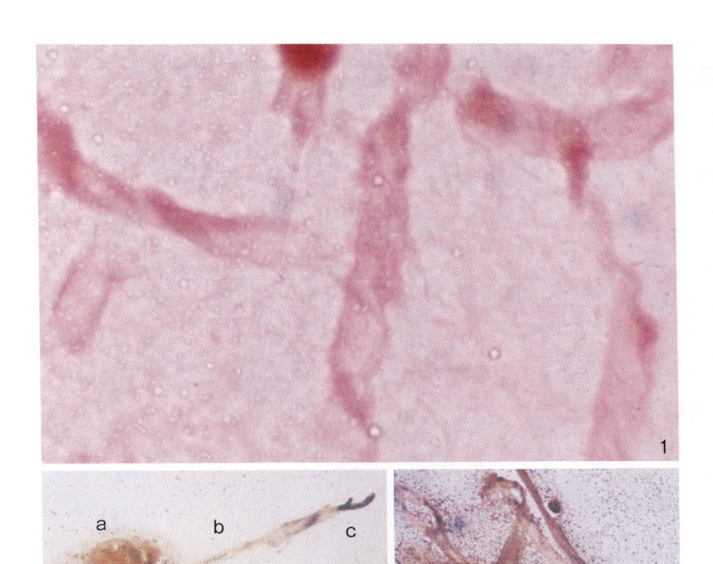

図 10.2.7 後鼻腔の Gram 染色
1：胸水（×1,000），2，3：鼻腔（×200）。
a：胞子嚢，b：胞子嚢柄，c：仮根。
〔阿部美知子先生より提供〕

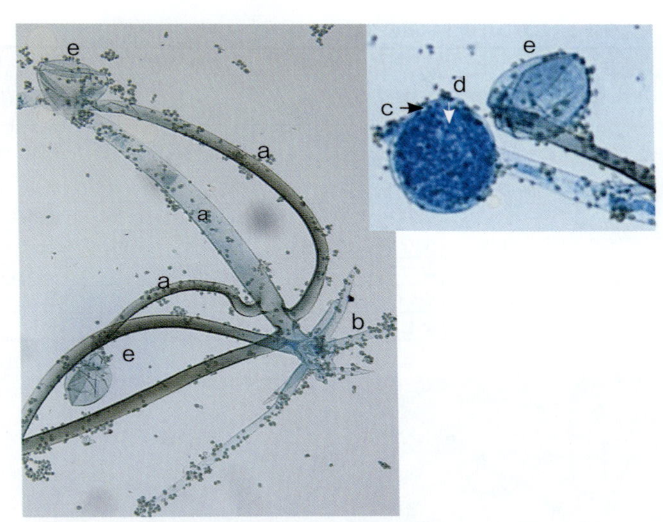

図 10.2.9 *R. oryzae* の顕微鏡下の形態 ×400
a：胞子嚢柄，b：仮根，c：胞子嚢，d：胞子嚢胞子，e：柱軸。
〔阿部美知子先生より提供〕

同定

i）コロニー

いずれの菌属も灰白色，綿菓子様のふわふわしたコロニーを形成する。*Cunninghamella* 属菌以外の菌種は日数が経過するとコロニー表面に黒褐色，点状の胞子嚢が観察され，とくに *Rhizopus* 属菌は確認しやすい（図 10.2.8）。

ii）顕微鏡下の形態

表 10.2.1 および図 10.2.6，10.2.9 に示した各菌属の形態を参考に同定する。

迅速抗原検査

なし。

病原因子

プロテアーゼ産生が旺盛とされているが，病原性との関連については不明である。

病原性

ムーコル目菌は血管侵襲性が強く，血栓を形成し病巣周辺を壊死させることが多い。多発病型は鼻・脳および肺ムーコル症が多く，次いで播種型，腸管，稀に皮膚などに病巣を形成する。病状の進展が速く致死率は高い。起因菌として頻度が高いのは*Rhizopus oryzae*，次いで*Rhizomucor*属菌などであるが，近年*Cunninghamella*属菌の報告が散見される[5~7]。

治療

ポリエン系薬〔アムホテリシンB（AMPH-B）など〕が唯一の治療薬で，外科的処置も行われる。しかし，進展が速く死亡例が多い。

10. 2. 3　皮膚糸状菌（*Trichophyton* 属，*Microsporum* 属，*Epidermophyton* 属）

分類

子嚢菌門，チャワンタケ亜門，ホネタケ目，アルスロデルマ科。

疫学

皮膚糸状菌は*Trichophyton*属菌，*Microsporum*属菌および*Epidermophyton*属菌の総称である。生息環境および宿主親和性に基づいて土壌好性，動物好性およびヒト好性に類別される（表10.2.2）。ヒトは各寄生体から接触により感染する。

形態

有隔真正菌糸を形成する。培養後の形態は菌属によって異なるが（表10.2.2，図10.2.10），大分生子，小分生子，らせん体などを形成し，それらの形態学的差異が同定のポイントとなる。臨床材料中の形態は，菌糸あるいは分節胞子様の胞子連鎖のいずれかである（図10.2.11）。

培養

菌種および菌株によって異なるが，真菌用培地を用いた25～30℃の好気培養で，5～14日でコロニーを形成する（図10.2.12）。

同定

コロニーの色調やコロニー表面の性状および顕微鏡下での形態学的特徴にもとづいて行われる（表10.2.2，図

表10.2.2　おもな皮膚糸状菌の性状

菌属		*T. rubrum*	*T. mentagrophytes*	*T. tonsurans*	*M. canis*	*M. gypseum*	*E. floccosum*
生態		ヒト好性	ヒト／動物好性 変種により異なる	ヒト好性	動物好性	土壌好性	ヒト好性
コロニー	色	白色 ［ピオルビン産生］	白色～淡黄色	白色～淡褐色	灰白色～白色	白色（一部淡黄色）	白色～淡褐色
	表面の性状	綿毛状	粉状	粉状～綿毛状	絨毛状	粉状	ビロード状～綿毛状
大分生子	形	腸詰め状	腸詰め状	棍棒状	紡錘形	紡錘形	棍棒状
	産生頻度	少ない	少ない	稀	中等度	多い	中等度
小分生子	形	ゴマ状	球～亜球形	ゴマ状	ゴマ状～球形	ゴマ状～球形	なし
	産生頻度	多い	多い	多い	中等度	中等度	
らせん体		なし	多い	なし	なし	なし	なし

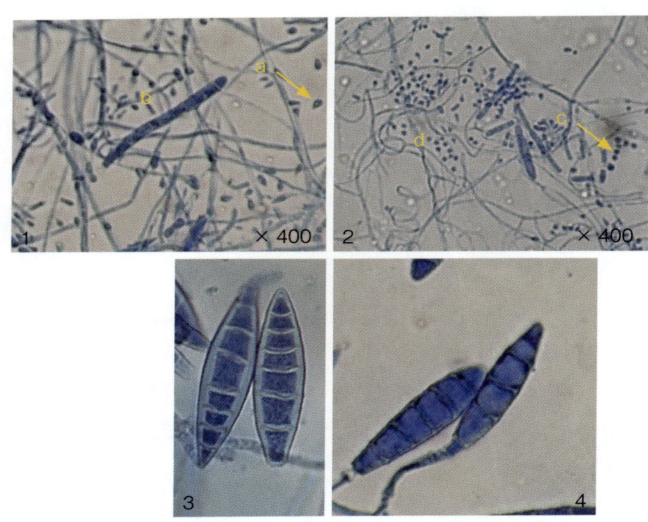

図10.2.10　皮膚糸状菌の形態（ラクトフェノールコットン青染色）
1：*T. rubrum*，2：*T. mentagrophytes*，3：*M. canis* の大分生子，
4：*M. gypseum* の大分生子。
a：ゴマ状小分生子，b：腸詰め状大分生子，c：球状小分生子，d：らせん体。

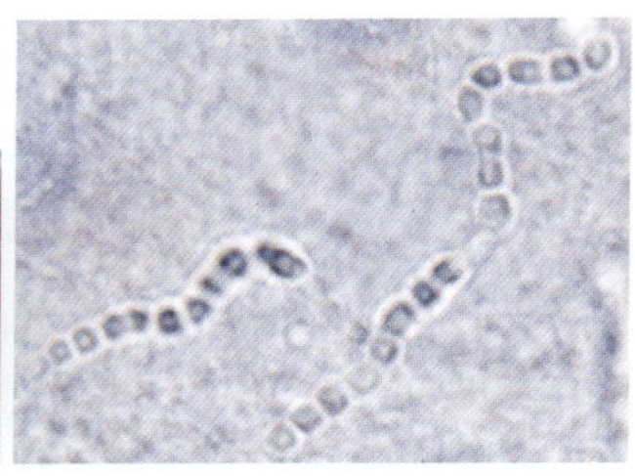

図10.2.11　鱗屑の水酸化カリウム（KOH）標本に観察される形態
左：菌糸様形態，右：分節胞子の数珠状連鎖。
〔阿部美知子先生より提供〕

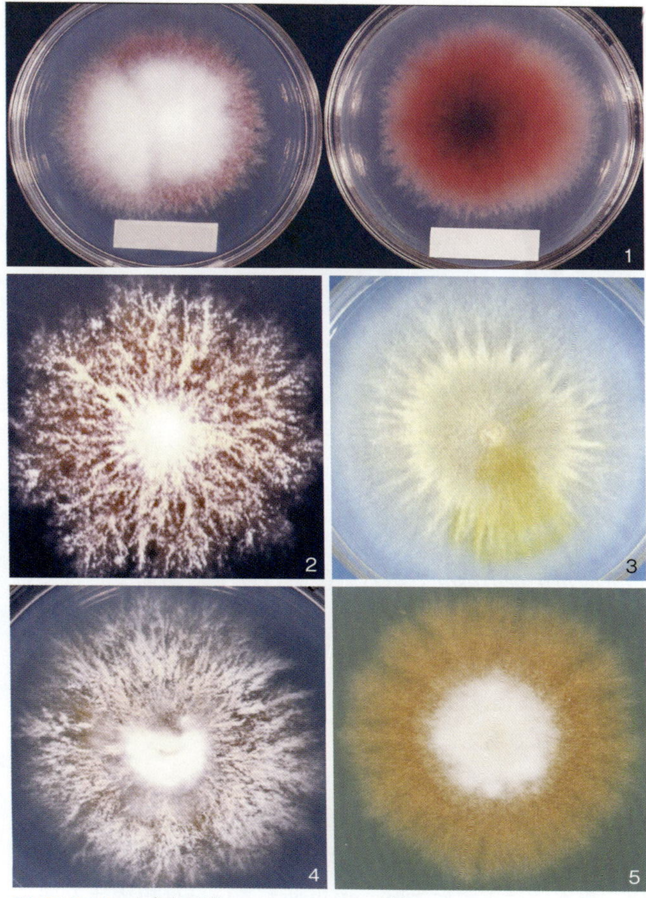

図 10.2.12　皮膚糸状菌のコロニー　PDA 培地
1：*T. rubrum*（左：表面，右：裏面），2：*T. mentagrophytes*，3：*M. canis*，4：*M. gypseum*，5：*E. floccosum*。
〔阿部美知子先生より提供〕

10.2.12）。

病原因子

中性およびアルカリ性プロテアーゼによって角質細胞を加水分解する。また，ケラチナーゼを産生し，角質層や爪を形成するケラチンからアミノ酸を取り出し，栄養源とする。

病原性

病型は表皮，爪および毛髪に感染した表在性白癬がほとんどで，稀に真皮以下に病巣を形成する深在性白癬もあるが，両者とも健常者に多く見られる。なかでも爪白癬や角質肥厚型は難治性で，ステロイド使用患者の場合にはいずれの病型も難治性となる。手あるいは足白癬を水虫と俗称する。日本の白癬の起因菌種は *Trichophyton rubrum* と *T. mentagrophytes* が圧倒的に多い。動物好性菌である，*M. canis* は感染ネコから伝播され頭部白癬を引き起こすことが知られており，多くは小児に発生する。また，近年，格闘技選手やその家族などを中心に *T. tonsurans* 感染例が増加している[8]。この菌はヒトとの密接な接触やタオル，ブラシなどを介して伝播する。

治療

臨床で使用される外用薬（アゾール系，ベンジルアミン系，アリルアミン系，モルホリン系およびチオカルバミン酸系）のいずれにも高感受性である。また，爪白癬などで使用される内服薬（グリサン系，アリルアミン系，アゾール系）にも高感受性を示す。

10. 2. 4　黒色真菌（*Fonsecaea* 属，*Exophiala* 属，*Phialophora* 属など）

分類

子嚢菌門，チャワンタケ亜門，ケートチリウム目，ヘルポトリキエラ科。

疫学

黒色真菌はメラニン産生が旺盛で菌体（とくに菌糸）が褐色調を呈する糸状菌の総称である（酵母の場合は黒色酵母と呼称）。これらは土壌をはじめ自然界に広く存在する。病原菌として高頻度に検出されるのは *Fonsecaea pedrosoi*，*Exophiala jeanselmei*，*Phialophora verrucosum* などケートチリウム目の真菌である。

形態

培養後の菌形態は，有隔真正菌糸ならびに菌種によって異なる分生子形成細胞および分生子である。これらの菌体のいずれもが褐色調を帯びる。臨床材料の直接鏡検標本に観察される菌形態は，組織内菌要素が硬壁細胞（sclerotic cell）であるものをクロモミコーシス，硬壁細胞がなく菌糸や胞子連鎖がみられるものをフェオヒフォミコーシスとされる。

培養

真菌用培地で，25～30℃好気培養，5～10日でオリーブ色～灰黒色のコロニーを形成する。

同定

ここでは高頻度に検出される *Fonsecaea pedrosoi* の性状を示す。

i）コロニー

オリーブ色，日数が経過するとコロニー中心部に灰黒色の短絨毛を生じる（図 10.2.13）。

ii）顕微鏡下の形態

通常，真菌の分生子形成法は菌種別に1種類であるが，本菌はシンポジオ型，出芽型およびフィアロフォーラ型の3種類の方法で分生子を形成するのが特徴である（図 10.2.14）。ただし，フィアロフォーラ型の形成頻度は低い。

病原因子

菌体に多量に含まれるメラニンは食細胞から発生する活性酸素による酸化作用への抵抗因子となる。

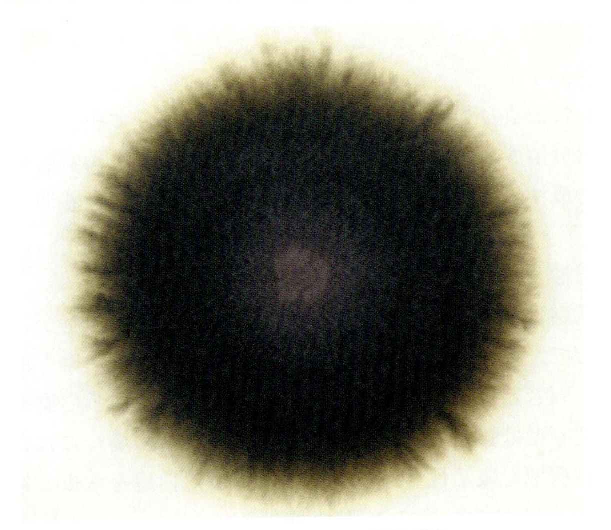

図 10.2.13　*F. pedrosoi* のコロニー　SDA 培地
〔阿部美知子先生より提供〕

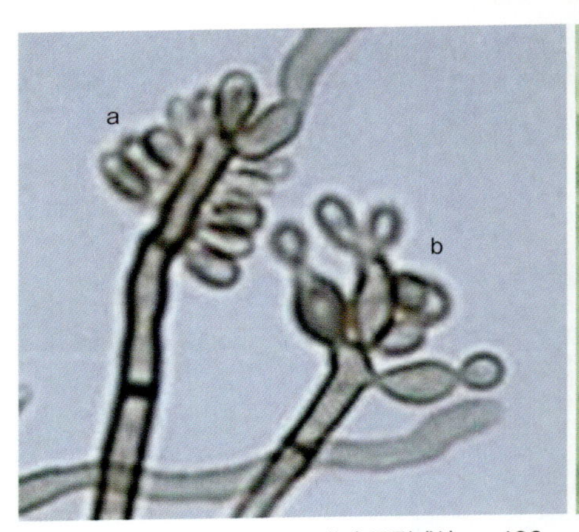

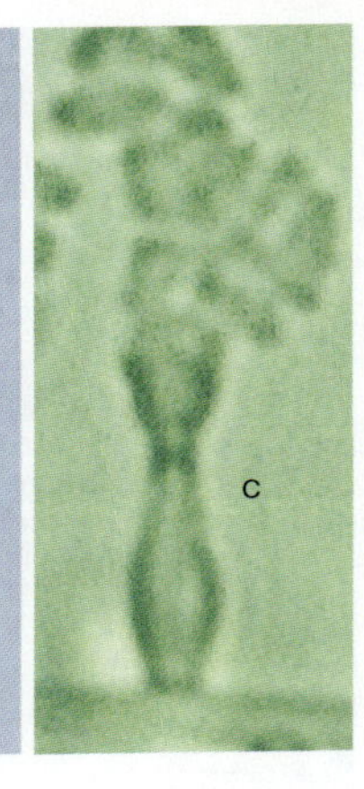

図 10.2.14　*F. pedrosoi* の分生子形成法　×400
a：シンポジオ型，b：出芽型，c：フィアロフォーラ型（c は緑色フィルターを使用）。
〔阿部美知子先生より提供〕

病原性

ヒトは外傷部などから感染し皮下に病巣が形成される（深部皮膚真菌症）。したがって，初発病巣は皮膚露出部に多いが，病型によっては血行性あるいはリンパ行性に脳・その他の臓器に病巣を形成することもある。病型は2つに大別され，クロモミコーシスおよびフェオヒフォミコーシスで，前者は皮膚の慢性・肉芽腫性疾患で，進展して脳・その他に病巣を形成することもある。患者の多くは基礎疾患のない健常者で，最も高頻度に検出されるのは *Fonsecaea pedrosoi* である。後者は皮下に結節または膿瘍を形成し，患者は健常者ならびに悪性腫瘍，白血病，糖尿病，臓器移植患者などの易感染性患者で，易感染性患者では全身に播種する例もある。高頻度起因菌は *Exophiala jeanselmei* である。

治療

治療法は外科的切除，局所温熱療法（患部にカイロをあてる）および抗真菌薬投与があり，症例（年齢や病巣の部位・程度）によってこれらの単独あるいは併用療法が選択される。抗真菌薬としてはアゾール系薬〔イトラコナゾール（ITCZ）〕が用いられる。

Q　近年散見される黒色真菌 *Cladophialophora bantiana* とは

A　*Cladophialophora bantiana* は土壌から分離される黒色真菌で，脳黒色菌糸症を引き起こす。コロニーは表がオリーブ〜黒色，裏は黒色でビロード状である。発育速度は遅い。本菌は，中枢神経系指向性があり，免疫不全患者に感染した場合，予後は極めて不良であるとされている。また，健常者でも吸入により副鼻腔を介して脳膿瘍を引き起こす可能性がある[9]ため，生物学的安全キャビネットの使用が不可欠であり，スライド培養は行ってはならない菌とされている。近年，この *C. bantiana* による症例報告が散見されることから注意が必要である。

［石垣しのぶ］

参考文献

1) 山口英世：病原真菌と真菌症 改訂４版，南山堂，2007.

2) Alcazar-Fuoli L *et al.* : "*Aspergillus* section *Fumigati* : Antifungal susceptibility patterns and sequence-based identification", Antimicrob Agent Chemother, 2008 ; 52 : 1244-1251.

3) Balajee SA *et al.* : "Molecular identification of *Aspergillus* species collected for the Transplant-Associated Infection Surveillance Network", J Clin Microbiol, 2009 ; 47 : 3138-3141.

4) 矢口貴志：「真菌同定の実際 II 糸状菌 *Aspergillus*」，臨床と微生物，2011 ; 38（増刊）: 537-547.

5) 森 健，他：「Zygomycosis（接合菌症）」，真菌誌，2011 ; 52 : 283-289.

6) 橋口浩二，他：「*Cunninghamerella bertholletiae* 肺感染症の一例」，感染症誌，1997 ; 71 : 264-268.

7) 佐藤雅樹，他：「健常人に発症した *Cunninghamella bertholletiae* による肺ムーコル症の一例」，日呼吸会誌，2001 ; 39 : 758-762.

8) 小川祐美：「*Trichophyton tonsurans* 感染症の現状と対策」，真菌誌，2012 ; 53 : 179-183.

9) Kilbourn KJ *et al.* : "Intracranial fungal *Cladophialophora bantiana* infection in a nonimmunocompromised patient: A case report and review of the literature", Surg Neurol Int, 2022 ; 13 : 165.

10.3 | 二形性真菌

- 二形性真菌とは１つの菌株が環境条件により酵母形あるいは菌糸形の両者に形態変換する真菌である。
- 生体組織内または体温に近い温度（35～37℃）で培養した場合に酵母形，通常の培養温度（25～30℃）ならば菌糸形で発育するタイプの病原真菌を温度依存性二形性真菌と呼び，*Sporothrix schenckii* および輸入真菌症の起因菌種である。
- 輸入真菌症の起因菌種はすべてバイオセーフティレベル３である。安易に培養せず，臨床医との連携を密接にとり，しかるべき施設に相談し対処する。

二形性真菌とは1つの菌株が環境条件により酵母形あるいは菌糸形の両者に形態変換する真菌である。自然界や生体への腐生あるいは通常の真菌培養法では菌糸形，病巣組織あるいは特定の培養条件では酵母形を示す。菌種によっては逆に，腐生的存在では酵母形，病巣組織内では菌糸形をとるものもあり，広義には *Candida albicans* や一部の黒色真菌なども含まれる。培養温度により二形性を示す病原真菌を温度依存性二形性真菌と呼び深部皮膚真菌症の起因菌である *Sporothrix schenckii*，および輸入真菌症起因菌の *Histoplasma capsulatum*，*Paracoccidioides brasiliensis*，*Blastomyces dermatitidis* および *Talaromyces marneffei*（旧 *Penicillium marneffei*）など（図10.3.1）である。

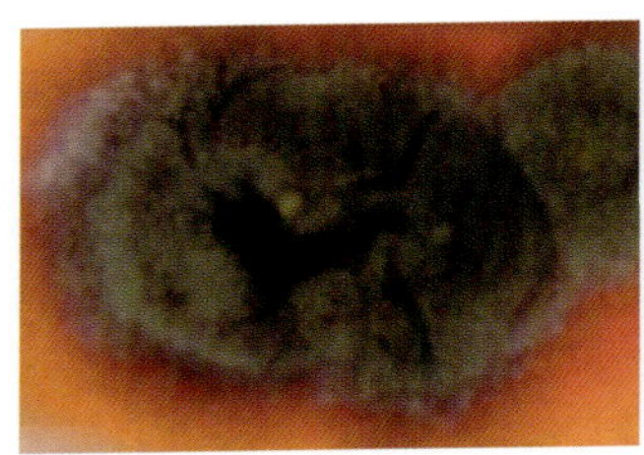
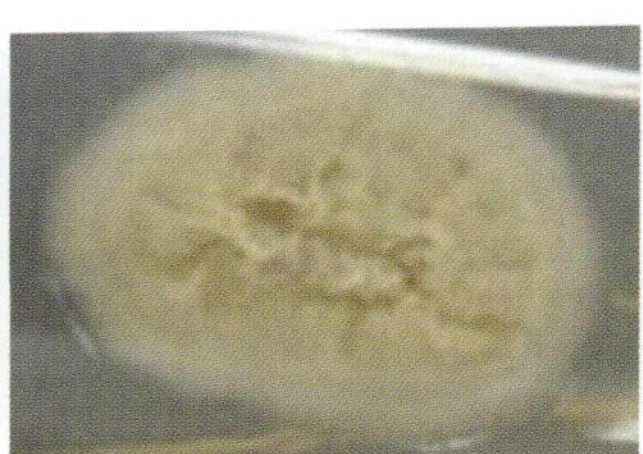

図10.3.1　*Talaromyces marneffei* のコロニー　PDA 培地
左：菌糸形（27℃培養），右：酵母形（35℃培養）。
（聖マリアンナ医科大学病院臨床検査部の症例，許可を得て転載）

10.3.1　スポロトリックス・シェンキイ（*Sporothrix schenckii*）

分類

子嚢菌門，チャワンタケ亜門，オフィオストマ目，オフィオストマ科。

疫学

土壌および樹木などに存在する。皮膚の裂傷部から，あるいは朽木のトゲによる刺傷などによって感染する。スポロトリコーシスは最も高頻度に見られる深部皮膚真菌症で，初発病巣は皮膚の露出部，とくに顔面や上肢に多い。

形態

培養後の形態は，菌糸形では菌糸（幅1～2μm），および菌糸先端あるいは側壁にシンポジオ型分生子が形成される（図10.3.2）。酵母形では亜球状の，いわゆる酵母様の形態を示す。皮膚組織中には酵母形で存在するが，菌数が少なく直接塗抹標本ではほとんど検出されない。

培養

病変部から採取した鱗屑，痂皮，膿汁などを培養する。臨床的に *S. schenckii* が疑われる場合は，分離培養時に25℃ならびに35℃培養を並行して実施する。

①菌糸形コロニー

真菌用培地を用い，25～30℃の好気性培養で5～10日培養する。発育は遅い。

②酵母形コロニー

ブレインハートインフュージョン（BHI）培地などの高栄養培地を用い，35～37℃の好気性培養で3～5日培養する。

同定

①菌糸形

ｉ）コロニー

灰白色～灰黒褐色の気中菌糸の少ないコロニーを形成するが，コロニー色は白色鑞様から黒褐色まで褐色調の程度に幅があり，コロニー表面は平滑，スウェード状，疣状に盛り上がるものなど菌株によって異なる。

ⅱ）顕微鏡下の形態

幅が1～2μmで隔壁のある繊細な菌糸で数本の束になっている。涙滴状またはほぼ円形の小さく無色の分生子（2～3×3～6μm）が，菌糸から直角に伸びた先細りの細い分生子柄の先端に小歯突起上に多数付着し，ロゼット状の

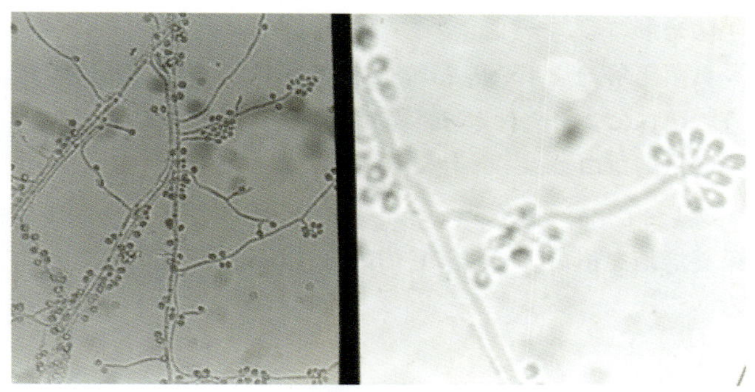

図 10.3.2　*S. schenckii*（菌糸形）の形態　左：×400，右：×1,000

集簇を形成する。その後，分生子は直接菌糸に沿って単独で生じる[1)]（図 10.3.2）。

②酵母形

i）コロニー

灰白色の酵母様コロニーを形成する。

ii）顕微鏡下の形態

亜球状（1～3×3～10μm）の，出芽細胞（葉巻小体）が認められる[1)]。

病原因子

不明。

病原性

皮下に結節性病巣を形成する。病巣が初発巣にとどまる限局型，リンパ行性に播種しリンパ管に沿って複数の病巣を形成するリンパ管型がある。稀に原発巣から播種した皮膚以外の臓器（骨，関節など），あるいは菌体の吸入による肺スポロトリコーシスをみることもある。

治療

ヨウ化カリウム溶液の内服，アゾール系薬〔イトラコナゾール（ITCZ)〕またはアリルアミン系薬〔テルビナフィン（TBF)〕の内服，温熱療法，外科的切除などの単独あるいは併用療法を症例によって選択する。

皮内反応

抗原（本菌の培養濾液を調整した粗抗原）を入手できる場合は，その皮内反応（スポロトリキン反応）も診断に有用である。

10. 3. 2　輸入真菌症起因菌（*Histoplasma capsulatum* など）

輸入真菌症は，わが国には定着せず諸外国の特定地域に定着する真菌による感染症で，海外との交流が頻繁になり国内での報告例が散見されるようになった。起因菌種は病原性が高く，すべてバイオセーフティレベル3である。したがって，臨床検査室における積極的な分離培養や同定検査は推奨されない。流行地への渡航歴や既往，臨床症状などから本症を疑われる症例は，まず血清学的検査（抗原あるいは抗体検出）によるスクリーニングが望ましい[2)]とされるので，自施設の臨床医とも密接に連携し，しかるべき施設（国立感染症研究所真菌部，千葉大学真菌医学研究センター臨床感染症分野）に相談のうえ，血清検査の依頼について打診する。また，組織内の酵母形菌体の感染力は培養後の菌体に比較し弱いとされるので，直接鏡検および病理組織学的検査は自施設で行える診断法である[3)]。

各輸入真菌症の特徴を表 10.3.1 に示したが，国内症例はヒストプラズマ症とコクシジオイデス症が多く，次いでパ

表 10.3.1　輸入真菌症および起因菌のおもな特徴

		Histoplasma capsulatum	*Coccidioides immitis*	*Paracoccidioides brasiliensis*	*Blastomyces dermatitidis*	*Talaromyces marneffei*
コロニー	SDA 培地　27℃	白色，粉状～綿毛状	白色，綿毛状	白色～褐色，気中菌糸少なく隆起	白～黄褐色，羊毛状	黄～青緑色，綿毛状，色素産生（赤）
	BHI 培地　37℃	黄白色，酵母様	白色，綿毛状	黄白色，酵母様	黄白色，酵母様	灰白色，酵母様
発育速度		遅い	速い	遅い	遅い	速い
真菌の形態	培養後　27℃	菌糸，大分生子（球形，径 10～20μm，周囲に突起あり），小分生子（球～亜球形）	菌糸→分節型分生子が観察される	菌糸と厚膜胞子のみ，稀に分生子が観察される	菌糸，分生子柄先端に分生子（球～亜球形）が観察される	菌糸およびペニシラス（箒状体）
	培養後　37℃	球形～亜球形の酵母様細胞	27℃培養と同じ	球形，時に舵輪状の酵母様細胞	基部の広い酵母様細胞	亜球形の酵母様細胞
	生体内	球形～亜球形の酵母様細胞	内生胞子を内包する球状体	球形，時に舵輪状の酵母様細胞	基部の広い酵母様細胞	亜球形の酵母様細胞
疾患の特徴		急性・良性肺疾患，播種性感染	急性・良性あるいは慢性・悪性で致命的な肺炎，播種性感染（皮膚）	慢性肉芽腫性疾患（肺，粘膜），播種性感染（脾，肝，皮膚）	慢性肉芽腫性疾患（肺），播種性感染（皮膚，骨，脳）	肺および播種性感染
多発地域		米国中央部（ミシシッピー～オハイオ渓谷）に多い。中南米，東南アジア，オーストラリア	米国西南部（アリゾナ，カリフォルニア，テキサス，ニューメキシコ），中南米	ブラジルに多い。コロンビア，ベネズエラにも見られる	米国東北部（五大湖～ミシシッピ川流域，ウィスコンシン州）	ベトナム北部，中国（ベトナムとの国境地帯），タイ
国内発症例数[3)]		83 例	77 例	22 例	なし	10 例

用語　葉巻小体（cigar body），イトラコナゾール（itraconazole；ITCZ），テルビナフィン（terbinafine；TBF）

ラコクシジオイデス症，マルネフェイ型タラロマイセス症で，ブラストミセス症の報告はない[4]。

1. ヒストプラズマ・カプスラーツム (*Histoplasma capsulatum*)

分類

子嚢菌門，チャワンタケ亜門，ホネタケ目，アジェロミセス科。

疫学

Histoplasma capsulatum には3変種あり，ヒトの起因菌として頻度が高い *H. capsulatum* var. *capsulatum* と *H. capsulatum* var. *duboisii*，ウマやロバなどの病原菌である *H. capsulatum* var. *farciminosum* である。*H. capsulatum* var. *capsulatum* は米国，中南米，東南アジアおよびオーストラリア，*H. capsulatum* var. *duboisii* は中央アフリカに多い。これら2変種はコウモリなどが保菌しており，ヒトはその糞で汚染された乾燥土壌あるいは空中に浮遊する菌体を吸入して感染する。我が国では近年増加傾向にあるが，他の輸入真菌症と異なり約10%は該当する海外渡航歴がない点に注意する[5]。

形態

培養後の形態は，菌糸形では菌糸，球形の小分生子および大分生子が観察される（図10.3.3）。酵母形では亜球状の，いわゆる酵母様の形態を示す。病巣組織内では酵母形で存在する。

培養

積極的培養は勧められない。前述の手順に従い，血清学的検査および直接鏡検や病理組織標本での診断を試みる。どうしても培養しなければならない場合は，密閉できる容器を使用する。

①菌糸形コロニー

真菌用培地を用い，25～30℃の好気性培養を7～14日行う。菌株によっては4週間程度の培養が必要ともされる。

②酵母形コロニー

ブレインハートインフュージョン（BHI）培地などの高栄養培地を用い，35～37℃の好気性培養で7～10日培養する。

同定

①菌糸形

i）コロニー

白色，綿毛状コロニー。

ii）顕微鏡下の形態

有隔真正菌糸，亜球状～洋梨型の小分生子（3～6μm），球形で周囲に突起を有する大分生子（7～25μm）が観察される（図10.3.3）。

②酵母形

i）コロニー

淡黄白色の酵母様コロニー。

ii）顕微鏡下の形態

亜球状の，いわゆる酵母様細胞（2～4μm）が観察される。

病原性

健常者の多くは自然治癒するが，稀に肺炎を発症する。後天性免疫不全症候群（AIDS）などの免疫不全患者では全身感染に進展することも多い。

治療

初期治療や重傷例にポリエン系薬（AMPH-B），維持療法にアゾール系薬（ITCZ）などが使用される。

血中抗原（抗体）検査

輸入真菌症のなかでは信頼性の高い血中抗原および抗体検出法がある（国立感染症研究所真菌部あるいは千葉大学真菌医学研究センター臨床感染症分野が実施しているので連絡・相談のうえ，検査依頼について打診する）。

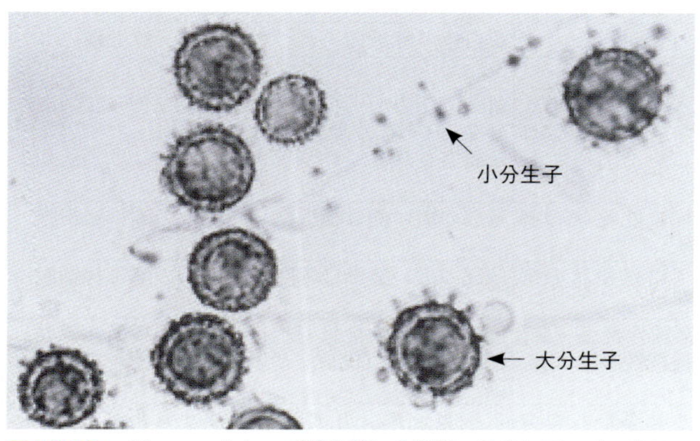

図10.3.3 *H. capsulatum*（菌糸形）の形態 ラクトフェノールコットン青標本 ×400
〔宮治 誠，西村和子（編著）：医真菌学辞典，第2版，協和企画通信，1993より許可を得て転載〕

2. コクシジオイデス・イミチス (*Coccidioides immitis*) / コクシジオイデス・ポサダシ (*Coccidioides posadasii*)

分類

子嚢菌門，チャワンタケ亜門，ホネタケ目，ホネタケ科。

疫学

コクシジオイデス症の起因菌は *C. immitis* と *C. posadasii* の2つの菌種が知られているが，臨床的意義はほぼ同じである。本菌の生息地域は米国南西部諸州，メキシコ北部，中米（グアテマラ，ホンジュラス，ニカラグア），南米（アルゼンチン，パラグアイ，ベネズエラ，コロンビ

用語 後天性免疫不全症候群（acquired immunodeficiency syndrome；AIDS），アムホテリシンB（amphotericin B；AMPH-B）

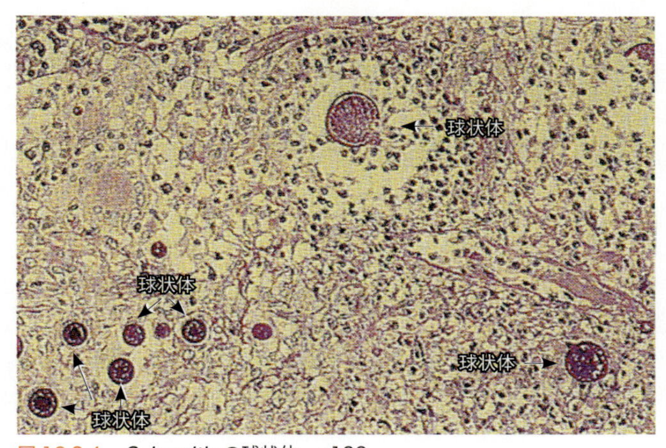

図 10.3.4　*C. immitis* の球状体　×100
〔宮治　誠，西村和子（編著）：医真菌学辞典，第 2 版，協和企画通信，1993 より許可を得て転載〕

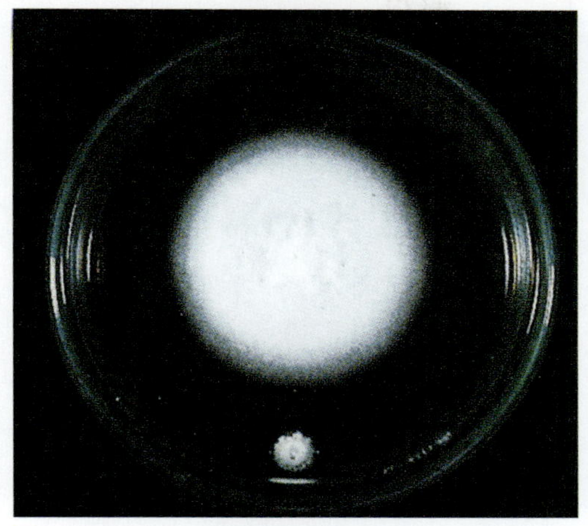
図 10.3.5　*C. immitis* のコロニー
〔宮治　誠，西村和子（編著）：医真菌学辞典，第 2 版，協和企画通信，1993 より許可を得て転載〕

ア）などに限られているが，近年，各種交通機関の発達による流行地域への渡航や，医療技術の進化に伴う免疫不全状態患者の増加に伴い感染者数は増加傾向にある。これら*Coccidioides*属菌は最も感染力が強く，ヒトは本菌に汚染された土壌や，空中に浮遊する分節型分生子を吸入して感染する。健常者に容易に感染するためきわめて危険であり，一般の病院での培養は禁忌である。

形態

ほかの二形性真菌と異なり，温度変化による二形性は示さず，培養後の形態は常に菌糸形である。感染組織内では球状体（図 10.3.4）で存在し，発育段階によりさまざまなサイズの球状体が観察される。

培養

生物学的安全キャビネットなどを用いても検査室内感染を防げないため，決して培養を試みてはならない。感染事故を防ぐためにも渡航歴や渡航先など患者背景を把握できるようなシステムを構築しておくことが大切である。

真菌用培地で，25～30℃または35℃の好気性培養で3～7日培養する。35℃の方が発育は速いとされる。

同定

血清学的検査および生検による病理組織検査により行う。

i）コロニー

白色，綿毛状コロニー（図 10.3.5）（25～30℃および35℃培養のコロニー形態は同じ）。

ii）顕微鏡下の形態

有隔真正菌糸，成熟した菌糸から形成された分節型胞子（2～3×4～6 μm）が，空となった細胞の解離細胞とともに観察される（図 10.3.6）。

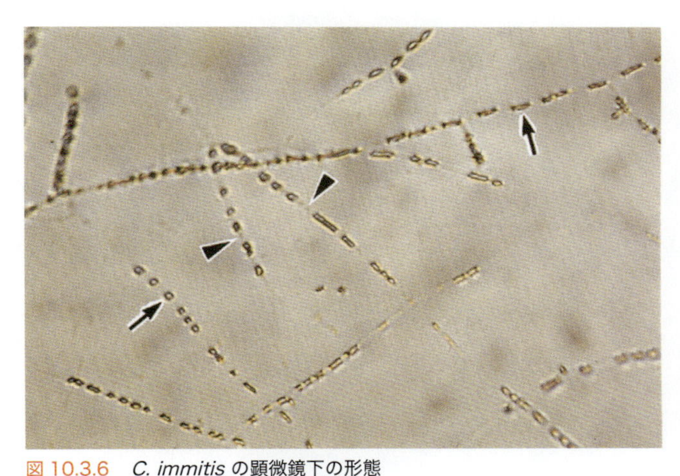
図 10.3.6　*C. immitis* の顕微鏡下の形態
矢印：分節型胞子，矢頭：解離細胞。
〔宮治　誠，西村和子（編著）：医真菌学辞典，第 2 版，協和企画通信，1993 より許可を得て転載〕

病原性

健常者を含む感染者の60％程度は自然治癒するが，ほかは感冒様症状を呈する。さらにそのうちの1％程度，とくに易感染性患者などにおいては全身に播種し，その約半数は死亡するとされる。本菌群の感染力は病原真菌のなかで最強で，コクシジオイデス症は感染症法の四類感染症に分類されている。また，胞子が飛散しやすく実験室感染を起こしやすい。

治療

ヒストプラズマ症と同様に初期治療や重傷例にポリエン系薬（AMPH-B），維持療法にアゾール系薬（ITCZ）などが使用される。慢性肺コクシジオイデス症では外科的切除も選択される。

血中抗原（抗体）検査

*Histoplasma*属菌と同様に2施設に相談のうえ，検査依頼について打診する。

［石垣しのぶ］

参考文献

1) D.H. ラローン（原著），山口英世（監修）：医真菌 同定の手引き（第5版），栄研化学，2013
2) 亀井克彦：「輸入真菌症とその問題点」，真菌誌，2012；53：103-108.
3) 山口英世：「輸入真菌症の微生物学的検査：いかに安全に，どう検査を進めてゆくか」，モダンメディア，2010；56：199-212.
4) 千葉大学真菌医学研究センター：輸入真菌症発生状況．http://www.pf.chiba-u.ac.jp/clinical/mycosis.html
5) Kikuchi K *et al.*："Is *Histoplasma capsulatum* a native inhabitant of Japan?", Microbiol Immunol, 2008；52：455-459.

10.4 ｜ その他の真菌

- 微胞子虫は，胞子を形成する偏性細胞内寄生性の真菌である。
- 通常，微胞子虫は特殊染色を用いた光学顕微鏡検査または電子顕微鏡検査ときに蛍光抗体法または PCR 法によって診断される。

10. 4. 1 微胞子虫（*Encephalitozoon bieneusi* など）

分類

ミクロスポリディア門。

疫学

単細胞の真核生物で原虫とされていたが，最近，分子生物学的解析によってムーコル目に近い真菌に分類された。細胞内にコイル状に巻かれた極糸を有し，その極糸を伸ばして宿主細胞を突き刺し，その細胞内に自身の細胞質を注入して感染する偏性細胞内寄生菌である。100属以上および1,300種以上存在し，昆虫，魚類，哺乳類など種々の動物に感染するが，8属，10数種はヒトにも感染する。ヒトの感染源は，家畜，イヌおよび鳥類などで人獣共通感染症である。

形態

卵形の胞子（1～40μm）が観察される（図10.4.1）。

培養

培養は通常行わない。臨床材料からの検出は直接鏡検である。便は集菌せず薄く塗抹，その他は材料によって直接塗抹，あるいは集菌後の沈渣を塗抹する。赤色色素のクロモトロープ2Rを用いた染色〔trichrome染色（トリクローム染色），Gomoriトリクローム変法染色など〕，蛍光染色〔calcofluor white染色（カルコフロールホワイト染色），Fungiflora Y染色（ファンギフローラY染色）〕およびGiemsa染色などを用いる。クロモトロープ2Rを用いた染色は菌体を識別しやすく，trichrome染色キットは数種市販されている。便のGiemsa染色は識別しにくいため推奨されない[1, 2]。

同定

卵形の胞子（1～40μm）が観察されるが，菌種によりサイズに幅がある（*E. bieneusi*：0.7～1×1～1.6μm，*E. cuniculi*：1～1.5×2～3μm）。また，クロモトロープ2Rを用いた染色では菌体に帯状の縞が観察される（図10.4.1右）。

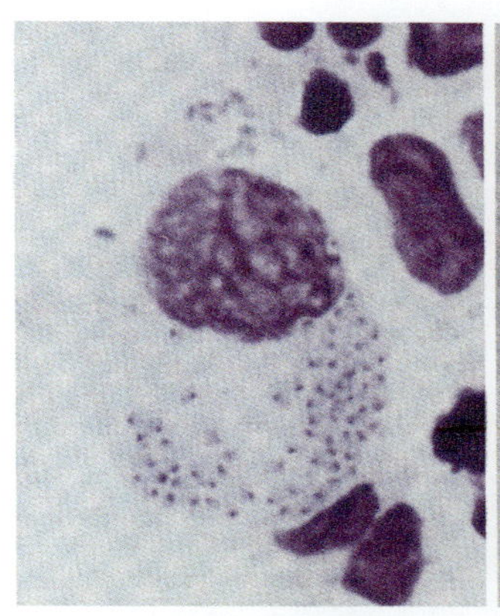
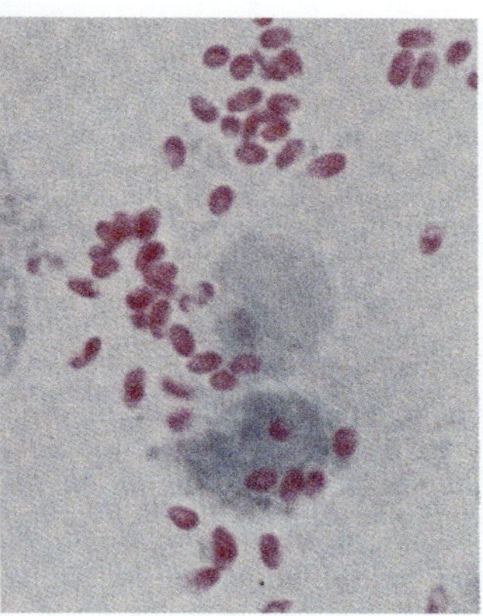

図 10.4.1 微胞子虫の鏡検像
左：*E. bieneusi*（AIDS 症例，気管支洗浄液の沈渣，Giemsa 染色，×1,000）
右：*E. cuniculi*（AIDS 症例，尿の沈渣，chrometrope 染色，×1,000）
〔Carroll KC *et al.*（eds.）: Manual of Clinical Microbiology 13th ed, ASM Press, 2023 より転載〕

病原性

病型のほとんどは後天性免疫不全症候群（AIDS）患者における難治性下痢，角膜炎，副鼻腔炎，肝炎および播種性病変などが知られていたが，最近，健常者における下痢，肝膿瘍や脳膿瘍の報告も散見されるようになった。

治療

駆虫薬としてアルベンダゾールあるいはフマギリンの経口投与を行う。

［石垣しのぶ］

用語 ポリメラーゼ連鎖反応（polymerase chain reaction；PCR），後天性免疫不全症候群（acquired immunodeficiency syndrome；AIDS）

参考文献

1）Weber R *et al.*：“Microsporidia”, Manual of Clinical Micribiology 10th ed., vol. 2, 2190-2199, Versalovic J *et al.*(eds.), ASM Press, 2011.
2）Garcia LS：“Laboratory identification of the microsporidia”, J Clin Microbiol, 2002；40：1892-1901.
3）山口英世：病原真菌と真菌症 改訂4版，南山堂，2007.
4）宮治　誠，西村和子(編著)：医真菌学辞典 第2版，協和企画通信，1993.
5）深在性真菌症のガイドライン作成委員会(編)：深在性真菌症の治療・診断ガイドライン 2014，協和企画通信，2014.
6）小栗豊子(編)：「真菌の検査法―形態学的同定検査を中心に」，臨床と微生物，38(増刊)，2011.
7）Carroll KC *et al.*(eds.)：Manual of Clinical Microbiology 13th ed, ASM Press, 2023.
8）Kurtzman CP *et al.*(eds.)：The Yeasts：A Taxonomic Study 5th ed, Elsevier Science, 2011.

B. 微生物学的検査

11章 ウイルス

章目次

SUMMARY

ウイルスは微生物の一群に分類されているものの，ウイルスのみでは自己増殖できないため，生物とはいいがたい。しかし，生きた細胞に侵入すると，宿主細胞の機能を利用して増殖することが可能となることから，非生物ともいいがたい。すなわち，ウイルスは生物と非生物の中間に位置する。

ウイルスの分類は，古くから宿主や症状，伝染方法，ウイルス粒子の形状などを基準に行われてきたが，分類されてきたが，近年では，国際ウイルス分類委員会（International Committee on Taxonomy of Viruses；ICTV）が中心となって，ウイルスの核酸や発現形式に重点を置いた分類作業が行われている。

ウイルスの基本構造は，二本鎖DNA，一本鎖DNA，二本鎖RNA，一本鎖RNAのいずれかを保有し，その周りをカプシドが覆っている。カプシドはその外形から立方対称，らせん対称および複雑化したものに分類される。また，一部のウイルスでは，カプシドの周りをさらにエンベロープで覆われているものもあり，エンベロープは宿主細胞由来成分よりつくられる。カプシドやエンベロープは宿主の細胞表面レセプターと結合・吸着することで，細胞内への侵入のきっかけをつくる。また，ウイルスは動物，植物，微生物などあらゆる生物に寄生しており，ヒトを自然宿主とする動物ウイルスだけでも，その数は数百種に及ぶ。本章ではヒト病原性ウイルスを中心に，各ウイルスの特徴について述べる。

11.1　DNA ウイルス

- DNA ウイルスは大部分が二本鎖であり，そうでないのは一本鎖のパルボウイルス科と不完全二本鎖のヘパドナウイルス科である。
- DNA ウイルスの構造は大部分が線状構造であり，そうでないのは環状構造のポリオーマウイルス科とパピローマウイルス科，さらに不完全環状構造のヘパドナウイルス科である。
- DNA ウイルスの複製は大部分が細胞の核内で行われるが，ポックスウイルス科は DNA 合成酵素をもつことから細胞質で複製できる。
- DNA ウイルスは RNA ウイルスと比較すると遺伝子の変異が少ない。そのためワクチン開発が容易であり，長期にわたって同じワクチンが使用できる。

11. 1. 1　ポックスウイルス科（*Poxviridae*）

分類

ポックスウイルス科（*Poxviridase*）はチョルドポックスウイルス亜科（*Chordopoxvirinae*）とエントモ（昆虫）ポックスウイルス亜科（*Entomopoxvirinae*）の2亜科に分類され，前者は脊椎動物，後者は昆虫に感染する。

チョルドポックスウイルス亜科は8属に分類され，そのなかでもヒトを宿主とするオルトポックスウイルス属（Genus *Orthopoxvirus*）のサル痘ウイルス，痘瘡ウイルス（天然痘ウイルス），ワクチニアウイルス（種痘に用いられるウイルス），牛痘ウイルス，およびモラシポックスウイルス属　（Genus *Molluscipoxvirus*）の伝染性軟属腫ウイルスが重要である。

形態

ポックスウイルス科に属するウイルスは，130〜375kbp の線状二本鎖DNAをゲノムとし，ビリオンはDNA，精巧なコートあるいはカプシド，ラテラルボディ（側体），エンベロープから構成され，220〜450 × 140〜260 × 140〜260nmのれんが状ないし卵形を示す（図11.1.1）。また，増殖に必要な酵素のほとんどをウイルスが保有しているため，ビリオンの複製はすべて細胞質で行うことができる。

感染

感染経路は，経気道や接触感染が多く，節足動物による機械的伝播も起こる。ポックスウイルス科による病気の特徴は皮膚の発疹様斑紋である。

1. 痘瘡（天然痘）ウイルス（*Variola virus*）

痘瘡ウイルスは，ポックスウイルス科オルソポックスウイルス属に属し，痘瘡（天然痘）の病原体である。また，人類が根絶に成功した最初の病原体で，1980年5月8日に世界保健機関（WHO）によって撲滅が宣言された。

2013年現在，自然界には存在せず，米国疾病予防管理センターとロシア国立ウイルス学・バイオテクノロジー研究センターの2施設のみで保管されている。

痘瘡ウイルスは，人獣共通感染症ではなく唯一ヒトにのみ感染する。感染力は非常に強く，飛沫感染および接触感染によるもので，感染者からの飛沫や体液が口，鼻，咽頭の粘膜に入ることで感染する。感染後7〜16日の潜伏期を経て，急な発熱症状から始まり，前駆期と発疹期に移る。

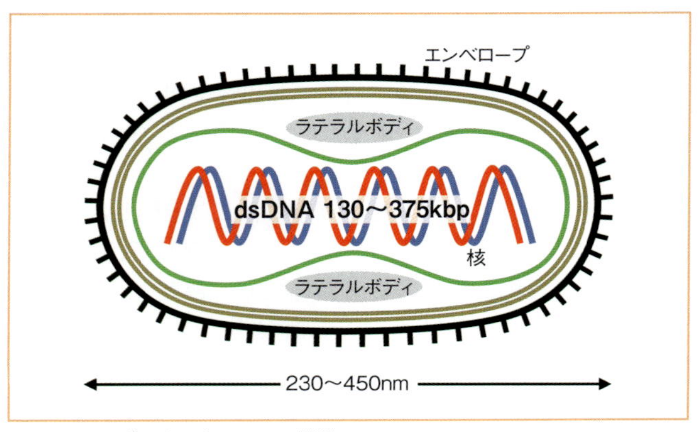

図 11.1.1　ポックスウイルスの構造

用語　亜科（subfamily），属（genus），二本鎖 DNA（double-stranded DNA；dsDNA），世界保健機関（World Health Organization；WHO）

根本的な治療法はなく，30～40%が死に至る。また，天然痘ウイルスの生存能力は高く，乾燥した冬季なら数カ月は生存可能である。痘瘡は一類感染症に指定されている。

痘瘡ワクチンは，1796年にEdward Jennerが開発した世界で初のワクチンである。免疫のない個人が天然痘患者に近距離で接すると80%以上が天然痘を発症する。

予防法は種痘ワクチンであるが，わが国における接種は，1976年に廃止されている。

生物兵器としての天然痘ウイルスは，拡散性・致死性が極めて高く，テロリストが事前に種痘を受けることで危険を免れ得ることから，理想的な兵器といえる。天然痘ウイルスを散布するようなバイオテロが実際に起これば，数百万人もの患者・死者が予測される。

生物兵器の存在を示唆するものとして，①旧ソ連や北朝鮮からの亡命者の証言，②イラクでの天然痘ワクチン製造実績，③イラクや北朝鮮兵士の血液サンプルに天然痘ワクチン接種歴を示唆するデータなどがある。

2. 牛痘ウイルス（*Cowpox virus*）

牛痘ウイルスは，ポックスウイルス科オルソポックスウイルス属に属し，ネコ科動物，ヒト，ウシなど種々の動物を宿主とする。

ネコ科動物では感受性が高い。症状として丘疹，結節，水疱，膿疱を形成する。ヒトでは症状が軽く，瘢痕も残らないことから，E. Jennerは，本ウイルスに注目し，痘瘡ワクチン（種痘）を開発したとされている。

牛痘に対する特異的治療法はないため，対症療法が行われる。

3. ワクチニアウイルス（*Vaccinia virus*）

ワクチニアウイルスは，ポックスウイルス科オルソポックスウイルス属に属し，WHOが用いた痘瘡ワクチン（種痘）の成分となるウイルスである。ワクチニアウイルスの起源は不明であり，自然界では発見されていない。このウイルスの起源については，牛痘ウイルスが動物やヒトの皮膚で継代されている間に変異を起こしたという説や，痘瘡ウイルスがに感染して変異したものなどの説がある。

4. エムポックスウイルス（*Mpox virus*）

エムポックスウイルスは，ポックスウイルス科オルソポックスウイルス属に属し，エムポックスの原因体である。エムポックスは人獣共通感染症であり，四類感染症に指定されている。

エムポックスウイルスのヒトへの感染経路は，アフリカに生息するリスなどの齧歯類をはじめ，サルやウサギなどウイルスを保有する動物との接触，感染した人や動物の皮膚の病変・体液・血液との接触，感染患者（近距離）の飛沫への長時間の曝露，患者が使用した寝具などとの接触などである。ヒトにおけるエムポックスの潜伏期間は7～21日で，発疹，発熱，発汗，頭痛，悪寒，咽頭痛，リンパ節腫脹が表れる。重症例では臨床的に天然痘と区別できない。

致死率は，アフリカでの流行では数%～10%と報告されている。2022年の欧米を中心とした流行では，7万7千人以上の感染例が報告されており，常在国（アフリカ大陸）から15例，非常在国から21例の死亡例が報告されている。WHOによると，多くは男性であるが，小児や女性の感染も報告されている。診断は，PCR検査による遺伝子の検出，ウイルス分離・同定やウイルス粒子の証明，蛍光抗体法などの方法がある。天然痘ワクチンによって約85%発症予防効果があるとされている。現在，欧州においては特異的治療薬としてテコビリマットが承認されているが，日本では未承認であり対症療法が行われる。

5. 伝染性軟属腫ウイルス（*Molluscum contagiosum virus*）

伝染性軟属腫ウイルスは，ポックスウイルス科モラシポックスウイルス属に属し，伝染性軟属腫（水いぼ）の原因ウイルスである。

基本的には小児の疾患であるが，成人でも免疫力の低下の基礎疾患を有する場合や高齢者でも発症することがある。

感染経路は，皮膚の接触による接触感染で，小児ではプールでの感染が最も多く，成人では性感染症の場合もある。

感染後の潜伏期は14～20日であり，小児における軟属腫の好発部位は顔面，体幹，四肢，成人では陰部，免疫不全者の場合は全身に多発する傾向にある。症状は，半年から2年程度で，免疫を獲得することから自然治癒する。また，完治した後の再発はない。

小児では，自然治癒までの期間が長く，周囲への感染拡大防止を考慮して積極的な治療が推奨される。

ワクチンなどの予防法がなく，確実な治療法は物理的に軟属腫を除去するのが一般的である。

Q 国際ウイルス分類委員会（ICTV）とは？

A 国際ウイルス分類委員会（ICTV）は，ウイルス独自の命名規則を設けることを目的に，1966年の第9回国際微生物学会議にて，国際細菌命名委員会から独立した。ICTVによるウイルス命名は，目（order），科（family），亜科（sub-family），属（genus），種（species）までを取り仕切っている。正式に名称として確立したときに初めて「大文字で始まるイタリック体」で記述する。ICTVは3～9年間隔でウイルスの分類命名法を変更してきたが，直近のものは2011年第9次報告である（http://www.ictvonline.org/）。

11. 1. 2 ヘルペスウイルス科（*Herpesviridae*）

分類

ヘルペスウイルス科は15属に分類され，そのうち，ヒトを宿主とするヘルペスウイルス科は，3亜科，6属，8種に分類される（表11.1.1）。

形態

ヘルペスウイルス科に属するウイルスは，線状二本鎖DNAをゲノムとし，宿主の核内で複製する。ビリオンはDNA，正20面体のカプシド，テグメント，エンベロープから構成され，120～260nmの球形を示す（図11.1.2）。

感染

ヒトを宿主とするヘルペスウイルス（*human herpesvirus*；HHV）には，単純ヘルペスウイルスⅠ型およびⅡ型，サイトメガロウイルス，水痘・帯状疱疹ウイルス，エプスタイン・バー(EB）ウイルス，ヒトヘルペスウイルス6, 7, 8がある。

ヘルペスウイルス科の宿主細胞への感染は，エンベロープと細胞膜の膜融合，またはエンドサイトーシスによって，エンベロープ内部のカプシドが細胞内に侵入することで成立する。

1. 単純ヘルペスウイルス（herpes simplex virus-1, 2；HSV-1, 2）（*Human herpesvirus-1, 2*；HHV-1, 2）――

分類

HSVはアルファヘルペスウイルス亜科に属し，2つの血清型（HSV-1とHSV-2）があり，HSV-1はすべてのヘルペスウイルスのプロトタイプと考えられている。

形態

HSV粒子はほぼ球状で，約150kbpの大型な線状二本鎖DNAをもつ。

表11.1.1 ヘルペスウイルス科の分類

亜科（subfamily）	属（genus）	種（species）	慣用名
アルファヘルペス亜科 *Alphaherpesvirinae*	シンプレックスウイルス属 *Simplexvirus*	HHV-1 (*Human herpesvirus-1*)	単純ヘルペスウイルス1型 (herpes simplex virus-1；HSV-1)
		HHV-2 (*Human herpesvirus-2*)	単純ヘルペスウイルス2型 (herpes simplex virus-2；HSV-2)
	バリセロウイルス属 *Varicellovirus*	HHV-3 (*Human herpesvirus-3*)	水痘・帯状疱疹ウイルス (varicella-zoster virus；VZV)
ベータヘルペス亜科 *Betaherpesvirinae*	サイトメガロウイルス属 *Cytomegalovirus*	HHV-5 (*Human herpesvirus-5*)	サイトメガロウイルス (cytomegalovirus；CMV)
	ロゼオロウイルス属 *Roseolovirus*	HHV-6 (*Human herpesvirus-6*)	ヒトヘルペスウイルス6型
		HHV-7 (*Human herpesvirus-7*)	ヒトヘルペスウイルス7型
ガンマヘルペス亜科 *Gammaherpesvirinae*	リンフォクリプトウイルス属 *Lymphocryptovirus*	HHV-4 (*Human herpesvirus-4*)	エプスタイン・バーウイルス (Epstein-Barr virus；EBV)
	ラディノウイルス属 *Rhadinovirus*	HHV-8 (*Human herpesvirus-8*)	カポジ肉腫関連ヘルペスウイルス (Kaposi's sarcoma-associated herpesvirus；KSHV)

用語 国際ウイルス分類委員会（International Committee on Taxonomy of Viruses；ICTV），エプスタイン・バー（Epstein-Barr；EB）

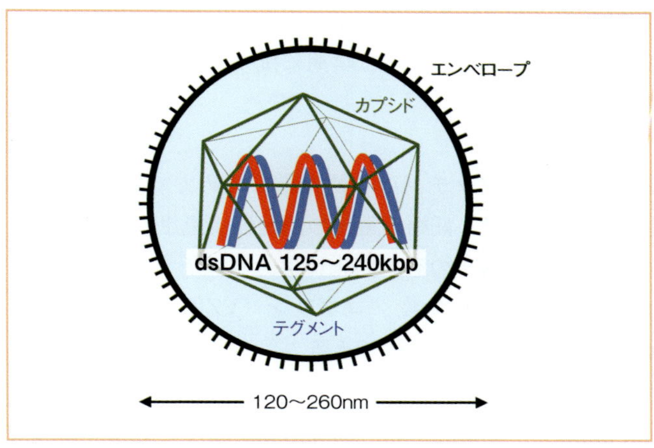

図 11.1.2　ヒトヘルペスウイルスの構造

検査

HSV 感染症の検査法にはウイルスを直接的に証明する抗原検査や遺伝子検査と，ウイルス感染に起因する特異抗体を間接的に証明する抗体検査とがある。

抗原検査にはウイルス分離法，蛍光抗体法，シェル・バイアル法などがあり，いずれも検出率は十分ではない。遺伝子検査にはLAMP法，PCR法などがあり，検出感度および特異性に優れており，ヘルペス脳炎，新生児ヘルペス感染症などの早期診断法としての有用性は高い。一方，抗体検査には補体結合反応（CF），中和試験（NT），蛍光抗体法（IFA），酵素免疫測定法（EIA）などがあり，EIAはIgGとIgM型抗体を分別可能で，簡便性にも優れていることから最も普及しているが，初感染での陽性化が遅いという短所と潜伏感染を判別できるという長所をもつ。

その他の検査法としては，顕微鏡下での多核巨細胞の確認を行うツァンクテストなどがある。

病原性

日本人の70～80%はHSV-1に，2～10%がHSV-2に感染しているといわれている。また，HSV-1は上半身，HSV-2は下半身への感染が多いとされているが，絶対的ではない。基本的な病変は感染してから2～12日の潜伏期を経て，感染部位に水疱や潰瘍を形成する。

HSV-1およびHSV-2 は初感染後，感染局所の粘膜上皮細胞で増殖する。HSV-1の初感染は乳幼児期に起こりやすく，感染者のほとんどは不顕性感染となるが，数%は歯肉口内炎，角結膜炎，ヘルペス湿疹などを発症し，脳炎や新生児全身ヘルペスなどの致命的な経過をたどる場合もある。

一方，HSV-2の初感染は思春期以後に多く，性交により感染し，おもに性器ヘルペスなどを発症し，脊髄炎や髄膜炎などの致命的な経過をたどる場合もある。また，性器ヘルペスに罹患した妊婦の経腟分娩時では，出生児が感染し重篤な新生児全身ヘルペスを引き起こすこともある。なお，性器ヘルペスは五類感染症の定点把握疾患に指定されている。

局所で増殖したHSVは病態発症の有無に関わらず，感染局所を支配する知覚神経末端に感染した後，アクソン内を逆行輸送される。最終的にHSV-1は三叉神経節，HSV-2は仙髄神経節の神経細胞核内に到達し潜伏する。

潜伏感染したHSVは宿主の抵抗力が低下（ストレス，疲労，発熱，妊娠，月経，免疫抑制，紫外線照射など）により再活性化する。神経節で再活性化（増殖）したウイルスはアクソン内を順行輸送され，再び局所に病態を引き起こす。

HSV-1の再活性化では口唇ヘルペスや角膜ヘルペス，HSV-2の再活性化では性器ヘルペスが多く，いずれも初感染に比較して軽症である場合が多い。

治療

初感染や回帰発症時のウイルス増殖期（溶解感染期）では，アシクロビル，バラシクロビル，またはファムシクロビルなどの抗ウイルス薬を使用する。治療の開始は早いほど効果的であり，神経症状の改善や早期回復に役立つ場合もある。しかし，既存の抗ウイルス薬による治療を行っても，持続感染の防止や潜伏感染部位のHSV除去は不可能である。また，頻繁に回帰発症が認められる場合は少量の抗ウイルス薬を長期間投与する持続治療（抑制療法）により，再発の回数を減らすことができる。

予防

HSV感染を防止するためのワクチンはなく，感染を未然に防止することは困難である。

再活性化の予防としては誘発する可能性のある行動を避ける（日光への過度の曝露，熱性疾患，身体的または感情的ストレス，免疫抑制など），抗ウイルス薬による持続治療（抑制療法）などがある。

2. 水痘・帯状疱疹ウイルス (varicella-zoster virus ; VZV) (*Human herpesvirus-3* ; HHV-3)

分類

VZVはアルファヘルペスウイルス亜科に属する。

形態

HSV粒子は球状で，約125kbpの線状二本鎖DNAをもち，HHVのなかでは最小である。

検査

VZV感染症の検査法にはウイルスを直接的に証明する

用語　LAMP（loop-mediated isothermal amplification），ポリメラーゼ連鎖反応（polymerase chain reaction;PCR），補体結合反応（complement fixation test；CF），中和試験（neutralization test；NT），蛍光抗体法（immunofluorescence assay；IFA），酵素免疫測定法（enzyme immunoassay；EIA），多核巨細胞（ballooning-cell），ツァンクテスト（Tzanck test）

抗原検査や遺伝子検査とウイルス感染に起因する特異抗体を間接的に証明する抗体検査とがある。

抗原検査にはウイルス分離法，蛍光抗体法，シェル・バイアル法などがあり，いずれも検出率は十分ではない。遺伝子検査にはLAMP法，PCR法などがあり，検出感度および特異性に優れている。一方，抗体検査にはCF，免疫粘着赤血球凝集反応（IAHA），EIAなどがあり，EIAはIgGとIgM型抗体を分別可能で，簡便性にも優れていることから最も普及しているが，初感染での陽性化が遅いという短所と潜伏感染を判別できるという長所をもつ。

その他の検査法としては顕微鏡下での多核巨細胞の確認を行うツァンクテストなどがある。

病原性

VZVは世界中に分布し，その伝染力は麻疹よりは弱いが，ムンプスや風疹ウイルスよりは強く，五類感染症に指定されている。VZVの初感染は9歳以下がほとんどで，わが国における成人の抗体保有率は90%と高い。また，感染後10～21日の潜伏期を経て，高い頻度（70～90%）で発症する。

初感染でのVZVは上気道粘膜に吸着し，T細胞または樹状細胞に感染し，所属リンパ節へと運ばれ増殖する（一次ウイルス血症）。これによりVZVは肝臓，脾臓などにも広がり，そこでも増殖する（二次ウイルス血症）。最終的には上皮へも感染し毛細血管内皮細胞で増殖して，皮膚に発疹や水疱を形成する。小児では全身両側性のかゆみを伴う発疹，丘疹，水疱，膿疱を形成後，痂皮化する。成人は小児に比較して重症化しやすい。さらに，局所で増殖したVZVは感染局所を支配する知覚神経末端に感染した後，アクソン内で逆行輸送され，脊髄後根神経節に到達し潜伏する。潜伏感染したVZVは宿主の抵抗力が低下（老化，悪性腫瘍，免疫抑制など）により再活性化する。神経節で再活性化（増殖）したウイルスはアクソン内を順行輸送され，再び局所に病態を引き起こす。

VZVの再活性化では激痛を伴う帯状疱疹を発症し，片側神経節領域の皮膚に水疱が分布する傾向がある。その他の神経障害として髄膜炎，脳炎，脊髄炎，末梢神経障害，Ramsay-Hunt症候群，Guillain-Barré症候群などが報告されている。また，VZVは宿主内で潜伏・再活性化を繰り返し，終生にわたり存続する。

治療

水痘は予後が良好であるため対症療法となる。抗ウイルス薬を皮疹発現から24時間以内に投与すると，症状の持続期間および重症度がやや軽減するが，抗ウイルス薬投与（バラシクロビル，ファムシクロビル，アシクロビルなど）の対象は，免疫不全の患者や重症の水痘患者である。一方，帯状疱疹発症者については早期に抗ウイルス薬の投与が開始される。

予防

水痘弱毒生ワクチンの予防接種は極めて有効であるが，免疫不全の患者，妊婦，重度の消耗性疾患患者などには禁忌である。曝露後の感染防止には，ワクチン接種は3日以内，水痘帯状疱疹免疫グロブリン（VZIG）の投与は4日以内に行えば効果が期待できる。

回帰発症の予防としては再発を誘発する可能性のある行動（日光への過度の曝露，熱性疾患，身体的または感情的ストレス，免疫抑制など）を避けるなどである。

3. ヒトサイトメガロウイルス (human cytomegalovirus ; HCMV) (*Human herpesvirus-5* ; HHV-5)

分類

HCMVはベータヘルペスウイルス亜科に属し，増殖速度が遅いという特徴をもつ。

形態

HCMV粒子は球状で約235kbpの線状二本鎖DNAを持ち，HHVのなかでは最大である。また，感染細胞には「フクロウの目」様の特徴的な封入体が観察され，巨大な細胞となる。サイトメガロの名称はサイト（cyto：細胞）とメガロ（megalo：巨大な）に由来する。

検査

HCMV感染症の検査法にはウイルスを直接的に証明する抗原検査や遺伝子検査と，ウイルス感染に起因する特異抗体を間接的に証明する抗体検査とがある。

抗原検査にはウイルス分離法，蛍光抗体法，シェル・バイアル法などがあり，いずれも検出率は十分ではない。

HCMV抗原陽性多核白血球の検出法としてアンチゲネミア法があり，特異性が高く，活動性感染の診断法として有用であり，わが国では最も普及している。

遺伝子検査にはLAMP法，PCR法などがあり，検出感度および特異性に優れており，定量値は活動性の指標となる。一方，抗体検査には，CF，IFA，EIAなどがあり，EIAはIgG型抗体とIgM型抗体を分別可能で，簡便性にも優れていることから最も普及しているが，初感染での陽性化が遅いという短所と潜伏感染を判別できるという長所をもつ。

その他の検査法としては，顕微鏡下での封入体巨細胞の確認などがある。

用語　免疫粘着赤血球凝集反応（immune adherence hemagglutination；IAHA），帯状疱疹（herpes zoster），水痘帯状疱疹免疫グロブリン（Varicella zoster immune globulin：VZIG）

病原性

HCMVは世界中に分布している。初感染のほとんどは乳幼児期である。また，感染後20〜60日の潜伏期を経て発症する場合もあるが，ほとんどは不顕性である。また，ほかのヘルペスウイルスと同様に症状の有無に関係なく骨髄球系前駆細胞などに潜伏する。わが国における成人の抗体保有率は60〜90%と高齢者ほど高い。近年，妊娠可能年代の女性における抗体保有率が低下しており，先天性感染や周産期感染による新生児サイトメガロウイルス感染数の増加が危惧されている。

先天性HCMV感染症はTORCH症候群の1つでもあり，妊婦に初感染や再活性化を認めた場合，母体で増殖したウイルスが胎盤を経由して胎児に感染し，点状出血，黄疸，肝脾腫，感覚障害，小頭症，脳内（脳室周囲）石灰化，血小板減少，難聴，脈絡網膜炎，播種性血管内凝固症候群（DIC）などさまざまな症状を示す。妊婦が初感染した場合の胎児への感染頻度は約40%であり，15〜30%の割合で後遺症が発生する。

後天性感染の場合は新生児，乳児，小児ではほとんどが不顕性であり，発症しても軽症となる。一方，思春期以降の感染では伝染性単核球症様の症状を呈することが多い。

免疫不全・抑制者での初感染および再活性化における症状は発熱，白血球減少，血小板減少，肝炎，関節炎，大腸炎，網膜炎，間質性肺炎などさまざまであり，重症化する傾向にある。また，臓器移植・骨髄移植時には強力な免疫抑制を行うことから同様の症状に注意する。さらに，HCMVの感染歴がないドナーと，感染歴のあるレシピエントの組み合わせで骨髄移植を行った場合，HCMVを抑制する細胞（ドナー由来）がなくなることから，HCMVの再活性化により重篤となる。

治療

治療には抗ウイルス薬であるガンシクロビル，ホスカルネットが用いられる。アシクロビルはHCMVがチミジンキナーゼを有しないことから有効ではない。臓器移植や造血幹細胞移植後ではHCMV高力価γグロブリン製剤と抗ウイルス薬の併用が多い。

予防

HCMV感染を防止するためのワクチンはない。未感染妊婦の感染予防としては乳幼児と密接な接触を避ける。早産児の感染予防としては感染母体からの授乳を避ける。免疫力が低下した易感染患者の感染予防としては抗ウイルス薬の予防的投与が行われる場合もある。

4. ヒトヘルペスウイルス6型，7型（*Human herpesvirus-6, 7*；HHV-6, 7）

分類

HHV-6, 7はいずれもベータヘルペスウイルス亜科に属し，HHV-6は抗原性や遺伝子配列の違いから，2種類〔variant A, B（HHV-6A，6B）〕に分類され，variant Bの病原性は明らかとなっている。

形態

HHV-6および7粒子は球状で，約160および145kbpの線状二本鎖DNAをもつ。

検査

HHV-6, 7感染症の検査法には，ウイルスを直接的に証明する抗原検査や遺伝子検査と，ウイルス感染に起因する特異抗体を間接的に証明する抗体検査とがある。

抗原検査にはウイルス分離法があるが一部の研究施設でのみ実施可能である。遺伝子検査にはLAMP法，PCR法などがあり，検出感度および特異性に優れており，最も信頼できる方法である。一方，抗体検査にはIFA，EIAなどがあり，いずれもIgGとIgM型抗体を分別可能であるが，初感染での陽性化が遅いという短所と潜伏感染を判別できるという特徴をもつ。

病原性

HHV-6, 7は世界中に分布し，初感染は2〜3歳頃までがほとんどで，成人の90%以上が抗体を保有している。また，感染後は約10日の潜伏期を経て60〜80%が発症する。

初感染でのHHV-6はCD46をレセプターとして細胞内に侵入し，T細胞のほかNK細胞，肝細胞，上皮細胞，血管内皮細胞などに感染後，variant B（HHV-6B）では突発性発疹や熱性痙攣を引き起こし，最終的には単球や前骨髄細胞に潜伏する。また，潜伏したHHV-6Bゲノムは宿主染色体のテロメア領域に組み込まれることも明らかとなっている。一方，HHV-7はCD4をレセプターとして細胞内に侵入し，CD4+T細胞や唾液腺上皮細胞に感染後，突発性発疹を引き起こし，最終的にはCD4+T細胞に潜伏すると考えられているが明らかではない。

HHV-6, 7の再活性化はストレスや免疫能が低下などにより，潜伏ウイルスが再活性し増殖する。HHV-6Bの回帰発症では熱性痙攣，脳炎，肺炎，造血障害などが報告されているが，その頻度や重症度は低いとされている。一方，HHV-7の回帰発症で確定されている症状はない。

治療

予後は良好なため，治療は対症療法である。また，感染を防止するためのワクチンはない。

用語 TORCH（Toxoplasma，Other，Rubella，Cytomegalovirus，Herpes simplexvirus），播種性血管内凝固症候群（disseminated intravascular coagulation syndrome；DIC），CD（cluster of differentiation），ナチュラルキラー（natural killer；NK）

表 11.1.2　EBV 関連疾患の抗体検査診断法

検査項目		未感染者	感染既往者	EBV 初感染（伝染性単核球症）		慢性活動性	上咽頭がん
				急性期	回復期		
VCA	IgM	−	−	+ ⇦	− ⇦	−〜+ ⇦	− ⇦
	IgA	−	−	−	−	−〜+ ⇦	+ ⇦
	IgG	− ⇦	+ ⇦	++	+ ⇦	+++ ⇦	+++ ⇦
EA	IgG	−	− ⇦	++	+	+++ ⇦	+++ ⇦
EBNA		−	+	− ⇦	−〜+ ⇦	−〜+ ⇦	+ ⇦

⇦：判定時のポイント

5. エプスタイン・バーウイルス (Epstein-Barr virus；EBV) (*Human herpesvirus-4*；HHV-4)

分類

EBVはガンマヘルペスウイルス亜科に属し，リンパ腫や悪性腫瘍の原因となる腫瘍ウイルスである。

形態

EBV粒子は球状で，約172kbpの線状二本鎖DNAをもつ。エプスタイン・バーの名称は発見者であるM.A. EpsteinとY.M. Barrに由来する。

検査

EBV感染症の検査法にはウイルスを直接的に証明する遺伝子検査と，ウイルス感染に起因する特異抗体を間接的に証明する抗体検査とがある。

遺伝子検査にはLAMP法，PCRなど法があり，EBV-DNAを定量解析することにより，潜伏EBV感染，無症候性再活性化および症候性EBV疾患を区別する有効な手段として注目されている。

一方，抗体検査にはIFA，EIAなどがあり，3種類のEBV特異抗原〔ウイルスカプシド抗原（VCA），早期抗原（EA），EBウイルス核抗原（EBNA）〕に対する抗体をクラス別に測定する。抗体検査とEBV関連疾患の関係については表11.1.2にまとめたが，複数のEBV関連抗体を検査して総合的に診断する。

病原性

EBVは世界中に分布し，初感染は7歳頃までがほとんどで，成人の95%以上が感染しリンパ組織に潜伏する。

感染後の潜伏期間は4〜6週であり，小児期の初感染では，ほとんどが不顕性感染であるのに対し，思春期以降の初感染では約45%が伝染性単核球症（IM）を発症する。いずれの場合でも最終的にはB細胞，リンパ組織，唾液腺などに潜伏する。

宿主の免疫能の低下などにより，EBVの再活性化が認められた場合でも通常は無症状であるが，稀にIMの症状を繰り返し，長期間にわたりIM様の症状が持続する症例（慢性活動性EBV感染症）もある。

EBV関連悪性腫瘍には，リンパ系としてバーキットリンパ腫，日和見リンパ腫，ホジキンリンパ腫，鼻型節外性NK/T細胞リンパ腫，膿胸後リンパ腫などがあり，リンパ系以外にも胃がん，鼻咽頭がん，平滑筋肉腫などがある。

治療

有効な抗ウイルス薬はなく，対症療法が中心となる。また，感染を防止するためのワクチンはない。

6. ヒトヘルペスウイルス 8 型 (カポジ肉腫関連ヘルペスウイルス) (*Human herpesvirus-8*；HHV-8) (Kaposi' s sarcoma-associated herpes-virus；KSHV)

分類

HHV-8はカポジ肉腫関連ヘルペスウイルス（KSHV）ともよばれ，ガンマヘルペスウイルス亜科に属し，カポジ肉腫，原発性体液性リンパ腫（PEL），多巣性キャッスルマン病（MCD）と関連する腫瘍ウイルスである。

形態

HHV-8粒子は直径約180〜200nmの球状で，約165〜170kbpの線状二本鎖DNAをもつ。

検査

HHV-8感染症の検査法にはウイルスを直接的に証明する抗原検査と，ウイルス感染に起因する特異抗体を間接的に証明する抗体検査とがある。

抗原検査には免疫組織染色法があり，カポジ肉腫，PEL，MCD感染により感染細胞核内に発現するLANA-1蛋白を証明する方法であり，最も確実で有用な方法である。

遺伝子検査にはPCR法などがあり，血中のHHV-8量を定量的に測定できるが，カポジ肉腫の発症とは必ずしも相関しないが，MCDでは血中のウイルス量と病態は一致する。

一方，抗体検査にはIFAとEIA法があり，HHV-8に対する特異的抗体の検出が可能であるが，いずれも感度や特異性に問題が残されている。抗体陽性は既感染の証拠にはなるが，病態との関連はないとされている。

用語　ウイルスカプシド抗原（virus capsid antigen；VCA），早期抗原（early antigen；EA），EBウイルス核抗原（EBV nuclear antigen；EBNA），伝染性単核球症（infectious mononucleosis；IM），原発性体液性リンパ腫（primary effusion lymphoma；PEL），多巣性キャッスルマン病（multicentric Castleman's disease；MCD），潜伏期関連核抗原（latency-associated nuclear antigen；LANA）

病原性

HHV-8は世界中に分布しているが，健常者におけるHHV-8既感染者の割合はアフリカ諸国で40～50%，イタリアなどの地中海沿岸では約10%，欧米やアジアでは約5%，わが国では1%と，地域によって大きく異なる。

宿主間の伝播は唾液や粘膜を介した感染がおもな感染経路と考えられている。初感染のほとんどは不顕性で，すぐに潜伏感染状態に移行し，ウイルス産生はほとんど起こらない。生体内における潜伏感染部位はB細胞であり，B細胞から血管内皮細胞で細胞から細胞へ感染すると考えられている。また，HIVはHHV-8の血管内皮細胞への感染効率を促進することが明らかとなっており，エイズ患者にカポジ肉腫が発症する要因の1つと考えられている。

治療

HHV-8特異的な治療は現在のところ確立されていない。また，感染を防止するためのワクチンはない。

検査室ノート　単純ヘルペスウイルス（HSV）の細胞への侵入経路

HSVが宿主の細胞に侵入するためには，まずウイルスエンベロープ上のグリコプロテインと細胞側の膜上のレセプターとの結合が必要である（図11.1.3）。その後，①では直ちに融合（fusion），②ではエンドサイトーシスの後，融合し，細胞質内へヌクレオカプシドを侵入させる。

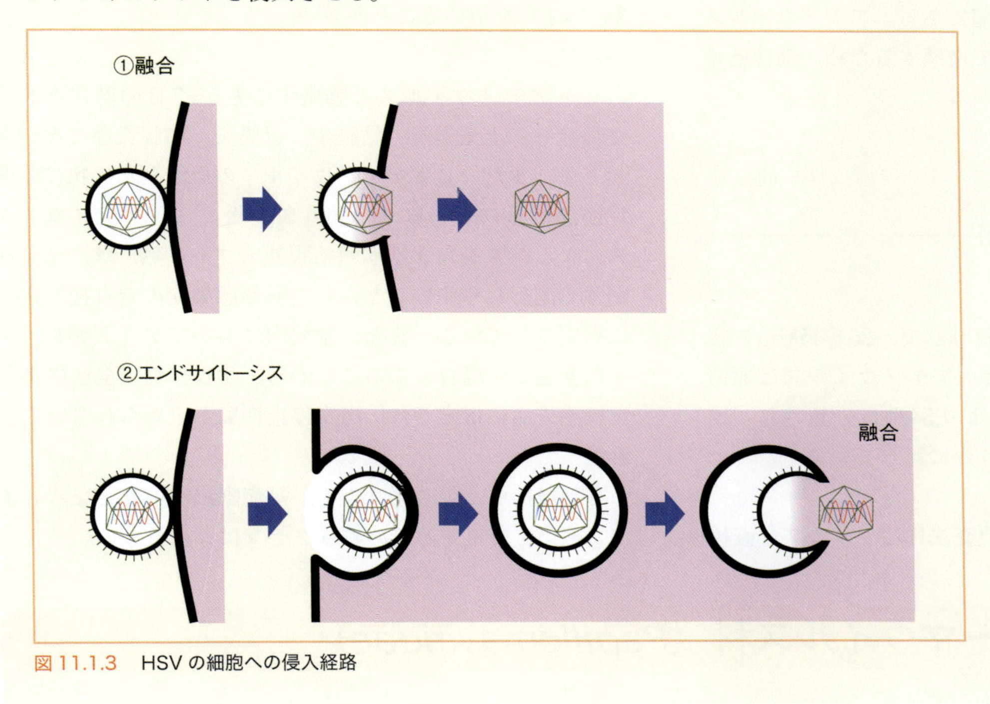

図11.1.3　HSVの細胞への侵入経路

11.1.3　アデノウイルス科（*Adenoviridae*）

分類

アデノウイルス科は5属に分類され，哺乳類を宿主とするのはマストアデノウイルス属（*Mastadenovirus*）で，そのなかでもヒトを宿主とするのは，ヒトアデノウイルス（*Human tadenovirus*）である。

形態

アデノウイルス科に属するウイルスは，線状二本鎖DNAをゲノムとし，宿主の核内で複製する。ビリオンはDNA，正二十面体のカプシドから構成され，70～100nmの球形を示す。また，正二十面体カプシドの各頂点（12カ

用語　ヒト免疫不全ウイルス（human immunodeficiency virus；HIV）

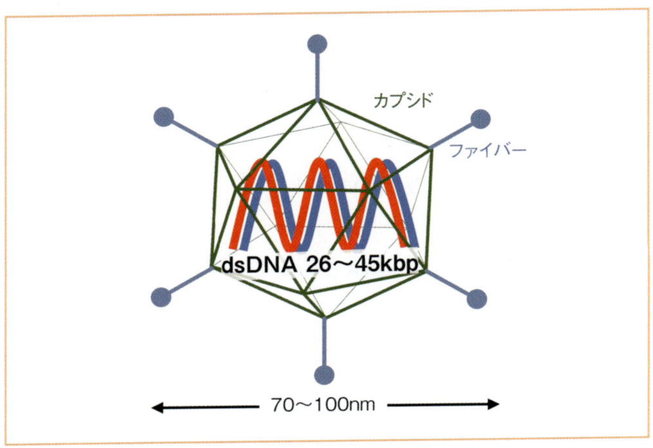

図11.1.4 アデノウイルスの構造

所）には，突起状に伸びるファイバーがある（図11.1.4）。

感染

アデノウイルス科の宿主細胞への感染は，ウイルスのファイバーによる細胞への吸着，エンドサイトーシスによる細胞内への侵入，核内での増殖である。アデノウイルスは上気道や結膜および腸管などで増殖するため，飛沫感染や接触感染および糞口感染で広がる。

1. ヒトアデノウイルス（*Human adenovirus*）

形態

ヒトアデノウイルス粒子はほぼ球状で，26〜45kbpの線状二本鎖DNAをもつ。また，ヒトアデノウイルスは血清型（51型まで）と遺伝子解析により54型に分類され，すべての型はA種からG種のいずれかに属している。

検査

ヒトアデノウイルス感染症の検査法にはウイルスを直接的に証明する抗原検査や遺伝子検査と，ウイルス感染に起因する特異抗体を間接的に証明する抗体検査とがある。

抗原検査にはウイルス分離法，シェル・バイアル法，EIA，イムノクロマト法などがあり，イムノクロマト法の検出感度はやや低いが，迅速・簡便であることから，迅速検査法として広く普及している。

遺伝子検査にはLAMP法，PCR法などがあり，検出感度および特異性に優れている。

一方，抗体検査は型の判別が可能であるが，一般的には実施されていない。また，型特異的測定法としては中和試験（NT）を用いることが多い。

表11.1.3 アデノウイルス血清型と関連疾患

病名	ヒトアデノウイルス血清型
咽頭炎	1, 2, 3, 4, 5, 6, 7
急性呼吸器疾患	3, 4, 7
咽頭結膜熱（プール熱）	1, 2, 3, 4, 5, 6, 7
流行性角結膜炎	8, 11, 19, 37
胃腸炎	40, 41
出血性膀胱炎	11, 21

病原性

ヒトアデノウイルスに感染すると5〜7日の潜伏期を経て発症し，上気道炎，結膜炎，胃腸炎，膀胱炎などを引き起こす。また，ヒトアデノウイルスの血清型と症状には関連が認められている（表11.1.3）。とくに，アデノウイルスによる結膜炎および咽頭結膜熱（プール熱）は，感染性が強く流行しやすいことから，五類感染症の定点把握疾患に指定されている。また，学校内においてアウトブレイクを引き起こす場合もあることから，学校保健安全法により学校感染症に指定され，出席停止期間が定められている。

治療

有効な抗ウイルス薬はなく，対症療法が中心となる。また，感染を防止するためのワクチンは存在しない。

11. 1. 4 パピローマウイルス科（*Papillomaviridae*）

分類

パピローマウイルス科は49属に分鎖され，そのうちヒトを宿主とするヒトパピローマウイルス（*Human papillomavirus*；HPV）は8属に分類されている。一方，HPVの遺伝子型は発見順に1型（HPV-1），2型（HPV-2），3型（HPV-3）…と番号付けされ，現在では100種類以上が確認されている。

形態

HPVは直径50〜55nmの正二十面体粒子でエンベロープはなく，7〜8kbpの環状二本鎖DNAをゲノムとする（図11.1.5）。

感染

HPVは世界中に分布しており，おもに性交によって感染する。感染者の大部分は性活動の活発な年代に見られるが，親や医療従事者の手指を介して幼児に感染する場合もある。HPVは粘膜などの微小な傷から侵入し，表皮の幹細胞である基底細胞に吸着後，エンドサイトーシスにより細胞内に侵入・感染する。侵入直後の基底細胞内でのウイルスは増殖せず，核内でゲノムのみが一過性に複製し，50〜100コピーがエピソームとして潜伏感染する。潜伏感染細胞はHPV蛋白質をほとんど発現しないため，宿主の免疫が誘導されにくく，長期間にわたって持続感染することができる。このため，自然感染後の抗体産生が十分でなく，同じHPV型への感染が何度も起こると考えられている。さらに，長期にわたる潜伏感染細胞中のゲノムは何らかの原因で変異し，発がんに至ると考えられている。

検査

HPV感染症の検査には細胞診検査とHPV遺伝子検査がある。細胞診では子宮頸部から採取された細胞を顕微鏡の下で観察し，細胞の種類やその異型性を確認する。

一方，遺伝子検査にはハイブリダイゼーション法やPCR法があり，HPV遺伝子を検出することで，高い精度で感染の有無を調べることができる。

病原性

HPVは皮膚に感染して尋常性疣贅（一般的に手足や顔にできる疣），足底疣贅（足の裏にできる疣），扁平疣贅（顔や腕に平たい褐色調の疣贅）など，粘膜に感染して尖圭コンジローマ（性器疣）や子宮頸がんなどの原因となる。

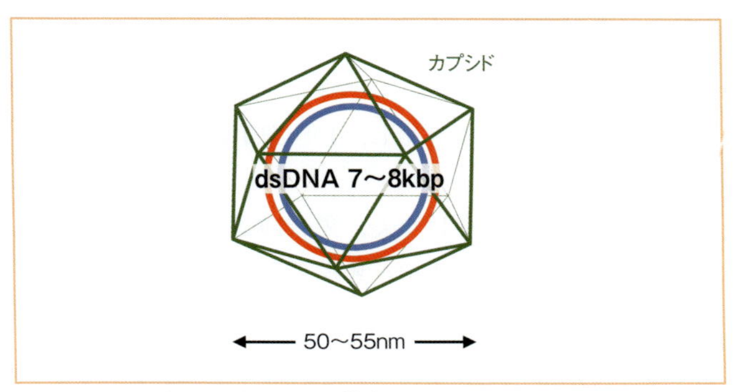

図11.1.5　パピローマウイルスの構造

HPVは遺伝子型によって，感染部位や病原性が異なることが明らかにされており，感染部位により粘膜型と皮膚型，EV型，発がんリスクにより高・中・低リスクに分類されている（表11.1.4）。HPVに感染しても，その90%は1〜2年以内に体外へ排除されるが，残りの10%は持続感染となる。

治療

HPV自体を消滅させる特異的な治療薬はなく，対症療法となる。一方，HPVによって発生した疣については，レーザーや電気メスなどの機器を用いて，切除・蒸散させる。

予防

感染予防法にはワクチン接種が最も効果的である。HPVワクチンには，2価と4価のHPVワクチンがあり，いずれも遺伝子組換え技術を応用し，HPVのL1カプシド蛋白からなるウイルス様粒子が含まれている。2価ワクチンにはHPV-16型，18型の2種類，4価ワクチンにはHPV-16型，18型，6型，11型の4種類のウイルス様粒子が含まれる。なお，HPV-16型は31型に，HPV-18型は45型に遺伝子的に近いため，HPV-31型と45型による感染の予防の効果も期待される。ワクチンの接種により子宮頸がんの原因ウイルスであるHPV感染の約90%を予防できると考えられている。このことから，世界保健機関（WHO）はワクチン接種を推奨しており，わが国においても厚生労働省が2023年4月1日から無料接種の対象としている。

表11.1.4　ヒトパピローマウイルスの遺伝子型と疾病

分類	おもな感染部位	発がん性	おもな遺伝子型	関連疾病
粘膜型	粘膜 （性器，気道，口腔など）	低リスク	**6**，**11**，30，42，43，54，55，70，13，32	・尖圭コンジローマ（6型と11型とで90%） ・喉頭乳頭腫 ・再発性気道乳頭腫症（型別では6型と11型とで90%） ・ヘック病（型別では13型あるいは32型）
		中リスク	26，53，66	
		高リスク	**16**，**18**，31，33，35，39，45，51，52，56，58，59，68，73，82	子宮頸がん（型別では16型と18型とで70%を占める） 肛門，性器（外陰部，膣，陰茎）のがん（型別では16型と18型とで70%を占める）
皮膚型	非粘膜（皮膚）		1，2，3，4，7，10など	手や足の疣（尋常性疣贅，ミルメシア，扁平疣贅など）
EV型	非粘膜（皮膚）		5，8など	疣贅状表皮発育異常症（EV）

とくに高頻度な遺伝子型を太字で示した。

11. 1. 5　ポリオーマウイルス科（*Polyomaviridae*）

分類

ポリオーマウイルス科は4属に分類され，ヒトを宿主とするのはアルファポリオーマウイルス（*Alphapolyomavirus*）属の*Human polyomavirus 5，8，9，12，13*，ベータポリオーマウイルス属（*Betapolyomavirus*）の*Human polyomavirus 1，2，3，4*およびデルタポリオーマウイルス属（*Deltapolyomavirus*）の*Human polyomavirus 6，7，10，11*であり，ガンマポリオーマウイルス属（*Gammapolyomavirus*）には存在しない。

形態

ポリオーマウイルス科（*Polyomaviridae*）に属するウイルスは環状二本鎖DNAをゲノムとし，宿主の核内で複製

用語　疣贅状表皮発育異常症（epidermodysplasia verruciformis；EV）

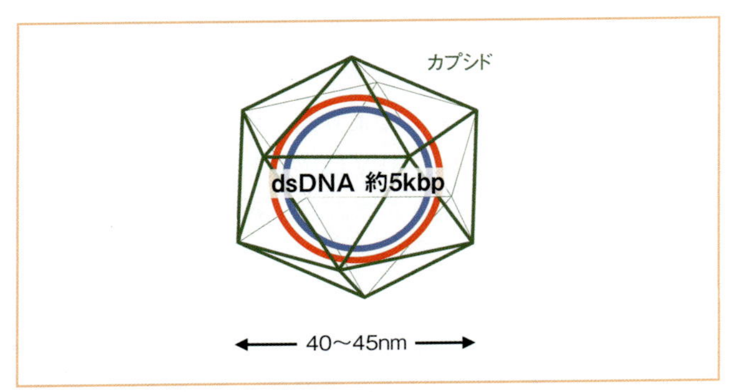

図 11.1.6 ポリオーマウイルスの構造

する。ビリオンは約5kbpのDNAと正20面体のカプシドから構成され，40～45nmの球形を示す（図11.1.6）。

1. BK ポリオーマウイルス（*BK polyomavirus*；BKPyV）（*Human polyomavirus 1*）

検査

BKPyV感染症の検査法にはウイルスを直接的に証明する抗原検査や遺伝子検査と，ウイルス感染に起因する特異抗体を間接的に証明する抗体検査とがある。抗原検査と抗体検査は通常実施されていない。

遺伝子検査にはPCRなどがあり，検出感度および特異性に優れており，臓器移植時のBKV感染・再活性化のモニタリングなどに有用と考えられる。

病原性

BKPyVは1971年に腎移植の患者の尿から分離され，患者名のイニシャルを取ってBKと命名された。BKPyVは95%の人が10歳までに飛沫感染し，腎臓の尿細管上皮に潜伏感染すると考えられている。初感染での目立った症状はなく，上気道炎を示すのみである。

一方，骨髄移植や腎移植などにおける免疫抑制下で，BKPyVは再活性化され，出血性膀胱炎や腎機能障害（尿管狭窄や腎炎）を認める場合がある。

治療

有効な抗ウイルス薬はなく，免疫抑制剤投与量の減量が第一選択である。また，免疫グロブリン製剤の大量投与が行われる場合もある。

感染を防止するためのワクチンは存在しない。

2. JC ポリオーマウイルス（*JC polyomavirus*；JCPyV）（*Human polyomavirus 2*）

検査

JCPyV感染症の検査法にはウイルスを直接的に証明する抗原検査や遺伝子検査と，ウイルス感染に起因する特異抗体を間接的に証明する抗体検査とがある。血液中の抗原検査と抗体検査は通常実施されていないが，脳組織の免疫組織化学検査によるウイルス抗原検索が実施されている。

遺伝子検査にはPCR法などがあり，検出感度および特異性に優れており，免疫不全患者のJCPyV感染・再活性化のモニタリングなどに有用と考えられる。

病原性

JCPyVは1971年に進行性多巣性白質脳症患者の脳から分離され，患者名のイニシャルを取ってJCと命名された。JCPyVは90%の人が飛沫感染し，初感染での目立った症状はなく，骨髄や腎臓などに潜伏感染する。

一方，宿主が免疫不全状態になると，JCPyVは再活性化され，末梢リンパ球に感染する。感染リンパ球は血液脳関門を通過し，脳血管周囲の細胞にJCPyVを感染させる。感染により症状が出現した状態が進行性多巣性白質脳症（PML）である。PMLの初期症状は視覚障害，運動麻痺，失語，見当識障害などであり，進行すると認知症や寝たきりとなり，脳の機能が廃絶し，1年以内に死亡する。

治療

有効な抗ウイルス薬はなく，免疫抑制剤投与患者では減量が第一選択である。また，免疫グロブリン製剤の大量投与が行われる場合もある。

感染を防止するためのワクチンはない。

3. メルケル細胞ポリオーマウイルス（*Merkel cell polyomavirus*；MCPyV）（*Human polyomavirus 5*）

検査

MCPyV感染症の検査法にはウイルスを直接的に証明する抗原検査や遺伝子検査と，ウイルス感染に起因する特異抗体を間接的に証明する抗体検査があり，基礎研究的には実施されているが，いずれも確立された方法はない。

病原性

MCPyVは2008年にメルケル細胞がんから同定された。メルケル細胞がんは皮膚の神経内分泌系の細胞であるメルケル細胞を由来とする稀な皮膚がんで，ほとんどは65歳以上の高齢者の顔面，頭部などの日光露出部位に発症する。進行が速く，所属リンパ節に転移し，予後も悪い。また，発症には人種差があり，白人に多く，黒人に少ない。

MCPyVはメルケル細胞がんの70～100%において確認されているが，感染様式や発がんメカニズムなどについては解明されていない。

用語 進行性多巣性白質脳症（progressive multifocal leukoencephalopathy；PML）

治療

有効な抗ウイルス薬はなく，腫瘍細胞の外科的切除と術後放射線療法である。

感染を防止するためのワクチンはない。

11. 1. 6　パルボウイルス科（*Parvoviridae*）

分類

パルボウイルス科は12属に分類され，多くは特定種の動物と関連性が強く，特定の動物にしか感染しないという特徴をもつ。ヒトを宿主とするパルボウイルスのなかでも重要なのは，エリスロウイルス属（*Erythroparvovirus*）のパポバウイルス B19である。

一方，ペットの感染症としては，猫パルボウイルスや犬パルボウイルスなどがあるものの，ヒトへの感染はしない。

形態

パルボウイルス科は，自然界に存在するウイルスのなかで最も小さいウイルスの1つであり，ラテン語の「小さい(parvum)」に由来している。

パルボウイルス科に属するウイルスは，線状一本鎖DNAをゲノムとし，宿主の核内で複製する。ビリオンは，4～6kbpのDNAと，正20面体のカプシドから構成され，エンベロープをもたず，直径18～26nmの球形を示す（図11.1.7）。

1. ヒトパルボウイルス B19（*Human parvovirus B19*；PVB19）

検査

PVB19感染症の検査法には，ウイルスを直接的に証明する抗原検査や遺伝子検査と，ウイルス感染に起因する特異抗体を間接的に証明する抗体検査とがある。抗原検査は通常実施されていない。

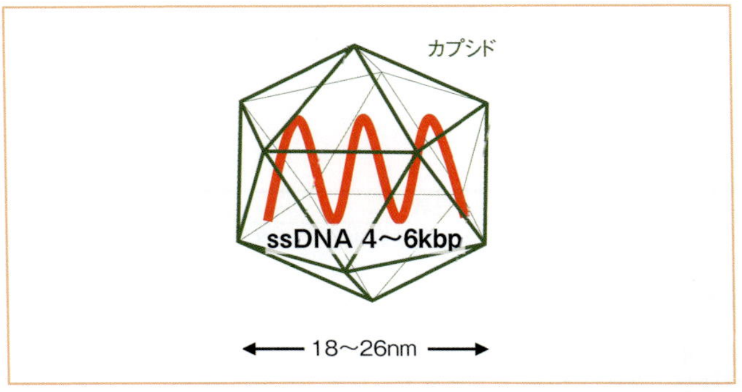

図 11.1.7　パルボウイルスの構造

遺伝子検査にはPCR法などがあり，検出感度および特異性に優れているが，症状がなくても感染後半年～1年にかけて持続陽性となる。

一方，抗体検査にはEIA法があり，IgGとIgM型抗体を分別可能で簡便性にも優れている。PVB19感染症の診断においてIgM型抗体の検出は有用であるものの，低値陽性（1.0～2.0インデックス）の約半数は偽陽性であることからIgG型抗体の測定や遺伝子検査などの追加検査が必要となる。

病原性

PVB19はエリスロパルボウイルス属（*Erythroparvovirus*）に分類され，ヒトのみを宿主とし赤血球膜表面にあるP抗原をレセプターとしてP抗原保有細胞，とくに赤芽球前駆細胞に感染し増殖する。

PVB19の感染経路は飛沫・接触感染と垂直感染の2経路が存在し，小児・成人が感染すると7～10日の潜伏期間を経て，発熱、頭痛，倦怠感などの症状を認め，その後，小児では両頬に紅斑を認め〔伝染性紅斑（リンゴ病）〕，多くの場合は自然に回復する。なお，紅斑出現時期における感染性はない。一方，成人では不顕性感染が多く，成人の約半数が既往感染者である。また，妊婦が妊娠初期に感染すると，胎児水腫や流産などの原因となる場合がある。

さらに，溶血性貧血症患者や免疫抑制状態の患者が感染した場合は，重度の貧血症になり重篤化する場合もある。

なお，伝染性紅斑は五類感染症定点把握疾患に定められている。

治療

有効な抗ウイルス薬はなく，対症療法のみである。免疫不全者における持続感染，溶血性貧血患者などではγ-グロブリン製剤の投与が有効なことがある。

予防

犬・猫パルボウイルスに対するワクチンはあるが，PVB19に対するワクチンはない。

用語　一本鎖 DNA（single-stranded DNA；ssDNA）

11. 1. 7 ヘパドナウイルス科（*Hepadnaviridae*）

分類

ペパドナウイルス科はオルソヘパドナウイルス属（*Orthohepadnavirus*）とトリヘパドナウイルス属（*Avihepadnavirus*）の2属からなり，ヒトへの感染が明らかとなっているのはオルソヘパドナウイルス属のB型肝炎ウイルス（*Hepatitis B virus*；HBV）である。

一般性状

ペパドナウイルス科は肝臓に感染することから，ギリシャ語の「肝臓（hepar）」とDNAウイルスの「dna」に由来している。

形態

ペパドナウイルス科は環状不完全二本鎖DNAをゲノムとし，宿主の細胞内で複製する。ビリオンは約3kbpのDNAと，正20面体のカプシド，エンベロープから構成され，直径40～48nmの球形を示す（図11.1.8）。

ヘパドナウイルスがほかのDNAウイルスと最も大きく異なる部分は，複製機構の過程でRNAがゲノム複製の中間体となる点である。

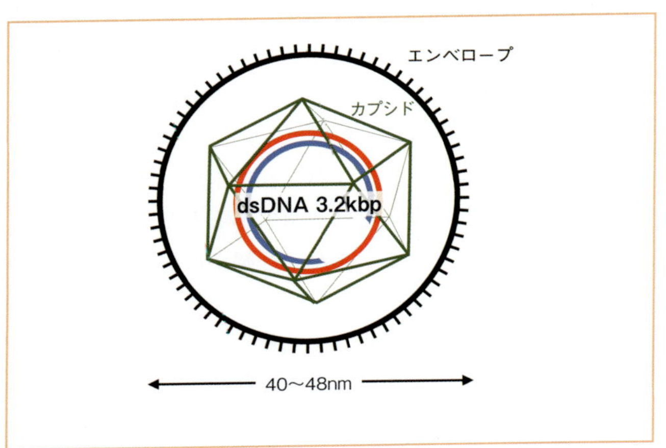

図 11.1.8　ヘパドナウイルス（HBV）の構造

1. B型肝炎ウイルス（*Hepatitis B virus*；HBV）

分類

HBVはオルソヘパドナウイルス属に属し，HBs抗原の抗原性によって4つの主要サブタイプ（adr，adw，ayr，ayw），遺伝子型により9つのジェノタイプ（A～H，J型）に分類される。

形態

HBV粒子は直径42nmの球状粒子で，発見者の名前にちなんでDain粒子ともよばれる。HBV粒子はウイルスそのものであり，外皮（surface）とコア蛋白（HBc抗原）の二重構造を示し，HBc抗原はカプシドの基本蛋白質である。コア内部には3.2kbpの環状不完全二本鎖DNA，プライマー蛋白，DNAポリメラーゼなどが含まれている。

HBV粒子以外にもDNAを有しない中空粒子，HBs抗原のみからなる小径粒子，管状粒子などが存在する。

検査

HBV感染症の検査法にはウイルスを直接的に証明する抗原検査や遺伝子検査と，ウイルス感染に起因する特異抗体を間接的に証明する抗体検査とがある。

抗原検査にはHBs抗原，HBe抗原，HBc関連抗原検査などがあり，抗体検査にはHBs抗体，HBe抗体，HBc抗体検査などがある。いずれも化学発光免疫測定法（CLIA），化学発光酵素免疫測定法（CLEIA），蛍光酵素免疫測定法（FLEIA），イムノクロマト法などを用いて測定されている。

遺伝子検査にはHBV-DNA検査があり，LAMP法やPCR法などを用いて測定されている。

各検査項目の測定意義については表11.1.5にまとめた。

表 11.1.5　HBV関連検査項目の意義

項目名	測定法	意義
HBs抗原	ICA，EIA，FLEIA，CLEIA，CLIAなど	陽性は急性または慢性B型肝炎，またはB型肝炎ウイルス（HBV）無症候性キャリア（HBVスクリーニング）
HBs抗体	ICA，EIA，FLEIA，CLEIA，CLIAなど	陽性はHBV感染の既往（臨床的治癒），またはHBVワクチン接種後（感染防御抗体）
HBc抗体	PA，EIA，FLEIA，CLEIA，CLIAなど	陽性はHBV感染（高抗体価），または感染の既往（低抗体価）
HBc関連抗原	EIA，CLEIA	陽性はHBV感染，数値はHBV量と増殖力を反映
IgM-HBc抗体	EIA，FLEIA，CLEIA，CLIAなど	高力価は急性B型肝炎，低力価は慢性B型肝炎の急性増悪
HBe抗原	PA，EIA，FLEIA，CLEIA，CLIAなど	陽性は活動性B型肝炎，数値はHBV増殖力と正の相関
HBe抗体	PA，EIA，FLEIA，CLEIA，CLIAなど	陽性はHBV感染または既往，数値はHBV増殖力と負の相関
HBV-DNA	TMA，PCR	陽性はHBV感染，数値はHBV量を反映（高感度）

用語　B型肝炎ウイルス（*Hepatitis B virus*；HBV），HBs（hepatitis B surface），HBc（hepatitis B core），HBe（Hepatitis B envelope），化学発光免疫測定法（chemiluminescent Immunoassay；CLIA），化学発光酵素免疫測定法（chemiluminescent enzyme immunoassay；CLEIA），蛍光酵素免疫測定法（fluorescence enzyme immunoassay；FLEIA），イムノクロマト法（immunochromatography assay；ICA），粒子凝集法（particle agglutination；PA），TMA（transcription mediated amplification）

病原性

HBV感染者は世界で約4億人，日本で約120万人いると推定されている。HBVは血液・体液を介して感染し，感染時の宿主免疫能によって，一過性感染または持続感染となる。HBVの感染経路には水平感染と垂直感染がある。

思春期以降の宿主免疫能が十分確立されてからの水平感染では70～80%が一過性感染に終わり，臨床的治癒の状態となるが，残りの20～30%では急性肝炎を発症する。また，急性肝炎のうち約2%が劇症肝炎を発症し，致死率は約70%にも及ぶ。

近年，HBV既往感染者（臨床的治癒状態）における，免疫抑制・化学療法剤使用後のHBVの再活性と肝炎の再発（デノボB型肝炎）が問題となっている。デノボB型肝炎を発症すると，その約20%が劇症化し，その50%が死亡するという報告もあり，その対策として2009年1月に厚生労働省より「免疫抑制・化学療法により発症するB型肝炎対策ガイドライン」が公表された。

一方，胎児期の子宮内感染や出産時における産道感染などの垂直感染，乳幼児期や成人期の免疫不全を伴う疾患や治療による免疫抑制状態時における感染では，持続感染となりやすい。持続感染が成立した場合，85～90%は肝機能が正常な無症候性キャリアへ移行するが，残りの10～15%が慢性肝炎，肝硬変，肝細胞がんなどの慢性肝疾患に移行する。

治療

治療法には，抗ウイルス療法と肝庇護療法がある。

抗ウイルス療法とは薬によりウイルスの増殖を抑えることを目的とし，インターフェロン治療と核酸アナログ治療がある。インターフェロン製剤は抗ウイルス作用，免疫増強作用，抗腫瘍作用などを有し，B型肝炎患者の20～30%に効果が期待できる。HBV治療に使用されるインターフェロン製剤にはα-インターフェロン，β-インターフェロン，ペグインターフェロンなどがある。核酸アナログ製剤はHBV-DNAの合成を阻害する作用を有し，ウイルス量を短期間で激減させることができる。核酸アナログ製剤にはラミブジン，アデホビル，エンテカビル，テノホビルがある。

肝庇護薬は肝臓の破壊を防ぎ，肝機能の改善作用を有する。しかし，HBVに直接作用するわけではなく，長期間の投与が必要となる。肝庇護薬にはグリチルリチン製剤，ウルソデオキシコール酸，小柴胡湯などがある。

予防

予防法は大きく分けて，HBワクチン接種とHBIG投与がある。HBワクチン接種によりHBs抗体を獲得するためには，3回の接種が必要で，少なくとも半年の期間は必要となる。しかし，一度HBs抗体を獲得すると個人差はあるものの，数年～数十年間は持続する。一方，HBIG投与（筋注）によるHBs抗体の獲得は，投与後数時間で血中のHBs抗体が確認できる。しかし，HBs抗体の持続期間は約3カ月と短い。すなわち，HBIGはHBV曝露後のなどの緊急時の感染予防に用いる。

1992年，世界保健機関（WHO）は5歳児のHBVキャリア率1%以下を目標として，すべての新生児，学童にHBワクチンを接種する「ユニバーサルワクチネーション（UV）」を推奨し，すでに180か国以上で実施され大きな成果をあげている。一方，わが国では1985年に垂直感染対策として，B型肝炎に感染する可能性が高い人のみを対象としてワクチン接種を行う「セレクティブワクチネーション（SV）」が実施され，垂直感染対策としては大きな成果をあげてきた。しかし，SVでは垂直感染や水平感染の予防ができないなどの問題点もあったことから，2016年4月1日以降に出生した0歳児を対象にB型肝炎ワクチンの定期接種（UV）が開始されることになった。

用語　B型肝炎（hepatitis B），HB免疫グロブリン（HB immune globulin；HBIG），ユニバーサルワクチネーション（universal vaccination；UV），セレクティブワクチネーション（selective vaccination；SV）

検査室ノート　デノボB型肝炎と発症機序

HBV既往感染者（臨床的治癒状態といわれる感染者，HBs抗原は陰性であるが，HBc抗体またはHBs抗体が陽性）に対して強力な免疫抑制・化学療法を行うと，治療中あるいは終了後の一部にHBVの再活性化によりB型肝炎が発症し，なかには劇症化する症例が存在することが明らかとなった。このようなB型肝炎を「デノボB型肝炎」とよぶ。

また，HBVの再活性化による肝炎は重症化しやすいだけでなく，治療を困難にさせるため，発症そのものを阻止することが最も重要である。

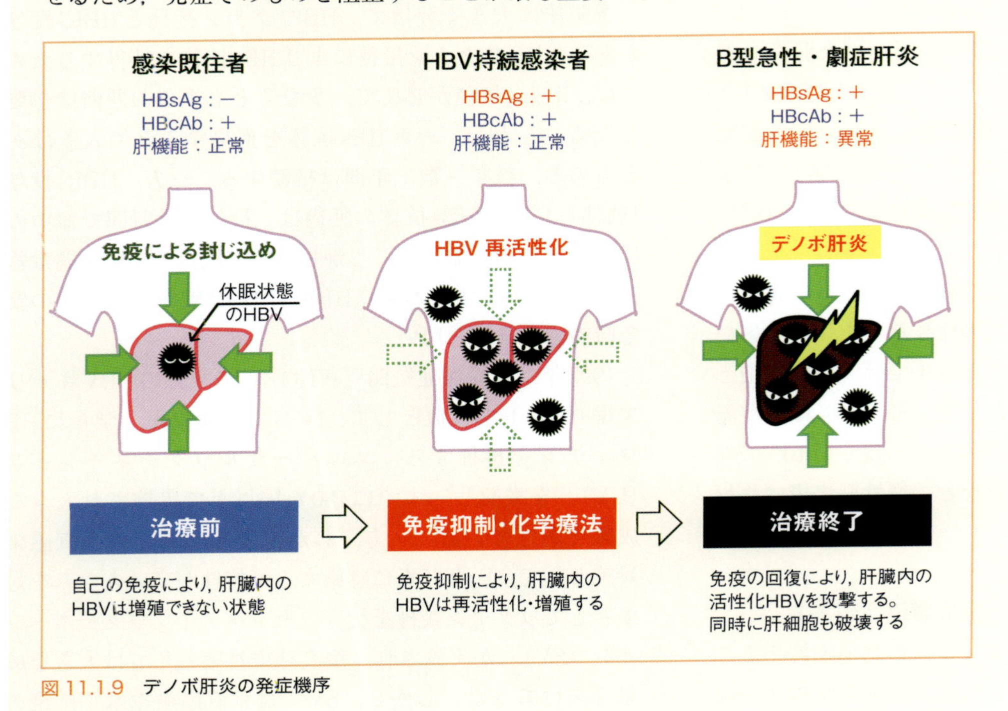

図11.1.9　デノボ肝炎の発症機序

［中村竜也］

用語　B型肝炎ウイルス抗原（hepatitis B surface antigen；HBsAg），HBc抗体（HBc antibody；HBcAb）

11.2 | RNA ウイルス

- RNA ウイルスは，一本鎖 RNA ウイルスと二本鎖 RNA ウイルスに大別され，レオウイルス科を除いたウイルスは一本鎖 RNA をもつ。
- 一本鎖 RNA ウイルスは，mRNA と同じ極性をもつプラス鎖 RNA ウイルスと相補的な極性をもつマイナス鎖 RNA ウイルスに分類される。プラス鎖 RNA ウイルスは，ウイルスゲノム RNA 自体が mRNA として機能でき，一方，マイナス鎖 RNA ウイルスは，ウイルス粒子内の RNA 依存性 RNA ポリメラーゼを用い，ウイルスゲノム RNA からプラス鎖 RNA（= mRNA）を転写して機能する。
- レトロウイルスは，一本鎖プラス鎖 RNA ウイルスに分類されるが，ウイルス粒子内の RNA 依存性 DNA ポリメラーゼ（逆転写酵素）により，RNA から DNA に逆転写され，宿主 DNA に組み込まれる（プロウイルス）。
- RNA ウイルスは DNA ウイルスより点変異による抗原性の変化（抗原ドリフト）が多く見られる。また，インフルエンザウイルスに代表される分節ゲノムをもつウイルスでは，異なるウイルスが 1 つの宿主に感染すると，遺伝子再集合が起こり新たな株が出現する（抗原シフト）。

11. 2. 1　オルトミクソウイルス科（*Orthomyxoviridae*）

オルトミクソウイルス科はインフルエンザA属，インフルエンザB属，インフルエンザC属，トゴトウイルス属，アイサウイルス属の5属あり，重要なのはインフルエンザ属の3群である。

1. インフルエンザウイルス（*Influenzavirus*）

分類

インフルエンザA属，B属，C属（*Influenzavirus* A, B, C）。

ウイルス内部の核蛋白質（NP）とマトリックス1蛋白質（M1）の抗原性の違いによりA型，B型，C型インフルエンザウイルスに分類される。さらに，A型は赤血球凝集素（HA）とノイラミニダーゼ（NA）の抗原性により，HAでは16種類（H1〜H16），NAでは9種類（N1〜N9）の亜型に分類される（図 11.2.1）。

疫学

20世紀にパンデミックは1918年スペイン風邪（H1N1ウイルス），1957年アジア風邪（H2N2ウイルス），1968年香港風邪（H3N2ウイルス）の3度あり，とくにスペイン風邪では4,000〜5,000万人が死亡した。1997年に高病原性鳥インフルエンザウイルスA（H5N1/二類感染症）のヒトへの感染が確認され，ヒトにも高い病原性を示すことよりパンデミックが懸念されている。2009年にインフルエンザA（H1N1）2009によるパンデミックが発生した。

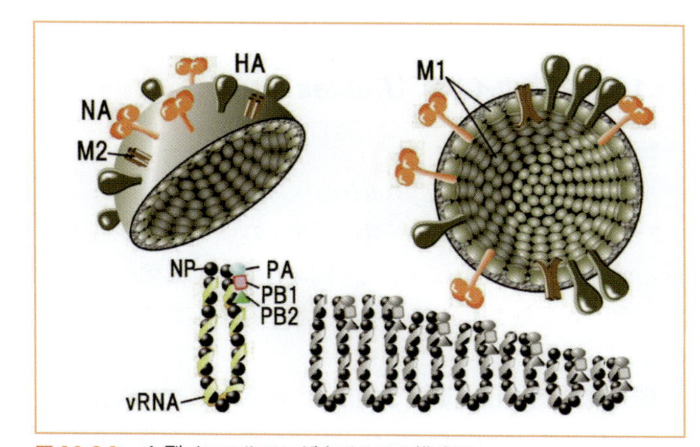

図 11.2.1　A 型インフルエンザウイルスの模式図
NA：ノイラミニダーゼ，HA：赤血球凝集素，M1：マトリックス 1 蛋白質，M2：マトリックス 2 蛋白質，NP：核蛋白質，3 種類の RNA ポリメラーゼ（PA，PB1，PB2），vRNA：ウイルスゲノム RNA。
（野田岳志：「5. オルソミクソウイルス」，ウイルス，2012；62：224，http://jsv.umin.jp/journal/v62-2pdf/virus62-2_219-228.pdf より引用）

用語　逆転写酵素（reverse transcriptase），遺伝子再集合（genetic reassortment），ノイラミニダーゼ（neuraminidase；NA），赤血球凝集素（hemagglutinin；HA），マトリックス 1 蛋白質（matrix protein 1；M1），マトリックス 2 蛋白質（matrix protein 2；M2），核蛋白質（nucleoprotein；NP），PA（polymerase acid protein），PB1（polymerase basic protein 1），PB2（polymerase basic protein 2），ウイルスゲノム RNA（viral RNA；vRNA）

形態

エンベロープをもち直径80〜120nmの球状粒子であり，ゲノムとしてA型・B型は8分節，C型は7分節したマイナス一本鎖RNAをもつ。

検査

発育鶏卵羊膜腔やMDCK細胞（イヌ腎）を用いたウイルス分離，抗体価〔中和試験（NT），赤血球凝集抑制反応（HI）〕の測定，ウイルス遺伝子の検出（RT-PCR法，LAMP法），ウイルス抗原の検出（シェル・バイアル法）がある。

迅速抗原検査

イムノクロマト法によるウイルス抗原の検出キットがあり，A型とB型の区別ができるが，RT-PCR法より検出感度が劣る。インフルエンザA（H1N1）2009の検出キットもある。

病原性

感染は飛沫感染であり強い伝播力があり，わが国では毎年冬季（12月から3月頃）に流行し，一般的にはA型よりB型の方が軽症である。潜伏期は1〜4日であり，症状は，発熱，咳，咽頭痛，筋肉痛，関節痛，結膜炎などであり，重症の場合は肺炎により死亡する場合もある。H5N1ウイルスの感染では，呼吸困難，嘔吐，下痢などが見られ，肺炎は急激に重症化し多臓器不全も見られ，致死率は約60％である。

予防

不活化ワクチンが用いられ，ワクチン株と流行株の抗原性が一致した場合は70％以上で有効であるが，抗原性が異なる場合は効果が期待できない。

治療

インフルエンザウイルスのもつNA活性を阻害することでウイルスは細胞から遊離できず，A型，B型に有効である。ザナミビル，オセルタミビルがある。M2蛋白質の阻害薬であるアマンタジンは耐性ウイルスの出現頻度が高く，M2蛋白質のないB型には無効である。

11. 2. 2　ラブドウイルス科（*Rhabdoviridae*）

ラブドウイルス科はリッサウイルス属，ベジクロウイルス属，エフェメロウイルス属，ノビラブドウイルス属，サイトラブドウイルス属，ヌクレオラブドウイルス属の6つの属がある。宿主域は非常に幅広く，哺乳類，鳥類，昆虫，植物などより200以上のウイルス種が同定されているが，動物に感染するのはリッサウイルス属，ベジクロウイルス属，エフェメロウイルス属である。ラブドウイルスの名称はビリオンが砲弾型の形態であり，棒状を意味するrhabdosに由来する。

1. 狂犬病ウイルス（*Rabies virus*）

分類

リッサウイルス属（*Lyssavirus*）。

7つの遺伝子型があり，遺伝子型1のウイルスが狂犬病ウイルスであり，遺伝子型2〜7はネコ，齧歯（げっし）類，コウモリなどより分離され，狂犬病と同様の臨床症状を呈する。

疫学

狂犬病の歴史は紀元前2300年にさかのぼり，現在のイラクで発見された法律（エシュンナ法典）に記述されており，世界最古の疾患の1つである。わが国においては，1732年に当時鎖国下で唯一海外貿易の門戸となっていた長崎で発生している。その後，山陽道を通って各地に伝播し，1736年江戸，1750年山形と北上し，1761年には下北半島で確認されている。1897年から全国の狂犬病発生数が公式に記録されるようになった。さらに，1950年に狂犬病予防法が制定され，イヌに対するワクチン接種が行われ，1957年を最後に完全撲滅された。世界において狂犬病のない国は，オーストラリア，ニュージーランド，ハワイ，スウェーデン，イギリスなどの一部の国であり，それらを除き世界中で流行している。年間死亡者数は約5万人と推定され，人獣共通感染症で最も重要なものの1つである。

形態

エンベロープをもつ直径75〜80nmの砲弾型の粒子であり，ゲノムとしてマイナス一本鎖RNAをもつ。

検査

蛍光抗体法による抗原検出（角膜塗沫標本，頸部の皮膚，気管吸引材料，唾液腺），RT-PCRによるウイルス遺伝子の検出（唾液，脳脊髄液），ウイルス分離（乳のみマウスなどへの脳内接種，マウスの神経芽腫細胞などへの接種）がある。

病原性

感染動物に咬まれることにより唾液中に含まれていたウイルスが侵入し，感染局所の筋肉や結合組織より末梢神経に入り上行性に脊髄，脳に到達する。潜伏期は，咬傷部位

用語　MDCK（Madin-Darby canine kidney），中和試験（neutralization test；NT），赤血球凝集抑制反応（hemagglutination inhibition test；HI），LAMP（loop-mediated isothermal amplification）

やウイルス量により異なるが，一般的には1～2カ月である。前駆期は発熱，食欲不振，咬傷部の痛みや瘙痒感が見られ，急性期は不安感，恐水および恐風症状，興奮性，麻痺，幻覚，錯乱などの神経症状が現れる。その2～7日後には脳神経や全身の筋肉が麻痺を起こし昏睡期に至り，呼吸障害によりほぼ100%が死亡する。

水を飲もうとすると喉の筋肉が痙攣し，激しい痛みがあるため，水をおそれるようになる（恐水症状）。風にあたることでも同様の痙攣が起こるため，風を避けるようになる（恐風症状）。

予防

流行国では，イヌや野生動物などの接触を避ける。曝露前ワクチンを接種する。

治療

発症後の有効な治療法はなく，ほぼ100%が死亡するが，咬傷後直ちにワクチンを接種することで発症を阻止することができる。世界保健機関（WHO）の推奨法では，咬傷部位を十分に消毒した後，0日に免疫グロブリン製剤（高力価の中和抗体）を投与し，同時にワクチン接種を6回（0，3，7，14，30，90日）行う。

2. その他

ベジクロウイルス属（*Vesiculovirus*）の水泡性口内炎ウイルス（*Vesicular stomatitis virus*）は節足動物で媒介され，ウシ，ブタ，ウマ，まれにヒトに水泡性口内炎を引き起こす。エフェメロウイルス属（*Ephemerovirus*）の牛流行熱ウイルス（*Bovine ephemeral fever virus*）は節足動物で媒介され，ウシや水牛に麻痺性の熱性疾患を引き起こす。

11. 2. 3　パラミクソウイルス科（*Paramyxoviridae*）

パラミクソウイルス科はパラミクソウイルス亜科（*Paramyxovirinae*）にレスピロウイルス属，モルビリウイルス属，ルブラウイルス属，アブラウイルス属，ヘニパウイルス属，ニューモウイルス亜科（*Pneumovirinae*）にニューモウイルス属，メタニューモウイルス属がある。特徴としてエンベロープ上に2種の表面糖蛋白をスパイク状に突き出しており，膜融合蛋白であるF蛋白質は共通であるが，もう1つのレセプター結合蛋白〔HN蛋白質：赤血球凝集素-ノイラミニダーゼ，H蛋白質：赤血球凝集素，G蛋白質：赤血球凝集素-ノイラミニダーゼをもたない〕は，属で異なる。

1. ヒトパラインフルエンザウイルス（*Human parainfluenza virus*）

分類

1，3型：レスピロウイルス属（*Respirovirus*），2，4型：ルブラウイルス属（*Rubulavirus*）。

疫学

1955年，小児のクループ症候群からCAウイルスが分離され，続いて小児の急性気道感染症からHAウイルス1型および2型が分離され，インフルエンザウイルスに似ていることから，新たにパラインフルエンザウイルスと命名された。

形態

エンベロープをもつ直径約150nmの球状粒子であり，ゲノムとしてマイナス一本鎖RNAをもつ。抗原性の違いにより4つの型（1，2，3，4型）に分類されている。表面蛋白質に，HN蛋白質とF蛋白質をもつ。

検査

H292細胞を用いたウイルス分離，抗体価の測定〔赤血球凝集抑制反応（HI）〕，ウイルス遺伝子の検出（RT-PCR法），ウイルス抗原の検出（シェル・バイアル法）がある。

病原性

飛沫感染により伝播し，呼吸器感染症を起こす。一般的には軽症上気道感染症であるが，時に小児に重症のクループ症候群や肺炎を起こすことがある。

クループ症候群とは，咽頭やその周辺の粘膜腫脹による気道狭窄により生じる犬吠様（けんばいよう）咳嗽・吸気性喘鳴，嗄声，陥没呼吸がおもな症状である。

予防

飛沫感染を避ける。

治療

特異的な治療法はなく対症療法が主体である。

2. 麻疹ウイルス（*Measles virus*）

分類

モルビリウイルス属（*Morbillivirus*）。

用語　世界保健機関（World Health Organization；WHO），F蛋白質（fusion protein），赤血球凝集素-ノイラミニダーゼ（hemagglutinin-neuraminidase；HN），CA（croup-associated），HA（hemadsorption）

疫学
かつて「命定め病」として恐れられていた。わが国では生ワクチンの導入により患者数は大幅に減少したが，2007年には高校生や大学生の間で流行が起こり，全国各地で散発的に発生している。発展途上国では依然として多くの感染者が発生している。

形態
エンベロープをもつ直径150～300nmの球状粒子であり，ゲノムとしてマイナス一本鎖RNAをもつ。表面蛋白質に，H蛋白質とF蛋白質をもつ。

検査
麻疹ウイルスのレセプターSLAM（CD150）を発現している細胞を用いたウイルス分離，抗体価の測定〔HI，中和試験（NT）〕，IgG抗体とIgM抗体の測定（ELISA），ウイルス遺伝子の検出（RT-PCR法，LAMP法）がある。

病原性
空気感染により上気道粘膜細胞に感染し，感染力は極めて強く，免疫がない場合は必ず発症する。潜伏期（約2週間），カタル期，発疹期，回復期の経過をたどり，発熱，咳，結膜炎，上気道炎などのカタル症状で発症する。カタル期には分泌液中に大量のウイルスが排出され，感染が拡大し，後半に頬粘膜に表れるコプリック斑は診断的価値が高い。一時的に解熱するが，再び高熱を発し，発疹が顔面や頸部に出現し全身に広がり，3～5日で発疹は消退する。麻疹ウイルス感染により細胞性免疫不全となるため，細菌の二次感染による合併症に注意が必要である。遅発性ウイルス感染として亜急性硬化性全脳炎を発症することがある。

亜急性硬化性全脳炎（SSPE）とは，麻疹ウイルスに幼児期に罹患後，ウイルスが中枢神経系に持続感染し，5～10年後に発症する慢性進行性脳炎である。数万例に1例の頻度で発症する。

予防
感染力が極めて強いため患者は隔離し，医療職員で曝露を受けた者は自宅待機とする。

治療
特異的な治療法はなく対症療法が主体である。弱毒生ワクチンの接種が有効であり，曝露後6日以内であればガンマグロブリンが有効である。

3. ムンプスウイルス（*Mumps virus*）

分類
ルブラウイルス属（*Rubulavirus*）。

疫学
流行性耳下腺炎は5世紀にヒポクラテスにより耳の近くが腫脹する疾患として記載されており，1886年に世界中に分布することが報告され，1943年に原因がウイルスであることが報告された。わが国においては1989年のワクチンの導入により1991年には最も低い流行であったが，その後はワクチンが任意接種であることより4～5年ごとに流行のピークがある。

形態
エンベロープをもつ直径約150nmの球状粒子であり，ゲノムとしてマイナス一本鎖RNAをもつ。表面蛋白質にHN蛋白質とF蛋白質をもつ。

検査
Vero細胞を用いたウイルス分離，抗体価の測定〔HI，NT，補体結合反応（CF）〕，IgG抗体とIgM抗体の測定（ELISA），ウイルス遺伝子の検出（RT-PCR法，LAMP法）がある。

病原性
唾液を介しての接触感染あるいは飛沫感染により上気道粘膜上皮細胞に感染する。潜伏期は2～3週間であり，耳下腺の腫脹や圧痛で発症し，約1週間で徐々に消失する。不顕性感染が多く（30～40%），精巣炎（思春期以降の男性約25%），卵巣炎（約5%），一過性の難聴（約4%），無菌性髄膜炎（約10%）を発症するが，予後は良好である。

予防
弱毒生ワクチンが有効である。患者との接触を避ける。

治療
特異的な治療法はなく対症療法が主体である。

4. ヒトRSウイルス（*Human respiratory syncytial virus*）

分類
ニューモウイルス属（*Pneumovirus*）。G蛋白質の抗原性により2つのサブグループ（A，B）に分類される。

疫学
世界中に存在し，地理的あるいは気候的な偏りはなく，乳幼児の感染が多いことが特徴である。わが国においては11月～1月にピークに達し，小児の細気管支炎や肺炎の原因となる。

形態
エンベロープをもつ直径約150nmの球状粒子であり，ゲノムとしてマイナス一本鎖RNAをもつ。表面蛋白質に，G蛋白質とF蛋白質をもつ。

用語 SLAM（singnaling lymphocyte activation molecule），酵素免疫測定法（enzyme-linked immunosorbent assay；ELISA），亜急性硬化性全脳炎（subacute sclerosing panencephalitis；SSPE），補体結合反応（complement fixation test；CF）

検査

HEp-2細胞やHeLa細胞を用いたウイルス分離（熱，凍結融解，pH，塩濃度，蛋白濃度に不安定なため，運搬には適切な保存液が必要である），抗体価の測定（CF，NT），ウイルス遺伝子の検出（RT-PCR法）がある。

迅速抗原検査

イムノクロマト法によるウイルス抗原の検出。

病原性

飛沫感染により上気道粘膜上皮に感染し増殖する。潜伏期は3～4日であり，2歳までにほぼ全員が感染する。乳児期，とくに生後6カ月未満では細気管支炎や肺炎を発症することが多く，成人では軽症である。

予防

患者との濃厚接触や分泌物との接触を避ける。抗RSウイルスヒト化モノクローナル抗体製剤があり，受動免疫療法として使用される。

治療

特異的な治療法はなく対症療法が主体である。

5. ヒトメタニューモウイルス（*Human metapneumovirus*：hMPV）

分類

メタニューモウイルス属（*Metapneumovirus*）。G蛋白質の抗原性により2つのサブグループ（A，B）に分類され，遺伝子型ではA1，A2，B1，B2の4型がある。

疫学

2001年に小児の呼吸器感染症患者より発見されたが，実際には以前より世界中に存在していた。このウイルスの発見により，原因不明とされていた呼吸器感染症の約半数が明らかになった。

形態

エンベロープをもつ直径約150nmの球状粒子であり，ゲノムとしてマイナス一本鎖RNAをもつ。表面蛋白質に，G蛋白質とF蛋白質をもつ。

検査

LLC-MK2細胞やVero E6細胞を用いたウイルス分離，ウイルス遺伝子の検出（RT-PCR法）がある。

迅速抗原検査

イムノクロマト法によるウイルス抗原の検出がある。

病原性

飛沫感染や喀痰，鼻汁の接触感染により鼻粘膜に感染する。潜伏期は3～4日であり，生後6カ月より感染が始まり，2歳までに約半数，10歳までにほぼ全員が感染する。小児のウイルスによる呼吸器感染症の5～10％がhMPVが原因であり，多くは1週間程度で回復するが，再感染を頻繁に起こす。成人においても呼吸器感染症の2～4％がhMPVが原因であり，乳幼児や高齢者では重症となることがあり，細気管支炎や肺炎などを発症する。

予防

患者との濃厚接触や分泌物との接触を避ける。

治療

特異的な治療法はなく対症療法が主体である。

11.2.4 レトロウイルス科（*Retroviridae*）

レトロウイルス科はオルトレトロウイルス亜科（*Orthoretrovirinae*）とスプーマレトロウイルス亜科（*Spumaretrovirinae*）があり，オルトレトロウイルス亜科は，アルファレトロウイルス属，ベータレトロウイルス属，ガンマレトロウイルス属，デルタレトロウイルス属，イプシロンウイルス属，レンチウイルス属に分けられ，スプーマレトロウイルス亜科はスプーマウイルス属がある。

形態

ウイルスは直径約100nmの球状で糖蛋白のスパイクをもつエンベロープに覆われている。ゲノムとしてプラス一本鎖RNAを2分子もち，逆転写酵素をもつ。共通の遺伝子構造としては*LTR*や*gag*，*pol*，*env*などの構造遺伝子からなる。増殖過程は図11.2.2に示したとおり，ウイルスは細胞膜のレセプターと結合することで脱殻して細胞内へと侵入する。RNAから逆転写によってできたDNAが宿主DNAへと組み込まれプロウイルスとなり，再びウイルス蛋白やウイルスRNAの合成が行われ完成したものが放出される。

1. ヒトT細胞白血病ウイルス1（*Human T-cell leukemia virus* 1：HTLV-1），ヒトTリンパ球向性ウイルス1（*Human T-lymphotropic virus* 1：HTLV-1）

分類

デルタレトロウイルス属（*Deltaretrovirus*）。

疫学

成人T細胞白血病（ATL）の病原ウイルスとして1981年に分離された。ATL由来のウイルスをHTLV-1，有毛

用語　LTR（long terminal repeat），成人T細胞白血病（adult T-cell leukemia；ATL）

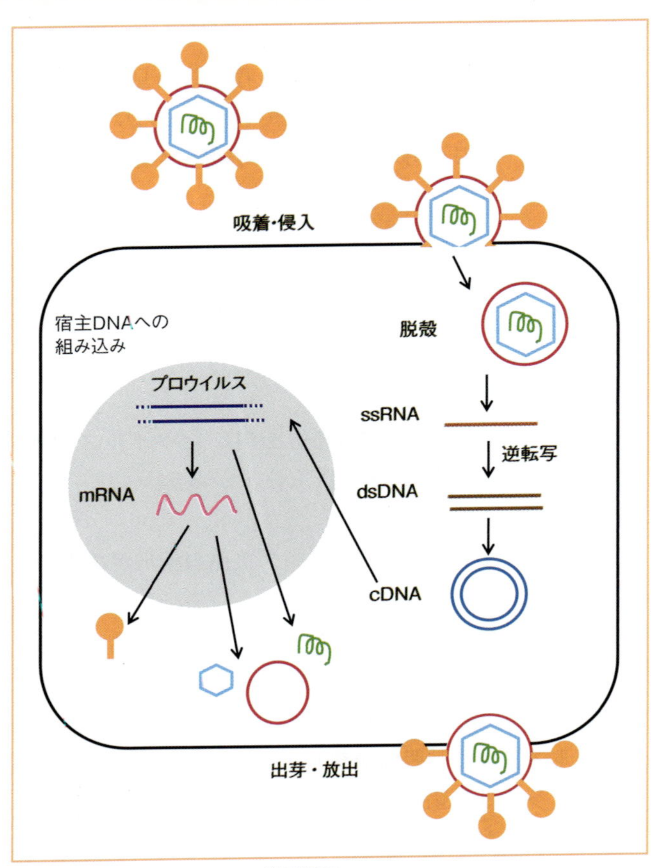

図 11.2.2　レトロウイルスの増殖過程

細胞白血病（hairy cell leukemia）由来のものをHTLV-2としている。感染は体液（母乳，性交）によるもの，輸血などでも感染する。このウイルスには地域性があり，わが国では九州，四国，沖縄といった南西地域に偏在する。

検査

感染したT細胞をインターロイキン2存在下で培養する。

HTLV-1抗体の測定〔粒子凝集反応（PA），ELISA，化学発光法，ウエスタンブロット法（WB）〕，プロウイルスDNAの検出（PCR法）がある。2010年より妊婦検診にHTLV-1抗体スクリーニングが導入された（図11.2.3）。

病原性

HTLV-1のプロウイルスが組み込まれたCD4陽性T細胞を腫瘍化することでATLを発症させ，その頻度は2～6%であり，予後は不良である。ATL以外にもHTLV-1関連脊髄症（HAM）やHTLV-1関連ぶどう膜炎（HU）などを引き起こし，臨床症状は多彩である。

予防

母乳の長期直接授乳を避ける。

治療

ATLに対してはその病期にもよるが，化学療法や同種造血幹細胞移植などを行う。

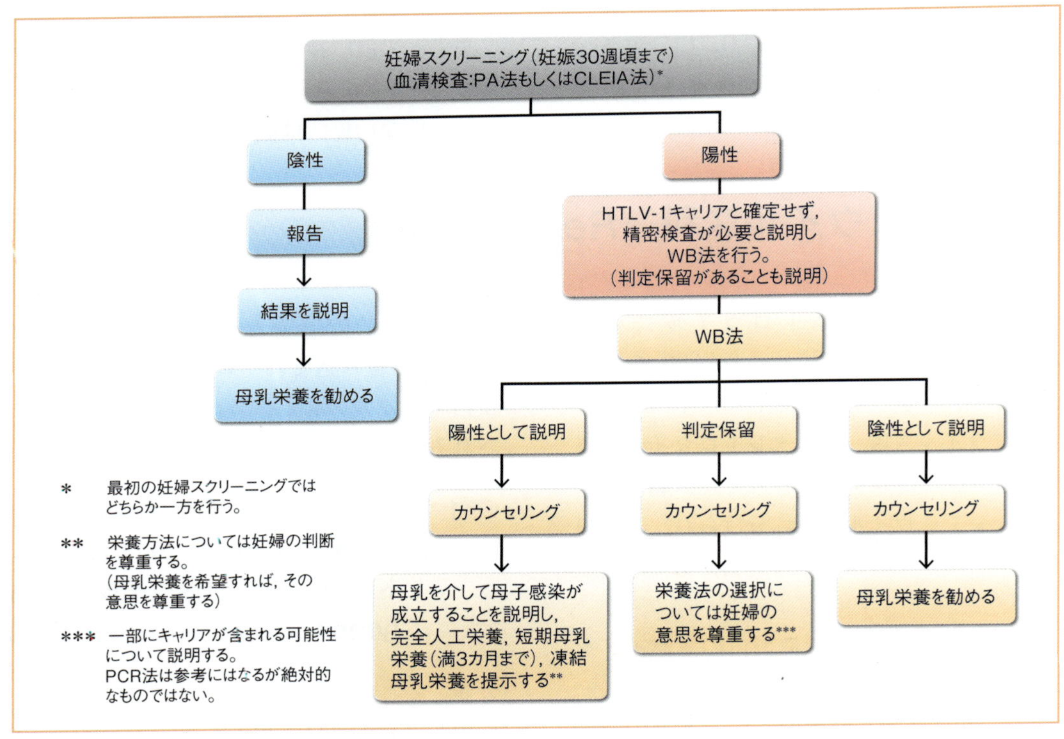

図 11.2.3　HTLV-1 スクリーニングの進め方
〔齋藤　滋（研究代表者）:「HTLV-1 母子感染予防対策 医師向け手引き」，平成 21 年度厚生労働科学研究費補助金厚生労働科学特別研究事業 HTLV-1 の母子感染予防に関する研究，2010 より引用〕

用語　粒子凝集反応（particle agglutination；PA），ウエスタンブロット法（western blotting；WB），ポリメラーゼ連鎖反応（polymerase chain reaction；PCR），CD（cluster of differentiation），HTLV-1 関連脊髄症（HTLV-1 associated myelopathy；HAM），HTLV-1 関連ぶどう膜炎（HTLV-1 associated uvetis；HU），メッセンジャー RNA（messenger RNA；mRNA），一本鎖 DNA（single-stranded DNA；ssDNA），二本鎖 DNA（double-stranded DNA；dsDNA），相補的 DNA（complementary DNA；cDNA），化学発光酵素免疫測定法（chemiluminescent enzyme immunoassay；CLEIA）

2. ヒト免疫不全ウイルス（*human immunodeficiency virus*；HIV）

分類

レンチウイルス属（*Lentivirus*）。

疫学

1981年に米国にて男性同性愛者で原因不明の免疫不全による日和見感染症例が報告され，後天性免疫不全症候群（AIDS）と命名された。その後，CD4抗原陽性Tリンパ球に感染するレトロウイルスが分離されHIVとされた。塩基配列の違いから，HIV-1とHIV-2がある。

形態

外側を構成するエンベロープには，糖蛋白質gp120とgp41の三量体からなる5〜10個程度のスパイクが外側に突き出していて，標的細胞であるヘルパーT細胞やマクロファージ表面に発現しているCD4レセプターとケモカインレセプターCCR5またはCXCR4に結合して感染・侵入する。

HIVの遺伝子構造は両端に存在する*LTR*，*gag*，*pol*，*env*の3つの主要構造遺伝子，*tat*，*rev*の2つの調節遺伝子，および*nef*，*vif*，*vpr*，*vpu*（HIV-1），*vpx*（HIV-2）の5つのアクセサリー遺伝子で構成されている。

遺伝子学的にはHIV-1とHIV-2に大別され，さらにHIV-1はM, N, O, Pの4つに分けられる。Group MはA〜D, F〜H，J，Kの9つのサブタイプ，さらに，これらの組換えゲノムをもつ組換え体に分類されている。地域により流行しているサブタイプの分布が異なり，わが国ではサブタイプBが多い。

検査

末梢単核細胞を用いたウイルス分離，HIV-1, 2抗体，HIV抗原・抗体の測定（イムノクロマト法，化学発光法，WB法），HIV-RNAの測定（RT-PCR法，リアルタイムPCR法）がある。HIVの検査は，HIV-1/2検査のフローチャート（図11.2.4）に従い進める。

迅速抗原検査

イムノクロマト法によるHIV抗原・抗体の測定がある。

病原性

感染経路は体液（血液，精液，母乳，性器分泌物，唾液など）に接触することで感染する。AIDS患者は血液製剤からの感染による血友病患者，輸血を受けた者，注射による

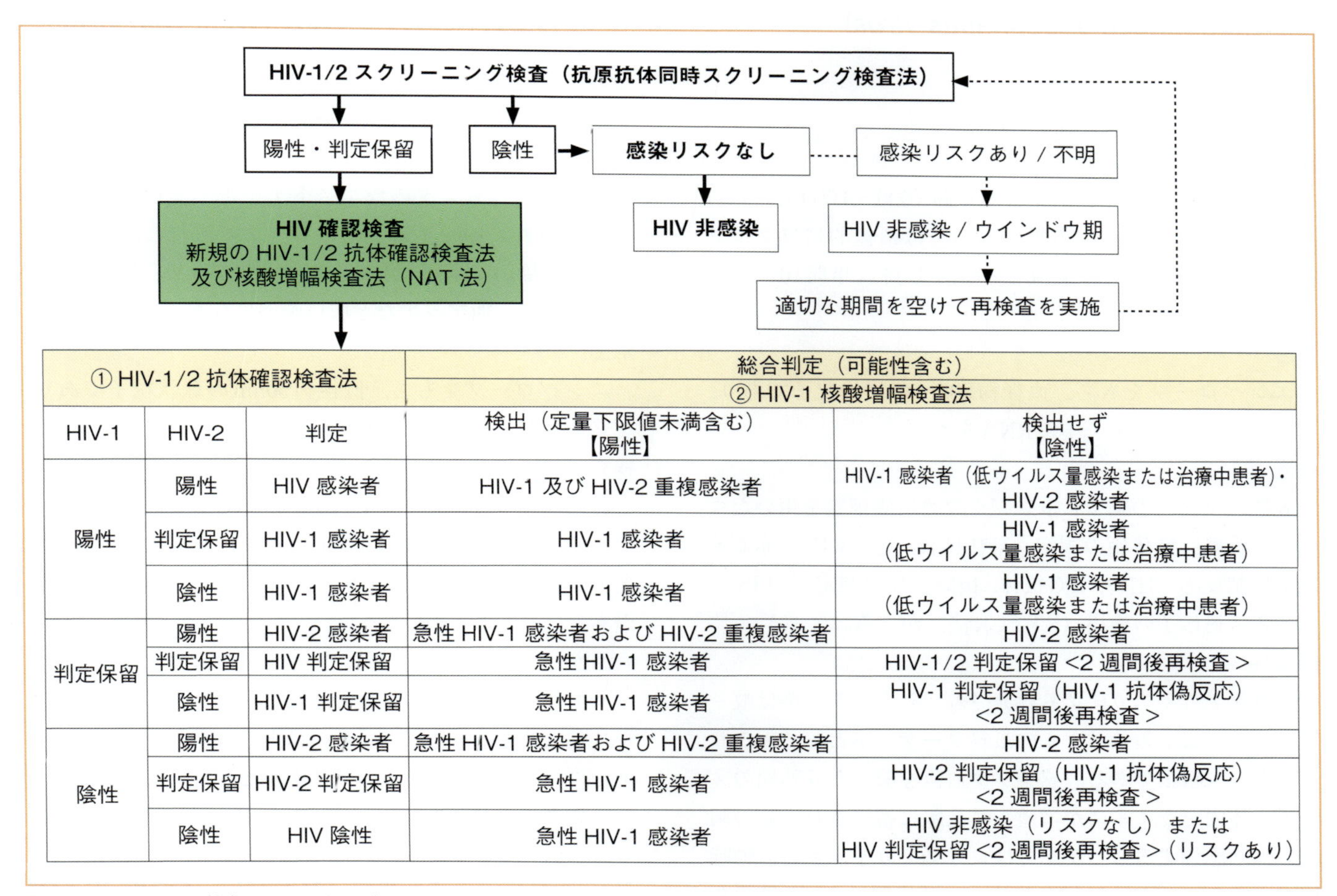

① HIV-1/2 抗体確認検査法			総合判定（可能性含む） ② HIV-1 核酸増幅検査法	
HIV-1	HIV-2	判定	検出（定量下限値未満含む）【陽性】	検出せず【陰性】
陽性	陽性	HIV 感染者	HIV-1 及び HIV-2 重複感染者	HIV-1 感染者（低ウイルス量感染または治療中患者）・HIV-2 感染者
	判定保留	HIV-1 感染者	HIV-1 感染者	HIV-1 感染者（低ウイルス量感染または治療中患者）
	陰性	HIV-1 感染者	HIV-1 感染者	HIV-1 感染者（低ウイルス量感染または治療中患者）
判定保留	陽性	HIV-2 感染者	急性 HIV-1 感染者および HIV-2 重複感染者	HIV-2 感染者
	判定保留	HIV 判定保留	急性 HIV-1 感染者	HIV-1/2 判定保留 <2 週間後再検査 >
	陰性	HIV-1 判定保留	急性 HIV-1 感染者	HIV-1 判定保留（HIV-1 抗体偽反応）<2 週間後再検査 >
陰性	陽性	HIV-2 感染者	急性 HIV-1 感染者および HIV-2 重複感染者	HIV-2 感染者
	判定保留	HIV-2 判定保留	急性 HIV-1 感染者	HIV-2 判定保留（HIV-1 抗体偽反応）<2 週間後再検査 >
	陰性	HIV 陰性	急性 HIV-1 感染者	HIV 非感染（リスクなし）または HIV 判定保留 <2 週間後再検査 >（リスクあり）

図 11.2.4　HIV-1/2 検査のフローチャート

〔診療における HIV-1/2 感染症の診断ガイドライン 2020 版（日本エイズ学会・日本臨床検査医学会　標準推奨法）より引用〕

用語　後天性免疫不全症候群（acquired immunodeficiency syndrome；AIDS），C-C ケモカイン・レセプター 5（C-C chemokine receptor type 5；CCR5），CXCR（C-X-C chemokine receptor），イムノクロマト法（immunochromatography；IC）

麻薬覚せい剤常習者，男性同性愛者に見られたが，近年では異性間性行為によるものや垂直感染も報告されている。

HIV感染後は急性期→無症候期→エイズ期へと進展していく。急性期では感冒様症状が見られ，無自覚であることも多く，数日から10週間程度で自然軽快する。無症候期にはウイルス量は定常状態（セットポイント）となり，数年から10年ほど経過後，CD4陽性細胞数の低下を経てエイズ期となり易感染状態となる。

予防

血液および体液との接触を避ける。安全な性行為（コンドームの使用）が重要である。

治療

抗HIV薬は核酸系逆転写酵素阻害薬，非核酸系逆転写酵素阻害薬，プロテアーゼ阻害薬，インテグラーゼ阻害薬，侵入阻害薬などがあり，このうち3～4薬剤を同時に内服する強力な抗ウイルス療法（HAART）が行われる。

11.2.5　フラビウイルス科（*Flaviviridae*）

フラビウイルス科はフラビウイルス属，ペスチウイルス属，ヘパシウイルス属がある。フラビウイルス属に日本脳炎ウイルス，ウエストナイルウイルス，黄熱ウイルス，デングウイルスなどがある。C型肝炎ウイルスはフラビウイルス科，ヘパシウイルス属（*Hepacivirus*）に含まれる（p313 11.2.14参照）。

1. 日本脳炎ウイルス（*Japanese encephalitis virus*）

分類

フラビウイルス属（*Flavivirus*）。

疫学

わが国では1960年代前半まで年間2,000～4,000人の報告があったが，1967～1976年においては積極的にワクチン接種が行われ，患者は激減し1992年以降は年間10人未満となった。

形態

エンベロープをもち，直径約50nmの球状粒子であり，ゲノムとしてプラス一本鎖RNAをもつ。

検査

乳飲みマウスの脳やヒトスジシマカ培養細胞を用いたウイルス分離，抗体価の測定〔補体結合反応（CF），赤血球凝集抑制反応（HI）〕，IgG抗体，IgM抗体の測定（ELISA），ウイルス遺伝子の検出（RT-PCR法）がある。

病原性

コガタアカイエカにより媒介され，ヒトへの感染は蚊－ブタ－蚊－ヒトのサイクルの最終ターゲットとして起こり，ヒトが終末宿主である。感染ブタ血液を吸った成熟期のメスカの体内でウイルスが増殖し唾液腺に蓄積され，蚊の刺咬により感染する。わが国ではコガタアカイエカの活動時期である7月～10月の発症が多い。潜伏期は6～12日であり，全身倦怠感，食欲不振，悪心，嘔吐，腹痛などを前駆症状として脳炎を発症する。25%は完全に回復するが，50%は精神神経学的後遺症を残し回復し，致死率は25%である。

予防

蚊への対策が重要である。不活化ワクチンが有効である。

治療

特異的な治療法はなく対症療法が主体である。

2. ウエストナイルウイルス（*West Nile virus*）

分類

フラビウイルス属（*Flavivirus*）。

疫学

1937年にウガンダのウエストナイルで発症した患者から分離され，1999年にニューヨークで流行し，2003年以降一部を除いた米国全土に広がり，アフリカ，欧州，中東，中央アジア，西アジアなど広い範囲に分布する。

形態

エンベロープをもち，直径約50nmの球状粒子であり，ゲノムとしてプラス一本鎖RNAをもつ。

検査

乳飲みマウスの脳やヒトスジシマカ培養細胞を用いたウイルス分離，抗体価の測定（HI，CF），IgG抗体とIgM抗体の測定（ELISA），ウイルス遺伝子の検出（RT-PCR法）がある。

病原性

イエカやヤブカにより媒介される。ウエストナイルウイルス感染蚊を増加させているのはトリであり，ヒトへの感染は蚊－トリ－蚊－ヒトのサイクルとして，蚊の刺咬により感染する。潜伏期は3～15日であり，80%が不顕性感染であるが，発症した場合，発熱を伴い頭痛，背部痛，筋肉痛などが起こり1週間程度で回復する。感染者の約0.5%程度に脳炎，髄膜炎が起こり，重症患者の致死率は3～15

用語　HAART（highly active anti-retroviral therapy）

%である。

予防

蚊への対策が重要である。

治療

特異的な治療法はなく対症療法が主体である。

3. 黄熱ウイルス（*Yellow fever virus*）

分類

フラビウイルス属（*Flavivirus*）。

疫学

アフリカ，南米に分布し，熱帯地方では雨期に多く発生する。

形態

エンベロープをもち，直径約50nmの球状粒子であり，ゲノムとしてプラス一本鎖RNAをもつ。

検査

乳飲みマウスの脳やヒトスジシマカ培養細胞を用いたウイルス分離，IgG抗体とIgM抗体の測定（ELISA），ウイルス遺伝子の検出（RT-PCR法）がある。

病原性

ネッタイシマカにより媒介され，ヒトは終末宿主ではなく，患者血液は蚊に感染力がある。潜伏期は3～6日であり，発熱，頭痛などの前駆症状は3～4日で軽快するが，その後再燃し，黄疸，嘔吐，出血傾向を呈し，致死率は約20%である。

予防

蚊への対策が重要である。弱毒生ワクチンが有効である。

治療

特異的な治療法はなく対症療法が主体である。

4. デングウイルス（*Dengue virus*）

分類

フラビウイルス属（*Flavivirus*）。

疫学

熱帯や亜熱帯地域に広く分布し，年間に約1億人が感染し，約0.5%がデング出血熱を発症する。

形態

エンベロープをもち，直径約50nmの球状粒子であり，ゲノムとしてプラス一本鎖RNAをもつ。

検査

ヒトスジシマカ培養細胞やVero細胞を用いたウイルス分離，IgG抗体とIgM抗体の測定（ELISA），ウイルス遺伝子の検出（RT-PCR法）がある。

迅速抗原検査

イムノクロマト法によるNS1抗原（ウイルス非構造蛋白質で感染細胞より分泌され血中を循環する）の検出や，IgM/IgG抗体の測定がある。

病原性

ネッタイシマカやヒトスジシマカにより媒介され，ヒトは終末宿主ではない。潜伏期は3～8日であり，不顕性感染が多いが，有症例の大部分は発熱，疼痛，発疹などを主症状とするデング熱となり3～7日で回復する。発症患者の一部において，強い出血傾向を示すことがあり，致死率は10%以下である。

予防

蚊への対策が重要である。

治療

特異的な治療法はなく対症療法が主体である。

5. ジカウイルス（*Zika virus*）

分類

フラビウイルス属（*Flavivirus*）。

疫学

1947年にウガンダでアカゲザルから発見され，その後1952年にヒトからも発見された。2007年ミクロネシア，2013年フランス領ポリネシア，2015年ブラジルやコロンビアを含む南アメリカ大陸で大流行が発生した。

形態

エンベロープをもち，直径約50nmの球状粒子であり，ゲノムとしてプラス一本鎖RNAをもつ。

検査

IgG抗体とIgM抗体の測定（ELISA），ウイルス遺伝子の検出（RT-PCR法）がある。

病原性

ネッタイシマカやヒトスジシマカにより媒介され，自然宿主は不明である。潜伏期は3～12日であり，軽度の発熱，斑状丘疹性発疹，関節痛，筋肉痛，結膜充血，頭痛などが主症状であり，通常2～7日で軽快する。垂直感染により胎児の小頭症を引き起こす可能性やギラン・バレー症候群との関係性が指摘されている。

予防

蚊への対策が重要である。

治療

特異的な治療法はなく対症療法が主体である。

用語　非構造蛋白質（non-structural protein；NS）

11.2.6　トガウイルス科（*Togaviridae*）

トガウイルス科はアルファウイルス属とルビウイルス属がある。

1. 風疹ウイルス（*Rubella virus*）

分類

ルビウイルス属（*Rubivirus*）。

疫学

1941年オーストラリアにて先天性風疹症候群（CRS）が報告され，1962年欧州，1964年に米国，さらに沖縄に感染が拡大し，1962年にウイルスが分離された。わが国においては1987年，1992年に大流行があり，それ以降，大流行はなかったが，2012年から増加し2013年には東京，大阪の大都市で大流行し，さらに2018年，2019年にも全国に流行した。翌年の2020年以降からは減少している。

形態

エンベロープをもち，直径65〜70nmの球状粒子であり，ゲノムとしてプラス一本鎖RNAをもつ。

検査

ハムスター腎細胞やウサギ腎細胞を用いたウイルス分離，抗体価の測定〔赤血球凝集抑制反応（HI）〕，IgG抗体とIgM抗体の測定（ELISA），ウイルス遺伝子の検出（RT-PCR法，LAMP法）がある。

病原性

節足動物非媒介性でヒトのみが宿主となる。経気道的に飛沫感染し，わが国では春から初夏にかけて流行する。潜伏期は14〜21日であり，発熱，発疹，リンパ節腫脹が三主症状である。麻疹に似た発疹，症状を呈するが，2〜3日で回復することより「三日はしか」ともよばれる。発疹は通常3〜4日で消失するが，合併症として，脳炎，血小板減少症，関節炎を起こすことがある。風疹の流行年にはCRSが増加する。

予防

感染源との接触を避ける。弱毒生ワクチンが有効である。

治療

特異的な治療法はなく対症療法が主体である。

検査室ノート　先天性風疹症候群（CRS）とは

妊娠初期（3カ月以内）の女性が風疹に感染すると，ウイルス血症を起こし，胎児に経胎盤感染し多くは死産，流産する。生まれた場合も，白内障，網膜症，両側性感音性難聴，動脈管開存，心室中隔欠損，身体の発育遅延，精神発育遅滞などが見られる。

---

2. アルファウイルス（*Alphavirus*）

分類

アルファウイルス属（*Alphavirus*）。節足動物媒介性ウイルスである。

疫学

わが国には存在せず，その分布より「旧世界」アルファウイルスと，「新世界」アルファウイルスに大別され，「旧世界」にはチクングニアウイルス，シンドビスウイルス，ロスリバーウイルス，マヤロウイルスなどがあり，「新世界」には東部ウマ脳炎ウイルス，西部ウマ脳炎ウイルス，ベネズエラウマ脳炎ウイルスなどが存在する。チクングニアウイルスはアフリカ，インド洋諸国，南〜東南アジアの風土病であったが，2004年にケニアで始まった流行がインド洋南西諸島を経由して，東南アジアまで流行が拡大し，2007年イタリア，2010年フランスで流行し，近年では中南米の各地に拡大している。

形態

エンベロープをもち，直径65〜70nmの球状粒子であり，ゲノムとしてプラス一本鎖RNAをもつ。

検査

発症時期にはウイルス血症を過ぎているため血液および髄液からの培養は困難である。IgG，IgM抗体の測定（ELISA），ウイルス遺伝子の検出（RT-PCR法）がある。

病原性

(1) 東部ウマ脳炎ウイルス
(*Eastern equine encephalitis virus*)

媒介蚊はハボシカで鳥類との間で生態系を形成しており，

用語　先天性風疹症候群（congenital rubella syndrome；CRS）

ウマやヒトに脳炎を起こす。潜伏期は5～15日で，感染者の多くが脳炎を発症し，致死率は50～75%である。

(2) 西部ウマ脳炎ウイルス (*Western equine encephalitis virus*)

媒介蚊はイエカで鳥類との間で生態系を形成しており，ウマやヒトに脳炎を起こす。潜伏期は5～10日で，小児や高齢者に脳炎を発症し，致死率は5～15%である。

(3) ベネズエラウマ脳炎 (*Venezuelan equine encephalitis virus*)

媒介蚊はイエカで齧歯類との間で生態系を形成しており，ウマ，ウシ，ヤギ，ヒトなどに脳炎を起こす。潜伏期間は1～6日で，多くは全身性熱疾患で経過するが，流行時は小児感染者4%，成人感染者0.4%に脳炎を発症し，脳炎発症者での致死率は成人10%，小児35%である。

(4) チクングニアウイルス (*Chikungunya virus*)

媒介蚊はイエカ，ネッタイシマカ，ヒトスジシマカで，ヒト－蚊－ヒトの感染環がある。潜伏期は2～3日で，発熱，関節痛，発疹などで発症する。感染者の多くが脳炎を発症し，致死率は50～75%である。

予防

媒介蚊との接触を避ける。

治療

特異的な治療法はなく対症療法が主体である。

11.2.7 レオウイルス科 (*Reoviridae*)

レオウイルス科は15属からなり，ヒトを自然宿主とするウイルスを含むのはロタウイルス属，オルトレオウイルス属，オルビウイルス属，コルチウイルス属を含め4属である。

1. ロタウイルス (*Rotavirus*)

分類

ロタウイルス属 (*Rotavirus*)。抗原性の異なるA～G群に分類され，A，B，C群がヒトに感染するが，主となるものはA群である。

疫学

温帯地方では12月から3月の冬季に発生し，乳幼児嘔吐下痢症の病原ウイルスである。1973年に下痢症患者から発見され，それ以来世界各国で検出され，発展途上国では年間1億人以上が感染し，90万人が死亡している。先進国でも罹患率は高く致死率は低いが，院内感染や家族内感染率が高い。

形態

エンベロープをもたない直径約80nmの正二十面体粒子であり，粒子を電子顕微鏡でみると車輪状の形態が特徴である (ロタ：ラテン語で車輪の意味)。ゲノムとして11分節した二本鎖RNAをもつ。

検査

アカゲザル胎児腎細胞を用いたウイルス分離，ウイルス抗原の検出 (ELISA，ラテックス凝集法)，ウイルス遺伝子の検出 (RT-PCR法)，A，B，C群ロタウイルスとアデノウイルス遺伝子を同時に検出 (multiplex PCR法) がある。

迅速抗原検査

イムノクロマト法による下痢便を用いたA群ウイルス抗原の検出 (ロタウイルス抗原とアデノウイルス抗原，ロタウイルス抗原とノロウイルス抗原を同時に検出するキットがある)。

病原性

感染は下痢便を介した糞口感染である。感染力が極めて強く，微量 (1～10PFU) のウイルスで感染する。潜伏期は2～3日間で，下痢を主症状とし水様下痢便が頻発する。乳幼児での感染，発症，および重症化が多い。ロタウイルスの感染により，小腸絨毛の背が低くなり吸収面積が激減し，さらに微絨毛が組織病変を起こすため水の吸収が阻害されて下痢を起こす。また非構造蛋白質NSP4が腸管毒素 (エンテロトキシン) として作用し，腸管腔からの水の吸収が阻害され下痢を起こす。

予防

経口生ワクチンが有効である。

治療

特異的な治療法はなく対症療法が主体である。

用語　プラーク形成単位 (plaque forming unit；PFU)

11. 2. 8　カリシウイルス科（*Caliciviridae*）

カリシウイルス科はベシウイルス属，ラゴウイルス属，ノロウイルス属，サポウイルス属，ネボウイルス属があり，ヒトに胃腸炎を起こすウイルスはノロウイルス属とサポウイルス属である。

1. ノロウイルス属（*Norovirus*）

分類

ノロウイルス属（*Norovirus*）。GenogroupはGⅠ～Ⅴの5つに分類され，ヒトに感染するのはGⅠ，GⅡ，GⅣである。種はノーウォークウイルス（*Norwalk virus*）のみである。

疫学

1968年に米国オハイオ州ノーウォークの小学校で集団発生した急性胃腸炎患者の糞便より初めて検出され，ノーウォーク因子とよばれ，1972年に電顕像より小型球形ウイルス（small round-structured virus；SRSV），ノーウォークウイルスとして検出された。その後，SRSVの全塩基配列が報告され，2002年ノロウイルス属に統一された。世界中から検出され，成人の非細菌性胃腸炎の90％以上に関与している。

形態

エンベロープをもたない直径38～40nmの正二十面体粒子であり，ゲノムとしてプラス一本鎖RNAをもつ。

検査

安定したウイルス培養はできない。ウイルス抗原の検出（ELISA），ウイルス遺伝子の検出（RT-PCR法，LAMP法）がある。

迅速抗原検査

イムノクロマト法による下痢便を用いたウイルス抗原の検出（ノロウイルス抗原とロタウイルス抗原を同時に検出するキットがある）。

病原性

感染は，生ガキなどの飲食物による経口感染，および下痢便や嘔吐物を介した感染である。潜伏期は1～2日で，嘔吐，下痢，発熱を認め，一般的に軽症であり，1～2日で治癒する。

予防

飲食物の取扱い者の衛生管理が重要である。カキなどの二枚貝を含む飲食物は，60℃，30分の加熱では感染性は失われないため，85～90℃，90秒の十分な加熱を行う。

治療

特異的な治療法はなく対症療法が主体である。

2. サポウイルス属（*Sapovirus*）

分類

サポウイルス属（*Sapovirus*）。種はサッポロウイルス（*Sapporo virus*）。

疫学

1977年に札幌市で幼児に集団発生した胃腸炎から小型球形ウイルスが確認され，サッポロウイルスと名付けられた。2002年にサポウイルス属に分類された。

形態

エンベロープをもたない直径27～40nmの正二十面体粒子であり，ゲノムとしてプラス一本鎖RNAをもつ。

検査

ウイルス遺伝子の検出（RT-PCR法）。

病原性

ノロウイルス属と同様である。

予防

ノロウイルス属と同様である。

治療

特異的な治療法はなく対症療法が主体である。

11. 2. 9　ピコルナウイルス科（*Picornaviridae*）

ピコルナウイルス科は29属からなり，エンテロウイルス属，ライノウイルス属，ヘパトウイルス属，パレコウイルス属，コブウイルス属などの9属がヒトの疾病に関与している。A型肝炎ウイルスはヘパトウイルス属である（p313　11.2.14参照）。

1. ポリオウイルス（*Poliovirus*）

分類

エンテロウイルス属（*Enterovirus*）。

疫学

ポリオウイルスは急性灰白髄炎を起こすウイルスであり，血清型により1型，2型，3型に分類される。わが国においては1960年に1型ポリオウイルスの大流行により5,600人以上の患者が発生したため，1961年より生ワクチンの投与の開始により，その後，激減し1981年以降は野生型ウイルスによる発生は見られていない。感染症法で指定されている二類感染症の病原体である。

形態

エンベロープをもたない直径約30nmの正二十面体粒子であり，ゲノムとしてプラス一本鎖RNAをもつ。

検査

サル腎臓細胞を用いたウイルス分離，抗体価の測定〔補体結合反応（CF），中和試験（NT）〕，ウイルス遺伝子の検出（RT-PCR法）がある。野生株とワクチン株の区別が重要である。

病原性

感染は経口感染であり，咽頭部や腸管粘膜上皮細胞で増殖し，その後ウイルス血症となる。一部が血液脳関門を通過して中枢神経系に達し，運動神経細胞が破壊され四肢に運動麻痺を生じる。病型としては不顕性感染，不全型ポリオ，非麻痺型ポリオ，麻痺型ポリオがあり，ほとんどは不顕性感染で無症状であり，麻痺型ポリオは感染者の0.1%に見られる。

予防

弱毒生ワクチンにより感染者は激減したが，極めて稀にワクチン投与者体内で毒力復帰が起こり，接触者にワクチン関連ポリオ麻痺が発生することがあり，2012年9月より不活化ワクチン，2012年11月より4種混合ワクチン（ジフテリア，破傷風，百日咳，ポリオ）が導入された。手指の消毒，非加熱食品や生水の飲食など衛生的注意が必要である。

治療

特異的な治療法はなく対症療法が主体である。

2. コクサッキーウイルス（*Coxsackievirus*）

分類

エンテロウイルス属（*Enterovirus*）。A群には1～24型があり，B群には1～6型がある。

疫学

1948年に米国ニューヨーク州コクサッキーにてポリオ疑似患者より分離され，マウスでの病原性の差によりA群とB群に分けられている。A群は広範囲の筋炎を起こすが，B群では限局性である。

形態

エンベロープをもたない直径約30nmの正二十面体粒子であり，ゲノムとしてプラス一本鎖RNAをもつ。

検査

ヒトおよびサル由来の培養細胞および乳飲みマウスを用いたウイルス分離，抗体価の測定（NT，CF），ウイルス遺伝子の検出（RT-PCR法）がある。

病原性

感染は経口感染であり咽頭部や腸管粘膜上皮細胞で増殖し，血清型により臨床症状は多彩である。

1) ヘルパンギーナ：わが国では毎年5月より増加し始め，6～7月にピークとなり10月にはほとんど見られなくなる。潜伏期は2～4日で，発熱と口腔粘膜に水泡性発疹が現れ，数日で軽快し予後は良好である。おもにコクサッキーウイルスA2，A3，A4，A5，A6，A10が関与する。
2) 手足口病：わが国では毎年夏季に5歳以下の乳幼児に流行する。潜伏期は3～5日で，口腔粘膜，手掌，足底に水泡性発疹が現れ，数日中に完治し予後は良好であるが，稀に髄膜炎，脳炎，心筋炎などを起こすことがある。おもにコクサッキーウイルスA6，A16，A10とエンテロウイルス71が関与する。
3) 流行性筋痛症（Bornholm病）：夏と初秋に起こり，突然胸腹壁の筋肉痛やそれに伴う呼吸困難が生じ，予後は良好である。コクサッキーウイルスB1～B5が関与する。
4) その他，急性出血性結膜炎ではコクサッキーウイルスA24変異株，エンテロウイルス70，糖尿病ではコクサッキーウイルスB4，膵炎ではコクサッキーウイルスB群の関与が報告されている。

予防

感染者との接触を避け，流行時のうがいや手指の消毒を励行する。

治療

特異的な治療法はなく対症療法が主体である。

3. エコーウイルス（*Echovirus*）

分類

エンテロウイルス属（*Enterovirus*）。1～34型（8，10，22，23，28は欠番）がある。

疫学

エコーウイルスは無症状のヒトの糞便より細胞培養で分離されため，enteric cytopathogenic human orphan virus（腸管系細胞病原性孤児ウイルス）と名付けられ，頭文字をとってエコーウイルスとよばれている。

形態

エンベロープをもたない直径約30nmの正二十面体粒子であり，ゲノムとしてプラス一本鎖RNAをもつ。

用語　急性灰白髄炎（poliomyelitis anterior acuta），ヘルパンギーナ（herpangina），手足口病（hand-foot-and-mouth disease）

検査

ヒトおよびサル由来の培養細胞および乳飲みマウスを用いたウイルス分離，抗体価の測定〔NT，赤血球凝集抑制反応（HI）〕，ウイルス遺伝子の検出（RT-PCR法）がある。

病原性

感染は経口感染であり，咽頭部や腸管粘膜上皮細胞で増殖する。多くは軽症で予後は良好であるが，無菌性髄膜炎を起こすことがあり，13型が多く検出され，その他，6型，18型，30型の流行が報告されている。

予防

感染者との接触を避け，流行時のうがいや手指の消毒を励行する。

治療

特異的な治療法はなく対症療法が主体である。

4. エンテロウイルス（*Enterovirus*）

分類

エンテロウイルス属（*Enterovirus*）。腸管ウイルスはポリオ，コクサッキー，エコーウイルスを含むが，新たに発見されたウイルスはエンテロウイルス68，69，70，71のように番号が付される。68～101型がある。

形態

エンベロープをもたない直径約30nmの正二十面体粒子であり，ゲノムとしてプラス一本鎖RNAをもつ。

検査

サル腎細胞を用いたウイルス分離，抗体価の測定（NT，CF），ウイルス遺伝子の検出（RT-PCR法）がある。

病原性

感染は経口感染であり咽頭部や腸管粘膜上皮細胞で増殖する。多くは軽症で予後は良好である。コクサッキーウイルスと同様，71型は手足口病，70型は急性出血性結膜炎を起こす。また70型，71型はともにポリオ様麻痺を含む中枢神経系疾患の原因となり，髄膜炎や脳炎を起こす。その他68型は夏季から初秋に発熱および咽頭炎を主症状とする夏かぜを起こす。

予防

感染者との接触を避け，流行時のうがいや手指の消毒を励行する。

治療

特異的な治療法はなく対症療法が主体である。

5. ライノウイルス（*Rhinovirus*）

分類

ライノウイルス属（*Rhinovirus*）。

疫学

ライノウイルスはrhinos（ギリシャ語の鼻の意味）に由来し，いわゆる鼻かぜウイルスとして知られる。血清型は100種類以上ある。

形態

エンベロープをもたない直径22～30nmの正二十面体粒子であり，ゲノムとしてプラス一本鎖RNAをもつ。

検査

ヒト胎児肺細胞，ヒト胎児扁桃細胞，HeLa細胞を用いたウイルス分離，ウイルス遺伝子の検出（RT-PCR法）がある。

病原性

感染は飛沫感染および分泌物の接触感染である。潜伏期は1～2日であり，感染するとほとんどが発症し，鼻漏，鼻閉，くしゃみ，咽頭炎などのかぜ症状が起こり，数日で軽快することが多い。急性呼吸器系疾患の1/3～1/2はライノウイルスによるものである。

予防

感染者との接触を避け，流行時のうがいや手指の消毒を励行する。

治療

特異的な治療法はなく対症療法が主体である。

11.2.10 コロナウイルス科（*Coronaviridae*）

コロナウイルス科はコロナウイルス亜科（*Coronavirinae*）とトロウイルス亜科（*Torovirinae*）に分かれ，さらにコロナウイルス亜科はアルファ，ベータ，ガンマ，デルタコロナウイルスの4属に分類され，ヒトに関与するのはアルファ，ベータコロナウイルスである。エンベロープ表面のスパイクがほかのウイルスより長く突起を形成しており，太陽のコロナに似ていることより名付けられた。

1. SARSコロナウイルス（*SARS coronavirus*）

分類

ベータコロナウイルス属（*Betacoronavirus*）。

疫学

SARSコロナウイルスは重症急性呼吸器症候群（SARS）

用語　重症急性呼吸器症候群（severe acute respiratory syndrome；SARS）

の原因ウイルスとして発見された。SARSは2002年後半に中国広東省で発生し，2003年3月以降アジアを中心に世界中に広がり8,000人以上が感染し，致死率は約10％と高値であった。また院内感染も流行の原因と考えられる。

感染症法で指定されている二類感染症の病原体である。

形態

エンベロープをもつ直径約120nmの球状粒子であり，ゲノムとしてプラス一本鎖RNAをもつ。ゲノム長は30kbに達し，RNAウイルスでは最大である。

検査

Vero細胞を用いたウイルス分離，IgM抗体とIgG抗体の測定（ELISA），ウイルス遺伝子の検出（RT-PCR法，LAMP法）がある。

病原性

自然宿主はキクガシラコウモリであり，動物由来のウイルスがヒトに感染し，その後遺伝子変異を起こし病原性が高まり感染が拡大したと考えられる。感染は飛沫感染であり，潜伏期は2～10日で，発熱，咳，呼吸困難などを主症状として発症し，2週間以降に約80％が回復するが，約20％が悪化し，急性呼吸窮迫症候群（ARDS）に進行する。致死率は約10％である。

予防

患者を早期に見出し隔離して二次感染を防ぐ。院内感染も多いため標準的感染予防策を遵守する。うがいや手指の消毒を励行する。

治療

特異的な治療法はなく対症療法が主体である。

2. MERS コロナウイルス (*MERS coronavirus*)

分類

ベータコロナウイルス属（*Betacoronavirus*）。

疫学

MERSコロナウイルス（*Middle East respiratory syndrome coronavirus*）は，中東呼吸器症候群（MERS）の原因ウイルスとして2012年6月にサウジアラビアで発見され，2013年5月に新型コロナウイルスとしてMERSコロナウイルスと命名された。現在も中東を中心に拡大中であり，2015年6月で感染者は1,200人を超え，死亡者は450人近くと致死率が極めて高く，韓国や中国にも拡大している。

感染症法で指定されている二類感染症の病原体である。

形態

エンベロープをもつ直径約120nmの球状粒子であり，ゲノムとしてプラス一本鎖RNAをもつ。

検査

IgM抗体とIgG抗体の測定（ELISA），ウイルス遺伝子の検出（RT-PCR法，LAMP法）がある。

病原性

自然宿主はヤマトコウモリやラクダが疑われており，感染は飛沫感染，接触感染である。潜伏期は2～14日で，肺炎を主症状として発症し，致死率はSARSの10％に比べ約40～50％と極めて高い。その原因はサイトカインストームによる過剰炎症反応によると考えられている。

予防

患者を早期に見出し隔離して二次感染を防ぐ。院内感染も多いため標準的感染予防策を遵守する。また家庭内感染も起こるため，うがいや手指の消毒，マスク着用を励行する。

治療

特異的な治療法はなく対症療法が主体である。

3. SARS-CoV-2（新型コロナウイルス）(*SARS coronavirus 2*)

分類

ベータコロナウイルス属（*Betacoronavirus*）。

疫学

2019年12月中国の武漢市で発生した新型コロナウイルス（SARS-CoV-2）の感染は，2020年に入ってから世界的流行を引き起こし，日本でも2020年1月に神奈川県で初めて患者が報告され，日本全国にこの感染症（COVID-19）は拡大している。また，2020年末以降は，構造変化などを伴う新たな変異株も出現し，世界各地で流行を度々引き起こしている。感染症法では2020年2月1日から指定感染症に定められ，2021年2月13日から新型インフルエンザ等感染症に変更となった。さらに新型コロナウイルス感染症は，2023年5月8日から五類感染症の「インフルエンザ/COVID-19定点及び基幹定点」へ移行した。

形態

エンベロープをもつ直径100～120nmの球状粒子で，ゲノムとしてプラス一本鎖RNAをもつ。スパイク蛋白（S），ヌクレオカプシド蛋白（N），メンブレン蛋白（M），エンベロープ蛋白（E）などで構成されている。

検査

Vero細胞を用いたウイルス分離，ウイルス遺伝子の検出（RT-PCR法，LAMP法），ヌクレオカプシドを測定する抗原定量検査，感染で上昇する抗ヌクレオカプシド蛋白抗体，ワクチン接種後に上昇する抗スパイク蛋白抗体を測

用語 急性呼吸窮迫症候群（acute respiratory distress syndrome；ARDS），中東呼吸器症候群（Middle East respiratory syndrome；MERS），新型コロナウイルス（severe acute respiratory syndrome coronavirus 2；SARS-CoV-2），新型コロナウイルス感染症（coronavirus disease 2019；COVID-19）

定する抗体検査（研究用試薬）がある。

迅速抗原検査

イムノクロマト法による抗原定性検査があるが，定量検査より検出感度が劣る。

病原性

潜伏期間は1～14日で平均約5日である。発症早期は発熱・鼻汁・咽頭痛・咳嗽といった非特異的な上気道炎の症状を呈し，ときに嗅覚異常・味覚異常を訴えることがある。感染者の約20%程度が発症から7日目前後で肺炎が悪化し酸素投与が必要となり，全体の約5%が集中治療室に入院したり，人工呼吸管理を要する重症となる。肺炎を合併する事例では，両側性の浸潤影・すりガラス影が特徴である。

予防

患者を早期に見出して隔離して二次感染を防ぐ。マスクの着用，うがいや手指消毒の励行，ワクチンの予防接種。

治療

抗ウイルス薬（レムデシビル，モルヌピラビル），中和抗体薬（カシリビマブ/イムデビマブ，ソトロビマブ），ウイルスによる炎症を抑える薬（デキサメタゾン，バリシチニブ，トシリズマブ）の3つに分類される。

4. その他

ヒトコロナウイルス229E株やOC43株が，かぜの原因ウイルスとして重要であり，潜伏期は2～4日で，上気道炎を起こす。またNL63株やHKU1株は細気管支炎や肺炎を起こし，229E株やOC43株より病原性は強い。

11. 2. 11　フィロウイルス科（*Filoviridae*）

フィロウイルス科は，マールブルグウイルス属とエボラウイルス属があり，マールブルグウイルス属はマールブルグウイルス1種，エボラウイルス属は5種（ザイール，スーダン，タイフォレスト，ブンディブギョエ，レストン）に分類される。

紐状の細長い形態（フィラメント状）を示すことよりフィロウイルスと命名された。

1. マールブルグウイルス（*Marburgvirus*）

分類

マールブルグウイルス属（*Marburgvirus*）。

疫学

マールブルグウイルスはマールブルグ病の原因ウイルスとして発見された。マールブルグ病は1967年に旧西ドイツのマールブルグ，フランクフルト，旧ユーゴスラビアのベオグラードの3カ所で突如発生した。いずれもポリオワクチン製造のためウガンダからアフリカミドリザルを輸入し，腎組織を培養した人々の間で発生した。その後，1998年～2000年にコンゴ民主共和国（旧ザイール），2004年～2005年にアンゴラで大規模に発生した。感染症法で指定されている一類感染症の病原体である。

形態

エンベロープをもつ直径約80nm，長さ1,400nmに及ぶ紐状粒子であり，ゲノムとしてマイナス一本鎖RNAをもつ。

検査

Vero E6細胞を用いたウイルス分離，IgM抗体とIgG抗体の測定（ELISA），ウイルス遺伝子の検出（RT-PCR法）がある。

病原性

感染は飛沫感染や接触感染である。潜伏期は3～10日であり，突然の発熱，頭痛，筋肉痛，咽頭痛で発症し，その後，播種性血管内凝固症候群（DIC）となり出血傾向に陥り，最終的に多臓器不全を起こす。致死率は80～90%である。

予防

患者を早期に見出し隔離して二次感染を防ぐ。患者からの血液，分泌液，唾液，排泄物などの接触を避け，患者自身への濃厚接触も避ける。

治療

特異的な治療法はなく対症療法が主体である。

2. エボラウイルス（*Ebolavirus*）

分類

エボラウイルス属（*Ebolavirus*）。

疫学

エボラウイルスはエボラ出血熱の原因ウイルスであり，エボラの名前はザイール川支流のエボラ川に由来する。1976年6月にスーダンで発生し，284人が発症し151人（53%）が死亡した。さらに，同年8月にコンゴ民主共和国（旧ザイール）で発生し，318人が発症し280人（88%）が死

用語　播種性血管内凝固症候群（disseminated intravascular coagulation syndrome；DIC）

亡した。現在もアフリカ西部を中心に拡大しており，28,639人の患者が発生し11,316人（40%）が死亡している（2016年2月現在）。感染症法で指定されている一類感染症の病原体である。

形態

エンベロープをもつ直径約80nm，長さ970nmの紐状粒子であり，ゲノムとしてマイナス一本鎖RNAをもつ。

検査

IgM抗体とIgG抗体の測定（ELISA），ウイルス遺伝子の検出（RT-PCR法）がある。

病原性

感染は飛沫感染や接触感染である。潜伏期は2～21日であり，突然の発熱，頭痛，筋肉痛，咽頭痛で発症し，その後，DICとなり出血傾向に陥り，最終的に多臓器不全を起こす。致死率は50～90%である。

予防

患者を早期に見出し隔離して二次感染を防ぐ。患者からの血液，分泌液，唾液，排泄物などの接触を避け，患者自身への濃厚接触も避ける。

治療

特異的な治療法はなく対症療法が主体である。

11. 2. 12 アレナウイルス科（*Arenaviridae*）

アレナウイルス科はアレナウイルス属のみからなり，約30種類のウイルスが同定されており，そのうち9種類が出血熱などの疾患を引き起こす。抗原性などよりアフリカ大陸を起源とする旧世界ウイルス（ラッサウイルス，リンパ球性脈絡髄膜炎ウイルス）と南アメリカ大陸を起源とする新世界ウイルス（フニンウイルス，マチュポウイルス，グアナリトウイルス，サビアウイルスなど）に分類される。特徴として特定の齧歯類を自然宿主としている。

1. ラッサウイルス（*Lassa virus*）

分類

アレナウイルス属（*Arenavirus*）。

疫学

ラッサウイルスはラッサ熱の原因ウイルスとして発見された。自然宿主は多乳房ネズミであり，ナイジェリアからシエラレオネの西アフリカに生息する。この地域では毎年20,000人が感染し，約5,000人が死亡している。わが国では1987年にシエラレオネからの輸入例を除き発生していない。感染症法で指定されている一類感染症の病原体である。

形態

エンベロープをもち，直径60～300nmの球状粒子であり，ゲノムとして2分節したマイナス一本鎖RNAをもつ。

検査

Vero細胞を用いたウイルス分離，IgM抗体とIgG抗体の測定（ELISA），ウイルス遺伝子の検出（RT-PCR法）がある。

病原性

自然宿主は多乳房ネズミであり，唾液や排泄物（尿，唾液）の接触により感染し，ヒトからヒトへの感染は血液や体液の直接接触により起こる。潜伏期は5～21日で，発熱，頭痛，全身倦怠感などを主症状として発症し，次いで関節痛，胸痛などが見られ，重症では肺炎，脳症，心嚢炎，結膜炎，消化管出血などが見られる。致死率は5～15%である。

予防

自然宿主との接触を避け，患者の血液，体液との直接接触を避ける。

治療

リバビリンの投与が極めて有効である。

2. 南米出血熱ウイルス

分類

アレナウイルス属（*Arenavirus*）のフニンウイルス（*Junin virus*），マチュポウイルス（*Machupo virus*），グアナリトウイルス（*Guanarito virus*），サビアウイルス（*Sabia virus*），チャパレウイルス（*Chapare virus*）の総称。

疫学

アルゼンチン出血熱（フニンウイルス），ボリビア出血熱（マチュポウイルス），ベネズエラ出血熱（グアナリトウイルス），ブラジル出血熱（サビアウイルス），チャパレ出血熱（チャパレウイルス）があり，この5種を南米出血熱とよび，それぞれの国でわずかではあるが発生している。感染症法で指定されている一類感染症の病原体である。

形態

エンベロープをもち，直径60～300nmの球状粒子であり，ゲノムとして2分節したマイナス一本鎖RNAをもつ。

検査

Vero細胞を用いたウイルス分離，IgM抗体とIgG抗体の測定（ELISA），ウイルス遺伝子の検出（RT-PCR法）

用語　多乳房ネズミ（*Mastomys natalensis*）

がある。

病原性

自然宿主はウイルスごとに異なる齧歯類であり，それらの唾液や排泄物との接触により感染する。潜伏期は5～21日で，突然の発熱，筋肉痛，背部痛，全身倦怠感などが見られ，発症4日前後で衰弱，嘔吐，めまいが生じ，重症化すると出血傾向やショックが見られ，消化管，性器，皮下などに出血を生じる。致死率は15～30％である。

予防

自然宿主との接触を避け，患者の血液，体液との直接接触を避ける。アルゼンチン出血熱は，弱毒生ワクチンが有効である。

治療

特異的な治療法はなく対症療法が主体である。

11. 2. 13　ブニヤウイルス科（*Bunyaviridae*）

ブニヤウイルス科はオルトブニヤウイルス属，ハンタウイルス属，ナイロウイルス属，フレボウイルス属，トスポウイルス属の5属があり，約300種類以上のウイルス種が同定されている。植物に病原性を有するトスポウイルス属以外はヒト，野生動物，家畜に感染し，疾患の原因となる。ハンタウイルス属以外は節足動物をベクターとするアルボウイルス（節足動物媒介性ウイルス）である。

1. クリミア・コンゴ出血熱ウイルス（*Crimean-Congo hemorrhagic fever virus*：CCHFV）

分類

ナイロウイルス属（*Nairovirus*）。

疫学

CCHFVはクリミア・コンゴ出血熱の原因ウイルスとして1945年に分離された。病名は1944年のクリミア地方と1956年のコンゴ地方で発生した出血を伴う熱性疾患患者から分離されたウイルスが同一であったことに由来する。CCHFVは東欧，中央アジア，中近東，中国北西部，モンゴル，アフリカ全域など広範囲に分布している。感染症法で指定されている一類感染症の病原体である。

形態

エンベロープをもつ直径80～120nmの球状粒子であり，ゲノムとして3分節したマイナス一本鎖RNAをもつ。

検査

Vero細胞を用いたウイルス分離，IgM抗体とIgG抗体の測定（ELISA），ウイルス遺伝子の検出（RT-PCR法）がある。

病原性

自然宿主は家畜や野生の哺乳類であり，マダニがヒトに媒介する。さらに経卵巣感染の成立が報告されており，マダニ自体を宿主として自然界で存続する可能性がある。潜伏期は2～9日で，発熱，頭痛，筋肉痛を主症状として発症し，重症化すると皮膚点状出血や諸臓器からの出血が起こり，死亡例では肝腎不全を伴い，消化管出血が著明である。感染者の約2%が発症し，致死率は重症例で15～40%である。

予防

自然宿主との接触を避け，患者の血液，体液との直接接触を避ける。

治療

特異的な治療法はなく対症療法が主体であり，リバビリンの投与が有効である。

2. ハンタウイルス（*Hantavirus*）

分類

ハンタウイルス属（*Hantavirus*）。

疫学

ハンタウイルスは腎症候性出血（HFRS）とハンタウイルス肺症候群（HPS）の2つの急性疾患の原因ウイルスであり，両疾患を併せてハンタウイルス感染症と総称する。HFRSは欧州全域，ロシア，中国，韓国で見られ，HPSは北米，南米で見られる。

形態

エンベロープをもつ直径80～120nmの球状粒子であり，ゲノムとして3分節したマイナス一本鎖RNAをもつ。

検査

Vero細胞を用いたウイルス分離，IgM抗体とIgG抗体の測定（ELISA），ウイルス遺伝子の検出（RT-PCR法）がある。

病原性

自然宿主は齧歯類（流行地域に生息する各種ネズミ，マウス）であり，その糞便より飛沫感染する。潜伏期は2～3週間で，HFRS，HPSともに発熱，頭痛，筋肉痛などを主

用語　経卵巣感染（transovarial transmission），腎症候性出血（hemorrhagic fever with renal syndrome；HFRS），ハンタウイルス肺症候群（hantavirus pulmorary syndrome；HPS）

症状として発症し，HFRSでは重症化すると皮膚点状出血や諸臓器からの出血が起こり，死亡例では肝腎不全を伴い，消化管出血が著明である。感染者の約2%が発症し，致死率は重症例で15〜40%である。またHPSでは肺内へ滲出液が貯留し呼吸困難とショックにより致死率は50%以上である。

予防

HFRSについては，中国，韓国で不活化ワクチンがある。齧歯類との接触を避け，糞尿の飛沫を避ける。

治療

特異的な治療法はなく対症療法が主体である。

3. 重症熱性血小板減少症候群ウイルス（*severe fever with thrombocytopenia syndrome virus*；SFTSV）

分類

フレボウイルス属（*Phlebovirus*）。

疫学

2007年に中国河南省にて，発熱，血小板減少，リンパ節腫脹，胃腸症状，白血球減少を特徴とする疾患が多発し，2007年中に79例が報告され10例が死亡した。その後，2009年に湖北省，河南省，2010年に中国中央部から東北部にかけての6省で発生し，中国にて重症熱性血小板減少症候群（SFTS）と命名された。わが国においては2013年1月に海外渡航歴のない成人がSFTSに罹患していたことが初めて報告された。西日本を中心に29都府県より報告があり，現在（2023年4月30日）までに823例が報告され93例が死亡している。

形態

エンベロープをもつ直径80〜120nmの球状粒子であり，ゲノムとして3分節したマイナス一本鎖RNAをもつ。

検査

Vero細胞を用いたウイルス分離，IgM抗体とIgG抗体の測定（ELISA），ウイルス遺伝子を検出（RT-PCR法）がある。

病原性

自然宿主は家畜などの動物であり，マダニがヒトに媒介する。潜伏期は6〜14日で，発熱，消化器症状（食欲低下，嘔吐，下痢，腹痛）が多く見られ，その他，神経症状（頭痛，筋肉痛，意識障害，失語），リンパ節腫脹，出血症状（皮下出血，下血）などを起こす。致死率は10〜30%である。臨床検査としては血小板減少，白血球減少，AST，ALT，LD値の上昇が見られる。

予防

マダニの刺咬を避けることが重要であり，院内感染予防には標準予防策を遵守する。

治療

特異的な治療法はなく対症療法が主体である。

11. 2. 14 肝炎ウイルス（*hepatitis viruses*）

表11.2.1に肝炎ウイルスとその特徴を示す。

1. A型肝炎ウイルス（*Hepatitis A virus*；HAV）

分類

ピコルナウイルス科（*Picornaviridae*），ヘパトウイルス属（*Hepatovirus*）。

疫学

HAVは全世界に分布しており，衛生環境が劣悪な地域では幼児期の感染が多い。わが国では年間約500人前後の報告数があり，秋に少なく冬から春，初夏にかけての発生が多く，高年齢化が見られる。

形態

エンベロープをもたない直径約30nmの正二十面体粒子であり，ゲノムとしてプラス一本鎖RNAをもつ。

検査

サル腎臓細胞由来のFrhk-4細胞が用いたウイルス分離，IgM抗体とIgG抗体の測定（ELISA，化学発光法），ウイルス遺伝子の検出（RT-PCR法）がある。

病原性

おもな感染源は衛生環境の悪い地域で，汚染された生水，魚介類，野菜などを介して経口感染する。潜伏期は2〜6週間であり，不顕性感染が多いが，一部で急性肝炎を発症する。

予防

HAVワクチンが有効である。

治療

特異的な治療法はなく対症療法が主体である。

用語　重症熱性血小板減少症候群（severe fever with thrombocytopenia syndrome；SFTS），アスパラギン酸アミノ基転移酵素（aspartate transaminase；AST），アラニンアミノ基転移酵素（alanine transaminase；ALT），乳酸脱水素酵素（lactate dehydrogenase；LD）

表11.2.1　肝炎ウイルスとその特徴

		HAV	HBV	HCV	HDV	HEV
分類	科	ピコルナウイルス	ヘパドナウイルス	フラビウイルス	未分類	ヘペウイルス
	属	ヘパトウイルス	オルトヘパドナウイルス	ヘパシウイルス	デルタウイルス	オルソヘペウイルス
ゲノム		一本鎖RNA（＋）	二本鎖DNA	一本鎖RNA（＋）	一本鎖RNA（−）	一本鎖RNA（＋）
大きさ		30nm	42nm	50nm	36nm	30nm
エンベロープ		−	＋	＋	＋ HBsAg	−
感染経路		経口	STD，垂直，輸血	血液	血液	経口
潜伏期間		4週間	1〜6カ月	6〜8週間	7週間	5〜6週間
慢性化		なし	あり	あり	あり	なし
劇症肝炎		0.1%	0.2%	0.2%	稀	0.5〜3%
ワクチン		あり	あり	なし	HBVワクチン	開発中
感染症法		四類	五類	五類	五類	四類

2. C型肝炎ウイルス（*Hepatitis C virus*：HCV）

分類

フラビウイルス科（*Flaviviridae*），ヘパシウイルス属（*Hepacivirus*）。遺伝子型は1型から6型まであり，各型に亜型が存在する。わが国では1b型が65%，2a型が30%，2b型が5%である。

疫学

1989年，それまでnonA-nonBとされていた肝炎ウイルスの遺伝子の一部が発見され，後にC型肝炎ウイルスとされた。このウイルスは世界的に分布し，わが国における抗体保有率は1〜2%である。年齢とともに陽性率は高くなり，地域性があり，キャリアも含め150〜200万人いると推定されている。

形態

エンベロープとコア蛋白の2重構造をもつ，直径約50nmの球状粒子であり，ゲノムとしてプラス一本鎖RNAをもつ。

検査

HCV抗体，HCVコア抗原の測定（ELISA，化学発光法），ウイルス遺伝子の検出・定量（RT-PCR法，リアルタイムPCR法）がある。

迅速抗原検査

イムノクロマト法による抗体の測定。

病原性

感染源は血液であり，潜伏期は6〜8週間とされ，無症候性感染に終わることも多いが，一部急性肝炎となる。感染者の半数以上が慢性化し，肝硬変，肝がんへと進展し，わが国における肝がんの70%はHCV感染者である。

治療

C型慢性肝炎の治療としてはインターフェロン製剤とリバビリンの併用療法が主として実施されてきたが，近年は増殖するために必要な蛋白質（NS3，NS5A，NS5B）のいずれかの活性を阻害することでHCV特異的に増殖抑制効果をもつ直接作用型抗ウイルス薬（DAA）が次々と開発・認可されてきている。2012年にNS3/4Aプロテアーゼ阻害剤のテラプレビル，2013年にシメプレビル，2014年にはIFNフリー療法としてDAA 2剤併用ダクラタスビル/アスナプレビル，2015年にNS5Bポリメラーゼ阻害剤を含むソホスブビル/レジパスビル配合錠が認可され，これまで治療抵抗性であった症例も含め，その治療成績は飛躍的に向上している。

3. D型肝炎ウイルス（*Hepatitis D virus*；HDV）

分類

科は未分類，デルタウイルス属（*Deltavirus*）。

疫学

1977年，B型肝炎ウイルス感染患者の肝細胞中にδ抗原が発見された。その後，δ抗原はHBVがコードしている蛋白ではないことがわかり，D型肝炎ウイルスとされた。HDV感染者は欧米，中近東，南米，オーストラリアに多く，わが国では少ない。HBs抗原陽性者におけるHDV感染は1〜2%である。

形態

エンベロープをもつ直径約36nmの球状粒子であり，このエンベロープはHBs抗原を含み，内部にはδ抗原を有する。ゲノムとしてマイナス一本鎖RNAをもつ。

検査

HBs抗原（ELISA，化学発光法），IgM抗体とIgG抗体の測定（ELISA），ウイルス遺伝子の検出（RT-PCR法）がある。

病原性

HBVをヘルパーとする不完全ウイルスであり，HDV自体での増殖はできず，HBV存在下でのみ増殖可能である。感染源は医療行為，汚染針，性行為などであり，重複感染

用語　B型肝炎ウイルス表面抗原（hepatitis B surface antigen；HBsAg），インターフェロン（interferon；IFN），直接作用型抗ウイルス薬（direct acting antivirals；DAA）

した場合，B型肝炎による肝障害を重症化させることがある。

予防

B型肝炎ウイルスに同じ。

治療

特異的な治療法はなく対症療法が主体である。

4. E 型肝炎ウイルス (*Hepatitis E virus*：HEV)

分類

ヘペウイルス科（*Hepeviridae*），オルソヘペウイルス属（*Orthohepevirus*）。

疫学

わが国では2003年に野生シカ肉を生食したことによる食中毒事例が，摂食によるE型急性肝炎として初めて報告され，その後，豚レバーやイノシシ肉などからの感染事例が報告されている。

形態

エンベロープをもたない直径約32〜34nmの球状粒子であり，ゲノムとしてプラス一本鎖RNAをもつ。

検査

IgM抗体とIgG抗体の測定（ELISA），ウイルス遺伝子の検出（RT-PCR法）がある。

病原性

感染経路は経口であり，輸血による感染，妊婦から胎児への垂直感染も報告されている。潜伏期間は2〜9週間で，急性ウイルス肝炎を起こし，15歳から40歳の若年成人に多い。稀に劇症肝炎を起こし，とくに妊娠中においては死亡率が高い。

予防

流行地での生食を避け，国内ではシカ・イノシシの生食および豚レバーの加熱不十分なものの摂食を避ける。

治療

特異的な治療法はなく対症療法が主体である。

［宮本仁志］

B. 微生物学的検査

12章 プリオン

SUMMARY

プリオンとはproteinaceous infectious particle（感染性蛋白粒子）の略語であり，正常型プリオン蛋白と異常型プリオン蛋白が存在する。正常型プリオン蛋白は，すべての人が保有する蛋白質で，脳や脊髄などの神経系に多く存在しているが，生理的機能は解明されていない。一方，異常型プリオン蛋白は，正常型プリオン蛋白の立体構造が何らかの原因で変化したもので，感染性をもつ病原因子である。プリオン病はこの異常型プリオン蛋白が脳内に蓄積することによって発症する疾患で，狂牛病やクロイツフェルト・ヤコブ病などの伝達性海綿状脳症の原因となる。また，極めて進行が速く，治療法が確立していない致死性の疾患である。

12.1 | 異常型プリオン蛋白

- 正常型プリオン蛋白は，すべての人の脳や脊髄などの神経系に多く存在する。異常型プリオン蛋白は，正常型プリオン蛋白の立体構造が何らかの原因で変化し，感染性をもつ病原因子となったものである。
- プリオン病は異常型プリオン蛋白が脳内に蓄積することによって発症する疾患で，狂牛病やクロイツフェルト・ヤコブ病などの伝達性海綿状脳症の原因となる。
- プリオン病はその発生原因から孤発性，遺伝性，感染性の 3 種類に分類される。

12. 1. 1　異常型プリオン蛋白

性状

プリオン（prion）とはproteinaceous infectious particle（感染性蛋白粒子）の略語であり，1982年にカリフォルニア大学のS.B. Prusinerによって命名された。

ヒトの正常型プリオン蛋白（PrP^{C}）は，第20番染色体に存在し，253個のアミノ酸で構成されている。正常型プリオン蛋白は多くの種類の組織，とくに脳での発現量が多く，その機能については明らかにされていない。

異常型プリオン蛋白（PrP^{Sc}）は正常型プリオン蛋白とアミノ酸配列は同じであるが，何らかの原因で高次構造が変化し，プロテアーゼ抵抗性の感染因子となったもので，異常型プリオン蛋白の存在により，正常型プリオン蛋白が次々と異常型プリオン蛋白に変換され，細胞内で結合・集積することにより病原性を示すと考えられている。

検査

現在のところ発症前の検査方法はなく，症状出現後の検査として髄液検査（蛋白陽性，総タウ蛋白の上昇）や脳波検査，画像検査などを行い診断する。さらに，確定診断は死亡後の脳組織を用いて，ウエスタンブロット法や免疫染色により異常型プリオン蛋白の検出を行う。

病原性

ほとんどのプリオン病に共通する症状としては，記憶の喪失，認知症，錯乱，協調運動の喪失，歩行困難などの中枢神経系機能障害であり，発症後，数カ月から2～3年以内にすべての人が死に至る。

プリオン病は発症の要因によって，感染性，遺伝性，孤発性の3つに分類される。

1）感染性プリオン病

何らかの原因で外部から異常型プリオン蛋白が体内に持ち込まれることで感染が成立・発症するもので，①医原性プリオン病，②変異型クロイツフェルト・ヤコブ病，③クールー病があげられる。①医原性プリオン病は医療行為が原因で感染したプリオン病のことで，わが国ではとくに硬膜移植による発生が多い。また，ヒト下垂体ホルモン製剤の投与や角膜移植などによる感染例も報告され，いずれも異常型プリオン蛋白に汚染された材料が原因である。②変異型クロイツフェルト・ヤコブ病は海綿状脳症（BSE）に感染したウシ由来の食品を摂取することにより，ヒトに感染・発症するプリオン病である。③クールー病は人肉を食べる風習をもつパプアニューギニアのある限られた部族の間で流行したプリオン病である。1959年に人食廃止に伴い減少した。

2）遺伝性プリオン病

正常プリオン蛋白遺伝子の突然変異が原因で，異常型プリオン蛋白が発現されプリオン病が発症すると考えられており，突然変異は遺伝し，家系的に発生する傾向にある。また，突然変異の箇所により，家族性クロイツフェルト・ヤコブ病，致死性家族性不眠症，ゲルストマン・シュトロイスラー・シャインカー病という3つのグループに分かれる。

3）孤発性プリオン病

発症の要因が不明であり，プリオン病患者の80％を占め，そのほとんどが孤発性クロイツフェルト・ヤコブ病である。唯一知られている発症要因は加齢であるが，そのメ

用語　感染性蛋白粒子（proteinaceous infectious particle；prion），牛海綿状脳症（bovine spongiform encephalopathy；BSE）

カニズムは解明されていない。

治療

対症療法のみで進行を抑制する治療法はない。

予防

感染から予防することが最も重要であるが，通常の消毒法や滅菌法（ガス滅菌，UV照射，ホルマリン固定，高圧蒸気滅菌など）では感染性を完全に除去することはできない。

感染性を完全に不活性化できるのは焼却のみである。感受性実験動物に対する伝達性を失わせる実際的な方法は，複数の不活性化法を組み合わせることである。例えば，アルカリ洗浄剤と高圧蒸気滅菌の組み合わせによって高いレベルの不活性化が可能となる[1)]。

Q なぜわが国に硬膜移植によるクロイツフェルト・ヤコブ病の発生が多い？

A 英国からの報告「ヒト乾燥脳硬膜による医原性ヤコブ病」によると，1970～2003年における英国での発症は7例存在し，このうちの6例は，ドイツのBブラウン社による「Lyodura（ライオデュラ）」製品の使用が確認されている。一方，全世界では164例の発症が報告され，そのうちの100例以上が日本での発症例と記載されている。

医原性クロイツフェルト・ヤコブ病が世界中で報告されている原因の1つとしては，以下のことがあげられる。

Bブラウン社のヒト死体乾燥硬膜「Lyodura」は，ヒト死体組織を材料とする製品であるが，その問題点は，死体選択（死因を調査していない）を行わなかったこと，製造過程で死体乾燥硬膜を個別処理していなかったため多くの製品が汚染したこと，滅菌を十分に行わなかったことなどに加え，危険な製品であることが判明したにも関わらず回収しなかった，などがあげられる。

わが国で多くの症例が報告されている原因としては，以下が考えられる。

「乾燥脳硬膜」による発症報告は1987年であり，米国では同年に，英国では1989年に使用禁止となっている。しかし，厚生省は，1997年の使用禁止まで何の措置も取らなかった。このことがわが国での症例数が圧倒的に多い原因である。なお，2002年3月には，被告であるBブラウン社および国と，原告である患者との間に和解が成立している。

［三澤成毅］

参考文献

1）プリオン病のサーベイランスと感染予防に関する調査研究班・日本神経学会：「プリオン病感染予防ガイドライン2020」，2020. https://neurology-jp.org/guidelinem/prion/prion_2020.pdf.

B. 微生物学的検査

13章 検査法

章目次

SUMMARY

検査法の章では，微生物検査の現場に入る前に知っておくべき事項と，日常業務に携わるうえで必要な事項を網羅した。

無菌操作技術は，患者検体や微生物を安全に取り扱ううえで基本かつ必須の技術である。
検体検査法とその技術は，検査オーダーから結果報告に至る各工程において必要な知識と技術を解説した。

検体別細菌検査法は，主要な検体別の日常検査法を解説し，嫌気性菌，抗酸菌，真菌，およびウイルスは特殊な微生物の検査法として構成した。

免疫学的検査法は，培養検査ではカバーできない毒素やウイルスの検査として行われているものを解説した。

遺伝子・蛋白検査法は，核酸増幅法による検査と質量分析法による検査を解説した。

迅速診断技術は，グラム染色による塗抹検査，イムノクロマト法による抗原または毒素検査，および遺伝子検査による患者検体からの病原体遺伝子の同定を解説した。

検査に関与する機器では，日常検査において使用されている各種検査装置を解説した。

13.1　無菌操作技術

- 感染防御のためには標準予防策の概念を理解し，手洗いや個人防護具の正しい装着を順守することが非常に重要である。
- 機器・器具の適切な操作や検査手技を身に付け，適切な保守管理を行わなければ安全性は保障されない。
- 微生物検査室は生物学的安全キャビネットとオートクレーブを備えたバイオセーフティレベル 2 以上に対応した拡散防止措置にもとづいた設備および運用基準が基本となる。

13.1.1　無菌操作の基本技術

微生物を取り扱う場合，とくに注意しなければならないのは完全な無菌操作のもとで行わなければならないことである。これを怠ると検査者自身が感染する危険性があるだけでなく，関係者以外の周囲の人々にも感染させてしまうことがある。

安全に操作するには無菌的な取扱い，器具の滅菌，汚染物質の消毒に対する知識と技術を身に付けなければならない。その基本は標準予防策と感染経路別予防策からなる。

まず，標準予防策を基軸とし，個人防護具（PPE）を装着することで医療従事者を感染から守る。PPEには大きく分けて手袋，マスク，ゴーグル・フェイスシールド，ガウンの4種類がある。

1. 個人防護具の適切使用

(1) 手袋

血液や体液，排泄物などに触れる場合，医療従事者の皮膚が汚染されることを防ぐ。感染伝播の媒介となることを最小限に抑える。

(2) マスク

血液や体液などから医療従事者の鼻・口腔の粘膜を保護するために着用する。

(3) ゴーグル・フェイスシールド

血液や体液などから医療従事者の眼を保護するために着用する。

(4) ガウン

検体処理など，血液や体液，排泄物などから医療従事者の皮膚や衣類が汚染されることを防ぐ。

医療従事者の感染と環境の汚染を防止するため，防護具の着用時と脱衣時における手順は正しく行う（表13.1.1）。

2. 微生物検査室の基本操作

患者検体や分離菌株を取り扱うことから，常に感染の危険（業務感染）があることを意識していなければならない。また，環境に由来する雑菌による汚染を避けるための配慮も必要であり，検査室の環境は作業前・後で環境整備が必要となる。

無菌操作にはガスバーナーの取扱い，白金耳（線）の取扱い，試験管やシャーレの持ち方などがある。

(1) ガスバーナーの取扱い

1) 点火する前にバーナーの空気調節部（上部），ガス調節部（下部）が完全に閉じていることを確認する（図13.1.1）。

表 13.1.1　着用時と脱衣時の手順

1．着用時の手順	2．脱衣時の手順
①手指衛生	①手袋
②ガウン	②手指衛生
③マスク	③ゴーグル・フェイスシールド
④ゴーグル・フェイスシールド	④ガウン
⑤手指衛生	⑤手指衛生
⑥手袋	⑥マスク
	⑦手指衛生

用語　バイオセーフティレベル（biosafety level；BSL），個人防護具（personal protective equipment；PPE）

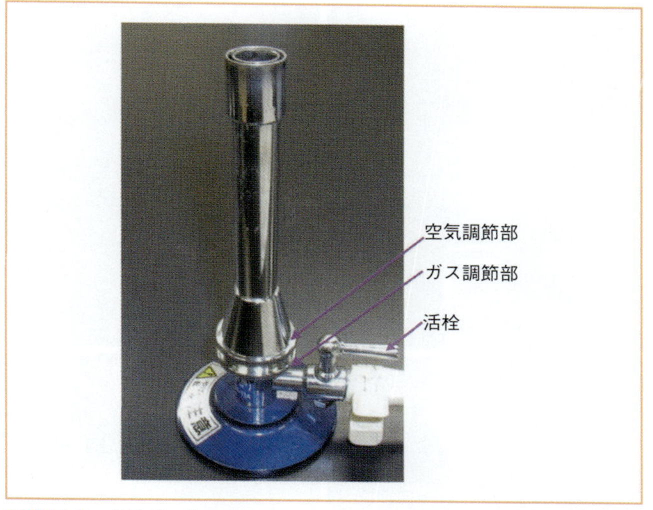

図 13.1.1 ガスバーナー
〔犬塚和久，他：微生物検査ナビ 第2版，堀井俊伸（監），犬塚和久（編），栄研化学，2016より一部改変〕

2) ガスの元栓，活栓の順で開く。
3) バーナーのガス調節部を少しずつ回して点火する（点火するときは空気調節部を同時に回さない）。
4) 点火後，ガス調節部をさらに回して炎の大きさを調節する。
5) 空気調節部を少しずつ回し，内炎と外炎ができるように調節する。
6) 使用後は空気調節部，ガス調節部，活栓，元栓すべてを閉じる。

(2) ガスバーナー使用にあたっての注意点

1) 一酸化炭素中毒や火災などを起こさないよう取扱いには十分注意する。
2) 空気量の調節で，空気量が少ないと赤い炎が残る。
3) 空気調節部を回しすぎる（空気量が多すぎる）と，炎が消える。ビリビリと音がするのは空気量が多すぎるためである。

3. 器材器具の取扱い

微生物検査のすべての工程で遵守すべき操作であり，器材器具の取扱いの習得が大切である。

(1) 検体

本来無菌の材料を取り扱う際には，汚染（コンタミネーション）させないよう注意（試験管口を軽く火炎滅菌してから検体を取り出す，ゴム栓はエタノールで念入りに拭くなど）して取り扱う。

(2) 培地

粉末からの調製は使用説明書を熟読し，適正温度，気圧などに留意して作製する。無菌的に作製した培地や市販生培地は適正温度（多くは冷蔵保存）で保管し，有効期限内に使用する。

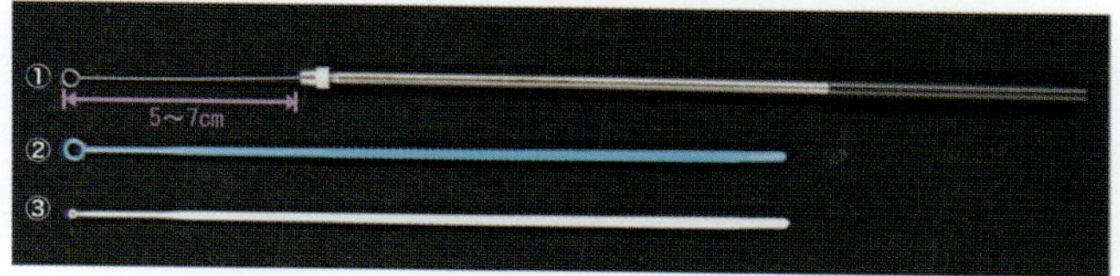

図 13.1.2 白金耳
①白金耳（ニクロム線）10μL，②ディスポーザブル白金耳（プラスチック）10μL，③ディスポーザブル白金耳（プラスチック）1μL。
〔犬塚和久，他：微生物検査ナビ 第2版，堀井俊伸（監），犬塚和久（編），栄研化学，2016より引用〕

(3) 培養

平板培地の開放は，検体を塗布するときと釣菌時の2回のみとする（コンタミネーション防止のため）。

4. 白金耳（線）の取扱い

(1) 種類

1) 材質は白金が適当な硬さであり，火炎滅菌後の冷却も速く，長時間使用できるといった長所をもつが，高価であるため，通常はニクロム線を用いる。また，プラスチック製のディスポーザブル白金耳も市販されている（図13.1.2）。
2) 白金耳は先端に2～4mm内径の輪をもち，長さは5～7cmが適当である。
3) 標準白金耳は輪の部分に湿菌を過不足なく取ったとき，その重量が2mgになる。
4) 定量白金耳には10μL，5μL，1μLなどがあり，溶液に浸して取り出すと規定量が採取されるようにつくられている。
5) 先端を渦巻状にした渦巻き白金耳は，結核菌が液体培地上に形成した菌膜を扱うのに用いる。また，白金線の先端部2mm程度をカギ型に軽く折り曲げ，喀痰の洗浄や塗抹標本作製に用いる（図13.1.3）。

(2) 持ち方

柄を利き手で鉛筆を持つように持ち（先端に近い部分を持つと指を触れた部分が試験管内を汚染する可能性がある），脇を締め，肘を作業台に置くなどにより支点を固定して扱う。

(3) 火炎滅菌（図13.1.4）

1) 方法ならびに注意事項

①はじめに白金耳の中間部分を内炎で焼き，先端部分および付着物を炭化させる（図13.1.4①）。

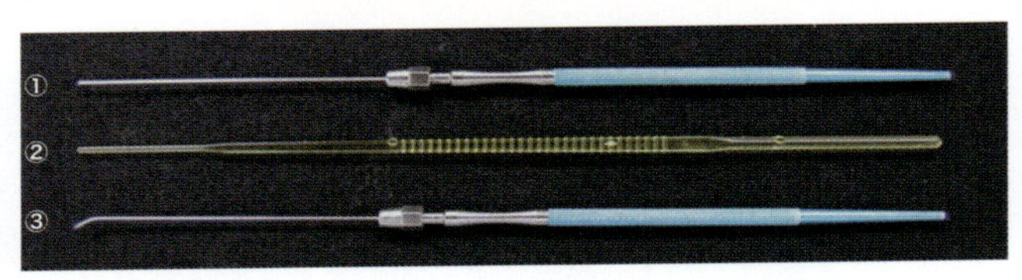

図 13.1.3　白金線
①白金線（ニクロム線），②ディスポーザブル白金線（プラスチック），
③白金線（ニクロム線：先端カギ型）。
〔犬塚和久，他：微生物検査ナビ 第2版，堀井俊伸（監），犬塚和久（編），栄研化学，2016より引用〕

②白金耳を立てて持ち，ニクロム線部分をバーナーの内炎に入れる（図13.1.4②）。
③ニクロム線部分をそのまま外炎まで引き上げ，先端部分が赤くなるまで十分に焼く（火炎滅菌）（図13.1.4③）。
④アルミ製の柄の部分を火で軽く熱した後，白金耳をバーナーから離し冷却する（図13.1.4④）。
⑤振って冷却するときは，周辺のものに接触させない。
⑥培地で冷却する場合は，空中で少し冷まし，余熱を非選択培地のコロニーがない部分で冷却する。
⑦使用後の白金耳は火炎滅菌を行ってから所定の位置へ置く。
⑧使用後の白金耳を直接外炎に入れると菌が飛び散る危険があるので注意する。

(4) 電気バーナー

電気バーナーは白金耳（線）の火炎滅菌においてガスバーナーよりも広範囲で，均等な加熱が可能であり，火災，爆発，ガス漏れ，エタノールの蒸発，エアロゾルなどの害毒の危険も少ない。

近年は検査室建築時にガスを配管しない検査室もあり，その有用性は増している。

5. 培地への画線ならびに接種の仕方

(1) 平板培地

培地表面で検体を十分希釈し，培養した後で識別可能な孤立したコロニーをつくらせることがとくに重要となる。接種の際は利き手で鉛筆を持つように白金線（白金耳）を持つ。画線している間は，白金線と培地表面が常に一定の角度になるように，また一定のスピードで動かすようにする。画線の方法はいくつかある。

1) シャーレは蓋を下にして机上に置く。
2) 利き手とは逆の手で培地の入っているシャーレを掌で保持し指を軽く添え，手首を少し内側に曲げた姿勢で保つ。保持位置は肩よりやや下がりぎみのところに固定する（図13.1.5）。
3) 操作はできるだけ迅速に行う。
4) 雑菌混入を避けるための十分な注意が必要である。

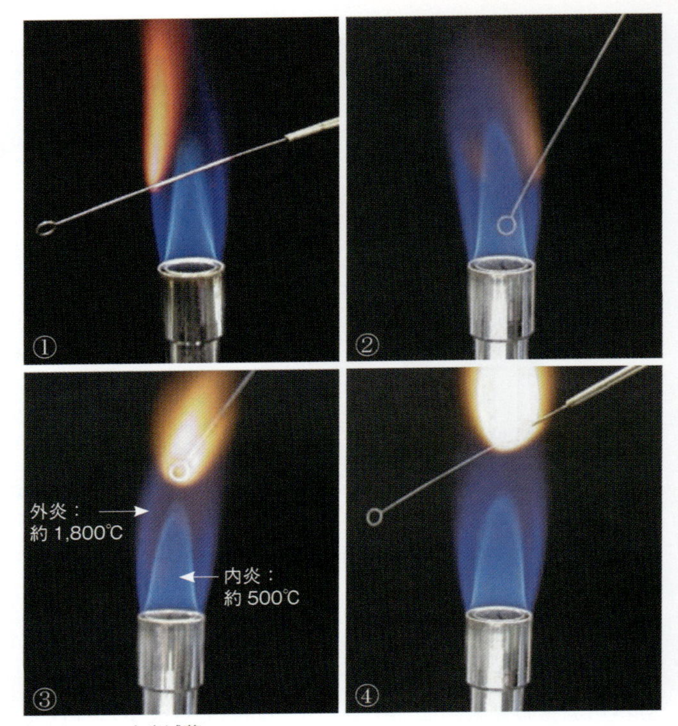

図 13.1.4　火炎滅菌
〔犬塚和久，他：微生物検査ナビ 第2版，堀井俊伸（監），犬塚和久（編），栄研化学，2016より引用〕

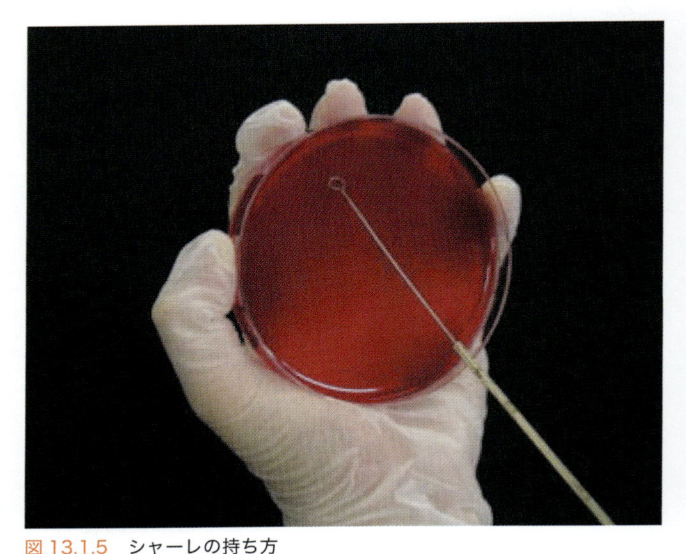
図 13.1.5　シャーレの持ち方
〔犬塚和久，他：微生物検査ナビ 第2版，堀井俊伸（監），犬塚和久（編），栄研化学，2016より引用〕

(2) 平板への画線

1) 画線法1（図13.1.6）

材料を薄めるように，塗り始めのせまい部分にやや濃いめに塗り付け，左右に往復しながら，培地の上から下まで塗り広げる。

2) 画線法2（図13.1.7）

塗り始めのせまい部分にやや濃いめに塗り付け，培地の半分に接種する。次いで培地を180度回転させ，反対側から同じように画線していく。

3) 画線法3（図13.1.8）

塗り始めのせまい部分にやや濃いめに塗り付ける。白金

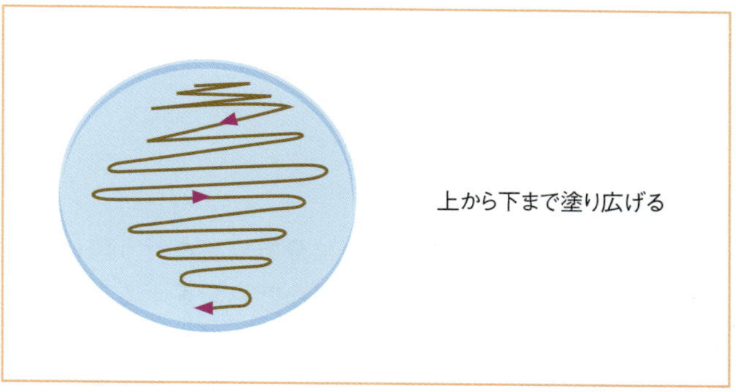

図 13.1.6 画線法 1
〔犬塚和久，他：微生物検査ナビ 第 2 版，堀井俊伸（監），犬塚和久（編），栄研化学，2016 より引用〕

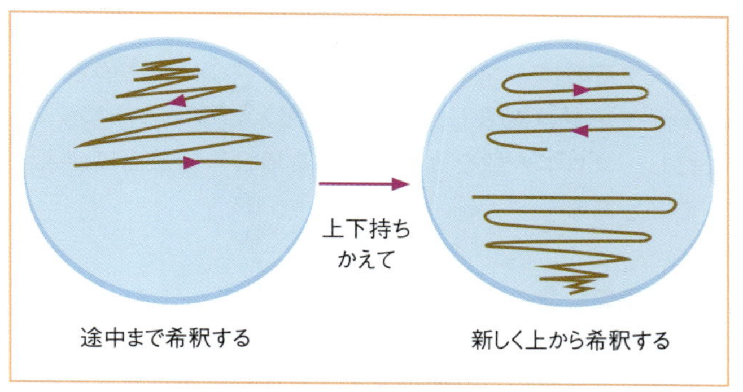

図 13.1.7 画線法 2
〔犬塚和久，他：微生物検査ナビ 第 2 版，堀井俊伸（監），犬塚和久（編），栄研化学，2016 より引用〕

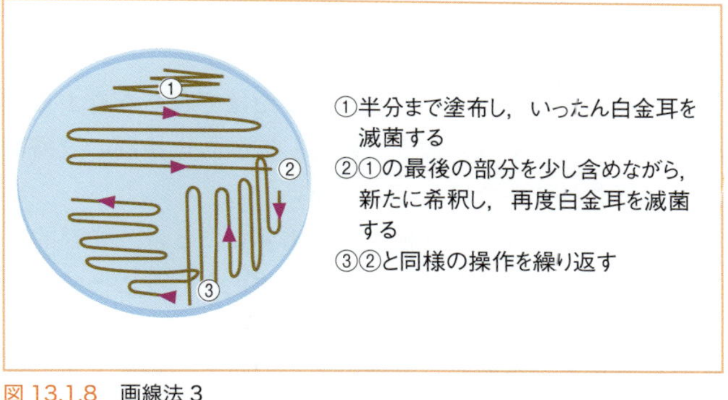

図 13.1.8 画線法 3
〔犬塚和久，他：微生物検査ナビ 第 2 版，堀井俊伸（監），犬塚和久（編），栄研化学，2016 より引用〕

耳を再び火炎滅菌し，十分冷えてから，最初に接種した部分と一部交差させながら塗り広げていく。培地全面に画線できるようにこの操作を繰り返す。

(3) 試験管：液体，斜面，高層斜面（半斜面），半流動・高層培地の扱い

1）試験管培地の持ち方（図 13.1.9）

①試験管は左（右）手の指に平行して下部を掌にのせ，中部を5本の指で支えるようにして持つ。

②キャップは右（左）手の薬指と小指の2指と掌の間で保持して静かに取る（キャップを勢いよく取ると汚染の原因となる）。

③キャップを取った直後とキャップをする直前に管口を火炎の中に通して滅菌する。

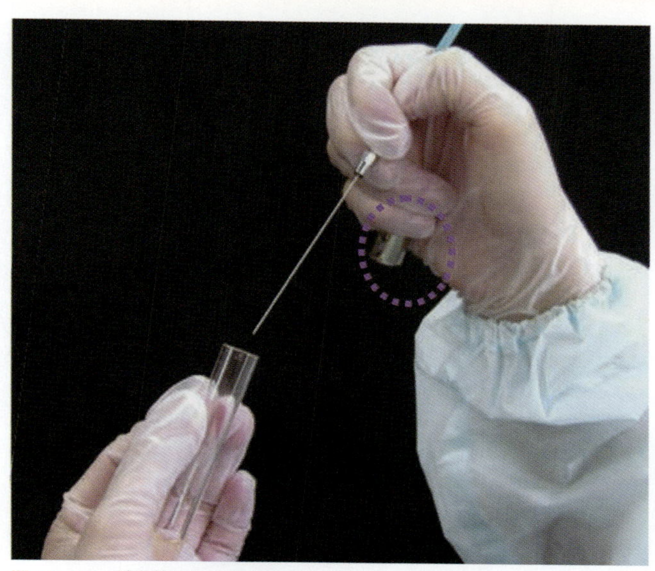

図 13.1.9 試験管培地の持ち方（点線内はキャップ）
〔犬塚和久，他：微生物検査ナビ 第 2 版，堀井俊伸（監），犬塚和久（編），栄研化学，2016 より引用〕

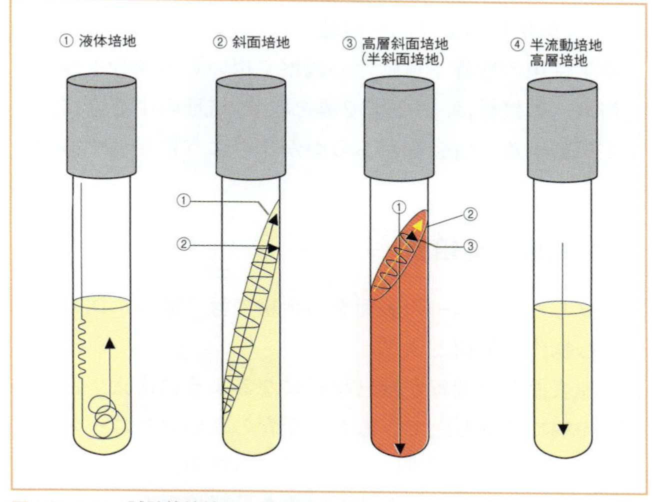

図 13.1.10 試験管培地への接種の仕方
〔犬塚和久，他：微生物検査ナビ 第 2 版，堀井俊伸（監），犬塚和久（編），栄研化学，2016 より引用〕

④試験管を持ったまま，右（左）手の親指，人差し指と中指で白金耳やピペットを操作する。

(4) 試験管培地への接種の仕方（図 13.1.10）

1）液体培地

白金線の先端に採取した菌を試験管の管壁にこすり付け，浮遊させるように接種する。

2）斜面培地

白金線の先端に極少量の菌を取り，斜面下部にたまった凝固水に浸し，これに浮遊させる。次に下から上に向け培地表面に1本の直線を描く。再び凝固水に浸し，左右に往復しながら波状に培地表面に画線接種する。

3）高層斜面培地（半斜面培地）

白金線の先端にごく少量の菌を取り，斜面中心部から管底まで高層部を穿刺し，次いで斜面下部の凝固水に浸し，

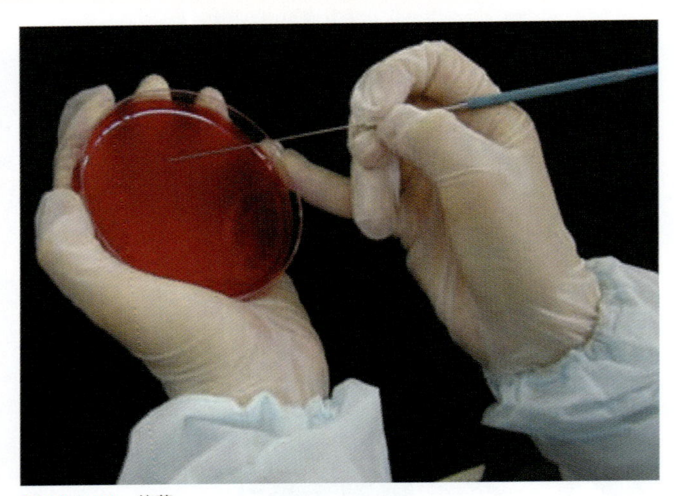

図 13.1.11　釣菌
〔犬塚和久，他：微生物検査ナビ 第2版，堀井俊伸（監），犬塚和久（編），栄研化学，2016より引用〕

下から上に直線を描く。再び凝固水に浸し，下から上に向かって波状に画線する。菌の採取は1回のみで十分である。

4) 半流動培地および高層培地

嫌気性菌の培養や運動性の観察で用いる半流動培地と高層培地への接種は，白金線で菌を取り，培地の中心部にまっすぐ穿刺する。白金線がふらつかないように接種する。

6. 釣菌と純培養

独立したコロニーの表面を白金線で軽く触れ，次の検査に望む操作を釣菌とよぶ。

1) 培地表面と白金線がほぼ平行になるように構え，白金線の先端で孤立したできるだけ発育のよいコロニーの表面を軽く触れる（図13.1.11）。個々の細菌が互いに孤立したコロニーをつくるための培養を分離培養とよぶ。
2) 分離された菌をほかの菌に汚染されることなく純粋に培養することを純培養という。

7. 培地の取扱い

培地は蓋に付着した水滴が培地表面に落ちることを防ぐことなどから，実験台に置く場合または孵卵器内で培養するときは蓋を下にして培地面が下を向くように置く。培地を持つ場合は，培地表面を触らないようにし，またシャーレの縁に指をかけないようにする。平板培地の表面に水滴が付着している場合，そのまま検査材料を塗抹すると発育したコロニーが互いに融合し，菌の分離が困難になることがある。そのため検査材料を接種する前に培地表面を無菌的に乾燥させて使用する必要がある。通常，培地表面の乾燥は35℃の孵卵器中で，蓋を下にしてシャーレをずらして置く。乾燥時間は，蓋およびシャーレの壁面に付着している水滴の乾燥程度によるが，30～60分間程度が目安となる。

(1) 情報の記載

細菌培養検査において，初めに分離培養を行う際に使用する培地に検体番号，名前，材料などを記入することが作業を効率的に行うために必要である。また，分離培養後にコロニーの発育状況を観察し，Gram染色，純培養，同定検査，薬剤感受性検査などさまざまな作業を行うこととなり，その目的とするコロニーに目印を付け，次に実施する作業をわかりやすくすることがある。その場合，必要事項を記入するのは，コロニーの観察を妨げない文字の大きさで下シャーレに記入し，蓋面には記入しないようにする。ただし，コロニー数をカウントする場合には蓋面に記入することもある。

(2) 結果報告後の培地保存

分離培養に用いた培地は，最終結果報告後に確認，問い合わせ，追加試験の可能性があるため数日間は滅菌処理をせず，微生物検査室に保存しておくことが望ましい。

8. 微生物検査室の設備環境

微生物検査室では危険な病原体またはそれらを有する可能性の高い検体を取り扱うために，拡散防止措置の設備環境が構築されていなければいけない。

病原微生物を取り扱う検査室で重要なことは，物理的に微生物の拡散防止，取扱者への感染防止を行うことである。

一般的な病院の微生物検査室では，感染症法にもとづく特定病原体などの取扱いの観点からも厚生労働省より病原体の所持基準や施設基準が制定されている。

通常操作は開放型実験台上で行い，微生物を含むエアロゾルが発生する可能性のある操作は，生物学的安全キャビネット内で行う。検体中に外からの微生物の混入を防ぐため無菌操作が重要となる。

微生物検査室でおもに使用されている備品の使い方と注意点について以下に示す。

(1) 開放型実験台

1) 微生物検査室の窓や扉を閉めて空中落下細菌や真菌の混入を可能な限り抑える。
2) 使用前には実験台を環境清拭クロス（第四級アンモニウム塩などを含有）で清拭してから作業を開始する。
3) 操作中に実験台を微生物で汚染した場合，適切と考えら

用語　分離培養（isolation），純培養（pure culture）

れる消毒薬を用いて速やかに清拭する。

(2) 遠心機

細菌検査における遠心機使用時の注意点は，遠心チューブの破損などによるエアロゾルの発生防止が中心となる。

1)遠心機で使用する試験管は，ガラス製は破損のおそれがあるため，プラスチック製で割れにくいものを用いる。蓋は，スクリューキャップなどの漏れにくい製品を選択する。
2)遠心中の試験管内から検体が漏れ出すことを防ぐため，試験管への検体分注時に管口近くまで満たさないようにする。
3)エアロゾル発生防止には，試験管の破損が起こった場合にも遠心機内への飛散を最小限にするためにバケットの部分にシールドの付いたタイプあるいはバイオハザード対策用の遠心機を使用することが望ましい。
4)日常の管理は，遠心前にローターを固定しているネジの緩みがないか確認，遠心機内・バケット内の清掃，ローターなどの破損チェック，回転数を確認する必要がある。

(3) 生物学的安全キャビネット（BSC）

生物学的安全キャビネットは，クラスⅠ，Ⅱ，Ⅲの3種類のタイプがあり，物理的な封じ込めを行う装置である。一般的な検査室では，クラスⅡ以上が必要である。適切な使用方法を守らないと室内や周囲環境に汚染物質の拡散が起こることがある。

また，生物学的安全キャビネットによく似た装置にクリーンベンチがある。生物学的安全キャビネットは機内が陰圧に保たれており，微生物の封じ込めに役立つが，クリーンベンチは機内が陽圧に保たれているものが多く，機内の空気が作業している術者に向かって噴き出す構造になっている。したがって，微生物検査にはクリーンベンチを使用してはならない。使用目的が異なるため注意が必要である。

1) 生物学的安全キャビネットの使い方と管理ポイント

①生物学的安全キャビネット内を使用前に消毒用エタノールなどで消毒し，内部気流の乱れが起こらないように器具類を配置する。
②作業前に気流が安定するまでは事前運転を行い，前面開口部，空気の入口・排気口の気流の動きが正しいことを確認する。
③作業時は配置する器具類を必要最小限とし，前面開口部の指定の高さを守り，腕の出し入れは可能な限り少なくするなど気流の動きを妨げないよう心がける。また，作業範囲に汚染があった場合は，キャビネット内すべてと，中にある器具類の消毒を行う。
④作業終了後は廃棄物の処理を行い，終了運転として一定時間ファンを作動しておく。
⑤日常の管理はキャビネットの気流方向やエアカーテンの状態を確認するためスモークテストなどを実施する。また，風量，気流方向のみではなく，定期的に気密性のテスト，HEPAフィルターやUV灯の交換などを行い，実施記録を保存しておく。

9. 病原体などの輸送について

(1) 病原体送付のための包装に関する注意点

1)基本は3重包装（1次容器，2次容器，3次容器）とし，最終的にオーバーパック（4次容器，ジュラルミン製以外も可）に入れる。
2)1次容器以外の空間に緩衝材を充填し，2次容器にはドライアイスを入れてはいけない。
3)2次容器と3次容器の間には，各機関のルールに従って「内容物項目リスト」を入れる。
4)3次容器は病原体別にカテゴリーA容器（国連規格容器，国連マークの印刷あり），カテゴリーB容器を使い分ける。
5)3次容器には「安全性適正包装確認済シール」を貼付する。
6)ゆうパックを利用するにあたり，国もしくは都道府県等により主催される「知識及び技能を修得するための研修」を受け主催者の証明を得た者，又はこれと同等の知識及び技能を有すると認められる者を包装責任者として定めておく必要がある。

10. 滅菌・譲渡・保菌

業務に伴って病原体を同定した場合などにおいては，この時点で直ちに「所持」に該当するものとなるが，省令で定める一定期間内に当該病原微生物などを滅菌することで，直ちに施設の基準などが適応されないように規定されている。二種病原体等の場合は厚生労働大臣許可のある施設，三種病原体等は届出施設で所持ができる。四種病原体等は，病院検査室で菌株保存する場合は保管などの基準の遵守が求められている。

用語　生物学的安全キャビネット（biological safety cabinet；BSC），HEPA（high efficiency particulate air）

13.1.2　滅菌・消毒の技術

「消毒と滅菌のガイドライン」によれば，無菌とは，すべての微生物が存在しないことであり，滅菌は無菌性を達成するためのプロセス，すなわちすべての微生物を殺滅または除去するプロセスである。一方，消毒は生存する微生物の数を減らすために用いられる処置法で，必ずしも微生物をすべて殺滅，除去するものではない。

1. 滅菌

滅菌法としては，加熱滅菌法（高圧蒸気滅菌法，乾熱滅菌法），照射法（放射線滅菌法），ガス滅菌法（酸化エチレンガス滅菌法，過酸化水素低温ガスプラズマ滅菌法）などがある。また，火炎滅菌法（加熱滅菌法の一種），濾過滅菌法なども滅菌法に分類される。これらの滅菌法のなかから，被滅菌物の材質，性状，バイオバーデンなどを考慮して，最も適切な滅菌法を選択することが必要である（p48　6.1参照）。

2. 消毒

生存する微生物の数を減らすために用いられる処置法で，必ずしも微生物をすべて殺滅したり除去するものではない。一般に，消毒法は温熱や紫外線などを用いる物理的消毒法と化学薬剤（消毒薬）を用いる化学的消毒法とに分けられる（p51　6.2参照）。

［舟橋恵二］

参考文献

1）那須　勝，他：新臨床検査技師講座 11　微生物学・臨床微生物学 第3版，上田　智，他（編），医学書院，1992.

2）青木知信，他：戸田新細菌学 改訂33版，吉田眞一，他（編），南山堂，2007.

3）飯沼由嗣，他：臨床検査技術学 12 微生物学・臨床微生物学 第2版，菅野剛史，他（編），医学書院，2001.

4）小栗豊子，他：臨床微生物検査ハンドブック 第5版，小栗豊子，他（編），三輪書店，2017.

5）阿部美知子，他：月刊 Medical Technology 別冊　新・カラーアトラス微生物検査，山中喜代治（編），医歯薬出版，2009.

6）三澤成毅：「検体採取・輸送・保存・品質管理」，臨床と微生物，2010；37：287-293.

7）小栗豊子，他：「微生物検査の基本技術」，臨床と微生物，2010；37：295-300.

8）厚生労働省健康局結核感染症課長通知：「感染症の予防及び感染症の患者に対する医療に関する法律等の一部を改正する法律等の施行に伴う留意事項について」，健感発第0601002号，平成19年6月1日，2007．http://www.mhlw.go.jp/file/06-Seisakujouhou-10900000-Kenkoukyoku/2_7_02.pdf

9）Centers for Disease Control and prevention：“2007 Guideline for isolation precautions：Preventing transmission of infectious agents in healthcare settings”, 2007．http://www.cdc.gov/hicpac/pdf/isolation/isolation2007.pdf

10）厚生労働省：感染症法に基づく特定病原体等の管理規制について．https://www.mhlw.go.jp/stf/seisakunitsuite/bunya/kenkou-iryou/kekkaku-kansenshou17/03.html

11）国立感染症研究所バイオリスク管理委員会：「国立感染症研究所病原体等安全管理規程の改訂 2）病原体等の取扱 BSL 分類の考え方を改訂」，IASR, 2007；28：192-195．http://idsc.nih.go.jp/iasr/28/329/dj3293.html

12）厚生労働省健康局結核感染症課長：「感染症発生動向調査事業等においてゆうパックによる検体を送付する際の留意事項について」，健感発0315第1号　平成24年3月15日．http://www.mhlw.go.jp/file/06-Seisakujouhou-10900000-Kenkoukyoku/2_7_12.pdf

13）堀井俊伸（監），犬塚和久（編）：微生物検査ナビ 第2版，栄研化学，2016.

14）小林寛伊，他：「消毒・滅菌の基本」，新版 消毒と滅菌のガイドライン，小林寛伊（編），へるす出版，2011.

15）Centers for Disease Control and Prevention：“Guideline for Disinfection and Sterilization in Healthcare Facilities”, 2008．http://www.cdc.gov/hicpac/pdf/guidelines/disinfection_nov_2008.pdf

16）満田年宏（訳・著）：医療施設における消毒と滅菌のための CDC ガイドライン 2008，ヴァンメディカル，2009.

17）Favero MS, Bond WW：“Chemical disinfection of medical and surgical materials”, Disinfection, sterilization, and preservation 5th ed, 881-917, Block SS（ed.）, Lippincott Williams & Wilkins, 2001.

18）World Health Organization：Guidance on regulations for the Transport of Infectious Substances 2021-2022, 2021.

13.2 | 検体検査法とその技術

- 微生物検査を依頼する場合は，検査依頼の目的を明確にし，自施設における微生物検査の検査内容および方法を診療側と協議し，互いに十分理解しておく。
- 微生物検査用検体は抗菌薬投与前に採取する。検体の採取・保存・輸送にも注意し，検体を適切な条件で保存する。
- 塗抹染色検査は感染症患者の初期治療に役立つ基本的な検査である。染色技術に習熟し，観察された所見を解析できるだけの感染症の知識を備えている必要がある。
- 培養および同定検査は感染症の起因菌を検出し，病原体診断のための情報を提供することが目的である。
- 検出菌や薬剤感受性検査の結果は感染症診断・治療の一助であり患者の臨床所見や感染症マーカーなどの他の検査結果も踏まえて総合的に判断する。

13. 2. 1　患者・検体情報の収集

微生物検査に求められるものは臨床に役立つ良質な情報を提供するために質を維持し，迅速性，経済性を考慮した，診断と治療に役立つ検査体制である。「臨床側」と「検査室側」の建設的な相互関係が極めて重要であり，それが適切な感染症診断のために不可欠である。「感染症診断のための微生物検査利用ガイドライン（A Guide to Utilization of the Microbiology Laboratory for Diagnosis of Infectious Diseases: 2018 Update by the Infectious Diseases Society of America and the American Society for Microbiology）」でも改めて強調されている。

感染症の検査は感染臓器の選択，検体の選択，同時に培養検査を含む検査目的，検査項目（塗抹検査，培養・同定検査，嫌気培養，薬剤感受性検査）が選択される。検体別に検査が推奨される項目があらかじめ選択されるように設定されているところが多い。

(1) 検査目的の明確化と患者情報の入手

施設により異なるが，通常入手できるものを以下にあげる。

①検査側で入手可能患者情報

検体採取日，入院・外来，診療科，患者名，性別，年齢，検体材料名があげられる。

②検査を進めるうえで不可欠な情報

感染徴候の有無，疾患名・主症状（起因菌の推定に必要）。抗菌薬の使用の有無，種類，塗抹陽性で培養陰性などの場合，培養日数の延長など考慮して検査する。

③易感染患者か否かの情報

常在菌叢の報告，日和見病原菌は少数でも報告する。

④海外渡航歴の情報

輸入感染症の起因菌を考慮した検査法を選ぶ。

⑤人獣共通感染症が疑われる患者背景の情報

とくに嫌気培養は，検査が必須な検体と通常は検査の意義が低い検体があるため，検査項目の選択時に医師が必要に応じて選択し，検査室にオーダーする仕組みと情報が必要となる。

日常検査で自施設がどの微生物まで検査可能か，検査室側と診療側の両者が共有していなければならない。そのため追加オーダーが必要な微生物の検査項目は事前に診療側へ伝えておく（表13.2.1）。

用語　米国感染症学会（Infectious Diseases Society of America；IDSA），米国微生物学会（American Society for Microbiology；ASM）

表 13.2.1　検査室へ確認，または追加オーダーが必要な微生物

検体材料		追加オーダー
喀痰		嫌気性菌，*Mycoplasma pneumoniae*，*Legionella* spp.
		抗酸菌，*Nocardia* spp.
		Aspergillus spp.，*Cryptococcus neoformans*
		Chlamydophila pneumoniae，*Chlamydophila psittaci*
咽頭粘膜，鼻咽頭粘液		*Neisseria gonorrhoeae*，*Bordetella pertussis*
鼻漏，副鼻腔貯留液		嫌気性菌，真菌（*Rhizopus* spp.，*Fusarium* spp.）
尿，カテーテル尿		*Neisseria gonorrhoeae*，*Mycobacterium tuberculosis*
糞便	市中感染疑い	*Campylobacter* spp. ほか　※施設での取り決め項目設定が必要
	抗菌薬関連下痢症疑い	CD トキシン
膿・分泌物	組織	嫌気性菌
	胸水	嫌気性菌，*Mycobacterium tuberculosis*
	心臓弁	嫌気性菌，*Bartonella* spp.
	眼脂	嫌気性菌，*Actinomyces* spp.，*Fusarium* spp.
	耳漏	*Aspergillus* spp.
	扁桃周囲膿瘍	嫌気性菌
	尿道分泌物	*Neisseria gonorrhoeae*
	子宮内容物	嫌気性菌，*Mycobacterium tuberculosis*，*Mycoplasma* spp.
髄液		嫌気性菌，*Mycobacterium tuberculosis*
脳膿瘍		嫌気性菌，*Mycobacterium tuberculosis*，*Nocardia* spp.
血液，CV カテーテル		*Helicobacter cinaedi*，*Mycobacterium* spp.，真菌，*Bartonella* spp.，*Leptospira* spp.

13. 2. 2　おもな検体の採取と保存

1. 微生物検査検体の採取・保存

微生物検査の結果は患者から採取・提出される検体の質に依存する。微生物が発育・増殖し，死滅する過程は非常に速いため検体採取，輸送，処理までの経過が結果へ影響を及ぼす。そのため保存・輸送検体の適切な処理が不可欠である。

検体の採取は適切なタイミング（できる限り抗菌薬の投与前または次回投与前）でなければならない。採取部位の消毒，コンタミネーションの防止，適切な容器を使用し，検体採取後すぐに塗抹および培養検査を実施することである。やむを得ず保存や輸送をする場合は，一般的に冷蔵保存とし，乾燥しないようにする。なお，血液培養ボトル，髄膜炎菌やリン菌などの低温で死滅しやすい菌を目的とする場合は，速やかに検査室へ提出する。微量な検体や嫌気性菌による感染症が疑われる検体は，保存培地付容器や嫌気性菌用輸送容器を用いる。

(1)　呼吸器系検体

呼吸器感染症では口腔や上気道常在菌の影響で起因菌検索が困難になる場合が多い。

①喀痰

喀痰は朝一番に採取したものが最も検査に適している。喀出困難を理由に唾液が提出されることも多いので，痰の肉眼的評価とGram染色標本による評価が重要である。喀出痰の肉眼的評価法（Miller & Jones分類）の肉眼的評価でM1，顕微鏡的評価でGeckler分類1群の場合は，検査依頼医に常在菌の影響を濃厚に受けていることを伝え，検体の再提出を依頼する。痰は必ず容器に直接喀出し，ティッシュペーパーなどに包んではいけない。結核が疑われる症例では，採痰キャビネットを使用するか通気のよい場所で採取し空気感染予防策を講ずる。

②吸引痰

気管切開中の肺炎や人工呼吸器関連肺炎などの起因菌を検索する場合に用いる。採痰時には標準予防策として必要な個人防護具を着用する。

③咽頭粘液

口腔内常在菌による汚染を生じやすい検体であり，急性咽頭炎・扁桃炎の起因菌検索に使用する。

④鼻咽頭（後鼻腔）粘液

外鼻腔から耳孔を結ぶ平面を想定し，スワブを突き当たる鼻腔の奥まで挿入後，数回回転させ擦過する。インフルエンザウイルス，RSウイルス，アデノウイルスの抗原検査，百日咳菌の培養などに使用する。

(2)　泌尿器および生殖器系検体

尿検体は患者自身に採取を依頼する場合が多い。尿道口や外陰部付近には常在菌が付着していることから，汚染菌の混入を最小限にとどめる目的で，患者へ手洗いと常在菌の除去法を説明する。採取後は速やかに検査を行う。直ち

用語　クロストリジオイデス・ディフィシル（*Clostridioides difficile*；CD），中心静脈（central venous；CV），RS（respiratory syncytial）

に検査できない場合は冷蔵保存する。ただし，リン菌(*Neisseria gonorrhoeae*)や膣トリコモナス(*Trichomonas vaginalis*)を目的とする場合は，冷蔵保存は避けて速やかに検査を行う。

①中間尿

採取前に手をよく洗う。清浄綿で尿道口や外陰部を清拭する。排尿の中間を採取する。

②初尿

クラミジアやリン菌を対象とした尿道炎の検査は初尿を採取する。

③カテーテル尿

女性では外陰部からの汚染を避ける目的でカテーテルでの採尿も実施される。

④経皮膀胱穿刺尿

経皮的に恥骨上膀胱穿刺を行い採尿する。

(3) 糞便

糞便の検査は，持続する下痢または発熱を伴う下痢，血便，院内発症が疑われる場合に実施する。目的とする病原体により検査手順が大きく異なるため，臨床と検査室が情報共有することにより検査時間が短縮される場合もある。検査材料は自然排泄便を基本とし，困難な場合に限りスワブを用いて直腸から採取する。直ちに検査室へ提出できない場合は4℃で保存するが，それにより死滅する微生物も考慮しておかなければならない。

①自然排泄便

便器に採便シートなどを設置した状態で排便し，必要な量を所定の容器に入れて提出する。下痢や血便の程度などの性状を観察することが必要であり，可能な限り自然排泄便を検査材料とする。

②直腸スワブ

排便が困難な場合に限り，スワブによる直腸採取が採用される。スワブを肛門から直腸に到達させ，ゆっくりと回転させながら抜去する。抜去したスワブは直ちにキャリーブレア培地で保存する。

(4) 胆汁

胆管炎や胆嚢炎の診断にドレナージして胆汁を採取する方法と経皮胆管穿刺による採取法，手術中に胆嚢から直接採取する方法などがある。胆汁，肝膿瘍・脾膿瘍の膿汁も嫌気性菌用の容器に入れ，好気・嫌気両方の培養を行う。

- 内視鏡的経鼻胆肝ドレナージ(ENBD)
- 経皮経肝胆管ドレナージ(PTCD)

5～10mLを滅菌スピッツなどに採取し，直ちに検査室に届けられなければならない。

(5) 穿刺液

体腔には正常時にも少量の液が存在しており，炎症や癌などの浸潤，栄養障害，循環障害などにより貯留液が増加する。増加した胸水，腹水，関節液，心嚢液などを穿刺して採取する。

穿刺部位の消毒を十分に行い，膿性で悪臭のあるものは嫌気性菌輸送用容器に採取する。

(6) 膿・分泌物

解放性膿，閉鎖性膿，耳漏，眼科の検体がおもな材料である。とくに嫌気性菌を疑う場合などで，専用の嫌気性菌輸送用容器を用いる。リン菌感染症が疑われる検体は菌自体の抵抗力が弱く，低温，乾燥，空気中で数分から数時間で自己融解を起こすため，検体採取後は速やかに培地に接種する。

①開放性膿

採取は皮膚や粘膜の化膿巣の周囲をよく清拭した後(皮膚の常在菌が繁殖している可能性が高いため)，滅菌スワブで採取し検体輸送保存培地に入れる。悪臭のある検体は嫌気性菌が存在することが多い。臭気に留意し，嫌気性菌を疑う場合は嫌気性菌輸送用容器に入れる。

②閉鎖膿

穿刺部分をよく消毒した後，滅菌注射器で穿刺吸引し，滅菌試験管と嫌気性菌輸送用容器に分注する。

③耳漏

急性中耳炎の場合，中耳腔の膿を注射器や吸引装置付き試験管で吸引する。または輸送培地付きの細いアルミ軸スワブで採取する。

自然穿孔を起こし耳漏が出ている場合，外耳道の深部，鼓膜の近くから採取する。

④眼科検体

検体提出時には角膜，結膜といった解剖学的な部位を記入して提出する。

(7) 髄液

髄膜炎，脳炎，脳膿瘍などの中枢神経系感染症の診断に脳脊髄液(髄液)が用いられる。結核を疑う場合は，感度の点から可能であれば5mL以上採取する。採取したら冷蔵せず，すぐ検査室へ搬送する。*Nocardia*属菌，真菌，結核を疑う場合にはその旨を検査室に伝える(*Neisseria meningitidis*は低温で死滅しやすいことから，室温または35℃で保存する)。

用語 内視鏡的経鼻胆肝ドレナージ(endoscopic nasobiliary-drainage；ENBD)，経皮経肝胆管ドレナージ(percutaneous transhepatic cholangio-drainage；PTCD)

(8) 血液

血液培養検査はとくに緊急性の高い検査である。起因菌の検出率を高めるために2セット採取をすることが望ましい。採取後速やかに検査室に運ぶ。自動で連続的にモニターする血液培養装置を用いている場合，多くは48時間内に陽性になる。

①採血のタイミング

血液培養で菌を検出するためには採血時期が重要となる。起因菌を確実に分離するために，可能な限り下記に示すタイミングで採血を行う。また，発熱がなくても，感染症が疑われる場合（好中球増加など）には，必要に応じて血液培養を実施する。いずれも抗菌薬を投与する場合は，投与する前に採血する。

1)体温が上昇しているときや悪寒が見られるとき：悪寒や寒気を呈しているときや発熱の初期が採血の好機である。

②採血量と採血方法

血液培養での菌の検出率は血液量に影響される。2セット以上の採血が推奨されるのは，血液量を多くして菌の検出率を上げること，また，採血部位を変えて採血することで汚染（コンタミネーション）採血時の皮膚常在菌などの混入か否かの鑑別に役立てるためである。

採血量は血液培養の感度を向上させる最大の要因である。成人の1回の採血では，20mLを目指して採血する。好気用ボトルと嫌気用ボトルのそれぞれに指定された最大量を接種する。

カテーテルを抜去し先端を培養に出すだけでは診断不能であるため，必ず血液培養を実施する。診療上の理由ですぐにカテーテルが抜けない場合には，カテーテル採血と末梢血採血を同時に行って同時に培養を開始すると，カテーテル由来血流感染症ではカテーテル採血ボトルが末梢血採血ボトルより2時間以上早く陽性化する報告があり，カテーテル抜去を勧めるための根拠にすることができる。この方法では培養ボトルに入れる血液量を同じにする必要がある。

カテーテル検体は短いカテーテルの場合は皮下の先端部約5cmとする。Swan-Ganzカテーテルをはじめとした数10cm以上の長いカテーテルの場合は，カテーテル先端部約5cmと皮膚表面直下約5cmを別々に提出する。スクリューキャップ付き滅菌容器に入れて提出する。

2. 検体採取容器・輸送・保存についての注意

検体の輸送にはバイオハザードを引き起こすことのないように注意する。検体は容器をさらにプラスチックバッグに入れるなど二重包装が理想である。また施設内エアシューターでの輸送は厳重なバイオハザード対策を実施しなければ行うべきでない。

(1) 検体採取容器

材質が頑丈で壊れにくく，液体などが密閉でき，携帯に便利で安価の条件を満たすものがよい。

(2) スワブ

自然綿は一部の細菌（*Bordetella pertussis*，*Neisseria gonorrhoeae*）やウイルスに有害であり，化学繊維製で軸はプラスチック製のものが推奨される。また軸の先端部に繊維を取り付けた植毛タイプのスワブであるフロックスワブは，検体の保持量が多く，リリース性が向上されている。

(3) 輸送培地

輸送に時間を必要とする場合は，糞便検体にはキャリー・ブレアーの輸送培地が用いられる。スチュワート培地は*N. gonorrhoeae*を目的とした検体の輸送に，アミー培地は咽頭粘液，耳鼻科材料，泌尿生殖器からの検体に適する。

(4) 嫌気性検査容器

嫌気性菌は空気に触れると死滅するので，疫学から嫌気性菌の関与が高い検体は嫌気性菌保存輸送用専用容器を用いる。

13. 2. 3　肉眼的観察

検体は検査室に到着した時点で外観を観察する。検体が乾燥していないか，検体採取容器に不適切な状況がないか（患者名の記載がない，容器の破損による検体の漏れ，無滅菌容器の使用，嫌気性菌用容器不使用など）の確認・点検が必要となる。

(1) 喀痰

喀痰検査において検体の肉眼的観察は極めて重要な意味をもつ。喀痰の外観は大きく唾液性，粘液性，膿性，血性（血痰）の4種に分けられる。肉眼的評価の指標としてMiller & Jones分類が用いられている（表13.2.2，図13.2.1）。

用語　コンタミネーション（contamination）

表 13.2.2　喀出痰の肉眼的評価法（Miller & Jones 分類）

分類	性状	検査への適否
M1	唾液・粘液部分のみで膿性部分を含まない	×
M2	粘性部分の中に少量の膿性部分を含む	×
P1	膿性部分が全体の 1/3 以下の痰	○
P2	膿性部分が全体の 1/3 ～ 2/3 の痰	○
P3	膿性部分が全体の 2/3 以上の痰	○

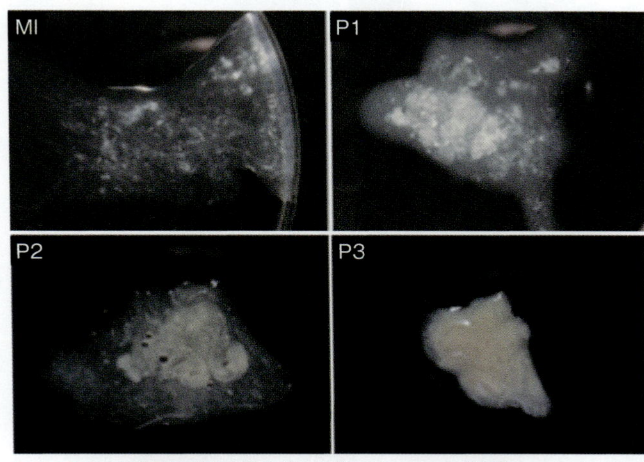

図 13.2.1　喀出痰の肉眼的評価法（Miller & Jones 分類）
〔犬塚和久，他：微生物検査ナビ 第 2 版，210，堀井俊伸（監），犬塚和久（編），栄研化学，2016 より引用〕

喀痰の外観が膿性（P1～P3）の場合は検査に適し，良質と判定され市中肺炎の場合に有用である。しかし，レジオネラ肺炎のような重症肺炎や院内肺炎の場合には，膿性痰が見られないことが多い。*Mycobacterium tuberculosis* は唾液性痰からも検出されることがある。*Aspergillus* 属菌の菌塊や *Actinomyces* spp. によるドルーゼの存在にも注意する。外観の色調，臭気，血液の混入の有無，量などから病原微生物が推測される（表 13.2.3）。

表 13.2.3　検体の外観と推測される微生物

材料	観察項目	外観	推測される微生物
喀痰	Miller & Jones の分類 臭気，血液混入の有無，量	鉄錆色	*S. pneumoniae*, *S. aureus* など
		黄色，淡緑色	*H. influenzae*, *S. pneumoniae*, *M. catarrhalis*, *P. aeruginosa*, *M. tuberculosis* など
		透明，粘稠性強	*B. pertussis*
		膿（悪臭あり）	嫌気性菌 （グラム陽性球菌， *Prevotella*/*Porphyromonas*, *Fusobacterium* 属菌など）

図 13.2.2　尿検体
〔犬塚和久，他：微生物検査ナビ 第 2 版，27，堀井俊伸（監），犬塚和久（編），栄研化学，2016 より引用〕

(2) 尿

健常者の尿は，正常時は無菌で黄色またはごく薄い黄色の透明な状態である。濁尿は排出される尿がおもに尿成分の異常により濁り，原因は膿尿．塩類尿，細菌尿などに分類される。血尿の場合に疑われる疾患は，腎炎，腎盂炎，尿路結石，腎臓腫瘍，膀胱腫瘍などが考えられる（図 13.2.2）。

(3) 糞便

糞便の形状・性状が観察できる自然排泄便を検査材料とすることが基本である。ブリストル便形状スケール（BSFS）は便の状態を7段階に分類しており（表 13.2.4）[13]，より水分を多く含むBSFS 5～7が微生物学的検査に適すとされている。BSFSは1997年に英国ブリストル王室診療所において臨床評価ツールとして提唱され[14]，現在では検査診断領域においても広く活用されている。下痢便においては，下痢の程度，粘血，鮮血や膿の有無などの状態から起因病原体が推察される場合がある（表 13.2.5，図 13.2.3）。

表 13.2.4　ブリストル便形状スケール

BSFS	形状・状態
1	ナッツ状，コロコロとした小さな塊
2	ソーセージ状で，こぶだらけの塊
3	ソーセージ状で，表面に割れ目や切れ目がある塊
4	ソーセージ状またはヘビ状で，スムースで柔らかい塊
5	半固形状，軟便
6	泥状で形状を成さない
7	水様で固形がほとんどない

（Lacy BE *et al.*: "Bowel Disorders", Gastroenterology，2016；150：1393–1407 を改変）

表 13.2.5　検体の外観と推測される微生物

材料	観察項目	外観	推測される微生物
糞便	便の性状 色調，臭気，血液の混入の有無，量	米のとぎ汁様	*V. cholerae*
		水様便 （黄褐色，腐敗臭）	*V. parahaemolyticus*, 毒素原性大腸菌, *Cryptosporidium* など
		水様便（新鮮血様）	腸管出血性大腸菌
		膿粘血便～粘血便	*Shigella* spp., *Campylobacter* spp. など
		タール便	*Salomonella* spp.
		白色便	*rotavirus*

(4) 胆汁

緑色胆汁は胆道感染の可能性があり，悪臭が認められる場合は嫌気性菌感染が推定される。

(5) 穿刺液

穿刺液検体は色調，混濁，臭気，膿様部分の有無，血液

用語　ブリストル便形状スケール（Bristol stool form scale；BSFS）

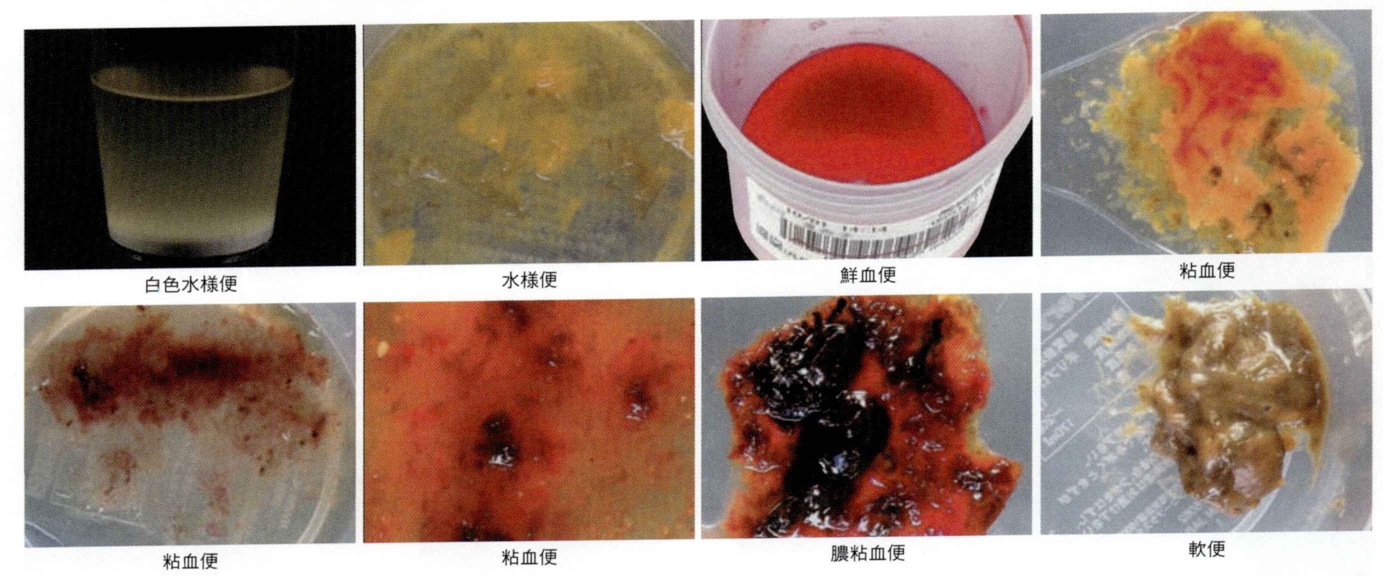

図 13.2.3　糞便

〔犬塚和久，他：微生物検査ナビ 第2版，65，堀井俊伸（監），犬塚和久（編），栄研化学，2016より引用〕

表 13.2.6　検体の外観と推測される微生物

材料	観察項目	外観	推測される微生物
髄液	色調，混濁，臭気，膿瘍部分の有無，血液混入の有無，量	白濁・膿性（悪臭なし）	*H. influenzae*, *S. pneumoniae*, *S. agalactiae*, *N. meningitidis*, *L. monocytogenes*, *E. coli* など
		膿性（悪臭あり）	嫌気性菌，微好気性レンサ球菌
		透明	ウイルス，*C. neoformans*, *M. tuberculosis*, *Leptospira* などの無菌性髄膜炎の原因微生物

混入の有無，量を観察する。臭気を放つ検体は嫌気性菌を疑い嫌気培養検査を追加する。

(6) 膿・分泌物

膿・分泌物検体は色調，性状，膿様部分の有無，血液混入の有無，臭気，量を観察する。性状や臭気から起因菌を推定できる場合がある。緑色では *Pseudomonas aeruginosa* を，腐敗臭を放つ検体は嫌気性菌を疑い嫌気培養検査を追加する。

(7) 髄液

正常の髄液は無色透明であり，混濁の有無と色調（キサントクロミー：蛋白増加や出血）や浮遊物質（フィブリンなど）の有無を観察する。細菌性髄膜炎では，急性期において混濁は軽度のことがあるが，多くの場合は著明に混濁する（表 13.2.6，図 13.2.4）。

(8) 血液

血液培養検査は，患者の予後を左右する極めて重要な検査である。培養陽性を示した際は，陽性結果を速やかに担当医に報告する必要がある。溶血やガス産生，悪臭の有無を観察する。Gram 染色を実施し，起因菌の推定，培養液からのサブカルチャー条件（炭酸ガス培養や嫌気培養など）を考えるうえで効率的に役立てる（表 13.2.7）。

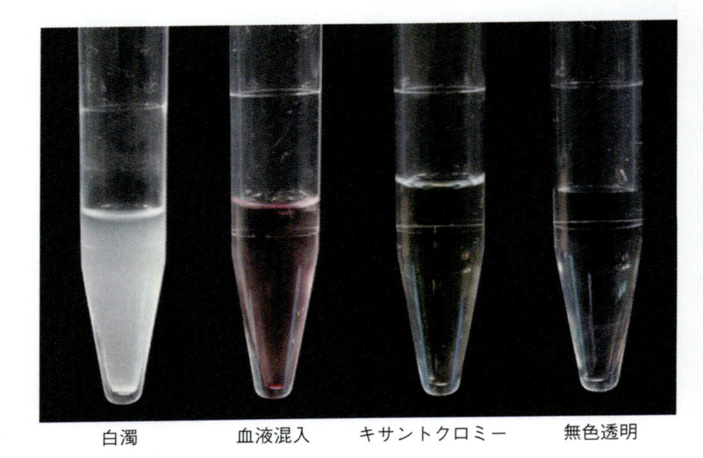

図 13.2.4　髄液

〔犬塚和久，他：微生物検査ナビ 第2版，183，堀井俊伸（監），犬塚和久（編），栄研化学，2016より引用〕

表 13.2.7　血液培養ボトル陽性時の肉眼的所見と推測される微生物

肉眼的所見	推測される微生物
溶血	*Streptococcus* spp., *Staphylococcus* spp., *Listeria* spp., *Clostridium* spp., *Bacillus* spp.
混濁	グラム陰性桿菌，*Staphylococcus* spp., *Bacteroides* spp.
ガス産生	腸内細菌目細菌，*Clostridium perfringens*
菌膜形成	*Pseudomonas* spp., *Bacillus* spp., 酵母様真菌
凝固	*Staphylococcus aureus*
菌塊	*Streptococcus* spp., *Staphylococcus* spp.
絨毛上の浮遊物	糸状菌

注）表中の所見は，静置培養の場合に観察されやすい。

13. 2. 4 塗抹検査

塗抹検査は培養検査に比較して短時間で結果が得られ，初期治療に役立つ基本的な検査である。Gram染色は1884年にデンマークの学者Hans Christian Joachim Gram（1853～1938）によって考案された。Gram染色は細菌をグラム陽性菌と陰性菌に識別し，細菌の形態学的特徴が観察でき，菌の推定・同定に役立つ。患者検体を用いる場合は炎症像の白血球，上皮細胞が観察できることや菌の種類が推定できる。

1. Gram染色

(1) 染色の原理

グラム陽性菌は細胞表面にリボ核酸マグネシウムが存在する。クリスタル紫染色後，ルゴール液を作用させると，アルコール不溶性の色素分子複合体が形成され細胞内に沈着し，エタノールによる脱色を受けにくい。一方，陰性菌では単層のペプチドグリカン，リポ蛋白，リン脂質とリポ多糖体からなる細胞壁に脂質を多く含有する外膜からなるため，容易にエタノールにより脱色される。後染色により対比染色されるため，分別される染色法である。

(2) 染色手技

①塗抹標本の作製

臨床材料からの塗抹標本の作製を表13.2.8に示した。検体の塗抹は厚すぎても薄すぎてもよくない（図13.2.5）。標本の作製と固定について図13.2.6に示す。

②乾燥

塗抹標本は自然乾燥させるのが原則である。

②固定

塗抹標本にメタノールを注ぎ1分間置き，その後自然乾燥させる。

④染色

おもな方法を表13.2.9に示す。媒染に用いられるルゴール液の処方が改善され，ヨウ素の濃度が高くなり，水酸化ナトリウムやポリビニルピロリドン（PVP，ヨウ素の安定剤）が添加されたものが用いられ，染色性が向上している[18]。

表13.2.8 塗抹標本の作製法

臨床材料	採取部位	使用器具	塗抹方法
喀痰	膿性部分，ない場合は粘液性の濃い部分	カギ形白金線（先端の2～3mmを直角に曲げたもの）または白金耳	カギ形白金線で膿性部分を米粒大の1/3程度釣り上げ，薄く引き伸ばして塗抹する
尿	均一になるように混和	白金耳または毛細管ピペット	白金耳または毛細管ピペットで滴下し，広げることなく自然乾燥させる。膿性の場合は少量塗り広げる
脳脊髄液などの穿刺液	遠心後，沈渣を使用	白金耳または毛細管ピペット	白金耳または毛細管ピペットで滴下し，広げることなく自然乾燥させる。膿性の場合は少量塗り広げる
スワブなどの採取物	材料の付着している部分	スワブをそのまま使用	スワブでそのまま塗抹する。厚くならないように注意する
組織	膿性部分	滅菌ピンセット	組織をスタンプする。または必要に応じて塗り広げる

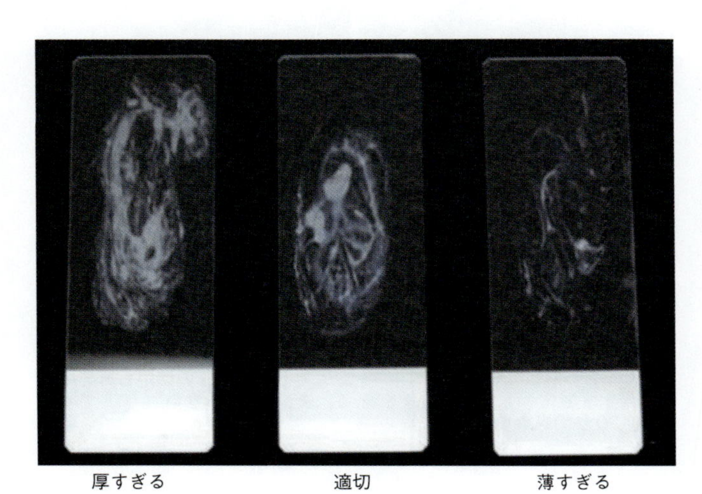

図13.2.5 塗抹標本
〔犬塚和久，他：微生物検査ナビ 第2版，14，堀井俊伸（監），犬塚和久（編），栄研化学，2016より引用〕

1. スライドガラスの準備

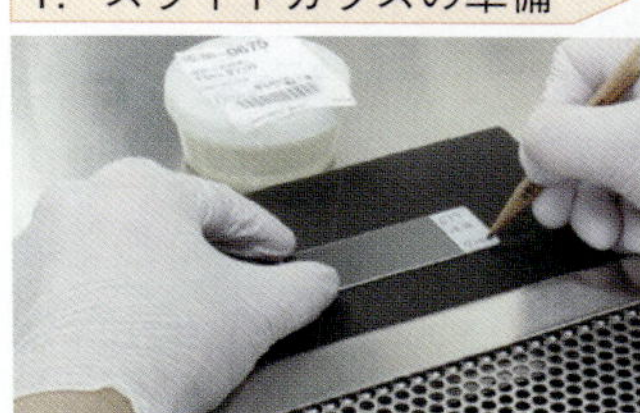

受付番号，染色方法，日付，材料など必要事項を記入する

2. 検体の塗抹

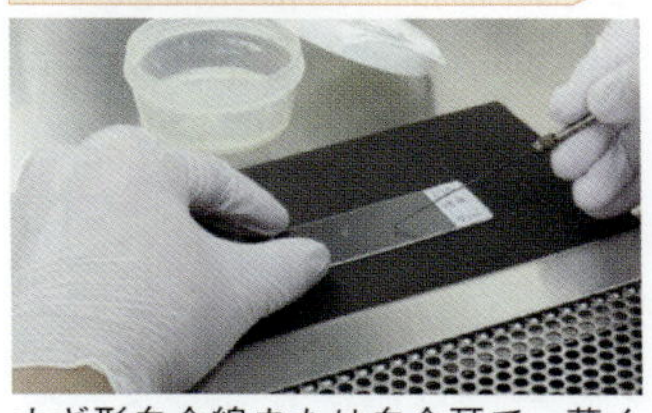

カギ形白金線または白金耳で，薄く引き伸ばして塗抹し自然乾燥させる。無理に，バーナーの炎で急激に乾燥させない

3. アルコール固定

染色台に移動し，メタノールを満載し1分間固定する

図13.2.6 標本の作製と固定
〔犬塚和久，他：微生物検査ナビ 第2版，15，堀井俊伸（監），犬塚和久（編），栄研化学，2016より引用〕

表 13.2.9　Gram 染色法の種類

方法	Hucker の変法	石炭酸フクシン法	Bartholomew & Mittwer の変法	西岡の方法
グラム陽性菌の染色	1% シュウ酸アンモニウム・クリスタル紫液	Hucker の変法と同じ	・1% クリスタル紫液 ・5% 炭酸水素ナトリウム液	シュウ酸アンモニウム加ビクトリア青液
グラム陽性菌の媒染	ヨウ素・ヨウ化カリウム液*1	Hucker の変法と同じ	水酸化ナトリウム加ヨウ素・ヨウ化カリウム液*3	20% ピクリン酸・エタノール（媒染・分別を同時に行う）
分別	95% エタノール*2	Hucker の変法と同じ	エタノール・アセトン混合液	
後染色	サフラニン液	0.8% 塩基性フクシン液または石炭酸フクシン液	Pfeiffer 液	サフラニン液またはパイフェル液*4
*:注および備考	*1 PVP または NaOH を添加したものも用いられる *2 エタノール・アセトン混合液でもよい。エタノール単独では分別に時間がかかる	Hucker の変法と同様であるが，後染色の染色液が異なる	*3 ヨウ素 2g に 1N-NaOH 10mL を加え，完全に溶解後，精製水で全量を 100mL にする	グラム陽性菌は青色に染色 *4 セット S：サフラニン液 セット F：フクシン液
利点・特徴	古くから用いられた標準的な方法	染色性の弱い細菌の染色に適す	細菌，生体細胞ともに判定しやすい	1 ステップ操作が少ない 厚い標本（血液混入物，膿汁など）顆粒が析出し判定不能となる
製品	・Gram 染色キット（日本ベクトン・ディッキンソン） ・カラーグラム 2 キット（シスメックス・ビオメリュー） ・グラムハッカー染色液（武藤化学）	・グラム染色液（武藤化学社）	・バーミー M 染色キット（武藤化学） ・neo-B&M ワコー（ワコー純薬工業）	・フェイバー G セット S（日水製薬） ・フェイバー G セット F（日水製薬） ・グラムカラー（武藤化学）

Hucker の変法，石炭酸フクシン法，Bartholomew & Mittwer の変法は類似しているが，後染色にサフラニン液を用いる方が生体細胞の内部構造が鮮明となる反面，*Haemophilus influenzae* は染色されにくい傾向がある。また，西岡の方法は従来法よりもワンステップ少ない操作で，染色液や試薬も異なっている。日常検査には Bartholomew & Mittwer の変法が推奨され，実施施設も多い。Bartholomew & Mittwer の変法の染色法による染色標本の作製法を図 13.2.7 に示す。

(3) Gram 染色の評価

通常 1,000 倍で鏡検する。痰などの下気道検体では，100 倍で生体細胞を鏡検し，Geckler の分類による品質評価を行う（表 13.2.10）。またその他の検体も 100 倍で細胞数ならびに細胞種類を，1,000 倍で細菌を観察する。Gram 染色で確認される微生物の形態的特徴と表現法を表 13.2.11，これらの量的表示法の例を表 13.2.12 に示す。患者背景，検体の外観などさまざまな情報を総合的に考慮して起因菌を推定することが重要である。形態学的性状による推定可能なおもな微生物グラム陽性菌を表 13.2.13 に，陰性菌の推定方法を表 13.2.14 に示す。

(4) Gram 染色の観察のポイント

塗抹の厚さが適切であることを確認し，低倍率で検体の質を評価する。染色に技術的な問題がある場合は，染色者の口腔常在菌を染色して陽性と思われる菌（*Streptococcus* 属菌）の染色性について確認する。

Haemophilus 属や *Bacteroides* 属などのグラム陰性で小型，多形性を示す細菌では，グラム陽性菌が存在している

1. 標本の作製と固定

2. 前染色

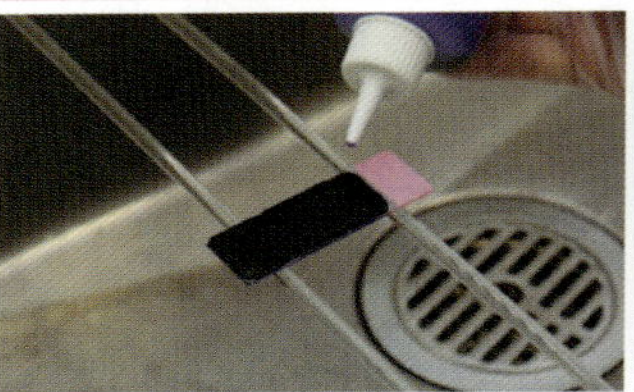

クリスタル紫溶液（炭酸水素ナトリウムを含む）を満載し，30 秒間染色する

3. 水洗

流水をスライドガラスの端より静かに注ぐ。塗抹面に直接かけない

4. 媒染

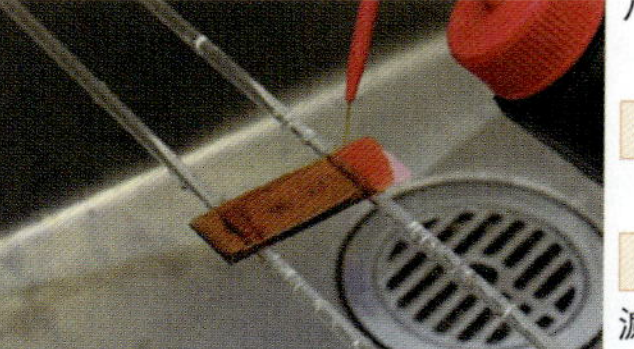

ヨウ素・水酸化ナトリウム溶液を満載し，30 秒間媒染する

5. 水洗

6. 脱色

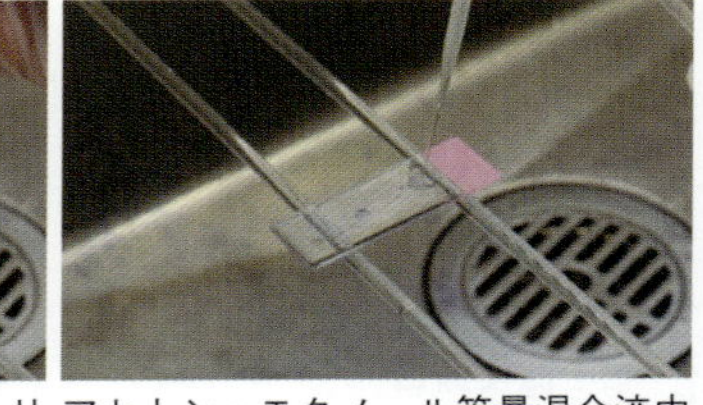

アセトン・エタノール等量混合液中で，クリスタル紫の青色が溶け出さなくなるまで脱色する。標本の厚さなどにより異なるが，数秒を目安とする

7. 水洗

8. 後染色

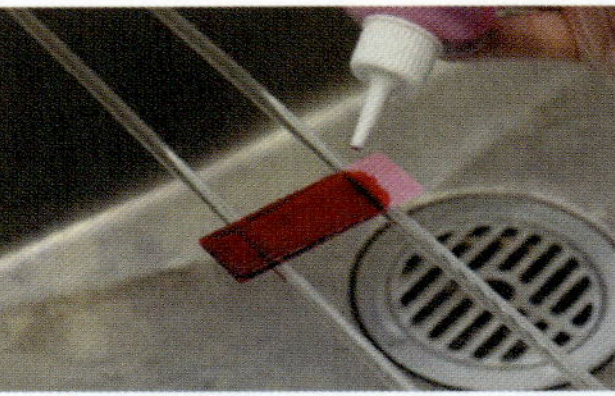

パイフェル液を満載し，数秒染色する

9. 水洗

10. 乾燥→完成

濾紙で，軽く押さえつけ水分を除く。冷風でドライヤーの使用も可能である。決してこすらない

11. 鏡検

乾燥後，鏡検する。グラム陽性菌は濃紫色，グラム陰性菌は赤色に染まる

図 13.2.7　染色標本の作製法
〔犬塚和久，他：微生物検査ナビ 第 2 版，17，堀井俊伸（監），犬塚和久（編），栄研化学，2016 より引用〕

用語　ポリビニルピロリドン（polyvinylpyrrolidone；PVP）

表 13.2.10　顕微鏡的評価（Geckler 分類）

分類（群）	細胞数 /1 視野（100 倍）	
	好中球	扁平上皮細胞
1	＜ 10	＞ 25
2	10 ～ 25	＞ 25
○ 3	＞ 25	＞ 25
◎ 4	＞ 25	10 ～ 25
◎ 5	＞ 25	＜ 10
6	＜ 25	＜ 25

注　◎：口腔内上皮細胞の汚染が少なく品質管理上最もよいもの。
　　○：好中球は多いが，唾液の混入が疑われるもの。

表 13.2.11　Gram 染色で確認される微生物の形態的特徴と表現法

	項目	表現
染色性の表現	染色濃度	均一，不均一，両端，ビーズ状，斑点，縞状
染色性の表現	形	丸い，球菌状，球桿菌，桿菌，フィラメント，酵母状
染色性の表現	菌の辺縁	丸い，尖っている，先が細い，平坦，棍棒（膨化），凹む
染色性の表現	菌の幅員	平行，卵形（膨化），凹む，不均一
染色性の表現	菌の形	直線，弯曲，らせん
染色性の表現	多形性	適当な表現
大きさを示す表現	菌全長	微少（＜ 0.3 μm），小型（0.3 ～ 0.5 μm），中型，大型
大きさを示す表現	菌の長さ	短い（0.5～1 μm），中型，長い，フィラメント（10～30 μm）
大きさを示す表現	幅員	細い，中型，厚い
大きさを示す表現	所見上の形状	1 つの，ペア，連鎖，4 つの，集塊，柵状，漢字，小塊，V 字，L 字，Y 字
大きさを示す表現	芽胞の形状	丸い，卵形，端在，亜端在

（Dallas S, Harrington AT："Staining Procedure, 3.2.1. Gram Stain", Clinical Microbiology Procedures Handbook 5th ed, ASM Press, 2023 より抜粋し一部編集）

表 13.2.12　Gram 染色の量的表示法

細胞

細胞数 / 視野（100 倍）	
1+	（ほとんどない）：＜ 1 個 / 視野
2+	（少数）：1 ～ 9 個 / 視野
3+	（中等度）：10 ～ 25 個 / 視野
4+	（多数）：＞ 25 個 / 視野

細菌・真菌

菌数 / 視野（1,000 倍）	
1+	（ほとんどない）：＜ 1 個 / 視野
2+	（少数）：1 ～ 5 個 / 視野
3+	（中等度）：6 ～ 30 個 / 視野
4+	（多数）：＞ 30 個 / 視野

報告する細胞種類	
	扁平上皮
	多核白血球
	赤血球
	正常細胞
	異形細胞

菌の形態		
	グラム陽性球菌	双球，連鎖，集塊
	グラム陽性桿菌	大型，小型，分岐，放線状
	グラム陰性球菌	双球
	グラム陰性桿菌	桿菌，フィラメント
	多形成グラム不定	多染性酵母，発芽状，仮性菌糸

（Dallas S, Harrington AT："Staining Procedure, 3.2.1. Gram Stain", Clinical Microbiology Procedures Handbook 5th ed, ASM Press, 2023 より抜粋し一部編集）

と誤認されやすい（わかりにくい）。*Nocardia* 属菌や *Actinomyces* 属菌は，グラム弱陽性，小型，分枝状の桿菌で，背景に溶け込んでしまう。Gram 染色によりこれらの菌を見出すことは重要である。難染性の細菌（*Legionella* 属菌，*Mycobacterium* 属菌，*Campylobacter* 属菌など）がある。染色液，手技などにより結果がばらつきやすいので精度管理を実施する。臨床像と一致するかどうかを念頭に置いて複数箇所を検査することが必要となる。

表 13.2.13　グラム陽性菌と染色像の特徴

グラム陽性菌	球菌	集塊		*Staphylococcus* spp.
				Micrococcus spp.
				Aerococcus spp.
				嫌気性菌
		連鎖状	長い連鎖	*Streptococcus* spp.
			短い連鎖	*S. pneumoniae*
				Enterococcus spp.
	桿菌	小型	直線状	*Listeria* spp.
			棍棒状 /L，Y，V 字状	*Corynebacterium* spp.
				Arcanobacterium spp.
				Lactobacillus spp.
				Bifidobacterium spp.
				Eubacterium spp.
		大型	側面が並行	*Lactobacillus* spp.
				Bacillus spp.
				Clostridium spp.
			分岐状	*Actinomyces* spp.
				Nocardia spp.
				Tsukamurella spp.

表 13.2.14　グラム陰性菌と染色像の特徴

グラム陰性菌	球菌	隣り合う面が平坦		*Neisseria* spp.
				Moraxella spp.
		非常に小型の球形		*Veillonella* spp.
	球桿菌	中等度～大型		*Moraxella* spp.
				Acinetobacter spp.
				Kingella spp.
		小型	淡い染色性 / 多形性	*Haemophilus* spp.
				Pasteurella spp.
				Bordetella spp.
				Actinobacillus spp.
				Cardiobacterium spp.
				Eikenella spp.
				Brucella spp.
				Francisella spp.
	桿菌	側面が並行	短い / 中等度，先端丸い	腸内細菌目細菌
			中等度 / 細く長い	*Pseudomonas* spp.
			先細い，紡錘状	*Capnocytophaga* spp.
				Fusobacterium spp.
				Leptotrichia spp.
		フィラメント状不規則		*Proteus* spp.
				Morganella spp.
				Providencia spp.
				抗菌薬投与中の細菌
		難染色性 / 長短不同		*Legionella* spp.
				Bacteroides spp.
		らせん状		*Campylobacter* spp.
				Helicobacter spp.
		弯曲		*Vibrio* spp.

(5) 標本の保存

観察し終わった標本で，とくに稀な症例や典型例のものは，後の教育の目的で保存することが推奨される。染色標本をキシレン入りドーゼに浸漬させて油浸用オイルを除去し，マリノール（標本の永久保存用アクリル樹脂をキシレンで溶解した封入剤）で封入する。これを遮光・防湿の環境に保存することにより，紫外線や酸化反応による退色から長期間保護される。

1. 標本の作製と固定

2. 前染色（チールの石炭酸フクシン：加温）

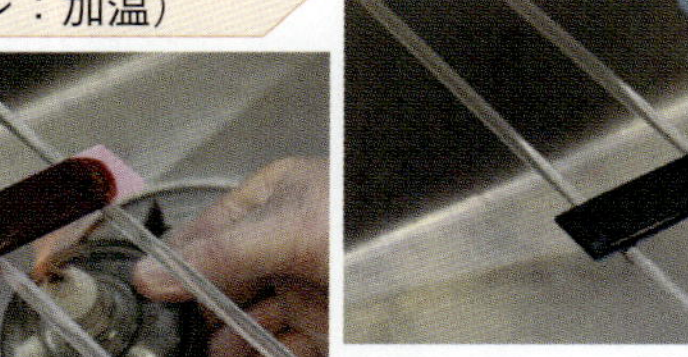

チールの石炭酸フクシン液を満載し，フクシン表面から湯気の出る程度に加温染色する。その後 5 分程度冷ます

3. 水洗

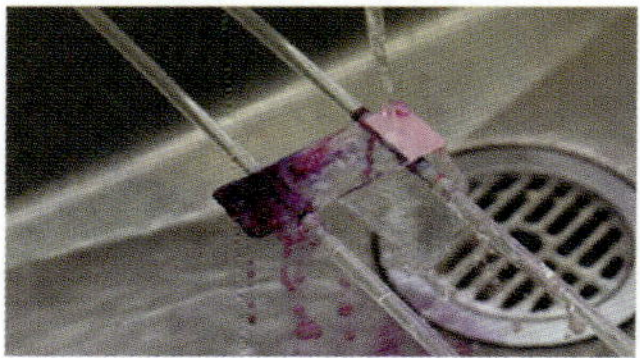

流水をスライドガラスの端より静かに注ぐ。塗抹面に直接かけない

4. 分別（塩酸アルコール）

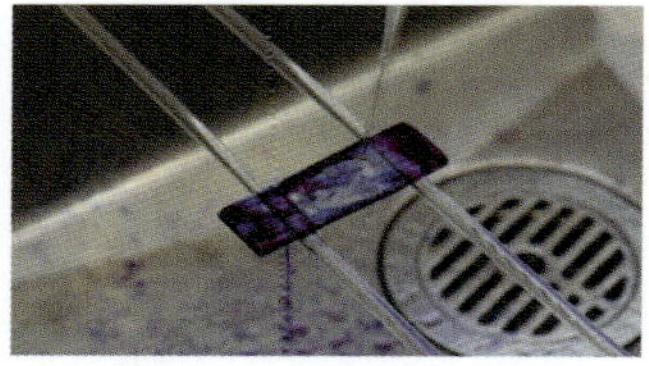

3% 塩酸アルコールを勢いよく噴射し，フクシンの赤色が溶け出さなくなるまで分別する。標本の厚さなどにより異なるが，約 1 分間を目安とする

5. 水洗

6. 後染色（レフレル・メチレン青）

レフレルのアルカリ性メチレン青液を満載し，30 秒間染色する

7. 水洗

8. 乾燥→完成

濾紙で，軽く押さえつけ水分を除く。冷風でドライヤーの使用も可能である。決してこすらない

9. 鏡検

乾燥後，鏡検する。抗酸菌は赤色，その他（背景など）は青色に染まる。300 視野を観察する。光学顕微鏡を用い，1,000 倍拡大で観察する

図 13.2.8　抗酸菌染色標本の作製法
〔犬塚和久，他：微生物検査ナビ 第 2 版，20，堀井俊伸（監），犬塚和久（編），栄研化学，2016 より引用〕

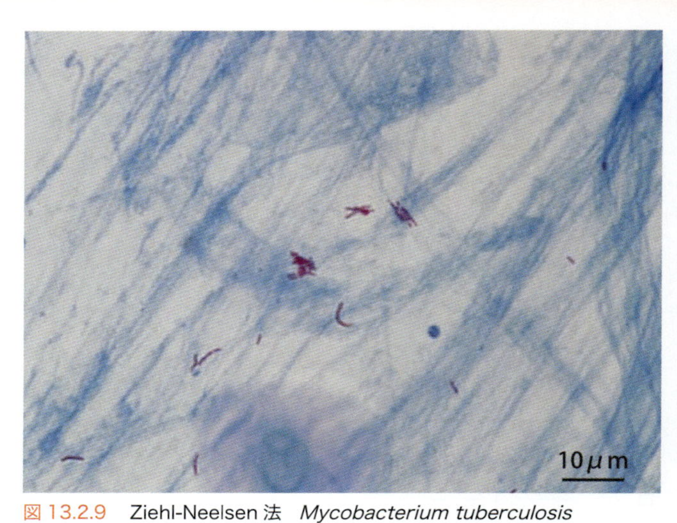

図 13.2.9　Ziehl-Neelsen 法　*Mycobacterium tuberculosis* ×1,000
〔犬塚和久，他：微生物検査ナビ 第 2 版，19，堀井俊伸（監），犬塚和久（編），栄研化学，2016 より引用〕

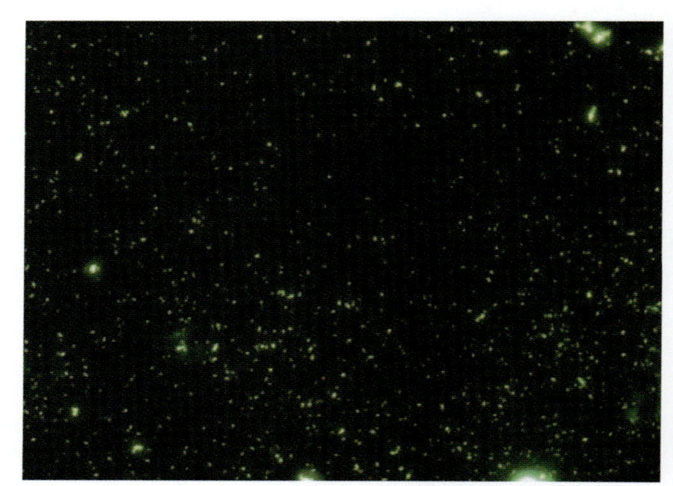

図 13.2.10　蛍光染色法（オーラミン O）*Mycobacterium tuberculosis*　×200
〔犬塚和久，他：微生物検査ナビ 第 2 版，19，堀井俊伸（監），犬塚和久（編），栄研化学，2016 より引用〕

2. 抗酸菌染色

(1) 染色の原理と手技

抗酸菌染色は，結核菌（*Mycobacterium tuberculosis*）をはじめとする*Mycobacterium*属菌の検出に用いられる。Ziehl-Neelsen染色はこのような*Mycobacterium*属菌の性質を利用した染色法である。抗酸菌染色標本の作製法を図 13.2.8に示す。

一方，蛍光染色法は蛍光色素オーラミンOなどで染色し，励起光の照射により二次蛍光を発生させ，これを蛍光顕微鏡で観察する方法である。

*Nocardia*属菌，*Cryptosporidium*属菌なども抗酸性に染まりKinyoun変法（抗酸菌染色の脱色に塩酸アルコールに代えて0.5%硫酸水を用いる方法）が用いられる。各染色所見を図 13.2.9，13.2.10に示す。

表 13.2.15　抗酸菌染色標本の検出菌数表示法

表示	Ziehl-Neelsen 染色（油浸系 ×1,000）	蛍光法（蛍光顕微鏡 ×200）	参考（ガフキー号数）
−	0/300 視野	0/30 視野	G0
±	1 ～ 2/300 視野	1 ～ 2/30 視野	G1
1+	1 ～ 9/100 視野	1 ～ 19/10 視野	G2
2+	≧ 10/100 視野	≧ 20/10 視野	G5
3+	≧ 10/1 視野	≧ 100/1 視野	G9

〔日本結核・非結核性抗酸菌症学会（編）：抗酸菌検査ガイド 2020，36，2020 より引用〕

(2) 鏡検と判定法

抗酸菌染色標本の検出菌数表示法を表 13.2.15に示す。Ziehl-Neelsen染色では油浸系1,000倍で300視野を鏡検し，蛍光染色法では蛍光顕微鏡200倍で30視野を鏡検する。なお，ガフキー号数は現在では使用しない。

(3) 抗酸菌染色の注意点

1）バイオハザード対策として生物学的安全キャビネットの設備のもとで行う。

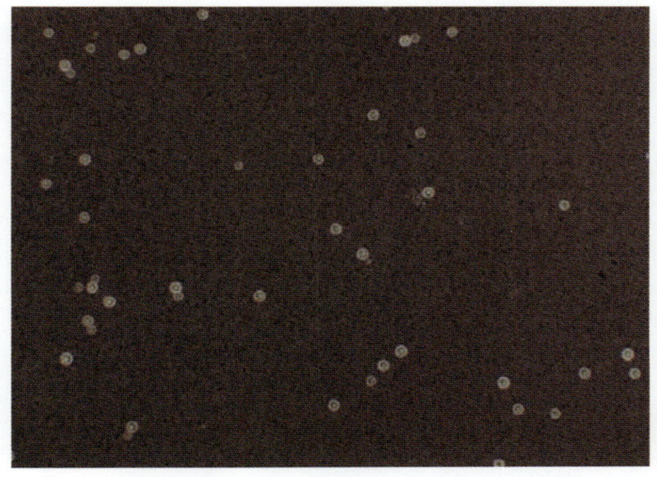

図 13.2.11　髄液から検出　*Cryptococcus neoformans*　×200
〔犬塚和久, 他：微生物検査ナビ 第2版, 22, 堀井俊伸（監）, 犬塚和久（編）, 栄研化学, 2016より引用〕

図 13.2.12　髄液から検出　*Cryptococcus neoformans*　×1,000
〔犬塚和久, 他：微生物検査ナビ 第2版, 22, 堀井俊伸（監）, 犬塚和久（編）, 栄研化学, 2016より引用〕

2) マスク, 手袋, ガウンなどを装着する。
3) 白金耳の滅菌には, 電気バーナーが推奨される（飛散防止のため）。
4) 偽陽性（脱色不足, 染色液汚染）, 偽陰性（脱色しすぎ, 加温不足, 染色液不良）の原因についてよく熟知し, 精度管理を行う。
5) 精度管理：陽性対照として *Mycobacterium tuberculosis* H37 Ra ATCC 25177, *Mycobacterium kansasii* が, 陰性対照として *Nocardia asteroides* ATCC 3308 や *Escherichia coli* が推奨される。

3. 墨汁法

墨汁法とは *Cryptococcus neoformans* の莢膜の観察に用いられる。菌体を染色するのではなく, 背景を墨汁で黒くすることによって, 菌の輪郭を観察する方法である。

(1) 墨汁法の目的

髄液沈渣を観察し, 菌体の外側に不染の著明な莢膜が観察される真菌（図 13.2.11, 13.2.12）を検索する。

(2) 墨汁またはインク

市販の製図用インクまたは墨汁を適宜希釈したものを用いる。

(3) 方法

1) 生理食塩水に浮遊させた被検菌液（沈渣物）を2mgと墨汁1白金耳をスライドガラス上で混和し, カバーグラスをかぶせる。
2) 通常は暗～明視野で100倍か400倍で鏡検する。
3) 黒い背景の中に菌体の輪郭が見え, その周囲に白く抜けた莢膜が観察される。

13. 2. 5　前処理

1. 液状検体の遠心による集菌

液状検体, とくに髄液は少量のことが多いが2mL以上あれば遠心をする。遠心時の破損防止のために, プラスチック性の滅菌遠心管（スピッツ）を用いる。遠心は3,000～3,500rpm, 10～15分行う。遠心後, 上清は免疫学的な迅速検査に, 沈渣は塗抹検査および培養検査に供する。

2. 喀痰における常在菌の除去

喀痰洗浄培養法である。シャーレまたは試験管に生理食塩液を入れ, 喀痰をこの中で振り洗うようにして洗浄する。浮遊している喀痰の小塊をすくい上げ, 別の生理食塩液中で再び洗浄し, これを合計2～3回（洗浄生理食塩液の痰の濁りがなくなるまで）。最後にすくい上げた小塊を集め, 培地に接種ならびに塗抹標本を作製する。喀痰に混在している常在菌は除去できる。しかし, 実際には洗浄に耐えられない喀痰がかなり認められる。

3. 抗酸菌検査における検体中の雑菌処理

「抗酸菌検査ガイド2020」[27] では発育の遅い抗酸菌を分離するためには, 検体中に存在する抗酸菌以外の常在菌の除去を目的とした前処理, いわゆる消化・汚染除去が必要である。検査材料の前処理法として，*N*-アセチル-L-システイン・水酸化ナトリウム（NALC-NaOH）の使用が推奨され，汚染除去の前に蛋白分解酵素セミアルカリプロテアーゼ（SAP）処理が加えられた。

(1) 喀痰の前処理法

①喀痰の均質化

蛋白分解酵素であるSAPを用いて，材料の粘稠性を除去し均質化する。SAP液にはスプタザイム（極東製薬工業），プレソルブ（日水製薬）が製品化されている。これらは一般細菌検査でも使用される。

②*N*-アセチル-L-システイン・水酸化ナトリウム（NALC-NaOH）法

2%NaOHによる消化・汚染除去で，NaOHの濃度が比較的低濃度（最終濃度1〜2%以下）であること，また緩衝液にて希釈後に遠心集菌するため抗酸菌への傷害作用が軽減されるように配慮された手法である。

13. 2. 6　分離培養検査

分離培養検査の目的は，患者検体から感染症の起因菌を検出し，後に続く同定検査や薬剤感受性検査に必要な分離菌を得ることである。

嫌気培養は原則として常在菌の混入する材料では省略され，本来無菌の材料に併用される。偽膜性大腸菌を疑う患者の糞便や肺化膿症を疑う患者の喀痰などのように，常在菌の混入する材料でもとくに嫌気性菌感染症が疑われる場合に併用しなければならない。

また，材料と培地の組み合わせは，検出対象微生物により組み立てなければならない。

1. 培地の選択

培養検査に用いる培地や培養法は，感染症の起因菌または感染部位の常在菌に関する疫学をもとに選択する。検出される菌をすべてカバーできるように培地を準備することは効率的ではない。感染臓器別に，感染症，検体別に検査すべき菌種と検査オーダー時に検査室に確認または追加オーダーが必要な微生物，追加検査に使用する培地が必要になるが，病院や検査室の規模や特性によって培地をすべて準備できない，あるいは外部委託している場合がある。したがって，検査室は通常の検査オーダーで網羅できる微生物，追加オーダーが必要な微生物に対して，材料と培地の組み合わせを効率的・効果的に実施しなければならない。また施設内で対応できない項目については，外部委託検査で対応する微生物を事前に診療側へ示しておくべきである。

(1) 分離培地選択時の注意点

①血液寒天培地

分離培地にはヒツジ血液寒天培地が最も適している。血液寒天培地はメーカーにより菌のコロニーの発育性，コロニーの大きさ，溶血性などに差があるので注意を要する。成分の一例を表13.2.16に示す。

②チョコレート寒天培地

血液寒天培地と同様，メーカーにより菌の発育に差があるので注意する。栄養要求性の厳しい菌の発育のためにヘモグロビンやIsovitale X，牛肉エキスや酵母エキスなどの発育増強剤を添加したものなどがあり，*Haemophilus* spp., *Neisseria* spp.などのコロニーの大きさなどに差があるので注意を要する。

③グラム陰性桿菌分離培地

基本的な分離用培地として以下に記載する培地がある。これらの培地は胆汁酸塩を加えてグラム陽性菌の発育を阻止し，大腸菌の発育も抑制するものがある。乳糖の分解性の違いにより目的菌のコロニーを鑑別する。

i）BTB乳糖寒天培地

乳糖を含む培地であり，色調の変化により乳糖分解能を鑑別する。腸内細菌目細菌とその他のグラム陰性桿菌を分離する（一部のグラム陽性球菌が発育）。指示薬としてブロモチモール青を使用する。非選択性培地であり，胆汁酸は含まれていない。

ii）SS寒天培地（サルモネラ・シゲラ培地）

乳糖を含む本培地は胆汁酸塩の種類により大腸菌の発育を抑制し，サルモネラ（*Salmonella* spp.）や赤痢菌

表13.2.16　血液寒天培地

ヒツジ血液寒天	培地1,000mLあたり
カゼイン－スイ消化ペプトン	14.5g
大豆－パパイン消化ペプトン	5g
塩化ナトリウム	5g
発育因子	1.5g
ヒツジ脱線維素血液	50mL
寒天	14g
	pH7.3

用語　セミアルカリプロテアーゼ（semi-alkaline protease；SAP），*N*-アセチル-L-システイン（*N*-acetyl-L-cysteine；NALC），ブロモチモール青（bromothymol blue；BTB），SS（*Salmonella*-*Shigella*）

表 13.2.17　真菌の培養に用いられる寒天培地と発育可能な菌種

培地	特徴	発育可能な菌種	特徴および注意
サブローデキストロース寒天（SDA）培地	一般的に用いられる非選択培地であるが，PDA培地の方が一般に発育支持がよい	真菌全般	抗生物質添加のものは一部の菌種の発育を阻止する
クロラムフェニコール添加SDA培地		真菌全般	
ポテトデキストロース寒天（PDA）培地		真菌全般	真菌のコロニー，形態観察に使用，色素産生性に優れる
病原酵母鑑別用発色培地（クロモアガーカンジダ，Vi-Candidaなど）	主要 *Candida* 属菌種については，発色によって菌種の鑑別が可能。ほかの多くの菌種発育を支持するが，コロニーの肉眼的所見は典型的ではないので注意が必要	酵母様真菌全般	コロニーの色調から菌種がかなり同定可能 *Pseudomonas aeruginosa* が発育しない
シクロヘキシミド添加サブロー・デキストロース寒天培地（マイコセル™など）	*Aspergillus* 属など，多くの糸状菌の発育を抑制するので注意が必要	大部分の *Candida* 属と白癬菌など糸状菌の分離	糸状菌のほか，*Candida* も発育する

（*Shigella* spp.）を分離する目的で考案された培地である。鑑別の基準となる成分は乳糖で，pH指示薬として中性紅（ニュートラル赤）が含まれている。多くの乳糖分解菌の発育を強く抑制し，発育しても赤色の酸性の色調を示し，コロニー周囲にれんが色の色素沈着が生じる。乳糖非分解のサルモネラや赤痢菌は，半透明のコロニーを形成するが，硫化水素産生のサルモネラは，培地に添加されている鉄分により黒色コロニーを示す。チフス菌は硫化水素産生量が少ないため，無色半透明のコロニーを示す。*Shigella sonnei* は24時間以内に薄い赤色を呈するものがある。

iii）DHL寒天培地

乳糖，白糖を含むサルモネラ・赤痢菌分離用の培地だが，ほかの培地より発育がよく，とくに硫化水素産生菌が明瞭に発育し，黒色コロニーを形成する。

iv）マッコンキー培地

乳糖を含む胆汁酸を加えた腸内細菌分離用では最も古典的培地である。腸内細菌目細菌，ブドウ糖非発酵性グラム陰性桿菌などの鑑別分離用培地，大腸菌検査にも使用する。

v）TCBS寒天培地

Vibrio 属の選択分離培地であり，白糖分解菌は黄色のコロニーをつくるが，白糖非分解菌は緑色コロニーを形成する。

④真菌分離培地

1）ポテトデキストロース寒天（PDA）培地
2）サブローデキストロース寒天（SDA）培地
3）病原酵母鑑別用発色培地クロモアガーカンジダ

などが市販されている。

真菌用培地の特徴を表 13.2.17 に示す。

⑤嫌気性菌分離培地

1）非選択培地：ブルセラHK（RS）血液寒天培地，アネロ・コロンビア血液寒天培地，ABHK寒天培地など
2）選択培地：PV加ブルセラHK血液寒天培地，PV加ABHK寒天培地，PEA加ブルセラHK血液寒天培地，BBE寒天培地，CCMA（CCFA）培地，変法FM培地，Egg Yolk培地（卵黄加寒天培地）など
3）増菌培地：臨床用チオグリコレート培地，GAM半流動高層培地，ブルセラHK半流動高層培地など

⑥その他の分離培地

i）*Campylobacter* 属菌分離用培地

選択分離培地として溶血液を添加したスキロー培地，バツラー培地，ブレザー・ワング培地，プレストン培地，血液の代わりに活性炭（チャコール）が添加されたmCCDA培地，カルマリ培地，CAT培地などが報告されている。いずれもカンピロバクター以外のグラム陰性菌，陽性菌およびカビを抑制するために各種の抗菌薬が添加されている。

ii）腸管出血性大腸菌（*Escherichia coli* O26，O103，O111，O121，O145およびO157）分離用培地

分離平板培地にはセフィキシム・亜テルル酸カリウム（CT）添加ソルビトールマッコンキー（CT-SMAC）寒天培地，または腸管出血性大腸菌の分離に適した酵素基質培地を必ず使用する。

iii）レジオネラ（*Legionella*）属菌分離用培地

従来の一般細菌用培地では培養は不可能であり，現在B-CYE α寒天培地やWYO α培地が用いられている。

GVPC培地はB-CYEα寒天培地にグリシン，バンコマイシン，ポリミキシンB，およびシクロヘキシミドを添加することにより試料に混在するほかの微生物の発育を強く抑制し，効率よく分離することができる。培地成分を表 13.2.18 に示す。

iv）リン菌（*Neisseria gonorrhoeae*）分離用培地

サイアー・マーチン寒天培地はチョコレート寒天培地にバンコマイシン，コリスチン，ナイスタチンを添加したものである。咽喉，膣，直腸，尿道などの多種の菌が混在す

用語　DHL（deoxycholate-hydrogen sulfide-lactose），TCBS（thiosulfate citrate bile salts sucrose），ポテトデキストロース寒天（potato dextrose agar；PDA），サブローデキストロース寒天（Sabouraud dextrose agar；SDA），フェニルエチルアルコール（phenylethyl alcohol；PEA），BBE（Bacteroides bile esculin），サイクロセリン・セフォキシチン・マンニトール寒天（cycloserine-cefoxitin-mannitol agar；CCMA），サイクロセリン・セフォキシチン・フルクトース寒天（cycloserine-cefoxitin-fructose agar；CCFA），GAM（Gifu anaerobic medium），スキロー培地（Skirrow培地），バツラー培地（Butzler培地），ブレザー・ワング培地（Blaser-Wang培地），プレストン培地（Preston培地），mCCDA（modified charcoal cefoperazone desoxycholate agar），カルマリ培地（Karmali培地），CAT（cefoperazone, amphotericin B, teicoplanin），セフィキシム・亜テルル酸カリウム（cefixime・potassium tellurite；CT），ソルビトールマッコンキー寒天（sorbitol MacConkey agar；SMAC），B-CYEα培地（buffered-charcoal yeast extract agar supplemented with α-ketoglutarate），WYO（Wadowsky-Yee-Okuda），GVPC（glycine-vancomycin-polymyxin-cycloheximide agar）

表 13.2.18　レジオネラ分離用培地

B-CYE α 寒天培地	培地 1,000mL あたり
酵母エキス	10g
活性炭	2g
L-システイン塩酸塩	0.4g
可溶性ピロリン酸鉄	0.25g
ACES*	10g
α-ケトグルタル酸カリウム	1g
カンテン	15g
	pH 6.9 ±

WYO α 寒天培地	培地 1,000mL あたり
酵母エキス	10g
活性炭	2g
L-システイン塩酸塩	0.4g
可溶性ピロリン酸鉄	0.25g
ACES*	10g
α-ケトグルタル酸カリウム	1g
グリシン	3g
バンコマイシン	5mg
ポリミキシン B	100,000U
アムホテリシン B	80mg
カンテン	15g
	pH 6.7 ±

* *N*-2-acetamide-2-aminoethane sulfonic acid

（栄研化学：栄研マニュアル 第 11 版，栄研化学，2011 より引用）

る検査材料から，*N. gonorrhoeae* や *N. meningitidis* を選択的に分離する目的に用いられる。

v）百日咳菌用分離培地

ボルデー・ジャング培地（BG培地）を用いる（表13.2.19）。最近では血液の添加を必要としない長期保存が可能なシクロデキストリン寒天培地（CSM）もある。ボルデテラCFDN培地はセファレキシンの代わりに8μg/mLのバンコマイシンと4μg/mLのセフジニルを含む選択培地である。

vi）ジフテリア菌（*Corynebacterium diphtheriae*）用分離培地の培養

C. diphtheriae 用分離培地の培養には，亜テルル酸塩が添加（0.04%）された選択培地（HBジフテリア寒天培地，変法荒川培地など）を用いる。菌の発育は2〜3日を要し，明確なコロニーは認められないことが多い。レフレル培地はジフテリア菌の発育が速く，異染小体の形成性に優れている。検体を接種し8〜10時間前後で肉眼的に観察できる。

vii）*Mycoplasma pneumoniae* 用分離培地

おもにPPLO寒天培地（表13.2.20）やPPLOブイヨン培地が用いられる。

viii）*Leptospira* 属菌用分離培地

病原体の分離には，抗菌薬投与以前の発熱期の血液，髄液あるいは尿が用いられる。血液からの分離は，血液1，2滴を5mLのコルトフ培地あるいはEMJH培地に接種する。

表 13.2.19　百日咳菌用分離培地

ボルデー・ジャング培地	培地 1,000mL あたり
ジャガイモ滲出液	125g
ペプトン	10g
グリセリン	10mL
塩化ナトリウム	12g
寒天	18g
ウマ脱線維素血液	200mL
	pH 7.0

表 13.2.20　マイコプラズマ用培地

PPLO 培地	培地 1,000mL あたり
ペプトン	10g
肉エキス	6g
酵母エキス	10mL
塩化ナトリウム	5g
酢酸タリウム	0.25g
ペニシリン	800,000U
ウマ血清	200mL
寒天	15g
	pH 7.8 ± 0.2

表 13.2.21　レプトスピラ用培地

コルトフ培地	培地 1,000mL あたり
ペプトン	0.8g
塩化ナトリウム	1.4g
塩化カリウム	0.04g
塩化カルシウム	0.04g
炭酸水素ナトリウム	1.4g
リン酸二水素カリウム	0.24g
リン酸水素二ナトリウム	0.88g
新鮮ウサギ血清を 10% の割合に加える	
	pH 7.2

100℃で 40 分加温溶解し，1 夜 4℃に保存したものを濾紙で濾過する。濾液の pH を 7.0 に調整して試験管に分注し，高圧蒸気滅菌，使用に際し，新鮮ウサギ血清を 10% の割に加える。

コルトフ培地（表13.2.21）はデンカ生研より，EMJH培地はDifcoより市販されている。

⑦耐性菌選択分離培地

医療関連感染が疑われる場合，メチシリン耐性黄色ブドウ球菌（MRSA）選択分離培地，バンコマイシン耐性腸球菌（VRE）選択分離培地，基質特異性拡張型βラクタマーゼ（ESBL）分離培地，多剤耐性緑膿菌（MDRP）スクリーニング培地，多剤耐性アシネトバクター（MDRA）スクリーニング培地各種培地などが市販されている。

2. 培地の選択と疫学

培養検査に用いる培地や培養法は，感染症の起因菌または感染部位の常在菌に関する疫学をもとに選択する。

検査室は通常の検査オーダーで網羅できる微生物，追加オーダーが必要な微生物，外部委託検査で対応する微生物

用語　シクロデキストリン寒天培地（cyclodextrin solid medium；CSM），セフジニル（cefdinir；CFDN），PPLO（pleuropneumonia-like organism），EMJH（Ellinghausen-McCullough-Johnson-Harris），メチシリン耐性黄色ブドウ球菌（methicillin-resistant *Staphylococcus aureus*；MRSA），バンコマイシン耐性腸球菌（vancomycin-resistant Enterococci；VRE），基質（特異性）拡張型β-ラクタマーゼ（extended spectrum β-lactamase；ESBL），多剤耐性緑膿菌（multidrug-resistant *Pseudomonas aeruginosa*；MDRP），多剤耐性アシネトバクター（multidrug-resistant *Acinetobacter* spp.：MDRA）

を事前に診療側へ示しておくべきである。依頼先などは事前に決めておく，行政に相談すべき対応についても確認をしておくことが必要である。

3. 培養ガス環境

培養とは，菌を接種した培地を一定の環境に保ち微生物を育てることであり，目的とする微生物に応じた培養条件としてガス環境がとくに重要である。菌種によって発育に好気培養以外の炭酸ガス培養，微好気培養，嫌気培養など培養環境を要求する場合がある。

嫌気性菌は患者自身の常在菌による内因性感染症が多いが，疫学からすべての検体で嫌気培養を行う意義は低い。嫌気性菌検査の要求度を基準とした検体のカテゴリー分類）があるので，検査の要否を判断するガイドとして使用すべきである（表13.2.22）。

(1) 好気培養

通常の大気中で発育する偏性好気性菌，通性嫌気性菌の培養に用いられる。

(2) 炭酸ガス（CO_2）培養

好気性菌のなかには，一定濃度の炭酸ガスを含む環境下でなければ発育できない菌，あるいは良好な発育を示す菌がある。微好気性レンサ球菌（*Streptococcus anginosus* group など）やリン菌（*Neisseria gonorrhoeae*），髄膜炎菌（*Neisseria menigitidis*），*Haemophilus*属菌，*Brucella*属菌などの培養には，炭酸ガス培養が用いられる。

表13.2.22 嫌気性菌検査を対象とする検体

カテゴリー A：常に嫌気培養の対象となる検体	
A-1	常在菌の汚染を最小限にできる検体：無菌材料 ・血液，髄液，心嚢水，胸水，関節液，骨髄，脳膿瘍の膿，肺穿刺液，手術時に採取した検体（脳，心，肺，骨，関節，軟部組織），生検材料
A-2	常在菌の汚染はあるが嫌気培養の価値が高い検体 ・TTA の吸引痰，気管支鏡検査の検体，膀胱穿刺尿 ・骨盤腔，子宮内，軟部組織，ろう孔深部，皮膚深部の穿刺吸引液
A-3	常在菌が多数存在する口腔内や下部消化管粘液の破綻が原因となった検体 ・口腔，耳鼻咽喉部の膿瘍からの穿刺吸引液・腹水，服腔の穿刺液 ・骨盤内膿瘍の穿刺液，胆汁，ドレナージ液，手術時のスワブ材料
カテゴリー B：通常は嫌気培養を対象としないが，場合によって嫌気培養を行う検体	
B	常在菌の汚染が避けられず，分離菌の病原的意義の解釈が極めて困難な検体 ・咽頭，鼻咽頭，歯肉のスワブ・創部，膿瘍表面のスワブ，腟，頸管スワブ，排泄尿，カテーテル尿，喀痰，腸管内容物

A-1：詳細な同定検査をする。
A-2：重症例からの分離菌以外同定検査簡略化。
A-3：同定検査簡略化。
B：嫌気性菌の有無の確認。

炭酸ガス培養は，炭酸ガス濃度を自動制御できる炭酸ガス孵卵器による方法とガス発生袋を用いる方法がある。病院検査室では後者が一般的であり，ガス発生袋によって培養用ジャー内の炭酸ガス濃度を約5%にできる。

(3) 嫌気培養

嫌気培養は偏性嫌気性菌の培養に用いられる。嫌気培養はガス発生袋による方法と嫌気チャンバーによる方法があるが，ガス発生袋が一般的である。

ガス発生袋によって培養用ジャー内の酸素は除かれ，代わりに炭酸ガスが約20%の環境がつくられる。

(4) 微好気培養

微好気培養は，5〜10%の炭酸ガス濃度と5%程度の酸素濃度のガス環境中で発育する*Campylobacter*属菌や*Helicobacter*属菌などの培養に利用される。

4. 培養（観察）期間

培養期間は栄養要求の厳しい菌種，微好気培養が必要な菌，嫌気性菌や真菌感染症が疑われる場合は，長期間を要する。嫌気性菌は約1週間を要する，真菌は疑われる真菌に応じて期間が設定される。呼吸器系検体で真菌感染が疑われる検体は，*Candida*属菌，*Cryptococcus*属菌などの酵母や*Aspergillus*属菌のような発育が速い真菌でも27℃前後の孵卵器で7日間（少なくとも5日間）培養する。*Trichophyton*属菌や*Microsporum*属菌などの皮膚科領域（爪/皮膚/組織そのもので目的菌が糸状菌）の検体は，27℃前後の孵卵器で30日間（少なくとも2週間前後），黒色真菌や外来性真菌は（4〜6週）まで観察する。

5. 特殊な細菌の培養

*Legionella*属菌，*Bordetella*属菌，*Mycoplasma*属菌のように培養に特殊な培地を必要とする菌種，*Nocardia*，*Actinomyces*，真菌のように発育が遅い菌種や抗酸菌（表13.2.23）は，通常の検査オーダーでは検出できない。培

表13.2.23 抗酸菌用選択分離培地

小川培地	
リン酸一カリウム	10g または 30g
グルタミン酸ナトリウム	10g
精製水	1,000mL
上記液 100mL に日本薬局方濃グリセリン 6mL と 2%マラカイト緑液 6mL，そして全卵液 200mL を加え試験管に分注。90℃ 60 分凝固滅菌する	

リン酸一カリウムの濃度により，1% と 3% の 2 種類の培地がある。

用語　経気管内吸引（transtracheal aspirate；TTA）

養検査は微生物検査の根幹をなす重要な検査であるが，検査室では検査の特徴を理解し，限界を診療側へ示しておく必要がある。

13. 2. 7　同定検査

培養による検出菌は原則すべて報告の対象である。ただし，これは検体が感染病巣由来であることが前提である。同定のレベルは，起因菌は原則，菌種レベルまで，起因菌かどうか不明な場合や技術的に菌種レベルの同定が困難なものは属レベルとする。したがって，本来無菌の検体からの検出菌は起因菌と解釈され，菌種レベルの同定対象となる。

細菌の同定とは未知菌株の性状をすでに命名されている菌種の性状と照合し，どの菌種と一致するかを決定することである。同定の方法は，最近では核酸分析法，質量分析法を応用した方法も使用されている。

1. 従来マニュアル法を用いた生化学鑑別性状によるおもな同定検査方法

(1) グラム陽性球菌

①*Staphylococcus* 属菌

1)カタラーゼ試験：3%過酸化水素水に菌を混合し，気泡が発生すれば陽性。ただし，血球成分によっても偽陽性になる（図13.2.13）。

2)食塩耐性：ブドウ球菌用マンニット食塩，卵黄加マンニット食塩培地，6.5%食塩加ブイヨンなどに発育すれば食塩耐性である。

3)コアグラーゼ試験：

ⅰ）試験管法：遊離型コアグラーゼの検出に用いられる。コアグラーゼの作用によりフィブリノーゲンがフィブリンとなって血漿凝固が起これば陽性と判定する。

ⅱ）スライド法：クランピング因子（結合型コアグラーゼ）の検出に用いられる。現在ではクランピング因子と *Staphylococcus aureus* の細胞壁成分であるプロテインAを同時に検査する方法としてラテックス凝集試験が主流となっている。

ⅲ）血漿平板法：普通寒天とウサギ血漿を混合した平板培地を用いる。現在臨床ではほとんど行われていない。

いずれの検査法においても *S. aureus* 以外の菌種がコアグラーゼ陽性となる場合があるので注意が必要である。

②*Streptococcus* 属菌

1)オプトヒン（OP），バシトラシン（BC）感受性試験（図13.2.14，13.2.15）。

2)胆汁溶解試験：試験菌株の生理食塩液菌浮遊液に10%胆汁酸液を滴下して透明化すれば陽性である。

3) Lancefieldの分類：Lancefieldはレンサ球菌の細胞壁多糖体を分別し，現在では20群の血清型に分類されている。検査方法はラテックス凝集試験が主流であり，臨床的に重視されるA群，B群，C群，G群などを効率よく判別することができる。*Streptococcus dysgalactiae* subsp. *equisimilis* や *S. anginosus* group の中にはC群，G群，まれにA群に凝集する株もある。

4)PYR（L-ピロリドニル-β-ナフチルアミド）試験：含有した試験紙に菌苔をこすりつけ，発色試薬のジアゾ試薬（*N, N*-ジメチルアミノシンナムアルデヒド）を滴下する。

図13.2.13　カタラーゼ試験
〔犬塚和久，他：微生物検査ナビ 第2版，33，堀井俊伸（監），犬塚和久（編），栄研化学，2016より引用〕

図13.2.14　オプトヒン感受性試験
〔犬塚和久，他：微生物検査ナビ 第2版，221，堀井俊伸（監），犬塚和久（編），栄研化学，2016より引用〕

用語　オプトヒン（optochin；OP），バシトラシン（bacitracin；BC），L-ピロリドニル-β-ナフチルアミド（L-pyrrolidonyl-β-naphthylamide；PYR）

図 13.2.15　バシトラシン感受性試験
〔犬塚和久，他：微生物検査ナビ 第2版，221，堀井俊伸（監），犬塚和久（編），栄研化学，2016 より引用〕

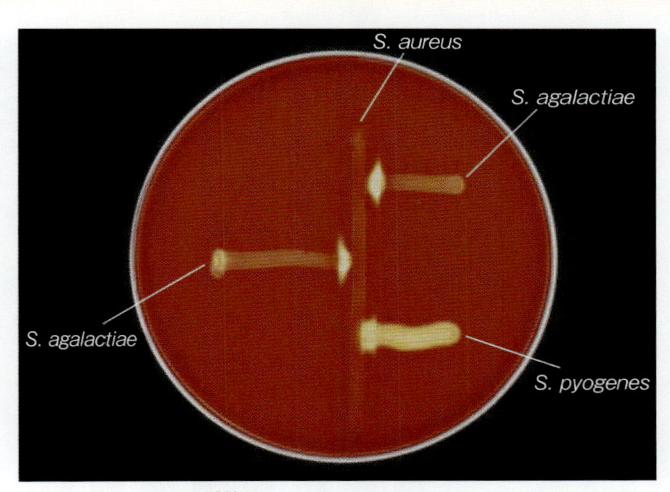

図 13.2.16　CAMP 試験
〔犬塚和久，他：微生物検査ナビ 第2版，37，堀井俊伸（監），犬塚和久（編），栄研化学，2016 より引用〕

陽性の場合はフリー・β-ナフチルアミドが形成され，数分で赤色に発色する。*S. pyogenes*，D群streptococci，*Enterococcus* spp.などが陽性である。

5) CAMP試験：血液寒天培地の中央に*S. aureus*（β毒素産生株）を縦に塗布し，それに直角になるように既知の*S. agalactiae*（B群レンサ球菌）と被検菌株を塗布し，1日培養する。培養後に既知株と同様の矢印形の完全溶血が観察されれば陽性と判定する（図 13.2.16）。

③ ***Enterococcus*** **属菌**

1) 胆汁エスクリン加水分解：胆汁エスクリン培地で培地が黒褐色化する（図 13.2.17）。

図 13.2.17　胆汁エスクリン加水分解
〔犬塚和久，他：微生物検査ナビ 第2版，39，堀井俊伸（監），犬塚和久（編），栄研化学，2016 より引用〕

(2) グラム陰性球菌（*Neisseria* 属菌）

1) カタラーゼ試験陽性，オキシダーゼ試験陽性（図 13.2.18）。

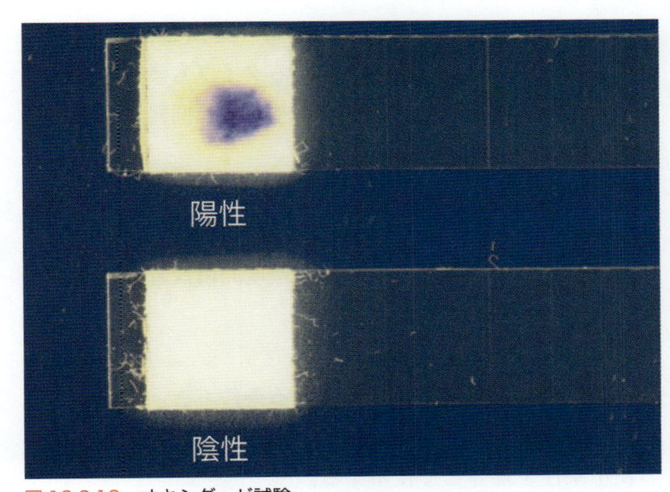

図 13.2.18　オキシダーゼ試験
〔犬塚和久，他：微生物検査ナビ 第2版，103，堀井俊伸（監），犬塚和久（編），栄研化学，2016 より引用〕

(3) 腸内細菌目細菌

1) ブドウ糖を24時間以内に発酵的に分解して酸とガス，または酸のみ産生する。TSI培地におけるブドウ糖分解による酸産生により，培地のpHが下がり黄変する。硫化水素産生菌は産生された硫化水素が硫化第一鉄と反応して硫化鉄が形成され，高層部が黒変する（表 13.2.24，図 13.2.19）。

2) 運動性を有する菌株は周毛性鞭毛を有する。SIM培地は半流動培地であり，運動性試験に適している。非運動性菌は穿刺部のみに発育し，運動性菌は培地全体に発育し，培地を混濁させる（表 13.2.25，図 13.2.20）。

3) その他おもなグラム陰性桿菌に用いられる培地：LIM寒天培地（表 13.2.26，図 13.2.21），VP半流動培地，シモンズクエン酸培地，アルギニン培地，リジン脱炭酸試

用語　CAMP（Christie, Atkins, and Munch-Petersen），TSI（triple sugar iron agar）培地，SIM（sulfide indole motility）培地，LIM（lysine indole motility），VP半流動（Voges-Proskauer semisolid）培地

表 13.2.24　TSI 培地

TSI 培地	1,000mL あたり
肉エキス	4g
ペプトン	15g
乳糖	10g
白糖	10g
ブドウ糖	1g
塩化ナトリウム	5g
チオ硫酸ナトリウム	0.08g
クエン酸鉄アンモニウム	0.4g
フェノール赤	0.02g
寒天	15g
	pH7.3 ± 0.2

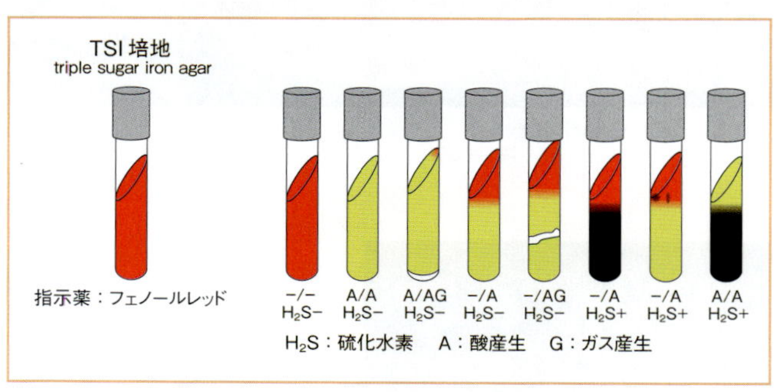

図 13.2.19　TSI 培地の判定例
〔犬塚和久，他：微生物検査ナビ 第 2 版，358-359，堀井俊伸（監），犬塚和久（編），栄研化学，2016 より引用〕

表 13.2.25　SIM 培地

SIM 培地	1,000mL あたり
肉エキス	3g
ペプトン	30g
チオ硫酸ナトリウム	0.05g
クエン酸鉄アンモニウム	0.5g
寒天	5g
	pH7.3 ± 0.2

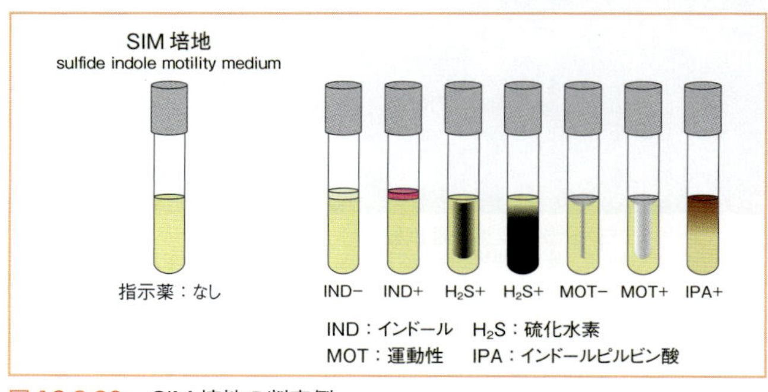

図 13.2.20　SIM 培地の判定例
〔犬塚和久，他：微生物検査ナビ 第 2 版，358-359，堀井俊伸（監），犬塚和久（編），栄研化学，2016 より引用〕

表 13.2.26　LIM 培地

LIM 培地	1,000mL あたり
酵母エキス	3g
ペプトン	12.5g
ブドウ糖	1g
L-リジン塩酸塩	10g
L-トリプトファン	0.5g
ブロムクレゾール紫	0.02g
寒天	3g
	pH6.7 ± 0.2

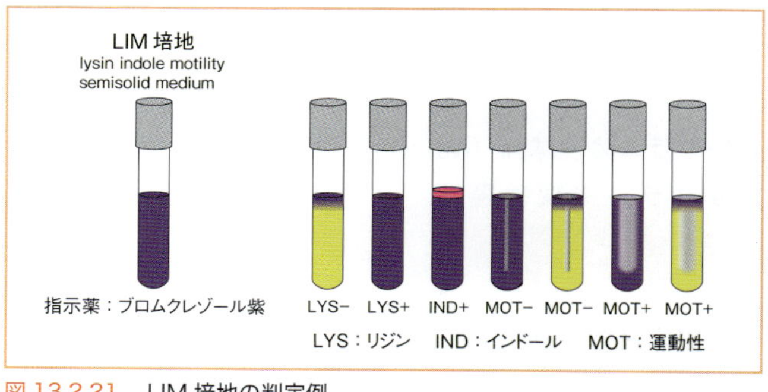

図 13.2.21　LIM 培地の判定例
〔犬塚和久，他：微生物検査ナビ 第 2 版，362-363，堀井俊伸（監），犬塚和久（編），栄研化学，2016 より引用〕

験用培地，オルニチン脱炭酸試験用培地，DNA 培地，クリステンゼン尿素培地などがある。

2. マニュアル法による同定キットを用いる方法

分離菌の同定は患者の病態，検査材料の種類などから必要性を判断する。同定キットの多くが各々のテスト成績を数値化し，コード番号から菌名を導く方法をとっている。合成基質を用いて短時間で判定するタイプも多く，嫌気性菌を好気環境下で同定するキットや，酵母同定用もある。

(1) 同定キットの選択

市販されている同定キットには，使用目的，同定可能菌種，培養温度，培養時間，接種菌濃度，菌液量，検査項目数などにより多くの製品がある。

(2) 同定キットの使用に求められる条件

キットは対象菌種別になっているので，使用するキットの使用条件を遵守して使用する。

(3) 使用ミスによる注意事項

正確性，簡便性，経済効率の点で優れている同定キットでも，選択や操作を間違えると正しい結果は得られない。

3. 全自動同定，薬剤感受性検査機器を用いる方法

菌液分注，培養，試薬の滴下，判定を自動化（モジュール化）し，システムとして構築したものが自動機器であり，自動判定菌名検索がシステム化されている。

全自動細菌同定感受性検査装置：バイテック，全自動同定感受性検査システム：BD フェニックス™，全自動微生物検査システム：マイクロスキャン WalkAway，全自動細菌検査装置：ライサスエニーなどが利用されている。

用語　シモンズクエン酸培地（Simmons citrate agar），アルギニン培地（arginine medium），リジン培地（lysine decarboxylase medium），オルニチン培地（ornithine decarboxylase medium），DNA 培地（DNase agar），クリステンゼン尿素培地（Christensen urease test agar）

4. 質量分析を用いた同定

質量分析法による細菌同定の装置・システムとして販売されている2種類，MALDI Biotyper，バイテックMSはともにマトリックス支援レーザー脱離イオン化飛行時間型質量分析計（MALDI-TOF MS）タイプの装置である。この装置が細菌の同定に利用される理由は，少ない菌量（約10^5個）で測定可能，前処理が簡便で，精製された蛋白が少なくてもイオン化効率が低下しないこと，1価のイオンが主体でスペクトルの解析が容易であることによる。同定はマススペクトルがデータベースのどの菌種と一致しているかのパターンマッチングにより行う。

(1) 質量分析法による菌株同定

1) 菌体とマトリックス試薬を混ぜて乾燥する。
2) MALDI-TOF MSでマススペクトルを取得する。
3) マススペクトルをデータベースに照合してパターンマッチングを行う。

約10〜30分間で同定結果が得られる。

リボソーム由来の蛋白の違いで同定を行っているため，16S rRNA遺伝子の塩基配列相同性が高い類縁菌種の同定は難しい傾向がある。同定できないまたは困難な組み合わせとして *Escherichia coli* と *Shigella flexneri*，*Mycobacterium tuberculosis* と *Mycobacterium bovis*，*Bacillus cereus* と *Bacillus anthracis*，*Yersinia pestis* と *Yersinia pseudotuberculosis* などがある。これらはDNA/DNA相同性が互いに70%以上を示すので，本来は同一菌種であるという分類学上の問題に起因する。

MALDI-TOF MSは，一般細菌，嫌気性菌，抗酸菌，真菌などのさまざまな同定キットや自動同定機器が1つに集約されたといえる。

5. 新しい検査法との共存

質量分析法や遺伝子検査などの新しい検査技術が，次々と日常検査へ導入されてきている。常在菌や嫌気性菌による感染症の分野において，培養ではこれまで存在が不明であった細菌が明らかとなってきており，感染症の疫学が変わる可能性が高い。

13. 2. 8 薬剤感受性検査

薬剤感受性検査は細菌によって引き起こされた感染症患者の検査材料から分離された起因菌と想定される被検菌を対象にして実施され，その結果は治療薬剤の選択に利用される。検査方法には希釈法およびディスク拡散法があり，日常検査で多く使用されている方法は微量液体希釈法（表13.2.27）である。その他Eテスト法があり，ディスク拡散法の要領でMICを得ることができる。

1. ブレイクポイント測定と最小発育阻止濃度測定

ブレイクポイントは，米国CLSIが設定した基準が用いられている。ブレイクポイントは，S，I，Rに変換するための基準となる薬剤濃度値といえる。CLSIのブレイクポイントは菌種別に詳細な設定がなされており，臨床的治療効果，副作用の出ない範囲での血中濃度，耐性遺伝子の情報なども加味して最終的に合議制で決定されている。また，欧州ではEUCASTが設定したブレイクポイントがある。

このように定められたS，I，Rなどには表13.2.28のような意味がある。

表 13.2.27 おもな菌種別にみた微量液体希釈法の使用培地と測定条件

菌群または菌種	培地		培養条件	
腸内細菌科	CAMHB		好気培養	35 ± 2℃
P. aeruginosa	CAMHB		好気培養	35 ± 2℃
Staphylococcus spp.	CAMHB	+2%NaCl	好気培養	35 ± 2℃
S. pneumoniae	CAMHB	+LHB	好気培養	35 ± 2℃
Streptococcus spp.				
Abotrophia spp.				
Granulicateila spp.				
Corynebacterium spp.				
Erysipelothrix rhusiopathiae				
HACEK group				
Lactobacillus spp.				
Leuconostoc spp.				
Listeria monocytogenes				
Pasteurella spp.				
Pediococcus spp.				
N. meningitidis	CAMHB	+LHB	5%CO_2	36 ± 1℃
Campylobacter jejuni/coli	CAMHB	+LHB	微好気環境	35℃，48時間 42℃，24時間
H. influenzae	HTM		好気培養	35 ± 2℃

注）CAMHB：2価イオン調整 Mueller-Hinton broth，LHB：ウマ溶血血液。

用語　マトリックス支援レーザー脱離イオン化飛行時間型質量分析計（matrix assisted laser desorption/ionization time of flight mass spectrometer；MALDI-TOF MS），CLSI（Clinical and Laboratory Standards Institute），EUCAST（European Committee on Antimicrobial Susceptibility Testing），HACEK group（*Haemophilus-Actinobacillus-Cardiobacterium-Eikenella-Kingella* group），S（susceptible），I（intermediate），R（resistant）

表 13.2.28　CLSI と EUCAST のブレイクポイントに関する解説

	CLSI	EUCAST
S＊1	薬剤の標準投与計画によって細菌の増殖が阻害され，結果として感性の可能性が高いことを意味する	薬剤の標準投与計画にて治療が成功する可能性が高いと考えられる
I＊2	薬剤の標準投与計画では感性分離株よりも治療の成功率が低い可能性がある。小さな技術的要因が解釈に大きな矛盾を引き起こすことに注意が必要である	投与計画の調整または感染部位での濃度により薬剤への暴露が増加し，治療成功の可能性が高い場合，感性として分類される
ATU＊3		一部の微生物と薬剤の組み合わせでは，結果の解釈が不確かな領域になる可能性があり，技術的不確実性領域（ATU）と分類される。場合により結果を報告しない，または"R"へ変換することもある
R＊4	薬剤の標準投与計画では細菌の増殖が阻害されない。特定の微生物耐性メカニズムが存在する可能性が高い範囲である	薬剤との曝露量が増加しても治療が失敗する可能性が高いと考えられる
SDD＊5	薬剤の用量レジメンにより感性と判定される（用量依存感性）	
NS＊6	耐性株が存在しない，または稀に発生するため，感性のブレイクポイントのみが指定されている分離株に使用されるカテゴリー	

＊1 susceptible，　＊2 intermediate（EUCAST；susceptible, increased exposure），　＊3 area of technical uncertainty，　＊4 resistant，＊5 susceptible-dose dependent，＊6 nonsusceptible

2. 薬剤感受性検査の方法

(1) 微量液体希釈法

定量的な最小発育阻止濃度（MIC）を求める場合は薬剤の2倍連続希釈系列を作製したものを使用し，定性的なS, I, Rを求めるときは，CLSIによって設定されたS, I, Rの判定濃度（ブレイクポイント）を設定濃度にして作製したものを使用する。通常，薬剤は乾燥した状態でウェルに固化されており，被検菌株を含んだ液体培地を100μL分注することで薬剤が溶出する。薬剤を含んだウェル内で被検菌が発育すれば，その薬剤はそのウェル内の濃度で無効と解釈でき，発育を認めなければ有効と解釈できる。菌の発育を阻止し得る抗菌薬の最小濃度を意味するMICを決定する。

①培地の準備

ミューラー・ヒントンブロス（MHB）は好気性菌や通性嫌気性菌の多くを迅速に増殖させること，感受性データの再現性がよいこと，サルファ剤やトリメトプリム，テトラサイクリンに対する阻害物質が少ないこと，多くの病原菌が発育しデータが蓄積されていることから，薬剤感受性測定用に用いられている。

1) 2価イオン調整MHB（CAMHB）：微量液体希釈法の培地は2価イオン（Ca^{2+}，Mg^{2+}）調製されたMHBが用いられる。
2) ウマ溶血液加CAMHB：栄養要求の厳しい菌の検査はMHBに溶血血液（LHB）を加える。溶血血液はウマ脱線維素血より調製する。*Streptococcus* 属菌の検査に使用されている。
3) HTM：*Haemophilus* spp.はHTM培地を使用して測定をする。HTM培地は，酵母エキス，ヘミン，NADが添加されたMHBである。

薬剤感受性検査は，使用する培地pHや添加物，対象となる細菌の発育速度，接種菌量，培養環境（ガス条件など），培養温度，培養時間など測定値が変動するためCLSIの標準法に従って実施すべきである。

②菌液の調製

薬剤感受性検査用菌液の調製は，非選択性の寒天培地に発育した被検菌の1コロニーを釣菌して，滅菌生理食塩液または液体培地（トリプチケース・ソイブロスなど）に懸濁する直接法と，非選択性の寒天培地のコロニーから4〜5mLの液体培地へ接種して35±2℃で2〜6時間培養し，McFarland No. 0.5を超える濁度になるまで増菌した後に，滅菌生理食塩液で菌液濃度を調整する前培養法がある。菌種によってCLSIドキュメントに記載された方法に従う。いずれの場合も，菌液濃度はMcFarland No. 0.5に調製する（図 13.2.22）。

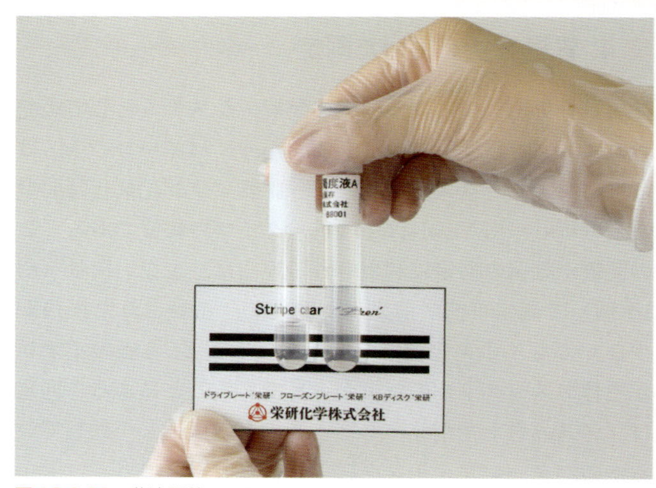

図 13.2.22　菌液調整 McFarland
（栄研化学株式会社より許可を得て転載）

③菌液の接種

McFarland No. 0.5に調整した菌液は，15分以内に感受性検査プレートに接種する。各ウェルの菌量は約5×10^5 CFU/mLとなる。菌液調製ならびに接種方法は，市販品

用語　最小発育阻止濃度（minimum inhibitory concentration；MIC），ミューラー・ヒントンブロス（Mueller-Hinton broth；MHB），2価イオン調整MHB（cation-adjusted Mueller-Hinton broth；CAMHB），ウマ脱線維素血（lysed horse blood；LHB），HTM（Haemophilus test medium），コロニー形成単位（colony forming unit；CFU）

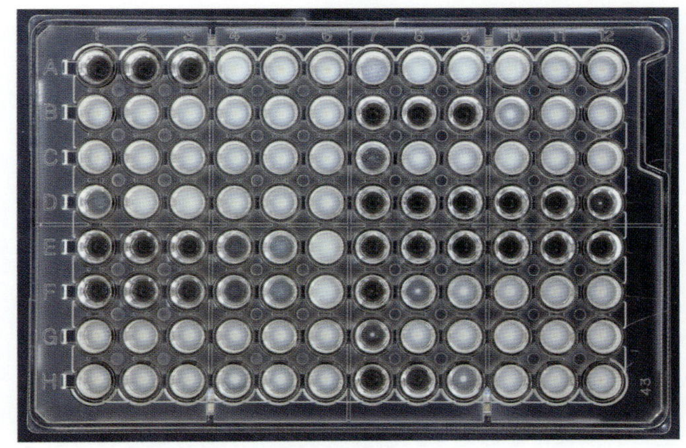

図 13.2.23 エンドポイントの測定

（栄研化学株式会社より許可を得て掲載）

により異なるが，100μLの培地に接種すると，最終接種菌量は約5×10^4/ウェルになる。

④培養

菌液接種後の感受性検査プレートは，専用のフタをするか表面にシールを貼り乾燥を防ぐ。培養は35 ± 2℃，16～20時間培養するが，菌種によって条件が異なることがあるので注意する。トレイは4個まで重ねてよいが，それ以上は避ける。

⑤エンドポイントの決定

対象（薬剤の入っていないコントロールウェル）の発育状況を対照とし，肉眼で観察して菌の発育が完全に阻止されている最小濃度をエンドポイントとし，その薬剤濃度をMICとする。(図13.2.23)。

1) 発育陽性の判定基準：肉眼的に混濁または直径1mm以上の沈殿が認められた場合，または沈殿物の直径が1mm未満であっても沈殿塊が2個以上認められた場合
2) 発育陰性の判定基準：肉眼的に混濁または沈殿が認められない場合，または沈殿物があっても直径が1mm未満で1個の場合
3) 判定の際，薬剤希釈系列中にスキップ現象（発育ウェルが不連続となる現象）は1個認められた場合，高濃度での発育阻止部分をMIC値とする。2個以上のスキップ現象は再検査する。
4) 菌種と薬剤の組み合わせによりトレーリング現象（一般的な細菌ではウエル底部に1mm未満の微小な沈殿が続くことを指す）が認められる場合があり（図13.2.24），グラム陽性球菌におけるクロラムフェニコール，クリンダマイシン，エリスロマイシン，リネゾリド，およびテトラサイクリンの薬剤感受性検査では注意が必要である。

⑥最終判定

微量液体希釈法によってブレイクポイントのみを測定した場合はそのままCLSIドキュメントに従ってS，I，RまたはSDDのカテゴリーに当てはめる。

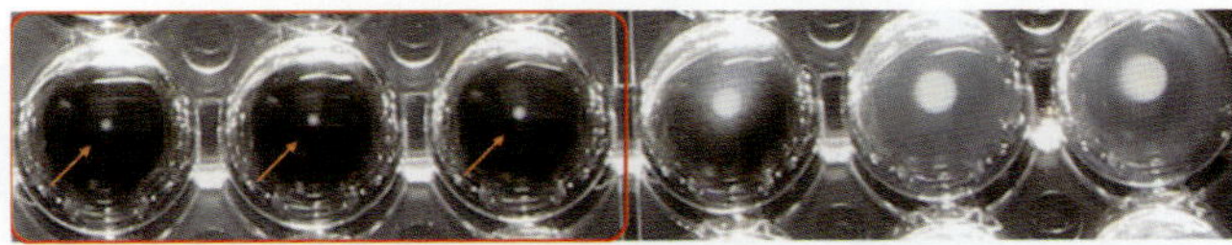

図 13.2.24 トレーリング現象

（栄研化学株式会社より許可を得て掲載）

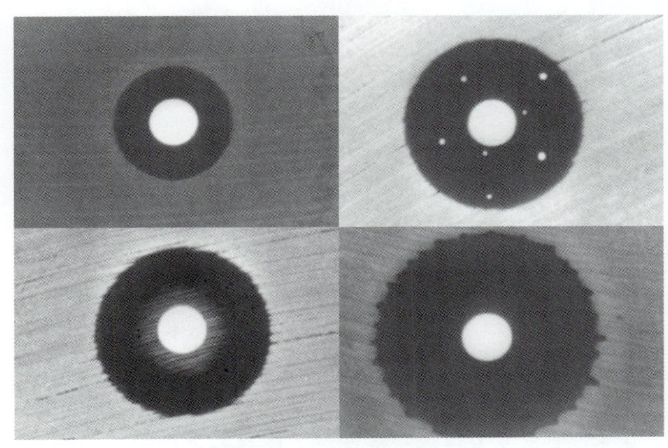

図 13.2.25 ディスク拡散法

（栄研化学株式会社より許可を得て転載）

⑦精度管理

菌株の準備が必要で，CLSIドキュメントでは精度管理用の菌株が決められている。

これらの菌株を使用し，所定の測定法で得られた測定データの管理限界値がCLSIドキュメントに記載された管理限界値に当てはまることを確認する。

⑧評価・是正

1) 管理許容幅と比較し乖離が認められる場合は，早急に原因究明および是正を行う（各種試薬，培地，キット，抗菌薬感受性プレート，冷蔵庫，冷凍庫，孵卵器，自動分析機，培養温度，培養時間，機器保守状況，各種マニュアルおよび要員の手技の確認）。
2) 精度管理結果は，記録に残す。

(2) ディスク拡散法

①ディスク拡散法

1) ディスク拡散法は，微量液体希釈法と同様に菌液を調製する。
2) 菌液の接種は薬剤感受性測定用（ミューラー・ヒントン寒天）の寒天培地面に，スワブで均一に塗布する。
3) 35 ± 2℃，16～20時間培養することによって，被検菌に対して濾紙に含まれた薬剤が有効であるときに，ディスク周囲に発育阻止円が形成（図13.2.25）される。この阻止円直径をCLSI documentsに記載された基準に従って測定することで，細菌に対する抗菌力を検査する定性的な方法である。

②Eテスト法

Eテストはディスク拡散法の要領でMIC測定を行える

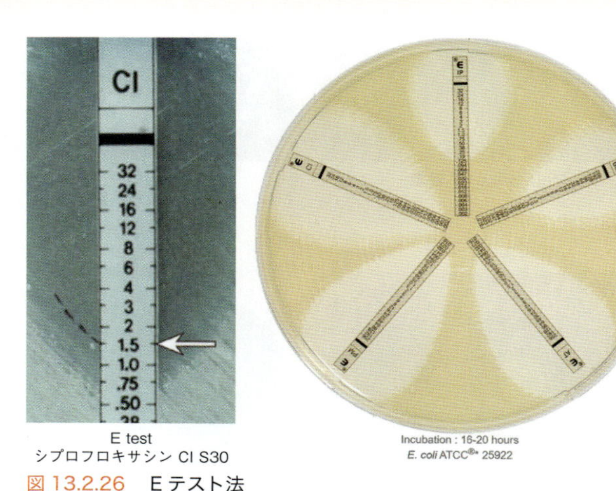

E test
シプロフロキサシン CI S30

図 13.2.26 Eテスト法

（ビオメリュージャパン株式会社より許可を得て掲載）

方法である。わが国では使用施設は0.5%未満である。Eテスト法によるMICは微量液体希釈法よりも高めに結果が出る抗菌薬もある。

また，Eテストは嫌気性菌にも簡便な手技で利用でき，MIC値も得られる方法として評価されている。発育支持力の高い嫌気性の血液寒天が測定培地として推奨されており，多くの菌種の薬剤感受性が測定可能である。詳細は製品に添付されている使用説明書を参照されたい（図13.2.26）。

3. 嫌気性菌の薬剤感受性検査

偏性嫌気性菌の日常検査における薬剤感受性検査は，特殊な例外を除いては省略してもよいとされている。日常検査において分離されるすべての嫌気性菌に感受性検査を実施することは困難であるし，現実的ではない。

(1) 微量液体希釈法

日本化学療法学会の嫌気性菌のための微量液体希釈法による標準法は，フローズンプレート法である。感受性測定培地は被検菌の発育をよく支持する培地（ABCMブイヨン，変法GAMブイヨンなど）と規定され，使用前に4時間以上嫌気状態に置いて予備還元してから1/100容量の菌液をウェルに接種する。CLSIの推奨する方法もフローズンプレート法であるが，感受性測定用培地には5%ウマ溶血血液，ヘミン（5μg/mL）ビタミンK_1（1μg/mL）を添加したブルセラブロスを指定している。CLSIでは当面は，*Bacteroides frgilis* groupのみに推奨する方法と規定している。

「日本臨床微生物学雑誌　嫌気性菌検査ガイドライン2012　第Ⅷ章　薬剤感受性検査」を参照されたい。

4. 真菌の薬剤感受性

*Candida*属は日和見感染症や表在性真菌症の起因病原体として広く知られている。また*Cryptococcus*属は免疫不全の有無にかかわらず，脳髄膜炎患者から分離されることもしばしばあり，公衆衛生上の問題となっている。近年の人口動態の変化に伴う日和見感染症の増加や*Candida auris*（2009年わが国で発見された）の多剤耐性化などもふまえ，真菌の薬剤感受性試験に対して注目が高まってきた。わが国で発売されている真菌の薬剤感受性試験の実施方法は概ねCLSIのガイドラインに準拠しており，それぞれの操作法や注意書きなどを熟読したうえで実施することが必要である。真菌においても治療効果の評価基準としてブレイクポイントが用いられる。CLSI（M27M44S 3rd Edition, 2022）[49] およびEUCAST（Breakpoint tables for interpretation of MICs for antifungal agents, 2020）[50] はそれぞれ抗真菌薬のMICによるブレイクポイントを感性（S），中間（I），耐性（R），一部のアゾール系では容量依存的感性（SDD）の評価基準を勧告している。それらを参考に自施設での判定基準を作成し，よりよい真菌感染症治療のための結果表示を目指すことが大切である。

5. 結果の表示と解釈

薬剤感受性検査の結果で，いかにMIC値が低くても，臨床的には必ずしもその薬剤選択が正しいとは限らない。たとえMIC値が低くても，感染病巣への移行性が低いこともあるし，投与中の他剤との相互作用があるかもしれない。薬剤を選択する際は，治療対象とすべき臓器はどこか，起炎微生物として想定できるものがカバーできる抗菌スペクトルはあるか，安全性や常在細菌叢へ与える影響などを考慮するべきである。

［舟橋恵二］

13. 2. 9　薬剤耐性菌の検出法

今日多様な耐性機序や複数の耐性機序を有する薬剤耐性菌，多剤耐性菌の出現・拡散が世界規模での問題となっており，感染症治療ならびに医療関連感染対策の観点から，これら薬剤耐性菌を正確かつ早期に検出することが極めて重要である。しかしながら，日常の薬剤感受性検査の結果のみでは薬剤耐性菌を検出識別するのが困難な場合もあるため，疑われる耐性機序に応じた適切な耐性菌検出検査を追加する必要がある。臨床的に重要な薬剤耐性菌の表現型にもと

表 13.2.29　β-ラクタマーゼの酵素阻害剤の特性

β-ラクタマーゼ		ESBL（CTX-M 型など）	AmpC β-ラクタマーゼ	カルバペネマーゼ		
				メタロ-β-ラクタマーゼ（IMP 型，NDM 型など）	KPC 型カルバペネマーゼ	OXA-48 型カルバペネマーゼ
クラス（Ambler 分類）		A	C	B	A	D
酵素活性阻害剤	クラブラン酸	+	−	−	−	−
	ボロン酸	−	+	−	+	−
	SMA	−	−	+	−	−
	ジピコリン酸	−	−	+	−	−
	クロキサシリン	−	+	−	−	−

ボロン酸：3-アミノフェニルボロン酸，SMA：メルカプト酢酸ナトリウム。

表 13.2.30　ESBL のスクリーニング検査

	ディスク拡散法		微量液体希釈法	
判定基準	阻止円径（mm）がいずれかの条件を満たす場合 ESBL 確認試験を行う	(mm)	MIC（μg/mL）がいずれかの条件を満たす場合 ESBL 確認試験を行う	(μg/mL)
E. coli *K. pneumoniae* *K. oxytoca*	セフポドキシム	≦ 17	セフポドキシム	≧ 8
	セフタジジム	≦ 22	セフタジジム	≧ 2
	アズトレオナム	≦ 27	アズトレオナム	≧ 2
	セフォタキシム	≦ 27	セフォタキシム	≧ 2
	セフトリアキソン	≦ 25	セフトリアキソン	≧ 2
P. mirabilis	セフポドキシム	≦ 22	セフポドキシム	≧ 2
	セフタジジム	≦ 22	セフタジジム	≧ 2
	セフォタキシム	≦ 27	セフォタキシム	≧ 2

表 13.2.31　ESBL の確認検査

	ディスク拡散法	微量液体希釈法
判定基準	いずれかの薬剤でクラブラン酸存在下の阻止円径が単剤の阻止円径に比べて 5mm 以上拡大した場合陽性と判定	いずれかの薬剤でクラブラン酸存在下の MIC が単剤の MIC に比べて 3 管（8 倍）以上低下した場合陽性と判定
E. coli *K. pneumoniae* *K. oxytoca* *P. mirabilis*	セフタジジム単剤の阻止円径とセフタジジム / クラブラン酸の阻止円径の比較	セフタジジム単剤の MIC とセフタジジム / クラブラン酸の MIC の比較
	セフォタキシム単剤の阻止円径とセフォタキシム / クラブラン酸の阻止円径の比較	セフォタキシム単剤の MIC とセフォタキシム / クラブラン酸の MIC の比較

づく検出法として阻害剤を用いた各種β-ラクタマーゼの酵素阻害試験による検出法（表 13.2.29）を中心に述べる。

1. 基質特異性拡張型β-ラクタマーゼ産生菌の検出法

(1) CLSI による検出法

染色体性 AmpC β-ラクタマーゼを産生しない *Klebsiella pneumoniae*, *Klebsiella oxytoca*, *Escherichia coli*, *Proteus mirabilis* を対象としたスクリーニング検査，確認検査が CLSI で設定されている（表 13.2.30，13.2.31）。確認検査では ESBL の酵素活性がクラブラン酸により阻害される性質を利用している（図 13.2.27）。

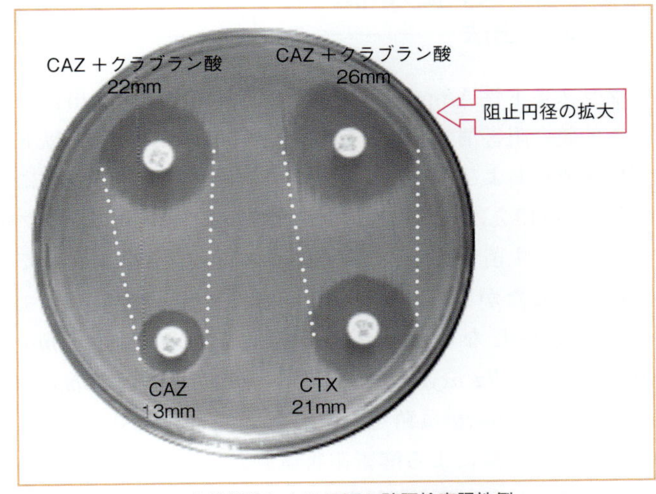

図 13.2.27　ディスク拡散法による ESBL 確認検査陽性例

(2) double disk synergy test

ESBL 確認試験の別法で，ディスク拡散法の手技にて実

用語　AmpC（Ambler class C），NDM 型メタロ-β-ラクタマーゼ（New Delhi metallo-β-lactamase），クラブラン酸（clavulanic acid；CVA），アモキシシリン（amoxicillin；AMPC），セフタジジム（ceftazidime；CAZ），セフォタキシム（cefotaxime；CTX）

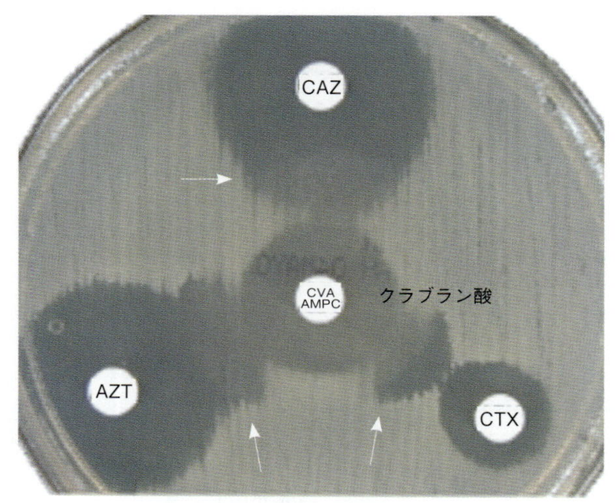

図 13.2.28　DDST による ESBL 確認検査陽性例

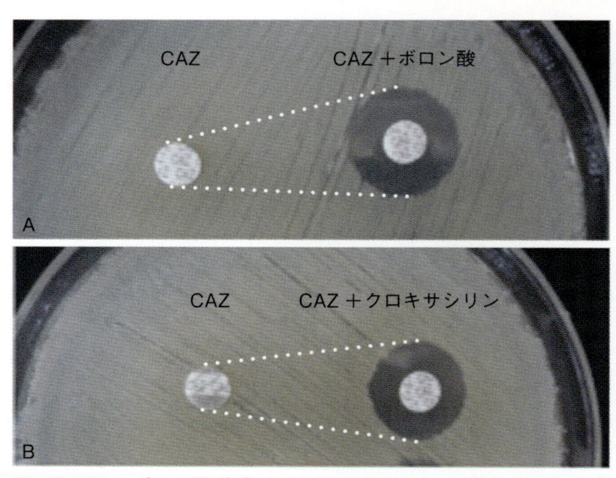

図 13.2.29　ボロン酸（A）およびクロキサシリン（B）を用いた酵素阻害試験によるプラスミド性 AmpC β-ラクタマーゼ陽性例

施可能である。ミューラー・ヒントン寒天培地の中央に置いたクラブラン酸（CVA/AMPCディスクを使用）によりESBL酵素活性が阻害された場合，図13.2.28のようにセフタジジム（CAZ）やセフォタキシム（CTX）などの基質薬剤との間で阻止円径の拡大が認められる。ディスク間の距離は20～25mmを目安とするが，距離が長いと偽陰性結果が得られる可能性がある。しかしながら，用いる基質薬剤の種類やディスク間距離を調整するなど工夫することで，スクリーニング基準の対象外の菌種でも染色体性AmpC産生菌を含めた複数酵素産生菌の場合のESBL産生性を確認することが可能となり，本法の汎用性は高いと考えられる。

2. プラスミド性 AmpC β-ラクタマーゼ産生菌の検出法

プラスミド性AmpC β-ラクタマーゼ産生菌の検出には，可逆的競合阻害剤である3-アミノフェニルボロン酸（以下，ボロン酸）およびクロキサシリンを用いた酵素阻害試験にて行う（図13.2.29）。ただし本法は染色体性AmpC β-ラクタマーゼ産生菌も陽性となり，プラスミド性との判別はできない。したがって，とくに染色体性AmpC β-ラクタマーゼを産生しない*Escherichia coli*, *Klebsiella pneumoniae*, *Klebsiella oxytoca*, *Proteus mirabilis*, *Citrobacter koseri*, *Salmonella*属菌を対象とした場合に有効である。また，ボロン酸による酵素阻害試験だけではKPC型カルバペネマーゼ産生菌も陽性となり，誤判定を招くおそれがあるため注意が必要である。

3. カルバペネマーゼ産生菌の検出法

(1) CLSIによる検出法―CarbaNP test

基質薬剤として用いるイミペネムのβ-ラクタム環がカルバペネマーゼの存在により開環し酸性となる反応を，pH指示薬フェノール赤の黄変を通じて目視で判定する（図13.2.30）。カルバペネマーゼ活性が低い株やムコイド株では陰性結果が得られる場合があるが，特異性は高い。

(2) CLSIによる検出法-改良カルバペネム不活化法（modified carbapenem inactivation method；mCIM）とEDTAカルバペネム不活性化法（EDTA-carbapenem inactivation method；eCIM）

mCIM法は腸内細菌目細菌（*Enterobacterales*）および緑膿菌（*Pseudomonas aeruginosa*）を対象にカルバペネマーゼ活性の有無を簡便に検出できる方法である。また，eCIM法は腸内細菌目細菌のセリンカルバペネマーゼ（EDTAにより阻害されない）とメタロ-β-ラクタマーゼ（EDTAにより阻害される）を区別する方法で，mCIM法が陽性の場合のみeCIM法での判定が有効となる。なお，GES型カルバペネマーゼなどカルバペネマーゼ活性が低い場合mCIM法で検出できないことがある。

①mCIM法

被検菌株のトリプチケースソイブイヨン（TSB）懸濁液中にメロペネムディスクを浸漬させるとカルバペネマーゼの存在によりディスクに含有されるメロペネムが分解不活化される。このディスクを*E. coli* ATCC 25922（カルバペネム系薬感性株）をあらかじめ塗布したミューラーヒントン寒天培地上に置き一夜培養後阻止円が形成されないことを確認する（図13.2.31）。

用語　カルバペネム不活化法（carbapenem inactivation method；CIM）トリプチケースソイブイヨン（trypcase soy broth；TSB），ミューラーヒントン寒天（Mueller-Hinton agar；MHA）

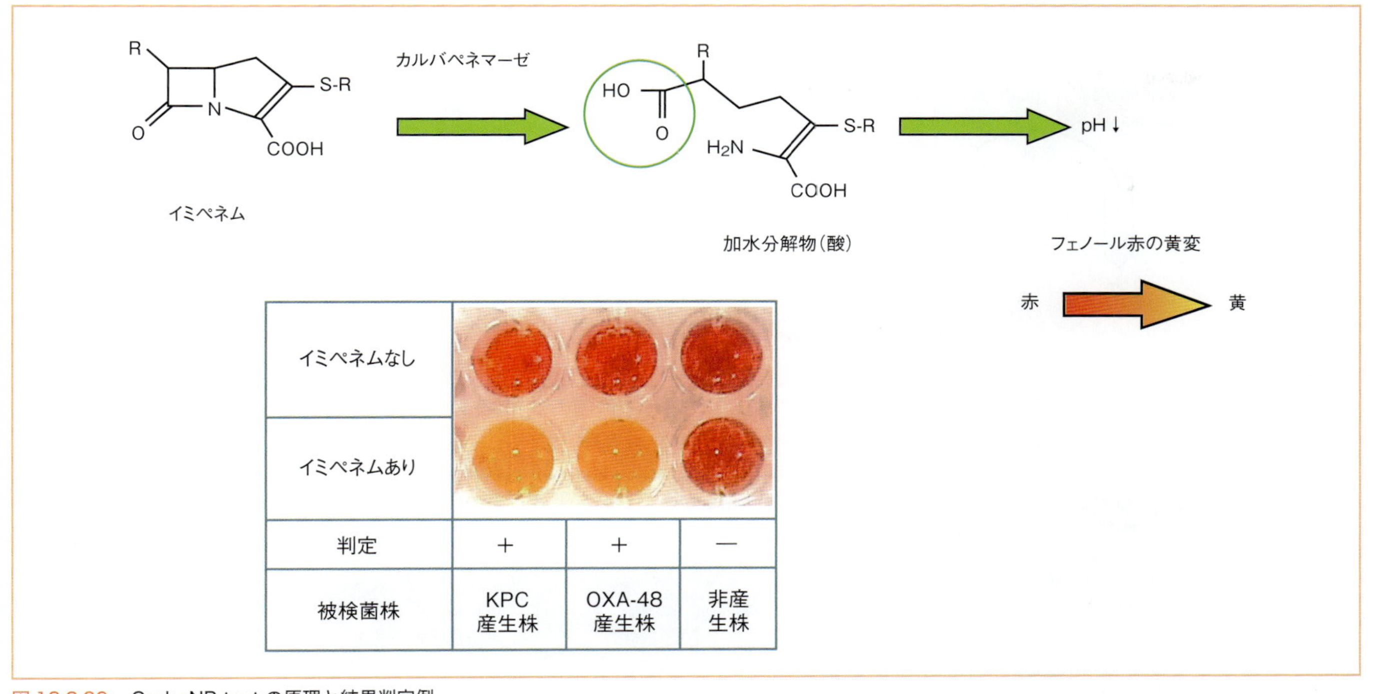

イミペネムなし			
イミペネムあり			
判定	+	+	—
被検菌株	KPC産生株	OXA-48産生株	非産生株

図 13.2.30　CarbaNP test の原理と結果判定例
(Dortet L *et al.* : "Worldwide dissemination of the NDM-type carbapenemases in gram-negative bacteria", BioMed Res Int, 2014; Article ID 249856, 12 pages. doi:10.1155/2014/249856 を一部改変)

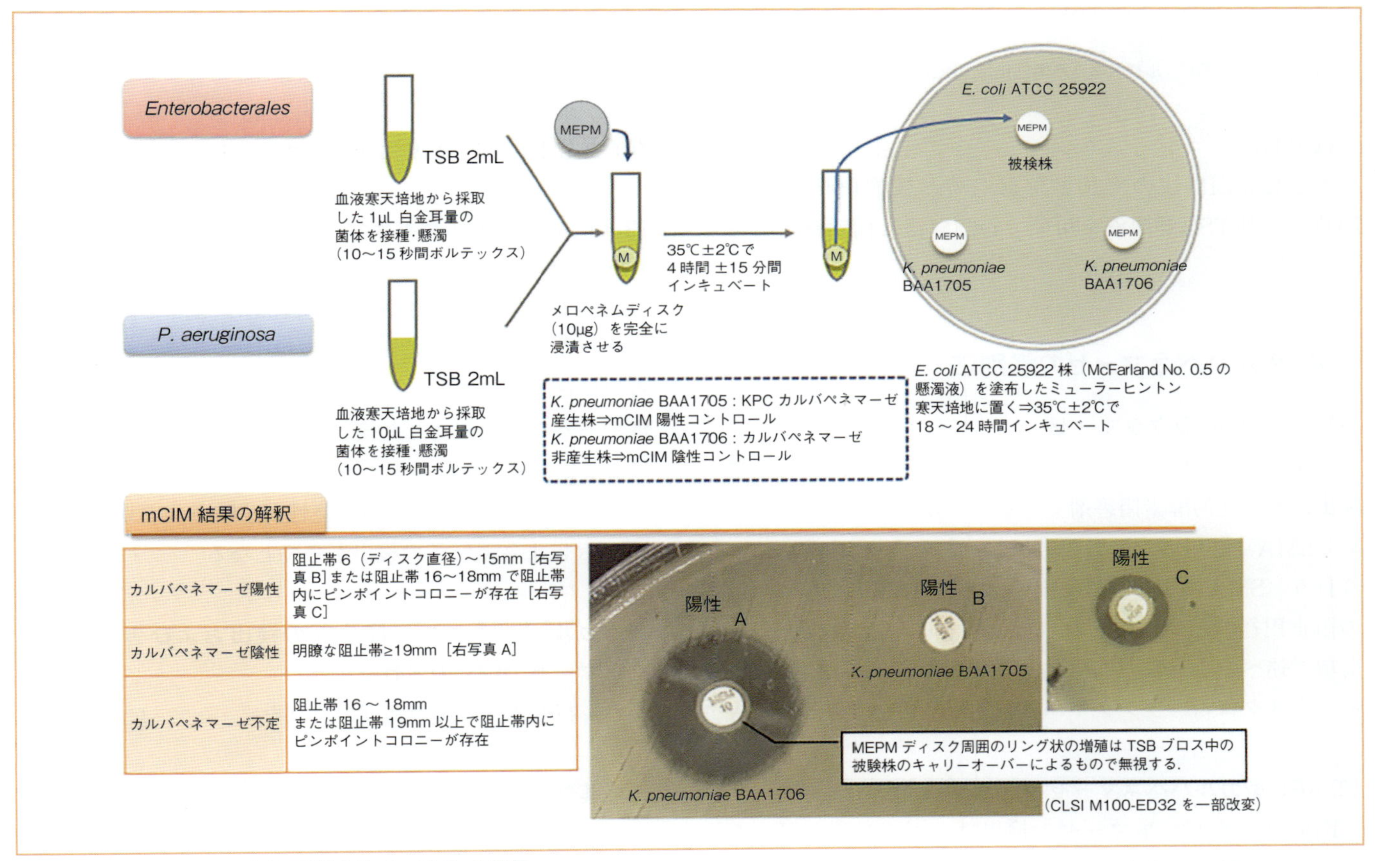

カルバペネマーゼ陽性	阻止帯 6（ディスク直径）～15mm［右写真 B］または阻止帯 16～18mm で阻止帯内にピンポイントコロニーが存在［右写真 C］
カルバペネマーゼ陰性	明瞭な阻止帯≥19mm［右写真 A］
カルバペネマーゼ不定	阻止帯 16～18mm または阻止帯 19mm 以上で阻止帯内にピンポイントコロニーが存在

図 13.2.31　改良カルバペネム不活性化法（mCIM）の手順

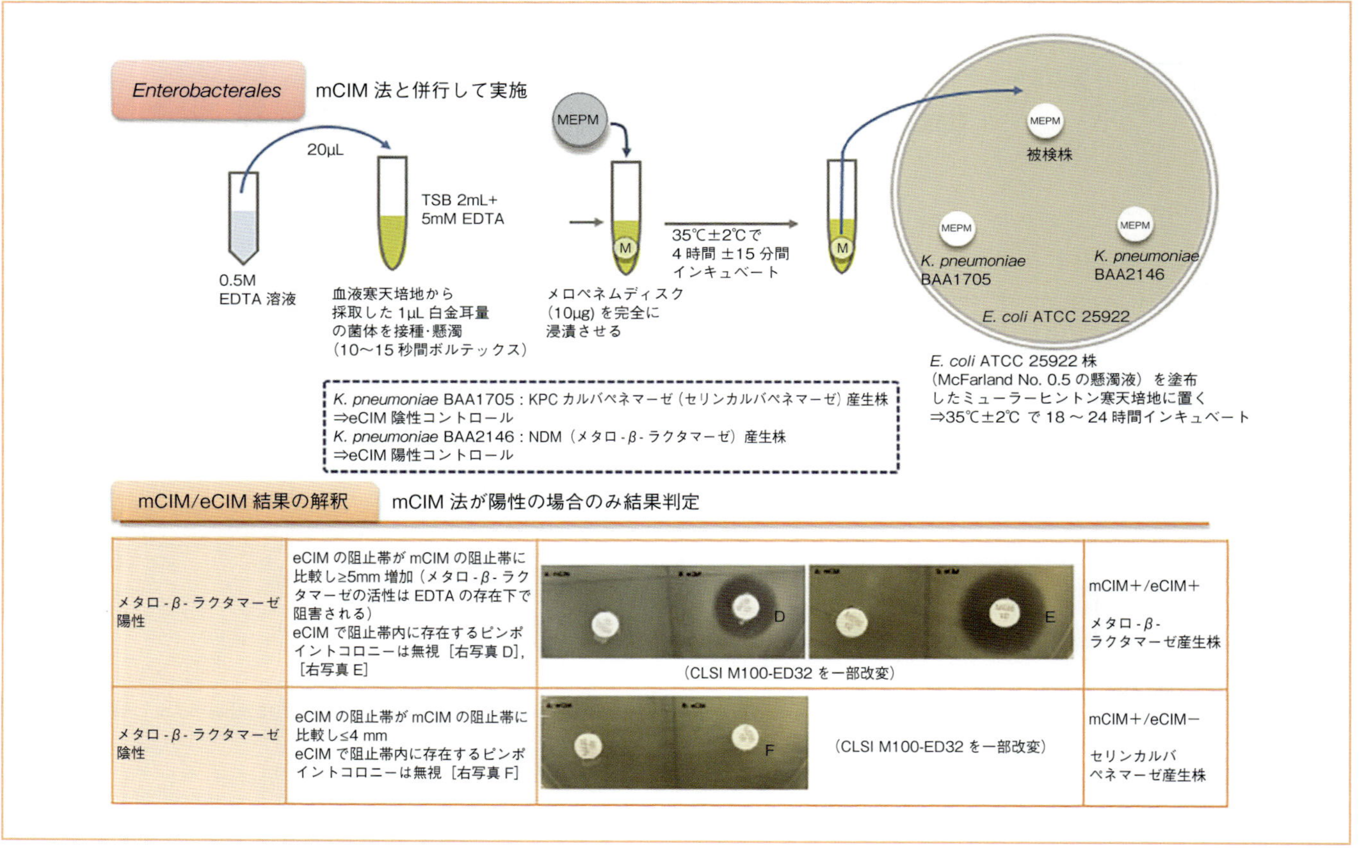

メタロ-β-ラクタマーゼ陽性	eCIM の阻止帯が mCIM の阻止帯に比較し≥5mm 増加 (メタロ-β-ラクタマーゼの活性は EDTA の存在下で阻害される) eCIM で阻止帯内に存在するピンポイントコロニーは無視 [右写真 D], [右写真 E]	(CLSI M100-ED32 を一部改変)	mCIM+/eCIM+ メタロ-β-ラクタマーゼ産生株
メタロ-β-ラクタマーゼ陰性	eCIM の阻止帯が mCIM の阻止帯に比較し≤4 mm eCIM で阻止帯内に存在するピンポイントコロニーは無視 [右写真 F]	(CLSI M100-ED32 を一部改変)	mCIM+/eCIM− セリンカルバペネマーゼ産生株

図 13.2.32　EDTA カルバペネム不活性化法 (eCIM) の手順

②eCIM法

本法はmCIM法の実施と併行して，被検菌株の5mM EDTA添加TSB懸濁液を用いてmCIM法と同手順で行う (図13.2.32)。

4. カルバペネマーゼの鑑別法

(1) メタロ-β-ラクタマーゼ

メタロ-β-ラクタマーゼ (クラスB β-ラクタマーゼ) の検出は不可逆的酵素阻害剤であるメルカプト酢酸ナトリウム (SMA) を用いた酵素阻害試験 (SMAディスク) により行う。SMAによる基質薬剤ディスク (IPM, CAZなど) の阻止円径の拡大が見られれば陽性 (図13.2.33)。また，前項で述べたようにmCIM法陽性でかつeCIM法陽性によってもメタロ-β-ラクタマーゼ産生株と判定できる。

(2) KPC型カルバペネマーゼ

KPC型カルバペネマーゼの検出は，ボロン酸を用いた酵素阻害試験により行う。ただし，AmpC β-ラクタマーゼ産生菌もボロン酸による阻害試験で陽性を示すため，ボロン酸阻害試験に加えクロキサシリンを用いた酵素阻害試験を並行し，AmpC産生株との識別を行う (図13.2.34)。

(3) OXA-48型カルバペネマーゼ

OXA-48型カルバペネマーゼに特異的な阻害剤は見出されていない。mCIM法またはCarbaNP testで陽性 (判定不定となることがある) で，SMAによる酵素阻害試験あるいはeCIM法陰性およびボロン酸による酵素阻害試験陰性であることを確認した後，テモシリンディスク (30μg) による薬剤感受性試験を行う。その結果テモシリン耐性であればOXA-48型産生株の可能性が示唆されるが，確定にはPCRによる遺伝子の検出が必要となる。

(4) カルバペネマーゼ産生菌の検出およびカルバペネマーゼの鑑別の流れ

カルバペネマーゼの鑑別の流れを図13.2.35にまとめた。

(5) 薬剤耐性菌検出に用いるその他の市販培地・試薬など

ESBL産生菌，カルバペネマーゼ産生菌の選択培地が市販されており，臨床検査で汎用されている。また，ESBLとAmpCの耐性酵素を鑑別するディスクやカルバペネム耐性菌を対象にメタロ-β-ラクタマーゼ，KPC型カルバ

用語　メルカプト酢酸ナトリウム (sodium mercaptoacetate；SMA)，イミペネム (imipenem；IPM)，メロペネム (meropenem；MEPM)，KPC (*Klebsiella pneumoniae* carbapenemase)，ポリメラーゼ連鎖反応 (polymerase chain reaction；PCR)

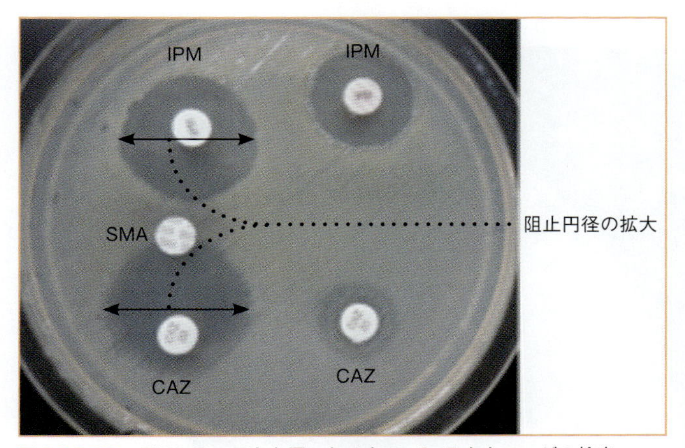

図 13.2.33　SMA ディスクを用いたメタロ-β-ラクタマーゼの検出

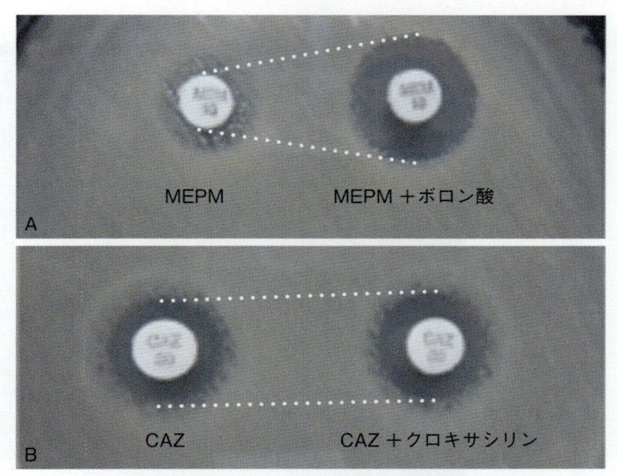

図 13.2.34　KPC 型カルバペネマーゼ産生菌のボロン酸（A）およびクロキサシリン（B）を用いた酵素阻害試験結果

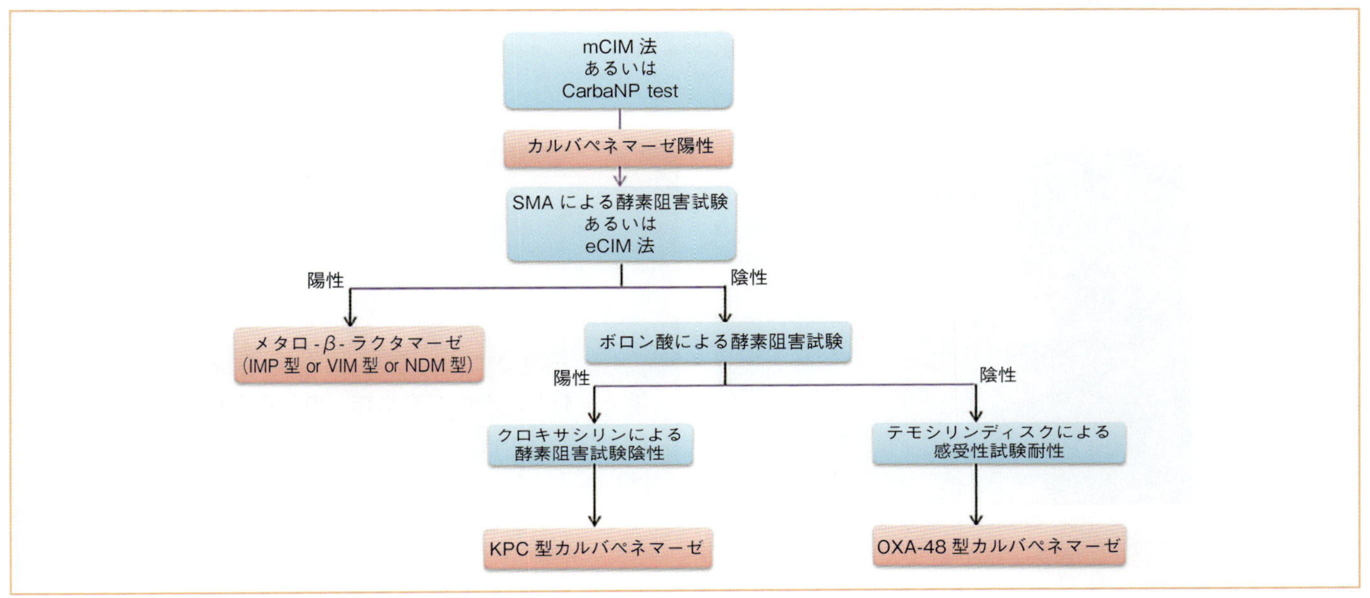

図 13.2.35　カルバペネマーゼ鑑別の流れ

ペネマーゼおよびOXA-48型カルバペネマーゼの産生性あるいはAmpC＋外膜薬剤透過孔の変異を識別可能な鑑別ディスクも市販されている。

5. *Staphylococcus aureus* におけるβ-ラクタマーゼの検出法

薬剤感受性試験でペニシリン“感性”と判定される *S. aureus* 株（ペニシリンのMICが≦0.12μg/mLあるいはペニシリンディスクの阻止円径が≧29mm）のなかには誘導性β-ラクタマーゼを産生する株が含まれる可能性がある。そこでペニシリンが真に有効な治療抗菌薬の選択肢の1つとなり得るか否かを調べる目的でゾーンエッジテストによりβ-ラクタマーゼの検出を行い，その結果にもとづきペニシリンの感受性結果を報告しなければならない（図13.2.36）。

6. ブドウ球菌属，肺炎球菌を含めたレンサ球菌属におけるクリンダマイシン誘導耐性の検出法

ブドウ球菌属，肺炎球菌などのレンサ球菌属におけるマクロライド系薬耐性の主要な機序に *erm* 遺伝子にコードされるメチル化酵素によるリボソームのメチル化がある。このリボソームのメチル化によりマクロライド系に加え，リンコサミド系，ストレプトグラミンB（MLSB）の標的部位への結合能も低下する（交差耐性）。MLSB耐性の発現には構成型と誘導型があり，誘導型の場合エリスロマイシンなどの14員環や15員環マクロライド系薬によって耐性が誘導される。しかしながら，クリンダマイシンなどのリンコサミド系薬は誘導剤として不十分であり，誘

用語　マクロライド・リンコサミド・ストレプトグラミンB（macrolide-lincosamide-streptogramin B；MLSB）

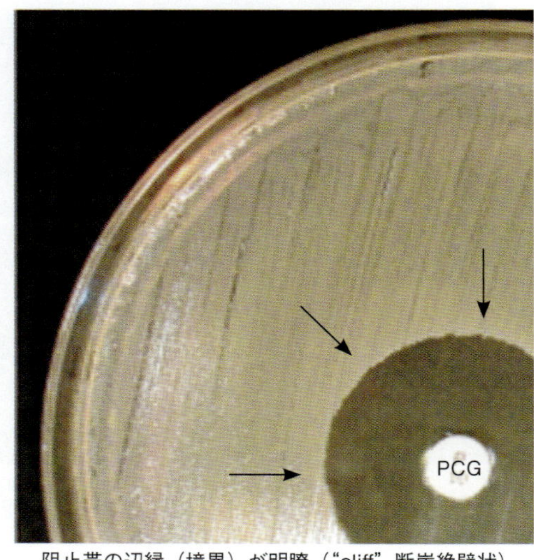

阻止帯の辺縁（境界）が明瞭（"cliff" 断崖絶壁状）

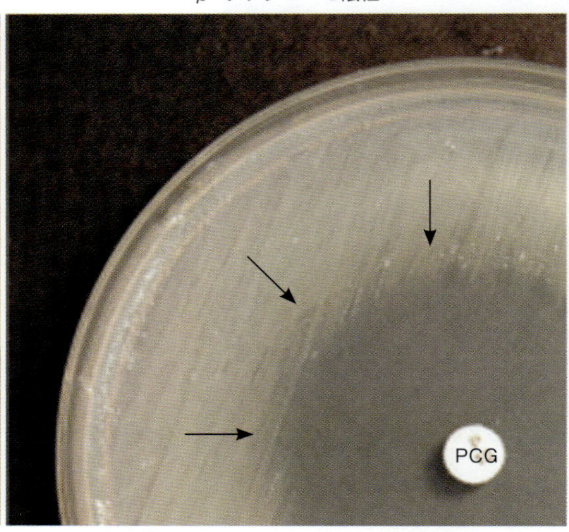

阻止帯の辺縁が不明瞭（"beach" 砂浜状）

図 13.2.36　ペニシリンゾーンエッジテスト
（Clinical and Laboratory Standards Institute : "Performance Standards for Antimicrobial Susceptibility Testing; Twenty-Fifth Informational Supplement", M100-S27, CLSI, 2017 を一部改変）

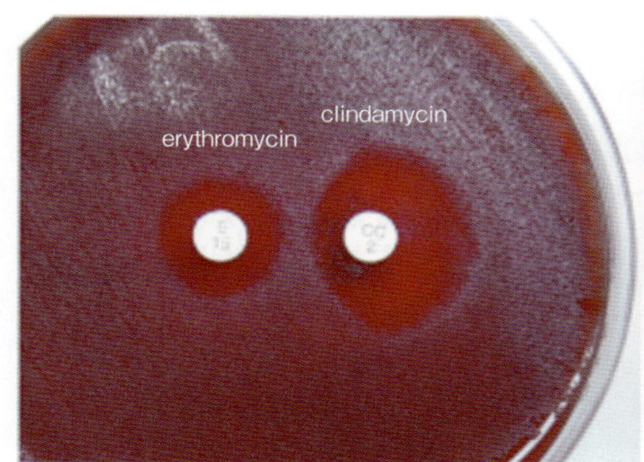

Group A *Streptococcus*

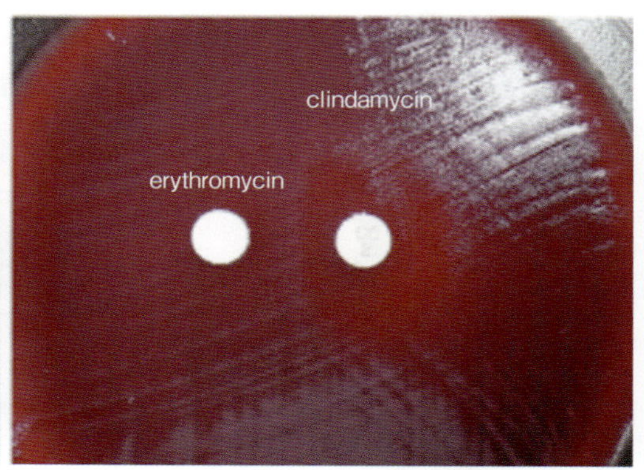

Group B *Streptococcus*

図 13.2.37　D-zone test

導型の耐性はディスク拡散法や微量液体希釈法による日常の薬剤感受性検査では検出されない。したがってクリンダマイシンが治療薬として選択可能かどうかを判定する目的で，日常検査で「エリスロマイシン耐性，クリンダマイシン感性」を示す菌株を対象にD-zone testを行う必要がある。

D-zone testでエリスロマイシンディスクに隣接した側でクリンダマイシンディスク周囲の発育阻止帯の平坦化（D-zone）が認められる場合，試験株は*erm*遺伝子を保有する潜在的なクリンダマイシン耐性株と判定される（図13.2.37）。

［長野則之］

13. 2. 10　結果の報告

微生物検査の対象は細菌，真菌，ウイルスなど多岐にわたる。その検査法も塗抹鏡検，培養，抗原検出，PCR法による遺伝子検出など広範囲となる。さらに検査目的も，感染症の診断のみならず，治療効果の判定，入院時スクリーニング，監視培養，治癒後の判定など，要求される内容はさまざまである。さらに検査室本来の業務に加えて，院内感染対策の中心機関として耐性菌を中心とした院内感染起因菌の検出状況や薬剤感受性パターンの定期的な報告，職員の保菌調査など，その役割はますます大きくなっている。

このような業務内容が多様化するなかで，検査の目的に応じた適切な検査結果の報告の必要性が高まっている。

1. 塗抹検査

細菌感染症で最も早く結果報告できるものが検体からの塗抹検査である。患者の感染症情報を加味して検体の肉眼的性状，低倍率（100倍）での鏡検による白血球数・扁平上皮細胞数（喀痰の場合），高倍率（1,000倍）での有意菌の量，特徴的なGram染色所見などから，起因菌が推定可能な場合は，早急に主治医に連絡する。とくに無菌材料のGram染色で細菌が認められる場合は，推定菌や白血球貪食の有無などを速やかに報告する。

2. 培養検査

検査の結果，医学的に極めて重要で緊急に報告すべき細菌が検出された場合は，医師へ速やかに連絡しなければならない。検体別には血液や髄液など本来無菌の検体からの菌の検出，菌種別には赤痢菌（*Shigella* spp.）やサルモネラ（*Salmonella* spp.）属菌，腸管出血性または志賀毒素産生大腸菌などの病原的意義が高い細菌や結核菌などの伝染性が高い細菌が該当し，臨床医へ電話などで至急連絡する必要がある。結核菌や薬剤耐性菌は他者や病院内での伝播を防止する感染対策上の観点からも迅速な報告が求められる。また免疫不全患者の場合は緑膿菌や*Aspergillus*属菌も対象となる。同定に長時間を要する場合にも中間報告を行うべきである。

院内感染をいち早く察知できるのも微生物検査室である。日常の検査業務において院内感染関連の微生物などが，一定の病棟において数人の患者から検出され，病院全体で通常より多く検出された場合には臨床医や感染対策委員会へ報告する。

3. 常在菌の同定と報告

常在菌の同定や報告は，喀痰のような呼吸器検体や糞便の検査でしばしば議論となる。施設や検査室によって考え方が異なり標準化されていないが，最低限，常在菌の有無は報告すべきである。例えば，常在菌またはnormal flora（3＋）と報告する。常在菌の同定は極めて簡略なものでよく，分離培地上のコロニー性状からの同定で十分と考える。

また，入院患者の喀痰培養で常在菌とともに少数のクレブシエラ（*Klebsiella* sp.）などの腸内細菌目細菌やブドウ糖非発酵グラム陰性桿菌などのグラム陰性桿菌が認められることが多い。このような場合，グラム陰性桿菌は定着とみなされ，詳細な同定は省略される。しかし，免疫不全患者においては，このような原則が当てはまらないことを知っておく。報告結果の取扱いは院内ルールなど診療側と決めておくことが必要となる。

4. パニック値と報告

微生物検査室では，パニック値に相当する細菌のリストを作成し，報告ルートまで定めてルール化し，診療側と共有しておく。行政機関に委ねる感染症検査，外部委託検査の場合は検査会社との契約時に確認しておく。このような連絡体制は医療安全上の観点から必須である。

［舟橋恵二］

参考文献

1) 小栗豊子：「微生物検査材料の採取と保存」，臨床微生物検査ハンドブック 第5版，39-47，三輪書店，2017.
2) 長沢光章：「感染症と臨床検査」，薬剤師のための感染制御マニュアル 第3版，153-159，日本病院薬剤師会(監)，日本病院薬剤師会感染制御専門薬剤師部門(編)，薬事日報社，2011.
3) 日本臨床微生物学会(編)：血液培養検査ガイド，南江堂，2013.
4) Winn WC Jr *et al.* : Koneman's Color Atlas and Textbook of Diagnostic Microbiology 6th ed, 67-110, Lippincott Williams & Wilkins, 2006.
5) Linscott AJ, Wang H : "Specimen collection, transport, and acceptability", Clinical Microbiology Procedures Handbook 5th ed, ASM Press, 2023.
6) 山口惠三，小栗豊子：微生物検査のための検体採取法，国際医学出版，2011.
7) Miller JM *et al.* : "A guide to utilization of the microbiology laboratory for diagnosis of infectious diseases : 2018 Update by the Infectious Diseases Society of America (IDSA) and the American Society for Microbiology (ASM)", Clin Infect Dis, 2018 ; 67 : e1-e94.
8) 小栗豊子：「臨床微生物検査室の効率的な運用と検査法の体系化に向けて」，日臨微生物誌，2010 ; 20 : 1-8.
9) Ali Y *et al.* : "Alcohols", Disinfection, Sterilization, and Preservation 5th ed, 229-253, Block SS (ed.), Lippin-cott Williams & Wilkins, 2001.
10) 土田敏江：「中心血管カテーテル関連血流感染の診断と予防のポイント」，化学療法の領域，2011 ; 27 : 2121-2129.
11) 倉井華子：「血管カテーテル感染対策」，癌と化学療法，2012 ; 39 : 165-168.
12) 堀井俊伸(監)，犬塚和久(編)：微生物検査ナビ 第2版，栄研化学，2016.
13) Lacy BE *et al.* : "Bowel Disorders", Gastroenterology, 2016 ; 150 : 1393-1407.
14) Lewis SJ, Heaton KW : "Stool form scale as a useful guide to intestinal transit time", Scand J Gastroenterol, 1997 ; 32 : 920–924.
15) 忽那賢志，他：「臨床現場で有用な染色手技(グラム染色，他)」，感染症診療 update，日本医師会雑誌特別号(2)，2014 ; 143 : S3-S16.
16) Davies JA *et al.* : "Chemical mechanism of the Gram stain and synthesis of a new electronopaque maker for electron microscopy which replaces the iodine mordant of the stain", J Bacteriol, 1983 ; 156 : 837-845.
17) Bartholomew JW, Mittwer T : "The Gram stain", Bacteriol Rev, 1952 ; 16 : 1-29.
18) 山本　剛：「3．試薬・方法による染色性の差異」，Medical Technology, 2009 : 37 : 922-926.
19) Neide E : Die Alkoholentfirbung der nach Gram gefarbten Bakterien als Speciesdiagnose, in Verbindung mit einer Untersuchung der fur die Gramfarbung in Betracht kommenden Faktoren. Zentr. Bakt. Parasitenk., Abt. I, Orig. 1904 ; 35 : 508-521.
20) Hucker GJ, Conn HJ : Further studies on the methods of gram staining. N.Y. (Geneva) Agr. Exp. Sta. Tech. Bull., 1927 ; 128 : 1-34.
21) Conn HJ : "A new substitute for ethyl alcohol in the gram stain", Stain Technol, 1928 ; 3 : 71-72.
22) Kisskalt C : Eine Modifikation der Gramschen Ffarbung. Zentr. Bakt. Parasitenk., Abt. I 1901 ; 30 : 281-284.
23) Dallas S, Harrington AT : "Staining Procedure, 3.2.1 Gram Stain", Clinical Microbiology Procedures Handbook 5th ed, ASM Press, 2023.
24) 小栗豊子，他：感染症治療の基礎　初期治療に役立つ検査　No.1 喀痰，1-14，23-34，山口惠三，小栗豊子(監)，国際医学出版，2006.
25) 小栗豊子，他：感染症治療の基礎　初期治療に役立つ検査　No.2 血液・髄液，1-24，山口惠三，小栗豊子(監)，国際医学出版，2006.
26) Kent PT *et al.* : "Isolation procedures", Public Health Mycobacteriology : A Guide for the level III Laboratory, 31-56, U.S. Department of Health and Human Services, Public Health Service, Centers for Disease Control, 1985.
27) 日本結核・非結核性抗酸菌症学会(編)：抗酸菌検査ガイド 2020，南江堂，2020.
28) 那須　勝，他：新臨床検査技師講座 11　微生物学・臨床微生物学 第3版，上田　智，他(編)，医学書院，1992.
29) 青木知信，他：戸田新細菌学 改訂33版，吉田眞一，他(編)，南山堂，2007.
30) 飯沼由嗣，他：臨床検査技術学 12　微生物学・臨床微生物学 第2版，菅野剛史，他(編)，医学書院，2001.
31) 小栗豊子，他：臨床微生物検査ハンドブック 第5版，小栗豊子(編)，三輪書店，2017.

32) 阿部美知子, 他：Medical Technology 別冊 新・カラーアトラス微生物検査, 山中喜代治(編), 医歯薬出版, 東京, 2009.
33) 三澤成毅：「検体採取・輸送・保存・品質管理」, 臨床と微生物, 2010；37：287-293.
34) 小栗豊子, 他：「微生物検査の基礎技術」, 臨床と微生物, 2010；37：295-300.
35) 日本臨床微生物学会検査法マニュアル作成委員会・嫌気性菌検査ガイドライン委員会：「第 III 章 嫌気性菌感染症診断のための検査, 嫌気性菌検査ガイドライン 2012」, 日臨微生物誌, 2012；22(Suppl.1)：9-11.
36) 栄研化学株式会社：栄研マニュアル 第 11 版, 栄研化学株式会社, 2011.
37) 日本感染症学会(編)：「臓器別にみた病態, 診断, 治療」, 感染症専門医テキスト第 1 部 解説編, 559-765, 南江堂, 2011.
38) 日本臨床微生物学会検査法マニュアル作成委員会・嫌気性菌検査ガイドライン委員会：「嫌気性菌感染症診断のための検査, 嫌気性菌検査ガイドライン 2012」, 日臨微生物誌, 2012；22(Suppl.1)：9-13.
39) 検査法ガイド等作成委員会, 腸管感染症検査ガイドライン第 2 版作業部会(編)：「腸管感染症検査ガイドライン 第 2 版」, 日臨微生物誌, 2021；31(Suppl.2).
40) Yamasaki K *et al.*：“Significance of anaerobes and oral bacteria in community-acquired pneumonia”, PLoS One, 2013；8：e63103.
41) Seng P *et al.*：“Ongoing revolution in bacteriology: routine identification of bacteria by matrix-assisted laser desorption ionization time-of-flight mass spectrometry”, Clin infect Dis, 2009；49：543-551.
42) Bizzini A *et al.*：“Performance of matrix-assisted laser desorption ionization-time of flight mass spectrometry for identification of bacterial strains routinely isolated in a clinical microbiology laboratory”, J Clin Microbiol, 2010；48：1549-1554.
43) 日本臨床衛生検査技師会：「微生物検査部門報告」, 令和 4 年度 日臨技臨床検査精度管理調査報告会資料.
44) Clinical and Laboratory Standard Institute (CLSI)：Performance Standards for Antimicrobial Susceptibility Testing Thirty-third edition (M100-S33), CLSI, 2023.
45) Clinical and Laboratory Standard Institute (CLSI)：Methods for Dilution Antimicrobial Susceptibility Tests for Bacteria That Grow Aerobically：Approved Standard-Eleventh edition (M07-A11), CLSI, 2018.
46) Clinical and Laboratory Standard Institute (CLSI)：Performance Standards for Antimicrobial Disk Susceptibility Tests；Approved Standard–Thirteen edition (M02-A13), CLSI, 2018.
47) Clinical and Laboratory Standard Institute (CLSI)：Methods for Antimicrobial Susceptibility Testing of Anaerobic Bacteria；Approved Standard-Ninth edition (M11-A9), CLSI, 2018.
48) 日本化学療法学会抗菌薬感受性測定検討委員会：「抗菌薬感受性測定法検討委員会最終報告(2007 年)」, 日化療会誌, 2008；56：49-53.
49) Clinical Laboratory Standards Institute (CLSI)：Performance Standards for Antifungal Susceptibility Testing of Yeasts third edition, CLSI, 2022.
50) The European Committee on Antimicrobial Susceptibility Testing. Overview of antifungal ECOFFs and clinical breakpoints for yeasts, moulds and dermatophytes using the EUCAST E.Def 7.4, E.Def 9.4 and E.Def 11.0 procedures. Version 4.0, 2023.
51) Dortet L *et al.*：“Worldwide dissemination of the NDM-type carbapenemases in gram-negative bacteria”, BioMed Res Int, 2014；Article ID 249856, 12 pages. doi:10.1155/2014/249856.
52) 国立感染症研究所：病原体検出マニュアル薬剤耐性菌. http://www.nih.go.jp/niid/images/lab-manual/Resistant20130104.pdf
53) Ohsaki Y *et al.*：“MASTDISCS combi Carba plus, a simple method for discriminating carbapenemase-producing *Enterobacteriaceae*, including OXA-48-type producers”, Microbiol Immunol, 2018；62：60-65.
54) 三澤成毅：「培養・同定検査」, 臨床検査, 2014；58：1235-1241.
55) 小栗豊子：グラム染色でできる起炎菌の迅速推定同定―標本作製から鏡検所見の解釈まで, 7-117, 山口惠三, 小栗豊子(監), 国際医学出版, 2009.
56) 小栗豊子, 三澤成毅：「感染症の迅速検査としての塗抹検査」, 臨床微生物検査ハンドブック第 5 版, 23-37, 小栗豊子(編), 三輪書店, 2017.
57) European Committee on Antimicrobial Susceptibility Testing. Breakpoint tables for interpretation of MICs and zone diameters. Version 13.1, 2023.

13.3 ｜ 検体別検査法

13.3.1
- 血液培養検査は血流感染症の検査室診断として最も重要である。
- 血液培養のための採血は，採血部位の皮膚消毒を厳重に行い，2か所から採血する。
- 2セットを提出することによって菌の検出感度と特異度がアップする。
- 菌発育陽性検体は速やかに検査し，結果を医師へ報告することで最適治療へ移行するまでの時間短縮につながる。
- 検体数，2セット提出率，汚染率の状況は検査室で監視，評価する。

13.3.2
- 髄液の微生物検査は，迅速性と正確性が最も要求される。
- 混濁した髄液は，菌の存在が強く疑われ，塗抹検査や迅速抗原検査の結果報告は検体到着から30～60分以内に行う。
- Gram染色標本の鏡検では，染色所見と患者背景をもとに可能な限り菌種まで推定，報告する。

13.3.3
- 喀痰の微生物検査は，肺炎を含む下気道感染症の病原体診断のために行われる。
- 喀痰は上気道や口腔内の常在菌の混入を可能な限り避けて採取する。
- 細菌性肺炎の場合に膿性痰から高率に起因菌が検出され，Miller & Jonesの分類やGecklerの分類による喀痰の評価が有用である。
- 塗抹検査や培養検査において，起因菌と常在菌の鑑別は重要な検査工程であり，検査結果を左右する。

13.3.4
- 糞便の微生物検査オーダーは，市中感染症と抗菌薬下痢症のオーダーに分け，患者の活動歴（海外渡航歴，基礎疾患の有無）も入手する。
- CDトキシン検査は，現状ではトキシンの検出感度が低く，検査が陰性の場合の診断特異性が低い。
- 病院検査室における下痢原性大腸菌の検査は，腸管出血性大腸菌を対象とする。
- *Shigella* spp.や*Salmonella* spp.を疑うコロニーは，TSI寒天培地などの試験管確認培地を用いて一次スクリーニングし，同定キットや自動機器による同定を行う。
- スライド凝集反応は，他菌との免疫学的な交差反応が見られるので，単独では菌種を最終決定できない。
- マトリックス支援レーザー脱離イオン化飛行時間型質量分析計（MALDI-TOF MS）による同定では，*Shigella* spp.と*E. coli*は区別できない。

13.3.5
- 尿の微生物検査は，尿路感染症の病原体診断のために行われる。
- 中間尿は尿道口および周囲の常在菌の混入を避け，排尿の中間部分を採取する。
- 尿中菌数10^4～10^5CFU/mL以上が一般に有意な細菌尿と解釈されるが，少数でも尿路感染症の代表的な起因菌や尿検査（膿尿，白血球エステラーゼ，亜硝酸），尿路感染症の症状から起因菌と解釈する。

13.3.6
- 穿刺液・体腔液および膿・分泌物の微生物検査は，採取部位や疑われる感染症に応じて検査内容が異なる。
- 穿刺液・体腔液は本来無菌の検体であり，増菌培養を併用して少数菌の検出に努める。
- 嫌気性菌の検査は，本来無菌，常在菌の混入を最小限に避けて採取された検体および疫学から嫌気性菌の関与が大きい検体が原則として対象となる。

13. 3. 1 血液

1. 血流感染症と原因微生物の疫学

敗血症を含む血流感染症の原因微生物と検査を表13.3.1[1]に示した。

敗血症は感染症のなかでも最も重篤な疾患であり，迅速な診断と適切な抗菌薬治療が患者の予後に直結する。血流感染症の診断には，血液培養によって流血中に存在する微生物を検出することが必須である。

表 13.3.1　感染臓器と感染症，検査対象微生物および検査項目

感染臓器	主要な感染症	検体	一般の微生物検査室において検査対象とすべき微生物	微生物検査室へ確認，外部委託検査や専門機関への検査依頼が必要な微生物
中枢神経系	髄膜炎	髄液（腰椎穿刺）	*Haemophilus influenzae*（type b ★） *Streptococcus pneumoniae* ★ *Streptococcus agalactiae* ★ 腸内細菌目細菌（*E. coli* K1 ★） *Neisseria meningitidis* ★ *Listeria monocytogenes* *Campylobacter fetus* *Cryptococcus neoformans* ★	嫌気性菌 *Mycobacterium tuberculosis* ◎ エンテロウイルス，単純ヘルペスウイルス，水痘・帯状疱疹ウイルス，ムンプスウイルス，サイトメガロウイルス 原虫（*Toxoplasma gondii*，*Naegleria fowleri*，*Acanthamoeba* spp.）
	脳外科手術後髄膜炎，脳室シャント感染症	髄液（脳室）	*Staphylococcus aureus* CNS *Corynebacterium* spp. 腸内細菌目細菌 *Pseudomonas aeruginosa* *Acinetobacter* spp. *Candida* spp.	
	脳膿瘍，硬膜下膿瘍，硬膜外膿瘍	膿瘍	*Streptococcus* spp. *Enterococcus* spp. 腸内細菌目細菌 *Pseudomonas aeruginosa* 嫌気性菌	*Nocardia* spp. 嫌気性菌 *Mycobacterium tuberculosis* ◎
眼・耳・鼻	麦粒腫，涙嚢炎，涙小管炎，結膜炎，角膜炎，眼内炎	眼脂，結膜擦過物，角膜擦過物	*Staphylococcus* spp. *Corynebacterium* spp. *Streptococcus pneumoniae* *Haemophilus influenzae* *Pseudomonas aeruginosa* 腸内細菌目細菌 アデノウイルス★	嫌気性菌 *Actinomyces* spp. *Mycobacterium* spp. *Candida* spp. *Fusarium* spp. 黒色真菌 *Chlamydia trachomatis* 単純ヘルペスウイルス，水痘・帯状疱疹ウイルス 原虫（*Acanthamoeba* spp.）
	中耳炎，外耳道炎	耳漏，外耳道擦過物	*Streptococcus pneumoniae* ★ *Haemophilus influenzae* ★ *Moraxella catarrhalis* *Staphylococcus aureus* *Pseudomonas aeruginosa*	嫌気性菌 *Aspergillus* spp.
	鼻副鼻腔炎	鼻漏，副鼻腔貯留液	*Streptococcus pneumoniae* ★ *Haemophilus influenzae* ★ *Moraxella catarrhalis* *Staphylococcus aureus*	嫌気性菌 真菌（*Asperigillus* spp.，*Rhizopus* spp.，*Fusarium* spp.）
上気道・口腔	咽頭炎，扁桃炎	咽頭粘液	*Streptococcus pyogenes* ★ C 群，G 群 β-streptococci *Staphylococcus aureus*	*Neisseria gonorrhoeae* *Corynebacterium diphtheriae*
	扁桃周囲炎，扁桃周囲膿瘍，咽頭後部膿瘍	扁桃周囲膿瘍，吸引物	*Streptococcus pyogenes* ★ *Streptococcus anginosus* group *Staphylococcus aureus* 嫌気性菌	
下気道・胸腔	急性気管支炎，細気管支炎	喀痰，鼻咽腔粘液（拭い液，吸引物，擦過物）	*Streptococcus pneumoniae* ★ *Haemophilus influenzae* *Moraxella catarrhalis* *Legionella* spp. ◎（*L. pneumophila* 血清群 1 ～ 15 ★） *Mycoplasma pneumoniae* ★◎ インフルエンザウイルス★，アデノウイルス★，RS ウイルス★，ヒトメタニューモウイルス★，SARS-CoV-2 ★	*Bordetella pertussis* ★◎ *Chlamydia pneumoniae* パラインフルエンザウイルス

★迅速抗原検査が可能，◎遺伝子検査（市販試薬による核酸増幅法）が可能。

用語　RS（respiratory syncytial）

表 13.3.1　感染臓器と感染症，検査対象微生物および検査項目（つづき）

感染臓器	主要な感染症	検体	一般の微生物検査室において検査対象とすべき微生物	微生物検査室へ確認，外部委託検査や専門機関への検査依頼が必要な微生物
下気道・胸腔	慢性気道感染症（慢性気管支炎，気管支拡張症，びまん性汎細気管支炎）	喀痰	*Haemophilus influenzae* *Streptococcus pneumoniae* ★ *Moraxella catarrhalis* *Pseudomonas aeruginosa*	
	肺炎（市中肺炎，院内肺炎，人工呼吸器関連肺炎，医療・介護関連肺炎），結核，非結核性抗酸菌症	痰（喀痰・吸引痰），気管支鏡採痰，気管支肺胞洗浄，肺生検，鼻咽腔粘液（拭い液，吸引物，擦過物）	*Streptococcus pneumoniae* ★ *Haemophilus influenzae* 腸内細菌目細菌 *Pseudomonas aeruginosa* *Acinetobacter* spp. *Staphylococcus aureus* *Moraxella catarrhalis* *Legionella* spp. ◎（*L. pneumophila* 血清群 1 ～ 15 ★） *Mycoplasma pneumoniae* ★◎ インフルエンザウイルス★，RS ウイルス★，ヒトメタニューモウイルス★，SARS-CoV-2 ★	嫌気性菌 *Chlamydia pneumoniae* サイトメガロウイルス，単純ヘルペスウイルス *Mycobacterium* spp.（*M. tuberculosis* ◎，*M. avium/intracellulare* ◎） *Aspergillus* spp. ★ *Cryptococcus neoformans* ★ *Rhizopus* spp. などの接合菌 *Pneumocystis jirovecii* ★
	肺膿瘍，膿胸	肺膿瘍，胸水，肺穿刺液	*Staphylococcus aureus* *Streptococcus* spp. *Haemophilus influenzae* 腸内細菌目細菌 *Pseudomonas aeruginosa* *Acinetobacter* spp. *Legionella* spp. ◎（*L. pneumophila* 血清群 1 ～ 15 ★） 嫌気性菌	嫌気性菌 *Nocardia* spp. *Mycobacterium* spp.（*M. tuberculosis* ◎，*M. avium/intracellulare* ◎） *Aspergillus* spp. ★
心・血管系	感染性心内膜炎（自然弁）	心臓弁	*Staphylococcus aureus* *Streptococcus* spp. *Abiotrophia* spp. *Granulicatella* spp. *Enterococcus* spp. HACEK group	HACEK group（治療後などの理由で培養期間の延長が必要な場合） 嫌気性菌 *Bartonella* spp.
	感染性心内膜炎（人工弁）	人工弁	*Staphylococcus* spp. *Enterococcus* spp. *Corynebacterium* spp.	
腎・泌尿器	膀胱炎，腎盂炎	尿，カテーテル尿	*Escherichia coli* ほかの腸内細菌目細菌 *Enterococcus* spp. *Staphylococcus saprophyticus* ほかの *Staphylococcus* spp. *Streptococcus agalactiae* *Pseudomonas aeruginosa*	*Mycobacterium tuberculosis* ◎ アデノウイルス
生殖器	腟症，腟炎，子宮頸管炎，尿道炎	腟・頸管分泌物，尿道分泌物	*Streptococcus agalactiae* *Candida* spp. *Gardnerella vaginalis* *Mobiluncus* spp. *Neisseria gonorrhoeae* 嫌気性菌	嫌気性菌 *Neisseria gonorrhoeae* ◎ *Chlamydia trachomatis* ◎ 単純ヘルペスウイルス 原虫（腟トリコモナス原虫）
	内性器感染症	子宮内容物，ダグラス窩穿刺液	腸内細菌目細菌 *Staphylococcus* spp. *Enterococcus* spp. *Streptococcus* spp. 嫌気性菌 *Mycoplasma hominis*	嫌気性菌 *Neisseria gonorrhoeae* ◎ *Chlamydia trachomatis* ◎ *Mycobacterium tuberculosis* ◎ *Mycoplasma* spp.
腸管・肝胆道・腹部	腸管感染症（下痢症，胃腸炎）	糞便（市中感染症疑い）	腸管出血性大腸菌（O157，O111，O26 など） *Salmonella* spp. *Shigella* spp. *Vibrio parahaemolyticus* *Vibrio cholerae* *Plesiomonas shigelloides* ノロウイルス★，ロタウイルス★，腸管アデノウイルス★	*Campylobacter jejuni* 腸管出血性大腸菌（志賀毒素検査） 原虫（赤痢アメーバ◎，ランブル鞭毛虫，クリプトスポリジウム） *Staphylococcus aureus* *Bacillus cereus* *Clostiridium perfringens* *Clostridium botulinum*
		糞便（抗菌薬関連下痢症疑い）	*Clostridium difficile*（GDH 抗原，CD トキシン★） *Staphylococcus aureus*	
	急性胆嚢炎，急性胆管炎	胆汁（ドレナージ胆汁を含む）	腸内細菌目細菌 *Enterococcus* spp. 嫌気性菌	*Salmonella* Typhi， *Salmonella* Paratyphi A

★迅速抗原検査が可能，◎遺伝子検査（市販試薬による核酸増幅法）が可能。

用語　HACEK group（*Haemophilus-Actinobacillus-Cardiobacterium-Eikenella-Kingella* group）〔分類の変更に伴い，*Haemophilus*（*H. aphrophilus*）と *Actinobacillus*（*A. actinomycetemcomitans*）は *Aggregatibacter* 属へ移動している〕

表 13.3.1 感染臓器と感染症，検査対象微生物および検査項目（つづき）

感染臓器	主要な感染症	検体	一般の微生物検査室において検査対象とすべき微生物	微生物検査室へ確認，外部委託検査や専門機関への検査依頼が必要な微生物
腸管・肝胆道・腹部	肝膿瘍	肝膿瘍	腸内細菌目細菌 *Staphylococcus* spp. *Enterococcus* spp. *Streptococcus* spp. 嫌気性菌	赤痢アメーバ
	腹腔内感染症	腹水，腹腔膿瘍，腹腔ドレーン	腸内細菌目細菌 *Enterococcus* spp. *Staphylococcus* spp. 嫌気性菌	
皮膚・軟部組織	表在性皮膚感染症（伝染性膿痂疹など）	皮膚膿	*Staphylococcus aureus* *Streptococcus pyogenes*	
	深在性皮膚感染症（癤，癰，丹毒，蜂巣炎）	皮膚膿，組織	*Staphylococcus aureus* *Streptococcus pyogenes*	
	熱傷	熱傷組織，滲出物	*Staphylococcus* spp. *Enterococcus* spp. *Streptococcus* spp. *Pseudomonas aeruginosa* 腸内細菌目細菌 嫌気性菌	*Candida* spp. *Aspergillus* spp. *Fusarium* spp.
	外傷性皮膚感染症，壊死性軟部組織感染症（ガス壊疽，壊死性筋膜炎）	組織，滲出物	腸内細菌目細菌 *Streptococcus pyogenes* *Streptococcus dysgalactiae* *Vibrio vulnificus* *Aeromonas* spp. *Staphylococcus aureus* 嫌気性菌（*Clostridium* spp. など）	*Bacillus antharcis* *Aspergillus* spp. *Sporothrix schenckii* 黒色真菌
	手術部位感染症	創部組織，滲出物	*Stapylococcus aureus* *Streptococcus* spp. *Enterococcus* spp. *Pseudomonas aeruginosa* 腸内細菌目細菌	
	皮膚真菌症	落屑，痂皮，爪，毛髪，皮膚組織	*Candida* spp. *Cryptococcus neoformans*	*Trichophyton* spp. *Microsporum* spp. *Epidermophyton* sp. *Sporothrix schenckii* 黒色真菌
	皮膚抗酸菌症	組織，潰瘍部滲出液	*Mycobacterium* spp.	*Mycobacterium tuberculosis* ◎ *Mycobacterium marinum*
血流（一次病巣である感染臓器からの波及，または原発性）	菌血症，血流感染症（一次性または原発性敗血症，二次性または続発性敗血症*） * 尿路感染症，肺炎，感染性心内膜炎，中枢神経系感染症，皮膚軟部組織感染症，胆道系感染症，カテーテル関連血流感染症，など）	静脈血，動脈血，CV カテーテル逆流血	*Staphylococcus* spp. *Streptococcus* spp. *Abiotrophia* spp. *Granulicatella* spp. *Enterococcus* spp. *Neisseria* spp. *Haemophilus* spp. HACEK group 腸内細菌目細菌 *Aeromonas* spp. *Pseudomonas aeruginosa* *Acinetobacter* spp. 嫌気性菌 *Candida* spp.	*Helicobacter cinaedi* *Mycobacterium* spp. 外来性真菌 *Bacillus anthracis* *Brucella* spp. *Francisella turalensis* *Bartonella* spp. *Coxiella burnetii* *Leptospira* spp.
骨・関節	骨髄炎	骨組織，骨髄	*Staphylococcus aureus* *Streptococcus* spp.	*Salmonella* spp. 嫌気性菌 *Mycobacterium tubeculosis* ◎ 真菌
	化膿性関節炎	関節液，関節滑膜	*Staphylococcus* spp. *Streptococcus* spp. 腸内細菌目細菌 *Pseudomonas aeruginosa*	*Neisseria gonorrhoeae* *Neisseria menigitidis* 嫌気性菌
移植・人工物	中心静脈カテーテル関連血流感染症	CV カテーテル	*Staphylococcus* spp. *Enterococcus* spp. 腸内細菌目細菌 *Pseudomonas aeruginosa* *Candida* spp.	
	人工血管感染症	人工血管	*Staphylococcus* spp. *Corynebacterium* spp.	嫌気性菌

★迅速抗原検査が可能，◎遺伝子検査（市販試薬による核酸増幅法）が可能。

〔三澤成毅：「培養・同定検査」，臨床検査，2014；58（増刊号）：1235-1241 より改変〕

用語 中心静脈（central venous；CV）

検査室ノート 原発性敗血症と続発性敗血症[2)]

一次性（原発性）敗血症は，明らかな感染巣がなく発症したものであり，免疫不全状態における敗血症や劇症型溶血性レンサ球菌感染症などがある。二次性（続発性）敗血症は，髄膜炎，腎盂腎炎，肺炎，感染性心内膜炎などの感染巣から血中へ菌が供給される。

2. 血液培養を行う疾患・症状・徴候[2)]

血液培養が行われるのは，敗血症，感染性心内膜炎，不明熱のほか，チフス症，髄膜炎，肺炎，骨髄炎，関節炎，腎盂腎炎などの血流中に起炎微生物が出現する感染症が疑われる場合である。

血液培養が行われる症状は，発熱，悪寒戦慄時，白血球増加以外に，低体温，血圧低下，意識障害，顆粒球減少状態の場合も行われる。また，乳幼児においては，哺乳不良，不機嫌，食欲不振，嘔吐，痙攣，高齢者においては微熱，筋痛，関節痛，脳梗塞の場合にも行われる。

3. 血液培養のための採血[2〜6)]

血液培養のための採血手順と注意点を表13.3.2[2,4)]に示した。

(1) 採血のタイミング

採血時期は，悪寒戦慄時または発熱のごく初期が血流中の菌数が最も多いことから，この時期が最適である。また，抗菌薬投与前の採血が望ましいが，投与中の場合は血中の抗菌薬濃度が最低レベルである次回投与直前が選択される。

(2) 採血部位および皮膚消毒

採血部位は，左右の肘正中皮静脈が選択される。鼠径部から採血されることがあるが，鼠径部は濃厚に汚染されている部位であることから，可能な限り避ける。また，血管カテーテルからの採血は，カテーテル感染症が疑われる場合に限る。

採血は1回の血液培養につき，場所を変えた2カ所から行う。2カ所から採血することで，検出菌が汚染菌かどうかを解釈することができ，検査の特異度が上昇する。

表13.3.2 血液培養のための採血方法と注意点

採取手順	注意点
①採血部位・採取時期 ・標準予防策を遵守し，手指衛生後に滅菌手袋を着用する。 ・採血部位は左右の肘正中皮静脈が選択される。 ・部位を変え，2カ所から各1セット（好気菌用，嫌気菌用の2本で1セット）採血する。2セット採取が原則。 ・鼠径部は細菌汚染が濃厚なため避ける。	・採血時期は，発熱時だけでなく重症感染症の可能性があるとき（低体温，血圧低下，意識障害）はいつでも。 ・抗菌薬投与患者では次回投与の直前。 ・採血は2カ所から行うことにより特異度が上昇し，汚染との鑑別に役立つ。 ・動脈血と静脈血とで菌検出率に差はない。
②血液培養ボトルの準備 ・ボトル上部のキャップをはずし，ゴム栓の表面を消毒用エタノール綿で消毒（清拭）する。	・ゴム栓部分は消毒後，血液を接種するまで消毒用エタノール綿で覆っておく。
③採血部位の消毒 ・穿刺部位を消毒用エタノール綿で消毒，清拭する（ヨードチンキやポビドンヨードは蛋白成分で失活するため，皮脂や垢を除去する）。 ・消毒部位の皮膚が乾燥したら，ヨードチンキまたはポビドンヨード綿球で穿刺箇所を中心に渦巻き状に塗り残しなく広範囲に塗布する。 ・1〜2分間作用させ，自然乾燥するまで待つ。	・消毒後の皮膚は汚染を避けるため触らない。 ・ヨード過敏症の患者には，クロルヘキシジングルコン酸塩エタノールによる消毒を同様の手順で行う（ハイポアルコールは消毒薬ではないので穿刺前に用いず，採血終了後ヨードの拭き取りに使用する）。
④採血 ・皮膚が乾燥してから採血する。	・成人は10〜20 mL採血する。 ・乳幼児や小児は，体重によって採血量が異なる。
⑤血液培養ボトルへの血液の接種 ・好気，嫌気ボトル各1本に5〜10mLを接種する。	・血液は嫌気ボトル，好気ボトルの順に接種する。 ・ボトルへ接種する際の針交換は不要。 ・ボトル内の陰圧を解除するための空気注入は厳禁。
⑥ボトル内容は直ちに混合 ・血液接種後はボトルをゆっくり転倒混合し，血液の凝固を阻止する。	・血液を接種したまま放置すると，ボトル内で血液が凝固し，細菌の検出が悪くなる。
⑦血液培養ボトルは速やかに検査室へ ・血液を接種したボトルは，直ちに提出する。	・血液から検出される細菌のなかには低温で死滅しやすい菌種があるので，絶対に冷蔵庫へ入れてはならない。
⑧特殊な感染症・微生物が疑われる場合は，検査室へ連絡 ・感染性心内膜炎，クリプトコックス症，輸入真菌症を疑う場合は，長期間の培養が必要なので検査室へ連絡する。	・通常の血液培養ボトルでは，*Legionella* 属菌，*Mycobacterium* 属菌，*Mycoplasma* 属菌は培養できないので，これらによる感染が疑われる場合は，検査室へ問い合わせる。

〔検査法マニュアル作成委員会・血液培養検査ガイド作業部会：「血液培養検査ガイド」，日臨微生物誌，2013；23（Suppl. 1）：1-142，小栗豊子：「微生物検査材料の採取と保存」，臨床微生物検査ハンドブック 第4版，35-44，小栗豊子（編），三輪書店，2014より引用〕

表 13.3.3　乳幼児・小児における血液培養のための推奨採血量

体重（kg）	全血量（mL）	1回目採血（mL）	2回目採血（mL）	全血液培養量（mL）	全血液量に対する割合（%）
≦1	50～99	2	−	2	4
1.1～2	100～200	2	2	4	4
2.1～12.7	≧200	4	2	6	3
12.8～36.3	≧800	10	10	20	2.5
≧36.3	≧2,200	20～30	20～30	40～60	1.8～2.7

〔Kellogg JA *et al.* : "Frequency of low-level bacteremia in children from birth to fifteen years old", J Clin Microbiol, 2000 ; 38 : 2181-2185 より引用〕

(3) 採血量および採血回数

採血量は，成人においては1回の採血で10～20mLであり，2カ所から合計20～40mLを採血することになる。乳幼児や小児においては，循環血液量に占める割合から，体重によって推奨採血量が示されている（表13.3.3）[6]。採血回数は24時間以内に2～3回が一般的である。

(4) 血液接種後のボトルは直ちに検査室へ提出

血液培養ボトルへ血液を接種した後は，直ちに検査室へ提出する。血流感染症は一刻も早く菌を検出し，診断することが患者の予後に直結すること，起炎微生物のなかには低温では死滅する細菌（*Neisseria meningitidis*, *N. gonorrhoeae*）が存在することから，ボトルを一時保管すべきではない。

4. 検査法および血液培養ボトルの特徴[2,5]

血液培養の方法には，自動血液培養検査装置による方法と検査装置を用いない方法がある。

(1) 自動血液培養検査装置を用いる方法

自動血液培養検査装置には，バクテックシステム，バクテアラート3Dシステム，バーサトレックシステムの3種がある。

これらの装置による菌検出の原理は，バクテックシステムとバクテアラート3Dシステムでは，細菌の増殖によって生じた二酸化炭素（CO_2）がボトル底部にあるセンサーのpHを変化させることで菌の発育を検知する。バーサトレックシステムは，細菌の増殖に伴って発生したガス（CO_2，水素，窒素）によるボトル内部のガス圧の変化をとらえることで検知する。センサー部分のpHやボトル内圧は一定間隔で自動的にモニタリングされ，一定の閾値を超えた時点で菌発育陽性と判断し，アラームが出力される。

血液培養ボトルは，バクテックシステムは好気用，嫌気用，小児用のほか，溶血タイプ嫌気用，真菌・抗酸菌用と真菌用のボトルがある。バクテアラート3Dシステムは好気用，嫌気用および小児用，バーサトレックシステムは培地量が40mLと80mLの好気用と嫌気用がある。バクテックシステムとバクテアラート3Dシステムは，それぞれレズンまたはポリマービーズが添加され，血液中の抗菌薬が吸着される。バーサトレックシステムのボトルにはレズンなどは添加されておらず，培地量がほかのシステムより多く希釈によって抗菌薬や血液中の感染防御因子の影響を軽減する。ボトルへ接種する血液量はボトルの種類によって異なる。過量に接種した場合は，血液中の白血球の代謝によって生じたCO_2による偽陽性や，感染防御因子による偽陰性が生じやすくなる。

培養は，バクテックシステムとバクテアラート3Dシステムは，ボトルが振盪培養されることで菌の増殖を促進している。バーサトレックシステムはボトル内にスターラーが入っており，ボトルを装置にセットすることによって回転し，内容液が撹拌される。

自動血液培養検査装置による菌発育陽性までの所要時間は，血流感染症の主要な菌種の場合10～20時間であり，24時間以内に8割が陽性となる。

(2) 検査装置を用いない方法

専用の自動血液培養検査装置を用いずに，マニュアルで培養するボトルも市販されており，小規模の病院において使用されている。

ヘモリンシリーズは，好気性菌・通性嫌気性菌用と嫌気性菌の2種類がある。前者のボトルは角形で内側1面に培地がコーティングされている。毎日，ボトルを5～10分間倒して培養液を寒天培地に接触させた後，立てて培養する。ボトルは毎日観察し，寒天培地に菌の発育がないか，培養液上清の混濁，溶血，ガスの産生がないかを肉眼で観察する。

オクソイド血液培養システム「シグナル」（関東化学）は，1種類のボトルで好気性菌，通性嫌気性菌および嫌気性菌の培養が可能なシステムである。ボトルが検査室へ届いた時点でグロスシグナルとよばれる器具を取り付け，孵卵器で培養する。グロスシグナルには針が付いておりボトル頭部から穿刺して装着することで針が培養液まで届く。菌の増殖に伴ってボトルの内圧が上昇すると，グロスシグナルの針を通じて培養液が逆流することで菌の発育を客観的に検知できる。

(3) 菌発育陽性ボトルの検査

菌が発育した陽性ボトルは，ボトル内容液をディスポーザブルシリンジで無菌的に抜き取り，塗抹標本作製，分離培養，および直接法による薬剤感受性検査を行う。

①培養液のGram染色による菌の推定

培養液の塗抹標本はGram染色し，菌の形態や配列から可能な限り菌種を推定する。

グラム陽性球菌の場合は*Staphylococcus* spp.か*Strepto-*

coccus spp.（*Enterococcus* spp.を含む）を区別する。Gram染色から*Streptococcus* spp.が推定され，ボトル内容液が溶血している場合は，溶血性レンサ球菌が疑われる。ボトル内容液の溶血は菌発育の陽性サインが出た時点では見られず，時間が経つと出現することがあるので注意する。

グラム陽性桿菌は，*Corynebacterium* spp.は推定可能である。*Bacillus* spp.と*Clostridium* spp.は形態のみでは区別困難であるが，嫌気ボトルのみ陽性の場合やガスの産生が認められる場合は*Clostridium* spp.が強く疑われる。

グラム陰性桿菌は形態から菌種の推定は困難な場合が多い。ガス産生が認められる場合は*Klebsiella* spp.などの腸内細菌目細菌，ガス産生が認められず，好気ボトルのみ陽性の場合は，*Pseudomonas aeruginosa*などの好気性グラム陰性桿菌，嫌気ボトルのみ陽性の場合は，*Bacteroides* spp.などの嫌気性グラム陰性桿菌が疑われる。また，らせん菌は*Campylobacter* spp.または*Helicobacter* spp.が推定される。

酵母は，卵円形は*Candida* spp.，円形に近い酵母は*Cryptococcus neoformans*が推定される。血液培養の場合，*C. neoformans*の莢膜は墨汁法によっても観察できる場合と，できない場合がある。血液培養ボトル内容液中の菌は検体中とは異なり，莢膜が縮小または観察できない場合がある。

②分離培養

培養液の分離培養には，ヒツジ血液寒天培地，チョコレート寒天培地およびBTB乳糖寒天培地を常用する。培養液のGram染色によって嫌気性菌や酵母が推定される場合は，嫌気性菌用分離培地や真菌用培地を追加する。

培養は，ヒツジ血液寒天培地とチョコレート寒天培地は炭酸ガス培養，BTB乳糖寒天培地は好気培養する。

③薬剤感受性検査

培養液は，直接法による薬剤感受性検査（ディスク拡散法）を行う。直接法による検査結果は中間報告であり，その後に接種菌量を所定の菌量に調整して行う間接法（微量液体希釈法またはディスク拡散法）によって再検査し，結果は最終報告として更新する。血液培養陽性のボトル内容液を菌液として用いるディスク拡散法による薬剤感受性検査法が，米国CLSI[7]およびEUCAST[8,9]で公開されている。対象菌種は，CLSIは腸内細菌目細菌と*Pseudomonas aeruginosa*，EUCASTは腸内細菌目細菌（*Escherichia coli*，*Klebsiella pneumoniae*），*P. aeruginosa*，*Acinetobacter baumannii*，*Staphylococcus aureus*，*Enterococcus*属（*E. faecalis*，*E. faecium*），*Streptococcus pneumoniae*である。検査抗菌薬も特定のものに限定されている。培養，判定時間は，CLSIは8～10時間または16～18時間，EUCASTは4，6，8時間，および16～20時間（*A. baumannii*と*Enterococcus*属は除く）が設定されている。

検査室ノート　溶血性レンサ球菌用抗原検査キットの応用

菌発育陽性ボトル内容液のGram染色で*Streptococcus* spp.が推定され，内容液が溶血している場合は，培養液を用いて溶血性レンサ球菌用抗原検査キットで検査する。劇症型溶血性レンサ球菌感染症は，とくに緊急性が高い疾患であり，本検査キットの併用による診断的意義が高い。

検査室ノート　時間外における血液培養陽性検体の検査

血液培養陽性は，患者が敗血症を含む血流感染症を強く疑う情報である。したがって，血液培養陽性検体の検査は24時間体制で行い，とくに陽性ボトル内容液のGram染色による推定菌は，医師へ迅速に連絡すべきである。

用語　ブロモチモール青（bromothymol blue；BTB），Clinical and Laboratory Standards Institute（CLSI），European Committee on Antimicrobial Susceptibility Testing（EUCAST）

5. 結果の解釈と報告

血液培養検査の報告は，①菌発育陽性時，②直接法による薬剤感受性検査結果判定および同定結果判定時（推定レベル），③菌名および薬剤感受性検査結果決定時に行う。中間報告は①と②に相当し，順次結果を更新して最終報告である③に至る。

中間報告は，報告の内容が治療に役立つ情報であることが重要である。医師による治療方針の決定または評価に至る時間を短縮することが目的である。

(1) 菌発育陽性時の報告

①の菌発育陽性時は，2セット提出例では1セット目の陽性か，2セット目の陽性を確認する。2セット目が陽性となった場合は，ボトル内容液のGram染色によって観察された菌が1セット目と同一であれば，血流感染症と解釈できる。医師への報告は，2セットが陽性となり，Gram染色でも同一菌と推定され血流感染症が疑われることを含める。

ボトル内容液のGram染色による推定菌名の報告は，グラム陽性球菌のみでは抗菌薬選択または初期治療の評価に役立たない。*Staphylococcus* spp.か*Streptococcus* spp.かを区別することで治療に役立つ情報となる。

(2) 直接法による薬剤感受性検査結果と同定結果判定時

②の薬剤感受性結果と同定結果の報告では，両者の結果を総合した結果報告に努める。

Staphylococcus spp.が推定されていた場合は，メチシリン耐性菌であるか，*S. aureus*かほかのコアグラーゼ陰性staphylococci (CNS) であるかを区別する。

グラム陰性桿菌が推定されていた場合は，腸内細菌目細菌か*P. aeruginosa*のようなブドウ糖非発酵菌であるかを区別する。腸内細菌目細菌であれば，*Escherichia coli*や*Klebsiella* spp.か，*Enterobacter* spp.や*Serratia* spp.かを区別する。*E. coli*が推定される場合は，薬剤感受性パターンから基質拡張型β-ラクタマーゼ（ESBL）産生菌の可能性も確認する。

酵母が推定された場合は，発色基質含有培地（クロモアガーカンジダなど）上に発育したコロニーの色調から，*Candida albicans*かほかの*Candida* spp.かを区別する。

(3) 薬剤感受性検査結果および同定結果決定時

③の薬剤感受性検査結果と同定結果が決定した際の報告では，中間報告時の内容と食い違いがないかを確認する。

(4) 検出菌の意義付け[10)]

血液培養から検出された菌の意義付けは，2セット中2セットから同一菌種が検出された場合は，原則起因菌と解釈される。

1セットのみからの検出を汚染と解釈するには，菌種を加味する必要がある。米国においては，*S. aureus*, *Streptococcus pneumoniae*, 溶血性レンサ球菌，腸内細菌目細菌，*P. aeruginosa*, *Haemophilus influenzae*, *Bacteroides fragilis* group，*Candida* spp.などは1セットのみ陽性でも起因菌の可能性が高いことが報告されている[10)]。

汚染の可能性が高い菌種は，CNS，*Bacillus* spp.，*Cutibacterium* spp.，*Corynebacterium* spp.があげられているが，体内留置物の有無や採血部位を確認する必要がある。

6. 血液培養検査のアセスメント[2,3,11,12)]

血液培養検査は，検査室が検査の状況を監視し，適正な検査が行われているかを評価する。

検査の適正さの評価項目には，検体数，2セット提出率，陽性率，汚染率があり表13.3.4に示した。

(1) 検体数

検体数は，一度に提出された好気ボトルと嫌気ボトルの1セットを1検体としてカウントする。検体数を病院間で比較する場合，病院の規模の違いによる影響を除外するため延べ入院患者数で除し1,000倍した数値（1,000 patient-days）あたりの検体数に換算する。

米国[3)]では，1,000 patient-daysあたりの検体数として103〜188が示されているが，平均在院日数が日本より短いことから，そのまま比較することはできない。比較対象とする関連病院や地域で目標値を設定する必要がある。

(2) 2セット提出率

血液培養検査において，菌の検出感度と特異度を高めるため異なる2カ所から採血した2セットを提出することが推奨されている。2セット以上の提出率を100%に近づけることが目標であるが，小児においては1セットの提出がやむを得ない場合がある。小児由来の検体が多い病院においては，ほかの病院に比べてこの率が低い傾向となる。したがって，2セット提出率は全診療科の提出率と小児を除いた提出率の両者をモニターする。

用語　コアグラーゼ陰性ブドウ球菌（coagulase-negative staphylococci；CNS），基質特異性拡張型β-ラクタマーゼ（extended-spectrum β-lactamase；ESBL）

表 13.3.4　血液培養検査における検査の適正さを評価する項目

項目	算出法または条件
検体数	1,000 patient-days あたりの血液培養検体数 ①検体数は1度に提出された好気ボトルと嫌気ボトル1セットを1検体とカウント（ボトルの本数ではない） 1,000 patient-days あたりの検体数＝検体数①／延べ入院患者数×1,000
2セット（複数セット）提出率	2セット以上提出された割合 ①血液培養の全セット数 ②①の全セット数のうち，24時間以内に2セット以上提出されたセット数（全セット数から1セットのみの検体数を差し引く方法もある） 対象期間内に2セット以上提出されたセット数②／対象期間の総セット数①×100（%） 全診療科対象と小児科患者を除いた両者を算出する
陽性率	血液培養提出患者数に占める陽性セット数の割合(%) 陽性セット数／全セット数×100（%）
汚染率	汚染と解釈された陽性検体数を，実施された全検体数で除した割合 ①汚染と解釈する基準 6菌群（CNS, *Micrococcus* spp., *Cutibacterium* spp., *Bacillus* spp., *Corynebacterium* spp., α-streptococci）陽性例のうち，1セットのみ陽性であった検体数 条件1：2セット以上の提出率が90%以上 条件2：1セットのみ提出の1セット陽性検体または陽性例は除外 条件3：α-streptococci に，*S. bovis*, *S. gallolyticus*, *S. anginosus* group は含めない ②全検体数から1セットのみの検体数を差し引いた検体数 1セットのみ陽性の検体数①／検体数②×100（%）

(3) 陽性率[3]

陽性率は，米国では5%以下または15%を超える場合は，原因を追及する必要があるとされている。例えば，陽性率が高いが検体数が少ない場合は，血流感染症が見逃されている可能性が想定され，検査の啓蒙が必要と分析できる。

(4) 汚染率[11,12]

汚染率は，検査室ベースで算出する方法を示す。汚染率の算出においては，2セット提出率が高い（90%以上）ことが前提条件であり，この場合に臨床的な判定をもとにした汚染率と有意差がないことが報告されている。

検査室ベースで汚染菌とする条件は，6菌群（CNS, *Micrococcus* spp., *Cutibacterium* spp., *Bacillus* spp., *Corynebacterium* spp., α-streptococci）が2セット中1セットのみから検出された検体数が汚染率算出の分子となり，分母である検体数で除した値が汚染率となる。米国における報告では，汚染率は3%以下が目標値とされている。

13.3.2　脳脊髄液

1. 髄膜炎と原因微生物の疫学

髄膜炎を含む中枢神経系感染症の種類と原因微生物，および検査を表13.3.1[1]に示した。

髄膜炎（脳脊髄膜炎）は感染症のなかでも最も重篤な疾患であり，迅速な診断と適切な抗菌薬治療の開始が，患者の予後と後遺症の発症に直結する。したがって，髄液の検査は微生物検査のなかで迅速性と正確性が最も要求される。

検査室ノート　ワクチン導入による髄膜炎患者数の減少と疫学の変化

細菌性髄膜炎は過半数が小児に発症し，起因菌はわが国では*Haemophilus influenzae*が最も多い。2008年からわが国においてもインフルエンザ菌b型（*Haemophilus influenzae* type b；Hib）ワクチンが導入された。Hibワクチン導入により，本菌による髄膜炎発症数は減少している。

2. 髄液の採取および保存

髄液は，腰椎穿刺または脳室から採取される。腰椎の場合の穿刺部位は，通常，第Ⅲ～第Ⅳ腰椎間が選択されるが，前後の椎間が選ばれることもある。穿刺部位の皮膚の消毒は，血液培養の場合と同様の手順で厳重に行う。

髄液は採取後，直ちに検査室へ提出しなければならない。したがって，髄液は原則保存しない。

3. 検査法

髄液の検査フローチャートを図13.3.1[13]に示す。

(1) 肉眼的外観の観察

髄液は混濁の有無と程度，色調，フィブリンなどの浮遊物の有無を観察する。細菌性髄膜炎では，発症早期から混濁し膿性を呈する場合が多い。一方，結核性，真菌性，ウ

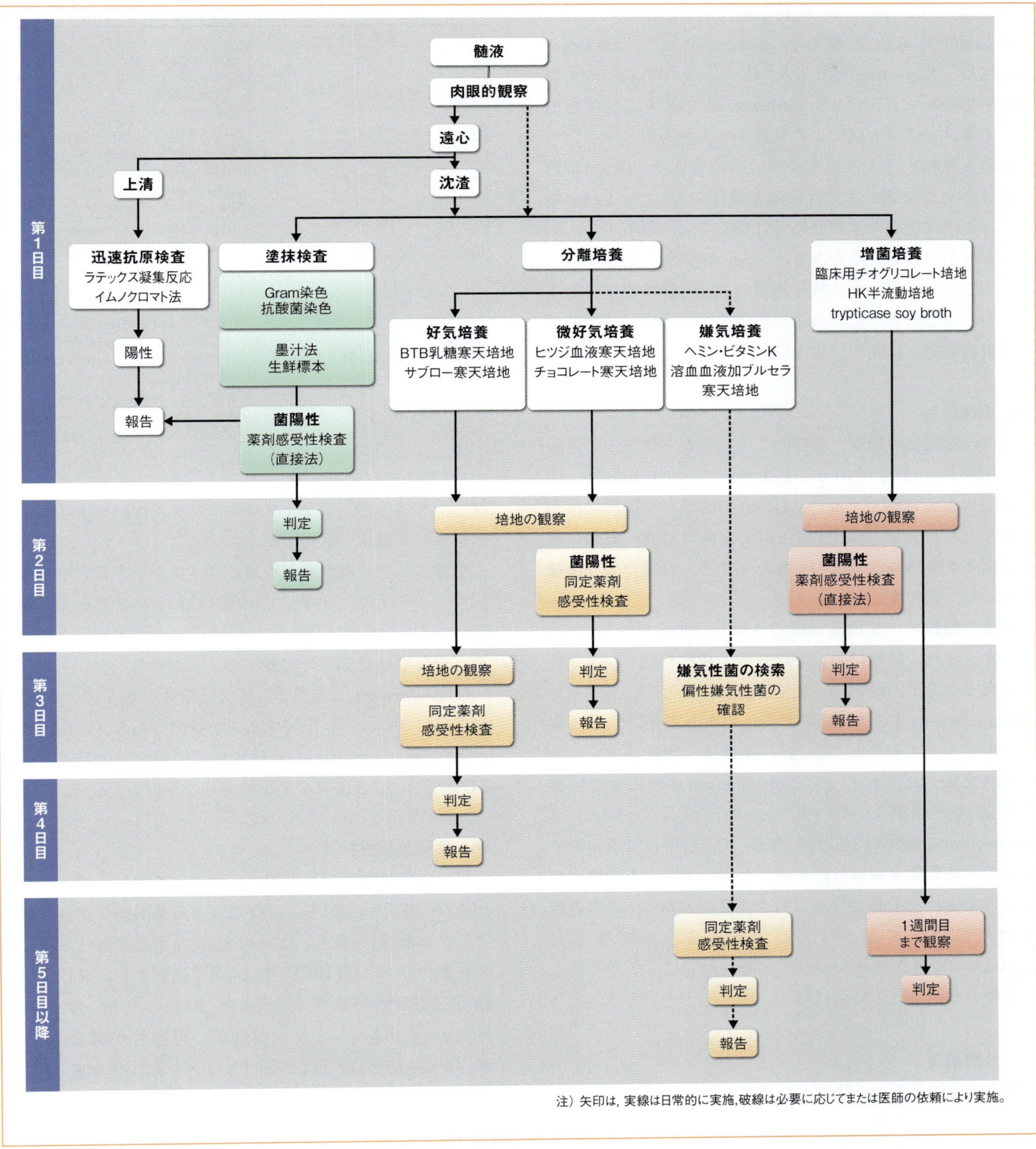

図 13.3.1　脳脊髄液の検査フローチャート
〔小栗豊子，他：「検査材料別検査法と検出菌 髄液」，臨床微生物検査ハンドブック 第5版，76-82，小栗豊子（編），三輪書店，2017 より引用〕

イルス性髄膜炎においては，細胞数が著増することは少なく，髄液の混濁は軽度（日光微塵）であることが多い。

(2) 髄液の遠心

髄液は少量のことが多いが2mL以上あれば遠心，集菌する。遠心は1,000〜1,500g (3,000〜3,500rpm)，10〜15分間行う。遠心後，上清は迅速抗原検査，沈渣は塗抹検査と培養検査に使用する。

(3) 迅速抗原検査

迅速抗原検査は細菌性髄膜炎の主要な起因菌を検出する検査キットが市販されており，極めて有用である。市販検

用語　日光微塵（sun dust）

査キットでは，*H. influenzae*（血清型b），*Streptococcus pneumoniae*（莢膜形成株），*S. agalactiae*，*Escherichia coli*（K1），*N. meningitidis*（A，B，C，Y/W-135）の主要5菌種の検査キットや，*S. pneumoniae*を対象に髄液を用いるイムノクロマト法による検査キットもある。

迅速抗原検査による対象菌種の検出感度は，Gram染色と同等か，やや高い。先行抗菌薬投与によって，Gram染色による塗抹検査で菌が認められなくても，髄液中の抗原物質を検出できる長所がある。一方，治療後に菌が消失した後も髄液中に残存する抗原物質と反応し陽性が一時的に持続することから，ほかの迅速抗原検査と同様に治療効果や治癒の判定には利用できない。

(4) 塗抹検査

細菌性髄膜炎の場合，発症のごく初期から髄液中の菌数は10^5CFU/mL以上であることが多い[14]。したがって，塗抹検査の意義は極めて高い。Gram染色標本の鏡検で菌が認められた場合は，Gram染色による菌の形態，患者年齢，基礎疾患や脳外科的処置の有無などから，可能な限り菌種を推定し，報告する。

細菌性髄膜炎の起因菌と患者年齢との関係を表13.3.5[13]に示す。また，鏡検においては背景の観察も行う。細菌性髄膜炎では通常，好中球が優位に認められる。

Gram染色以外には，抗酸菌染色であるZiehl-Neelsen染色（チール・ネールゼン染色），墨汁法，生鮮標本による検査も必要に応じて行う。Ziehl-Neelsen染色による抗酸菌の陽性率は低い（20～30%）。墨汁法は*Cryptococcus neoformans*の検出目的で行われる。Gram染色では本菌の特徴である莢膜を観察しにくいことや，少数菌を検出しにくいので墨汁法も併用する。なお，*C. neoformans*の莢膜は治療によって縮小することがある。生鮮標本は*Leptospira*属菌やアメーバ（*Naegleria fowleri*など）による髄膜炎が疑われる場合に行う。

(5) 分離培養

髄液の分離培地は，ヒツジ血液寒天培地，チョコレート寒天培地，BTB乳糖寒天培地，サブロー寒天培地を用いる。その他，塗抹検査所見から培地を適宜追加する。髄液検査では一般に嫌気培養は行わないが，脳膿瘍や耳鼻咽喉科領域の疾患（感染症，悪性腫瘍）を有する患者の場合，嫌気性菌が検出されることがある。髄液が膿性かつ悪臭を伴う，または塗抹検査で複数の菌が認められる場合は，嫌気性菌用培地を追加する。

増菌培地は，嫌気性菌の発育も可能な臨床用チオグリコレート培地またはHK半流動培地を用いる。真菌の検出には，トリプチケースソイブロスやブレインハートインフュージョンブロスを併用する。

表 13.3.5　細菌性髄膜炎の起因菌と患者年齢との関係

患者年齢	起因菌
生後１カ月以内	*Streptococcus agalactiae* *Escherichia coli* およびほかの腸内細菌目細菌 *Listeria monocytogenes* *Elizabethkingia meningoseptica*
＞１カ月～５歳まで	*Haemophilus influenzae* *Streptococcus pneumoniae* *Listeria monocytogenes* *Neisseria meningitidis*
６歳以上（市中発症）	*Streptococcus pneumoniae* *Campylobacter fetus* subsp. *fetus* *Listeria monocyogenes* *Neisseria meningitidis*
６歳以上（院内発症，免疫不全患者，脳外科的処置患者）	*Staphylococcus aureus* コアグラーゼ陰性 staphylococci（CNS）（*S. epidermidis*） 腸内細菌目細菌およびほかのグラム陰性桿菌 *Cryptococcus neoformans*

〔小栗豊子，他：「検査材料別検査法と検出菌 髄液」，臨床微生物検査ハンドブック 第５版，76-82，小栗豊子（編），三輪書店，2017.〕

培養はヒツジ血液寒天培地とチョコレート寒天培地は炭酸ガス（5%CO_2）培養，その他は好気培養する。分離培地は35℃，2日間培養し，以後は好気条件下で毎日観察する。増菌培地は35℃で培養する。

*C. neoformans*は培養1日目には発育が認められず，2日目以降にコロニーが出現するのが特徴であり，ほかの酵母と異なる。*C. neoformans*検査依頼の場合は，培養は最低7日間行うが，2週間まで観察することが望ましい。

(6) 薬剤感受性検査

髄液の塗抹検査で菌が認められる，または迅速抗原検査が陽性の場合は，直ちに直接法による薬剤感受性検査（ディスク拡散法）を行う。*S. pneumoniae*が推定される場合は，オキサシリン（MPIPC）ディスクを追加する。翌日判定し，結果を速やかに医師へ連絡する。MPIPC耐性の*S. pneumoniae*はペニシリン耐性菌の可能性がある。また，*H. influenzae*の場合はニトロセフィン法によるβ-ラクタマーゼ検査を必ず行う。直接法による検査は接種菌量が正確でないことから，アンピシリン（ABPC）感性の結果であっても，β-ラクタマーゼ陽性の場合は耐性と報告する。

直接法の成績は間接法で検査をやり直して確認し，最終報告する。

4. 検査結果の解釈と報告

(1) 塗抹検査結果

塗抹検査は，細菌の有無と菌量を報告するが，Gram染

用語　コロニー形成単位（colony forming unit；CFU），オキサシリン（oxacillin；MPIPC），アンピシリン（ampicillin；ABPC）

色による形態と患者背景から可能な限り菌種まで推定して報告する。

髄液の塗抹検査結果の報告は，検体到着から30〜60分以内を目標とする。

(2) 迅速抗原検査の報告

迅速抗原検査結果の報告は，塗抹検査と同様に検体到着から30〜60分以内を目標とする。

(3) 培養および同定検査結果の報告

髄液は本来無菌の検体であることから，検出菌は原則，起因菌と解釈される。したがって，分離された菌は菌種または菌属レベルまで検査して報告する。

塗抹検査または培養陽性の場合は，分離菌の同定がすべて終了した時点ではなく，推定の段階でも中間報告して更新する。

髄液の培養検査では，菌の発育が認められない場合，検体受付から3日目に1回目の中間報告を行う（図13.3.1）。この時点では，培養陰性であり1週間まで観察を継続する旨を報告する。以後，1週間まで培養し最終報告に至る。

(4) 薬剤感受性検査結果の報告

髄液の塗抹検査陽性の場合は，直接法による薬剤感受性検査が行われる。翌日，結果を判定し，同定検査結果とともに報告する。

直接法による検査は，接種菌量を所定の菌量に調整できないことや，最小発育阻止濃度（MIC）が得られないため，希釈法による間接法によって再検査する。希釈法による結果は直接法による結果と照合し，結果を更新する。

(5) 医師へ直接連絡する検査結果

髄液から菌が検出された場合は，患者は髄膜炎である可能性が高い。したがって，髄液の塗抹検査，迅速抗原検査，または培養検査陽性は，すべて医師へ連絡する。

検査室ノート　髄液の繰り返し検査の評価

細菌性髄膜炎に対する治療の評価や治癒の判定のため，髄液が繰り返し採取される。抗菌薬による治療が適切になされている場合，治療開始24時間後の髄液は，塗抹検査で菌が認められなくなる。したがって，治療後の髄液で塗抹検査が陰性化しない場合は，治療が奏功していないことが示唆されるので，その旨を医師へ報告する。

13. 3. 3　呼吸器（喀痰）

1. 下気道感染症の種類と原因微生物の疫学

下気道感染症の種類と原因微生物および検査を表13.3.1[1)]に示した。

下気道感染症の感染臓器・部位は，気管または気管支，肺，および胸腔である。感染症の種類は，気管支炎，肺炎，肺膿瘍，膿胸，および慢性気道感染症である慢性気管支炎，気管支拡張症，およびびまん性汎細気管支炎がある。

肺炎は，感染症発症の背景から，市中肺炎，院内肺炎，嚥下性（誤嚥性）肺炎，人工呼吸器関連肺炎，医療・介護関連肺炎に分類される。

2. 喀痰の採取および保存

痰は患者自身が喀出する喀痰（喀出痰）と吸引操作によって採取した吸引痰がある。喀痰は，感染症検査に適する良質な検体を用いないと起因菌を適確に検出できない。患者に検査目的と採取法をよく説明し，良質な検体が採取できるよう協力を得る。喀痰はうがいにより口腔内を清潔にしてから採取すること，唾液や鼻汁の混入を避けることが検査に適する良質な喀痰採取のポイントである。

検体は採取後速やかに検査に開始する（室温では2時間以内）のが望ましい。保存する場合には乾燥を避け，冷蔵（4℃）するが，24時間以内には検査を開始する。

用語　最小発育阻止濃度（minimum inhibitory concentration；MIC）

検査室ノート 喀痰以外の下気道由来検体

喀痰以外の下気道感染症の検査に用いる検体には，経気管吸引痰（TTA），気管支肺胞洗浄液（BAL），肺穿刺液，経気管支的肺生検（TBLB），肺膿瘍，胸水などがある。これらは，上気道や口腔の常在菌の混入を避ける，または感染病巣から直接採取する侵襲的な採取法によって採取される。

3. 検査法

喀痰の検査フローチャートを図13.3.2[15]に示す。

(1) 肉眼的外観の観察

喀痰の肉眼的外観は，検体受付時に表13.3.6に示すMiller & Jonesの分類[16]によって行う。Miller & Jonesの分類では，膿性痰であるP1〜P3痰が微生物検査に適する良質な検体と評価される。膿性痰からは起因菌が検出される確率が高く，市中または細菌性肺炎において高い相関を示す。M1痰は喀痰中に白血球が含まれないことを示唆し，一般に検査に適さないと評価される。M2痰は少量の膿性部分を含むと定義され，膿性P1痰との区別が困難であるが膿性痰に準ずると評価される。

その他，悪臭のある喀痰は嫌気性菌の関与を示唆する重要な所見であり，菌塊（*Aspergillus* spp.）やドルーゼ（*Actinomyces* spp.）が観察されることがある。

(2) 塗抹検査

喀痰の塗抹検査は，Gram染色標本を用いた検体の品質評価，および細菌や細胞を観察する。

Gram染色標本の鏡検による品質評価は，表13.3.7に示すGecklerの分類[17]によって行う。Gram染色標本を総合倍率100倍で観察し，1視野平均の白血球数と扁平上皮細胞数を算定し，両者の組み合わせからグループ1〜6のどれに該当するかを判定する。グループ4または5は，白血球が多く感染病巣由来を示唆し，扁平上皮細胞が少ないことから唾液の混入が少ないと解釈することができ，微生物検査に適する良質な検体と評価される。グループ1〜3は，扁平上皮細胞が多く唾液の混入によって濃厚に汚染されていると解釈される。

(3) Miller & Jonesの分類とGecklerの分類の使用上の限界

Miller & Jonesの分類やGecklerの分類は，喀痰の膿性度を評価するものである。したがって，2法は細菌性の市中肺炎の場合に有用である。検体の適正さ評価には,扁平上皮細胞の数を指標とし，1視野平均の細胞数が多い場合は，唾液による汚染が濃厚と評価する。

喀痰のGram染色標本による細菌の観察は，表13.3.1に示した疫学にもとづいて起因菌の有無をみる。喀痰のGram染色において推定すべき起因菌は，*Staphylococcus* spp.，*Streptococcus pneumoniae*, *Moraxella catarrhalis*, *Haemophilus influenzae*である。その他，莢膜を有する太いグラム陰性桿菌が観察できれば*Klebsiella pneumoniae*，グラム陰性桿菌の菌体周囲にグラム陰性に淡く染色されるムコイド物質が観察できれば*Pseudomonas aeruginosa*（ムコイド型）も推定可能である。その他，白血球内の細菌の貪食像や付着像は，起因菌と解釈するうえで重要な情報である。

検査室ノート Gecklerのグループ3と6の評価

グループ3は唾液の誤嚥によって発症した嚥下性肺炎患者において見られることがある。細胞数が少ないグループ6は，経気管吸引痰（TTA）や気管支肺胞洗浄液の場合に検査に適すると評価される。

用語 経気管吸引痰（transtracheal aspirate；TTA），気管支肺胞洗浄液（bronchoalveolar lavage；BAL），経気管支的肺生検（transbronchial lung biopsy；TBLB）

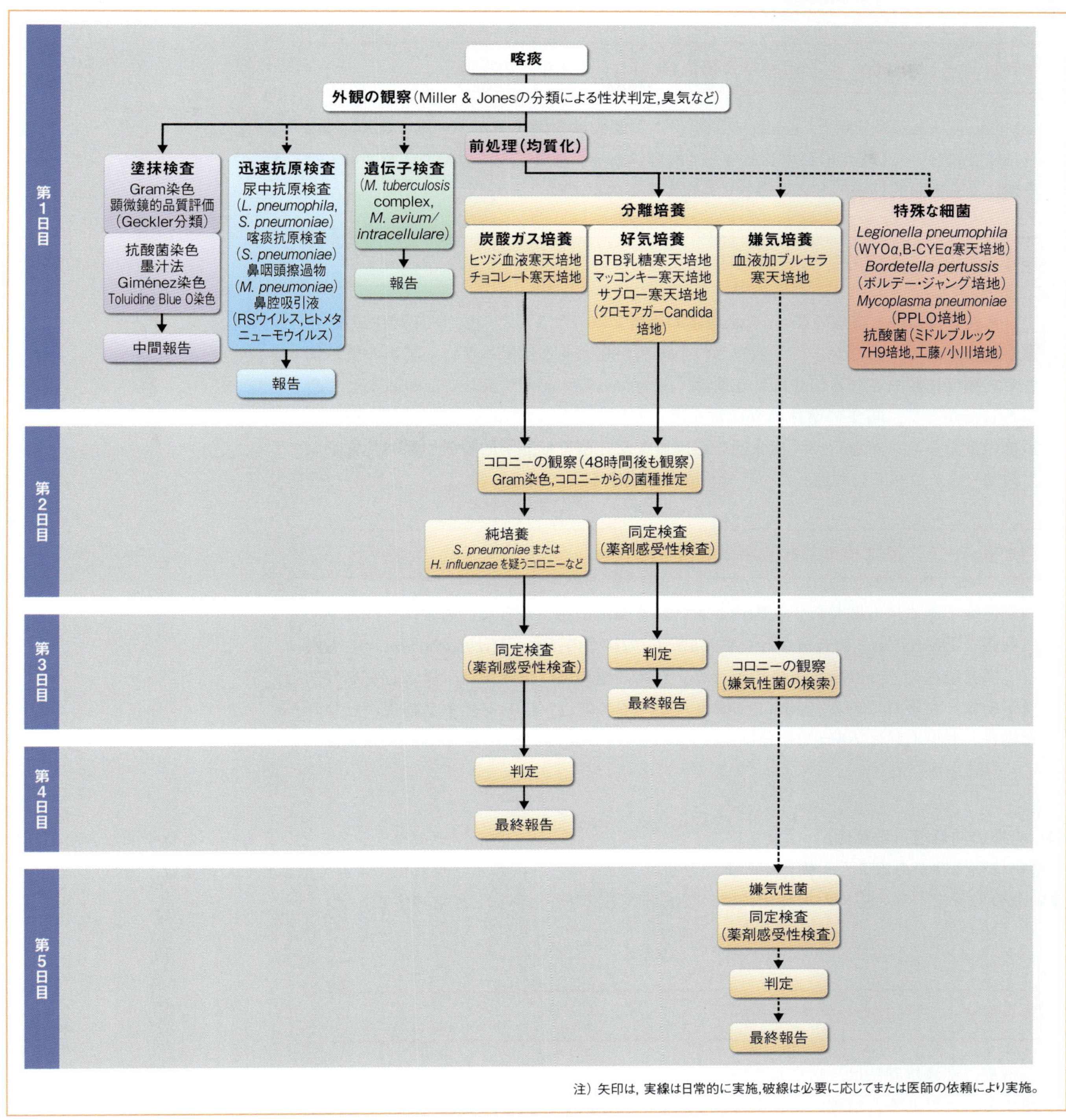

図 13.3.2 喀痰の検査フローチャート

(小栗豊子，他：「検査材料別検査法と検出菌 喀痰」，臨床微生物検査ハンドブック 第5版，87-92，小栗豊子（編），三輪書店，2017 より引用)

表 13.3.6 喀痰の肉眼的性状による分類（Miller & Jones の分類）

分類	喀痰の肉眼的性状
M1 痰	唾液，完全な粘性痰
M2 痰	粘性痰の中に少量の膿性痰を含む
膿性 P1 痰	膿性部分が 1/3 以下
膿性 P2 痰	膿性部分が 1/3 ～ 2/3
膿性 P3 痰	膿性部分が 2/3 以上

※細菌性肺炎の場合，膿性痰（P1 ～ P3）から高率に起因菌が検出される。

〔Miller DL, Jones R : "A study of techniques for the examination of sputum in a field survey of chronic bronchitis", Am Rev Respir Dis, 1963 ; 88 : 473-483 より引用〕

表 13.3.7 Gram 染色による喀痰の顕微鏡的な品質評価（Geckler の分類）

グループ	細胞数 /1 視野（100 倍）	
	白血球（好中球）	扁平上皮細胞
1	<10	>25
2	10 ～ 25	>25
3	>25	>25
4	>25	10 ～ 25
5	>25	<10
6	<25	<25

※グループ 3 ～ 5 が，一般に検査に適する（グループ 3 は病巣由来であるが，唾液の混入が多いと解釈）。

〔Geckler RW *et al.* : "Microscopic and bacteriological comparison of paired sputa and transtracheal aspirates", J Clin Microbiol, 1977 ; 6 : 396-399 より引用〕

用語 WYO（Wadowsky-Yee-Okuda），B-CYE（buffered-charcoal yeast extract），PPLO（pleuropneumonia-like organism）

検査室ノート　Miller & Jonesの分類とGecklerの分類との関係

Miller & Jonesの分類とGecklerの分類による評価は相関するが，一部で乖離する。日常検査においては2つの結果を総合し，医師にとって理解しやすいMiller & Jonesの分類による肉眼的外観の方に集約させて報告するのがよい。

検査室ノート　喀痰の塗抹検査の実際

日常検査における喀痰のGram染色標本の鏡検では，ほとんどの検体で口腔内の常在菌が観察される。したがって，観察された細菌が起因菌とは限らない。喀痰の塗抹検査で高頻度に観察される口腔内常在菌は，*Streptococcus* spp.や*Neisseria* spp.などである。したがって，喀痰の塗抹検査は常在菌と起因菌を区別するスキルが要求される。鏡検のトレーニングを行い，代表的な起因菌や常在菌を形態学的特徴や標本の背景から鑑別できるレベルに到達したうえで検査を担当する。

検査室ノート　塗抹検査で起因菌が観察されない場合

膿性痰であるにも関わらず起因菌と思われる細菌が見つからない場合は，低倍率にて真菌（*Aspergillus*，接合菌など）や*Nocardia*の検索のほか，*Mycobacterium* spp.も疑って蛍光染色やZiehl-Neelsen染色を行う。真菌の検出には蛍光染色（ファンギフローラY染色）が優れている。Giménez染色（ヒメネス染色）はレジオネラ肺炎が疑われた場合，トルイジンブルーO染色はニューモシスチス肺炎が疑われた場合に併用する。

(4) 喀痰の前処理（均質化）

喀痰は粘稠性があること，検体中の菌の分布は一様ではないため均質化する。喀痰の均質化には，喀痰溶解剤（プロテアーゼやL-システイン）を用いる化学的な方法が行われる。均質化によって液状化した喀痰は，分離用培地へ塗抹し，培養する。

検査室ノート　喀痰の洗浄培養法[15)]

喀痰の洗浄培養法は，喀痰を洗浄して口腔内常在菌を除去し，起因菌を効率よく検出する方法である。口腔内常在菌は下気道から分泌された喀痰が気道，口腔を経る際に付着するので，喀痰を滅菌生理食塩液中で洗浄することによって除去する。

(5) 分離培養

喀痰の分離培地は，ヒツジ血液寒天培地，チョコレート寒天培地，BTB乳糖寒天培地が常用される。培養はヒツジ血液寒天培地とチョコレート寒天培地は炭酸ガス（5%）培養，その他は好気培養する。培養は通常48時間行うが，培養24時間目で一度観察し，さらにもう1日培養する。

微好気性菌，*Corynebacterium* spp.，*Haemophilus* spp.，*Pseudomonas aeruginosa*（ムコイド型），真菌（酵母）などは2日目以降に存在を確認できることがある。*Legionella* spp.や*Nocardia* spp.は3～4日以上，*Cryptococcus neoformans*や糸状菌（*Aspergillus* spp.など）は，1～2週間観察する。

(6) 迅速抗原検査

下気道感染症の診断に利用可能な迅速抗原検査を表13.3.1に示した。病院検査室では検査困難または検査に日数を要する病原体由来抗原物質を免疫学的に検出する検査キットは，感染症の診断に非常に有用である。また，*Legio-*

nella spp.による肺炎は重症であり，日数を要する培養検査では診断に間に合わない。本菌による肺炎では，菌体由来の可溶性抗原物質が発症早期に尿中に出現することから，尿中抗原検査の意義が高い。

4. 検査結果の解釈と報告

(1) 検体の品質評価の報告

検体の外観は，喀痰の場合はGecklerの分類も並行して行い，Miller & Jonesの分類の方に集約させた総合的な結果として報告する。その他，Miller & Jonesの分類では表現できない微量，乾燥，悪臭，ドルーゼなども報告する。検体の外観による評価結果を報告することで，提出された検体の品質の良否を伝える。Miller & Jonesの分類とGecklerの分類による評価は，すべての喀痰を対象にできない。細菌性以外の肺炎，院内肺炎や免疫不全患者の喀痰の評価には使用できない。例えば，外来患者の喀痰には実施するなど診療側と取り決める。

(2) 塗抹検査結果

塗抹検査は，細菌の有無と菌量を報告するが，Gram染色による形態から可能な限り菌種の推定を行って報告する。グラム陽性球菌は，*Streptococcus* spp.か*Staphylococcus* spp.を区別し，*Streptococcus* spp.の場合は，*S. pneumoniae*かを区別，グラム陽性桿菌は*Corynebacterium* spp.や*Nocardia* spp.が推定されるかを区別，グラム陰性球菌は*Neisseria* spp.か*M. catarrhalis*を区別，グラム陰性桿菌は，*H. influenzae*，*K. pneumoniae*（莢膜が認められる場合），*P. aeruginosa*（ムコイド型）を区別する。真菌は酵母の場合は，*Candida* spp.か*Cryptococcus neoformans*か否かを区別する。多種類の細菌が貪食像とともに認められる所見は，好気性菌と嫌気性菌による混合感染（嚥下性肺炎，肺膿瘍）が疑われることを報告する。

生体細胞は白血球と扁平上皮細胞の量を報告する。その他，線毛上皮細胞や肺胞マクロファージも報告する。

塗抹検査の結果は，検体受付の当日に報告する。

(3) 迅速抗原検査の報告

迅速抗原検査の結果は，検体受付から速やか（30分～1時間以内）に報告する。

(4) 培養および同定検査結果の報告

喀痰の場合，培養するとほとんどの検体において口腔内や上気道の常在菌が発育する。分離培地上のコロニーをよく観察し，感染症の疫学から起因菌が疑われるコロニーについて同定検査を行う。常在菌と判定されたコロニーは，それ以上の詳細な同定検査は行わない。コロニー性状から菌種を推定し，同定または薬剤感受性検査へ進めるかどうかの決定は最も重要な工程であり，十分な技量を有する臨床検査技師による指導を受けながらトレーニングする必要がある。

培養検査結果の報告では，起因菌は原則，菌種または菌属レベルまで報告する。常在菌の報告は，その有無のみを報告する場合と，菌属または菌グループまで報告する方法があるが，起因菌か常在菌かを区別して報告する[18]ことが重要である。

培養検査の報告のタイミングは，分離菌の同定がすべて終了した時点ではなく，推定の段階でも中間報告して更新していく。喀痰の場合は，検体受付から3日目が1回目の報告の目安（図13.3.2）である。以後，同定検査の結果が出次第，結果を更新しながら最終報告に至る。

(5) 薬剤感受性検査結果の報告

薬剤感受性検査は，起因菌に対して行うのが原則[15]である。検査は同定検査と同じタイミングで行われることが多いが，同定検査より多くの菌量が必要な菌種の場合には，結果報告は同定検査結果の報告以降となる。

(6) 医師へ直接連絡する検査結果

喀痰の検査結果のうち，医師へ直接連絡すべき結果には以下があげられる。

- 重症感染症を示唆する結果：迅速抗原検査や培養検査により*Legionella* spp.陽性
- 感染対策上重要な微生物の検出：塗抹検査により抗酸菌陽性，遺伝子検査により*M. tuberuculosis* complex陽性，迅速抗原検査により*M. pneumoniae*，インフルエンザウイルス，RSウイルス陽性，培養検査により*B. pertussis*陽性
- 薬剤耐性菌の検出：多剤耐性*P. aeruginosa*，多剤耐性*Acinetobacter*
- 免疫不全患者からの菌検出：*P. aeruginosa*，*Stenotrophomonas maltophilia*，*Aspergillus* spp.，*C. neoformans*，接合菌
- 国内では稀な微生物の検出：*Burkholderia pseudomallei*，*Bacillus anthracis*，*Yerisinia pestis*，外来性真菌

13. 3. 4　糞便

1. 腸管感染症の種類と原因微生物の疫学

腸管感染症の種類と原因微生物および検査を表13.3.1[1]に示した。腸管感染症の診断においては，志賀毒素やエンテロトキシンなどの毒素の検出が必要な場合がある。

腸管感染症は感染者の背景から，健常者に発症する市中感染症としての下痢症と，長期入院患者に発症する抗菌薬関連下痢症がある。市中感染症のうち，患者が国外で感染した下痢症は，わが国では稀な原因微生物によるものがある。入院患者は，市中感染症の原因微生物による感染機会が少ないことや，抗菌薬が投与されていることが多いので，市中感染症とは様相が異なる。

腸チフスとパラチフス（チフス症）は，腸管系発熱疾患である。起因菌は*Salmonella* Typhiと*Salmonella* Paratyphi Aであり，経口感染から腸管上皮で増殖，リンパ管から血中へ侵入し敗血症を起こす。したがって，起因菌は血液から検出され，以後，尿，胆汁，糞便中に出現することから，この2菌種も糞便検査の対象に含まれる。

2. 腸管感染症の検査に用いる検体，検体採取および保存

腸管感染症の検査に用いる糞便は，自然排便による採取が原則である。水洗トイレで排便する場合は水道水の混入を避ける。便意がない場合は，スワブを肛門から挿入して直腸から採取する直腸スワブによる場合がある。直腸スワブによる採便は，医師の指示によって臨床検査技師も可能である。

糞便は採取後，速やかに検査を開始する（室温では2時間以内）。保存する場合は乾燥を避け冷蔵（4℃）するが，24時間以内には検査を開始する。スワブで採取した場合は，キャリー・ブレアー培地などの保存培地付きのものを用いる。*Clostridioides difficile*は酸素に鋭敏であり死滅しやすいので，培養を目的とした場合は嫌気性菌検査用の容器に採取するか多量に採取する。

寄生虫検査では，赤痢アメーバは糞便を冷蔵保存すると運動性が失われるので，保存せず速やかに検査しなければならない。

Shigella spp.は保存によって死滅しやすく，低温では*Vibrio* spp.や*Campylobacter* spp.が死滅しやすい。

3. 検査法

糞便の検査フローチャートを図13.3.3[19,20]に示す。

(1) 肉眼的外観の観察

糞便は検体受付時に肉眼的外観を観察する。糞便の外観は，有形軟便，固形便，タール便，下痢便，膿粘血便，血便，水様便，米のとぎ汁様便，イチゴゼリー状便，脂肪性下痢便，白色便などに分類する。糞便の外観と起炎微生物の検出には関連がある。典型例においては，血便からは腸管出血性大腸菌，膿粘血便からは*Shigella* spp.や*Campylobacter* spp.，米のとぎ汁様便からは*Vibrio cholerae*，イチゴゼリー状便からは赤痢アメーバ（栄養型），脂肪性下痢便からはランブル鞭毛虫，白色便からはロタウイルスが検出される傾向がある。

(2) 塗抹検査

糞便中には非常に多数の腸管内常在菌が含まれることから，塗抹検査はすべてに行わず特定の外観を呈する検体に対して行う。膿粘血便のGram染色で，好中球とともに*Campylobacter* spp.が推定されるグラム陰性のらせん菌が認められれば診断的意義が高い。

寄生虫の検査では，赤痢アメーバ，ランブル鞭毛虫，*Cryptosporidium*，*Cyclospora*などの原虫を対象として，直接塗抹，集卵法およびショ糖浮遊法による生鮮標本の観察，ヨード・ヨードカリ染色，抗酸性染色およびコーン染色が行われる。

(3) 迅速抗原検査

糞便を用いた迅速抗原検査は，ロタウイルス，腸管アデノウイルス，ノロウイルス，*C. difficile*のトキシン（AおよびB，またはAのみ）と菌由来抗原物質〔グルタミン酸デヒドロゲナーゼ（GDH）〕，赤痢アメーバの検査が利用可能である。

(4) 分離培養（図13.3.3）

糞便の分離培地は，市中感染症を疑う場合は，BTB乳糖寒天培地，SS寒天培地，TCBS寒天培地，腸管出血性大腸菌分離用培地，およびスキロー培地などの*Campylobacter*用培地を使用する。培養はスキロー培地以外は35℃，24時間，好気培養し，疑わしいコロニーはTSI

用語　キャリー・ブレアー培地（Cary-Blair 培地），グルタミン酸デヒドロゲナーゼ（glutamate dehydrogenase；GDH），SS（*Salmonella-Shigella*），TCBS（thiosulfate citrate bile salts sucrose），スキロー培地（Skirrow 培地），TSI（triple sugar iron）

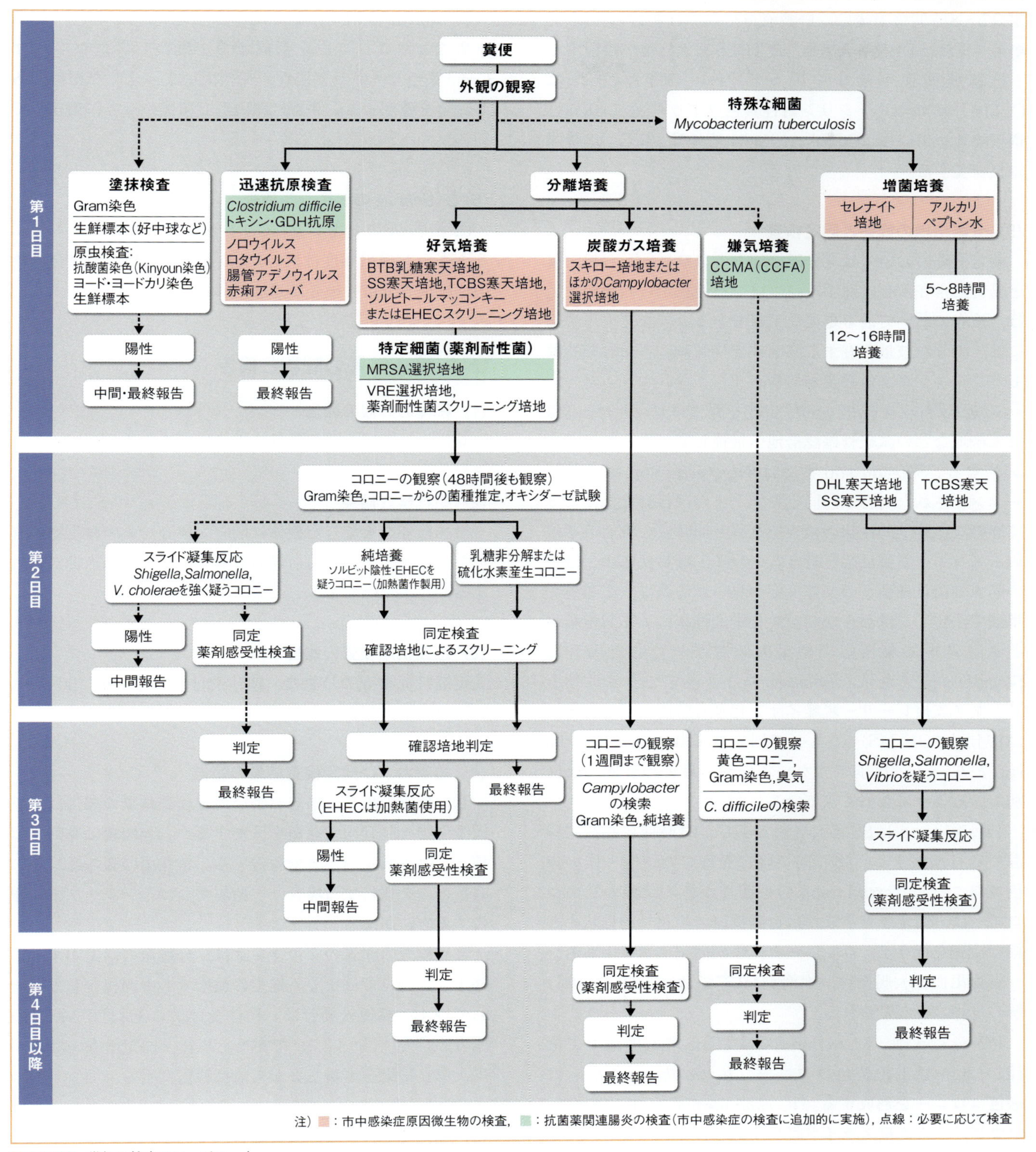

図 13.3.3 糞便の検査フローチャート
〔検査法ガイド等作成委員会 腸管感染症検査ガイドライン第2版 作業部会：「効果的な日常検査の組み立て」，日本臨床微生物学雑誌 2021；31（Suppl. 2）：151-160 より一部改変して引用〕

寒天培地などの試験管確認培地へ接種して同定する。培地の観察後は，SS寒天培地は*Yersinia* spp.の検索のため室温でさらに数日置いて観察する。スキロー培地は35℃，48時間，微好気培養する。

選択増菌培地は急性期を過ぎた患者や保菌者の検査に用いる。*Salmonella* spp.はセレナイト培地，*Vibrio* spp.にはアルカリペプトン水を用いる。各培地へ糞便を接種し，35℃，セレナイト培地は12〜16時間，アルカリペプトン

用語 腸管出血性大腸菌（enterohemorrhagic *Escherichia coli*；EHEC），メチシリン耐性黄色ブドウ球菌（methicillin-resistant *Staphylococcus aureus*；MRSA）

水は5～8時間培養後に，培養液をそれぞれ新しいSS寒天培地（またはDHL寒天培地）とTCBS寒天培地へ接種する。

抗菌薬関連下痢症を疑う場合は，CCFA（またはCCMA）培地やメチシリン耐性黄色ブドウ球菌（MRSA）選択培地を用いる。CCFA（CCMA）培地は，35℃，48時間，嫌気培養する。

(5) 分離培地の観察と同定検査

同定検査においては，分離培地上のコロニーから起因菌と腸管内常在菌を区別する。コロニー性状からの菌種推定は，検査において最も重要な工程である。検査を担当するには，十分な技量を有する臨床検査技師による指導を受けてトレーニングする必要がある。

Shigella spp.や*Salmonella* spp.を疑うコロニーは，TSI寒天培地などの試験管確認培地へ接種して一次スクリーニングする。*Shigella* spp.または*Salmonella* spp.とスクリーニングされた場合は，同定キットまたは自動機器によって詳細な生化学的性状の検査を行うと同時に，抗血清を用いるスライド凝集反応を行う。スライド凝集反応は，ほかの腸内細菌目細菌との交差反応が見られるので，この検査単独で決定してはならない。生化学的性状による同定結果とスライド凝集反応の結果の両者が一致した場合に*Shigella* spp.または*Salmonella* spp.と決定できる。マトリックス支援レーザー脱離イオン化飛行時間型質量分析計（MALDI-TOF MS）によって同定する場合は，*Shigella* spp.と*E. coli*は区別できない。なお，最近の装置では区別できるようになってきている。

Yersinia spp.はSS寒天培地で35℃，24時間培養後に室温で数日観察する。48時間以降に発育した透明～淡い赤色コロニーは*Yersinia* spp.の可能性がある。疑わしいコロニーは，同定キットまたは自動機器で生化学的性状の詳細な検査を行うが，ウレアーゼ産生が同定上重要である。

腸管出血性大腸菌は，血清型O157ではソルビット非分解のコロニーが疑われる。

Vibrio spp.は，*V. cholerae*ではTCBS寒天培地上で直径1～2mm以上の黄色コロニー，*V. parahaemolyticus*は緑色コロニーを形成する。*V. cholerae*が疑われる場合は，コロニーから直接スライド凝集反応を行う。

Campylobacter spp.は疑わしいコロニーを2つの5%ヒツジ血液寒天培地に純培養し一方を微好気培養，もう一方は好気培養する。微好気培養した培地にのみ発育した純培養菌は，Gram染色によって形態を確認する。*C. jejuni*は馬尿酸加水分解試験陽性が同定上重要である。

*C. difficile*はCCFAまたはCCMA培地上で黄色，辺縁不整なR型コロニーを形成する。疑わしいコロニーはGram染色し，グラム陽性，やや太いまっすぐな桿菌であることを確認する。芽胞は卵円形で菌体の一方に偏在している。

(6) *C. difficile*のトキシン検査

*C. difficile*のトキシン（CDトキシン）検査キットによるトキシン検出感度は低い。CDトキシン陰性の場合は核酸増幅検査や培養検査が追加される。

4. 検査結果の解釈と報告

(1) 検体の外観の報告

糞便の外観は，検体受付の当日に報告する。

(2) 塗抹検査結果

塗抹検査を実施した検体に限り，検査対象の微生物の有無と菌量とともに，白血球の有無を検体受付の当日に報告する。

(3) 迅速抗原検査の報告

迅速抗原検査の結果は，検体受付から速やか（30分～1時間以内）に報告する。

(4) 培養および同定検査結果の報告

糞便検査の場合，培養および同定検査結果の報告は，原因微生物と腸管内常在菌を区別する[18]。起因菌は原則，菌種または菌属レベルまで報告する。常在菌の報告は，その有無のみを報告する場合と，菌属または菌グループまで報告する方法がある。

培養検査の報告のタイミングは，分離菌の同定がすべて終了した時点ではなく，推定の段階でも中間報告して更新していく。糞便の場合は，検体受付から3日目が1回目の報告の目安（図13.3.3）である。以後，同定検査の結果が出次第，結果を更新しながら最終報告に至る。

(5) 薬剤感受性検査結果の報告

薬剤感受性検査は，原則起因菌に対して行う[18]。

(6) 医師へ直接連絡する検査結果

糞便検体の検査結果のうち，医師へ直接連絡すべき結果には，以下があげられる。腸管感染症の場合，感染症法に

用語　DHL（deoxycholate-hydrogen sulfide-lactose），サイクロセリン・セフォキシチン・フルクトース寒天（cycloserine-cefoxitin-fructose agar；CCFA），サイクロセリン・セフォキシチン・マンニトール寒天（cycloserine-cefoxitin-mannitol agar；CCMA），マトリックス支援レーザー脱離イオン化飛行時間型質量分析計（matrix assisted laser desorption/ionization time of flight mass spectrometer；MALDI-TOF MS），クロストリジウム・ディフィシル（*Clostridium difficile*；CD）

よる届出対象疾患が多く含まれている。

三類感染症には，コレラ，細菌性赤痢，腸チフス，パラチフスおよび腸管出血性大腸菌感染症，四類感染症にはボツリヌス症，五類感染症には，アメーバ赤痢，クリプトスポリジウム症，感染性胃腸炎が含まれる。したがって，これらの感染症の原因微生物が検出された場合は，医師へ連絡する。

・細菌：*Shigella* spp.（*S. dysenteriae*, *S. flexneri*, *S. boydii*, *S. sonnei*），*Salmonella* spp.（*S.* Typhi，*S.* Paratyphi A，その他の*Salmonella* spp.），腸管出血性大腸菌（血清型O157，O111，O26など），腸管出血性大腸菌以外の下痢原性大腸菌，*Plesiomonas shigelloides*，*Vibrio* spp.（*V. cholerae* O1またはO139，*V. cholerae* non-O1，*V. parahaemolyticus*，*V. fluvialis*/*furnisii*），*Campylobacter jejuni* subsp. *jejuni*，*Clostridium difficile*，*Staphylococcus aureus*，*Bacillus cereus*，*Clostridium perfringens*，*Clostridium botulinum*

・ウイルス：ノロウイルス，ロタウイルス，腸管アデノウイルス

・寄生虫：赤痢アメーバ，クリプトスポリジウム，サイクロスポーラ，ランブル鞭毛虫

13. 3. 5　尿

1. 尿路感染症と原因微生物の疫学

尿路感染症の種類と原因微生物，および検査を表13.3.1[1]に示した。尿路感染症は腎臓から尿管までの上部尿路と，膀胱から尿道に至る下部尿路の感染症に分類される。また，急性や慢性または単純性や複雑性によっても区別され，検出される菌種に相違がある。

2. 尿の採取および保存

尿は，中間尿かカテーテル尿を採取する。中間尿は患者自身が採取することから，患者へ検査目的と採取方法をよく説明し，適切な検体を採取できるように協力を得る。

尿道口や周囲の常在菌を消毒綿で清拭することによって除去してから排尿する。出始めの尿は便器へ排出し，中間部分の尿を滅菌コップに採り，終わりの尿は再び便器へ排出する。*Chlamydia trachomatis*検査の場合には，初尿を採取する。

尿は細菌の増殖に適した培地となる。採尿後は速やかに検査室へ提出し，検査を開始する（室温では2時間以内）のが望ましい。保存する場合には乾燥を避け，冷蔵（4℃）するが，24時間以内には検査を開始する。

ただし，*Neisseria gonorrhoeae*は低温では死滅するので，本菌の検査依頼がある場合は，尿は冷蔵せず速やかに検査する。

3. 検査法

尿の検査フローチャートを図13.3.4[21]に示す。

(1) 肉眼的外観の観察

尿は混濁の有無と色調を観察し，記録する。細菌尿はすりガラス様の淡い混濁（塩類による混濁と異なり，静置しても沈殿が生じない）を呈することが多い。尿中の白血球が著しく増多し，膿汁様の外観を呈する膿尿の場合もある。

(2) 塗抹検査

白血球の数，細胞の有無と種類を観察，または腟トリコモナス原虫を検査する場合は，尿を500g（1,500rpm），5分間遠心し，沈渣で生鮮標本を作製して鏡検する。

細菌を観察する場合は，尿をそのまま塗抹したGram染色標本を作製して鏡検する。Gram染色標本の鏡検によって細菌が認められた場合は，尿中の菌数は10^5CFU/mL以上である。中間尿で*Neisseria gonorrhoeae*を検査する場合は，尿を1,000g（3,000rpm），15〜20分間遠心した沈渣でGram染色標本を作製し鏡検する。

*Leptospira*属菌を検査する場合は，暗視野顕微鏡を用いて鏡検する。

(3) 尿中菌数定量培養

尿は採尿時に尿道口や外陰部からの常在菌の混入を完全に避けられない。

したがって，起因菌と常在菌を鑑別するため尿中の菌数を定量する。菌数の定量法には，混釈培養法，定量白金耳法やディップスライド法がある。混釈培養法が最も正確であるが，日常検査においては手技が簡便な定量白金耳法が広く行われている。定量白金耳には1μLと10μLがあり，1μLの白金耳は最低10^3CFU/mLまで，10μLの白金耳の場合は10^2CFU/mLまで，それぞれ定量可能である（定量白金耳は，1μLは10μLに比べて正確度が劣る。尿をマイクロピペットで採り，通常の白金耳で分離培地へ塗抹する方法もある）。尿中菌数が10^4〜10^5CFU/mL以上が有意な細菌尿であり，かつ分離菌の同定の結果，尿路感染症の代表的な菌種の場合に起因菌と解釈される。

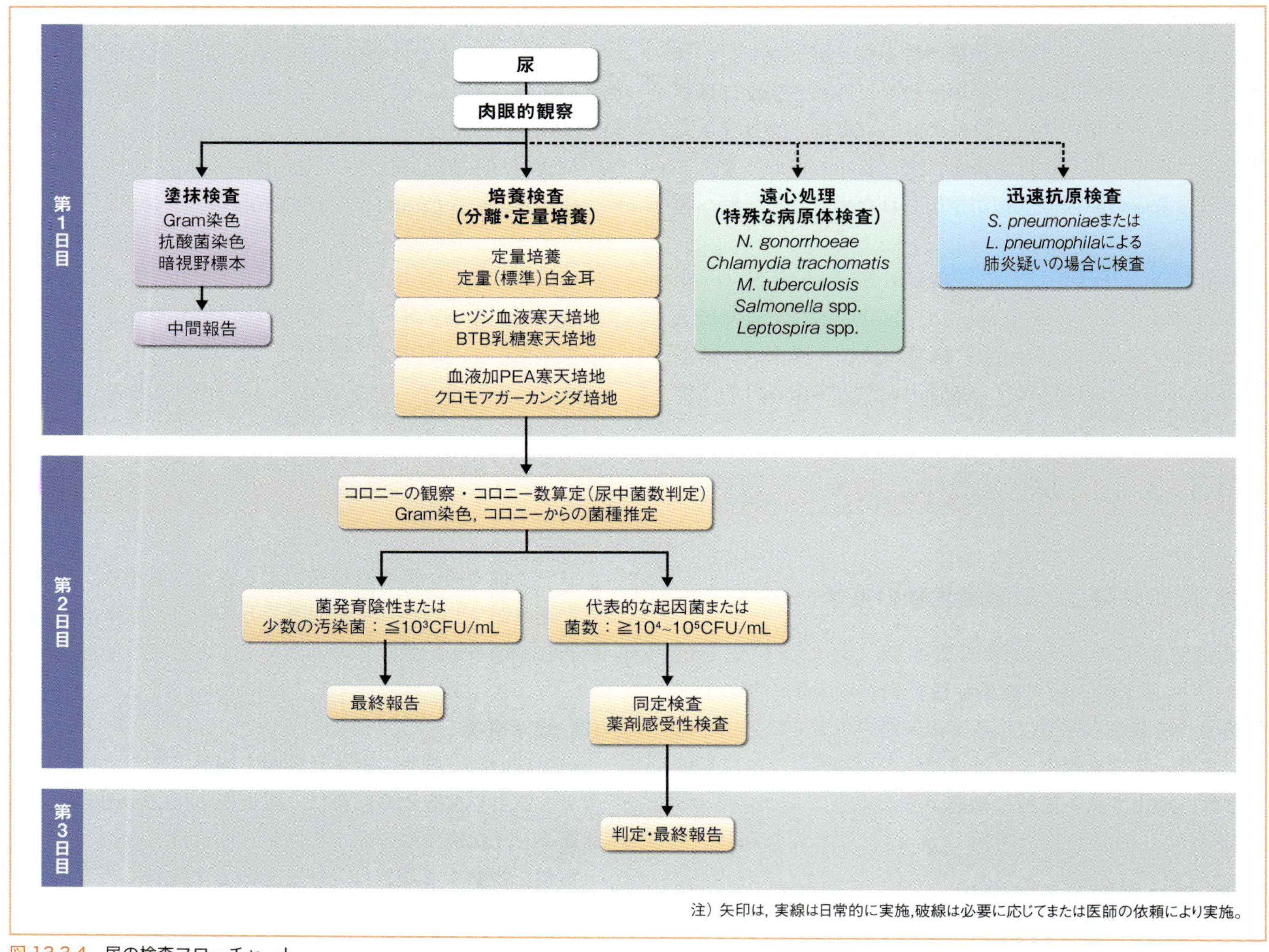

図 13.3.4　尿の検査フローチャート
（小栗豊子，他：「検査材料別検査法と検出菌 尿（中間尿，カテーテル尿，膀胱穿刺尿など）」，臨床微生物検査ハンドブック 第5版，57-60，小栗豊子（編），三輪書店，2017より引用）

血流感染症または腎周囲の感染症からの波及として *Staphylococcus aureus* などが少数検出される場合があるが，このような場合は菌数に関わらず起因菌と解釈される。

検査室ノート　尿中菌数と起因菌の解釈[22~24]

尿路感染症の起因菌と解釈する尿中菌数10^4～10^5CFU/mL以上の基準は，すべてに適応できない。尿中菌数が10^3CFU/mL以下でも膀胱炎の症状があり，白血球エステラーゼ陽性，分離菌が尿路感染症の主要な起因菌の場合は，起因菌と解釈する場合がある。一方，*Lactobacillus* spp.のような汚染菌として普遍的な菌種は，多数検出されても起因菌と解釈しない。

(4) 迅速抗原検査

尿を用いる迅速抗原検査は，*Legionella pneumophila* と *Streptococcus pneumoniae* による肺炎が疑われる場合にオーダーされる。

(5) 分離培養

尿の分離培養には，ヒツジ血液寒天培地とBTB乳糖寒天培地（またはCLED培地）が用いられる。塗抹検査でグラム陽性球菌と腸内細菌目細菌を疑うグラム陰性桿菌が認

 用語　CLED（cystine lactose electrolyte deficient agar）

められた場合は，血液加フェニルエチルアルコール（PEA）寒天培地を追加する。酵母が認められた場合は，真菌用分離培地（クロモアガーカンジダ培地）を追加する。

(6) 特殊な微生物の検査

*N. gonorrhoeae*を培養する場合は，尿を1,000g (3,000rpm)，15～20分間遠心し，沈渣をサイアー・マーチン寒天培地やGC寒天培地へ接種し，炭酸ガス（5%CO_2）培養，48時間後に判定する。

Salmonella spp.や*Mycobacterium tuberculosis*を検査する場合も遠心沈渣を用いる。

Mycoplasma spp.や*Ureaplasma urealyticum*の培養には，PPLO培地やT-agarなどを用いる。

4. 検査結果の解釈と報告

(1) 検体の外観の報告

尿の外観は，検体受付の当日に報告する。

(2) 塗抹検査結果

塗抹検査の結果は，微生物の有無や菌量，白血球の有無を検体受付の当日に報告する。同一のグラム染色形態を示す細菌が1,000倍鏡検で各視野1個以上認められれば，尿中の菌数は10^5CFU/mLと推定され，尿検査で膿尿または白血球エステラーゼ陽性であれば，その細菌による尿路感染症と推定される[22～24]。*Lactobacillus* spp.が推定されるグラム陽性桿菌が扁平上皮細胞とともに認められる場合は，採尿時に常在菌による汚染があったことを示唆する所見であり，検体の品質が不良であることを報告する。

(3) 迅速抗原検査の報告

迅速抗原検査の結果は，検体受付から速やか（30分～1時間以内）に報告する。

(4) 培養および同定検査結果の報告

尿検査の場合，培養および同定検査結果の報告は，起因菌と常在菌を区別する[18]。起因菌は尿中菌数が原則，10^4～10^5CFU/mL以上，または10^3CFU/mL以下でも尿路感染症の代表的な起因菌や尿検査（膿尿，白血球エステラーゼ，亜硝酸），尿路感染症の症状から起因菌と解釈し，菌種または菌属レベルまで報告する。常在菌は尿中菌数が10^3CFU/mL以下，または通常は常在菌とみなされている菌である。常在菌の報告は，その有無のみを報告する場合と，菌属または菌グループまで報告する方法がある。

尿中菌数の定量培養結果は，分離培地上に発育したコロニー数または割合から判定する。1μLの定量白金耳を使用した場合は，10^3CFU/mL以下，10^4CFU/mL，10^5CFU/mL以上に区別して報告する。

培養検査の報告のタイミングは，分離菌の同定がすべて終了した時点ではなく，推定の段階でも中間報告して更新していく。尿の場合は，通常は発育検体受付から2日目が報告の目安（図13.3.4）である。以後，同定検査の結果が出次第，結果を更新しながら最終報告に至る。

(5) 薬剤感受性検査結果の報告

薬剤感受性検査は，原則起因菌に対して行う[18]。

(6) 医師へ直接連絡する検査結果

尿検体の検査結果のうち，医師へ直接連絡すべき結果には，以下があげられる。

- 感染対策上重要な微生物の検出：塗抹検査により抗酸菌陽性，遺伝子検査または培養検査により*M. tuberuculosis* complex陽性
- 重症感染症（血流感染，髄膜炎）からの波及が示唆される微生物の検出：*S. aureus*，*Salmonella* spp.，*Cryptococcus neoformans*

13. 3. 6 穿刺液（脳脊髄液以外）・体腔液，膿・分泌物

1. 検査対象となる検体と検査法

脳脊髄液を除く穿刺液・体腔液および膿・分泌物が検査対象となる感染臓器と主要な感染症の関連を表13.3.1[1]に示した。深部または体腔由来の検体は，本来無菌の部位由来であることから，検出菌は起因菌と解釈される。一方，表在性の検体は，体表や粘膜面に存在する常在菌を区別した検査を行う必要がある。

2. 検体採取および保存

穿刺液・体腔液および膿・分泌物に相当するおもな検体は以下のとおりである。すなわち，穿刺液は関節液，骨髄，膿瘍，体腔液は胸水や腹水，膿・分泌物は表在部位である皮膚や粘膜由来の膿や分泌物がそれぞれ該当する。これら以外には外科的に採取された組織がある。

検体は採取後，速やかに検査を開始する（室温では2時

用語　フェニルエチルアルコール（phenylethyl alcohol；PEA），サイアー・マーチン寒天培地（Thayer-Martin 寒天培地），GC（gonococcus）

間以内)。穿刺液・体腔液，膿・分泌物の検査では，速やかに検査しなければ検出漏れとなる微生物がある。すなわち，低温で死滅しやすい微生物である*Neisseria gonorrhoeae*と*Neisseria meningitidis*は，尿道分泌物，頸管分泌物または関節液，赤痢アメーバは肝膿瘍から検出される可能性がある。このような検体は保存することなく，検査を開始する。保存する場合には乾燥を避け冷蔵（4℃）するが，24時間以内には検査を開始する。

スワブによる採取は，検体量が少なく乾燥しやすいことから可能な限り避ける。

嫌気性菌が検出される可能性がある検体は，嫌気性菌検査用の容器に採取するか多量に採取し，3～6時間以内に培養を開始する。

3. 検査法

検査フローチャートを図13.3.5[25] に示す。

(1) 肉眼的外観の観察

検体の肉眼的外観の観察は，混濁の有無や膿性度に注目する。膿性の外観を呈する検体は細菌が存在する可能性が高い。それ以外には悪臭，ドルーゼ（硫黄状顆粒）の有無も観察する。悪臭は嫌気性菌，ドルーゼは*Actinomyces* spp.の菌塊の存在を示唆する所見である。

(2) 塗抹検査

穿刺液・体腔液および膿・分泌物の場合，想定される感染症と起因菌が表13.3.1に示すように異なる。したがって，塗抹検査においては，検体の種類と検出される起因菌を念頭にGram染色標本を鏡検する。

多種類の細菌が多数の好中球とともに認められる場合は，嫌気性菌感染症を示唆する所見である。

赤痢アメーバの感染が疑われる肝膿瘍は，保温した検体で生鮮標本を作製して鏡検する。

(3) 分離培地と増菌培地

分離培地は検体の種類と検出が想定される起因菌によって異なる。5%ヒツジ血液寒天培地はすべての検体に使用し，*Haemophilus* spp.の検出が想定される頭頸部の検体にはチョコレート寒天培地を追加する。腸内細菌目細菌の検出が想定される肝胆道，腹腔，消化管由来の検体にはBTB乳糖寒天培地を追加する。培養は，5%ヒツジ血液寒天培地とチョコレート寒天培地は，炭酸ガス（5%CO_2）培養する。

嫌気性菌用分離培地は，表13.3.8[26] に示すとおり嫌気性菌検査が推奨される検体が区別されている。検査が推奨されるカテゴリーAからA-3に分類される検体は，本来無菌の検体や常在菌による汚染を避けて採取可能な検体である。カテゴリーBに分類される検体は，常在菌の混入を避けられないものであり，分離菌の解釈が困難なため通常は嫌気性菌検査を行わない。培地は非選択分離培地と検体に応じて選択培地を追加する。嫌気培養は35℃，48時間行う。

検査室ノート　嫌気性菌用分離培地の選択

嫌気性菌用の分離培地は，非選択分離培地はブルセラ寒天培地またはコロンビア寒天培地が基礎培地でウサギまたはヒツジ血液とビタミンKなどが添加されたものを用いる。選択培地は肝胆道，腹腔，消化管由来の検体は，好気性菌が混在することから，BBE寒天培地やウサギ血液加フェニルエチルアルコール寒天培地を用いる。

検査室ノート　増菌培養

本来無菌の検体は，培養菌量が少数であっても起因菌の可能性が高い。したがって，検体量を多く接種できる増菌培養を並行して行う。増菌培地は好気性菌から嫌気性菌まで幅広い菌の増殖が可能な培地である臨床用チオグリコレート培地やHK半流動培地を用いるが，血液培養ボトルが代用されることもある。分離培地には菌の発育が認められず，増菌培地にのみ菌が発育した場合は，培養液を分離培養する。

用語　BBE（Bacteroides bile esculin）

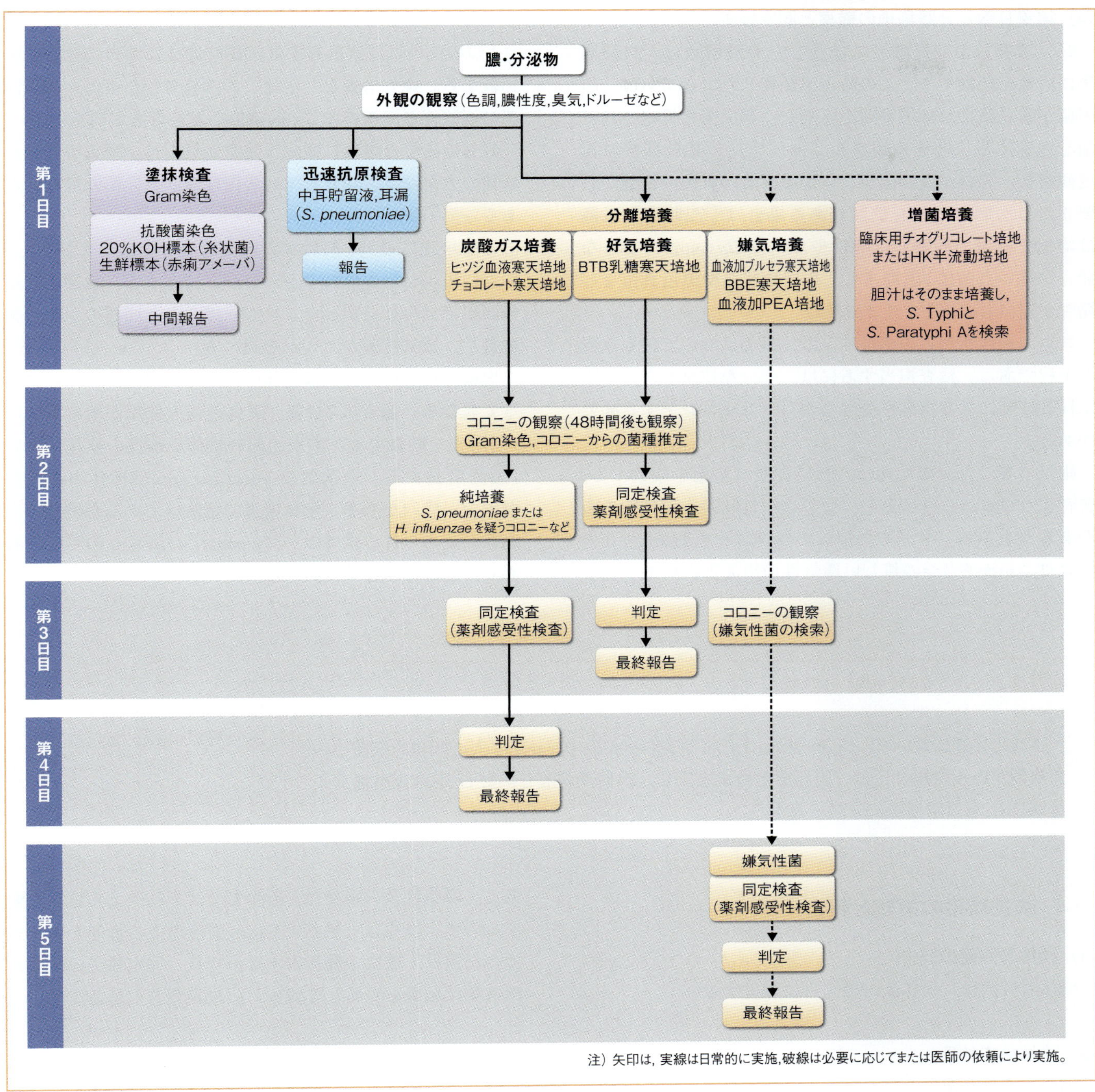

図 13.3.5 膿・分泌物の検査フローチャート
(小栗豊子, 他:「検査材料別検査法と検出菌 膿, 分泌物, 穿刺液」, 臨床微生物検査ハンドブック 第5版, 72-75, 小栗豊子(編), 三輪書店, 2017 より引用)

表 13.3.8 嫌気性菌検査の対象となる検体

カテゴリー	定義および検体の種類
A	・常に嫌気培養の対象となる検体
A-1	・常在菌の汚染を最小限にできる検体:無菌検体 血液, 髄液, 心嚢液, 胸水, 関節液, 骨髄, 脳膿瘍, 肺穿刺液, 手術材料(脳, 心, 肺, 骨, 関節, 軟部組織), 生検材料
A-2	・常在菌の汚染はあるが, 嫌気培養の価値が高い検体 TTA, 気管支鏡検査検体(定量培養), 膀胱穿刺尿, 骨盤腔・子宮内・軟部組織・瘻孔深部・皮膚深部の穿刺吸引物
A-3	・常在菌が多数存在する口腔内や下部消化管粘膜の破綻が原因となった検体 口腔・耳鼻咽喉部の膿瘍穿刺吸引液, 腹水, 腹腔穿刺液, 骨盤内膿瘍の穿刺液, 胆汁, ドレナージ液, 手術時のスワブ検体
B	・通常は嫌気培養の対象としないが, 場合によっては検査を行う検体 ・常在菌の汚染が避けられず, 分離菌の病原的意義の解釈が極めて困難な検体 咽頭・鼻咽頭・歯肉のスワブ材料, 創部・潰瘍表面のスワブ検体, 腟・頸管のスワブ検体, 排泄尿, カテーテル尿, 喀痰, 腸管内容物

注)スワブ(綿棒)による採取は, 採取困難な部位(狭い管腔など)以外は可能な限り避ける。

(日本臨床微生物学会:嫌気性菌検査ガイドライン 2012 より引用)

(4) 培養日数と分離培地の観察と同定検査

好気培養および炭酸ガス培養した分離培地は，24時間後に培地を観察する。この時点で発育したコロニーは，起因菌か常在菌または汚染菌を区別し，起因菌と推定された菌を同定する。培地の観察後は再び培養し48時間後に再度観察し，発育が遅い菌がないかをみる。真菌の検査が必要または医師から検査依頼がある場合は，72時間目以降は培地を室温で観察し，酵母や*Aspergillus* spp.のような発育が速い真菌は1週間まで，皮膚糸状菌や黒色真菌など発育が遅いものは1カ月まで見る。

コロニー性状からの菌種推定は，検査において最も重要な工程である。検査担当するには，十分な技量を有する臨床検査技師による指導を受けながらトレーニングする必要がある。

嫌気培養した分離培地は，48時間後に培地を観察する。発育したコロニーを観察し，コロニー性状から何種類の菌があるかをみる。すべての種類のコロニーを釣菌し，1つのコロニーから2つの新しい嫌気性菌用非選択培地へ純培養する。純培養した培地1つと分離培地は嫌気培養し，残り1つの培地は好気培養する。48時間後に両方の純培養を比較する。嫌気培養した培地にのみ発育した菌は，嫌気性菌の可能性があるのでGram染色などを行って同定する。

好気培養した培地に微弱な発育が見られ，嫌気培養した培地の方が優位に発育している菌は微好気性菌の可能性がある。

分離培地は最低1週間まで嫌気培養を継続して観察し，新たに出現したコロニーがないかを確認する。最初の培地の観察で見られなかったコロニーは，先と同様の手順で純培養し，嫌気性菌かどうかを調べる。

増菌培地の培養日数は検体の種類や検出目的の菌種によって異なる。通常は2日間，真菌の検査依頼がある場合は1週間まで観察する。本来無菌の検体や膿性の検体は最低1週間培養する。糸状菌や*Nocardia* spp.は検体中の菌数が少ない傾向がある。塗抹検査で菌陰性であるが多数の白血球が認められる検体は，*Mycobacterium* spp.の可能性もあり，医師とともに検討する。

検査室ノート　胆汁検体の培養[27)]

胆汁の検査において，*Salmonella* Typhiや*Salmonella* Paratyphi Aの胆嚢内保菌の検査依頼があった場合には，胆汁をそのまま35℃，24時間培養し，翌日SS寒天培地（またはDHL寒天培地）に分離培養する。

4. 検査結果の解釈と報告

(1) 検体の外観の報告

検体の外観は，検体受付の当日に報告する。

(2) 塗抹検査結果

細菌の有無と菌量とともに，白血球やその他の生体細胞の有無を検体受付の当日に報告する。

(3) 培養および同定検査結果の報告

本来無菌の検体や常在菌による汚染を避けて採取された検体は，検出菌が起因菌と解釈される。起因菌は原則，菌種または菌属レベルまで報告する。常在菌が混入している検体は，起因菌と常在菌を区別して報告する[18)]。

培養検査の報告のタイミングは，分離菌の同定がすべて終了した時点ではない。推定の段階でも中間報告して更新する。嫌気培養を行っている検体は，好気性菌の検査が終了した時点で嫌気性菌検索中とコメントして中間報告する。検体受付から3日目が1回目の報告の目安（図13.3.5）である。嫌気性菌の検査は1週間またはそれ以上の日数を要するので，コロニー性状とGram染色による形態から推定できた菌は，順次中間報告する。以後，同定検査の結果が出次第，結果を更新して報告し，最終報告に至る。

(4) 薬剤感受性検査結果の報告

薬剤感受性検査は，原則起因菌に対して行う[18)]。検査は同定検査と同じタイミングで行われることが多いが，同定検査より多くの菌量が必要な菌種の場合には，同定検査結果の報告以降に結果を報告する。

(5) 医師へ直接連絡する検査結果

穿刺液・体腔液，膿・分泌物の検査結果のうち，医師へ直接連絡すべき結果として，以下があげられる。

- 本来無菌の検体からの菌検出
- ガス壊疽，壊死性筋膜炎などの重症感染症由来検体からの菌検出
- 肝膿瘍から赤痢アメーバ検出

［三澤成毅］

参考文献

1) 三澤成毅：「培養・同定検査」，臨床検査，2014；58(増刊号)：1235-1241.
2) 検査法マニュアル作成委員会・血液培養検査ガイド作業部会：「血液培養検査ガイド」，日臨微生物誌，2013；23(Suppl. 1)：1-142.
3) Baron EJ *et al.*：“Cumitech 1C”, Blood cultures Ⅳ, ASM Press, American Society for Microbiology, 2005.
4) 小栗豊子：「微生物検査材料の採取と保存」，臨床微生物検査ハンドブック 第４版，35-44，小栗豊子(編)，三輪書店，2014.
5) 小栗豊子，他：「検査材料別検査法と検出菌 血液培養」，臨床微生物検査ハンドブック 第４版，84-92，小栗豊子(編)，三輪書店，2014.
6) Kellogg JA *et al.*：“Frequency of low-level bacteremia in children from birth to fifteen years old”, J Clin Microbiol, 2000；38：2181-2185.
7) Clinical and Laboratory Standards Institute (CLSI)：Performance standards for antimicrobial susceptibility testing. 33er ed. CLSI supplement M100, Clinical and Laboratory Standards Institute, USA, 2023.
8) European Committee on Antimicrobial Susceptibility Testing (EUCAST)：Methodology-EUCAST rapid antimicrobial susceptibility testing (RAST) directly from positive blood cultures, Ver. 4.0, European Committee on Antimicrobial Susceptibility Testing, Apr. 2023.
9) European Committee on Antimicrobial Susceptibility Testing (EUCAST)：Zone diameter breakpoint tables for rapid antimicrobial susceptibility testing (RAST) directly from positive blood cultures, Ver. 6.0, European Committee on Antimicrobial Susceptibility Testing, valid from 2023-04-25.
10) Weinstein MP *et al.*：“The clinical significance of positive blood cultures in the 1990s: A prospective comprehensive evaluation of the microbiology, epidemiology, and outcome of the bacteremia and fungemia in adults”, Clin Infect Dis, 1997；24：584-602.
11) Schifman RB *et al.*：“Blood culture contamination, a College of American Pathologists Q-probes study involving 640 institutions and 497134 specimens from adult patients”, Arch Pathol Lab Med, 1998；122：216-221.
12) Bekeris LG *et al.*：“Trends in blood culture contamination, a College of American Pathologists Q-tracks study of 356 institutions”, Arch Pathol Lab Med, 2005；129：1222-1225.
13) 小栗豊子，他：「検査材料別検査法と検出菌 髄液」，臨床微生物検査ハンドブック 第５版，76-82，小栗豊子(編)，三輪書店，2017.
14) La Scolea LJ Jr., Dryja D：“Quantitation of bacteria in cerebrospinal fluid and blood of children with meningitis and its diagnostic significance”, J Clin Microbiol, 1984；19：187-190.
15) 小栗豊子，他：「検査材料別検査法と検出菌 喀痰」，臨床微生物検査ハンドブック 第５版，87-92，小栗豊子(編)，三輪書店，2017.
16) Miller DL, Jones R：“A study of techniques for the examination of sputum in a field survey of chronic bronchitis”, Am Rev Respir Dis, 1963；88：473-483.
17) Geckler RW *et al.*：“Microscopic and bacteriological comparison of paired sputa and transtracheal aspirates”, J Clin Microbiol, 1977；6：396-399.
18) Baron EJ *et al.*：“A guide to utilization of the microbiology laboratory for diagnosis of infectious diseases: 2018 Update by the Infectious Diseases Society of America (IDSA) and the American Society for Microbiology (ASM)”. Clin Infect Dis, 2018；67：e1-94.
19) 小栗豊子，他：「検査材料別検査法と検出菌 糞便」，臨床微生物検査ハンドブック 第５版，61-68，小栗豊子(編)，三輪書店，2017.
20) 検査法ガイド等作成委員会 腸管感染症検査ガイドライン第２版 作業部会：「効果的な日常検査の組み立て」，日臨微生物会誌, 2021；31 (Suppl. 2)：151-160.
21) 小栗豊子，他：「検査材料別検査法と検出菌 尿(中間尿，カテーテル尿，膀胱穿刺尿など)」，臨床微生物検査ハンドブック 第５版，57-60，小栗豊子(編)，三輪書店，2017.
22) McElvania E, Singh K：“Specimen collection, transport, and processing: Bacteriology”, Manual of Clinical Microbiology 13th ed, 359-386, Carroll KC *et al.* (eds.), ASM Press, 2023.
23) Berkow E, Sexton DJ：“Specimen collection, transport, and processing: Mycology”, Manual of Clinical Microbiology 13th ed, 2287-2296, Carroll KC *et al.* (eds.), ASM Press, 2023.
24) Nielsen LE：“Urinary tract infections”, Textbook of Diagnostic Microbiology 7th ed., 922-941, Mahon CR, Lehmen DC (eds.), Elsevier, 2023.
25) 小栗豊子，他：「検査材料別検査法と検出菌 膿，分泌物，穿刺液」，臨床微生物検査ハンドブック 第５版，72-75，小栗豊子(編)，三輪書店，2017.
26) 日本臨床微生物学会 検査法マニュアル作成委員会・嫌気性菌検査ガイドライン委員会：「嫌気性菌感染症診断のための検査」，日臨微生物誌，2012；22(Suppl. 1)：9-13.
27) 小栗豊子，他：「検査材料別検査法と検出菌 胆汁」，臨床微生物検査ハンドブック 第４版，62-64，小栗豊子(編)，三輪書店，2014.

13.4 嫌気性菌の検査法

- 嫌気性菌の検査は，疫学に基づき嫌気性菌が関与する可能性が高い疾患（検体）に対して選択的に行う。
- 嫌気性菌感染症は，好気性菌や通性嫌気性菌との混合感染が多い。
- 検体は嫌気性菌専用容器へ採取し，検査室へ速やかに提出する。
- 分離培地上のコロニーを釣菌する際は，必ず孤立した1コロニーから行う。
- 分離培地は最低1週間まで培養を延長して観察する。

1. 嫌気性菌感染症の特徴

嫌気性菌感染症は内因性感染症と外因性感染症に大別される。内因性感染症は常在菌に由来する感染症であり，嫌気性菌感染症の大部分を占める。嫌気性菌による外因性感染症には，破傷風やボツリヌス症が知られている。

内因性感染症は，皮膚や粘膜バリアが破綻することによって常在菌が本来無菌な部位へ侵入，増殖することで感染症が起こる。

嫌気性菌の増殖には，酸化還元電位が低い環境が必要である。腹腔内や肺における好気性菌と嫌気性菌の混合感染においては，好気性菌が増殖することで病巣中の酸化還元電位が低下し，嫌気性菌が増殖しやすくなることから，二相性感染とよばれる。

したがって，嫌気性菌感染症は複数菌感染が多く，好気性菌や微好気性菌とともに分離される。

2. 嫌気性菌検査に適する検体

嫌気性菌検査の対象となる検体をカテゴリー別に表13.4.1[1]に示す。嫌気性菌検査の対象となる検体は，原則常在菌の混入を避けて採取できる検体，または疫学から嫌気性菌の関与が高い検体である。

また，嫌気性菌感染症を疑う検体は，膿性で悪臭を伴うことが多いのが特徴である。

嫌気性菌は酸素の存在によって死滅しやすい。検体は嫌気性菌検査専用の容器へ採取し，検査室へ速やかに届ける。

3. 嫌気性菌の検査

(1) 塗抹検査において嫌気性菌を疑う所見

嫌気性菌による感染症は，ほとんどが複数菌感染症である。したがって，白血球が多く膿性の背景で，種々の形態の細菌が多数認められる所見は，嫌気性菌による感染症を疑う。

細菌性腟症の塗抹検査による検査診断法として，腟分泌物のGram染色標本を観察し，形態から以下の3タイプに分類し，それぞれの菌量からスコア化する方法[1]がある。すなわち，*Lactobacillus*様のグラム陽性桿菌，*Gardnerella*属菌や*Bacteroides*属菌が推定されるグラム不定またはグ

表13.4.1 嫌気性菌検査の対象となる検体

カテゴリー	定義および検体の種類
A	・常に嫌気培養の対象となる検体
A-1	・常在菌の汚染を最小限にできる検体：無菌検体 血液，髄液，心嚢液，胸水，関節液，骨髄，脳膿瘍，肺穿刺液，手術材料（脳，心，肺，骨，関節，軟部組織），生検材料
A-2	・常在菌の汚染はあるが，嫌気培養の価値が高い検体 TTA，気管支鏡検査検体（定量培養），膀胱穿刺尿，骨盤腔・子宮内・軟部組織・瘻孔深部・皮膚深部の穿刺吸引物
A-3	・常在菌が多数存在する口腔内や下部消化管粘膜の破綻が原因となった検体 口腔・耳鼻咽喉部の膿瘍穿刺吸引液，腹水，腹腔穿刺液，骨盤内膿瘍の穿刺液，胆汁，ドレナージ液，手術時のスワブ検体
B	・通常は嫌気培養の対象としないが，場合によっては検査を行う検体 ・常在菌の汚染が避けられず，分離菌の病原的意義の解釈が極めて困難な検体 咽頭・鼻咽頭・歯肉のスワブ材料，創部・潰瘍表面のスワブ検体，腟・頸管のスワブ検体，排泄尿，カテーテル尿，喀痰，腸管内容物

注）スワブ（綿棒）による採取は，採取困難な部位（狭い管腔など）以外は可能な限り避ける。
〔日本臨床微生物学会 検査法マニュアル作成委員会・嫌気性菌検査ガイドライン委員会:「嫌気性菌検査ガイドライン2012」，日臨微生物誌，2012；22（Suppl. 1）：1-142，巻頭3p，巻末1p. より引用〕

用語 二相性感染（biphasic infection），経気管吸引痰（transtracheal aspirate；TTA）

ラム陰性桿菌，*Mobiluncus*様のグラム不定の弯曲した桿菌である。常在菌である*Lactobacillus*タイプが減少し，ほかのタイプが優勢な場合は，細菌性腟症の疑いと判定される。また，細菌性腟症では扁平上皮細胞に多数かつ種々の形態の細菌が付着したクルーセルが認められる。

(2) 培養検査による嫌気性菌の分離と耐気性試験による確認

嫌気性菌の分離に使用する培地は，検体の種類に応じて非選択培地と選択培地を併用する。非選択培地は，基礎培地としてブルセラ寒天やコロンビア寒天培地が使用されている。非選択培地には血液が添加されており，血液の動物種はウサギやヒツジが用いられている。*Prevotella* spp.や*Porphyromonas* spp.のコロニーの着色（黒色化）はウサギ血液が最も優れる。

選択培地は，通性嫌気性菌などの発育を阻止する目的で使用される。選択剤はフェニルエチルアルコール（PEA），胆汁や抗菌薬が用いられている。選択培地は，常在菌の混入を避けられない，または通性嫌気性菌が多数存在する検体からの嫌気性菌分離に用いる。

嫌気培養は培養環境を嫌気状態にするため，嫌気ジャーとよばれるプラスチック製の密閉容器とガス発生袋を用いるのが最も一般的である。

培養は最低48時間行い，24時間では嫌気ジャーを開けない。48時間後に培地を観察し，性状が異なるすべてのコロニーを新しい非選択培地2つに純培養する。純培養後は1つを嫌気培養，残り1つを炭酸ガス培養する。48時間培養後に両者を観察し，嫌気培養した培地にのみ発育した菌は偏性嫌気性菌の可能性がある。この嫌気性菌の確認作業を耐気性試験という。また，嫌気培養した培地に発育し，炭酸ガス培養した培地にも弱く発育した菌は微好気性菌の可能性がある。2つの培地での発育状況の観察により，偏性嫌気性菌または微好気性菌の可能性がある純培養は，まずGram染色を行って同定検査へ進める。

嫌気性菌の多くは，好気性菌に比べて発育が遅いので，観察後は分離培地をさらに培養を継続（1週間まで）して観察する。

(3) 嫌気性菌の同定

耐気性試験で嫌気性菌の疑いがある菌は，Gram染色を行う。嫌気性菌は発育が遅いが，原則培養48時間以内の菌を用いる。培養が古い菌は，グラム陰性に染色されやすくなるので注意する。

患者検体から高頻度に分離される主要な嫌気性菌，および嫌気培養からしばしば検出され嫌気性菌との鑑別が必要な菌種の同定上の特徴を表13.4.2[2]に示した。日常検査ではGram染色を基本に，以後の同定検査を行う。病院検査室における同定検査では，Gram染色による大まかな同定や同定キットが使用される。最近では，質量分析法であるマトリックス支援レーザー脱離イオン化飛行時間型質量分析（MALDI-TOF MS）を原理とする検査装置が導入され，同定に使用されている。

検査室ノート　嫌気性菌用分離培地から釣菌する際の注意点

嫌気性菌は発育が遅いためコロニーは小さく，かつ菌種によるコロニーの特徴に乏しい。釣菌の際は，必ず孤立した1つのコロニーを純培養する。コロニーが微小な場合は，多くのコロニーを純培養すれば必ず成功するものがある。肉眼的に同じように見えても複数のコロニーを同時に釣菌してはならない。

検査室ノート　嫌気性菌の分離菌種からみた検査室の能力評価指標

下気道を含む呼吸器検体からは*Veillonella* spp.や*Parimonas micra*が，膿瘍などから複数菌とともに検出される*Campylobacter ureolyticus*，*Fusobacterium nucleatum*はほかの嫌気性菌より嫌気度を要求する菌種である。これらの菌種の分離率が嫌気培養検査のレベル評価の指標として利用される。

用語　クルーセル（clue cell），フェニルエチルアルコール（phenylethyl alcohol；PEA），マトリックス支援レーザー脱離イオン化飛行時間型質量分析（matrix assisted laser desorption/ionization time of flight mass spectrometry；MALDI-TOF MS）

表 13.4.2 嫌気性菌および嫌気培養によってしばしば検出される炭酸ガス要求性菌の大まかな同定

グラム染色性	形態学的特徴	コロニーおよびほかの同定上の特徴	推定される嫌気性菌
陽性球菌	菌体が楕円形で連鎖をなす	コロニー：果実臭 ペニシリン耐性傾向 ポリアネトールスルホン酸ナトリウム（SPS）感性	*Peptostreptococcus anaerobius*
	菌体の大きさと配列が *Staphylococcus* に類似		*Peptoniphilus asaccharolyticus/harei*
	菌体の大きさが *Staphylococcus* より大きい		*Finegoldia magna*
	菌体の大きさが *Staphylococcus* より小さく，連鎖をなす	コロニーは白色で微小	*Parvimonas micra*
		炭酸ガス培養で発育 メトロニダゾール耐性	*Streptococcus anginosus* group
	一部がグラム不定，菌体が不整形で連鎖をなす	炭酸ガス培養で発育 血液寒天培地上で衛生現象（ピリドキサール，L-システイン要求）	*Abiotrophia adiacens* *Granulicatella* spp.
陽性桿菌	菌体が太く，大きい，芽胞が見られない	発育が速く，液体培地でガス産生が著明 運動性陰性 レシチナーゼ反応陽性	*Clostridioides perfringens*
	卵円形，亜端在性芽胞が見られる	CCFA（CCMA）寒天培地上で，R 型，辺縁不整の黄色コロニー（馬小屋臭）	*Clostridioides difficile*
	端在性芽胞で太鼓のばち状	コロニー：遊走	*Clostridium tetani*
	芽胞が見られる		上記 3 菌種以外の *Clostridium* spp.
	Corynebacterium 様の形態と配列をなす	インドール反応陽性	*Cutibacterium acnes*
	菌体がまっすぐで，連鎖をなす		*Lactobacillus* spp.
	Y 字状の分枝が見られる		*Bifidobacterium* spp.
	菌体が長く，分枝が見られる		*Actinomyces* spp.
	Listeria 様の形態		*Eggerthella lenta*
陰性・球菌	菌体の大きさが *Staphylococcus* より小さい		*Veillonella* spp.
陰性・桿菌	腸内細菌目細菌と類似の形態，サフラニンで淡く染まる	発育が速く，コロニーが腸内細菌目細菌の同程度の大きさ，BBE 寒天培地に発育	*Bacteroides fragilis* group
	短桿菌または球桿菌状	コロニーが無色 グルコース分解 バンコマイシン耐性	*Prevotella bivia*，*Prevotella disiens*
		コロニーが着色（褐色～黒色） グルコース分解 インドール反応陽性 バンコマイシン耐性	*Prevotella intermedia/nigrescens*
		コロニーが着色（茶色～黒色） グルコース非分解 バンコマイシン感性	*Porphyromonas* spp.
	多型性	BBE 寒天培地に発育	*Fusobacterium varium/mortiferum*
		コロニー：酪酸臭	*Fusobacterium necrophorum*
	菌体が細く，両端が尖っている	パンくず様コロニー インドール反応陽性	*Fusobacterium nucleatum*
	菌体が大きく，紡錘形		*Leptotrichia buccalis*
	菌体が細い	培地に陥凹したコロニー（pitting colony）	*Campylobacter ureolyticus*
	紡錘形～多型性	炭酸ガス培養で発育	*Capnocytophaga* spp.
	菌体が細い	炭酸ガス培養で発育し，淡黄色コロニー グルコース非分解 硝酸塩還元試験陽性	*Eikenella corrodens*

〔小栗豊子，三澤成毅：「嫌気性菌の検査法」，臨床微生物検査ハンドブック 第 4 版，174-185，小栗豊子（編），三輪書店，2014 より引用〕

(4) 嫌気性菌の薬剤感受性検査

嫌気性菌の薬剤感受性は，*Bacteroides fragilis* group やほかの嫌気性グラム陰性桿菌を除いて耐性化が進行していない。したがって，現在のところ *B. fragilis* group 以外の嫌気性菌に対する薬剤感受性は，感染症診療上，検査の必要性が低い。

B. fragilis group はカルバペネム系薬やクリンダマイシン（CLDM）耐性菌の増加が見られるので，薬剤感受性検査を行う意義がある。

また，国内のガイドライン[1] では，血液や髄液など本来無菌の検体からの分離菌で臨床的意義が明らかな場合，治療が遷延し嫌気性菌の分離が続く場合などに検査を行うべきとされている。

薬剤感受性検査の標準法には，現在わが国において普及している米国CLSIの標準法[3] と日本化学療法学会標準法[4,5] がある。これらの標準法では，希釈法（寒天平板希釈法，微量液体希釈法）が推奨されている。病院検査室において実施可能な方法は，市販品がある微量液体希釈法であり，CLSI標準法では *B. fragilis* group のみが検査対象となっている。

用語 クリンダマイシン（clindamycin；CLDM），CLSI（Clinical and Laboratory Standards Institute），ポリアネトールスルホン酸ナトリウム（sodium polyanetholesulfonate；SPS），サイクロセリン・セフォキシチン・フルクトース寒天（cycloserine-cefoxitin-fructose agar；CCFA），サイクロセリン・セフォキシチン・マンニトール寒天（cycloserine-cefoxitin-mannitol agar；CCMA），BBE（Bacteroides bile esculin）

B. fragilis groupの薬剤感受性は，菌種によって若干異なり，*B. fragilis*以外の菌種の方が耐性傾向にある。タゾバクタム・ピペラシリン（TAZ/PIPC）やカルバペネム系薬の感性率は95%以上，CLDMは50%以下である。メトロニダゾール（MNZ）耐性菌は，わが国ではほとんど認められていない。

検査室ノート　*B. fragilis* groupにおけるカルバペネム耐性

B. fragilis groupのカルバペネム耐性は，薬剤感受性検査ではメロペネム（MEPM）に中間または耐性を示す株が現在*B. fragilis*の5%以下に認められる。カルバペネム耐性は耐性遺伝子である*cfiA*によるカルバペネマーゼの産生によるが，カルバペネム系薬のMICが低値を示す株がある。したがって，*cfiA*の保有を薬剤感受性からスクリーニングすることは困難である。

検査室ノート　感染制御を目的とした嫌気性菌の薬剤感受性検査

嫌気性菌の薬剤感受性検査は，わが国のみならず米国においても検査を日常的に行っている施設は少ない。感染制御のための基礎データとしてアンチバイオグラムが利用される。検査を行っていない施設や*B. fragilis* group以外の嫌気性菌の薬剤感受性は，CLSI標準法[3]，ガイドライン[1]，サーベイランスなどから情報を入手して活用する。

［三澤成毅］

用語　タゾバクタム・ピペラシリン（tazobactam/piperacillin；TAZ/PIPC），メトロニダゾール（metronidazole；MNZ），メロペネム（meropenem；MEPM），最小発育阻止濃度（minimum inhibitory concentration；MIC）

参考文献

1）日本臨床微生物学会 検査法マニュアル作成委員会・嫌気性菌検査ガイドライン委員会：「嫌気性菌検査ガイドライン 2012」，日臨微生物誌，2012；22(Suppl. 1)：1-142，巻頭 3p，巻末 1p.
2）小栗豊子，三澤成毅：「嫌気性菌の検査法」，臨床微生物検査ハンドブック 第4版，174-185，小栗豊子(編)，三輪書店，2014.
3）Clinical and Laboratory Standards Institute："Performance standards for antimicrobial susceptibility testing; 33rd ed"，CLSI supplement M100, Clinical and Laboratory Standards Institute, 2023.
4）嫌気性菌の MIC 測定法検討委員会：「嫌気性菌の最小発育阻止濃度(MIC)測定法」，Chemotherapy, 1979；27：559-560.
5）日本化学療法学会抗菌薬感受性測定法検討委員会報告(1992)（委員長：齋藤　厚）：「III．微量液体希釈法による嫌気性菌の MIC 測定法，日本化学療法学会標準法」，Chemotherapy, 1993；41：186-189.

13.5　抗酸菌の検査法

- 抗酸菌検査は，結核の診断のために行われるが，近年の非結核性抗酸菌症の増加に伴い，他の *Mycobacterium* 属菌の検査の需要も高まっている。
- *M. tuberculosis* complex はバイオセーフティレベル3であり，生物学的安全キャビネットや個人防護具を正しく使用し，安全な操作に習熟する。
- 検体の塗抹検査は，蛍光法をスクリーニング，Ziehl-Neelsen 染色を確認検査として行う。
- 培養検査は，小川培地などの固形培地より発育支持力が高いミドルブルック7H9などの液体培地の使用が推奨される。
- 核酸増幅法による遺伝子検査は，診断目的で使用し治療の評価には使用できない。
- 遺伝子検査の菌検出感度は培養検査より低く，培養検査を併用する。
- 薬剤感受性検査は，*M. tuberculosis* complex は比率法による検査，非結核性抗酸菌には微量液体希釈法による検査が行われる。

1. 抗酸菌検査におけるバイオセーフティ[1)]

抗酸菌検査におけるバイオセーフティの基本は，一般の微生物検査と同様である。しかし実際には，バイオセーフティレベル3の *Mycobacterium tuberculosis* の存在を常に念頭に置き，とくに注意を払わなければならない。

検査室の環境はBSL2レベル以上が必要である。検体や培地の取扱いは，すべて生物学的安全キャビネット（BSC）内で行う。BSCはクラスⅡ以上を使用する。遠心機はバイオハザード対策遠心機またはバケットが密閉できるタイプのものを使用する。これらの検査機器は毎日，動作状況をチェックするとともにメーカーによる定期点検を受ける。

個人防護具（PPE）は，手袋，マスク（N95マスク），フェイスシールドまたはゴーグル，ガウンを着用する。

BSCなどの機器やPPEは正しく使用しなければ感染を防止できない。業務を担当する前に正しい使用方法をマスターする。

2. 抗酸菌検査に用いる検体

抗酸菌検査は結核の検査診断を目的に行われることが最も多い。結核はあらゆる臓器に病巣を形成するが肺結核が最も多い。したがって，検体は喀痰が最も多く用いられる。

喀痰の採取は，一般細菌を対象とした下気道感染症の検査の場合と同様である。喀痰が抗酸菌検査に適するかどうかの評価は，肉眼的外観によるMiller & Jonesの分類やGram染色標本による顕微鏡的評価であるGecklerの分類による。抗酸菌は市中肺炎の起因菌と同様に膿性痰から検出されやすい傾向がある一方，粘性痰からも検出されることを念頭に置く。

胃液は，喀痰を採取しにくい患者（乳幼児や高齢者）において採取される。尿は腎結核，糞便は腸結核，髄液は結核性髄膜炎，粟粒結核や免疫不全による播種性感染症が疑われる場合は血液や尿などが採取される。その他，胸水などの体腔液，皮膚，リンパ節，性器由来検体，喉頭・咽頭由来の検体も用いられる。

非結核性抗酸菌は *M. avium*，*M. intracellulare*，*M. kansasii* が最も多く検体は呼吸器検体，*M. marinum* は創傷部位の皮膚や関節滑膜から分離されることが多いことから，これらの検体が採取される。

3. 抗酸菌の検査[1〜3)]

(1) 塗抹検査

抗酸菌検査における塗抹検査は，抗酸菌染色である蛍光法またはZiehl-Neelsen染色が行われる。蛍光法は菌検出感度が高く 10^3CFU/mL以上，Ziehl-Neelsen染色の感度は 10^4CFU/mL以上である。蛍光法は鏡検において常に抗酸菌と非特異的な蛍光物質との鑑別に経験を要することから，特異度はZiehl-Neelsen染色の方が優れる。

用語　生物学的安全キャビネット（biological safety cabinet；BSC），個人防護具（personal protection equipment；PPE），コロニー形成単位（colony forming unit；CFU）

日常検査においては，蛍光法をスクリーニング検査として行い，陽性検体には確認検査としてZiehl-Neelsen染色を併用する。鏡検による菌量の判定と表記は，表13.5.1に示す基準を用いる。

表 13.5.1　抗酸菌の塗抹検査における菌量表記

表記	蛍光法（200倍）	Ziehl-Neelsen染色（1,000倍）	相当するガフキー号数※
−	0/30視野	0/300視野	G0
±	1～2/30視野	1～2/300視野	G1
1+	1～19/10視野	1～9/100視野	G2
2+	≧20/10視野	≧10/100視野	G5
3+	≧100/1視野	≧10/1視野	G9

※ ガフキー号数は使用しない。

検査室ノート　結核の検査診断における連続3日間検査の意義

喀痰の3日間連続検査による塗抹検査の累積陽性率は，1回目64%，2回目81%，3回目91%，4回目98%との報告[4]があり，3回検査することによって結核患者の90%以上が陽性となる。

(2) 遺伝子検査

抗酸菌の遺伝子検査は，リアルタイムPCR法やLAMP法などの核酸増幅法が行われる。これらの検査は，呼吸器検体から数時間で結果が得られる。検出対象菌種は，現在のところ*M. tuberculosis* complex（結核菌群），*M. avium*および*M. intracellulare*である。ただし，ヒト型結核菌（*M. tuberculosis*）とウシ型結核菌（*M. bovis*）は，遺伝子の相同性が極めて高く区別できない。このため，核酸増幅法による遺伝子検査では，*M. tuberculosis* complex（結核菌群）と報告する。

遺伝子検査は，高感度かつ特異性が高く，迅速に結果が得られる長所を有する。一方，感度は培養検査より低いことや死菌も検出する短所がある。

したがって，遺伝子検査は感染症の診断目的で使用し，治療効果や治癒の判定には用いない。

(3) 培養検査

①検体の前処理

喀痰や胃液は，検体中に抗酸菌以外の細菌が多数混在する。喀痰は粘稠性があり均一でないことから，検体をアルカリ処理によって抗酸菌以外の雑菌を死滅させ，喀痰を溶解させる前処理が必要である。

前処理に使用するアルカリは，以前は水酸化ナトリウム（2%または4%）を使用していた。現在は国際的にも*N*-アセチル-L-システイン・水酸化ナトリウム（NALC-NaOH）法が推奨されている。NALC-NaOH法によって処理した検体を，遠心，集菌した後に培地へ接種する。

検査室ノート　NALC-NaOH液の組成と使用上の注意点

NALC-NaOH液1,000mLの組成は，4%NaOH水溶液500mLに2.6%クエン酸ナトリウム500mLを加える（NaOHの最終濃度2%）。NALCは使用時に0.5%の割合として添加する。NALCは不安定であり，添加後のNALC-NaOH液は1日以内に使用する。NALC-NaOH法ではNaOHの濃度が以前の半分となり抗酸菌に対する傷害が軽減された。しかし，雑菌が処理しきれず培養途中で雑菌が増殖することがある。

②培地

抗酸菌の培地は，従来は小川培地やその変法培地（工藤培地など）などの固形培地が用いられてきた。前処理後の検体を培地に接種（0.1mL）し，37℃で培養する。培地の観察は1週間ごとに行い，8週間まで培養する。菌の発育が認められた時点で，コロニーをZiehl-Neelsen染色により抗酸菌かどうかを確認する。固形培地による培養菌量の判定と表記は，表13.5.2に示す基準を用いる。

用語　ポリメラーゼ連鎖反応（polymerase chain reaction；PCR），LAMP（loop-mediated isothermal amplification），*N*-アセチル-L-システイン（*N*-acetyl-L-cysteine；NALC）

表 13.5.2 抗酸菌の培養検査における菌量表記

記載法	コロニー数に関する所見	コロニー数
−	コロニーを認めない	0
1＋（実数）[a]	コロニーが200未満	1～199
2＋（概数）[a]	大多数のコロニーは個々に分離しているが，一部融合	200～499[b]
3＋	初期には分離しているが，発育に伴いほとんどが融合	500～1,999[b]
4＋	融合 コロニーが極めて多く，培地全体を覆う	2,000以上

a)：1＋は実数を2＋は概数をカッコ内に併記する。
b)：定量的な実験結果より導かれた推定値であり，実際は所見の記述を参考に大まかに区分する。
〔日本結核・非結核性抗酸菌症学会（編）：抗酸菌検査ガイド2020，南江堂，2020より一部改変して引用〕

*M. marinum*による感染症が疑われる場合は，培地を2セット準備し30℃と35℃で培養する。

近年では，液体培地（ミドルブルック7H9培地など）で培養する方法が行われている。液体培地は固形培地より発育支持力に優れ，菌発育までの日数が短い長所を有する。しかし，検体中の雑菌による汚染は液体培地の方が強く影響を受けることから，検体の前処理においては複数の抗菌薬からなる選択剤を添加して使用されている。日常検査ではMycobacterium Growth Indicator Tube（MGIT）やバクテアラート3Dシステムが使用可能である。これらのシステムで抗酸菌の発育を経時的にモニタリングでき，培地の観察は不要である。また，液体培地の方が抗酸菌の発育支持力に優れるので，培養は通常6週間までである。

非結核性抗酸菌のうち迅速発育菌群は，ヒツジ血液寒天培地など通常の検査で使用する培地に発育する。迅速発育菌群は抗酸菌培養より日常検査において検出されることが多い。

検査室ノート　Mycobacteria Growth Indicator Tube（MGIT）

MGITは，ミドルブルック7H9培地を基礎培地とし，蛍光化合物（溶存酸素が多量に存在すると蛍光を発しない特徴を有する）が加えられている試験管培地を用いる。試験管内の溶存酸素量を専用の装置でモニタリングし，抗酸菌の発育によって酸素が減少すると蛍光が発せられることで抗酸菌を検知するシステムである。

検査室ノート　バクテアラート3Dシステム

バクテアラート3Dシステムは，液体培地中の二酸化炭素（CO_2）の濃度をボトル底部のCO_2センサーでモニタリングする。抗酸菌の発育によるボトル内CO_2濃度の上昇をCO_2センサーで検知するシステムである。

培養検査による菌検出感度は，使用する検体量が多いことから遺伝子検査より高感度であり，1～10^2CFU/mL以上である。

(4) 同定検査

抗酸菌の同定検査は，以前はナイアシン試験などの生化学的性状によって同定されていたが，同定キットが製造中止となり利用できなくなった。現在は免疫学的方法，遺伝学的方法および質量分析法による同定が行われている。

免疫学的方法は*M. tuberculosis* complexの特異分泌蛋白（MPB64）を抗原とするイムノクロマト法による検査キット（キャピリアTB）がある。本検査キットは固形培地上の培養菌を用いて*M. tuberculosis* complexを同定するが，*M. marinum*や*M. ulcerans*が陽性を示すことがある点に注意する。

遺伝学的方法は，培養菌を用いる方法にはDNA-DNAハイブリダイゼーション法による検査キット（DDHマイコバクテリア）があり，*M. tuberculosis* complexを含む18菌種の同定が可能である。PCR法と核酸クロマト法を組み合わせた同定キットには，*M. tuberculosis* complex，*M. avium*，*M. intracellulare*，*M. kansasii*，*M. gordonae*の5種検査キット（Qジーンマイコバクテリア）と，迅速発育菌群4菌種2亜種の検査キット（カネカ核酸クロマト迅速発育抗酸菌同定キット）がある。

検体から直接検出し同定する検査キットまたはシステムには，PCR法を基本とした*M. tuberculosis* complex，*M.*

用語　MPB64（mycobacterial protein fraction from BCG of Rm 0.64 in electrophoresis）

表 13.5.3 比率法による抗酸菌薬剤感受性検査の手順

検査工程	手順
抗結核薬含有培地の作製	・1%小川培地，レーウェンスタイン-ヤンセン培地，ミドルブルック7H9，ミドルブルック7H10，ミドルブルック7H11培地を基礎培地とし，抗結核薬を定められた濃度に調整する。濃度は抗結核薬の種類と培地によって異なる[1]
菌液調製	・1/2～1白金耳の菌を，ガラスビーズ入り試験管（Tween 80を2～3滴滴下）へ採取し，ボルテックスミキサーで菌塊を乳化させる ・冷滅菌蒸留水を加えてMcFarland No.1の濁度（1mg/mLに相当）に調整，原液とする
菌液の希釈と培地への接種	・菌液原液を冷滅菌蒸留水で100倍と10,000倍に希釈する ・抗菌薬含有培地へ，100倍希釈菌液を0.1mL接種する ・抗菌薬を含まない対照培地2本へ，100倍希釈菌液と10,000倍希釈菌液を0.1mL接種する
培養	・36℃で培養する ・4週間以内（通常，3～4週間）で対照培地に菌が発育するまで培養する ・発育が不良な場合は，6週間まで培養するが結果は参考とする（抗菌薬の失活による影響を考慮するため）
対照培地の判定	・4週間以内（通常3～4週間）に対照培地に菌が発育した時点で，コロニー数を計測する ・100倍希釈菌液を接種した対照培地のコロニー数が100個未満の場合は，検査精度を保証できないので再検査する
抗菌薬含有培地の判定	・抗菌薬含有培地に発育したコロニー数が，10,000倍希釈菌液を接種した対照培地のコロニー数と同じまたは多い場合は，耐性菌の割合が1%以上と判定する ・コロニー数が10,000倍希釈菌液を接種した対照培地のコロニー数より10倍以上の場合は，耐性菌の割合が10%以上と判定する
感受性の解釈	・耐性菌の割合が1%未満は，感性（S），1%以上は耐性（R）と解釈する ・10%耐性は，多剤耐性結核菌の場合に参考とする

avium，*M. intracellulare* 3種検査キット（「コバスTaqMan MTB，コバスTaqMan MAI」，「ミュータスワコーMTB，ミュータスワコーMAC」），*M. tuberculosis* complexと*M. avium* complex 2種検査キット（ジーンキューブMTB，ジーンキューブMAC），等温増幅法は，LAMP法による*M. tuberculosis* complex検査キット（Loopamp結核菌群検出試薬キット），およびTRC法による*M. tuberculosis* complexと*M. avium* complex 2種検査キット（TRCRapid M.TB，TRCReady M.TB，TRCRapid MAC，TRCReady MAC）がある。

また，Hemi-nestedリアルタイムPCR法による*M. tuberculosis* complexとリファンピシン耐性遺伝子を同時検査できるオンデマンドなフル全自動システム（Xpert MTB/RIF）や，*M. tuberculosis* complexに特異的な抗結核薬耐性を検出することで，同定と抗結核薬耐性を同時に検査可能なキット（ジェノスカラー・Rif TB II，ジェノスカラー・PZA TB，ジェノスカラー・INH TB）がある。

質量分析法はマトリックス支援レーザー脱離イオン化飛行時間型質量分析（MALDI-TOF MS）を原理とする検査装置を用い，非結核性抗酸菌の同定に使用されるようになってきている。

(5) 薬剤感受性検査

抗酸菌の薬剤感受性検査は，*M. tuberculosis* complexの場合は比率法が標準法[1]となっている。比率法による検査手順を表13.5.3に示したが，抗結核薬含有培地を自家製することは困難であり，現在では以下に示す市販品が使用されている。比率法は，分離菌のポピュレーション中に存在する耐性菌の割合が1%以上かどうかを調べる検査である。耐性菌の割合が1%以上の場合は，耐性と判定され臨床的に治療効果がないと解釈される。

検査室ノート　ピラジナミド（PZA）の感受性検査

PZAは酸性領域で活性を示すため，培地のpHを酸性にしなければならない。しかし，培地を酸性に傾けた場合は*M. tuberculosis* complexの発育が阻害されることから固形培地では検査できず，菌の発育に対する影響が小さい液体培地で検査される。

比率法による*M. tuberculosis* complexの薬剤感受性検査は，固形培地による製品（結核菌感受性ビットスペクトル）と液体培地（ミジットシリーズ）がある。そのほか，微量液体希釈法による検査試薬（ブロスミックMTB-1，結核菌感受性PZA液体培地）やPCR法による検査システム（Xpert MTB/RIF，ジェノスカラー・Rif TB II，ジェノスカラー・PZA TB，ジェノスカラー・INH TB）がある。

非結核性抗酸菌の薬剤感受性検査は，日本ではミドルブルック7H9培地を用いる微量液体希釈法による検査試薬（ブロスミックNTM）がある。米国CLSIは2価イオン調

用語　マトリックス支援レーザー脱離イオン化飛行時間型質量分析（matrix assisted laser desorption/ionization time of flight mass spectrometry；MALDI-TOF MS），ピラジナミド（pyrazinamide；PZA），CLSI（Clinical and Laboratory Standards Institute）

表 13.5.4　*Mycobacterium avium* complex の MIC 測定対象薬剤とその解釈

薬剤	MIC（μg/mL）		
	感受性	判定保留	耐性
一次選択薬剤			
クラリスロマイシン	≦ 8	16	32 ≦
アミカシン（静注）	≦ 16	32	64 ≦
アミカシン（リポソーム包埋・吸入）	≦ 64	−	128 ≦
二次選択薬剤*			
モキシフロキサシン	≦ 1	2	4 ≦
リネゾリド	≦ 8	16	32 ≦

*：これらの薬剤の臨床効果は必ずしも証明されていない。

〔日本結核・非結核性抗酸菌症学会（編）：抗酸菌検査ガイド 2020，南江堂，2020，Clinical and Laboratory Standards Institute : "Susceptibility testing of Mycobacteria, *Nocardia* spp., and other aerobic Actinomyces: 3rd ed", CLSI standard M24, Clinical and Laboratory Standards Institute, 2018 より引用〕

表 13.5.5　*Mycobacterium kansasii* に対する MIC 測定対象薬剤とその解釈

薬剤	MIC（μg/mL）		
	感受性	判定保留	耐性
一次選択薬剤			
クラリスロマイシン	≦ 8	16	32 ≦
リファンピシン	≦ 1	−	2 ≦
二次選択薬剤*			
アミカシン	≦ 16	32	64 ≦
シプロフロキサシン	≦ 1	2	4 ≦
ドキシサイクリン	≦ 1	2 ～ 4	8 ≦
リネゾリド	≦ 8	16	32 ≦
ミノサイクリン	≦ 1	2 ～ 4	8 ≦
モキシフロキサシン	≦ 1	2	4 ≦
リファブチン	≦ 2	−	4 ≦
トリメトプリム・スルファメトキサゾール	≦ 2/38	−	4/76 ≦

〔日本結核・非結核性抗酸菌症学会（編）：抗酸菌検査ガイド 2020，南江堂，2020，Clinical and Laboratory Standards Institute : "Susceptibility testing of Mycobacteria, *Nocardia* spp., and other aerobic Actinomyces: 3rd ed", CLSI standard M24, Clinical and Laboratory Standards Institute, 2018 より引用〕

整 Mueller-Hinton ブロス（CAMHB）を用い，遅発育菌の場合には OADC（Oleic Albumin Dextrose Catalase Growth Supplement）を添加（最終濃度5%）した CAMHB による検査法を公開[5]している。MIC 値に基づく感受性の判定基準は菌種別に設定されており，*M. avium* complex（表 13.5.4），*M. kansasii*（表 13.5.5），前2菌種以外の遅発育性 *Mycobacterium* 属菌（表 13.5.6），迅速発育菌群（表 13.5.7）の基準[5]をそれぞれ示した。なお，現在のところ国内にはこの方法に準拠した市販品はない。

表 13.5.6　*Mycobacterium avium* complex，*Mycobacterium kansasii* 以外の遅発育菌の MIC 測定対象薬剤とその解釈

薬剤	MIC（μg/mL）		
	感受性	判定保留	耐性
アミカシン	16	32	64 ≦
シプロフロキサシン	≦ 1	2	4 ≦
クラリスロマイシン	≦ 8	16	32 ≦
ドキシサイクリン	≦ 1	2 ～ 4	8 ≦
リネゾリド	≦ 8	16	32 ≦
ミノサイクリン	≦ 1	2 ～ 4	8 ≦
モキシフロキサシン	≦ 1	2	4 ≦
リファブチン	≦ 2	−	4 ≦
リファンピシン	≦ 1	−	2 ≦
トリメトプリム・スルファメトキサゾール	≦ 2/38	−	4/76 ≦

〔日本結核・非結核性抗酸菌症学会（編）：抗酸菌検査ガイド 2020，南江堂，2020，Clinical and Laboratory Standards Institute : "Susceptibility testing of Mycobacteria, *Nocardia* spp., and other aerobic Actinomyces: 3rd ed", CLSI standard M24, Clinical and Laboratory Standards Institute, 2018 より引用〕

表 13.5.7　迅速発育菌の MIC 測定対象薬剤とその解釈

薬剤	MIC（μg/mL）		
	感受性	判定保留	耐性
アミカシン 1	≦ 16	32	64 ≦
セフォキシチン	≦ 16	32 ～ 64	128 ≦
シプロフロキサチン 2	≦ 1	2	4 ≦
クラリスロマイシン 3	≦ 2	4	8 ≦
ドキシサイクリン	≦ 1	2 ～ 4	8 ≦
イミペネム 4	≦ 4	8 ～ 16	32 ≦
リネゾリド	≦ 8	16	32 ≦
メロペネム	≦ 4	8 ～ 16	32 ≦
モキシフロキサシン	≦ 1	2	4 ≦
トリメトプリム・スルファメトキサゾール 5	≦ 2/38	−	4/76 ≦
チゲサイクリン 6	−	−	−
トブラマイシン 7	≦ 2	4	8 ≦

1：*M. abscessus* complex で MIC 値が≧ 64μg/mL の場合は再検するか，rrs 遺伝子変異を検索する。
2：レボフロキサシンでも可
3：誘導耐性がありうるので，最終判定は培養 14 日後
4：もしも *M. fortuitum* group，*M. smegmatis* group あるいは *M. mucogenicum* group で MIC ＞ 8μg/mL の場合は培養 3 日以内で再検する。再検後も同様なら報告しない。これらの菌種はイミペネムに感受性とされているため，薬剤の力価が低下していることが考えられる。
5：MIC は 80%の発育阻害をもって判断する。
6：チゲサイクリンの MIC と臨床効果との相関は確立されていない。そのため，MIC のみ報告する，とされている。
7：トブラマイシンは *M. chelonae* 感染症の治療に使用される。もし MIC ＞ 4μg/mL の場合は再検する。再検時も同様であれば *M. chelonae* であるか再同定する。

〔日本結核・非結核性抗酸菌症学会（編）：抗酸菌検査ガイド 2020，南江堂，2020，Clinical and Laboratory Standards Institute : "Susceptibility testing of Mycobacteria, *Nocardia* spp., and other aerobic Actinomyces: 3rd ed", CLSI standard M24, Clinical and Laboratory Standards Institute, 2018 より引用〕

［三澤成毅］

参考文献

1）日本結核・非結核性抗酸菌症学会（編）：抗酸菌検査ガイド 2020，南江堂，2020.
2）小栗豊子，三澤成毅：「抗酸菌の検査法」，臨床微生物検査ハンドブック 第 5 版，185-201，小栗豊子（編），三輪書店，2017.
3）日本結核病学会（編）：結核診療ガイドライン 改訂第 3 版，南江堂，2016.
4）Al Zahrani K *et al.* : "Yield of smear, culture and amplification tests from repeated sputum induction for the diagnosis of pulmonary tuberculosis", Int J Tuberc Lung Dis, 2001 ; 5 : 855-860.
5）Clinical and Laboratory Standards Institute : "Susceptibility testing of Mycobacteria, *Nocardia* spp., and other aerobic Actinomyces: 3rd ed", CLSI standard M24, Clinical and Laboratory Standards Institute, 2018.

13.6 ｜ 真菌の検査法

- 真菌の培養に使用する検体量は，接種量が多いほどよく，無菌材料などは遠心分離などで集菌したものを用いる。
- 真菌培養は，乾燥に注意し，25～30℃で，酵母なら7～10日，糸状菌なら2～4週間培養する。
- 糸状菌は胞子が飛散しやすいため，検査室内感染や汚染を防ぐために操作は生物学的安全キャビネット内で行う。
- 形態学的検査を補完するため，必要に応じて血清学的検査や分子生物学的検査も行われる。

13. 6. 1　形態学的検査

1. 前準備

(1) 器具

①カギ型白金線

皮膚や組織の培地への接種，培地に発育した糸状菌のかきとり標本を作製する際に用いる。直径1mm程度のニクロム線で長さ8cmほどの白金線をつくり，その先端5～6mmをL字型に曲げる。曲げた部分の先端半分ほどを金槌でたたき，切り口が長方形になるようにしておくと使いやすい。

②柄付き針

病理検査でパラフィン切片をすくうときに使う柄の付いた針で，2本あるとよい。培地に発育した糸状菌の菌体を釣菌したり，菌体をほぐすときに使用する。

(2) 試薬

①湿潤標本の包埋液

i）水酸化カリウム（KOH）水溶液/KOH・パーカーインク溶液

〔試薬組成：水酸化カリウム10gまたは20g，精製水100mL〕。

鱗屑，毛髪，爪など皮膚糸状菌の直接鏡検に使用する。KOHで検体を軟化・透明化し真菌要素を見やすくする。また，KOHに10～50%のパーカーインクを加えた溶液を用いると真菌が青色に染色されて観察しやすくなる。ただし，黒色真菌のように，もともと着色している真菌については特有の色調が見えなくなるので適さない。

ii）ラクトフェノールコットン青液

〔試薬組成：石炭酸20g，乳酸20mL，グリセロール40mL，コットン青またはアニリン青0.05g，精製水20mL〕。

癜風など*Malassezia*属菌の感染が疑われる皮膚の直接鏡検や，培地に発育したコロニーの観察およびスライドカルチャーを行った菌体の観察などに用いられる。

市販品：マイコパーム・ブルー

iii）墨汁

*Cryptococcus*属菌の莢膜観察に用いる。市販の墨汁あるいは製図用インクを適宜希釈する。

②鏡検標本の染色液

i）Gram染色

鱗屑，毛髪，爪などをのぞき，臨床検体のほとんどに多用される。染色手技は細菌と同様に行う（p335 13.2.4参照）。基本的に真菌はグラム陽性を示すが，糸状菌はグラム陰性を示すことが多い。

ii）蛍光染色

鱗屑，毛髪，爪などをのぞく臨床検体の直接鏡検に使用される。真菌の細胞壁多糖とくにキチンを染める。蛍光顕微鏡を使用して観察し，真菌は紫外線を照射すると強い蛍光（黄緑色）を発する。セルロースなどの繊維多糖も染まるので，形態をよく観察して真菌との鑑別が必要である。

市販品：ファンギフローラY

〈**染色手技（ファンギフローラY）**〉塗抹・乾燥・メタノール固定・水洗→A液（変性ヘマトキシリン）2分→流水で水洗→B液（ジアミノスチルベンズスルホン酸トリアゾール系と共染防止剤）5分→流水で水洗→エタノール（脱水）→カバーガラスと包埋剤で封入→蛍光顕微鏡で観察。

iii) Giemsa染色

染色手技は血球染色と同様で，真菌は青紫色に染まる。*Histoplasma*属菌の感染では，細胞内に取り込まれた菌体も染色できるとされている。*Pneumocystis jirovecii*の栄養型を染色する場合は1～2時間と染色に時間がかかることから，5分程度で染色できるDiff-Quick染色を用いるとよい。

iv) Grocott染色

おもに病理組織切片中の真菌検出に使用されている。

背景組織はライトグリーンを呈し，真菌は黒または黒褐色に染まる。菌形態の観察に適しているが，染色に時間がかかるのが欠点である。

(3) 培地

i) サブローデキストロース寒天（SDA）培地

〔培地組成：ペプトン10g，グルコース40g，寒天15g，精製水1,000mL，pH5.6〕。

分離培養や同定に多用される。

ii) ポテトデキストロース寒天（PDA）培地

〔培地組成：じゃがいも滲出液4g，グルコース20g，寒天15g，精製水1,000mL，pH5.6〕。

分離培養や同定に多用される。SDA培地より平坦なコロニーを形成するが色素産生がよい。

iii) コーンミール寒天培地

〔培地組成：粉末とうもろこし40g，寒天20g，精製水1,000mL，pH5.6〕。

厚膜胞子や仮性菌糸の形成試験に使用される。Tween80を1%濃度に加えると厚膜胞子の形成が促進する。

iv) ブレインハートインフュージョン（BHI）寒天培地

*Histoplasma*属菌や*Blastomyces*属菌のような栄養要求性の厳しい真菌の培養に使用される。

v) 酵素基質培地

〔培地組成：ペプトン11g，選択剤と特殊酵素基質混合物24.9g，寒天15g，精製水1,000mL，pH6.1〕。

臨床検体からの*Candida*属菌あるいは*Malassezia*属菌の分離培養に使用される。培地中の発色基質により，主要病原酵母をコロニーの色調によって容易に鑑別ができる。臨床検体中に複数の菌種が混合している場合でも，コロニーが発色することで見落としを防ぐことが可能となる。菌種別のコロニー色は製品により異なるので注意が必要である。

2. 直接鏡検

(1) 鱗屑，爪，毛髪

検体をスライドガラス上にとり，10～20% KOH液またはKOH・パーカーインク液を滴下し，カバーガラスを被せ，室温に数分放置後，鏡検する（鱗屑は，スライドガラスの下を弱火で軽くあぶると組織崩壊が早まる）。KOH・パーカーインク液を用いると真菌が青色に染色され見やすくなるが，インクが濃すぎると角質も染め出されてしまうので，薄めにしてから数時間から一晩，室温に置くと見やすい標本となる。毛髪は，小さく切ってKOHに浮遊させカバーガラスを被せ鏡検する。爪は，小試験管に少量のKOH液をとり，その中に爪を入れ30分～1時間ほど室温放置し，爪の組織がくずれてきたら一部をスライドガラスにとり，カバーガラスを被せ鏡検する。

癜風疑いで鱗屑を採取した粘着テープは，スライドガラスにラクトフェノールコットン青液を滴下し，その上にテープを貼り付け，テープの上から鏡検する。

(2) 組織

生検組織はメスで細かく切り刻むかホモジナイズし，病巣と思われる部分をスライドガラスに押し付けてスタンプ標本を作製する。接合菌を疑う場合には，組織を細かくしすぎると菌体が死滅し培養に影響する可能性があるため注意が必要である。

(3) 喀痰，気管支洗浄液，尿

喀痰は膿性部分を採取し，スライドガラスに薄く塗抹する。その際，白金耳を立てすぎると検体が掻きとられてしまう恐れがあるので注意する。尿は，10μLの白金耳で1白金耳採取しスライドガラスに塗布する。気管支洗浄液などは，遠心分離（2,000g，15分）した沈渣をスライドガラスに塗布する。

(4) 血液

カルチャーボトルを用いて専用機器にて増菌培養する。陽性のシグナルがついたカルチャーボトルから増菌液をスライドガラスに塗布し，乾燥・固定後，Gram染色を行う。菌体を確認できない場合には，滅菌真空採血管でカルチャーボトル内の培養液を採取し，2,000g，15分遠心した沈渣を用いると，菌体を確認できる場合もある。

(5) 無菌材料〔髄液，胸水，中心静脈（CV）カテーテルなど〕

一般的に検体中に含まれる真菌は菌量が少ないので，髄液，胸水などの穿刺液などは，遠心分離（2,000g，15分）した沈渣をスライドガラスに塗布する。CVカテーテルは，滅菌したハサミを用いて細かく裁断し，少量の滅菌生理食塩水を加えて良く撹拌し内容物を出す。その内容物をスラ

用語　サブローデキストロース寒天（Sabouraud dextrose agar；SDA），ポテトデキストロース寒天（potato dextrose agar；PDA）

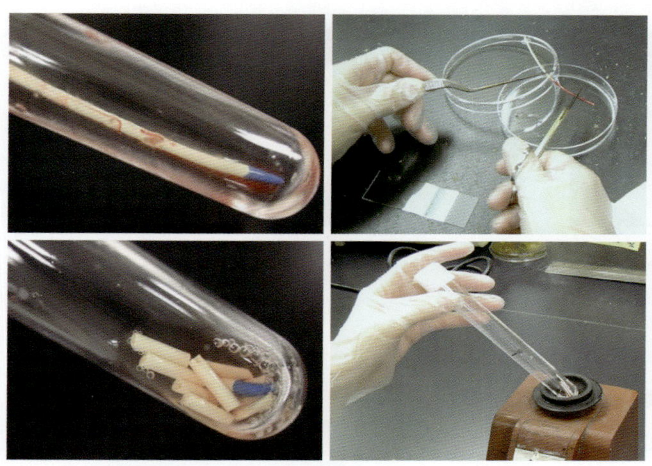

図 13.6.1 中心静脈カテーテル細断法
1. 滅菌したはさみで CV カテーテルを小さく切る。
2. 少量の滅菌生理食塩水を加えて十分にミキシングしてカテーテルの内容物を出す。
3. スライドガラスに塗抹後メタノールで固定し，Gram 染色を行い鏡検する。

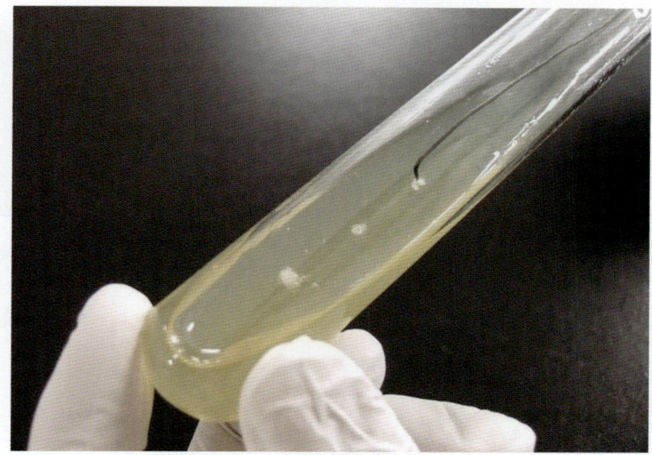

図 13.6.2 皮膚・鱗屑・爪・組織などの培養法
培地表面の数か所に検体を埋め込む。

イドガラスに塗布する（図 13.6.1）。

3. 分離培養

SDA や，PDA を使用し培養する。白癬菌はシクロヘキシミド含有培地でよく発育するが，多くの深在性真菌症の起因菌は，シクロヘキシミド含有培地を用いると発育が抑制される。そのため，培地は目的に合わせて選定することが重要である。

培養に使用する検体量は，接種量が多いほど良い[1]。血液検体は，血液培養ボトルで培養した菌液を用いる。組織片は細かく切り刻むか，ホモジナイズした後に培養する。ただし，接合菌の存在を疑う場合には，菌糸が切断されて発育能が著しく低下する可能性があるため，ホモジナイズや細かく切り刻みすぎには注意が必要である。

皮膚鱗屑や爪，毛髪などは，培地表面の数か所に検体を埋め込むように培養する（図 13.6.2）。培養温度は 25～30℃，培地が乾燥しないよう注意し 2 週間から 4 週間程度培養を行う。さらに，密閉状態では発育を抑制する場合があるため，斜面培地を使用するときには蓋を緩めるなどの工夫が必要である。

4. 同定

(1) 酵母

形態学的性状（仮性菌糸，厚膜胞子の形成など），生理学的性状（発育温度など）および生化学的性状（糖の利用能など）によって同定されるが，必要に応じ分子生物学的方法による同定も実施される。また，近年では質量分析による同定法も用いられている。主要酵母の鑑別性状は，p256 10.1 を参照。

①仮性菌糸，真正菌糸の形成

仮性菌糸は，出芽した娘細胞が母細胞からつながったまま出芽し，伸長発育して菌糸型となるもので，*Candida* 属菌の多くの菌種が形成する。真正菌糸は，母細胞から発芽管（ジャームチューブ）が出て伸長し，後から順次隔壁が入る菌糸幅が一定の菌糸で *Trichosporon* 属菌などが形成する。両者ともダルモ平板法で観察する。

〈ダルモ平板法（図 13.6.3）〉

1. 白金線に微量の被検菌をとる，
2. コーンミール寒天培地などを用意し，3 カ所に点状に 1 を接種する。
3. 点状接種部を結ぶように白金線で培地面に浅く線を引き空気層を形成させる。
4. 接種部に滅菌カバーガラスを被せ，25～30℃で数日間培養する。
5. 菌が十分に発育したら，シャーレの蓋をとり，平板培地を顕微鏡のステージに載せ，カバーガラスの上から観察する。

②厚膜胞子の形成

Candida albicans の同定に重要な性状である。厚膜胞子は，円形で細胞壁が厚く菌糸先端および中間に形成される。ダルモ平板法で観察する。

③分節胞子の形成

Trichosporon 属菌などが形成する。菌糸が成熟すると，隔壁部分から断裂し，それぞれが短い長方形（竹の節様）の分節胞子となる。ダルモ平板法で観察する。

用語　中心静脈（central venous；CV）

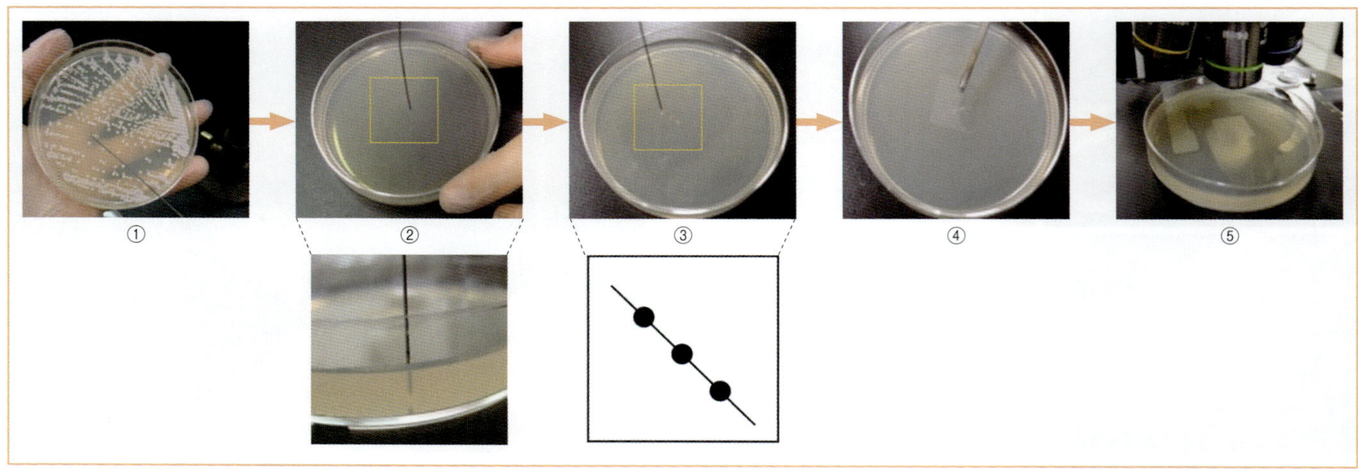

図 13.6.3 ダルモ平板法操作手順

④**発芽管の形成**

Candida albicans の同定に重要な性状である。

1. 小試験管に血清（仔牛，ヒト）を0.5mL程度とる。
2. 1.に被検菌体をマックファーランド濁度標準液0.5程度の濃度になるよう接種し，35〜37℃で2〜4時間，培養する。
3. 培養液をスライドガラスにとり，カバーガラスを被せ鏡検する。親細胞と伸長した菌糸の移行部に隔壁やくびれのないのが発芽管であり，隔壁やくびれがあるのは仮性菌糸である（図13.6.4）。

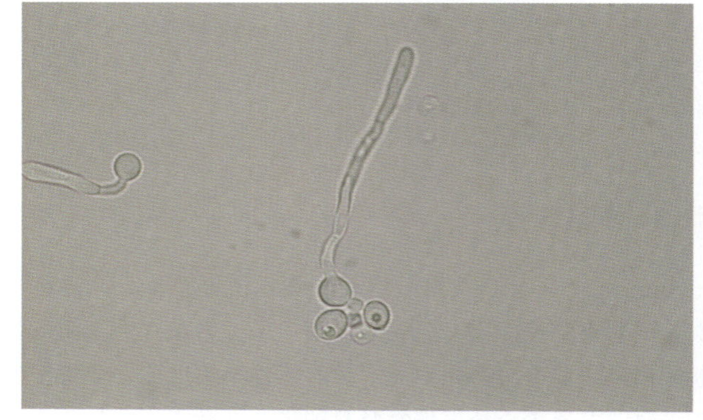

図 13.6.4 発芽管（ジャームチューブ）

⑤**莢膜の形成**

Cryptococcus 属菌の同定に必要である。墨汁標本で観察する。寒天培地で培養後の菌体は臨床材料の直接標本より莢膜が薄くなるので，注意して観察する。

⑥**生化学的性状**

1）糖利用能：酵母同定の主要検査項目である。酸素の存在下で酵母が炭素源を利用するかをみる検査であり検査キットが市販されている。

2）ウレアーゼ産生試験：担子菌系酵母の同定に利用される。Christensenの尿素培地に被検菌を接種し，3〜5日 間培養する。ウレアーゼ産生菌は培地が赤変する。

3）フェノールオキシダーゼ試験：バードシード寒天培地に被検菌を画線塗抹し，25〜30℃，5〜7日間培養する。陽性菌はコロニーが褐色となる。*Candida dubliniensis*, *Cryptococcus neoformans* および *Cryptococcus gattii* が陽性を示す。現在，バードシード寒天培地は市販されていないため自製する必要がある。

⑦**質量分析法（MS）を用いた同定**

MALDI-TOF MSが用いられている。

菌体にマトリックス試薬を添加しレーザーを照射して脱離イオンさせ，イオン化された試料を電場により一定の距離をイオンがどのくらいの時間で飛んでいくか飛行時間を計測し分子量ごとに分離する質量分析法で，データベース中のパターンとのマッチングによって菌種の同定を行う。迅速で操作が簡便だが，データベースに登録されていない菌種は同定できない（図13.6.5）。

（2）糸状菌

肉眼的観察と顕微鏡学的形態観察を行い，既知菌種の特徴と照合し同定を行う。特徴的な形態を示さない菌株などは必要に応じ分子生物学的方法による同定も行われる。糸状菌は，胞子が飛散しやすいため，操作は必ず生物学的安全キャビネット内で実施する。

①**肉眼的観察**

巨大コロニー（ジャイアントコロニー）を作成し，コロニーの色調，コロニーの発育速度，線毛状，粉状，絨毛状など表面の外観，裏面の色調や色素産生の有無などを肉眼的に観察する。

用語 マトリックス支援レーザー脱離イオン化飛行時間型質量分析計（matrix assisted laser desorption/ionization time of flight mass spectrometer；MALDI-TOF MS），飛行時間（time of flight），質量分析法（mass spectrometry）

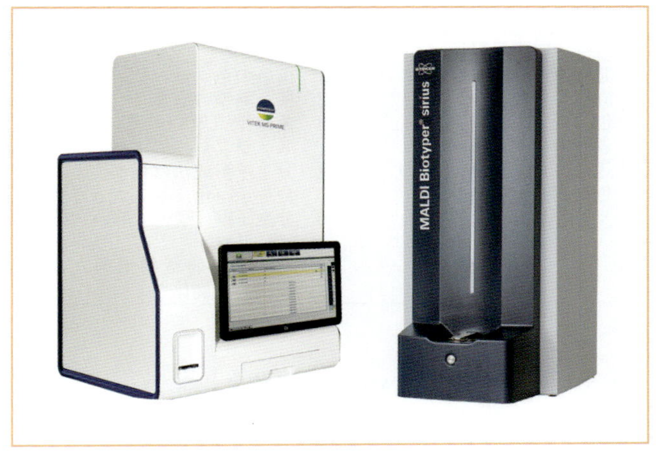

図 13.6.5 質量分析装置
左：VITEK MS（ビオメリュー・ジャパン株式会社の許可を得て転載），右：MALDI バイオタイパー（ブルカージャパン株式会社の許可を得て転載）。

1）巨大コロニーの培養

ポテトデキストロース寒天培地などの平板培地の中央に，カギ型白金線で微量の被検菌を接種し1個の巨大コロニーを形成させる。糸状菌の胞子（分生子）は飛散しやすいため，被検菌を培地に接種する際は，培地面を下に向け，カギ型白金線で接種するとよい。25〜30℃で，5〜21日間培養する。

②顕微鏡学的形態観察

アスペルジラ（分生子形成構造）の特異的な構造に着目して同定を行う。分生子の形成が悪い場合には，温度，光などの刺激を与えて培養する[2]とよい。

迅速または簡便法として，掻き取り法やセロハンテープマウント法が用いられる。ただし，*Mucor*属菌が疑われる場合には仮根の有無や仮根の位置などが同定のポイントになるため，セロハンテープマウント法は不向きである。掻き取り法やセロハンテープマウント法で特徴的な形態を認めない場合には，真菌本来の構造を保ったまま観察できるスライドカルチャー法を行う。

1）掻き取り法

1. スライドガラスにラクトフェノールコットン青液を滴下する。
2. カギ型白金線を用いて，分生子の形成が旺盛な菌はコロニーの辺縁を，分生子の形成が乏しい菌はコロニー中心部から培地を引っ掻くように菌体を採取し，1にのせる。
3. 2本の柄つき針で菌体をほぐし，カバーガラスを被せて鏡検する。

2）セロハンテープマウント法（図 13.6.6）

カギ型白金線の代わりにセロハンテープを用いるのが一般的であるが，市販されているファンギテープや，マイコ・パームブルーを使用すると簡便である。

1. スライドガラスにラクトフェノールコットン青液（またはマイコ・パームブルー）を滴下する。

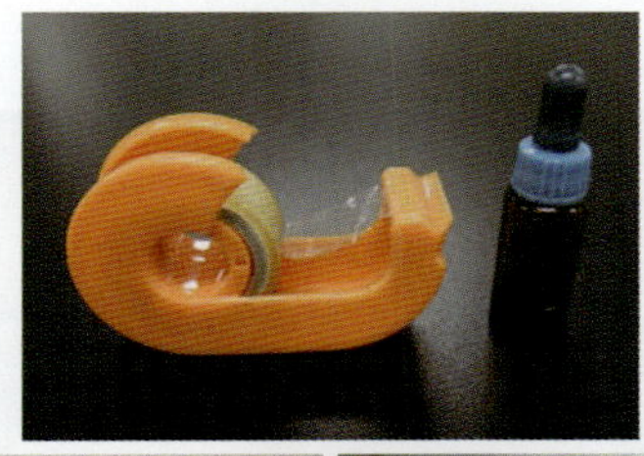

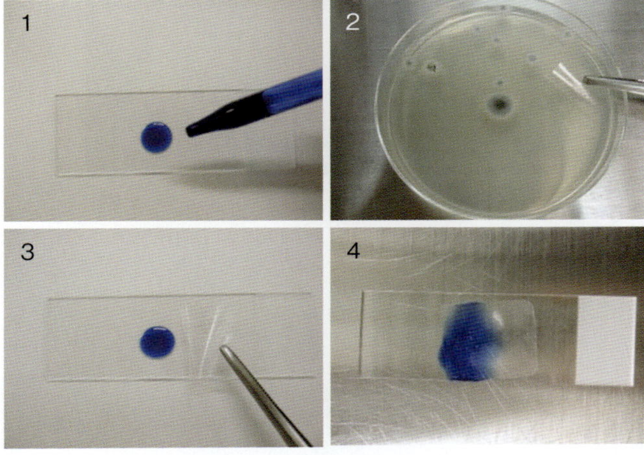

図 13.6.6 セロハンテープマウント法
1. マイコ・パームブルーを滴下する。
2. ファンギテープをコロニーに押し付け採取。
3. 気泡が入らないようにテープをのせる。
4. 5 分後に観察。

2. ファンギテープをピンセットで保持し，コロニーに粘着面を押し付ける。
3. 粘着面を1に貼り付け，テープの上から顕微鏡で観察する。

3）スライドカルチャー法（図 13.6.7）

1. 滅菌シャーレに濾紙を敷き，ガラス管で作製したU字管の上にスライドガラスを置く。
2. その上に5mm × 5mmの大きさに切ったPDAを置き，培地の四辺に少量の菌体を接種。その際，もう1枚PDAに菌を接種しジャイアントコロニーを作成する。
3. カバーガラスをかぶせ，軽く圧して培地と密着させる。
4. 濾紙が湿る程度に滅菌水を入れ25〜30℃で培養。

菌が十分に発育した時点でカバーガラスを外し，ラクトフェノールコットン青液に，菌体が付着している面を下にして被せ，強拡大（× 200や× 400）で鏡検する。カバーガラスの四辺の水分を拭き取り，マニキュアで封入すると永久標本となる。

③観察のポイント

観察のポイントを表 13.6.1に示した。菌体が褐色を帯びているのは，黒色真菌（*Fonsecaea*属菌，*Phialophora*属菌など）である。無隔菌糸を有するのはムーコル目菌で，ほとんどの病原真菌は有隔菌糸を形成する。*Aspergillus*属菌では頂嚢の形やメツラの有無，皮膚糸状菌では大分生子の形態なども同定ポイントとなる。分類上のポイントは胞子（分生子）形成法であり，以下に8種類の胞子（分生子）

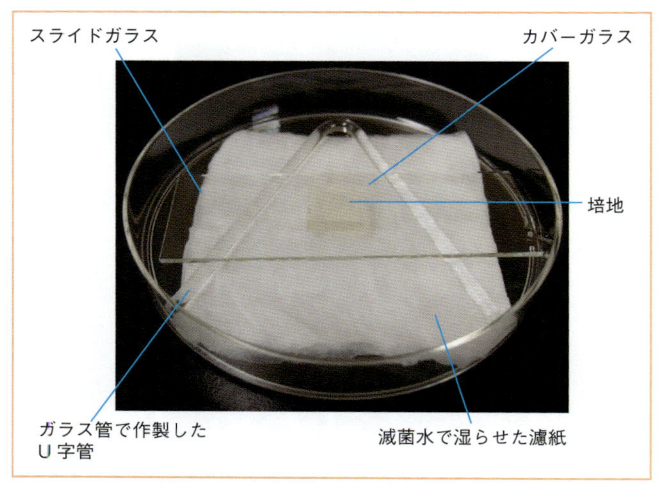

図 13.6.7 スライドカルチャー法

表 13.6.1 巨大コロニーおよびスライドカルチャーの観察ポイント

巨大コロニー	スライドカルチャー
1. 発育速度(培養日数とコロニー直径から類推) 2. 色(表/裏) 3. 表面のキメ(密/疎) 4. 辺縁(スムース/ラフ) 5. 色素産生の有無	1. 菌糸の色 2. 菌糸隔壁の有無 3. 菌糸壁(厚い/薄い, スムース/ラフ) 4. 分生子形成法は何か 5. 分生子(色, 形, 大きさ) 6. 分生子壁(厚い/薄い, スムース/ラフ) 7. その他の特徴的形態(頂嚢, 仮根, 螺旋体など)

形成法を示した。

◆**胞子(分生子)形成法**

1) 胞嚢胞子：胞子嚢柄先端に大きい球状の胞子嚢が形成され，その中に多数の内生胞子が形成される(*Rhizopus* 属菌など)。
2) 分節型分生子：菌糸が成熟すると隔壁部分から断裂し，分生子となる(*Coccidioides* 属菌など)。
3) アレウリオ型分生子：菌糸の先端や側枝が球形や円筒形に肥大して分生子となる(*Trichophyton* 属菌など)。
4) 出芽型分生子：菌糸や分生子形成細胞などから出芽して分生子となる(*Cladosporium* 属菌など)。
5) シンポジオ型分生子：菌糸の先端や側壁に形成されたシンポジュラ(分生子形成細胞の一種)から産生される。菌糸先端は多少ジグザグに伸びるが，光学顕微鏡での確認は難しいものもある(*Sporothrix* 属菌など)。
6) アネロ型分生子：菌糸先端などに形成されたアネライド(分生子形成細胞の一種)から産生される。1個産生ごとにアネライドに環紋(環状の分生子がちぎれた跡)が残るが光学顕微鏡では確認できず，多数産生されると菌糸が先細りに見える。(*Exophiala* 属菌など)。
7) フィアロ型分生子：フィアライド(分生子形成細胞の一種)から産生される(*Aspergillus* 属菌など)。
8) ポロ型分生子：分生子形成細胞に孔があき，その孔から分生子が産生される。孔は光学顕微鏡で確認可(*Alternaria* 属菌など)。

13. 6. 2 血清学的検査

1. (1→3)-β-D-グルカン検査

(1→3)-β-D-グルカン(以下，β-D-グルカン)は，真菌の細胞壁を構成する多糖体の一種で，*Candida* 属菌や *Aspergillus* 属菌など多くの真菌が保有するが，*Cryptococcus* 属およびムーコル目菌は少ないか，ほとんど保有していない。*Cryptococcus* 属菌およびムーコル目菌以外の真菌による深在性真菌症，とくに侵襲性の高い病型では血清中のβ-D-グルカン値が上昇するので，培養検査のみでは診断率の低い深在性真菌症の補助診断法としてβ-D-グルカン測定が汎用されている。検査キットは2製品あり，概要を表 13.6.2 に示す。この検査法では，菌属は特定できず，非侵襲性の食道カンジダ症や慢性肺アスペルギルス症などでは検査値の上昇は見られないとされるので，血流感染や侵襲性病型が適応となる[3,4]。

また，①セルロース素材の透析膜を使用した血液透析，②アルブミンや免疫グロブリンなどの血液製剤の投与，③ガーゼなど環境中のβ-D-グルカンの混入(①～③の製品や物品にはβ-D-グルカンが含まれることがある)，④β-D-グルカンを製剤としたレンチナン(抗がん剤)などの薬剤投与，⑤溶血検体や高γ-グロブリン含有血液(測定中に非特異反応を生じる)などでは偽陽性になることもあり，血液採取時および成績判定時は注意が必要である。

2. 真菌抗原検査

Candida 属菌，*Aspergillus* 属菌および *Cryptococcus* 属菌の特異抗原検出キットが市販・利用されている。検査材料は血清である。おもな検査キットの概要を表 13.6.3 に示した。

これらのなかで，感度および特異度ともに高いのはクリプトコックス抗原の検査である。本検査は培養検査が陰性となった後も長期間陽性を示す。カンジダ抗原検出はおもに血流感染を疑うときに使用される。特異度は高いが，病初期に検出されるので検査のタイミングによっては陰性となる。ポリクローナル抗体を使用しているので，*Candida*

表 13.6.2 (1 → 3) -β-D- グルカン測定キット 2 製品の概要

	ファンギテック® G テスト MK Ⅱ	β- グルカンテストワコー
測定原理	カイネティック比色法	比濁時間分析法
検体前処理	アルカリ法	希釈加熱法
標準品	パキマン	レンチナン
主剤原料	アメリカ産カブトガニ由来血球抽出物	アメリカ産カブトガニ由来血球抽出物
反応時間	30 分	90 分
測定範囲	4 ～ 500pg/mL	6 ～ 600pg/mL
カットオフ値	20pg/mL	11pg/mL
特徴	感度 高い	特異度 高い

albicans 以外のいくつかの *Candida* 属菌種にも陽性を示すが *Candida* 属菌のすべては検出しない。アスペルギルスガラクトマンナン抗原検出は侵襲性アスペルギルス症に有用であるが，カンジダの抗原検出と同様に陽性化は病勢と相関する。そのため，より早期に診断・治療を進めたい血液内科領域ではカットオフ値を下げて使用されており，他診療科では偽陽性が多くなることもあり現行のカットオフ値が使用されている。また，慢性アスペルギルス症（アスペルギローマなど）に対する有用性は低い。アスペルギルス抗原検査においても抗菌薬〔アモキシシリン（AMPC），アモキシシリン・クラブラン酸（AMPC/CVA）〕の投与，大豆蛋白を含む経管栄養および *Bifidobacterium* 属菌の腸管内定着など[5~7]が原因と考えられる偽陽性例がいくつか報告されている。

表 13.6.3 血中真菌抗原検査キットの概要

検査キット	検出抗原	測定原理	カットオフ値
ユニメディ® カンジダ	*C. albicans* マンナン抗原	ELISA	0.05ng/mL
セロダイレクト® クリプトコックス	*C. neoformans* グルクロキシロマンナン	ラテックス凝集法	凝集あり
プラテリア® アスペルギルス Ag EIA	*A. fumigatus* ガラクトマンナン	ELISA	cut off index ≧ 0.5

3. その他の血清学的検査

その他の血清学的検査として，血中の抗真菌抗体の測定がある。現在国内で測定できる抗真菌抗体は，アスペルギルス抗体IgG，ヒストプラズマおよびコクシジオイデス抗体で，アスペルギルス抗体IgGは一部の大手検査センターが請け負っているが，ヒストプラズマおよびコクシジオイデス抗体は，国立感染症研究所真菌部あるいは千葉大学真菌医学研究センター臨床感染症分野に相談のうえ，依頼について打診する。慢性アスペルギルス症では血中アスペルギルス抗原は検出されにくいが，アスペルギルス抗体は有意に上昇するので，本症の診断に有用である。

輸入真菌症の起因菌はすべてバイオセーフティレベル3である。本症が疑われる場合はむやみに培養せず，まず血清学的診断を試みることが望ましい。

［石垣しのぶ］

参考文献

1） 山口英世：病原真菌と真菌症 改訂 4 版，南山堂，2007.
2） 矢口貴志：「真菌同定の実際 Ⅱ糸状菌 Aspergillus」，臨床と微生物，2011；38（増刊）：537-546
3） 小栗豊子，他：「日本医真菌学会標準化委員会報告 日常微生物検査における標準的真菌検査マニュアル（2013）」，真菌誌，2013；54：345-360.
4） 深在性真菌症のガイドライン作成委員会（編）：「血清診断」，深在性真菌症の診断・治療ガイドライン 2014，88–90，協和企画，2014.
5） Mattei D *et al.*："False-positive Aspergillus galactomannan enzyme-linked immunosorbent assay results in vivo during amoxicillin-clavulanic acid treatment", J Clin Microbiol, 2004；42：5362-5363.
6） Murashige N *et al.*："False-positive results of Aspergillus enzyme-linked immunosorbent assays for a patient with gastrointestinal graft-versus-host disease taking a nutrient containing soybean protein", Clin Infect Dis, 2005；40：333-334.
7） Mennink-Kersten MA *et al.*："Bifidobacterial lipoglycan as a new cause for false-positive platelia Aspergillus enzyme-linked immunosorbent assay reactivity", J Clin Microbiol, 2005；43：3925-3931.

13.7 ウイルスの検査法

- ウイルス検査法は，分離培養，粒子・抗原の検出，遺伝子検査，血清学的検査となる。
- 分離培養検査は，設備および技術面において困難な点が多く，一般的には行われていない。
- 血清学的検査は，目的にあった検査方法の選択と結果の解釈が必要となる。
- イムノクロマト法が迅速検査法として普及し，インフルエンザウイルス，ノロウイルスなどに使用されている。
- 遺伝子検査は，核酸増幅検査システムの普及によりB型肝炎ウイルス，C型肝炎ウイルス，HIV検査に使用されている。

ウイルスの大きさは細菌よりも小さく，nm（$1/10^{-9}$m）の単位となるため，ウイルスの確認には電子顕微鏡が必要となる。構造はとても単純で蛋白質の外殻，内部に遺伝子（DNA，RNA）を保有する。細菌のように栄養を取り込み，エネルギーを生産することができず，細菌とは異なり，ウイルス単独では増殖できない。このためほかの生物を宿主にし，自己複製することでのみ増殖する。このような性質からウイルスは，検査室で顕微鏡により迅速に菌を確認，また培養により同定することができない。一般的なウイルス検査は感染部位，ウイルス排泄部位に由来する検体から，ウイルス粒子・ウイルス抗原あるいはウイルス遺伝子を直接検出する方法，また血清中の抗体価を検査する血清学的検査が使用される。最近では検査の簡便さ，また迅速性から免疫学的検査法である，イムノクロマト法が多く利用されている。

参考情報

シェル・バイアル法とはシェル・バイアル（円筒形容器）内のスライドグラスに感受性細胞を培養し，検体を接種した後，遠心操作を行う。24〜48時間培養後にウイルス特異的抗体を用いた蛍光抗体法（FA）により，培養で発現したウイルス特異抗原を検出する。

表 13.7.1　各種ウイルス検査法

	各種検査法	検査対象となる代表的ウイルス	検査法の特徴
分離培養法	・組織培養 ・シェル・バイアル法 ・発育鶏卵法 ・小動物（乳のみマウス）を用いた方法	・培養可能なウイルス ・培養可能なウイルス ・インフルエンザウイルス ・狂犬病ウイルス，日本脳炎ウイルス	・ウイルス株を確保できる ・病変部位の感染性ウイルスの存在を証明できる ・インフルエンザワクチンの作成 ・他検査法との比較検討で使用される
粒子検出	・電子顕微鏡法	・ノロウイルス，ロタウイルス，アストロウイルス	・病原微生物の検出と分類，形態と病原性に活用される
核酸検出	・ハイブリダイゼーション法 ・PCR法 ・RT-PCR法 ・LAMP法	・EBウイルス，ノロウイルス，ヒトパピローマウイルス ・B型肝炎ウイルス，C型肝炎ウイルス，HIVウイルス ・ノロウイルス，ジカウイルス，デングウイルス ・ノロウイルス，麻疹ウイルス ・SARS-CoV-2	・特定の配列をもつDNA断片を同定する方法(サザンブロットハイブリダイゼーション法など) ・二本鎖DNAを増幅する方法 ・逆転写反応を用いる方法 ・迅速性・簡便性に優れる
抗原検出	・酵素免疫法（EIA，ELISA） ・逆受身凝集反応 ・免疫拡散法 ・免疫染色法	・肝炎ウイルス関連，サイトメガロウイルス ・B型肝炎ウイルス ・インフルエンザウイルス，ロタウイルス，ノロウイルス ・サイトメガロウイルス ・SARS-CoV-2	・免疫グロブリン別(IgM, IgA, IgG)に測定できる ・担体に抗体を感作させ抗原を反応させる方法 ・迅速性・簡便性に優れる ・CMVアンチゲネミア法
抗体検出	・補体結合反応 ・赤血球凝集抑制反応 ・蛍光抗体法 ・中和試験 ・受身凝集反応 ・ウエスタンブロット法	・梅毒ウイルス，麻疹ウイルス，各種ウイルス ・麻疹ウイルス，風疹ウイルス，ムンプスウイルス ・サイトメガロウイルス，EBウイルス ・麻疹ウイルス，ムンプスウイルス，アデノウイルス ・肝炎ウイルス関連，各種ウイルス ・HIVウイルス ・SARS-CoV-2	・スクリーニング検査として有用 ・患者の免疫状態の把握や疫学的調査に利用される ・抗体分画が可能 ・型特異性が高く，ウイルス株の同定が可能 ・担体に抗原を感作させ抗体を反応させる方法 ・抗体の種類を識別できる

用語　蛍光抗体法（fluorescent antibody technique；FA），ポリメラーゼ連鎖反応（polymerase chain reaction；PCR），逆転写ポリメラーゼ連鎖反応（reverse transcription PCR；RT-PCR），LAMP（loop mediated isothermal amplification），エプスタイン・バー（Epstein-Barr；EB），ヒト免疫不全ウイルス（human immunodeficiency virus；HIV），酵素免疫測定法（enzyme-linked immunosorbent assay；ELISA），サイトメガロウイルス（cytomegalovirus；CMV）

13. 7. 1　ウイルス粒子・抗原の検出

1. ウイルス粒子の検出

ウイルス粒子を直接観察するには検体をネガティブ染色する。その後，電子顕微鏡でウイルス特有の形態を確認することによりウイルス名を決定する。ネガティブ染色法は電子密度の高い染色液でウイルス粒子の周りを覆い，電子顕微鏡で観察をする極めて簡易な操作法である。観察される電子顕微鏡像に影響する要素としては，染色剤の種類，pH，濃度，染色時間，試料の濃度などがあり，その取扱いには十分な注意が必要である。培養法の確立されていないロタウイルス，ノロウイルス，アストロウイルスなどの下痢症起因ウイルスの検索に使用される。ただし，この方法は観察時の経験，また高価な電子顕微鏡も必要となるため，一部の特殊施設において検査が行われている。現在，下痢症起因ウイルスの検査に関しては，免疫学的検査法であるイムノクロマト法により，迅速かつ簡便に臨床の現場で検査が行われている。ノロウイルスの検査が代表的である。

2. ウイルス抗原の検出

検体中に含まれるウイルス抗原を特異抗体を用いて検査する方法である。臨床の現場で使用されている方法は酵素免疫測定法（EIA，ELISA）*1，逆受身凝集反応，免疫拡散法（イムノクロマト法）がある。酵素免疫測定法はマイクロプレートに特異的ウイルス抗体をあらかじめ固相化し，検査材料中のウイルス抗原を反応させる。次に酵素などで標識した抗ウイルス抗体を結合させ，基質の発色によりウイルス抗原を検出する。自動機器の普及により，化学発光免疫測定法（CLIA）*2，化学発光酵素免疫測定法（CLEIA）*3など感度のよい化学発光法を利用したものも使用されている。逆受身凝集反応は赤血球やラテックス粒子，ビーズなどにウイルス特異抗原をあらかじめ吸着させ，検体中のウイルス抗原と反応させる。そのウイルスに特異的な抗体が存在すると赤血球やラテックス粒子，ビーズに凝集が起こり，これを目視などで確認する方法である。

イムノクロマト法は2抗体サンドイッチ法による抗原の検出法である。その原理はセルロース膜上を検体が試薬を溶解しながらゆっくりと流れる性質（毛細管現象）を応用した免疫測定法である。迅速かつ簡便に使用できるため，インフルエンザなど多くのウイルス検査に使用されている。ほかに，細胞に感染したウイルス抗原を蛍光あるいは酵素標識を用いて観察する免疫染色法がある。サイトメガロウイルス（CMV）抗原血症検査（CMVアンチゲネミア法）として，CMV検出に使用されている。図13.7.1に，ウイルス抗原の検出法を示す。

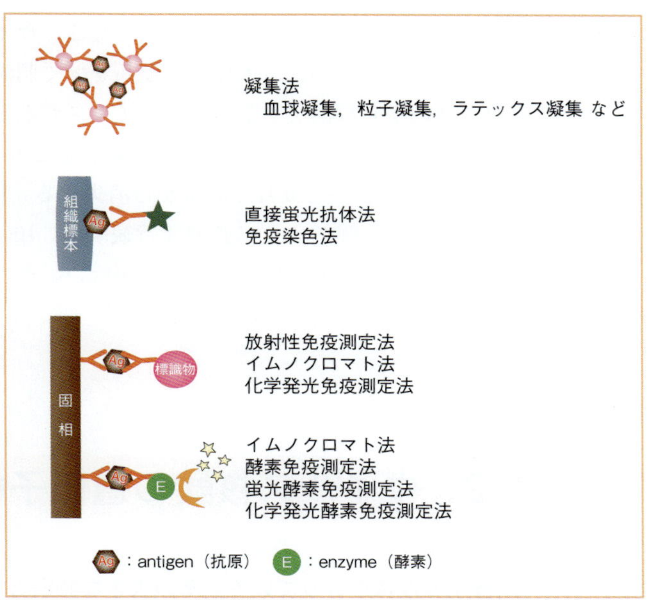

図 13.7.1　免疫反応を測定原理とするウイルス抗原測定法

参考情報

＊1：EIA，ELISAとは，固相化抗体に未知検体中の抗原を結合させる。そこに酵素標識抗体を結合させ，その酵素活性を測定。既知濃度の抗原により求めた標準曲線から未知検体の濃度を測定する。

＊2：CLIAとは，抗原抗体反応を利用し，標識物質として化学発光性化合物を用いる。原理的には放射性免疫測定法（RIA）と同様。標識物質が放射性同位元素ではなく化学発光性化合物である点が異なる。

＊3：CLEIAとは，抗原抗体反応を利用し，標識物質として酵素を使い，その活性測定に化学発光反応を用いる方法。原理は，EIA法と同様であるが，最終段階の酵素反応が呈色反応ではなく化学発光反応である点が異なる。

用語　化学発光免疫測定法（chemiluminescent immunoassay；CLIA），化学発光酵素免疫測定法（chemiluminescent enzyme immunoassay；CLEIA），放射性免疫測定法（radioimmune assay；RIA）

Q　ウイルス感染に対する免疫応答は？

A　ほとんどのウイルス感染は一過性となる。ウイルスのカプシド蛋白の免疫原性は極めて高いために，人体の免疫系を強く刺激し，最終的にウイルスは排除されて体内からは消失する。一方ウイルスが消えた後，そのウイルスに対する免疫は長期間持続する。ウイルス感染が起こると，IgM抗体が産生されるが，持続せずに通常1～2カ月で血中から消失する。IgG抗体は，IgM抗体に続いて出現するが，上述のように長期間持続する。IgG抗体の特徴は初期に大量につくられる抗体は抗原に対する親和性が低い。その後時間経過とともに，抗体濃度は減少するが，親和性が高くなる。

13. 7. 2　ウイルス核酸の遺伝子検査

ウイルスは個々の性状をもっている。その大きな特徴としてほかのウイルスを取り込み，取り込んだウイルスの性質も同時に共有し，別のウイルスに変化する。たとえば，新型インフルエンザは別のインフルエンザの遺伝子を取り込み新型インフルエンザとなる。またウイルスは，細菌のように培地を使って培養することはできない。その理由は細菌のように細胞分裂で増えるのではなく，生きた細胞の中でのみ増殖することによる。そのため迅速かつ正確なウイルス検査として，核酸増幅法が注目されている。その利用法は培養不可能または培養困難な病原体の検出となる。たとえばヒト免疫不全ウイルス（HIV），分離や同定に時間を要するウイルスの検出，型判定による診断，モニタリングが必要なC型肝炎ウイルス（HCV），B型肝炎ウイルス（HBV），ヒトパピローマウイルスなどである。また，移植後の感染症の診断にてモニタリングが必要なサイトメガロウイルス（CMV）にも利用されている。検査法はPCR法が多く利用されている。この方法はDNAの増幅が基本となる。ウイルスの対象遺伝子がDNAの場合は特異プライマーにより実施。一方RNAの場合は逆転写酵素によりRNAと相補性をもつDNA（cDNA）を合成後，PCR法で増幅するRT-PCR法*1が使用される。

参考情報

＊1：RT-PCR法：RNAはDNAポリメラーゼの鋳型とはならないため，PCRで増幅するにはまずRNAをDNAに変換する必要がある。逆転写酵素によりRNAから変換されたDNAはcDNA（cはcomplementary，相補的の意味）とよばれ，PCRの鋳型となり得る。逆転写反応（RT）に続いてPCRを行う方法がRT-PCRであり，RNAをPCRにて増幅する方法である。

13. 7. 3　ウイルス性感染症の血清学的検査

人体の中でウイルスの感染が成立すると，約2週間で抗体が産生される。このタイミングで血液を採取後，その血清により検査する方法が血清学的検査となる。

抗体は免疫グロブリンであり，そのうち感染防御に関係しているのはIgMとIgGとなる。IgMはウイルスが体内に侵入すると間もなく増え始め，約2週間でピークに達した後減少し，1～2カ月でほとんどなくなる。一方IgGは1週間ぐらいから出現し，IgMが減少を始めても増え続け，ウイルス感染の完治後も高い抗体価として持続し，その後少しずつ減少する。また同じウイルスが再び侵入すると，2～3日で急増しウイルスを撃退することも特徴である。ウイルス抗体価検査にはペア血清検査とIgM抗体検査がある。次に抗体検査の測定法を説明する。

用語　C型肝炎ウイルス（hepatitis C virus；HCV），B型肝炎ウイルス（hepatitis B virus；HBV），相補的DNA（complementary DNA；cDNA），逆転写反応（reverse transcription；RT）

Q ウイルス抗体価検査の方法とは？

A ウイルス抗体価検査にはペア血清検査とIgM抗体検査がある。ペア血清検査は感染した直後（急性期），それから2～3週間後（回復期）に血液を採取。その血清の抗体価を調べ，回復期の抗体価が急性期の抗体価の4倍あれば陽性と判断する。IgM抗体検査は発症してすぐにIgM抗体のみを検査。その値が高値であれば新たにウイルスに感染した判断となる。ただし抗体検査は感染して約2週間で上昇するため，感染初期の診断には使用できない。

Q ウイルス抗体価の基準範囲はあるのか？

A ウイルスカプシドは複数種の蛋白分子からなり，各蛋白には抗原決定基（エピトープ）が複数個ある。各エピトープに対しては複数のB細胞クローンが抗体をつくる。各クローン抗体の抗原親和性は異なるので，血清中の全抗体量を絶対値で表すことはできない。また，抗体絶対量を示す標準品を調製することもできない。抗体濃度は各測定法での抗体活性（抗体価）として測定され，異なった測定法で抗体価を比較することもできない。

1. 補体結合反応（CF）

補体結合反応（CF）は，抗原抗体複合体と結合した補体が感作血球を溶血しないことで抗体価を測定する検査法である。この検査の特徴は群特異性が高く，抗体が比較的早期に消失することである。また多くのウイルス感染に適応できるため，スクリーニング検査として有用となる。原理はヒツジ赤血球に対する溶血素（抗体）を結合させた感作血球に補体を加え，溶血が起こることを利用した測定法である。患者血清の倍数希釈列に一定量の抗原と補体を加え一定時間反応させた後，感作血球を加える。血清内に抗体が存在する場合には抗原抗体複合体に補体が結合し，感作赤血球に結合する補体がなくなるため溶血を示さない。反対に血清内に抗体が存在しない場合は溶血を示す。溶血を阻止する血清最高希釈倍数を補体結合抗体価とする。

Q ワクチン接種の抗体検査は？

A 補体結合反応（CF）による抗体価は比較的短期間で消失するため，ワクチン接種の判定には通常使用されない。赤血球凝集抑制反応（HI）は，風疹ウイルスの診断に使われ，16倍以下ではワクチン接種が推奨されている。中和試験（NT）は結果が得られるまでの時間が長く，ワクチン接種の判定にはあまり使用されない。酵素免疫測定法（EIA）は，IgGが長期間検出されるため，ワクチン接種の基準および接種後の効果判定に使用される。

用語 補体結合反応（complement fixation test；CF），赤血球凝集抑制反応（hemagglutination inhibition test；HI），中和試験（neutralization test；NT）

2. 赤血球凝集抑制反応（HI）

赤血球凝集抑制反応（HI）は，赤血球凝集能をもつウイルスの場合に，抗原抗体反応によって赤血球の凝集を抑制する抗体を証明する検査法である。この検査の特徴は型特異性が高く，早期に抗体が上昇し持続することである。原理は赤血球凝集素に抗体が付着すると，赤血球凝集が起こらなくなることを利用した測定法である。患者血清を倍々に希釈して，どの濃度まで凝集が抑制されたかを観察し，その最終希釈倍率を抗体価とする。ウイルスの赤血球凝集能を利用した検査方法なので，赤血球を凝集する性質のないウイルス（単純ヘルペスウイルスや水痘・帯状疱疹ウイルス，サイトメガロウイルスなどのヘルペスウイルス群に属するウイルス）は抗体価を測定することができない。

3. 蛍光抗体法（FA）

蛍光抗体法（FA）は，感染細胞中のウイルス抗原と抗体との反応を蛍光標識抗体で証明する検査法である*1。この検査の特徴は抗体の分画が可能である。また特異度は高いが，非特異反応に注意が必要となる。原理は検査材料をスライドガラスに塗抹し，蛍光物質を標識した特異的ウイルス抗体を反応させることにより，材料中の抗原を蛍光顕微鏡で観察するものである。IgM，IgM抗体を別々に測定できることにより，EBウイルスの検査に利用されている。

参考情報

＊1：特異抗体に直接蛍光物質を標識して検出する直接法と2次抗体に蛍光物質を標識する間接法がある。

EBウイルス感染診断は？

A 抗体検査（蛍光抗体法/酵素抗体法）の結果から，感染時期を推定する。VCA IgG抗体は初感染の急性期に上昇し，回復後も終生持続する抗体である。VCA IgM抗体は初感染の急性期に出現し，比較的早期に低下する抗体である。EBNA抗体は初感染の回復期以降に出現する抗体で，感染既往の指標となる抗体となる。EA IgG抗体は初感染の急性期および再活性時に出現する抗体。以上VCA IgG，VCA IgM，EBNA，EA IgGの4項目の結果から感染時期を推定するのが一般的である。

4. 中和試験

中和試験は，活性ウイルスを抗体により中和させ，感染防御抗体を証明する検査法である。この検査の特徴は型特異性が高いこと，そして細胞培養ができるウイルスに関してはすべて検査が対応できる。原理はウイルス粒子に抗体が付着すると，そのウイルス粒子の感染性が失われることを利用したものである。段階希釈した患者血清とウイルスを混合し抗原抗体反応を行わせた後，マイクロプレート上の培養細胞に接種し培養を行う。一定期間観察を行い細胞変性効果の有無をみる。細胞変性がなければウイルスの増殖が抑制されたことになり，中和抗体陽性と判定される。生きた細胞，ウイルスを使用するため検査施設は限定される。

5. 受身凝集反応

受身凝集反応は，固相化ゼラチン粒子にウイルスを吸着させ，これに抗体を反応させて凝集の有無により証明する検査法である。この検査の特徴は高感度である。原理はゼラチンを粒形化したものに抗原を吸着させたものを血清と反応させ，血清中の抗体の存在を調べる。抗体が存在すると凝集が起こり，マイクロプレートのウェルの中で広がる。逆に抗体が存在しないと凝集が起こらず，ウェルの一番底まで粒子が滑り落ちてボタン状になり，肉眼で凝集塊が確認できるものである。操作が簡単で多数検体のスクリーニングに適している。

用語　ウイルスカプシド抗原（virus capsid antigen；VCA），EBウイルス核抗原（EBV nuclear antigen；EBNA），早期抗原（early antigen；EA），受身凝集反応（passive agglutination test；PA）

6. ウエスタンブロット法

ウエスタンブロット法は，転写膜に分画された抗原蛋白のバンドと特異的に反応する抗体を検出する検査法である*2。この検査の特徴は特異性が高く，世界で多く採用されている抗体の確認試験となる。その原理はウイルスをバラバラにして電気泳動で分けると，小さいものほど遠くへ移動し，大きいものほど移動が小さいバンドとして分離する。患者血清を反応させると血清中の抗体がバンドに結合する。各バンドが出そろうには数週間以上かかかる。また非特異的に薄い反応が出ることもあり，注意が必要である。この原理を利用した方法がイムノブロッティング法であり，ヒト免疫不全ウイルス（HIV）に対する血清中抗体の同定に使用されている。

参考情報

＊2：ウエスタンブロット法とは，電気泳動を利用した方法であり，ELISA法やELISPOT法よりも特異性が高い。ウエスタンブロット法では抗原の存在量だけでなく，分子量も知ることができる。

［三澤成毅］

13.8　免疫学的検査法

- 免疫学的反応により，ウイルス，細菌，毒素蛋白などを検出する。
- 特定の微生物（細菌，ウイルス）を簡易かつ迅速に検査できる。
- 検査法には凝集反応，標識抗体法，イムノクロマト法がある。
- 凝集反応は菌種の検出（髄液からの細菌性髄膜炎起因菌検査），同定（黄色ブドウ球菌），血清学的な群別（Lancefield 分類）または型別（赤痢菌，サルモネラ，コレラ菌）に利用されている。
- 標識抗体法（蛍光抗体法）は培養に時間のかかる細菌やクラミジアの検出に利用されている。
- イムノクロマト法は診断に迅速性が必要とされるインフルエンザウイルス，ノロウイルス，SARS-CoV-2 などの検出に利用されている。

感染症の原因となる病原体は，ウイルス，細菌，真菌（カビ），原虫，寄生虫がある。その他，マイコプラズマ，クラミジア，リケッチア，スピロヘータなどが含まれる。このような微生物の特異抗体を用いて，簡易かつ迅速に検出する検査法が免疫学的検査法である。検査法には凝集法，標識抗体法，イムノクロマト法（免疫クロマト法）がある。イムノクロマト法は，迅速な診断が要求されるインフルエンザウイルス，ノロウイルス，SARS-CoV-2などに利用されている。また感染対策上問題となるクロストリジオイデス・ディフィシルの毒素検査などにも幅広く活用されている。p224　9.11やp376　13.3.4も参照されたい。

13.8.1　凝集反応

抗体や抗原の粒子はとても小さい。そのため肉眼で確認することができるように，粒子に感作させた抗体を介してつなげると，肉眼で確認できる大きさの凝集物となる。これが凝集反応である。一般的には赤血球，ラテックス粒子，ブドウ球菌などの担体に特異抗体を結合させて抗原を検出する。分離菌を抗血清と直接反応させる細菌凝集反応もあり，菌種の同定，血清学的な群別または型別に用いられている。

1. ラテックス凝集反応

抗原物質に特異的な抗体を感作させたラテックス粒子を用い，抗原物質を検出する方法である。免疫複合体の形成によりラテックス粒子が凝集する性質を応用し，目視により判定する。検体中に目的の抗原が含まれていない場合，凝集は認められない。この反応は多くの検査に応用されている。メリットは目視判定による定性判定が可能であること，試薬コストが比較的安価な点である。デメリットは色の付いた検体や粘性のある検体の場合に影響を受けることがある。

2. 共同凝集反応

黄色ブドウ球菌（*Staphylococcus aureus*）の細胞壁成分であるプロテインAは，免疫グロブリンであるIgGのFc末端部と結合する性質がある。この性質を利用し，抗原に対する特異抗体を黄色ブドウ球菌の表面に結合させた試薬と対応する抗原を混合させることで肉眼で凝集を観察できる。

3. 寒冷凝集反応（CA）

自己免疫性溶血性貧血の原因となる抗赤血球抗体3種類のうちの１つが寒冷凝集素（CA）である。寒冷凝集素の免疫グロブリンクラスは，ほとんどの場合IgMである。CAは自己免疫性溶血性貧血の鑑別診断，およびマイコプラズマやほかのウイルス疾患の診断に用いられる。

用語　ラテックス凝集反応（latex agglutination；LA），共同凝集反応（co-agglutination；Coa），Fc（fragment crystallizable），寒冷凝集反応（cold agglutination；CA）

13. 8. 2　標識抗体法

マイクロビーズなどの担体に非標識抗体を固相し，標識物質により標識された標識抗体との間で標的物質をサンドイッチ状に挟み込み免疫複合体を形成させる。この標識物質の量より標的物質を定量的に検出する方法である。メリットはラテックス凝集反応（LA）と比較して測定感度が高い。検体の色（白濁，溶血，高ビリルビンなど）の影響を受けないことである。デメリットは標識抗体法では専用の測定（分析）装置が必要な点である。

1. 蛍光抗体法

標的とする抗原をもつ細胞を蛍光標識した抗体を用いて，蛍光下で特異的に検出する方法である。ある蛋白質の細胞内や組織内分布をこの蛋白質と特異的に結合する抗体（一次抗体）を用いて検出する。この抗体に対する抗体（二次抗体）が蛍光色素で標識してある。標識した二次抗体を用いる方法を間接蛍光抗体法という。ほかに直接法，補体法がある。直接蛍光抗体法として代表的な検査はトラコーマ・クラミジア（*Chlamydia trachomatis*）である。尿道または子宮頸管より採取した上皮細胞と蛍光物質で標識したトラコーマ・クラミジア抗体を直接に反応させる。この蛍光量によりクラミジア抗原量を測定する。

2. 酵素免疫測定法

酵素で標識した抗体により，抗原を検出する方法である。特異的な免疫反応を用いるので一般に特異性が高い。この抗体に対する抗体（二次抗体）が酵素で標識してあり，酵素により発色する物質と同時に加えることにより抗体の分布した部分がわかる。標識を直接行う場合と二次抗体を用いて間接的に行う場合がある。おもに用いられる酵素はペルオキシダーゼやアルカリホスファターゼである。

13. 8. 3　イムノクロマト法

イムノクロマト法はセルロース膜上を検体が試薬を溶解しながらゆっくりと流れる性質（毛細管現象）を利用した免疫測定法である。検体中の抗原は検体滴下部にあらかじめ準備された金属コロイドなどで標識された抗体（標識抗体）と免疫複合体を形成しながらセルロース膜上を移動し，セルロース膜上にあらかじめ用意されたキャプチャー抗体上に免疫複合体がトラップされ呈色する。その部分を目視により判定する。ノロウイルス，インフルエンザウイルスなどで応用されている（図13.8.1，13.8.2）。メリットは目視判定による定性判定が可能な点である。また，多くの試薬の保管方法が室温保存であり，必要な数だけ取り出して実施できる。このためポイントオブケア検査（POCT）*1として多く活用されている。

デメリットは目視による判定のため個人による判定誤差がある。定量検査向きではなく，ロット間差，試薬間差がある。また院内感染で問題となっているクロストリジオイ

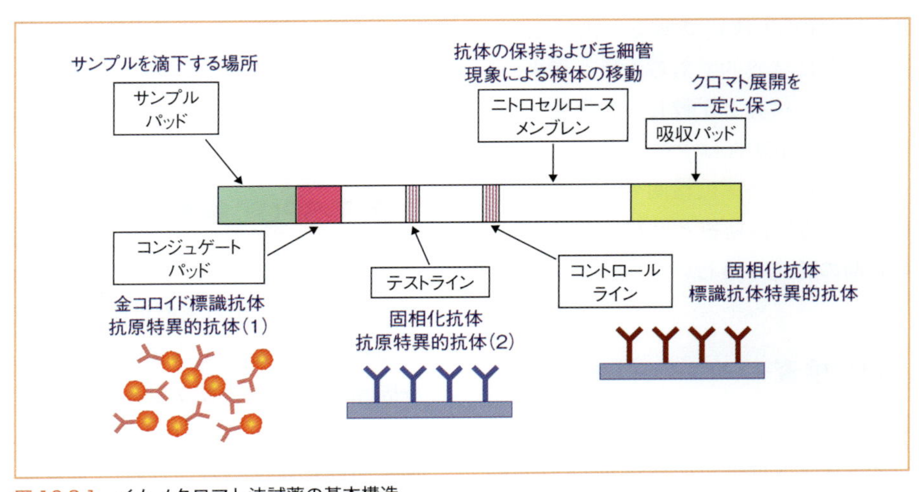

図 13.8.1　イムノクロマト法試薬の基本構造

用語　蛍光抗体法（fluorescent antibody technique；FA），酵素免疫測定法（enzyme-linked immunosorbent assay；ELISA），ポイントオブケア検査（point of care testing；POCT）

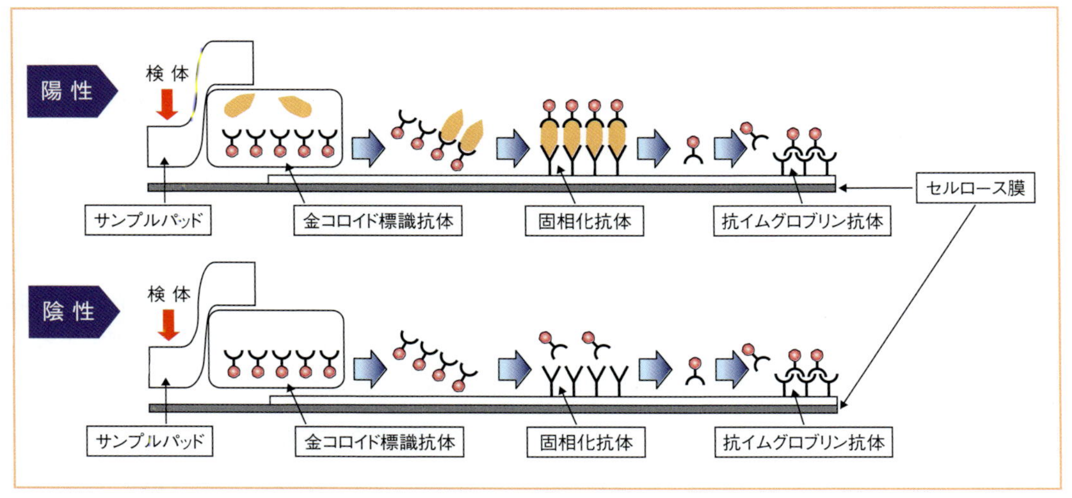

図 13.8.2 イムノクロマト法の反応原理
毛細管現象により検体がセルロース膜上を移動する際，検体中の抗原と標識抗体および捕捉抗体の三者により免疫複合体が形成され，その標識物の集積を目視で確認する。

デス・ディフィシル（*Clostridioides difficile*）は，65歳以上の高齢者，易感染性患者，重度の基礎疾患，長期入院，胃酸分泌の長期間抑制されている患者などで問題となっている。検査は，培養検査と毒素検査が行われているが，培養検査は時間がかかるため，糞便中の毒素を直接検出するイムノクロマト法が使用されることが多い。

参考情報

＊1：POCT：臨床現場即時検査と訳され被験者の傍でリアルタイムに医療従事者が検査を実施し，診断・治療に有益な情報を迅速に得る検査のことである。医療機器技術の進歩により，患者や検体が動くのではなく，医療従事者が動いて検査を行うことで，患者中心の医療提供につなげることを目的としている。

13. 8. 4 インターフェロン-γ遊離試験（IGRA）

インターフェロン-γ遊離試験（IGRA）は，結核菌特異抗原により全血あるいは精製リンパ球を刺激後，産生されるインターフェロン-γ（IFN-γ）を測定し結核感染を診断する方法である。IGRAには現在2種類あり，1つはクォンティフェロン（QFT）検査である。この検査は全血を検体とし産生IFN-γの測定にはELISAを使用している。もう1つは精製リンパ球を検体として用いるT-SPOT検査（産生IFN-γを測定するELISPOT法）である。両法とも使用する刺激抗原は結核菌群に特異的であるため，従来の感染診断法であるツベルクリン検査と比較し，特異度は格段に高くなっている。さらに，IGRAはツベルクリン検査と異なり，ブースター効果もなく，医療機関への再診が不要である。しかし，IGRAは活動性結核と潜在性結核感染の区別はできず，感染時期の特定も難しい。

1. クォンティフェロン検査

測定原理は2つのステージに分かれる。ステージ1では，まずTB抗原採血管，陰性コントロール採血管および陽性コントロール採血管それぞれに全血を採血。その後，静置培養する。被検者が結核菌に感染していると，感作Tリンパ球がIFN-γを産生する。ステージ2ではこの全血から上清（血漿検体）を採取し，サンドイッチ酵素免疫測定（ELISA）法にてIFN-γ量を測定する。あらかじめIFN-γ標準希釈系列を作製しておき，検体とともに測定する。得られた吸光度からIFN-γの標準曲線を作成し，検体中のIFN-γ量を算出する。測定値はTB抗原血漿と陽性コントロール血漿のIFN-γ濃度（IU/mL）から，それぞれ陰性コントロール血漿のIFN-γ濃度（IU/mL）を減じて求める。

2. T-SPOT検査

測定原理は以下のとおりである。血液6mL以上を採血する。次に全血から末梢単核細胞（PBMC）を分離し，規定の細胞数となるよう調製する。その後，抗IFN-γ抗体を固相したマイクロプレートのウェルにPBMC検体を加え，結核菌特異抗原（パネルA抗原，パネルB抗原）と16～20時間反応させる。ウェルを洗浄した後，標識抗体

用語　インターフェロン-γ遊離試験（interferon-γ release assay；IGRA），インターフェロン（interferon；IFN），クォンティフェロン（QuantiFERON；QFT），ELISPOT（enzyme-linked immunospot），結核菌（tubercle bacilli；TB），末梢単核細胞（peripheral blood mononuclear cell；PBMC）

試薬を加え，ウェルを洗浄して非結合の抗体を除去後，基質試薬を加える。IFN-γを産生したエフェクターT細胞の痕跡が暗青色のスポットとして発現する。この数を数えて，測定値とする。

Q 梅毒血清反応はどのような検査か？

A 梅毒血清反応には大きく分けて2つの方法がある。1つはウシ心筋由来のカルジオリピンという脂質を抗原とし，血清中の抗体との反応を調べる方法である。補体結合反応（ワッセルマン反応，緒方法など），沈降反応（ガラス板法，VDRL法など），凝集法がありSTSと総称される。もう1つは梅毒の病原体そのものを抗原とし，血清を加えて反応をみるTPHAテストやFTA-ABSテストなどの方法である。STSはスクリーニング検査として行われるが，梅毒だけではなく，膠原病や肝臓病，妊娠などで偽陽性となる。陽性時はTPHAテストを行って陽性であれば梅毒と診断する。STS陽性，TPHAテスト陰性の場合はFTA-ABSテストを再度行い，陽性であれば梅毒と診断する。

▶参考情報

・梅毒：治療薬ペニシリンが発見されるまでは，不治の病として恐れられていた。今は早期治療すれば完治する。梅毒に感染し病変部分があると，HIV（エイズウイルス）などにも感染しやすくなるため，注意が必要である。また近年，増加傾向にある。

Q 伝染性単核球症を疑っているが，何を検査すべきか？

A 伝染性単核球症を起こすウイルスとしてはEBウイルス，稀にサイトメガロウイルスがある。EBウイルスに関しては蛍光抗体法，EIA法がある。伝染性単核球症のみを疑う成人の場合では，VCA IgG，VCA IgM，EBNAの3種類の抗体測定を行えば十分となる。EBウイルスは感染してから発症するまでの潜伏期が長いため，急性期の血清でもVCA IgG，VCA IgMとも高い値を示すのが一般的である。また，EBNA抗体はEBウイルスの既往感染のマーカーとなるため併せて測定することが大切である。

▶参考情報

・伝染性単核球症：思春期から若年青年層に好発し，大部分がEBウイルスの初感染によって起こる。おもな感染経路はEBウイルスを含む唾液を介した感染であり，乳幼児期に初感染を受けた場合は不顕性感染であることが多いが，思春期以降に感染した場合に伝染性単核球症を発症することが多く，kissing diseaseともよばれている。

Q ASO検査とは？

A 抗ストレプトリジン-O抗体（ASO）はA群および一部のC群，G群溶血性レンサ球菌（溶連菌）の産生する溶血毒素（ストレプトリジン-O）に対する抗体であり，溶連菌の感染によって上昇する。ASO価はA群溶連菌感染後の1週後頃より上昇し始め，3～5週後にピークに達してから徐々に減少し，2～3カ月後に感染前の値に戻る。しかし，初期から大量の抗菌薬を投与すると抗体価はそれほど上昇しない。一般的にはASO価単独，あるいはASO価と抗ストレプトキナーゼ抗体（ASK）価の併用が行われている。またB群溶連菌感染症では抗体価が上昇しないことにも注意する。

▶参考情報

・抗ストレプトキナーゼ抗体（ASK）：ASOと同様，β溶血レンサ球菌（溶連菌）のうちA群，C群，G群が産生する代表的な菌体外産生物質である酵素（SK）に対する抗体である。

用語 VDRL（venereal disease research laboratory），梅毒トレポネーマ血球凝集テスト（*Treponema pallidum* hemagglutination test；TPHA），梅毒トレポネーマ蛍光抗体吸収テスト（fluorescent treponemal antibody-absorption test;FTA-ABS），STS（serological test for syphilis），エプスタイン・バー（Epstein-Barr；EB），酵素免疫測定法（enzyme immunoassay；EIA），ウイルスカプシド抗原（virus capsid antigen；VCA），抗ストレプトリジン-O抗体（anti-streptolysin O antibody；ASO），抗ストレプトキナーゼ抗体（anti-streptokinase antibody；ASK），ヒト免疫不全ウイルス（human immunodeficiency virus；HIV），EBウイルス（Epstein-Barr virus；EBV），ストレプトキナーゼ（streptokinase；SK）

Q アメーバ赤痢の現状と検査診断法は？

A　わが国で発生する寄生虫症のなかで最も重要な感染症の1つである。感染症法の五類感染症に類型されており，年間報告数は2000年以降増加し2014年～2017年は1,000例を超えていたが，以降は減少し800例台である。報告数の減少は，後述の血中抗体検査試薬の製造中止が影響したと考えられている。

診断には，検体から栄養型またはシストを検出する顕微鏡的検査が行われるが，検出困難な場合も多く，他種との鑑別も必要であることから血中抗体検査も併用されていたが，2017年に検査試薬の製造が中止された。2020年にイムノクロマト法による便中抗原検査が，2021年には核酸増幅法（FilmArray）による検査が保健収載された。これらの検査が普及し，顕微鏡的検査と併用されることによって的確な診断が可能となるものと期待される。

Q クロストリジオイデス・ディフィシル感染症の検査診断法は？

A　クロストリジオイデス・ディフィシル感染症（*Clostridioides difficile* infection：CDI）の検査診断法は，酵素免疫測定法（EIA）によるトキシン（AとBまたはBのみ）と菌体由来Glutamate dehydrogenase（GDH）の検出，核酸増幅検査によるトキシンB遺伝子の検出，培養による菌検出を組み合わせて行われる。検体は糞便であり，下痢便を用いるのが原則である。下痢便かどうかは，ブリストル便形状スケールと呼ばれる便性状の肉眼的な判定基準を用いることで客観的な評価が可能である。ただし，腸閉塞（イレウス）の場合は固形便を検査する場合がある。

日本化学療法学会と日本感染症学会による診療ガイドラインでは，GDH，トキシン，核酸増幅検査を用いる*C. difficile*検査のフローチャート（図13.8.3）を示している。GDHとトキシン両方陰性はCDI否定的，トキシン陽性かつGDH陽性または培養陽性であればCDIと解釈する。核酸増幅検査（Nucleic acid amplification test：NAAT）は高感度であり，GDH陽性・NAAT陽性，NAATのみ陽性の場合は臨床評価と併せて解釈する。

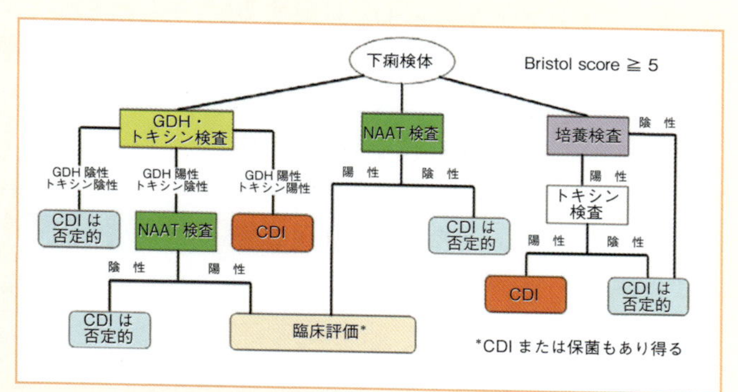

図13.8.3　*C. difficile* 検査のフローチャート
〔公益社団法人日本化学療法学会・一般社団法人日本感染症学会CDI診療ガイドライン作成委員会：「*Clostridioides difficile* 感染症診療ガイドライン2022」，日本化学療法学会雑誌 2023；71(1)：1-90より引用〕

▶参考情報

・クロストリジオイデス・ディフィシル（CD）：抗菌薬関連大腸炎のおもな病原体として認識されている。院内感染の抗菌薬関連下痢症の15～25%を占め，その臨床症状は無症状保菌者～中等度下痢～劇症型である偽膜性大腸炎がある。

用語　クロストリジオイデス・ディフィシル感染症（*Clostridioides difficile* infection；CDI），クロストリジウム・ディフィシル（*Clostridium difficile*；CD）

Q マイコプラズマ肺炎の検査診断法は？

A *Mycoplasma pneumoniae*による肺炎の診断は，従来，培養検査や血中抗体検査が行われていた。培養はPPLO培地などを用いて長期間を要すること，血中抗体検査は免疫クロマトグラフ法によるIgM検査は検査陽性が長期間持続する場合があり的確な診断が難しかった。

近年は迅速かつ特異度が高い検査として核酸増幅法が利用できるようになった。さらに最近は，細菌菌体内のリボソームを構成する蛋白質（L7/L12）の*M. pneumoniae*に特異的な領域を抗原とするモノクローナル抗体を用いる免疫クロマトグラフ法による迅速抗原検査が利用できるようになった。感染初期の菌量が多い時期に鼻咽頭検体から簡便，迅速に検出することができ有用性が高い。

▶参考情報

・マイコプラズマ感染症：肺炎の約10～20%がマイコプラズマによって起こるといわれている。5～14歳の年齢に多いといわれているが，成人や乳幼児にも感染する。

［三澤成毅］

参考文献

1）厚生労働省健康局結核感染症課長：「感染症の予防及び感染症の患者に対する医療に関する法律第12条第1項及び第14条第2項に基づく届出の基準等について」の一部改正について．健感発0603第2号，令和3年6月3日．https://www.mhlw.go.jp/content/10900000/000788097.pdf
2）公益社団法人日本化学療法学会・一般社団法人日本感染症学会 CDI診療ガイドライン作成委員会：「*Clostridioides difficile* 感染症診療ガイドライン2022」．日本化学療法学会雑誌，2023；71：1-90.

13.9 ｜ 遺伝子・蛋白検査法

- 遺伝子検査は検体から直接に病原体の遺伝子を増幅・検出することで感染症の診断と治療に貢献している。
- 核酸増幅法として PCR 法は頻用されている。近年，LAMP 法や SDA 法などの等温遺伝子増幅法も普及している。
- 菌株レベルの分子疫学的な解析法に POT 法，MLST 法，VNTR 法が利用されている。
- 菌株同定の新たなツールとして質量分析装置が導入されている。

13. 9. 1　遺伝子検査法の概略と核酸増幅法

遺伝子検査の基本的なステップは，①検体採取と搬送（保存），②核酸（DNA/RNA）の抽出，③増幅反応，④増幅産物の検出，⑤結果の判定と報告の5つからなる。各ステップの特徴と解析技術を以下に概説する。

1. 検体採取と搬送および保存

検出対象の核酸がRNAの場合には注意が必要である。すなわち，RNAはDNAと比べて非常に不安定であり，検体採取から測定までの管理を厳格に行う必要がある。検体採取後可及的速やかに核酸抽出を行う。組織や細胞の搬送にはRNA*later*やPAXgene Tubeに入れておくと安定である。材料をすぐに処理できない場合には，チオシアン酸グアニジンで細胞膜を可容化すると同時にRNaseを不活化し，DNAが酸性フェノールに溶け込むことを利用してRNAを回収後，−20℃もしくは−80℃で凍結保存する。

2. 核酸の抽出

核酸抽出には市販されているキットを使用するのが一般的である。カラムや磁性シリカビーズなどが利用されている。近年，磁気ビーズやシリカ膜を用いた自動核酸抽出装置が開発され販売されている。

3. 核酸増幅反応

(1) 目的の遺伝子の探索

遺伝子検査による感染症診断では喀痰，髄液，血液などの検体からDNAを取り出す際，病原体（複数かもしれない）のDNAだけでなく，ヒトのゲノムも一緒に抽出される。この広大無辺な核酸の海（溶液）の中から，病原体のDNAのみを探し当て，その領域のDNAを増やして，目印をつけて病原体名を決定する仕組みが必要である。

ここではB群レンサ球菌（GBS）による髄膜炎を発症した患者の髄液からGBSの遺伝子を探し当てたいとしよう。髄液には，菌と戦うためにヒトの免疫細胞も動員されており，GBSのDNAのみならずヒトのDNAも多量に含まれている。GBSの215万塩基対には，ほかの病原体にもヒトのゲノムにも存在しない特異的な配列が存在する〔たとえば，*Haemophilus influenzae* type b（Hib）が産生する莢膜多糖体を支配する遺伝子〕。すなわち，GBSを特定できるようなDNA配列を利用して，この配列の始まりの5′側20塩基と同じ配列をもつように合成されたDNA（前向きプライマーとよぶ）と，終わりの3′側20塩基と相補的な塩基配列の後ろ向きプライマーを用意する。プライマーは通常20塩基ほどの一本鎖DNAで，任意の配列を簡単に人工的に合成（オリゴヌクレオチド）することができる。

髄液サンプルを95℃に熱すると，二本鎖DNAは水素結合が切れて，センス鎖とアンチセンス鎖の一本鎖ずつになる（熱変性；DNAの鎖自体は壊れない）。この後，温度を

用語　リボヌクレアーゼ（ribonuclease；RNase），B群レンサ球菌（group B Streptococcus；GBS），前向きプライマー（forward primer），後ろ向きプライマー（reverse primer）

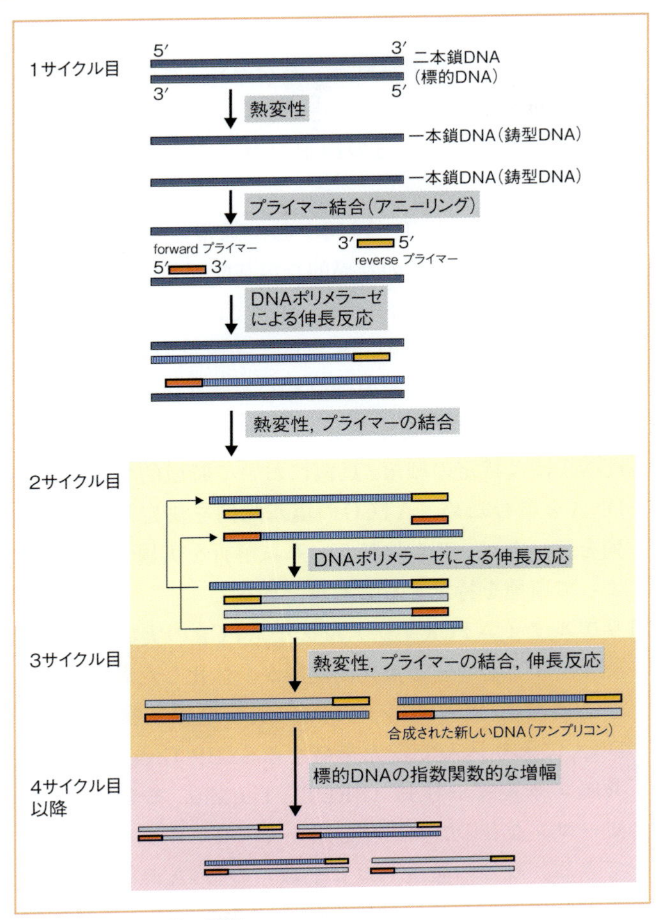

図 13.9.1 PCR 法の原理

60℃くらいまで下げると，あらかじめ反応液に加えていた2つのプライマー(ゲノムに比べて圧倒的に大量に加えている)は，ゲノムの海の中で自分と相補的な塩基配列のところを探し，配列が完全に一致すれば，プライマーはそこに落ちついて結合する（アニーリングとよぶ)。このようにして一本鎖（鋳型DNA）の途中に，20塩基ほどの二本鎖の小さな領域ができる。

(2) 目的のDNAを増やす

目的のDNAを増やす方法として，ポリメラーゼ連鎖反応（PCR）*1がある（図13.9.1)。

参考情報

＊1：PCRを発明したのは，当時シータス（Cetus）社のMullisで，1993年にノーベル化学賞を受賞した。当初，PCRの大きな課題は，二本鎖DNAを一本鎖にする過程（95℃）で酵素のDNAポリメラーゼが壊れてしまうことであった。その後，米国イエローストーン国立公園の温泉に棲む細菌(*Thermus aquaticus*）から採った耐熱性のDNAポリメラーゼ（菌種名から*Taq* DNAポリメラーゼ）が使用されるようになり，PCRが実用化されるに至った。

PCRには，鋳型DNA，プライマー2種類，ATCGのヌクレオチド（dATP，dTTP，dCTP，dGTP；4種類を総称してdNTP)，*Taq* DNAポリメラーゼという酵素（反応の至適温度72℃）が必要である。プライマーが結合したところを起点として，相補的なヌクレオチドを5′から3′の向きに次々に付け足して（AにはTをCにはGをと)，二本鎖にしていく（伸長反応)。DNAポリメラーゼによるDNA合成のためには，一部二本鎖の部分が必要であることから，プライマーとはDNAポリメラーゼを引き起こす（priming）ための取りかかりを意味する。1,000bpくらいの長さでも，合成反応は1分程度で終わる。熱変性→アニーリング→伸長反応のサイクルが1周すると目的のDNA配列は2倍に増える。そこで再び反応液を加熱して，同じことを繰り返せば，2つのプライマーに挟まれたDNA領域だけがさらに増える（増幅する)。10サイクル後に約1,000倍，20サイクル後に100万倍，30サイクル後には10億倍を突破する。このくらいの量になると，電気泳動で明瞭なバンドが観察される。この増えたDNAのことを増幅産物もしくはアンプリコンとよぶ。予測されたDNAサイズにバンドが見えれば，GBSの足跡をほぼ手中に収めたことになる。この間，約2時間ほどである。温度を上げたり下げたり，自動で制御してくれるPCR装置（サーマルサイクラー）に反応チューブをセットするだけで広大無辺なDNAの海から，目的のDNA断片だけを抜き出して増幅することが可能となったのである。

臨床検体から病原体の微量な核酸（DNAあるいはRNA）を探し当てて，検出できるレベルまでに増やす技術には，①標的の核酸そのものを増幅する「ターゲット核酸増幅法」，②目的の核酸を探し当てるためのプローブを増幅する「プローブ増幅法」，③プローブの目印として標識したシグナルを増幅する「シグナル増幅法」の3つに大別される。①～③の各増幅技術における代表的な方法を表13.9.1にまとめた。以下，各増幅法別に分けてそれぞれの特徴を解説する。

①ターゲット核酸増幅法

目的の核酸そのものを増幅する方法として，すでに主役として登場したPCRが頻用されている。PCR法は先述のように，サーマルサイクラーを用いて，3段階（2段階）の反応温度を周期的に変更する必要がある。この問題点を解決するべく，国内外で開発された核酸増幅法に共通しているのは一定の温度（等温あるいは定温）で反応が進むことである。

用語 ポリメラーゼ連鎖反応（polymerase chain reaction；PCR)，デオキシアデノシン三リン酸（deoxyadenosine triphosphate；dATP)，デオキシチミジン三リン酸（deoxythymidine triphosphate；dTTP)，デオキシシチジン三リン酸（deoxycytidine triphosphate；dCTP)，デオキシグアノシン三リン酸（deoxyguanosine triphosphate；dGTP)，デオキシヌクレオチド三リン酸（deoxynucleotide triphosphate；dNTP)，アンプリコン（amplicon）

i）PCR法とその改良法・変法

1つの病原体をターゲットにして，鋳型DNAの熱変性→アニーリング→伸長反応を繰り返して，増幅DNAをゲル電気泳動法と染色後検出するオーソドックスなPCRをconventional PCR（従来のPCRもしくは通常のPCR）とよび，後述する改良法や変法と区別している。あるいは単にPCRという場合には，この一般的なPCRを意味する。

PCRがDNAを増幅するのに対して，逆転写酵素PCRの略称であるRT-PCRは，RNAを検出するPCRである。RNAを逆転写してcDNAにした後，PCRを行う（2ステップ法）。1つの反応チューブで逆転写とPCRを実施する1ステップ法も最近普及している。感染症の分野ではRNAウイルスの検出に利用される。ちなみに，RT-PCRの略称が後に登場するリアルタイムPCRにも使用される論文も散見されるため，どちらのPCRを意味するか注意が必要である。

表 13.9.1 遺伝子増幅法の種類

ターゲット核酸増幅法（target nucleic acid amplification methods）	プローブ増幅法（probe amplification methods）
1. PCR 1）conventional PCR（図 13.9.1） 2）RT-PCR 3）nested PCR 4）semi(hemi)-nested PCR 5）broad-range PCR（図 13.9.2） 6）quantitative PCR 7）real-time PCR • SYBR Green I • FRET • molecular becons • TaqMan 8）multiplex PCR 2. 等温核酸増幅法 1）LAMP 2）SDA 3）NASBA 4）TMA 5）TRC 6）ICAN	1. Invader 2. cycling probe 3. Q-beta replicase 4. PALSAR 5. RCA 6. LCR **シグナル増幅法（signal amplification methods）** 1. branched DNA 2. hybrid capture

1）ブロードレンジPCR（図 13.9.2）：通常のPCR法は，菌種あるいは病原因子の特異的な塩基配列領域を増幅するのに対して，ブロードレンジPCRでは細菌に共通な16S rDNAあるいは真菌の18S rDNA領域を増幅する。1組のプライマーで多種類の細菌もしくは真菌をユニバーサルに検出できることが最大の利点である。増幅されたrDNAには特定の細菌/真菌において特徴的な可変領域DNAを含むため，ATCGの塩基配列を決定し，その配列をデータベースと比較し，系統解析を実施することによって菌種を特定することができる。

2）リアルタイムPCR：リアルタイムPCRの実施には，サーマルサイクラーと蛍光測定器が一体化した専用の装置が必要である。リアルタイムPCRの増幅産物は二本鎖DNAに入り込んで蛍光を発するSYBR Green Iや蛍光共鳴エネルギー移動（FRET），TaqMan，モレキュラービーコンなどのプローブを用いて，リアルタイムに検出できる。既知の濃度（コピー数）のDNA溶液をサンプルとして測定して検量線を作成することで，目的DNAの定量が可能となる。これが定量PCR（quantitative PCR）である。なお，特異的なDNAが増幅されたかどうかは，PCR終了後自動的に行われるDNAの融解曲線

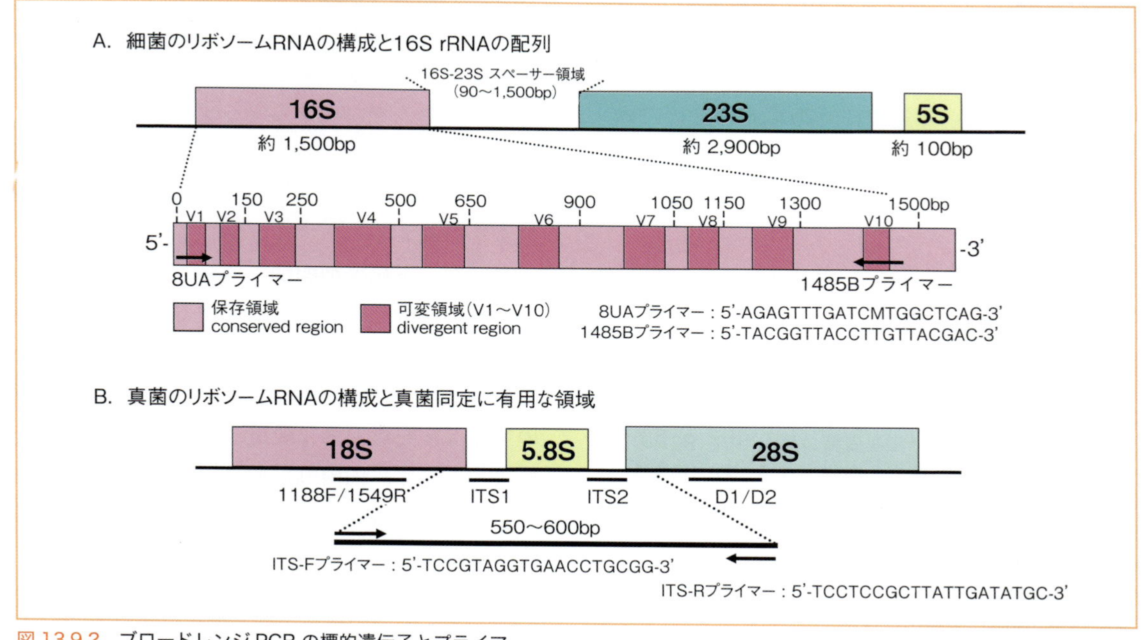

図 13.9.2 ブロードレンジPCRの標的遺伝子とプライマー

用語 相補的DNA（complementary DNA；cDNA），リボソームDNA（ribosomal DNA；rDNA），蛍光共鳴エネルギー移動（fluorescent resonance energy transfer；FRET），ICAN（isothermal and chimeric primer-initiated amplification of nucleic acids），PALSAR（probe alternation link self-assembly reaction），RCA（rolling circle amplification），リガーゼ連鎖反応（ligase chain reaction；LCR）

分析から，融解温度（Tm）を測定することによって確認できる。

3)マルチプレックスPCR：マルチプレックスPCR法では1つの反応チューブに2組以上のプライマー対を含み，一度の反応で複数病原体あるいは病原因子が検出可能である。マルチプレックスPCRは費用対効果を重視したうえで，感染症の種類や検査材料別に起因菌として頻度の高い複数の病原体を約2～4時間で一度に検索できる。実際に呼吸器感染症や腸管感染症の病原体を網羅的な検索ができる試薬キットが市販されている。

ii）等温核酸増幅法

近年，PCR法とは原理の異なるさまざまな核酸増幅法が開発され実用化されている。その代表例がLAMP法，SDA法，NASBA法，Transcription-mediated Amplification（TMA）法，TRC法などである。

1)LAMP法：LAMP法は2000年に栄研化学の納富らによって開発された。LAMP法の特徴はDNAの増幅反応を65℃の一定温度で行えること，4つのプライマーを用いて6領域の配列を認識するので特異性が高いこと，増幅効率が高く30分～1時間以内に検出できることなどである。LAMP法の反応機構の詳細は栄研化学のゲノムサイト（http://loopamp.eiken.co.jp/）に動画（アニメーション）も掲載されているので参照されたい。

2)SDA法：SDA法は，1991年に米国で開発され，Becton Dickinson（BD）社が権利化している。リン菌とクラミジアのDNA検出キットが，BD ProbeTec ET Systemとして世界の25か国以上で販売されている。

②プローブ増幅法

以上述べてきた方法は目的の核酸そのものを増やすものであったが，ここでは標的核酸に相補的なプローブを増幅する技術を紹介したい。これまでに開発されてきたプローブ増幅法にはInvader法（ThirdWave Technologies，米国），cycling probe法（ID Biomedical, カナダ），Q-beta replicae法（Gen-Trak System，米国）などがある。すべての方法に共通していることは等温で増幅反応が行えることである。Invader法とcycling probe法は反応の過程でプローブが切断されるため，cleavage-based amplificationとよばれており，とくに一塩基多型（SNP）の解析方法として国内でも普及しつつある。

③シグナル増幅法

シグナル増幅法は標的核酸に結合した標識のシグナルを増感するもので，ターゲット核酸やプローブの増加を伴わない。ELISAに類似した原理をイメージすると理解しやすい。シグナル増幅法の利点は標的核酸の数が増加するわけでないので，キャリーオーバーコンタミネーションの危険性が低く，偽陽性反応を減少できること，同じく標的核酸を増やすための酵素反応がないため，検体中の阻害物質の影響を受けにくく，偽陰性反応が少ないこと，定量性に優れていることなどである。

13.9.2 遺伝子増幅産物の検出法

増幅された産物（アンプリコン）が，本当に自分が欲しいもの（ターゲットDNA；標的DNA）であったかの確認はどうするのだろうか。現在，使用されている方法を以下に概説する。

1. アンプリコンの長さを調べる

最も古典的で簡便な方法である電気泳動を用いる。DNAは外部から電場をかけると，アガロースゲル（またはポリアクリルアミドゲル）の中では－極から＋極に向かって移動する。長いDNAは遅く，短いDNAは速く長い距離を移動して，ふるいにかけられる。DNA分子量マーカーとしてDNA ladder（ladderは梯子の意味でバンドがはしごの段のように見える）を別のレーンで一緒に流すと，アンプリコンのおおよその長さを計測できる。泳動後は二本鎖のDNAに入り込むエチジウムブロマイドで染色し，紫外線をあてる。DNAがオレンジ色に光って，バンドとして観察される。泳動から染色，写真撮影まで40分ほどかかる。

2. ハイブリダイゼーション法

相補的な配列をもつ核酸の鎖が再び互いにくっついて二本鎖になることをハイブリダイゼーション（雑種形成）とよぶ。互いが相補的な配列の場合にだけ二本鎖を形成するということは，2つの鎖の塩基配列は相補的であることの確かな証拠となる。この性質を利用して，目的の塩基配列を探し当てる道具をプローブとよんでいる。このプローブ

用語 融解温度（melting temperature；Tm），LAMP（loop-mediated isothermal amplification），SDA（strand displacement amplification），NASBA（nucleic acid sequence-based amplification），TMA（transcription mediated amplification），TRC（transcription-reverse transcription concerted），切断（cleavage），一塩基多型（single nucleotide polymorphisms；SNP），プローブ（probe），標識（labeling），酵素免疫測定法（enzyme-linked immunosorbent assay；ELISA）

には一般にアンプリコンの中程約25bpと相補的なDNA配列を用いる。プローブがくっついたか否かを探るためにプローブに目印を付けておく（標識）。プライマーとプローブの特異性が高いほど，増幅されたDNAの特異度も向上する。プローブの標識には蛍光色素，ビオチン，ジゴキシゲニン（DIG），酵素などを用いて発光や発色の有無をシグナルとして検出する。PCR反応液の中に蛍光色素で標識したプローブを混ぜておき，増幅と同時にプローブの蛍光を測定するのがリアルタイムPCRである。

3. アンプリコンの塩基配列を決定する

どのような産物が増えてきたかを知るにはDNAの塩基配列を決めることが最も確実な方法である。DNAを構成する4種類のATCGの配列を読み取ることを，シークエンシングという。DNAの基本単位である4種類のヌクレオチドの一部を改変したジデオキシヌクレオチド（ddNTP）とDNA合成酵素であるDNAポリメラーゼを用いる。現在では4種の塩基を別々の蛍光色素（ddATP-R6G；緑，ddTTP-TAMURA；黄，ddGTP-R110；青，ddCTP-ROX；赤）で標識して1本のチューブ内で反応させる色素終結法が操作性の簡便化と高速な自動シークエンサーの普及に伴って頻用されている。

13.9.3　遺伝子型別法による分子疫学的な解析

株レベルのタイピングにはパルスフィールドゲル電気泳動法（PFGE法）に代表される制限酵素断片多型（RFLP）解析がゴールドスタンダードであるが，操作が煩雑で解析に長時間を要するという欠点がある。近年，POT法はおもにメチシリン耐性黄色ブドウ球菌（MRSA），緑膿菌（*Pseudomonas aeruginosa*），アシネトバクターのタイピングで実用化されており，操作の簡便性やデータの比較が容易なことから，急速に普及している。本法はファージを構成するORFのなかからいくつか選んでマルチプレックスPCRで検出して，その保有パターンによって遺伝子型を決定する（図13.9.3）。

その他，DNA塩基配列の決定が容易となり，高速化と低コスト化の潮流のなかで，細菌の5～7領域のハウスキーピング遺伝子をそれぞれ400～600塩基を解読して，これらの配列を比較することでタイピングを行うMLST法が普及している。識別したい菌株ごとに複数遺伝子の塩基配

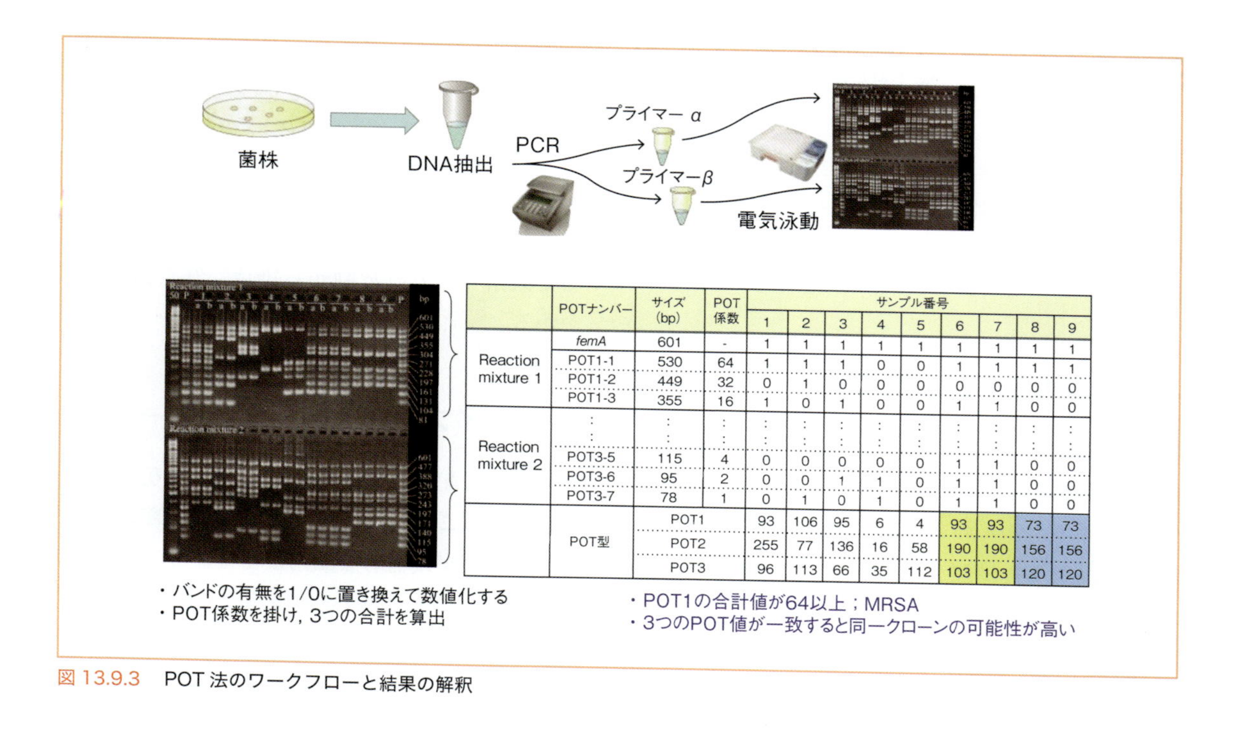

	POTナンバー	サイズ(bp)	POT係数	サンプル番号 1	2	3	4	5	6	7	8	9
Reaction mixture 1	*femA*	601	-	1	1	1	1	1	1	1	1	1
	POT1-1	530	64	1	1	1	0	0	1	1	1	1
	POT1-2	449	32	0	1	0	0	0	0	0	0	0
	POT1-3	355	16	1	0	1	0	0	1	1	0	0
Reaction mixture 2	：	：	：	：	：	：	：	：	：	：	：	：
	POT3-5	115	4	0	0	0	0	0	1	1	0	0
	POT3-6	95	2	0	0	1	1	0	1	1	0	0
	POT3-7	78	1	0	1	0	1	0	1	1	0	0
POT型	POT1			93	106	95	6	4	93	93	73	73
	POT2			255	77	136	16	58	190	190	156	156
	POT3			96	113	66	35	112	103	103	120	120

図13.9.3　POT法のワークフローと結果の解釈

用語　ジゴキシゲニン（digoxigenin；DIG），アデニン（adenine；A），チミン（thymine；T），シトシン（cytosine；C），グアニン（guanine；G），シークエンシング（sequencing），ジデオキシヌクレオチド三リン酸（dideoxynucleotide triphosphate；ddNTP），パルスフィールドゲル電気泳動（pulsed-field gel electrophoresis；PFGE），制限酵素断片多型（restriction fragment length polymorphism；RFLP），POT（PCR-based ORF typing），メチシリン耐性黄色ブドウ球菌（Methicillin-resistant *Staphylococcus aureus*；MRSA），ORF（open reading flame），MLST（multilocus sequence typing）

列の差異をパターン化（allele）して系統解析を行う。MLST法の最大の特長は，主要な病原細菌や食中毒菌の解析プロトコールがWebサイト（http://www.mlst.net/）で公開されており，世界中の研究室や検査室で配列データが比較可能なことである。

その他の遺伝子型別法としては，細菌の反復配列の多型を解析する反復配列多型分析法（VNTR法）がある。細菌ゲノム上の繰り返し配列領域をPCR法によって増幅して，その産物の大きさから繰り返し配列のコピー数を調べる方法で，おもには結核菌のタイピングに利用されている。

13. 9. 4　質量分析法

1. 質量分析とは

蛋白質やペプチドなどの分子の重さ（質量）をはかることが「質量分析」である。英語のmass spectrometryの頭文字からMSと略記されるので，慣用的に「マス」と読むことが多い。蛋白質は各々固有の重さをもっているので，この重さの違いを利用すれば，分子量から蛋白質の名前やその濃度を知ることができる。また，未知の試料にどのような蛋白質がどのくらい含まれているのかも解析できる。

質量分析は次の3つのステップからなる。①試料をイオン化する，②イオンを分離する（重さで分ける），③そのイオンを検出する。各々のステップにはいくつかの手法が開発されている。これらの組み合わせによって質量分析計はさまざまなタイプの装置が存在する。細菌の同定に使用されている装置はマトリックスという試薬と試料を混合して，「レーザー」を照射することによってイオン化するタイプと，真空中のある一定の距離をイオンがどのくらいの時間で飛んでいくかを計測して質量を割り出すタイプとの組み合わせである。このタイプの質量分析装置は，MALDI-TOF MSとよばれており，日本語に訳すと「マトリックス支援レーザー脱離イオン化飛行時間型質量分析計」である。

2. 原理

ここではMALDI-TOF MSの原理を紐解くために，①マトリックス支援，②レーザー脱離イオン化あるいはレーザーイオン化，③飛行時間型質量分析計の3項目を分けて概説する。

(1) マトリックス支援

「マトリックス」の明確な定義は定まっていないが，一般には「レーザー光を吸収して試料のイオン化を促進する有機化合物」である。MALDIで頻用されている窒素レーザー（波長337nm）と微生物同定に適したマトリックスとしてCHCAやシナピン酸などのベンゼン骨格をもつ有機化合物が使用されている。ベンゼン環がレーザー光を吸収して，−COOH（カルボキシル基）のような官能基がH^+（プロトン）を試料へ供給することによって蛋白質がイオン化される。マトリックスのはたらきは，①レーザーのエネルギーを効率的に吸収する，②プロトンを試料に供給してイオン化を促進する，③試料が分解するのを防ぐことである。すなわち，マトリックスの支援（助け）を借りて蛋白質を壊さずに効率的にイオン化するのがMALDIである。

(2) レーザー脱離/イオン化

レーザーイオン化とは文字どおり，試料にレーザー光を照射することによってプロトンの受け渡しをしてイオンを生成させることである。一方，レーザー脱離は試料（固体あるいは液体）にレーザー光を照射すると急速に加熱されるので，試料が気相へガス化（脱離）される方法である。この脱離は広義にはイオン化も含まれるので，laser desorption/ionization（レーザー脱離/イオン化）と表現される。

(3) 飛行時間型

イオンを重さ（質量電荷比）で分離する手法の1つである。サンプルプレート上でイオン化された試料は電圧をかけると加速されて，真空中を検出器に向かって走行する（図13.9.4A）。このとき，イオンが受け取るエネルギーは電荷量が同じであれば一定なので，すべてのイオンは加速領域を出る段階で同じ運動エネルギー $K=\frac{1}{2}mv^2$ をもつ。エネルギー保存の法則から質量（m）の小さい分子ほど飛行速度（v）が速く，検出器に早く到達するが，質量の大きな分子は飛行速度が遅くなり，検出器までの到達時間も遅くなる。つまり，各々のイオンの検出器までの到達時間を計測すれば，それぞれの質量（質量電荷比）を割り出すことができる。

軽い分子は早く走り，重い分子は遅れて走るので，質量の軽いものから順に検出器で信号を発生する。この現象を

用語　反復配列（tandem repeats），反復配列多型（variable numbers of tandem repeats；VNTR），質量分析（mass spectrometry；MS），マトリックス支援レーザー脱離イオン化飛行時間型質量分析計（matrix assisted laser desorption/ionization time of flight mass spectrometer；MALDI-TOF MS），α-cyano-4-hydroxy cinnamic acid（CHCA），シナピン酸（sinapinic acid）

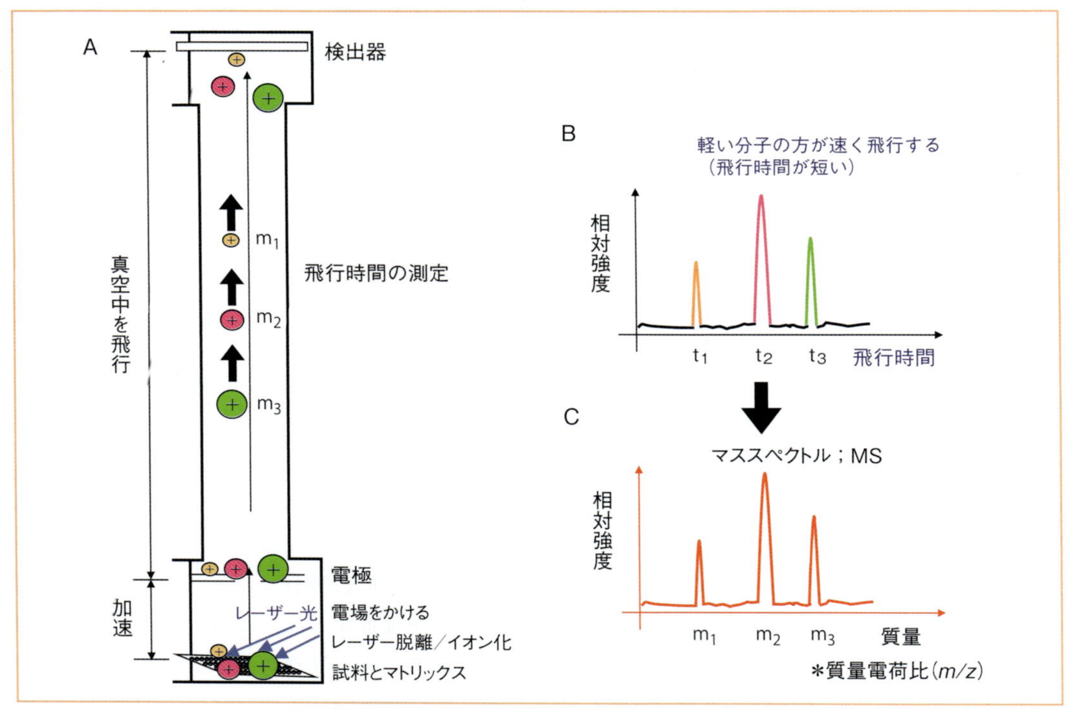

図 13.9.4　MALDI-TOF MS の基本原理

横軸に時間，縦軸に検出強度としてプロットしたのが図13.9.4Bである。さらに，この飛行時間を質量（質量電荷比）に換算して作図をしたものが図13.9.4Cであり，この波形のパターンをマススペクトルとよぶ。このマススペクトルは特定の分子量（1つのピーク）から試料に含まれる成分を推定することにも利用される一方で，この波形全体のパターン（ピーク分布）自体がその試料の特性を示しているともいえる。

3. 微生物同定の基本原理

微生物の同定にMALDI-TOF MSタイプの質量分析計が利用される理由として次の3つがあげられる。①少ない菌量（約10^5個）で前処理が簡便である，②精製された蛋白質でなくてもイオン化の効率がそれほど低下しない，③1価のイオン生成が主体であるためスペクトルの解析が容易である。

では，実際にMALDI-TOF MSを用いて大腸菌をまるごと飛ばしてみる。そのマススペクトルのパターンが図13.9.5である。グラフの横軸が質量（質量電荷比）で分子量約2,000～20,000ダルトン（Da）の範囲が解析に用いられる。縦軸はシグナルの強度である。どの分子量にどのくらいの強度でピークが観察されるか，またそのピークのパ

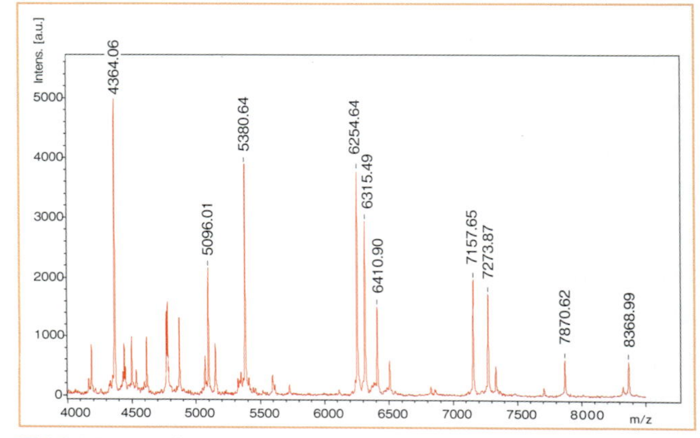

図 13.9.5　大腸菌のマススペクトル

ターンがどの菌種のマススペクトルのパターンと一致しているかが同定のキーとなる。なお，ここで観察される波形のピークは菌体を構成している蛋白質が主体であるが，とりわけ細菌のリボソームに由来する蛋白が50～70%を占めている。さまざまな菌種のさまざまな菌株をデータベースに登録しておき，コンピュータの力を借りて未知の菌株のマススペクトルがどの菌種のパターンと一致しているかをデータベースの中から瞬時に探す。つまり，MALDI-TOF MSを用いた菌種の同定を一言で表現すれば，「データベースに登録されている菌種とのマススペクトルのパターンマッチング」である。

［大楠清文］

13.10 ｜ 迅速診断技術

- Gram 染色標本の鏡検は細菌の形態や染色性から菌種を迅速に推定できるだけで．なく，培養結果を正しく解釈するためにも必須である。
- イムノクロマト法は POCT で重要な位置を占めている。
- 遺伝子検査は分離菌株の迅速な菌種の同定，病原因子や薬剤耐性遺伝子の検出に用いられているだけでなく，検体から直接，微量な病原体の遺伝子を増幅・検出して，感染症の迅速診断と治療方針の決定に活用されている。

13. 10. 1　顕微鏡による形態観察

Gram染色を基本とした顕微鏡による微生物の形態観察は，臨床微生物検査の重要な位置を占めている。とりわけ，感染病巣から得られた検体の顕微鏡検査は迅速・簡便に起因菌の推定ができるため，初期治療における最適な抗菌薬の選択に欠かせない検査法である。すなわち，Gram染色標本の鏡検は，細菌の形態やグラム陽性･陰性から菌種を推定できるだけでなく，好中球の貪食像や炎症反応の有無，結晶の存在(関節液でピロリン酸カルシウムなど)，抗菌薬治療前後における治療効果の判定など，得られる情報ははかりしれない。また，Gram染色所見は培養環境，追加の培地，培養期間など分離培養条件の変更へとつながり，薬剤感受性検査実施のために生菌そのものを得ることに寄与できる。培養・同定検査の方向付けを行う「羅針盤」の役割も担っている。Gram染色所見を念頭に置きながらコロニーの観察を行うことでどのコロニーを釣菌して，菌種レベルあるいは属レベルまでの同定を行うのか，薬剤感受性検査を実施するかを決定するのである。このように，Gram染色鏡検は培養結果を正しく解釈するためにも必須であり，培養，同定，薬剤感受性検査の実施の方向性を指南してくれることによって，よりよい効率的な臨床微生物検査に結び付くのである。ここではGram染色所見で推定可能な主要な細菌[1]を染色形態別にあげてみたい（表 13.10.1～13.10.4）。ただし，Gram染色所見はあくまでも起因菌を「推定」するものであって「同定」するものではないこと，Gram染色による菌の推定にも限界があり，「適切に採取された検体」を用いて，患者の年齢，基礎疾患，現病歴，既往歴などから想定される起因菌を念頭に置きながら鏡検を行うことが何より重要であることを強調したい。

表 13.10.1　グラム陽性球菌

	細菌名	Gram 染色形態の特徴	染色像（検体 / 菌株）（Gram 染色 ×1,000）	備考
1	*Staphylococcus* spp.	クラスター状のグラム陽性球菌。ときに双球菌状，四連状		【検体】高頻度に検出される部位からの検体 正常菌叢。とくに皮膚，鼻腔
2	*Staphylococcus aureus*	クラスターを形成するグラム陽性球菌。コアグラーゼ陰性種はしばしば不規則に群がる	67 歳女性の喀痰	【検体】膿瘍，ドレナージ，創傷，気道，血液，組織，無菌体液，留置カテーテル ☆実際には菌種の推定は困難。*Micrococcus* は大小不同，立体的に不規則に群がる
3	*Aerococcus viridans* *Aerococcus urinae*	双球菌状，四連状またはクラスター状のグラム陽性球菌。連鎖は見られない	血液培養	【検体】血液，髄液：*A. viridans*，尿：*A. urinae*

表 13.10.1 グラム陽性球菌（つづき）

	細菌名	Gram 染色形態の特徴	染色像（検体 / 菌株）（Gram 染色 ×1,000）	備考
4	*Rothia mucilaginosa*	双球菌状または四連状をなす大型のグラム陽性球菌	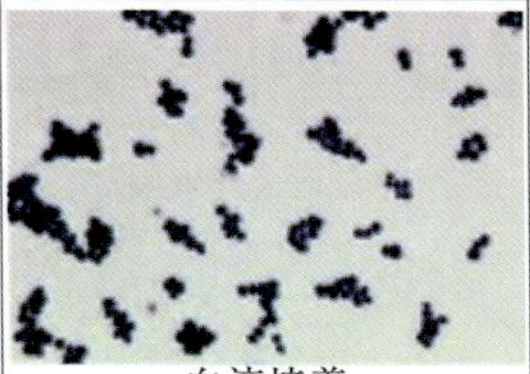 血液培養	口腔内正常菌叢 【検体】リスク患者の血液，腹膜透析
5	*Streptococcus pneumoniae*	対をなすグラム陽性球菌。ランセット型，やや細長い短い連鎖。検体中では莢膜あり	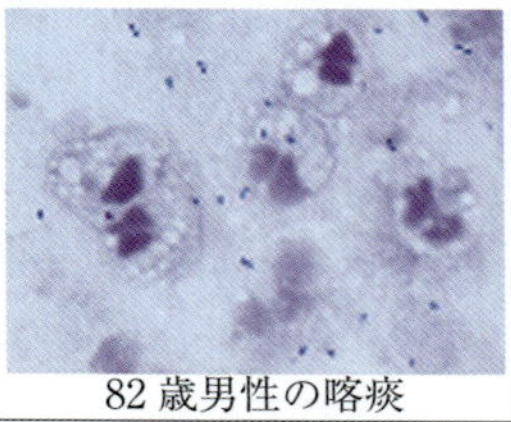 82歳男性の喀痰	特別の臨床検体には Quellung test（莢膜膨化試験）を実施することもある 【検体】下気道，血液，髄液，無菌体液
6	*Streptococcus* spp.	円形から卵形のグラム陽性球菌。ときに伸張している。双状，長短の連鎖状またはその両方。2，3個の配列あり。パラパラ分布することもある（クラスター状は稀）	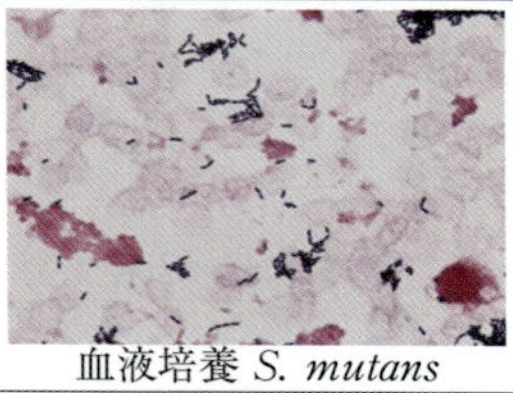 血液培養 *S. mutans*	口腔内正常菌叢。 *Corynebacterium* や *Lactobacillus* などと鑑別困難な場合がある。*Gemella* は不規則に群がるグラム陰性球菌に染色される 【検体】血液，髄液，気道，その他多くのソース
7	*Enterococcus* spp.	対をなすグラム陽性球菌。短い連鎖。肺炎球菌に酷似することもある	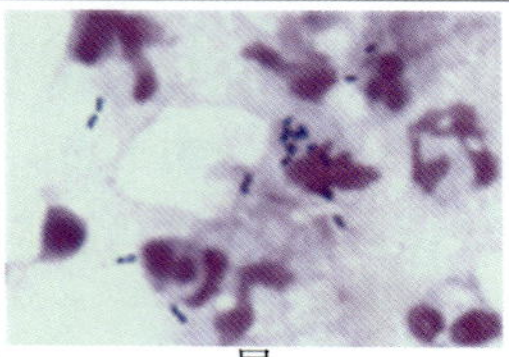 尿	正常の消化管菌叢に見られる。患者の広域セファロスポリン薬による治療は，本菌の出現を促進する 【検体】尿，創傷，血液，腹腔内膿瘍

表 13.10.2 グラム陰性球菌または球桿菌

	細菌名	Gram 染色形態学	染色像（検体 / 菌株）（Gram 染色 ×1,000）	備考
1	*Neisseria* spp. ① *N. gonorrhoeae*（リン菌） ② *N. meningitidis*（髄膜炎菌）	グラム陰性中型～大型の双球菌。腎臓型，コーヒー豆型と表現される。患者検体の中では白血球の細胞内に貪食されて見られ，細胞の外には菌体があまり見られないことが特徴である	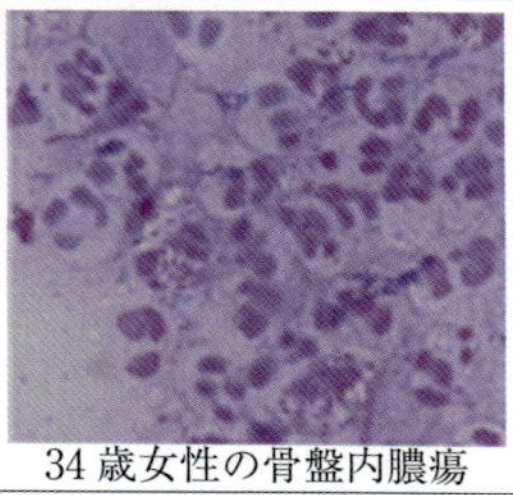 34歳女性の骨盤内膿瘍	【検体】 ①泌尿生殖器，関節液，咽頭粘液，直腸粘液，腹水，血液など ②髄液，血液，咽頭粘液，喀痰
2	*Moraxella* spp. *M. catarrhalis*	グラム陰性，粒の大きい双球菌。白血球に貪食されたものも見られるが，細胞の外に多数見られる点で病原性 *Neisseria* と異なる	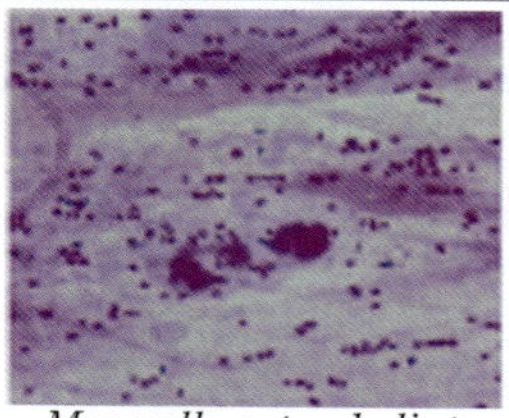 *Moraxella catarrhalis*：82歳女性の喀痰	【検体】下気道，鼻汁，眼脂，耳漏など．*M. catarrhalis* は双球菌であるが，*M. nonriquefaciens*，*M. lacnata*，*M. osloensisi* は桿菌である
3	*Acinetobacter* spp.	対をなす中度から大きい球菌。ときおり球菌状，短桿菌状または双状。しばしば脱色に耐性	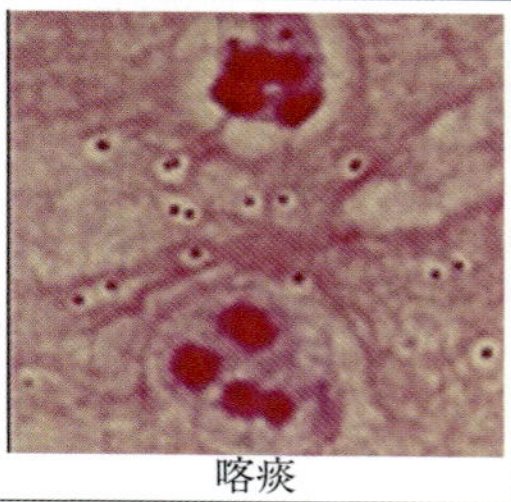 喀痰	ハイリスク患者では多発性 【検体】尿，下気道，血液，無菌体液，創傷，膿瘍，組織，糞便

表 13.10.3 グラム陽性桿菌

	細菌名	Gram 染色形態学	染色像（検体 / 菌株）(Gram 染色 ×1,000)	備考
1	*Listeria monocytogenes*	グラム陽性で小型から中型の球桿菌。多形性のこともある。短い連鎖状または柵状。*Corynebacterium* または *Enterococcus* と混同されることがある。周毛性鞭毛を有し運動性がある	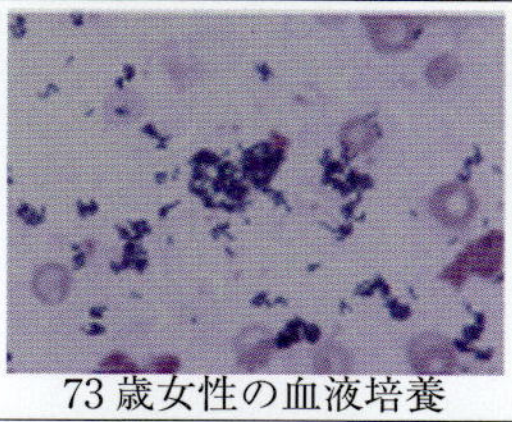 73 歳女性の血液培養	生鮮標本で運動性を確認する。もし複数の菌種が存在するならば低温培養法（4℃）を用いてもよい 【検体】髄液，血液，糞便，羊水，胎盤および胎児組織
2	*Corynebacterium* spp.	グラム陽性，多形性，棍棒状の桿菌または球桿菌。柵状（垣根状），並列またはその両方，N，Y，V 字状，垣根状に配列	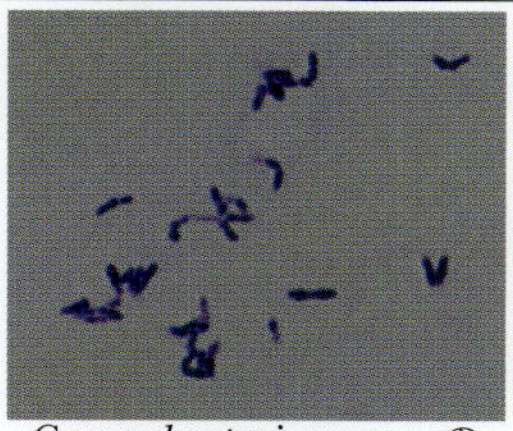 *Corynebacterium* spp. の Gram 染色写真	疑わしい場合には *Corynebacterium diphtheriae* の選択鑑別培地を追加。ジフテリアを疑う場合は異染小体染色 Neisser（ナイセル染色）などを併用 【検体】鼻腔，皮膚，粘膜の常在菌。血液，吸引組織，皮膚病変，創傷，留置カテーテル，人工弁，上気道および下気道 *C. jeikeium*，*C. urealyticum* は多剤耐性菌（VCM，MINO のみ感性）

表 13.10.4 グラム陰性桿菌

	細菌名	Gram 染色形態学	染色像（検体 / 菌株）(Gram 染色 ×1,000)	備考
1	*Haemophilus* spp. *Pasteurella* spp.	小さい球菌または桿菌形態。多形性。しばしば糸状。淡い染色のこともある。*H. influenzae* は点状 / 短桿菌	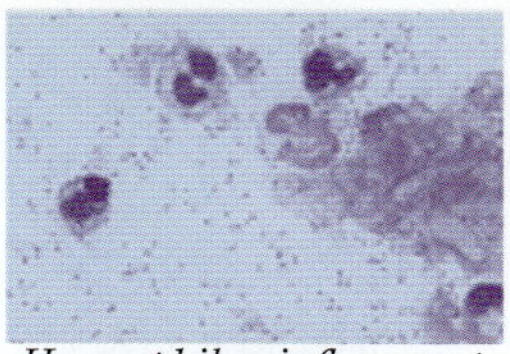 *Haemophilus influenzae*：77 歳女性の喀痰	チョコレート寒天培地に接種 【検体】血液，無菌体液（髄液を含む），下気道，膿瘍，創傷，眼，生殖管
2	*Pseudomonas* spp.	細い桿菌。中度から長く，先端は丸みを帯びるか尖っている。対をなすことが多い。抗菌薬に曝露した細菌はフィラメント状，カーブ状，多形性	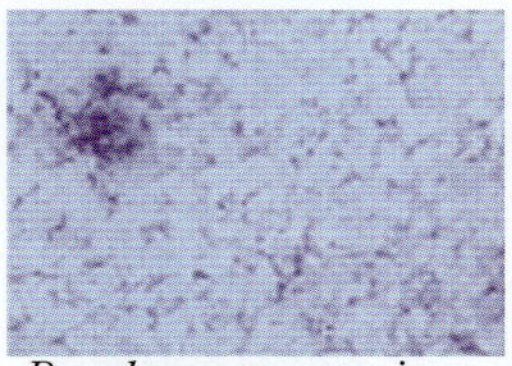 *Pseudomonas aeruginosa*	医療関連感染菌は抗菌薬に多剤耐性を示すことがある 【検体】尿，下気道，創傷，眼，血液，ハイリスク患者では多発性
3	*Enterobacterales* （腸内細菌目）	真っすぐな太い桿菌。短いか中等長。先端は丸みを帯びる。抗菌薬に曝露した細菌は多形性のこともある	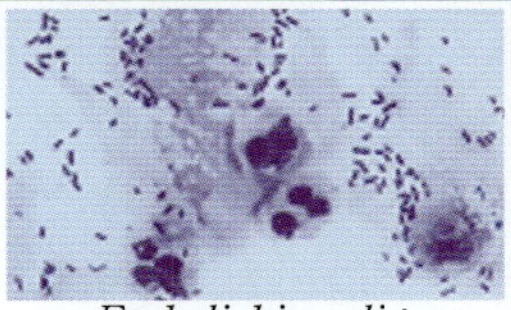 *Eschelichia coli*：25 歳女性の尿	胃腸炎および細菌性赤痢の起因菌を含む。消化管の正常な菌叢にも存在 【検体】尿，肝・胆道，下気道，腟分泌物
4	*Fusobacterium nucleatum* *Capnocytophaga* spp.	先端が細い，あるいは尖った細長い紡錘状の桿菌。針に似た形。先端から先端まで対をなし，あるいは糸状のこともある	培養菌	正常菌叢 【検体】口腔，気道，創傷，血液，膿瘍
5	*Fusobacterium necrophorum* *Fusobacterium mortiferum* *Fusobacterium varium*	先端が丸みを帯びる，あるいは細くなった非常に多形性の桿菌。染色は淡く不規則。奇妙な形，または丸い形	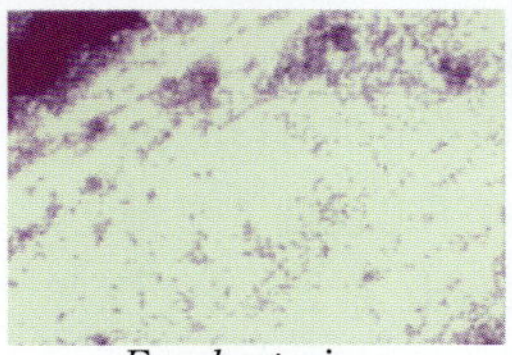 *Fusobacterium necrophorum*：培養菌	正常菌叢 【検体】創傷，血液，膿瘍

用語 バンコマイシン（vancomycin；VCM），ミノサイクリン（minocycline；MINO）

表 13.10.4　グラム陰性桿菌（つづき）

	細菌名	Gram 染色形態学	染色像（検体 / 菌株）（Gram 染色 ×1,000）	備考
6	*Campylobacter* spp.（*Helicobacter* spp.）	細い弯曲した桿菌。S字状，カモメの翼状，長いらせん形などの形態	*Helicobacter cinaedi*：血液培養	微好気性培養が必要。糞便からの *Campylobacter* の分離には，42℃の培養が推奨される【検体】糞便，血液，胃生検
7	*Vibrio* spp.	まっすぐ，またはやや弯曲した桿菌。*V. vulnificus* は壊死性筋膜炎の起因菌。血液から検出	*Vibrio vulnificus*：55歳男性の血液培養	混合菌叢の場合には選択培地（TCBS）を薦める【検体】糞便，創傷

13. 10. 2　免疫学的な抗原・抗体の検出

本項では免疫学的手法，とりわけ簡便性，迅速性に優れるイムノクロマト法の特徴を概説しながら，ベッドサイドで実施できる，いわゆるPOCTにおける迅速診断キットの利用とその注意点について感染症の病態別に紹介したい。

1. POCTに求められる要件と測定キットの原理

(1) 迅速診断キットの5要件

POCTは臨床現場即時検査とよばれ，患者の近くで検査が行われるので，検査時間を短縮できるのが最大の利点である。つまり，検体の採取から検査結果の判明までのTATの短縮化に寄与する。これは迅速かつ適切な診療につながり，ひいては医療の質と患者の生活の質（QOL）と満足度の向上に寄与する検査として位置付けられる。そのためには，臨床検査技師のみならず，医師や看護師その他の医療関係者でも簡便に実施できることが重要である。その大切な要件として，①検体の前処理（分注，遠心操作など）が極力少ないこと，②特別な設備や機器を用いないで実施できること，③試薬添加や操作のステップ数が少ないこと，④結果の判定が目視でできること，⑤検査に要する時間が短いこと（5〜15分程度）の5つがあげられる。すなわち，①〜④の「簡便性」，⑤の「迅速性」を備え，さらには「正確性」と「経済性」に優れることがPOCTにおける理想的な診断キットである。

(2) 測定キットの原理

現在市販されている迅速診断キットの反応原理は，①イムノクロマト法（ICA），②ラテックス凝集法（LA），③酵素免疫測定法（EIA）あるいは酵素結合免疫吸着反応（ELISA），④蛍光抗体法（FA）などが主流である。とくに，抗原抗体反応とペーパークロマトグラフィーとを組み合わせたICAが頻用されている。検体中の抗原（ウイルスや細菌）と金コロイドで標識した抗体を反応させた後，メンブレン（ニトロセルロース膜）に流すと，抗原と抗体が複合体を形成しながら毛管現象によってメンブレン中を進む。この免疫複合体はメンブレン上の適当な位置のライン上に固定された抗体に捕捉されて，目視可能な着色ラインとなって陽性像を呈することになる。

発色ラインの目視判定には個人差が生じることから，近年，小型の測定機器（デンシトメトリー）を用いた自動判定システムが販売されている。陽性か陰性かの判定結果が液晶画面に表示され，測定記録としても保存・管理できる。また，不明瞭な発色ライン（弱陽性）の場合でも色の濃淡を吸光度として客観的に計測するので，判定者の経験や色調認識の差異に影響を受けないことが最大の利点である。

(3) 感染症の病態別にみた迅速診断キットの活用法

①呼吸器感染症

咽頭炎，副鼻腔炎，気管支炎，肺炎などの呼吸器感染症に関係する病原体の検出には，咽頭拭い液，鼻腔拭い液，鼻腔吸引液，喀痰などが検体として用いられる。拭い液の

用語　TCBS（thiosulfate citrate bile salts sucrose），POCT（point of care testing），TAT（turn around time），生活の質（quality of life；QOL），イムノクロマト法（immunochromatography assay；ICA），ラテックス凝集法（latex agglutination test；LA），酵素免疫測定法（enzyme immunoassay；EIA），酵素免疫測定法（enzyme-linked immunosorbent assay；ELISA），蛍光抗体法（fluorescent antibody technique；FA）

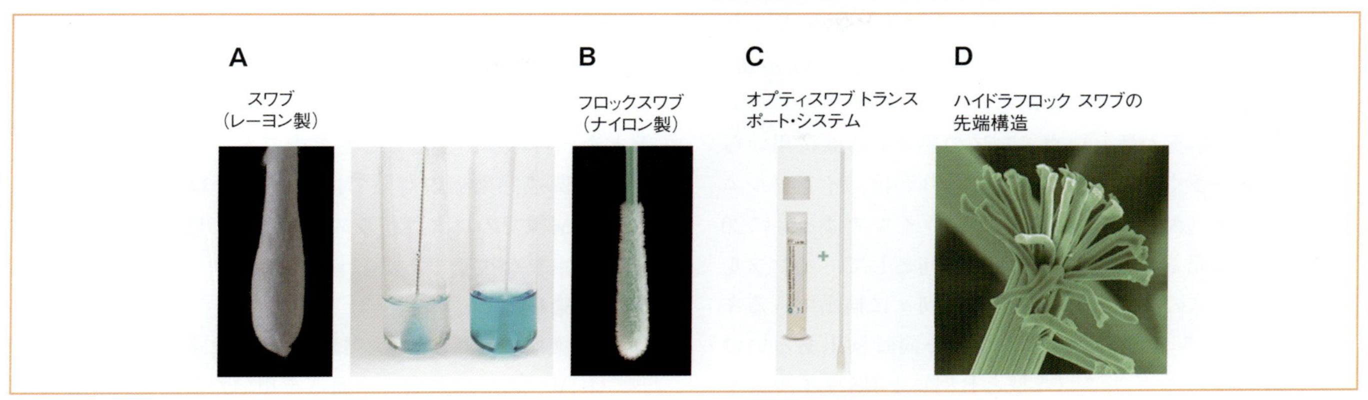

図 13.10.1　スワブとフロックスワブの検体リリース（放出）の違いとオプティスワブ トランスポート・システム

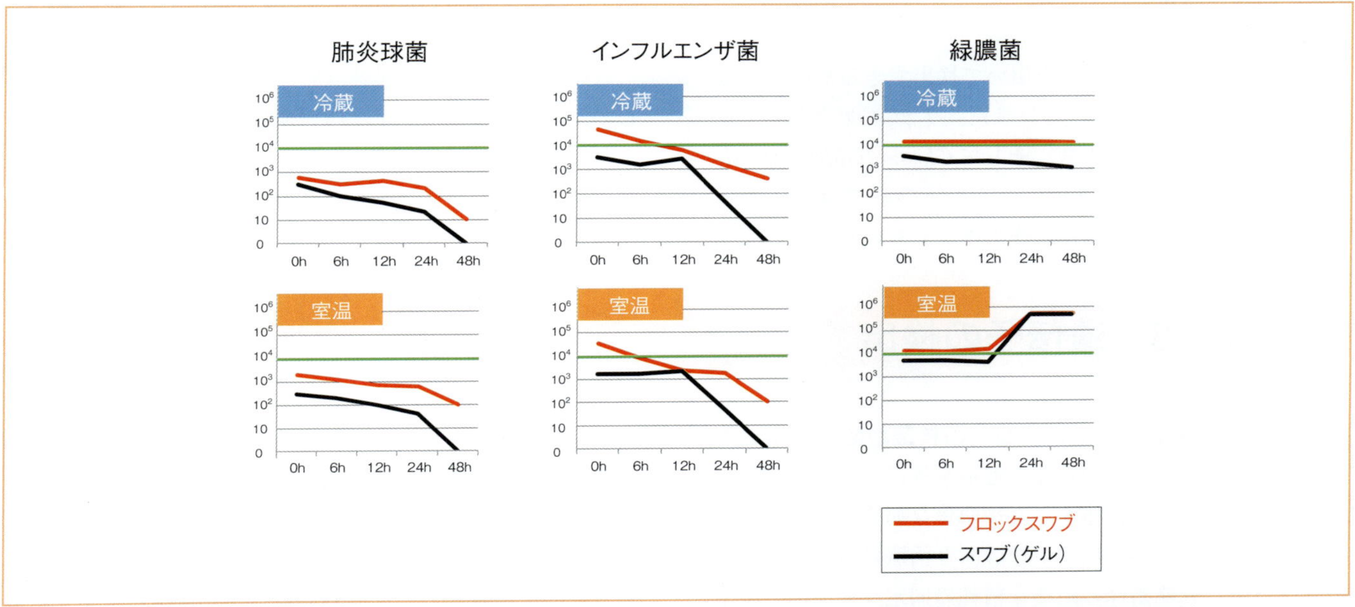

図 13.10.2　綿棒あるいはフロックスワブ（オプティスワブ トランスポート・システム；ピューリタン社）で採取・輸送後の発育菌数の比較

採取に使用されるスワブとして，これまでレーヨン製が頻用されてきたが，近年，フロックスワブ（ナイロン製の植毛）に取って代わりつつある。フロックスワブは病原体や細胞の吸着とリリース（90%を放出）の効率性に優れることからIDSAやASMのガイドライン[2]においても推奨されている（図13.10.1A，B）。eSwab（eはelutionの意味）は国内で数社から販売されている。その他，オプティスワブ トランスポート・システムは，あらかじめ軸の部分に折れ線（ブレークポイント）が入っているハイドラフロック スワブと1mLの改良液体アミーズ培地が入っているスクリューキャップ式のポリプロピレン製チューブが販売されている（図13.10.1C）。ハイドラフロックの先端は何十本にも分かれているポリエステル繊維（図13.10.1D）で臨床検体の速やかな吸着と放出が特長である。改良液体アミーズ培地は，栄養価のないリン酸で緩衝された培地で，嫌気性菌や肺炎球菌やインフルエンザ菌，あるいはリン菌のような死滅しやすい菌や栄養要求性の厳しい菌を検査室までの輸送の間，生存させることが可能である（図13.10.2）。検体を十分量採取（回収）したうえで，そのスワブに付着した検体を試薬中に効率よく放出させることが検出感度の向上にきわめて重要である。

重症肺炎で重要な起因菌である肺炎球菌やレジオネラの補助的な診断として，尿中の抗原検出キットが使用されている。肺炎球菌の尿中抗原検査の感度は約70～90%，特異度は80～100%程度とされている[3]。小児では鼻咽頭に肺炎球菌を保菌している場合に偽陽性を示すことがあるので，Gram染色像や培養結果と併せて総合的な判断が大切である。一方，レジオネラの尿中抗原検査の感度は約70%，特異度は不明とされている[4]。これまでのキットは*Legionella pneumophila*の血清型1のみのリポ多糖体（LPS）検出であったが，リボソーム蛋白質（L7/L12）を検出するキットはすべての血清型を検出できる。レジオネ

用語　米国感染症学会（Infectious Diseases Society of America；IDSA），米国微生物学会（American Society for Microbiology；ASM）

ラ肺炎に関与する*L. pneumophila*の血清型には少なくとも16種類以上あり，さらに*L. longbeachae*や*L. micdadei*などの菌種も関与することがある。

日常検査で培養が難しいウイルスの感染症診断に用いられるキットが多く開発されている。とりわけ，インフルエンザウイルス（A型とB型）やアデノウイルスはともに20製品以上が販売されている。近年の傾向として，インフルエンザウイルスのA型とB型を同時に別々に検出できるキット，RSウイルスとアデノウイルスを同時検出あるいはインフルエンザウイルス（A型とB型）とRSウイルスを同時に検出するキットなど複数病原体を一度に検出できる試薬が開発・販売されている。

②腸管感染症

下痢症において糞便検体を用いて検出できる病原体には腸管出血性大腸菌O157，コレラ菌，アデノウイルス，ロタウイルス，ノロウイルス，そして*Clostridioides difficile*（CD）トキシンA/Bがある。なお，下痢症ではないがピロリ菌の抗原あるいは抗体の検出キットもいくつか販売されている。

抗菌薬関連下痢症の診断で重要なCDは，菌体抗原としてグルタミン酸デヒドロゲナーゼ（GDH）とトキシンA/Bとを同時に検出することも可能である。

医療関連感染症の対策では，CD，ノロウイルス，そして小児病棟でのロタウイルスの検出は，感染拡大の防止において重要な検査である。

③性感染症

性感染症の診断においては，梅毒やヒト免疫不全ウイルス（HIV）感染症の血清や血液を用いた診断キットが使用されている。その他，生殖器粘膜細胞（女性）や初尿（男性）からの*Chlamydia trachomatis*の検出が可能である。

④全身感染症；髄膜炎，敗血症ほか

血液や血清を用いた迅速診断キットの検出対象病原体として，前述の梅毒トレポネーマやHIVのほか，C型肝炎ウイルス（HCV），カンジダやクリプトコックスなどの真菌，マラリアやトリパノゾーマなどの原虫がある。

13. 10. 3　遺伝子の検出

PCR法や等温遺伝子増幅法などの核酸増幅法を用いた感染症の迅速診断技術が急速な進歩を遂げている。実際に，遺伝子解析技術は，検体から直接微量な病原体の遺伝子を増幅・検出して，感染症の迅速診断と治療に貢献しているのみならず，分離菌株の迅速な菌種の同定，病原因子や薬剤耐性遺伝子の検出にも威力を発揮している。

感染症の分子生物学的な診断は，①培養で分離された菌株の菌種同定，もしくは病原因子や耐性遺伝子の検索，②臨床検体から直接病原体に特徴的な遺伝子領域や病原因子に関わる遺伝子の検出，の2つに大別される。本項では，感染症の迅速診断において利用可能な分子生物学的な解析法の種類や限界を概説しながら，その適応について実際に解析した菌株や臨床検体の事例をもとに解説する。

1. 遺伝子検査による菌種の同定

(1) 解析法の種類と選択

菌株の遺伝子学的な同定法は2つに大別される。1つは想定される菌種を狙い撃ちする方法である。すなわち，想定される菌種に特異的なPCRを行い，陽性であればその菌種と同定する。患者背景，血液培養陽性までの日数，培養ボトルの種類，Gram染色像，簡易的な生化学試験の結果，同定キットや自動同定機器の性状を勘案して，菌種を想定した後，その菌種に特異的なPCRプライマーを用いて解析を行う。

もう1つはブロードレンジPCRを行った後，増幅産物の塩基配列を決定して，その相同性（%）によって菌種を同定する方法である。前述のように細菌のリボソームRNAは16S，23S，5Sの3種類で構成されている。16S rRNAには属レベルを越えて共通な塩基配列である保存領域が10か所ほど存在するので，これらの領域を標的としたPCRプライマー(8UA & 1485B）を用いれば，菌種に関わらずほぼ全領域を増幅してシークエンス解析することができる。つまり，菌種の想定が困難で狙い撃ちのPCRを実施できない場合に便利かつ有効な解析法である。シークエンス解析の原理や詳細に関しては，参考図書[6]があるので参照されたい。

2. 検体から直接の感染症診断の実際

検体から直接感染症診断における遺伝子検査の適応を探るうえで，分子生物学的な診断を選択する背景を以下のような（1）～(5）の5つのカテゴリーに分類して，各々代表的な症例につき診断名や病態を簡単に紹介する。

用語　リポ多糖体（lipopolysaccharide；LPS），RS（respiratory syncytial），グルタミン酸デヒドロゲナーゼ（glutamate dehydrogenase；GDH），ヒト免疫不全ウイルス（human immunodeficiency virus；HIV），C型肝炎ウイルス（hepatitis C virus；HCV），ポリメラーゼ連鎖反応（polymerase chain reaction；PCR）

(1) 抗菌薬投与後の細菌性髄膜炎の病因診断

解析依頼があった900検体中150件（17%）は塗抹，培養検査，迅速抗原検出にて診断がつかなかった細菌性髄膜炎疑いの症例であった。このようなケースでは，発症年齢や臨床経過も考慮しながら解析にあたるが，基本的には*Haemophilus influenza* type b（Hib），肺炎球菌，B群溶血性レンサ球菌（GBS），大腸菌，リステリア菌，そして髄膜炎菌の6菌種に特異的な遺伝子の検出を考慮する。さらに，臨床経過によってはこれら想定菌種以外の細菌全般をカバーするために前述のブロードレンジPCRも同時に実施する場合がある。大半の症例がHib，次いで肺炎球菌，GBS，大腸菌，髄膜炎菌Y型，緑膿菌，*Campylobacter fetus*などが検出されて病因診断に至った。その他，解析手法の面から特筆すべきは，2症例は*Streptococcus constellatus*，*Bacteroides fragilis*が各々起因菌であったが，これらはブロードレンジPCRにて陽性，このDNA産物をシークエンス解析して菌種を特定できたことである。さらには，髄液の遺伝子解析による検出菌種の報告を行ったことによって，後に前者では中耳腔と髄腔との交通が示唆され，後者には腰仙部に先天性皮膚洞が存在したことが判明した。

(2) 抗菌薬投与後あるいは投与中で培養陰性（髄膜炎以外の病態）：感染性心内膜炎

検体として20歳男性の僧帽弁の疣贅が送付されてきた。アトピー性皮膚炎および歯科処置歴のある症例であったことから細菌全般をとらえるブロードレンジPCRを実施したところ，増幅DNAのシークエンス解析にて黄色ブドウ球菌と判明した。確認のためにコアグラーゼ産生性と相関の高い遺伝子の検出を試みた結果，陽性であった。さらに，*mecA*遺伝子を検出するPCRも同時に実施したが陰性であったため，メチシリン感受性黄色ブドウ球菌（MSSA）の可能性が極めて高いと報告した（図13.10.3）。この結果にて抗菌薬をセフトリアキソンに変更し，併発していた脳膿瘍の治療も経過良好で，その後退院となった症例である。

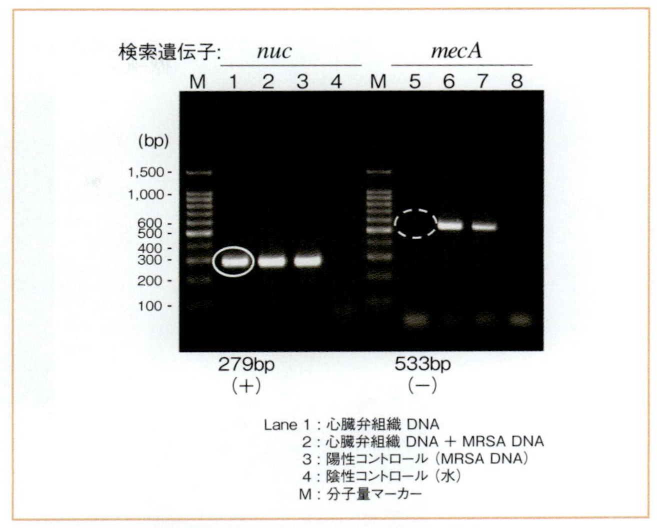

図 13.10.3　PCR法による*nuc*，*mecA*遺伝子の検出

(3) 細菌感染が疑われるも培養が陰性であった：先天梅毒

緑白色の混濁した羊水のGram染色にて好中球を多数認めたが細菌が観察されず，培養検査も陰性とのことで精査依頼があった。細菌性髄膜炎惹起の起因菌を想定してHib，肺炎球菌，GBS，大腸菌，リステリア菌，そして髄膜炎菌の6菌種に特異的な遺伝子の検出を試みるもすべて陰性であった。並行して実施したブロードレンジPCRで増幅産物が得られ，シークエンス解析した結果，*Treponema pallidum* subsp. *pallidum*であることが明らかになった（図13.10.4）。この遺伝子検査にて先天梅毒であることが判明し治療を続行した。母親の妊娠12週での血清梅毒反応は陰性。妊娠後期の感染が示唆された症例である。

(4) 染色鏡検で細菌が観察されたが培養で発育しない：化膿性リンパ節炎

70歳男性の皮膚組織および頸部リンパ節の病理組織学的検査にて抗酸菌が観察された。抗酸菌用液体培地で2週間培養したが検出できないとのことで，凍結していた組織の精査を依頼された。遅速発育抗酸菌全般を検出可能なPCR（16S rRNA遺伝子）と抗酸菌の種同定に用いられる*rpoB*と*hsp65*遺伝子を増幅するPCRを実施し，増幅産物を得ることができた。これらの増幅DNAの塩基配列を決定した結果，*Mycobacterium haemophilum*であることが判明（図13.10.5）。本菌種は至適発育温度が30℃前後で，さらにヘミン（鉄）要求性の抗酸菌であるため，汎用されている抗酸菌用液体培地や小川培地には発育しない。血液寒天培地やX因子添加の抗酸菌培地を用いて培養した結果，本菌を分離培養することに成功した。検体の遺伝子解析結果は，単に起炎部生物を特定するだけでなく，その結果が分離培養条件の変更へとつながり，薬剤感受性実施のために，生菌そのものを得ることに結び付く。

用語　B群レンサ球菌（group B Streptococcus；GBS），メチシリン感受性黄色ブドウ球菌（methicillin-susceptible *Staphylococcus aureus*：MSSA）

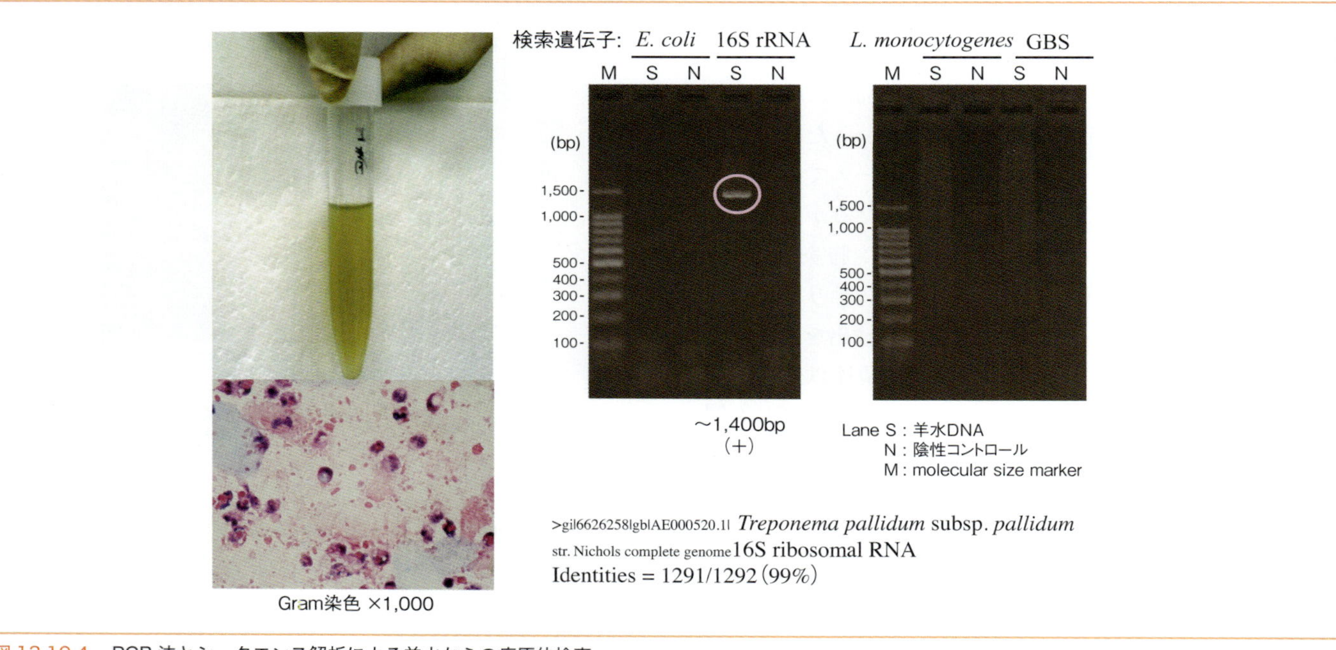

図 13.10.4　PCR 法とシークエンス解析による羊水からの病原体検索

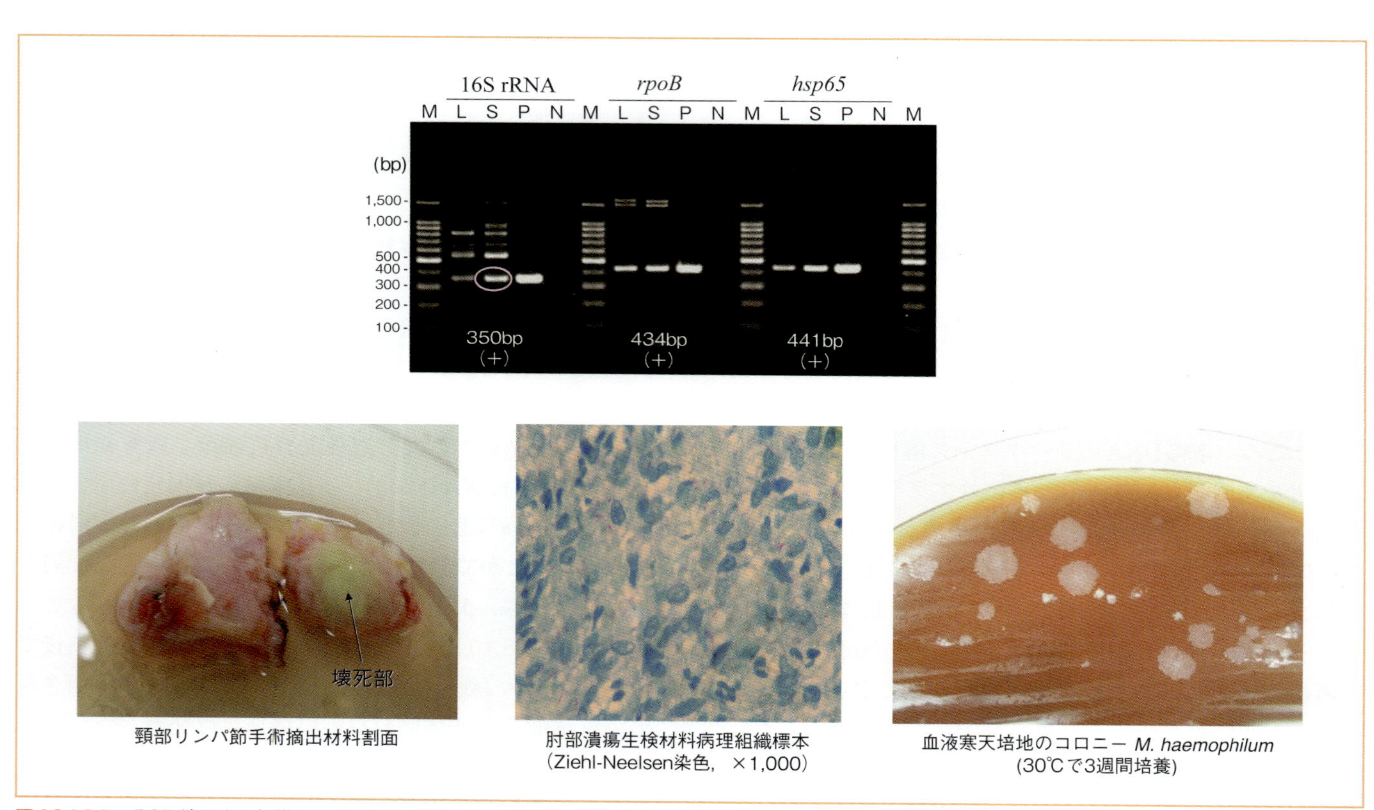

図 13.10.5　PCR 法による組織からの *Mycobacterium* 属菌 DNA の検索と菌種の同定

(5) 抗菌薬治療にまったく反応しない：BCG骨髄炎の3症例

近医の小児科で抗菌薬による治療が行われるも症状の改善がなかったため，大学病院小児科に紹介入院となった3症例である。症例1は1歳5カ月の男児で左脛骨の骨透亮像と骨膜肥厚，症例2は4歳女児で左肋骨融解像と皮下腫瘤，そして症例3は左前胸部の皮下腫瘤と左第6肋骨の溶骨性変化を認めた。症例2と3は検査室で実施の結核菌群PCR法が陽性となったが *Mycobacterium tuberculosis* とBCG株を含む *M. bovis* との鑑別はできないことから精査

用語　カルメット・ゲラン桿菌（Bacille de Calmette et Guérin；BCG）

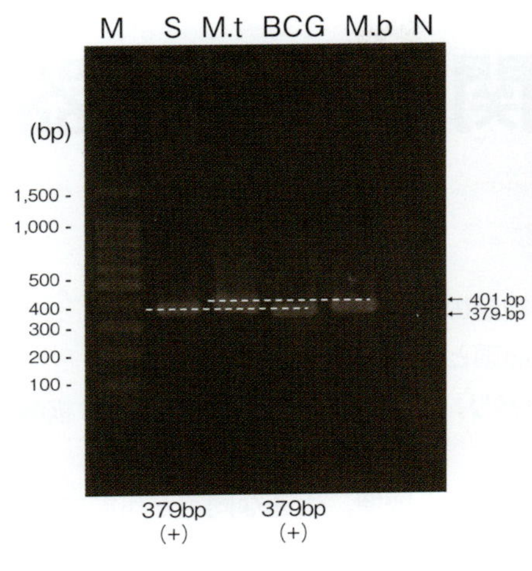

Lane S：膿汁DNA
M.t：*M. tuberculosis* DNA
M.b：*M.bovis* DNA
BCG：BCG東京株DNA
N：陰性コントロール
M：分子量マーカー

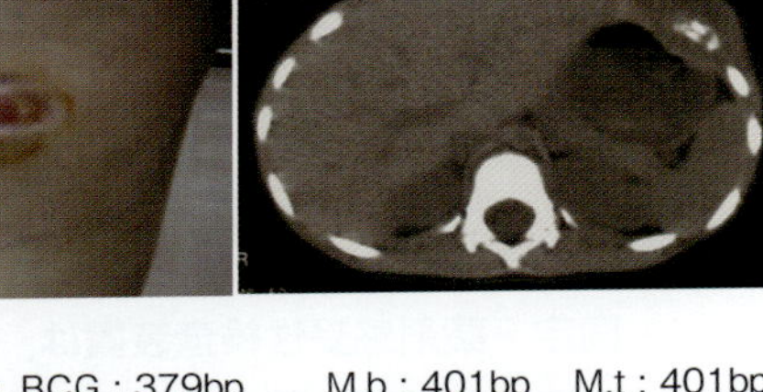

S：379bp, BCG：379bp

ATCGTTCACGGACAGCCGTAGTTCGT
CACCGGTCAGCTCGTCGATACCCGTC
GCCGAGCGCAGCATGGGCGCAAAGA
GCCGCCAACCGAATTGCAGCGCAAG
GGCGTGCGCGACCGCCAGCCGCGCG
CCCAAGTCGCTGTCGTAGCGAGGCC
GTACCGCGTCGAGCAGCTCCGCAAC
ATTGGGAAATCGCTGTTGCAGCTGGC
CCACGGGATATCCGTCCAGCAGTGCC
CGGGCTAAGACCCGCCCATGTCGGTC
GAGAGCCCGTTCGATGATGTCAGCG
GGCGCCTCGGAGTGCCCAGGTGATC
GAGCACGGCCCCAACCAGTTGGTCCT
TGGTGCCGAAGTGACGAAACACCAG
CCCGTGGTTGACCTTGGATCGAG

M.b：401bp M.t：401bp

ATCGTTCACGGACAGCCGTAGTTCGT
CACCGGTCAGCTCGTCGATACCCGTC
GCCGAGCGCAGCATGGGCGCAAAGA
GCCGCCAACCGAATTGCAGCGCAAG
GGCGTGCGCGACCGCCAGCCGCGCGC
CCAAGTCGCTGTCGTAGCGAGGCCGT
ACCGCGTCGAGCAGCTCCGCAACATT
GGGAAATCGCTGTTGCAGCTGGCCCA
CGGGATATCCGTCCAGCAGTGCCCGG
GCTAAGACCCGCCCATGTCGGTCGAG
AGCCCGTTCGATGATGTCAGCGGGCG
CCTCGGAGTG**CAACAGTCTGGTCAGC**
TTCGTGCCCAGGTGATCGAGCACGGC
CCCAACCAGTTGGTCCTTGGTGCCGA
AGTGACGAAACACCAGCCCGTGGTTG
ACCTTGGATCGAG

図 13.10.6 PCR法と塩基配列解析による *M. bovis* BCG株の同定（RD16領域）

依頼された。このようなケースでは，BCG株では欠損している遺伝子領域RD1の両端に特異的なプライマーを使用してPCRを実施する。増幅産物が得られればBCG株であることが確認できる。さらに，BCG東京株は，他国で使用されているBCG株や*M. tuberculosis*，*M. bovis*に存在するRD16領域に22塩基分が欠損しているという特徴がある。したがって，このRD16領域の遺伝子をPCRで増幅した後，産物DNAの長さ（379bp）あるいは産物をシークエンス解析してBCG東京株であることを確認している(図13.10.6)。

感染症の迅速診断法として分子生物学的な手法を活用する利点は，①抗菌薬の先行投与後の病因診断，②培養不可能か困難な病原体の検出・同定，③遅発育性病原体の検出，④耐性遺伝子の検出，⑤病原因子や毒素の検出，⑥日常検査法で同定が困難な細菌の菌種決定，などがあげられる。さらに，本項で紹介した症例をとおして，感染症例の診断プロセスの根底に，「感染症の診断と治療は，医師と臨床検査技師との緊密な情報交換による共同作業である」ということを感じ取ってもらえれば幸いである。何よりこのコラボレーションと種々の検査手段を最大限に活用することが，患者診療における貴重な診断的価値としての検査結果をもたらすのだと確信している。

［大楠清文］

用語 RD（regions of difference）

参考文献

1) 小栗豊子：グラム染色でできる起炎菌の迅速推定同定—標本作製から鏡検所見の解釈まで，33-38，山口惠三，小栗豊子(監)，国際医学出版，2013.
2) Miller JM *et al.*："A guide to utilization of the microbiology laboratory for diagnosis of infectious diseases: 2018 Update by the Infectious Diseases Society of America (IDSA) and the American Society for Microbiology (ASM)", Clin Infect Dis, 2018；67：e1-e94.
3) 細川直登(編)：感度と特異度からひもとく感染症診療のDecision Making，145-149，文光堂，2012.
4) 細川直登(編)：感度と特異度からひもとく感染症診療のDecision Making，154-157，文光堂，2012.
5) 大楠清文，江崎孝行：「遺伝子およびシグナル増幅法」，臨床と微生物，2007；34：459-478.
6) 大楠清文：Medical Technology 別冊 いま知りたい 臨床微生物検査実践ガイド—珍しい細菌の同定・遺伝子検査・質量分析—，医歯薬出版，2013.

13.11 ｜ 検査に関与する機器

- 同定・薬剤感受性検査装置は，微生物学的検査の自動化に貢献している。
- 血液培養装置は菌血症（敗血症）の診断に必須となっている。
- 遺伝子検査は核酸増幅装置の導入が進んでおり，次世代型遺伝子検査装置は核酸抽出から増幅，検出を全自動で実施できる。
- 質量分析装置は表現型による方法に比べ，高精度，簡便，迅速な同定が可能であり，コロニーから約 10 分で結果が得られる。
- 自動検体塗布装置と統合型自動検査装置は大型であるが手作業を省力化でき，微生物学的検査を変革する可能性を秘めている。

13. 11. 1　自動同定装置

細菌検査の自動化は，自動同定・感受性装置が開発・普及したことによって大きく前進した。わが国で使用されている自動同定装置の使用状況は，日本臨床衛生検査技師会臨床検査精度管理における調査報告書（2015年度）によれば，マイクロスキャン WalkAway（図 13.11.1）が58％と過半数以上を占めており，続いてVITEK™，BD フェニックス™ M50 システム（図 13.11.2），そしてライサスの順となっている。これら4種類の機器の特徴を比較して表 13.11.1 にまとめたので参考にしていただきたい。マイクロスキャン WalkAway が広く普及している要因として，菌液調製と接種に簡便なプロンプト法を採用していること，96穴マイクロプレート1枚（コンボパネル）で細菌同定と薬剤感受性の両方を実施できること，ウェル内の反応（色調）変化や菌の濁りを目視で確認できることなどがあげられる。

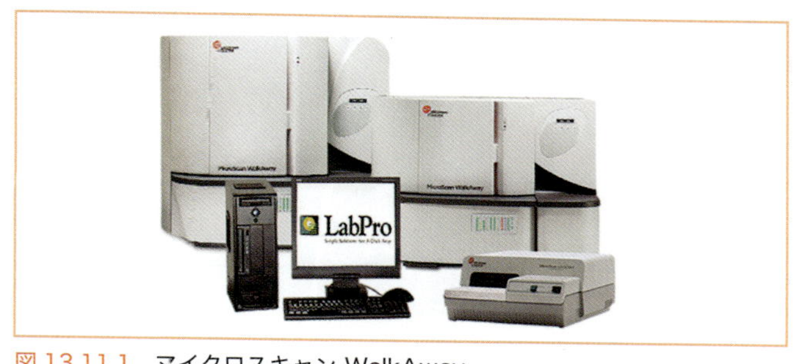

図 13.11.1　マイクロスキャン WalkAway
（ベックマン・コールター株式会社の許可を得て転載）

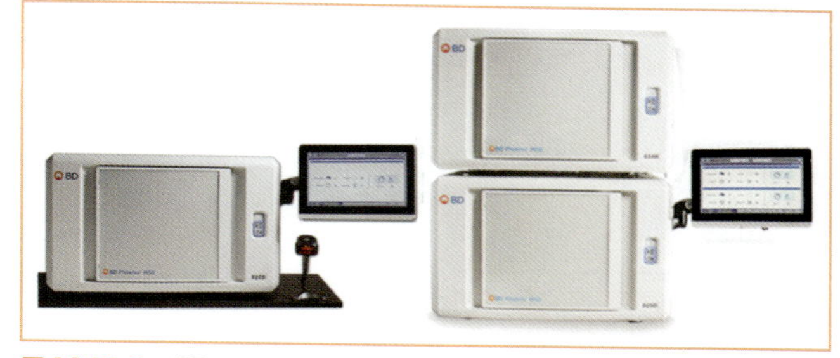

図 13.11.2　BD フェニックス ™ M50 システムの機器
（日本ベクトン・ディッキンソン株式会社の許可を得て転載）

表 13.11.1　自動同定装置の一覧

		DxM マイクロスキャン WalkAway 1040/1096	バイテック 2 ブルー / バイテック 2XL ブルー / バイテック 2 コンパクト（Version 9.04）	BD フェニックス ™/ M50	ライサス S4
会社名		ベックマン・コールター	ビオメリュー・ジャパン株式会社	日本ベクトン・ディッキンソン	島津ダイアグノスティクス
同時処理能力		40/96 検体	30/60/120 検体	100/50 検体	40 検体
同定可能菌種数	グラム陽性球菌	64	114	97	44
	グラム陰性桿菌	271	156	161	89
	グラム陽性桿菌	3	51	43	–
	Neisseria 属・*Hæmophilus* 属	20	35	0	–
	嫌気性菌	54	59	0	–
	真菌（酵母）	42	54	64	–

表 13.11.1 自動同定装置の一覧（つづき）

		DxM マイクロスキャン WalkAway 1040/1096	バイテック 2 ブルー / バイテック 2XL ブルー / バイテック 2 コンパクト（Version 9.04）	BD フェニックス ™/ M50	ライサス S4
同定原理	標準法	比色法	−	−	−
	迅速法	蛍光法（グラム陽性球菌，グラム陰性桿菌） 比色法（*Neisseria* 属・*Haemophilus* 属，嫌気性菌，酵母）	比色法	比色法 / 蛍光法	蛍光法
同定所要時間	標準法	16 〜 24 時間	−	−	−
	迅速法	2 時間（グラム陽性球菌） 2 時間 20 分（グラム陰性桿菌） 4 時間（*Neisseria* 属・*Haemophilus* 属，嫌気性菌，酵母）	2 〜 8 時間（グラム陽性球菌） 2 〜 10 時間（グラム陰性球菌） 6 時間（嫌気性菌） 6 時間（*Neisseria* 属，*Haenophilus* 属）	2 〜 12 時間（Mac 0.25 菌液使用の場合は 2 〜 15 時間）	3 〜 18 時間
	真菌（酵母）	4 時間	18 時間	4 〜 16 時間	−

［大楠清文］

13. 11. 2 薬剤感受性検査装置

薬剤感受性検査で得られる最小発育阻止濃度（MIC）は，感染症治療において適切な抗菌薬を選択する指標の1つとして重要な役割を果たしている。日常検査ではおもに自動検査装置を用いた薬剤感受性検査を実施しており，複数薬剤の希釈系列があらかじめ調製，分注された感受性用パネル製品に被検菌株懸濁液を分注した後機器に設置すると一定のインキュベーション時間経過後発育状態が読み取られ，MICおよびブレイクポイントにもとづく判定結果（感性，中等度耐性あるいは耐性）が出力される。自動検査装置は用手法に比べて，結果の再現性の向上，省力化などの利点があるが，感受性用パネル製品は必ずしも臨床的に重要な菌種のすべてに対応しているわけではなく，またすべての抗菌薬に対応しているわけではない。

国内外で汎用されている自動薬剤感受性検査装置には，マイクロスキャン WalkAway，VITEK 2™，BD フェニックス™ M50 システム，ライサス，DPS192iX® などがあり，1つのパネル中に同定試験項目も同時に組み込まれているものが多い（図 13.11.3）。また，測定方法も微量液体希釈法に準拠した方法や，短時間で結果を得るためカイネティック法を用いている機種もあり，機種間でMICの乖離が認められる場合もある。したがって個々の機種の特性を理解し，使用する必要がある。

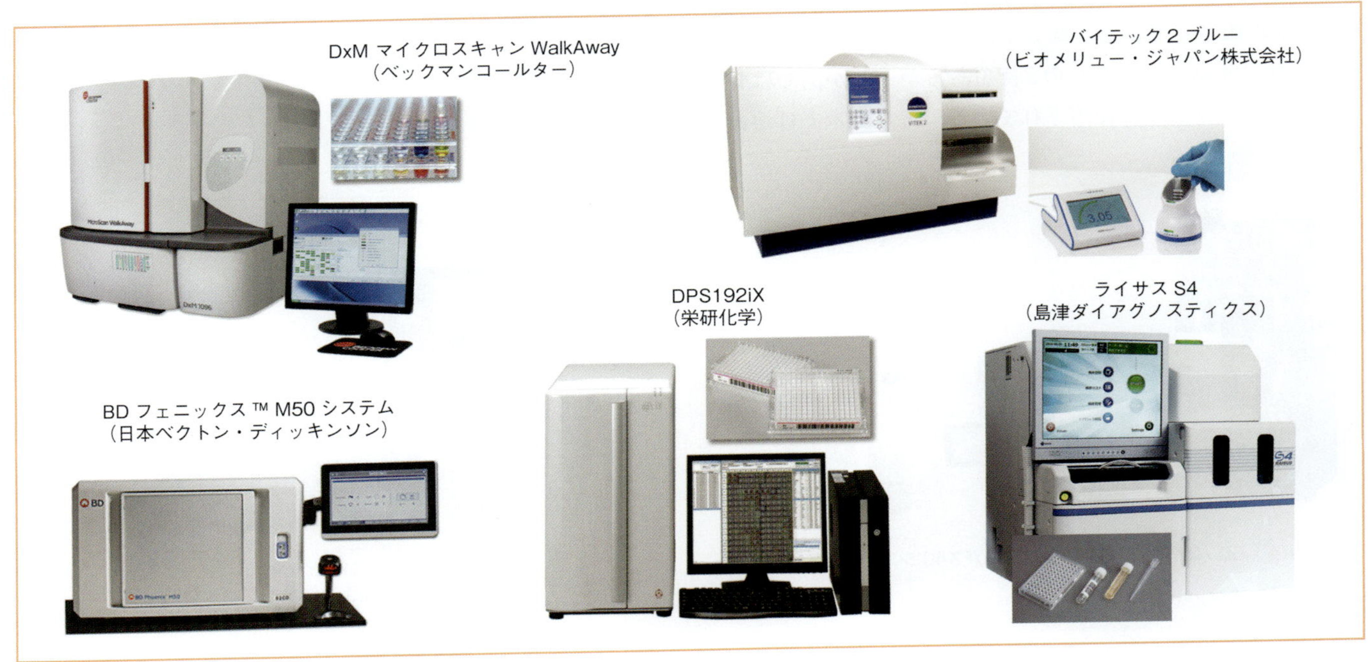

図 13.11.3 自動薬剤感受性検査装置および使用パネル

（各社より許可を得て転載）

［長野則之］

用語 最小発育阻止濃度（minimum inhibitory concentration；MIC）

13. 11. 3　自動血液培養装置

自動化機器による血液培養装置は，BDバクテック™ FXシステム（図13.11.4），BacT/ALERTシステム（図13.11.5），VersaTREK™が販売されている。現在，市場を二分しているBDバクテック™ FXシステムとBacT/ALERTシステムについて自動機器や血液培養ボトルの特徴をまとめる。

1. BDバクテック™ FXシステム（図13.11.4）

(1) 測定原理

培養ボトルの中で細菌や真菌が増殖すると二酸化炭素（CO_2）が放出され，ボトル底部のCO_2センサーと反応し蛍光を発する。その蛍光量を光検出器で10分ごとに測定する。経時的に蛍光変化を数値解析して独自のアルゴリズムによって，陽性あるいは陰性の判定を実施している。陽性のボトルがある場合は，警報音，画面のインジケータ，装置正面のインジケータで知らせる。なお，BDバクテック™真菌・抗酸菌用ボトル（マイコF）は酸素（O_2）量の変化を蛍光センサーで測定する。

(2) 培養ボトル

BDバクテック™ FXシステムの培養ボトルは，好気用レズンボトル，嫌気用レズンボトル，溶血タイプ嫌気用ボトル，小児用レズンボトル，真菌・抗酸菌用ボトル（マイコF）が市販されている。嫌気用ボトルはレズン入りと溶血タイプ（サポニン含有）の2種類あるが，わが国ではレズン入りタイプがよく使用されている一方，欧米では溶血タイプが主流のようである。

2. BacT/ALERTシステム（図13.11.5）

(1) 測定原理

菌が増殖して出されたCO_2によってボトル中のpHが低下する。このpH低下によってボトル底部のpHセンサーが黄色に変化する。pHセンサーに光を照射して反射してきた光の量を10分ごとに検出している。静止期から対数増殖期に入る直前にCO_2が加速度的に増加するポイントでのアクセレレーション・アルゴリズムと対数増殖期に入り，一定の生成率で連続的にCO_2が産生される変化をとらえるレイト・アルゴリズムで検出する。すなわち，通常はこれら2つのアルゴリズムを用いて，菌が産生したCO_2による色調変化で測定している。

(2) 培養ボトル

従来は抗生物質吸着剤として活性炭を含んでいるFA，FNボトルが主流であったが，近年，吸着ポリマービーズを含むFA Plus，FN Plusシリーズのボトルに取って代わりつつある。抗菌薬の吸着ポリマービーズ（AFB）として3種類を含有している。すなわち，①バンコマイシンのように極性のない薬剤を吸着する金色ビーズ，②アミノ配糖体のような陽性にチャージされた薬剤を吸着する茶色ビーズ，③カルバペネム系薬を不活化する化合物と3種類である。

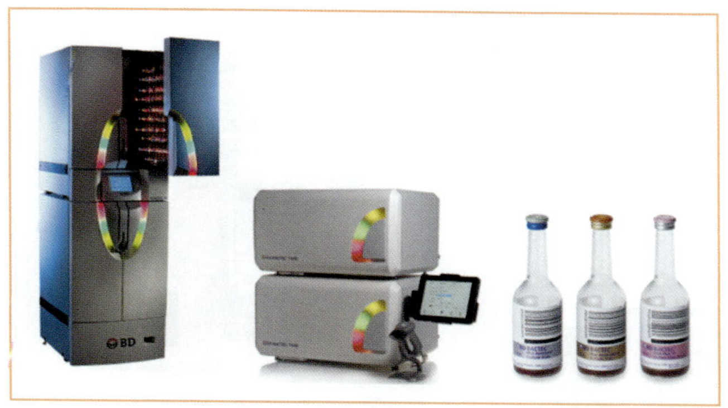

図13.11.4　BDバクテック™ FXシステム/FX40システム培養ボトル
（日本ベクトン・ディッキンソン株式会社の許可を得て転載）

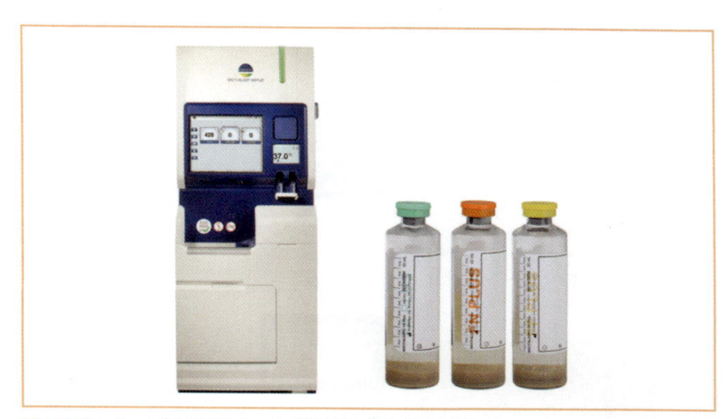

図13.11.5　バクテアラートVIRTUOと培養ボトル
（ビオメリュー・ジャパン株式会社の許可を得て転載）

用語　ポリアネトールスルホン酸ナトリウム（sodium polyanetholesufonate；SPS）

13. 11. 4 遺伝子検査装置

1. 保険収載されているおもな遺伝子検査試薬

1990年代からPCRをはじめとする遺伝子増幅による感染症の迅速診断技術は急速な進歩を遂げてきた。PCR法は迅速性に優れ，検出感度および特異性も高いことから，その有用性に関する論文が数多く報告され，今日に至っている。さらには，遺伝子の増幅と同時に増幅産物をリアルタイムに検出できるリアルタイムPCR法やp414 13.9.1で示したようにLAMP法やSDA法などの等温核酸増幅法が実用化され，自動核酸抽出装置と試薬も普及していることから，技術的には感染症の遺伝子診断がより身近なものになりつつある。このような背景から，保険収載されている結核群菌や*Mycobacterium avium* complex（MAC），クラミジア，リン菌については，専用の機器・試薬を用いて病院検査室で日常検査として行われている（表13.11.2）。

2. 次世代型遺伝子検査

遺伝子検査の基本的なステップは，①検体採取と搬送，②核酸（DNA/RNA）の抽出，③増幅反応，④増幅産物の検出，⑤結果の判定と報告，の5つからなる。これまでの検査は，核酸の抽出と増幅・検出が別々の実施であったため，時間と労力の面から病院検査室での遺伝子検査の導入のボトルネックになっていた。しかし，近年，核酸抽出から増幅反応，検出までをすべて自動で行うシステムが開発されており，遺伝子検査の日常検査への導入が現実味を帯びてきた。すなわち，核酸の抽出から増幅と検出を全自動で2～3時間以内に完了する「次世代型」の遺伝子検査

表13.11.2 遺伝子検査（保険収載済み）の試薬一覧

検出病原体	測定原理	製品名	製造販売元	時間（分）	検体種	保険点数
結核菌群	TaqMan PCR	コバス TaqMan MTB	ロシュ・ダイアグノスティック	150	体液，組織，気管支洗浄液またはそれらの培養液	410
非結核性抗酸菌（*M. avium*，*M. intracellulare*）	TaqMan PCR	コバス TaqMan MAI	ロシュ・ダイアグノスティック	150	体液，組織，気管支洗浄液またはそれらの培養液	421
結核菌群	LAMP	Loopamp 結核菌群検出試薬キット	栄研化学	40	体液，組織，気管支洗浄液またはそれらの液体培養液，あるいは固形培地上で増殖したコロニーの菌懸濁液	410
結核菌群	PCR+Qprobe	ジーンキューブ MTB	東洋紡	30	喀痰	410
結核菌群	TRC	結核菌群 rRNA 検出試薬 TRCReady MTB	東ソー	30	体液，組織，気管支洗浄液，またはそれらの培養液	410
非結核性抗酸菌（MAC）	TRC	MAC rRNA 検出試薬 TRCReady MAC	東ソー	30	喀痰	421
非結核性抗酸菌（MAC）	PCR+Qprobe	ジーンキューブ MAC	東洋紡	30	喀痰	421
インフルエンザウイルス	LAMP	Loopamp H1 pdm 2009 インフルエンザウイルス検出試薬キット	栄研化学	35	鼻腔拭い液，咽頭拭い液	410
インフルエンザウイルス	LAMP	Loopamp A 型インフルエンザウイルス検出試薬キット	栄研化学	35	鼻腔拭い液，咽頭拭い液	410
Legionella	LAMP	Loopamp レジオネラ検出試薬キット C	栄研化学	60	喀痰	292
Mycoplasma	LAMP	Loopamp マイコプラズマ P 検出試薬キット	栄研化学	60	咽頭拭い液（鼻咽頭拭い液含む），喀痰	300
Chlamydia trachomatis *Neisseria gonorrhoeae*	リアルタイム PCR	コバス 4800 システム CT/NG	ロシュ・ダイアグノスティック	210	尿，子宮頸管擦過物，咽頭	291
Chlamydia trachomatis	SDA	BD バイパー QX クラミジアトラコマチス	日本ベクトン・ディッキンソン	40	尿，子宮頸管擦過物，子宮頸部擦過物，腟分泌物，尿道擦過物	204
Chlamydia trachomatis *Neisseria gonorrhoeae*	SDA	BD プローブテックＥＴ クラミジア・トラコマチス ナイセリア・ゴノレア	日本ベクトン・ディッキンソン	150	尿，子宮頸管擦過物，男性尿道擦過物，咽頭擦過物	291
Chlamydia trachomatis	ハイブリッドキャプチャー	クラミジア DNA「キアゲン」	キアゲン	165	子宮頸管部（女）尿（男）	204

用語 ポリメラーゼ連鎖反応（polymerase chain reaction；PCR），LAMP（loop-mediated isothermal amplification），SDA（strand displacement amplification），TRC（transcription-reverse transcription concerted）

システムとして，BD Max™，ミュータスワコーg1，パンサーシステム，Verigeneなどがある。

13. 11. 5 質量分析装置

質量分析法による細菌同定の装置・システムとして2種類が販売されている（図13.11.6）。1つはブルカー・ダルトニクス社（ドイツ）の「MALDIバイオタイパー」である。国内ではブルカー・ダルトニクスの日本法人とベックマン・コールター社，栄研化学，日本ベクトン・ディッキンソン社などが取り扱っている。もう1つは島津製作所のAXIMA微生物同定システムである。本システムはビオメリュー・ジャパン社から「VITEK MS」としても販売されている。

微生物の同定にMALDI-TOF MSタイプの質量分析計が利用される理由として次の3つがあげられる。①少ない菌量（約10^5個）で前処理が簡便である，②精製された蛋白質でなくてもイオン化の効率がそれほど低下しない，③1価のイオン生成が主体であるためスペクトルの解析が容易である。

MALDIバイオタイパーは「Main Spectra（MSP）」が基本のコンセプトである。各菌株（基本的には基準株）を複数回測定して，マススペクトルの各ピーク（分子量）とその強度の平均値を算出する。また，各ピークの検出頻度を考慮しながら，稀にしか検出されないピークはあらかじめノイズとして除去後，データベースに登録される。同定したい菌株がこのデータベースのどの菌株（菌種）と近縁であるか（系統樹解析を行い，独自のアルゴリズムで行うとのことで詳細は未公開）をスコア値で表現され，このスコア値が高い順に候補の菌種名が表示される（表13.11.3）。スコア値が2.0以上であれば菌種レベルで信頼性が高く，1.7以上2.0未満では属レベルでの一致と判断される。同じ菌種でも複数の株が登録されているので，株間にパターンの多様性があっても正確な同定が可能とされている。

他方，VITEK MSの基本理念は「SuperSpectra™」である。同一菌種の複数株（複数の施設で分離された15株以上）を多重測定し，安定して検出されるピーク群のうち科，属，菌種に特徴的なピークに重み付けを行う。つまり，菌種に特異的なピークをバイオマーカーとして抽出後に重み付けを行ったデータ（スーパースペクトル）がデータベースに登録されている。科，属，菌種レベルの順にスコア値を高く設定しておき，一致したピークのスコア値をすべて加算する。この合計スコア値によって同定が行われる。

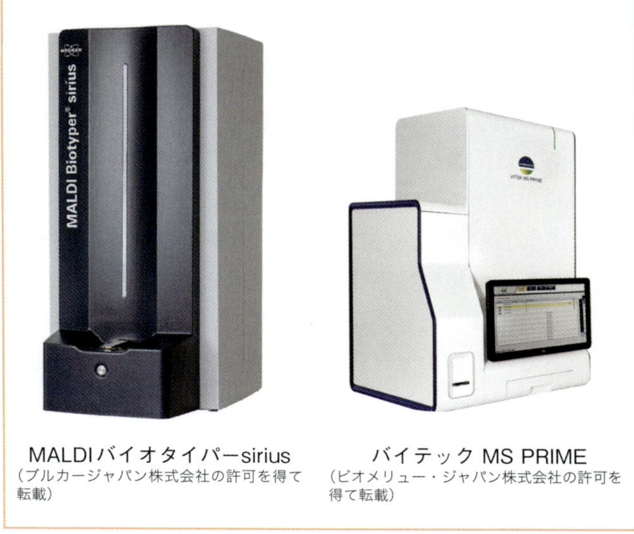

MALDIバイオタイパーsirius
（ブルカージャパン株式会社の許可を得て転載）

バイテック MS PRIME
（ビオメリュー・ジャパン株式会社の許可を得て転載）

図13.11.6 MALDI-TOF MSを用いた微生物同定システム

表13.11.3 MALDIバイオタイパーによる菌株の同定結果

Rank (Quality)	Matched Pattern	Score Value	NCBI Identifier
1 (+++)	*Pseudomonas aeruginosa* ATCC 27853 THL	2.33	287
2 (+++)	*Pseudomonas aeruginosa* 8147_2 CHB	2.15	287
3 (+++)	*Pseudomonas aeruginosa* DSM 50071T HAM	2.14	287
4 (+++)	*Pseudomonas aeruginosa* DSM 1117 DSM	2.09	287
5 (+++)	*Pseudomonas aeruginosa* DSM 50071T_QC DSM	2.09	287
6 (+++)	*Pseudomonas aeruginosa* 19955_1 CHB	2.07	287
7 (+)	*Pseudomonas aeruginosa* LMG 8029 LMG	1.82	287
8 (+)	*Pseudomonas aeruginosa* A07_08_Pudu FLR	1.79	287
9 (−)	*Pseudomonas aeruginosa* DSM 1128 DSM	1.67	287
10 (−)	*Pseudomonas jinjuensis* LMG 21316T HAM	1.54	198616

信頼性：■高い，■低い，■無し
（ブルカージャパン株式会社の許可を得て転載）

その結果は，信頼できるスコア値の菌種名が原則として1つ表示されるが，スコア値の差が小さい菌種が存在する場合には最大4菌種が掲示される。なお，スコア値が菌種を同定できるレベルにない場合には候補の菌種はまったく表示されない。

用語 マトリックス支援レーザー脱離イオン化飛行時間型質量分析計（matrix assisted laser desorption/ionization-time of flight mass spectrometer；MALDI-TOF MS）

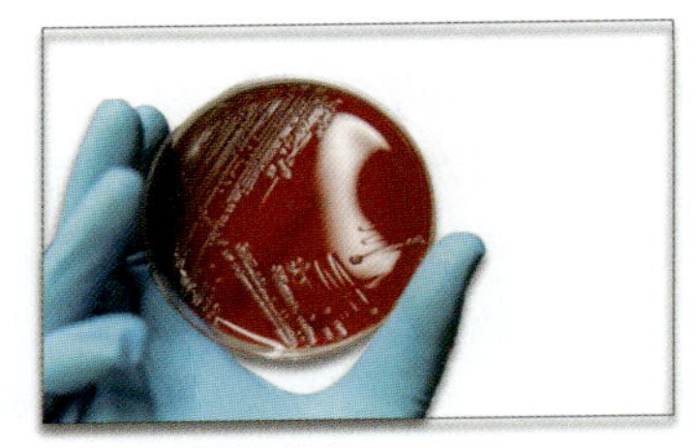
1. 未知試料を釣菌

3. MALDIバイオタイパーにて分析

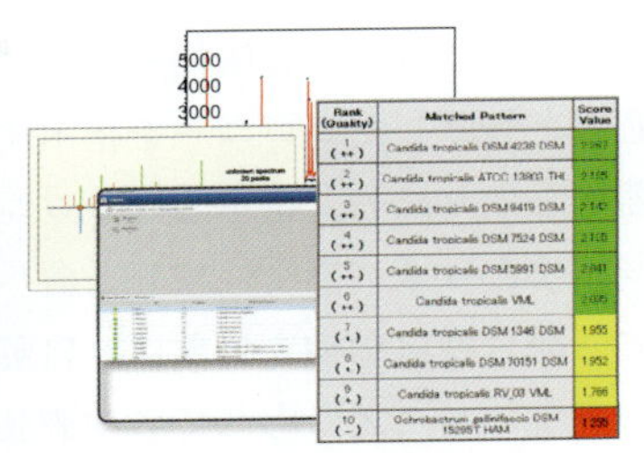
4. パターンマッチングによりライブラリーと照合し菌種の判明

2. ターゲットプレートに試料と試薬を塗布

5. 同定結果を最終判断

図 13.11.7 MALDIバイオタイパーによる菌株同定のワークフロー

（ブルカージャパン株式会社の許可を得て掲載）

1. MALDI-TOF MSシステムによる細菌同定の実際

質量分析法による菌株の同定は3つのステップからなる。①菌体とマトリックス試薬を混ぜて乾燥させる，②MALDI-TOF MSでマススペクトルを取得する，そして③そのマススペクトルをデータベースと照合してパターンマッチングを行う。これらのワークフローを図13.11.7に示す。基本的には新鮮なコロニーを直接サンプルプレートに載せて解析を行う（ダイレクトスメア法あるいはセルスメア法とよぶ）。あるいは，菌をプレートに塗布した後にギ酸を添加するオンプレート法が頻用されている。マトリックス試薬を滴下して乾燥する時間を含めて，約10分で同定結果が得られる（MALDI-TOF MSでの測定自体は約2分）。もし，うまく解析ができなかった場合には，菌体から蛋白を抽出する操作（ギ酸溶液を使用；抽出法とよぶ）が必要なため，追加で10分ほどの時間が必要である。

［大楠清文］

13. 11. 6 自動検体塗抹装置と統合型自動検査装置

1. 自動検体塗抹装置

患者検体を分離培地に画線塗抹する装置である。分離培地の種類と組み合わせは，検体の種類別に設定することができる。

検体は専用のチューブに分注するが，スワブで採取した検体や固形の検体は懸濁液で液状化する。検体チューブを装置へセットすると，チューブのバーコード情報を装置が読み取って培地を選択，検体番号や患者情報を印字したラベルを貼り，検体を培地に画線塗抹する。

画線塗抹は白金耳を使用する装置と，検体を付着させた金属製ビーズを培地面に置き，培地の裏面から磁力を発生させてビーズを動かすことによって塗布する装置がある。

装置による画線塗抹は人手による塗抹に比べ，一定かつ画線の距離が長いことから，独立コロニーが得やすいのが特徴である。さらに，画線塗抹の自動化によって生み出された時間を，分離培地の観察，結果の評価，報告および他の検査に充てることができる。

短所は装置が大型であり検査室のスペースに依存する点である。

2. 統合型自動検査装置

自動検体塗抹装置を基本ユニットとし，塗抹標本作製装置，孵卵器，同定・薬剤感受性検査装置と連結した装置である。

検体の画線塗抹が終わった培地はベルトコンベアで孵卵器へ移動し培養が開始される。培養中の培地の状態は画像で記録され，一定時間後にモニター画面上でコロニーの性状を観察することができる。臨床検査技師は同定や薬剤感受性検査が必要と判断したコロニーを指示すると，装置が培地を孵卵器から取り出し，指示したコロニーを釣菌し菌液を作製，同定または薬剤感受性検査装置へセットする。

このように，統合型自動検査装置は，自動検体塗抹装置を中心とし検査室のニーズに応じて各検査装置をある程度自由に構成することができる。最近では，MALDI-TOF MSによる同定検査装置との連結も可能となっている。

装置全体はかなりのスペースを必要とするが，大量の検体を処理する検査室にとっては導入のメリットは大きい。

しかし，統合型自動検査装置は手作業で行っている検体の画線塗抹，孵卵器からの培地の出し入れ，コロニーの釣菌，菌液作製などは装置が行うことから，作業の省力化が期待できる。培養陰性の培地は装置が自動的に判定し廃棄まで行うこともでき，臨床検査技師がすべての培地を観察する作業も省力化可能である。統合型自動検査装置は微生物学的検査の未来像の1つとして期待される。

［三澤成毅］

B. 微生物学的検査

14章 微生物検査結果の評価

SUMMARY

感染症の診断には微生物検査が重要な位置を占める。検査結果の評価は検体採取から成績の報告までが含まれ，すべての工程で不適切なことがあるとその結果の信頼性を損なう。検体採取は臨床検査技師が実施できるものもあるが，多くは医師，看護師により行われている。検体に問題がある場合は臨床側と検査室側で合議によって作成したリジェクションルールに沿って解決するのが理想と考えられる。また，各種検体検査では特殊な検査法や培地を必要とするため，日常検査で見逃される可能性がある病原体があるが，これらについても解説した。

微生物検査においてもパニックデータは迅速な対応が必要であり，連絡ルートについて取り決めが必要である。特に主治医が不在の場合の連絡先も決めておく必要がある。

このほか，サーベイランスについては国内で行われている主要なものについて解説し，精度保障（管理）についても簡単に解説した。

14.1 ｜ 検査の総合的管理と結果の評価

- 精度が保証された検査結果を提供するためには，検査依頼から結果報告までを管理しなければならない。
- 臨床検査部門は医師が微生物学的検査を的確に利用することができるよう診療側と良好な関係を築く。
- 微生物学的検査の的確な利用のため，検査の依頼方法，検体採取法・輸送法，検体別の検査対象微生物，結果の解釈，報告の所要時間（日数），パニック値の報告方法を医師へ提供し，共有しておく。
- 検体採取は医師や看護師によって行われることが多い。臨床検査部門は適正な検体採取法を診療側へ提供したうえで，不適切な検体の発生を監視し，原因を取り除く改善活動を継続する。
- 臨床検査部門は検体管理に責任を持ち，検体は病棟や外来で保存せず24時間受付できる体制を準備する。
- 検体のGram染色などの塗抹検査は迅速検査であり，所定の報告時間内に報告する。
- Gram染色形態から可能な限り菌種または菌属まで報告し，嚥下性肺炎，嫌気性菌感染症，細菌性腟症などのコメントを付す。
- 検査結果は医師が正しくかつ理解しやすい形で報告する。分離菌は可能な限り，起因菌，常在菌，汚染菌など臨床的に意義付けて報告する。
- 長期間の培養を要する検査は所定のタイミングで中間報告する。
- 塗抹陽性・培養陰性検体，本来無菌の検体，細菌が検出されない膿性の検体は，真菌や抗酸菌の可能性を医師と検討する。
- パニック値に相当する検査結果の報告は，医師へ確実に届く方法を取り決めておく。
- 内部精度管理の実施と外部精度評価プログラムに参加し，検査精度の確保を図る。

14. 1. 1　検査の各工程において結果に影響する事項

1. 検体採取から結果報告までの管理

微生物検査の工程は，①検体採取から始まり，それらの②輸送・保存を経て，③検体の品質管理が行われる。その後，感染症診断のための検査として，④迅速検査（抗原・抗体検出），⑤検体の塗抹検査，⑥培養・同定検査が行われ，これらの⑦結果が診断に利用される。さらに，⑧薬剤感受性検査は起因菌の適切な治療に不可欠である。検査結果の評価はこれらの一つひとつの過程が正しく行われたか否かを検証する必要がある。微生物検査結果が高い評価を受け，正しく診断や治療などに利用されるためには，①～⑧のすべての工程が落ち度なく確実に実行されなければならない。

(1) 検体採取[1)]

微生物検査のなかで検体採取はとくに重要であり，この部分がどの程度確実に行われたかは，検査結果の評価や解釈に大きな影響を及ぼす。検体採取は表14.1.1の点に問題がないように行うことを取り決め，不備があった場合は再採取するか報告書に記載し，検査結果の解釈の際に参照さ

表14.1.1　検体採取のおもなチェックポイント

• 感染徴候が認められる患者から採取されたか
• 抗菌薬投与以前に採取したか
• その感染症で，病原体が最も多く含まれる検体を選択したか
• 検体中の病原体の菌数が最も多い時期に採取されたか（一般の感染症では発病初期，血液培養では悪寒戦慄の頃）
• 検体の採取容器は適切であったか（とくに嫌気性菌）
• 常在菌や汚染菌の混入をできるだけ避けて行ったか
• 検体の品質管理法の評価は高かったか（Miller & Jonesの分類，Gecklerの分類など）
• 検体の採取量は十分であったか
• 検体の輸送・保存法は適切であったか

表 14.1.2 リジェクションルールの対象となる検体

- 検体ラベルの不備または欠如
- 質の悪い検体（唾液様の喀痰など）
- 嫌気性菌検査用検体を通常の容器に採取した検体
- 採取部位が不明確な検体（とくに膿・分泌物，穿刺液）
- 検体の量不足
- スワブで採取した糞便
- 検体採取後1日以上経過した検体
- 潰瘍部の表面から採取した検体
- 無滅菌の容器に採取した検体
- 蓋なし容器に採取した検体
- 乾燥した検体
- イムノクロマト法検査用に培養用の器材で採取した検体
- 検体が容器の外にこぼれている，容器の表面に付着している
- ホルマリン固定検体
- 不適切な検査（尿や喀痰の嫌気培養など）
- 同一患者で同じ日に複数の同じ種類の検体が提出（血液培養を除く）
- 検体に異物が混入（食物残渣やゴミなど）

れるべきである。

喀痰で唾液様の検体や，採取後1日以上経過した検体，量不足の検体などのように検査に不適切な検体が提出された場合の対応策は，医師との話し合いでルールを決めておき，それらに沿って適切に対応すべきである。これらはリジェクションルールとして個々の施設で作成しておく。対象となる検体を表14.1.2に示した。

(2) 検体の輸送・保存

一般に，好気性菌の検査に用いる組織，体液，貯留液，生検材料では，室温の状態で2時間以内に検査室に輸送し検査を開始するのが望ましく，嫌気性菌検査についてはさらに厳しい表14.1.3の条件を満たすことが推奨されている[2]。尿も30分以上の室温放置は成績に影響を及ぼす。やむなく長時間の保存が必要な場合は，リン菌，髄膜炎菌，赤痢アメーバの検査を必要としないすべての検体は冷蔵保存し，24時間以内に検査する。リン菌，髄膜炎菌，赤痢アメーバは低温に弱く死滅しやすいため，検体採取後，保存することなく直ちに検査することを原則とする。

検体採取後，どのような保存条件のもとで，どの程度の時間が経過してから検査したかは，検査結果の解釈に影響する場合があるので，明確にしておく。また，抗原検査や抗体検査，核酸増幅検査などに供する検体の輸送・保存方法については添付文書に従い，保存条件や保存時間について明確にしておく必要がある。

(3) 塗抹検査

主として患者検体のGram染色（グラム染色）と抗酸菌染色が行われるが，クリプトコックス症（*Cryptococcus neoformans*）が疑われる場合には墨汁法が，レジオネラ症（*Legionella pneumophila*）にはGiménez染色（ヒメネス染色）が，ジフテリア（*Corynebacterium diphtheriae*）

表 14.1.3 嫌気性菌検査検体の検査までの許容時間

検体（吸引検体）	量または容器	検査までの時間
滅菌試験管入り	1mL 未満	10分以内
	1mL	30分以内
	≧ 2mL	2～3時間以内
嫌気性菌輸送容器入り	1mL 未満	30分以内
	≧ 1mL	2～3時間以内

注：スワブで採取した場合，嫌気性菌用の輸送容器に入ったものは1時間以内に，嫌気用輸送培地を使用したものは2～3時間以内に検査する。

表 14.1.4 患者検体のGram染色の成績評価

- 感染症検査に適した検体であったか
- 検体の外観（色調，性状，臭気，量など）は記載されているか
- 品質管理（Geckler の分類など）のグレードは記載されているか
- Gram 染色は正しく染色されているか（生体細胞はグラム陰性）
- 細菌や細胞の種類とそれらの割合は記載されているか
- 白血球は単核球，多核球の識別はなされているか
- 細菌や真菌の形態の特徴は記載されているか
- 貪食像の有無，多少，どんな細菌が貪食されているかが記載されているか
- 菌属，菌種は推定されているか
- 常在菌の混入する検体では結果の解釈に有用なコメントは記載されているか
- 患者の臨床症状と検査結果の解釈に矛盾はないか
- 感染症の診断や治療の決め手となる重要な情報は明確にされているか

が疑われる場合にはNeisser染色（ナイセル染色）が用いられる。

患者検体のGram染色は迅速に結果が得られることから，感染症の経験的治療における抗菌薬選択に利用される。Gram染色で判定できるのは細菌や真菌，生体細胞（白血球，上皮細胞，マクロファージ，気管支上皮細胞）などである。白血球は細菌感染ならば好中球が増えるので，多核球（好中球など）か単核球（リンパ球など）かの区別が必要である。塗抹検査の評価で考慮すべき事項を表14.1.4に示した。

(4) 培養検査

培養検査は日数を要するため診断や治療に役立つ情報は中間報告として，そのつど報告する。髄液・血液・血管カテーテル，関節液などの重要な検体や重症患者の検体などは結果報告が遅延しないように管理する。検査結果には正しい解釈が導かれるよう必要に応じコメントを付すべきである。

本来，無菌の検体から細菌が検出された場合は，起因菌の可能性が高く，臨床的意義は高い。一方，常在菌が混入する検体では，塗抹検査において標本の判定はできても，起因菌の推定や検査結果をどう解釈するかは熟練を要する。培養検査でも塗抹検査と同様に必要に応じ，結果が正しく解釈されるようコメントを付すべきである。培養検査の評価で参照すべき事項を表14.1.5に示した。

また，通常の培養条件では検出できない病原菌があり，これらは「とくに検査すべき菌種」として，必要に応じて

用語　リジェクションルール（rejection rule），経験的治療（empiric therapy）

医師から依頼してもらう必要がある。これらについてはあらかじめ医師へ知らせておかなければならない。これらを表 14.1.6 に示した。

(5) 微生物検査結果が正しく解釈されるために

検査結果の解釈のために検査側から出されるコメントは正当なものでなければならない。その微生物は環境由来としてよく見られる，常在菌としてよく見られる，雑菌としてよく見られる，人獣共通感染症の起因菌である，薬剤耐性菌の説明などのコメントは検査の専門の立場から適切にコメントできる。しかし，検査側が患者情報に乏しいまま「起因菌の可能性が強い」，または「雑菌混入と考えられる」などといったコメントは，典型的な場合はよいとしても，そうでない場合は慎重に判断して用いるべきである。いずれにしても，患者の診断や治療に直結する重要なコメントは臨床側，検査室側双方の情報を統合して結果を解釈し判断するようにすべきである。これらのことが無理なくできるためには，日頃から診療側と検査室側がともに互いに尊敬しあえるコミュニケーションをとりつつ，協調・連携できる体制を築いておく。

表 14.1.5　培養検査の結果の評価

- 適切なタイミングで中間報告が提出されているか（迅速性）
- 結果は予定どおり報告されており，遅れはないか
- 検体の塗抹検査と培養検査の結果に矛盾はないか（嫌気性菌の存在，抗菌薬投与後の検査，通常の培地に発育しない特殊微生物など）
- 「塗抹陽性，培養陰性」の場合，その原因についてコメントが付されているか
- 検体に対し，使用培地は適切であったか
- 培養法，培養時間は適切であったか
- 培養温度は適切であったか
- 常在菌など感染症の起因菌とは考えにくい菌についてコメントが付されているか
- 以下の場合，適切なコメントが付されているか
（感染症法や，人獣共通感染症に関連する菌種，検出が稀な菌種など）
- その他，検査結果の解釈に有用なコメントが付されているか

表 14.1.6　通常の培養では検出困難な微生物

微生物	分離培地，検体，注意点
真菌（糸状菌を含む） *Nocardia* spp. *Mycobacterium* spp. のうちの迅速発育菌群	通常の培地に発育するが，1 週間以上の培養日数が必要 *Malassezia* spp. は通常の培地には発育しない（クロモアガーマラセチア，ディクソン培地などを用いる） 下気道からの材料，皮膚組織，各種材料
Mycobacterium spp. （迅速発育菌群を除く）	小川培地（工藤・PD 培地を含む），ミドルブルック 7H9，ミドルブルック 7H11 培地など 迅速発育菌は通常の培地に発育する 下気道からの材料，皮膚組織，各種材料
Corynebacterium diphtheriae	血液寒天培地にも発育するが，専用の培地（レフレル培地，変法荒川培地など）を用いる方がよい。 本菌の同定にはジフテリア毒素の証明が必須 扁桃偽膜など
Tropheryma whipplei	放線菌に近縁のグラム陽性桿菌。ウイップル病の病原体。下痢を伴う消化器疾患であるが関節炎や心内膜炎などを起こし，重症化することがある。核酸増幅検査が用いられる
Legionella spp.	B-CYEα 寒天培地，WYOα 寒天培地 下気道からの材料，胸水，血液など
Bordetella pertussis	ボルデー・ジャング培地，ボルデテラ CD 寒天培地 後鼻腔粘液，喀痰
Neisseria gonorrhoeae *Neisseria meningitidis*	いわゆる病原性ナイセリアである *N. gonorrhoeae* は尿道分泌物，尿，子宮頸管分泌物，咽頭粘液，直腸粘液，関節液，新生児の眼脂，血液など *N. meningitidis* は咽頭粘液（保菌者検査），髄液，関節液，血液など
Bartonella spp.	カルチャーボトルで 3 ～ 4 週間前後培養後，ウサギ血液寒天培地またはチョコレート寒天培地にサブカルチャーし，1 ～ 2 週間，炭酸ガス培養すると発育する。Gram 染色では確認できず，分離培地のコロニーで確認できる。本菌は赤血球中に存在することから，溶血させて遠心し，沈渣を培養する方法もある。迅速検査としては核酸増幅検査や患者の血清バルトネラ抗体価を測定する血清学的検査がある ネコに噛まれたり，引っかかれたりした創傷材料（*B. henselae*），血液培養（*B. quintana* など）
Mycoplasma pneumoniae	通常はイムノクロマト法，PCR 法にて検査 培養・同定には 1 週間以上を要する 咽頭拭い液，喀痰など
Pneumocystis jiroveci	通常は PCR 法で検査，Diff-Quik 染色，Grocott 染色なども用いられる 喀痰，肺胞洗浄液，肺組織など
Coxiella burnetii	Q 熱の病原体。四類感染症，PCR 法，間接蛍光抗体法（IFA）
ワイル病レプトスピラ	コルトフ培地で培養 血液，髄液，尿など

用語　B-CYE（buffered-charcoal yeast extract），WYO（Wadowsky-Yee-Okuda），ポリメラーゼ連鎖反応（polymerase chain reaction；PCR），間接蛍光抗体法（indirect fluorescent antibody technique；IFA）

14. 1. 2　感染症別にみた検査の解釈における注意事項

中枢神経系感染症，血流感染症，下気道（肺，気管，気管支）感染症，尿路感染症，腸管感染症について，検査結果を解釈する際に注意すべき点を以下に触れておく。

1. 中枢神経系感染症

患者検体はすべて重要であるが，なかでも髄液は最も重要な検体で，検査結果が早く判明する検査項目は採取後30分以内に報告すべき検体とされている。髄液の微生物検査は髄膜炎が疑われる場合に行われる。髄液が混濁している場合は細菌性髄膜炎が疑われることから，Gram染色の結果が迅速に報告されなければならない。Gram染色による菌検出感度は抗菌薬の投与前では75～90%といわれている。市中感染の起因菌として重要な*Streptococcus agalactiae*，*Streptococcus pneumoniae*，*Haemophilus influenzae*（b型），*Neisseria meningitidis*は髄液中の菌数が多く，Gram染色で陽性となりやすいが，*Listeria monocytogenes*，*Campylobacter fetus*，*Cryptococcus neoformans*では菌数が少ない傾向であり，培養で初めて検出される場合が多い。*Cryptococcus neoformans*は墨汁法では検出可能な場合が多い。抗菌薬投与後，塗抹検査や培養検査で菌が検出されない場合は，迅速診断キット（PASTOREX® 脳脊髄膜炎起炎菌莢膜多糖抗原キット，尿中抗原検査）で検出できる場合がある。

2. 血流感染症

以下のような場合，血液培養の結果は正しく評価できない。

(1) 偽陰性

自動血液培養装置を用いる場合，採血後のボトルを長時間室温放置し，菌が大量に増殖したボトルを機器にセットしても陽性サインが出ない場合がある。このような事態を避けるためには採血後は速やかに装置にセットし培養する。

(2) 自動血液培養装置が陽性と判定したボトルの内容をGram染色したが細菌陰性

原因として，(i) 白血球が大量に存在した場合，代謝により陽性サインが出る場合がある。ボトルに接種された血液量が極端に多くないかの確認や，患者の末梢血白血球数を確認する。(ii) 抗酸菌（迅速発育菌群）が発育している場合，Gram染色では菌体が認められないので，抗酸菌染色を追加する。(iii) 増殖菌が少ない場合，菌数が10^5/mL未満ではGram染色で陰性の場合が多いので，サブカルチャーで確認する。(iv) *Streptococcus pneumoniae*は陽性サイン出現後，長時間培養すると死滅し溶菌するのでGram染色で陰性となる。肺炎球菌迅速診断キットで陽性を確認する。

(3) 血液培養ボトルで検出できない菌

Mycobacterium tuberculosis complex，*M. avium* complexなどの遅発育性の抗酸菌は通常の血液培養ボトルでは検出できない。なお，抗酸菌でも迅速発育菌群は好気ボトルで検出できる。また，*Legionella* spp.，*Bartonella* spp.，*Tropheryma whipplei*，*Coxiella burnetii*，*Mycoplasma* spp.，*Chlamydia* spp.などは検出できない。

(4) コンタミネーションの決定

*Bacillus cereus*などの環境由来の菌，*Cutibacterium acnes*などの常在菌はコンタミネーションと判定されることが多い菌種である。*Bacillus cereus*は血管内カテーテル感染の原因となり，*Cutibacterium acnes*も心内膜炎の原因となることがある。コンタミネーションの判定は菌名のみで行ってはならない。

3. 下気道（肺，気管，気管支）感染症

(1) 喀痰の品質管理

下気道感染症では喀痰が用いられ，検体の品質管理としてMiller & Jonesの分類およびGecklerの分類などが用いられている。質の悪い検体を検査した場合，起因菌が見逃されたり，誤って別の菌が起因菌と判定されたりする可能性がある。リジェクションルールとして医師と話し合いで対応を決めておく必要がある〔例えば免疫能が正常の患者で喀痰のGecklerの分類で1，2群と判定された場合は塗抹検査（Gram染色）のみ実施し，培養検査は省略するなど〕。なお，免疫不全や白血球減少症の患者では通常の品質管理方法は使用できない。

(2) 嚥下性肺炎患者の喀痰検査

嚥下性肺炎では唾液の吸引により口腔内の複数の嫌気性菌が起因菌となる場合が多い。喀痰では嫌気培養は行わないので，喀痰のGram染色の結果から起因菌を推定し，治療抗菌薬の選択に役立てることになる。この場合の検査の結果コメントについて医師との話し合いで決めておくと，検査の有用性を高めることができる。

(3) 通常の検査では検出漏れになりやすい微生物

Bordetella pertussis, *Legionella* spp., *Mycoplasma pneumoniae*, *Chlamydia psittaci*, *Chlamydia pneumoniae* などがある。なお，通常の培地に発育する菌でも培養を延長しなければ検出できないものがあり，*Nocardia* spp.や糸状菌，迅速発育抗酸菌などがある。

(4) 真菌の検体中菌数

喀痰から検出される真菌は起因菌の場合でも菌数が少ないことが多い。とくに糸状菌ではこのような場合が多いので，雑菌混入か否かの判定は医師と検討する。

4. 尿路感染症

膀胱炎や腎盂腎炎の診断には中間尿の検査が行われる。しかし，尿検体は常在菌の混入を完全に避けることが難しい。尿はブイヨン培地と同様に菌を迅速に増殖させるので，直ちに検査できない場合は冷蔵保存する。30分以上，室温に放置した場合は採取時に混入した常在菌や雑菌が増殖し，起因菌の決定を誤る場合がある。*Lactobacillus* spp., *Corynebacterium* spp., α-またはγ-streptococci，コアグラーゼ陰性ブドウ球菌（CNS），*Enterococcus* spp.は常在菌の混入として検出されることが多い。このような菌が少数，しかも複数で検出された場合は常在菌の混入の可能性が高い。定量培養で尿中菌数が≧10^5/mL検出された場合は起因菌である可能性が高いが，検出菌が尿路感染症を起こすことが稀な菌の場合は，起因菌か否かは慎重に判断しなければならない。また，菌数が少ない場合でも患者に尿路感染症を疑う症状がある場合や，尿中に好中球が認められる場合には，検出菌が尿路感染症の起因菌としてよく見られる細菌であれば起因菌の可能性がある。

5. 腸管感染症

3日以上の入院患者では一般的な下痢症の起因菌の検査や寄生虫の検査は必要ないとされている。この理由は入院患者では院内で提供される食事を摂取しているからである。一般的な下痢症の起因菌の検査は外来患者で行われ，次のような微生物が目的菌とされる。細菌では，*Shigella* spp., *Salmonella* spp., *Vibrio cholerae*, *V. parahaemolyticus* など下痢症を起こす *Vibrio* 属菌，*Escherichia coli* O157をはじめとする腸管出血性大腸菌，*Campylobacter* spp., *Yersinia* spp.が検査対象となる。なお，*Yersinia* spp.は主として *Yersinia enterocolitica* が対象になるが，選択培地（CIN培地）を用いないと検出できない場合がある。

海外渡航後の下痢症や患者が外国人の場合は輸入感染症を考慮に入れて検査する必要がある。

糞便の場合，常在菌はとくに報告しない施設が多いと考えられる（またはNormal floraと報告など）。常在菌叢とまったく異なり，単一菌が多数検出された場合はその旨，報告するのがよい。

入院患者の糞便では *Clostridioides difficile* の検査が行われ，トキシンA, Bの検査が行われる。この検査は固形便など外観が正常な糞便には行わないとされている。しかし，イレウスや中毒性巨大結腸症の場合には固形便でも検査が行われることがある。本菌を培養によって証明する場合は酸素に弱いので，排便後速やかに嫌気性菌専用の検体採取容器に入れ，嫌気条件下で保存された培地を用いてできるだけ早く検査しなければならない。

14. 1. 3　医師へ緊急連絡を要するパニック値の報告方法

一般の検査データのパニック値とは「生命が危険な状態にあることを示唆する異常値で，直ちに治療すれば救命し得るが，その診断は臨床的な診察だけでは困難で検査によってのみ可能である」と定義されている。微生物検査におけるパニック値とは「生命が危険な状態にあることを示唆する異常値」のほかに，伝染性の強い微生物が検出された場合，感染症法で届出が定められた病原体が分離された場合，アウトブレイクが疑われた場合などが含まれるものと考えられる。これらを表14.1.7に示した。微生物検査の

表 14.1.7　パニック値など主治医に緊急連絡を要する場合

①血液，血管カテーテル，髄液から菌検出
②関節液，骨髄，胸水，心嚢液，腹水から菌検出時
③抗酸菌検査結果が陽性になった場合（塗抹検査，培養検査，遺伝子検査）
④抗酸菌の薬剤感受性検査結果が得られた場合
⑤一から五類感染症の原因微生物が検出された場合
⑥薬剤耐性菌が検出された場合（VRE，VRSA，CRE，MDRP，MDRA，MDR-TB，XDR-TBなど）
⑦アウトブレイクを示唆する結果が得られた場合
⑧珍しい微生物が検出された場合
⑨新生児材料から菌が検出された場合（常在菌の少数検出はこの限りではない）
⑩その他，医師から結果の至急連絡との依頼があった場合

用語　コアグラーゼ陰性ブドウ球菌（coagulase-negative staphylococci；CNS），セフスロジン・イルガサン・ノボビオシン寒天（cefsulodin-irgasan-novobiocin agar；CIN），バンコマイシン耐性腸球菌（vancomycin-resistant Enterococci；VRE），バンコマイシン耐性黄色ブドウ球菌（vancomycin-resistant *Staphylococcus aureus*；VRSA），カルバペネム耐性腸内細菌目細菌（carbapenem-resistant enterobacteriaceae；CRE），多剤耐性緑膿菌（multidrug-resistant *Pseudomonas aeruginosa*；MDRP），多剤耐性アシネトバクター（multidrug-resistant *Acinetobacter* spp.；MDRA），多剤耐性結核（multidrug-resistant tuberculosis；MDR-TB），超多剤耐性結核菌（extensively drug-resistant tuberculosis；XDR-TB）

パニック値はそれぞれ施設の状況によっても異なるので，各施設で診療側と協議の上，決めておく。

1. パニック値の連絡ルートの確立

患者の生命の危険に関わるようなパニック値は主治医（または代理の医師）に迅速に報告され，直ちに患者には適切な処置がなされなければならない。検査室から連絡したが，主治医が不在であったり，手術中で長時間連絡できなかったりすることはしばしば経験される。このような場合の連絡先も必ず決めておかなければならない。たとえば主治医が不在の場合は同じ診療グループの医師，その医師が不在の場合は医局長，さらに不在の場合は病棟医長，さらに不在の場合はその診療科教授などのように，また夜間や休日も同様に決めておく。生命の危険に関わるパニック値は患者の処置ができる医師へ連絡すべきであり，看護師や事務員に連絡しない。

連絡先は主治医のほか，感染対策部門にも連絡が必要な場合がある。伝染性の強い菌種や感染症法に関係する疾患の場合の連絡ルートについても取り決めが必要である。また，検査室内部，主任技師，技師長，臨床検査部長などへの連絡ルートも決めておく。

14. 1. 4　検査結果の評価に有用な疫学データ

1. 感染症サーベイランス，病院感染サーベイランス

微生物検査のデータは患者の感染症の診断や治療に用いた後，感染症の発生状況や耐性菌の出現状況を把握するための感染症の動向調査に使用される。感染症サーベイランスとはある母集団で発生した感染症の種類と分布状況の系統的，活動的，継続的な観察のことで，①データ収集，②解析/解釈，③結果のフィードバックの3要素が存在する。サーベイランスには監視効果があり，医療関連感染の減少につなげることができる。サーベイランスを行う場合，最も注意すべきことは病院感染症の定義を確定することであり，万一このなかに曖昧な点が入ると信頼性に乏しい無意味なものになってしまう。サーベイランスのための病院感染症の定義については米国疾病予防管理センター（CDC）の各種疾患の定義が使用される[3,4]。

(1) 医療関連感染サーベイランスの目的

このサーベイランスは医療関連感染が，日常どの程度起こっているかを把握し，感染対策の改善をはかることを目的に行われる。サーベイランスはアウトブレイクの早期発見に役立つ。また，医療関連感染のベースラインを把握することにより，感染予防策と感染管理に関する介入の評価が可能になる。ベースラインを超えた場合には感染対策を強化すべく介入が行われる。

施設内で行われるサーベイランスの主なものを表14.1.8に示した。包括的なサーベイランスは種々の優れた点があるが，労力やコストがかかることから対象限定サーベイランスが行われることが多い。これには特定の医療器具，処置，微生物を対象，あるいは特定の身体部位に発生する感染を対象とするものが含まれる。

2. わが国のサーベイランスシステム

(1) JHAIS

1998年日本環境感染学会事業として立案され，1999年2月から開始された。当初の名称はJNISであった。手術部位感染（SSI），医療器具関連感染サーベイランスが行われており，これらの感染症の発生状況に関する情報を提供し，感染対策の推進を支援している。後者のデバイス関連感染では，中心静脈関連血流感染症（CLABSI），カテーテル関連尿路感染（CAUTI），人工呼吸器関連肺炎（VAP）が行われている。

(2) 院内感染対策サーベイランス（JANIS）

厚生労働省は厚生労働省事業として「院内感染対策サーベイランス事業」を立案し，2000年から開始している。これはJANISとよばれ，わが国の院内感染の概況を把握し医療現場への院内感染対策に有用な情報の還元などを行うことを目的としている。JANISのデータから参加医療機関における院内感染の発生状況や，薬剤耐性菌の分離状況および薬剤耐性菌による感染症の発生状況の調査結果が提供され，わが国の臨床現場での感染対策の資料として広く活用されている。JANIS事業は検査部門，全入院患者

用語　サーベイランス（surveillance），米国疾病予防管理センター（Centers for Disease Control and Prevention；CDC），JHAIS（Japanese Healthcare-Associated Infections Surveillance），JNIS（Japanese Nosocomial Infections Surveillance），手術部位感染（surgical site infection；SSI），医療器具関連感染サーベイランス（device related infection surveillance），尿路感染（urinary tract infection；UTI），肺炎（pneumonia），血流感染（blood stream infection；BSI），中心静脈関連血流感染症（central-line associated bloodstream infection；CLABSI），カテーテル関連尿路感染（catheter-associated urinary tract infections；CAUTI），人工呼吸器関連肺炎（ventilator-associated pneumonia；VAP），院内感染対策サーベイランス（Japan Nosocomial Infections Surveillance；JANIS）

表 14.1.8　サーベイランスの種類と特徴

サーベイランスの種類	特徴
1．包括的サーベイランス (hospital-wide comprehensive surveillance)	すべての入院患者が対象 院内で発症した感染症例をカウント 病院全体の状況を把握できる アウトブレイクの早期発見ができる 院内感染率のベースラインが把握できる 多くの時間，労力を要し，経費がかかる
2. 微生物検査成績にもとづいたサーベイランス (laboratory-based surveillance)	特定の微生物感染症の集団発生発見 培養検査の陽性成績を毎日チェック 診療記録，看護記録など→感染症か否か 検体採取が治療前に行われたか否か 検査が迅速かつ正確に行われたか否か 陽性レポートの抽出が適切であったか否か 微生物検査が実施されていない症例 感染症だが起炎微生物未検出症例 臨床情報不足→偽陽性症例（約 80%）
3. 検査ベース・病棟連携混合型 (laboratory based ward liaison surveillance)	両者の長所を併せた混合型 検体未検査患者や培養陰性患者から感染症患者を同定するために開発 培養陽性患者の診療記録の照会 病棟訪問→病棟スタッフより感染症例の照会 診療記録の照会により感染症を同定 選択型サーベイランスのなかで最高の感度（76%）
4. 対象限定サーベイランス (targeted surveillance)	尿路感染（UTI） カテーテル関連尿路感染（CAUTI） 肺炎 人工呼吸器関連肺炎（VAP） 血流感染（BSI） 中心静脈関連血流感染症（CLABSI） 手術部位感染（SSI）

部門，手術部位感染（SSI）部門，集中治療室（ICU）部門，新生児集中治療室（NICU）部門の5部門で構成されている。

(3) J-SIPHE感染対策連携共通プラットフォーム

このサーベイランス背景は，2016年のAMR対策アクションプランの策定を受け，厚生労働省委託事業AMR臨床レファレンスセンターが医療機関でのAMR対策に活用できるシステムとして構築したものである。

全国の医療機関における感染症診療状況，感染対策への取り組みや構造，医療関連感染の発生状況，主要な細菌や薬剤耐性菌の発生状況，およびそれらによる血流感染の発生状況，抗菌薬の使用状況等に関する情報を集約させ，そのデータを参加医療機関や参加医療機関の地域等で共有しながら活用していくことができるシステムである。

14. 1. 5　内部精度管理と外部精度評価プログラムによる検査の品質と精度の確保

臨床検査成績の信頼性を保障することは検査前から検査後までの過程が滞りなくできて初めて保障される。これらは検査のクオリティマネジメントシステムとよばれ，施設と安全性の管理，人的資源（数的・質的な必要性評価から教育活動など），機器（選定，調達から保守管理），試薬などの購入システム（質・量の決定/在庫管理），検査工程管理（検体採取，輸送から内部精度管理），情報管理，記録（マニュアルや手順書の整備），顧客サービス（受益者の要求に応える），評価（監査，外部精度評価，認証など），不一致・不適合発生時のマネジメント，プロセスの改善などの項目があげられている[5,6]。これらすべてが正しく機能して初めて検査の信頼性が保証される。これらのなかで検査そのものについての精度保障として内部精度管理と外部精度評価がある。

1. 内部精度管理

1) 検体の外観の観察：どんな検体であったかは検査結果を解釈するために必要である。検体の色調，性状，量，臭気などをメモしておく。採取から検査までの時間，検体の保存条件なども明確にしておく必要がある。
2) 塗抹検査：Gram染色，Ziehl-Neelsen染色，蛍光法による抗酸菌染色などがある。蛍光法は問題が起こりやすいので抗酸菌陽性・陰性標本を用いた精度管理を必ず行い，記録する必要がある。
3) 培地：培地は無菌試験や発育性能試験，pHなどの検査

用語　集中治療室（intensive care unit；ICU），新生児集中治療室（neonatal intensive care unit；NICU）

が精度管理として必要である。以前はメーカーとユーザーとが行うことになっていた。これには多大な費用や労力を要することから，最近では培地の性能がメーカーにより検査され，それらを保障する「試験成績証明書」が発行されている場合はユーザーの性能試験は免除されている。しかし，このような証明がない場合や自家製した培地は性能試験を行わなければならない。

4) 培地・試薬の受領：培地や試薬の外観チェック（色調，亀裂，破損，凝固水の量など）を行い，受領日，ロット番号，使用期限を記録する。受領後は培地や試薬の性能を低下させないよう保管庫の温度を毎日記録し管理する。培地・試薬を使用する前はコンタミネーションがないかどうか，外観に異常がないかどうかをチェックする。その結果，培地・試薬に欠陥があった場合はその観察結果を書面でメーカーへ通知しなければならない。
5) 薬剤感受性検査の精度管理：わが国ではCLSI法が用いられており，これにもとづいて精度管理が行われている。
6) 細菌検査の内部精度管理は積極的には行われていない傾向にあるが，新しく採用する検査法や試薬や培地のロットが変更された場合には必ず行わなければならない。

2. 外部精度評価

外部精度評価は，臨床検査室の国際認定であるISO 15189では技能試験と呼び，第三者による評価を受けることを求めている[7]。改正医療法（平成30年12月1日施行）[8]でも，検体検査の品質・精度確保を目的に，検体検査業務を行う医療機関や衛生検査所等（検査センター）における精度管理の基準が明確化された。この中には，外部精度評価による検査の質のモニタリングが含まれている。

国内の微生物学的検査の外部精度評価は，日本臨床衛生検査技師会や各都道府県の臨床検査技師会，メーカーがプログラムとして提供，実施している。試料は菌株や擬似検体であり，日常検査と同一の方法で検査を行い，分離菌の同定菌名や薬剤感受性検査結果を評価する。

微生物検査室は，外部精度評価プログラムに参加し，検査結果が目標とする精度に達しているかを確認しなければならない。

［三澤成毅］

用語　CLSI（Clinical and Laboratory Standards Institute）

参考文献

1) 検査法ガイド等作成委員会 検体採取・輸送・保存方法およびPOCT検査法ガイド作業部会：「検体採取・輸送・保存方法およびPOCT検査法ガイド」，日臨微生物誌，2022；32(Suppl. 2).
2) 日本臨床微生物学会：「嫌気性菌検査ガイドライン2012」，日臨微生物誌，2012；22(Suppl.1)：14-15.
3) 小林寛伊，廣瀬千也子(監訳)：インフェクションコントロール1998年別冊 NNISマニュアルより サーベイランスのためのCDCガイドライン，メディカ出版，1998.
4) CDC NNIS System："National Nosocomial Infections Surveillance (NNIS) system report, data summary from January 1990-May 1999, issued June 1999, A report from the NNIS system", Am J Infect Control, 1999；27：520-532.
5) World Health Organization：Laboratory quality management system: Handbook, World Health Organization, 2011.
6) 御手洗　聡：「抗酸菌検査のクオリティマネジメント」，日臨微生物誌，2012；22：106-111.
7) 三澤成毅：「技術的要求事項と検査室の整備：微生物検査部門－微生物検査部門が準備すべきこと」，臨床検査，2017；61：623-633.
8) 厚生労働省：検体検査について．改正医療法(平成30年12月1日施行)．https://www.mhlw.go.jp/stf/newpage_02251.html

14.2　医師とのコミュニケーション

・微生物学的検査を的確に利用し，最良な感染症診療を実現するには，医師とコミュニケーションをとり，良好な関係性を築くことが非常に大切である。

感染症の原因微生物を正確かつ迅速に検出することは，微生物検査室の使命である。そのためには医師が迷うことなく検査を依頼できる仕組みを準備し，診療の流れに添ったタイミングでの結果報告，誤解なく解釈できる検査結果を提供できるように努力する。

最良な感染症診療の実現は微生物検査室単独では不可能であり，医師とコミュニケーションをとって良好な関係性を構築し，ともに作り上げる必要がある。

1. 的確な検査依頼のためのコミュニケーション

微生物学的検査を依頼するには，感染症別に推奨される検体，検体別の検査対象微生物，検査項目，検体採取方法，検体容器，検体の輸送方法，適正な検体と検査を受け入れできない検体の条件，検査の所要日数を明らかにしておく必要があり，医師と相談して作り上げる。

検体別の検査対象微生物は，疫学から嫌気性菌，*Legionella*，*Bordetella pertussis*，真菌なども網羅すべき検体のオーダー方法や，検査室で検査できない微生物のオーダー方法を含める。検査を受け入れできない検体の条件を示すのであれば，適正な検体とはどのようなものを指すのかを最初に示すことが理解につながる。

2. 診療の流れに合ったタイミングでの結果報告

微生物学的検査の多くは培養によっていることから，培養結果が判明するまでの初期治療は疑われる感染症の疫学を元に決定される。このタイミングで提供できる検査情報は，患者検体の塗抹検査，免疫学的抗原検査や遺伝子検査である。なかでも塗抹検査は細菌感染症の初期治療に有用な情報源となることから，すべてを迅速検査とし，遅くとも検体提出の同日内に報告する。検査の所要日数のなかに塗抹検査の結果報告のタイミングを示しておくことで，医師は結果を問い合わせる手間から解放され，検査室は検査に専念できる。結果の最終報告までの日数が長い，血液培養，嫌気性菌，真菌，抗酸菌の検査は，例えば2日目で中間報告することを示しておく。

3. 医師，看護師に対する微生物学的検査の理解と周知の方法

上記の検査依頼や結果報告，p438 14.1.1，p441　14.1.2の注意事項は，まとめて医師や看護師の合意を得ておく必要がある。そのためには，臨床検査部門と診療部門が関わる臨床検査適正化委員会のような組織で内容をディスカッションし合意事項とする。確認後は，例えば臨床検査の利用に関わる手引きとして医師，看護師へ配付する。手引きは毎年，内容を更新して配付し直す。とくに医師は入れ替わるので，毎年配付することが周知に役立つ。

［三澤成毅］

略語一覧

3TC lamivudine
ラミブジン
5-FC flucytosine
フルシトシン
A adenine
アデニン
ABC abacavir
アバカビル
ABK arbekacin
アルベカシン
ABPA allergic bronchopulmonary aspergillosis
アレルギー性気管支肺アスペルギルス症
ABPC ampicillin
アンピシリン
ACV aciclovir
アシクロビル
ADC *Acinetobacter*-derived cephalosporinase
ADP adenosine diphosphate
アデノシン二リン酸
A/E attaching and effacing
AGs aminoglycoside
アミノグリコシド
AIDS acquired immunodeficiency syndrome
後天性免疫不全症候群
ALP alkaline phosphatase
アルカリフォスファターゼ
ALT alanine transaminase
アラニンアミノ基転移酵素
AMK amikacin
アミカシン
AmpC Ambler class C
AMPC amoxicillin
アモキシシリン
AMPH-B amphotericin B
アムホテリシン B
ARDS acute respiratory distress syndrome
急性呼吸窮迫症候群
Arg arginine
アルギニン
ASK anti-streptokinase antibody
抗ストレプトキナーゼ抗体
ASM American Society for Microbiology
米国微生物学会
ASO anti-streptolysin O antibody
抗ストレプトリジン-O 抗体
AST antimicrobial stewardship team
抗菌薬適正使用支援チーム
AST asparatate aminotransferase
アスパラギン酸アミノ基転移酵素
ATL adult T-cell leukemia
成人 T 細胞白血病
ATP adenosine triphosphate
アデノシン三リン酸
AUC area under the blood concentration time curve
薬物血中濃度時間曲線下面積
AZM azithromycin
アジスロマイシン
AZT azidothymidine
アジドチミジン
AZT aztreonam
アズトレオナム
BAL bronchoalveolar lavage
気管支肺胞洗浄液
BBE Bacteroides bile esculin
BC bacitracin
バシトラシン
BCG Bacille de Calmette et Guérin
カルメット・ゲラン桿菌
BCP bromocresol purple
ブロムクレゾール紫
B-CYE（BCYE） buffered-charcoal yeast extract
B-CYEα buffered-charcoal yeast extract agar supplemented with α-ketoglutarate
BFP bundle-forming pili
束状線毛
BHI brain heart infusion
ブレインハートインフュージョン
BLNAR β-lactamase nonproducing ampicillin resistant
β-ラクタマーゼ非産生アンピシリン耐性
BLPACR β-lactamase-positive AMPC/CVA resistant
β-ラクタマーゼ産生アモキシシリン／クラブラン酸耐性株
BLPAR ampicillin res β-lactamase-positive resistant
β-ラクタマーゼ産生アンピシリン耐性株
BSC biological safety cabinet
生物学的安全キャビネット
BSE bovine spongiform encephalopathy
牛海綿状脳症
BSFS Bristol stool form scale
ブリストル便形状スケール
BSI blood stream infection
血流感染（症）
BSL biosafety level
バイオセーフティレベル

BTB bromothymol blue
ブロモチモール青
BV bacterial vaginosis
細菌性腟症
C cytosine
シトシン
CA cold agglutination
寒冷凝集反応
CA croup-associated
CA-MRSA community-acquired MRSA
市中感染型 MRSA
CadF Campylobacter adhesion to fibronectin
細胞付着因子
CAM cellular adhesion molecule
細胞接着因子
CAM clarithromycin
クラリスロマイシン
CAMHB cation-adjusted Mueller-Hinton broth
2 価イオン調整 MHB
CAMP Christie, Atkins, and Munch-Peterson
CAT cefoperazone, amphotericin B, teicoplanin
CAUTI catheter-associated urinary tract infections
カテーテル関連尿路感染
CAZ ceftazidime
セフタジジム
CCFA cycloserine-cefoxitin-fructose agar
サイクロセリン・セフォキシチン・フルクトース寒天
CCL cefaclor
セファクロル
CCMA cycloserine-cefoxitin-mannitol agar
サイクロセリン・セフォキシチン・マンニトール寒天
CCR5 C-C chemokine receptor type 5
C-C ケモカイン・レセプター 5
CD *Clostridioides difficile*
クロストリジオイデス・ディフィシル
CD *Clostridium difficile*
クロストリジウム・ディフィシル
CD cluster of differentiation
CDAD *Clostridium difficile*-associated disease
クロストリジウム・ディフィシル関連下痢症
CDC Centers for Disease Control and Prevention
米国疾病予防管理センター
CDI *Clostridioides difficile* infection
クロストリジオイデス・ディフィシル感染症
CDI *Clostridium difficile* infection
クロストリジウム・ディフィシル感染症
cDNA complementary DNA
相補的 DNA
Cdt cytolethal distending toxin
細胞致死性膨張性毒素
CDZM cefodizime
セフォジジム
CEZ cefazolin
セファゾリン
CF complement fixation test
補体結合反応
CF cycstic fibrosis
嚢胞性線維症
CFA colonization factor antigen
CFDN cefdinir
セフジニル
CFIX cefixime
セフィキシム
CFPM cefepime
セフェピム
CFU colony forming unit
コロニー形成単位
CFX cefoxitin
セフォキシチン
CGB canavanine-glycine-bromothymol blue
CHCA α-cyano-4-hydroxy cinnamic acid
CIM carbapenem inactivation method
カルバペネム不活化法
CIN cefsulodin-irgasan-novobiocin agar
セフスロジン・イルガサン・ノボビオシン寒天
CJD Creutzfeldt-Jakob disease
クロイツフェルト・ヤコブ病
CL colistin
コリスチン
CLABSI central-line associated bloodstream infection
中心静脈関連血流感染症
CLDM clindamycin
クリンダマイシン
CLDT cytolethal distending toxin
細胞致死性膨化性毒素
CLED cystine lactose electrolyte deficient agar
CLEIA chemiluminescent enzyme immunoassay
化学発光酵素免疫測定法
CLIA chemiluminescent immunoassay
化学発光免疫測定法
CLSI Clinical and Laboratory Standards Institute
Cmax maximum drug concentration
最高血中濃度
CMRNG chromosomally mediated resistant *Neisseria gonorrhoeae*
染色体性 β- ラクタム系薬耐性リン菌
CMRNG chromosome mediated penicillin-resistant *Neisseria gonorrhoeae*
染色体性ペニシリン耐性リン菌
CMV cytomegalovirus
サイトメガロウイルス
CMZ cefmetazole
セフメタゾール
CNF cytotoxic necrotizing factor
細胞壊死因子
CNPA chronic necrotizing pulmonary aspergillosis
慢性壊死性肺アスペルギルス症
CNS coagulase-negative staphylococci
コアグラーゼ陰性ブドウ球菌

Coa co-agglutination
共同凝集反応
CoA coenzyme A
コエンザイム A
COPD chronic obstructive pulmonary disease
慢性閉塞性肺疾患
COVID-19 coronavirus disease 2019
新型コロナウイルス感染症
CP chloramphenicol
クロラムフェニコール
CPE carbapenemase-producing *Enterobacteriaceae*
カルバペネマーゼ産生腸内細菌目細菌
CPFG caspofungin
カスポファンギン
CPFX ciprofloxacin
シプロフロキサシン
CPK creatine phosphokinase
クレアチンホスホキナーゼ
CPM cefpiramide
セフピラミド
CRE carbapenem-resistant *Enterobacterales*
カルバペネム耐性腸内細菌目細菌
CRP C-reactive protein
C 反応性蛋白
CRS congenital rubella syndrome
先天性風疹症候群
CS cilastatin
シラスタチン
CS cycloserine
サイクロセリン
CSD cat scratch disease
猫ひっかき病
CSM cyclodextrin solid medium
シクロデキストリン寒天培地
CT cefixime・potassium tellurite
セフィキシム・亜テルル酸カリウム
CT cholera enterotoxin
コレラエンテロトキシン
CT-SMAC MacConkey agar with sorbitol, cefixime and tellurite
セフィキシム - テルル酸含有ソルビトール・マッコンキー寒天培地
CTM cefotiam
セフォチアム
CTRX ceftriaxone
セフトリアキソン
CTX cefotaxime
セフォタキシム
CV central venous
中心静脈
CVA clavulanic acid
クラブラン酸
CXCR C-X-C chemokine receptor
CXM-AX cefuroxime axetil
セフロキシムアキセチル
CZOP cefozopran
セフォゾプラン
D 値 decimal reduction time
DAA direct acting antivirals
直接作用型抗ウイルス薬
DAEC diffusely adherent *Escherichia coli*
均一付着性大腸菌
D-Ala-D-Ala D-alanyl-D-alanine
D-アラニル-D-アラニン
DAP daptomycin
ダプトマイシン
dATP deoxyadenosine triphosphate
デオキシアデノシン三リン酸
dCTP deoxycytidine triphosphate
デオキシシチジン三リン酸
ddNTP dideoxynucleotide triphosphate
ジデオキシヌクレオチド三リン酸
DFA direct fluorescent antibody technique
直接蛍光抗体法
D-Glu D-glutamate
D- グルタミン酸
dGTP deoxyguanosine triphosphate
デオキシグアノシン三リン酸
DHF dihydrofolic acid
ジヒドロ葉酸
DHL deoxycholate-hydrogen sulfide-lactose
DIC disseminated intravascular coagulation syndrome
播種性血管内凝固症候群
DIG digoxigenin
ジゴキシゲニン
DMPPC methicillin
メチシリン
DNA 培地 DNase agar
DNase deoxyribonuclease
デオキシリボヌクレアーゼ
dNTP deoxynucleotide triphosphate
デオキシヌクレオチド三リン酸
DOXY doxycycline
ドキシサイクリン
DPT diphtheria, pertussis, tetanus
三種混合ワクチン
DPT-IPV diphtheria, pertussis, tetanus, inactivated polio vaccine
四種混合ワクチン
DRPM doripenem
ドリペネム
dsDNA double-stranded DNA
二本鎖 DNA
DSS dextrose sucrose starch agar
DT diphtheria-tetanus
二種混合ワクチン
dTTP deoxythymidine triphosphate
デオキシチミジン三リン酸
EA early antigen
早期抗原

EAEC enteroaggregative *Escherichia coli*
凝集付着性大腸菌
EAF EPEC adherence factor
EB elementary body
基本小体
EB Epstein- Barr
エプスタイン・バー
EB ethambutol
エタンブトール
EBNA EBV nuclear antigen
EB ウイルス核抗原
EBV Epstein-Barr virus
EB ウイルス
EFV efavirenz
エファビレンツ
EHEC enterohemorrhagic *Escherichia coli*
腸管出血性大腸菌
EIA enzyme immunoassay
酵素免疫測定法
EIEC enteroinvasive *Escherichia coli*
腸管組織侵入性大腸菌
ELISA enzyme linked immunosorbent assay
酵素免疫測定法
ELISPOT enzyme-linked immunospot
EM erythromycin
エリスロマイシン
EM-R erythromycin-resistance
エリスロマイシン耐性
EMJH Ellinghausen-McCullough-Johnson-Harris
ENBD endoscopic nasobiliary-drainage
内視鏡的経鼻胆肝ドレナージ
EPEC enteropathogenic *Escherichia coli*
腸管病原性大腸菌
ESBL extended-spectrum β-lactamase
基質特異性拡張型 β- ラクタマーゼ
ET exfoliative toxin
表皮剥奪毒素
ETEC enterotoxigenic *Escherichia coli*
腸管毒素原性大腸菌
ETH ethionamide
エチオナミド
EUCAST European Committee on Antimicrobial Susceptibility Testing
EV epidermodysplasia verruciformis
疣贅状表皮発育異常症
EVG elvitegravir
エルビテグラビル
EVM enviomycin
エンビオマイシン
FA fluorescent antibody technique
蛍光抗体法
FADH flavin adenine dinucleotide
フラビンアデニンジヌクレオチド
FAF Finegoldia adhesion factor
Fc fragment crystallizable
FHA filamentous hemagglutinin
線維状赤血球凝集素
FLCZ fluconazole
フルコナゾール
FLEIA fluorescence enzyme immunoassay
蛍光酵素免疫測定法
FMOX flomoxef
フロモキセフ
FOM fosfomycin
ホスホマイシン
FRET fluorescent resonance energy transfer
蛍光共鳴エネルギー移動
FRPM faropenem
ファロペネム
FTA-ABS fluorescent treponemal antibody-absorption test
梅毒トレポネーマ蛍光抗体吸収テスト
G guanine
グアニン
GAM Gifu anaerobic medium
GBS group B Streptococcus
B 群レンサ球菌
GC gonococcus
GC guanine-cytosine
グアニン - シトシン
GCV ganciclovir
ガンシクロビル
GDH glutamate dehydrogenase
グルタミン酸デヒドロゲナーゼ
GDP guanosine diphosphate
グアノシン二リン酸
GES Guiana extended-spectrum
GLE glecaprevir
グレカプレビル
Gln glutamine
グルタミン
GM gentamicin
ゲンタマイシン
GMT good microbiological technique
安全な微生物学的技術
GPAC gram positive anaerobic cocci
嫌気性グラム陽性球菌
GTP guanosine triphosphate
グアノシン三リン酸
GVPC glycine-vancomycin-polymyxin-cycloheximide agar
HA hemadsorption
HA hemagglutinin
赤血球凝集素
HA-MRSA healthcare-associated MRSA
医療関連感染型の MRSA
HAART highly active anti-retroviral therapy
HACEK *Haemophilus-Actinobacillus-Cardiobacterium-Eikenella-Kingella*

HAI healthcare associated infection
医療関連感染
HAM HTLV-1 associated myelopathy
HTLV-1 関連脊髄症
HBc Hepatitis B core
HBcAb HBc antibody
HBc 抗体
HBe Hepatitis B envelope
HBIG HB immune globulin
HB 免疫グロブリン
HBs hepatitis B surface
HBsAg hepatitis B surface antigen
B 型肝炎ウイルス（表面）抗原
HBV hepatitis B virus
B 型肝炎ウイルス
HCV hepatitis C virus
C 型肝炎ウイルス
HDPA high density particle agglutination
高比重粒子凝集反応
HE hematoxylin-eosin
ヘマトキシリン・エオジン
HEPA high efficiency particulate air
HFRS hemorrhagic fever with renal syndrome
腎症候性出血
HI hemagglutination inhibition test
赤血球凝集抑制反応
Hib *Haemophilus influenzae* type b
インフルエンザ菌 b 型
HIV human immunodeficiency virus
ヒト免疫不全ウイルス
HIV-1 human immunodeficiency virus type 1
ヒト免疫不全ウイルス 1 型
HK hemin, vitamin K_1
ヘミン・ビタミン K
HN hemagglutinin-neuraminidase
赤血球凝集素 - ノイラミニダーゼ
HPI high-pathogenicity island
HPLC high performance liquid chromatography
高速液体クロマトグラフィー
HPS hantavirus pulmorary syndrome
ハンタウイルス肺症候群
HPV human papillomavirus
ヒトパピローマウイルス
HSV herpes simplex virus
単純ヘルペスウイルス
HTLV human T-lymphotropic virus
ヒトリンパ球向性ウイルス
HTLV- Ⅰ human T cell leukemia virus type Ⅰ
成人 T 細胞白血病ウイルス Ⅰ 型
HTM Haemophilus test medium
HU HTLV-1 associated uvetis
HTLV-1 関連ぶどう膜炎
HUS hemolytic uremic syndrome
溶血性尿毒素症症候群
I intermediate
IAHA immune adherence hemagglutination
免疫粘着赤血球凝集反応
IC immunochromatography
イムノクロマト法
ICA immunochromatography assay
イムノクロマト法
ICAN isothermal and chimeric primer-initiated amplification of nucleic acids
ICD infection control doctor
感染制御医師
ICMT infection control microbiological technologist
感染制御認定臨床微生物検査技師
ICN infection control nurse
感染制御看護師
ICPS infection control pharmacy specialist
感染制御専門薬剤師
ICT infection control team
感染制御チーム
ICTV International Committee on Taxonomy of Viruses
国際ウイルス分類委員会
ICU intensive care unit
集中治療室
IDSA Infectious Diseases Society of America
米国感染症学会
IDV indinavir
インジナビル
IE infections endocarditis
感染性心内膜炎
IF intermediate form
中間体
IFA immunofluorescence assay
蛍光抗体法
IFA indirect fluorescent antibody technique
間接蛍光抗体法
IFN interferon
インターフェロン
IGRA interferon-γ release assay
インターフェロン-γ 遊離試験
Ile isoleucine
イソロイシン
IM infectious mononucleosis
伝染性単核球症
IMP imipenem
イミペネム
INH isoniazid
イソニアジド
INH isonicotinic acid hydrazide
イソニコチン酸ヒドラジド
IP indirect immunoperoxidase method
間接免疫ペルオキシダーゼ法
IPA indole pyruvic acid
インドールピルビン酸
IPA invasive pulmonary aspergillosis
侵襲性肺アスペルギルス症

IPD invasive pneumococcal desease
侵襲性肺炎球菌感染症
IPM imipenem
イミペネム
IR inverted repeats
IS insertion sequence
挿入配列
ITCZ itraconazole
イトラコナゾール
ITP idiopathic thrombocytopenic purpura
血小板減少性紫斑病
IVH intravenous hyperalimentation
中心静脈栄養法
JANIS Japan Nosocomial Infections Surveillance
院内感染対策サーベイランス
JHAIS Japanese Healthcare-Associated Infections Surveillance
JM josamycin
ジョサマイシン
JNIS Japanese Nosocomial Infections Surveillance
KCZ ketoconazole
ケトコナゾール
KM kanamycin
カナマイシン
KPC *Klebsiella pneumoniae* carbapenemase
LA latex agglutination
ラテックス凝集反応
LA latex agglutination test
ラテックス凝集法
L-Ala L-alanine
L-アラニン
LAMP loop mediated isothermal amplification
LANA latency-associated nuclear antigen
潜伏期関連核抗原
LCM lincomycin
リンコマイシン
LCR ligase chain reaction
リガーゼ連鎖反応
LD lactate dehydrogenase
乳酸脱水素酵素
LEE locus of enterocyte effacement
腸管上皮細胞障害領域
LHB lysed horse blood
ウマ脱線維素血
LIM lysine indole motility
L-Lys L-lysine
L-リシン
LMOX latamoxef
ラタモキセフ
LPS lipopolysaccharide
リポ多糖（体）
LT heat-labile enterotoxin
易熱性エンテロトキシン
LTR long terminal repeat
LVFX levofloxacin
レボフロキサシン
LZD linezolid
リネゾリド
M1 matrix protein 1
マトリックス1蛋白質
M2 matrix protein 2
マトリックス2蛋白質
MALDI-TOF MS matrix assisted laser desorption/ionization time of flight mass spectrometer
マトリックス支援レーザー脱離イオン化飛行時間型質量分析計
MALDI-TOF MS matrix assisted laser desorption/ionization time of flight mass spectrometry
マトリックス支援レーザー脱離イオン化飛行時間型質量分析
MALT mucosa associated lympho-tissue
MBC minimum bactericidal concentration
最小殺菌濃度
MBL metallo-β-lactamase
メタロ-β-ラクタマーゼ
mCCDA
modified charcoal cefoperazone desoxycholate agar
MCD multicentric Castleman's disease
多巣性キャッスルマン病
MCFG micafungin
ミカファンギン
MCIPC cloxacillin
クロキサシリン
MCZ miconazole
ミコナゾール
MDCK Madin-Darby canine kidney
MDR-TB multidrug-resistant tuberculosis
多剤耐性結核
MDRA multidrug-resistant *Acinetobacter* spp.
多剤耐性アシネトバクター（属）
MDRP multidrug-resistant *Pseudomonas aeruginosa*
多剤耐性緑膿菌
MEPM meropenem
メロペネム
MERS Middle East respiratory syndrome
中東呼吸器症候群
MFLX moxifloxacin
モキシフロキサシン
MHA Mueller-Hinton agar
ミューラー・ヒントン寒天
MHB Mueller-Hinton broth
ミューラー・ヒントンブロス
MIC minimum inhibitory concentration
最小発育阻止濃度
MINO minocycline
ミノサイクリン
MLSB macrolide-lincosamide-streptogramin B
マクロライド・リンコサミド・ストレプトグラミンB
MLST multilocus sequence typing

MNZ metronidazole
メトロニダゾール
MPB64 mycobacterial protein fraction from BCG of Rm 0.64 in electrophoresis
MPC Mutant prevention concentration
耐性菌出現阻止濃度
MPIPC oxacillin
オキサシリン
MR macrolide-resistance
マクロライド耐性
MR measles-rubella
麻疹・風疹
mRNA messenger RNA
メッセンジャー RNA
MRSA methicillin-resistant *Staphylococcus aureus*
メチシリン耐性黄色ブドウ球菌
MS mass spectrometry
質量分析
MSSA methicillin-susceptible *Staphylococcus aureus*
メチシリン感受性黄色ブドウ球菌
MSW Mutant selection window
耐性菌選抜域
NA nalidixic acid
ナリジクス酸
NA neuraminidase
ノイラミニダーゼ
NAC nalidixic acid-cetrimide agar
NALC *N*-acetyl-L-cysteine
N-アセチル-L-システイン
NASBA nucleic acid sequence-based amplification
NDM New Delhi metallo-β-lactamase
NFV nelfinavir
ネルフィナビル
NGU nongonococcal urethritis
非淋菌性尿道炎
NICU neonatal intensive care unit
新生児集中治療室
NIPA non-invasive pulmonary aspergillosis
非侵襲性肺アスペルギルス症
NK natural killer
ナチュラルキラー
NP nucleoprotein
核蛋白質
NS non-structural protein
非構造蛋白質
NT neutralization test
中和試験
NTM non-tuberculosis mycobacteria
非結核性抗酸菌
NVP nevirapine
ネビラピン
ONPG *o*-nitrophenyl 1-β-galactopyranoside
OP optochin
オプトヒン
ORF open reading flame
OXA oxacillinase
PA particle agglutination
粒子凝集反応
PA particle agglutination
粒子凝集法
PA passive agglutination test
受身凝集反応
PA polymerase acid protein
PAB Peptostreptococcal albumin binding protein
PABA para-aminobenzoic acid
パラアミノ安息香酸
PAE post-antibiotic effect
PALSAR probe alternation link self-assembly reaction
PAS paraaminosalicylic acid
パラアミノサリチル酸
PB1 polymerase basic protein 1
PB2 polymerase basic protein 2
PBMC peripheral blood mononuclear cell
末梢単核細胞
PBP penicillin-binding protein
ペニシリン結合蛋白
PBS phosphate buffered saline
リン酸緩衝生理食塩液
PCG benzylpenicillin, penicillin G
ベンジルペニシリン，ペニシリン G
PCR polymerase chain reaction
ポリメラーゼ連鎖反応
PCV13 13-valent pneumococcal conjugate vaccine
13 価肺炎球菌結合型ワクチン
PD pharmacodynamics
薬力学
PDA potato dextrose agar
ポテトデキストロース寒天
PEA phenylethyl alcohol
フェニルエチルアルコール
PEL primary effusion lymphoma
原発性体液性リンパ腫
PFGE pulsed-field gel electrophoresis
パルスフィールドゲル電気泳動
PFU plaque forming unit
プラーク形成単位
PIPC piperacillin
ピペラシリン
PK pharmacokinetics
薬物動態
PL-B polymyxin B
ポリミキシン B
PML progressive multifocal leukoencephalopathy
進行性多巣性白質脳症
PMQR plasmid mediated quinolone-resistance
プラスミド媒介性キノロン耐性
PNB *p*-nitorobenzoic acid
パラニトロ安息香酸
POCT point of care testing
ポイントオブケア検査

POT PCR-based ORF typing

PPE personal protection equipment
個人防護具

PPI proton pump inhibitor
プロトンポンプ阻害薬

PPLO pleuropneumonia-like organism

PPNG penicillinase-producing *Neisseria gonorrhoeae*
ペニシリナーゼ産生リン菌

PPV23 23-valent pneumococcal polysaccharide vaccine
23 価肺炎球菌莢膜ポリサッカライドワクチン

PR phenol red
フェノール赤

PRGBS group B Streptococci with reduced penicillin-susceptibility
ペニシリン低感受性 B 群レンサ球菌

prion proteinaceous infectious particle
感染性蛋白粒子

Pro proline
プロリン

PRSP penicillin-resistant *Streptococcus pneumoniae*
ペニシリン耐性肺炎球菌

PTCD percutaneous transhepatic cholangio-drainage
経皮経肝胆管ドレナージ

PVL Panton-Valentine leucocidin
パントン・バレンタイン・ロイコシジン

PVP polyvinylpyrrolidone
ポリビニルピロリドン

PYR L-pyrrolidonyl-β-naphthylamide
L-ピロリドニル-β-ナフチルアミド

PZA pyrazinamide
ピラジナミド

QFT QuantiFERON
クォンティフェロン

QOL quality of life
生活の質

QPR/DPR quinupristin/dalfopristin
キヌプリスチン・ダルホプリスチン

R resistant

R rough

RB reticulate body
網様体

RBT rifabutin
リファブチン

RBV ribavirin
リバビリン

RCA rolling circle amplification

RD regions of difference

rDNA ribosomal DNA
リボソーム DNA

RFLP restriction fragment length polymorphism
制限酵素断片多型

RFP rifampicin
リファンピシン

RIA radioimmune assay
放射性免疫測定法

RNase ribonuclease
リボヌクレアーゼ

RND resistance-nodulation-cell division

RPR rapid plasma reagin

rRNA ribosomal RNA
リボソーム RNA

RS respiratory syncytial

RT reverse transcription
逆転写反応

RT-PCR reverse transcription PCR
逆転写ポリメラーゼ連鎖反応

S susceptible

SAL sterility assurance level
無菌性保証レベル

SAP semi-alkaline protease
セミアルカリプロテアーゼ

SARS severe acute respiratory syndrome
重症急性呼吸器症候群

SARS-CoV-2 severe acute respiratory syndrome coronavirus 2
新型コロナウイルス

SBG selenite brilliant green
セレナイト-ブリリアント緑

SBT sulbactam
スルバクタム

SBT/ABPC sulbactam/ampicillin
スルバクタム・アンピシリン

SBT/CPZ sulbactam/cefoperazone
スルバクタム・セフォペラゾン

SCC*mec* Staphylococcal cassette chromosome mec

SDA Sabouraud dextrose agar
サブローデキストロース寒天

SDA strand displacement amplification

SDS sodium dodecyl sulfate
ドデシル硫酸ナトリウム

Ser serine
セリン

SF Streptococcus faecalis

SFTS severe fever with thrombocytopenia syndrome
重症熱性血小板減少症候群

SIM sulfide indole motility

SK streptokinase
ストレプトキナーゼ

SLAM singnaling lymphocyte activation molecule

SM streptomycin
ストレプトマイシン

SMA sodium mercaptoacetate
メルカプト酢酸ナトリウム

SMAC sorbitol MacConkey agar
ソルビトールマッコンキー寒天

SNP single nucleotide polymorphisms
一塩基多型

SOF sofosbuvir
ソホスブビル

SP standard precautions
標準予防策
SPCM spectinomycin
スペクチノマイシン
SPI *Salmonella* pathogenicity island
SPS sodium polyanetholesulfonate
ポリアネトールスルホン酸ナトリウム
SQV saquinavir
サキナビル
SS *Salmonella-Shigella*
SSD susceptible dose-dependent
用量依存的感性
ssDNA single-stranded DNA
一本鎖 DNA
SSI surgical site infection
手術部位感染症
SSPE subacute sclerosing panencephalitis
亜急性硬化性全脳炎
SSSS Staphylococcal scalded skin syndrome
ブドウ球菌性熱傷様皮膚症候群
ST heat-stable enterotoxin
耐熱性エンテロトキシン
ST sulfamethoxazole/trimethoprim
スルファメトキサゾール・トリメトプリム
STD sexually transmitted disease
性感染症
STI sexually transmitted infection
性感染症
STS serological test for syphilis
STSS Streptococcal toxic shock syndrome
劇症型溶血性レンサ球菌感染症
Stx Shiga-toxin
志賀毒素
SufA subtilisin-like serine proteinase
SV selective vaccination
セレクティブワクチネーション
T thymine
チミン
TAM time above MIC
TAT turn around time
TAZ tazobactam
タゾバクタム
TAZ/PIPC tazobactam/piperacillin
タゾバクタム・ピペラシリン
TB tubercle bacilli
結核菌
TBF terbinafine
テルビナフィン
TBLB transbronchial lung biopsy
経気管支的肺生検
TC tetracycline
テトラサイクリン
TCA cycle tricarboxylic acid cycle
トリカルボン酸回路
TCBS thiosulfate citrate bile salts sucrose
TCP toxin-coregulated pili
TDH thermostable direct hemolysin
耐熱性溶血毒
TDM therapeutic drug monitoring
治療薬物モニタリング
TEIC teicoplanin
テイコプラニン
TGC tigecycline
チゲサイクリン
THF tetrahydrofolic acid
テトラヒドロ葉酸
Tm melting temperature
融解温度
TMA transcription mediated amplification
TOB tobramycin
トブラマイシン
TORCH Toxoplasma, Other, Rubella, Cytomegalovirus, Herpes simplexvirus
TPHA *Treponema pallidum* hemagglutination test
梅毒トレポネーマ血球凝集テスト
TRC transcription-reverse transcription concerted
TRH TDH-related hemolysin
耐熱性毒素関連溶血毒
tRNA transfer RNA
転移 RNA
TSA trypticase soy agar
トリプティケースソイ寒天
TSB trypcase soy broth
トリプチケースソイブイヨン
TSI triple sugar iron
TSST-1 toxic shock syndrome toxin-1
毒素性ショック症候群毒素 -1
TTA transtracheal aspirate
経気管内吸引
U uracil
ウラシル
UTI urinary tract infection
尿路感染
UV universal vaccination
ユニバーサルワクチネーション
VacA vacuolating cytotoxin A
細胞空胞化毒素
Val valine
バリン
VAP ventilator-associated pneumonia
人工呼吸器関連肺炎
VCA virus capsid antigen
ウイルスカプシド抗原
VCM vancomycin
バンコマイシン
VDRL venereal disease research laboratory
VNTR variable numbers of tandem repeats
反復配列多型
VP Voges-Proskauer
フォーゲス・プロスカウエル

VP 半流動培地　Voges-Proskauer semi_solid medium
VPD　vaccine-preventable disease
ワクチンで予防できる疾患
VRCZ　voriconazole
ボリコナゾール
VRE　vancomycin-resistant Enterococci
バンコマイシン耐性腸球菌
VREF　vancomycin-resistant *Enterococcus faecium*
バンコマイシン耐性エンテロコッカス・フェシウム
vRNA　viral RNA
ウイルスゲノム RNA
VRSA　vancomycin-resistant *Staphylococcus aureus*
バンコマイシン耐性黄色ブドウ球菌
VT　verotoxin
ベロ毒素
VVH　Vibrio vulnificus hemolysin
VVP　Vibrio vulnificus protease
VZIG　Varicella zoster immune globulin
水痘帯状疱疹免疫グロブリン
VZV　Varicella zoster virus
水痘・帯状疱疹ウイルス
WB　western blotting
ウエスタンブロット法
WFR　Weil-Felix reaction
ワイル・フェリックス反応
WHO　World Health Organization
世界保健機関
WYO　Wadowsky-Yee-Okuda
XDR-TB　extensively drug-resistant tuberculosis
超多剤（広範囲薬剤）耐性結核菌
ybt　yersiniabactin
エルシニアバクチン

査読者一覧

査 読 者

大楠　清文　　東京医科大学　微生物学分野
長沢　光章　　国際医療福祉大学大学院　医療福祉学研究科
三澤　成毅　　順天堂大学　医療科学部

［五十音順，所属は2023年10月現在］

初版 査読者一覧

初版（2017年）

大楠　清文　　永沢　善三　　長沢　光章　　長野　則之　　三澤　成毅

［五十音順］

索　引

●あ

●か

● さ

た

●な

●は

JAMT技術教本シリーズ
臨床微生物検査技術教本 第2版

令和6年1月31日 発 行

監修者 一般社団法人 日本臨床衛生検査技師会

発行者 池 田 和 博

発行所 丸善出版株式会社
〒101-0051 東京都千代田区神田神保町二丁目17番
編集：電話(03)3512-3261／FAX(03)3512-3272
営業：電話(03)3512-3256／FAX(03)3512-3270
https://www.maruzen-publishing.co.jp

レイアウト・有限会社 アロンデザイン
組版・株式会社 リーブルプランニング
印刷・株式会社 加藤文明社／製本・株式会社 松岳社

ISBN 978-4-621-30882-0 C 3347 Printed in Japan